Fuentes

Curso de español intermedio

CONVERSACIÓN ▪ GRAMÁTICA ▪ LECTURA ▪ REDACCIÓN

FOURTH EDITION

DEDICATION

We dedicate this book to Sandy Guadano, editor and friend.

Fuentes

Curso de español intermedio

CONVERSACIÓN ▪ GRAMÁTICA ▪ LECTURA ▪ REDACCIÓN

FOURTH EDITION

Debbie Rusch
Boston College

Marcela Domínguez

Lucía Caycedo Garner
University of Wisconsin—Madison, Emerita

Donald N. Tuten
Emory University

Carmelo Esterrich
Columbia College Chicago

HEINLE
CENGAGE Learning™

Australia • Brazil • Japan • Korea • Mexico • Singapore • Spain • United Kingdom • United States

HEINLE
CENGAGE Learning™

Conversación, Gramática, Lectura y Redacción 4/e

Rusch / Domínguez / Caycedo Garner

Publisher: Beth Kramer

Executive Editor: Lara Semones

Managing Development Editor: Harold Swearingen

Assistant Editor: Marissa Vargas-Tokuda

Editorial Assistant: Maria Colina

Media Editor: Morgen Murphy

Senior Marketing Manager: Ben Rivera

Marketing Coordinator: Jillian D'Urso

Senior Marketing Communications Manager: Stacey Purviance

Senior Content Project Manager: Carol Newman

Art Director: Linda Jurras

Print Buyer: Susan Spencer

Senior Rights Acquisition Account Manager: Mardell Glinski Schultz

Text Permissions Editor: Ana Fores

Production Service: Integra Software Services

Text Designer: Carol Maglitta/One Visual Mind

Senior Photo Editor: Jennifer Meyer Dare

Photo Researcher: Susan McDermott Barlow

Cover Designer: Polo Barrera

Cover Image: Laguna Negra, Nahuel Huapi National Park, Rio Negro, Argentina, South America/Getty

Compositor: MPS Limited, A Macmillan Company

Library of Congress Control Number: 2009943934

ISBN-13: 978-1-111-06035-0

ISBN-10: 1-111-06035-5

Heinle
20 Channel Center Street
Boston, MA 02210
USA

Cengage Learning is a leading provider of customized learning solutions with office locations around the globe, including Singapore, the United Kingdom, Australia, Mexico, Brazil and Japan. Locate your local office at **international.cengage.com/region**

Cengage Learning products are represented in Canada by Nelson Education, Ltd.

For your course and learning solutions, visit **www.cengage.com.**

Purchase any of our products at your local college store or at our preferred online store **www.ichapters.com.**

Printed in Canada
1 2 3 4 5 6 7 13 12 11 10 09

Contents

Contents

Capítulo 2 • *España: pasado y presente* 59

Capítulo 2 • *Historias de España* 85

Capítulo 3 • *La América precolombina* 105

Contents

Contents

8

Capítulo 8 • *En busca de seguridad económica* 394

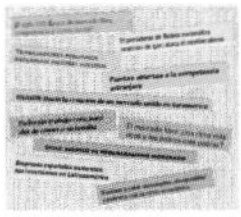

9

Capítulo 9 • *Es una obra de arte* 415

9

Capítulo 9 • *Arte, identidad y realidad* 442

Contents

Capítulo 10 • *Las relaciones humanas* 467

Capítulo 10 • *Lo femenino y lo masculino* 494

Capítulo 11 • *Sociedad y justicia* 516

Contents

Preface

Preface Contents

To the Student

Fuentes: Conversación y gramática and *Fuentes: Lectura y redacción,* Fourth Edition, present an integrated skills approach to intermediate Spanish that develops both your receptive (listening and reading) and productive (speaking and writing) skills simultaneously, and also combine the skills in many of the activities you are asked to carry out. For instance, you may be asked to read a list of actions and mark those that you have done, then talk to a classmate to find out which he/she has done, and finally report orally or in writing on the experiences you have in common. In this way, you use multiple skills at once, as in real life, to develop your communicative skills in Spanish.

Learning Spanish also means developing an appreciation of the cultures that comprise the Hispanic world. In *Fuentes:* conversations, interviews, and other listening passages, as well as videos, movies, songs and short readings expose you to information about diverse topics and Hispanic countries. You will also hear directly from Spanish speakers from numerous countries about their opinions, experiences, and individual perspectives in the **Fuente hispana** quotes that appear throughout the chapters. This volume of *Fuentes* also contains additional readings, as well as writing practice, coordinated with the topics and grammar of each chapter. The magazine and literary selections, as well as informational readings are designed to further enrich your understanding of Hispanic cultures.

As you work with the *Fuentes* program, remember that learning a language is a process. This process can be accelerated and concepts studied can be learned more effectively if you study on a day-by-day basis. What is learned quickly is forgotten just as quickly, and what is learned over time is better remembered and internalized.

More important, envision yourself as a person who comprehends and speaks Spanish. Don't be afraid to take risks and make errors; it is part of the learning process. Finally, enjoy your study of the Spanish language and cultures as you progress through the course.

Preface

Study Tips for *Fuentes: Conversación y gramática*

The following study suggestions are designed to help you get the most out of your study of Spanish.

Tips for listening:

- Visualize the speakers in the listening passage.
- Listen for a global understanding the first time you hear the passage and listen for more specific information the second time, as indicated in the activities.
- Remember that you do not need to understand every word of each listening passage.

Tips for grammar study and activities:

- Prepare well before each class, studying a little every day rather than cramming the day before the exam.
- Focus on what you can do with the language or on what each concept allows you to express.
- Work cooperatively in paired and small-group activities.
- Do corresponding activities in the Workbook, or on the Student Companion Website, when assigned or as additional practice.

Tips for vocabulary study:

- Pronounce words aloud.
- Study new words over a period of days.
- Try to use the new words in sentences that are meaningful to you.
- Do corresponding activities in the Workbook and/or those on the Student Companion Website when assigned or as additional practice.

Tips for reading:

- Read in cycles. Your first reading of a text should focus on understanding the main ideas or gist. Try to read the entire text without stopping. In subsequent reading cycles you can focus on details and fine-tune your understanding. See the Overview of FLR Reading Strategies on the *Fuentes* Companion Website for more information.
- Read each text at least twice before class discussion, and read it at least once after each class discussion.
- Make spontaneous use of the strategies studied and practiced in class since this is the natural way in which you will want to employ them when reading texts outside of *Fuentes: Lectura y redacción*. See the Overview of FLR Reading Strategies on the *Fuentes* Companion Website for more specific suggestions.
- Don't be afraid to disagree with what you read. Many readings have been chosen precisely to generate differing reactions and opinions.
- Number paragraphs for each reading and use these numbers to locate and justify your answers to post-reading exercises during class.
- Use the readings as a way of building your language resources. Much of the vocabulary in the readings is intended for recognition, but aim to incorporate high-frequency or very important vocabulary items (or grammar structures) in your writing and in class discussion.

Tips for writing:

- In journal or informal writing activities, focus primarily on generating and expressing ideas in Spanish and only secondarily on details of grammar.
- In formal writing, focus first on expressing your ideas, and then revise with an eye on correct forms and effective organization.
- Brainstorm ideas before starting to write.
- Decide who your audience is and why you are writing.
- Get a good bilingual dictionary and learn how to use it.
- Try new things and take risks. If you see an interesting expression in one of the readings, try to incorporate it into your own writing.
- Talk about your ideas for writing with classmates, your instructor, and friends.
- Don't try to pump out compositions overnight. Write on one day and revise on another. Discuss your ideas with others. Make it a process of writing, responding, and revising.

- Try to make spontaneous use of the strategies that are presented and practiced in *Fuentes: Lectura y redacción.* Even though an activity may focus on a particular strategy, you may also be able to use previously studied strategies in your own writing.

Tips for studying culture:

- Practice "reading between the lines." The ability to make inferences about a writer's or speaker's intentions and the implications of what is expressed is essential to intercultural communication.
- As you read, compare and contrast what you learn about Hispanic cultures and societies with your own. Use your informal writing to explore these ideas and become more aware of your own underlying beliefs and values.
- Relate what you study and write about in *Fuentes: Lectura y redacción* with current events or material you are studying in other classes.

Student Components

Fuentes: Activities Manual

The Workbook portion of the Activities Manual allows you to practice the functional grammar and vocabulary presented in *Fuentes: Conversación y gramática* in order to reinforce what you learn in class as you progress through each text chapter. A Workbook Answer Key is also available at the request of your institution or instructor.

The Lab Manual section provides pronunciation and listening comprehension practice. The lab activities, coordinated with a set of recordings, can be done toward the end of each chapter and prior to any quizzes or exams.

Fuentes: Quia Online Activities Manual

The online version of the Activities Manual contains the same content as the print version in an interactive format that provides immediate feedback on many activities. The lab audio program is included in the online version.

Text Audio CD

The audio CD for *Fuentes: Conversación y gramática* contains the listening selections at the beginning of the chapters so that you can listen to them outside of class. The audio cd is available for purchase or in MP3 format on the Premium Website.

Lab Audio CD Program

A set of recordings to accompany the Lab Manual portion of the Activities Manual contains pronunciation practice, listening comprehension activities based on structures and vocabulary presented in *Fuentes: Conversación y gramática,* and a final conversation dealing with the chapter theme. The CDs are available for purchase or in MP3 format on the Premium Website. This audio program is the same as the recordings available in the Quia online Activities Manual.

Fuentes Video

Videofuentes contains twelve video segments in a newsmagazine format. Filmed in Mexico, Spain, Argentina, and the United States, the segments include interviews with the actor-comedian John Leguizamo and Elena Climent, a Mexican artist; a tribute to Celia Cruz; clips from a film by the Spanish director Pedro Almodóvar; a Chilean short-subject film; overviews of Mayan culture, the cultural heritage of Spain, nightlife in Madrid, agritourism in northern Spain, and the "desaparecidos" and their children in Argentina.

The textbook and Student Companion and Premium Websites provide a variety of related video-based activities for in-class and outside-class practice designed to promote cultural awareness and to help you reinforce your language skills.

iLrn™: Heinle Learning Center

This is an audio- and video-enhanced learning environment, that includes an eBook; assignable and integrated textbook activities; assignable, partnered voice-recorded activities; a workbook; a lab manual with audio; companion videos; and a diagnostic study tool to better prepare students for exams.

***Fuentes:* Student Companion Website** The Website written to accompany the *Fuentes* program contains activities designed to give you further practice with structures and vocabulary as well as exercises about chapter topics that explore Spanish-language sites. Although the sites you will access are not written for students of

Spanish, the tasks that you will be asked to do are. The site also includes activities based on feature films and a list of chapter-by-chapter links that can be used to explore additional cultural information on topics you have read about in *Fuentes: Conversación y gramática* and *Fuentes: Lectura y redacción*. You can access the site at **www.cengage.com/spanish/fuentes.**

***Fuentes* Student Premium Website** includes the Student Companion Website plus the following password-protected content:

- Multimedia resources like text chapter conversations, the SAM audio, the *Fuentes* song playlist, the complete contents of the *VideoFuentes* DVD, **Google™ Earth** coordinates, video grammar tutorials
- Additional activities to help students practice vocabulary and grammar with immediate feedback. They include art- and listening-based activities and recording activities, all of which help students develop reading, writing, and speaking skills.
- Access to a grammar reference and a Spanish-English glossary
- Additional activities based on clips from *Videofuentes*

Personal Tutor gives students online access to live, one-on-one help from a subject-area expert. It can be purchased separately and is also accessible through the *Fuentes* iLrn Heinle Learning Center.

Acknowledgments

The publisher and authors wish to thank the following reviewers for their feedback on this edition of *Fuentes*. Many of their recommendations are reflected in the changes made.

Gail Ament, Morningside College
Olga Arbeláez , Saint Louis University
Karen Berg, College of Charleston
Jens Clegg, Indiana University-Purdue University Fort Wayne
Colleen Coffey, Marquette University
Sara Colburn-Alsop, Franklin College
José Colmeiro, Michigan State University
Edmée Fernández, Pittsburg State University
Diane Forbes, Rochester Institute of Technology
Gail González, U of Wisconsin – Parkside
Viktoria Hackbarth, University of Illinois – Urbana-Champaign
Matilde Holte, Howard University
Elisa Lucchi-Riester, Butler University
Joanna Lyskowicz, Drexel University
Leira Manso, Broome Community College
Antxon Olarrea, University of Arizona
Jason Old, Southeastern University
Mariola Pérez de la Cruz, Western Michigan University
Virginia Rademacher, Babson College
Kathleen Regan, University of Portland
Laura Ruiz-Scott, Scottsdale Community College
Karyn Schell, University of San Francisco
Wilfredo Valentín-Márquez, Millersville University
Barry Velleman, Marquette University
Maria Villalobos-Buehner, Grand Valley State University
Shauna Williams, University of Notre Dame
Timothy Woolsey, Penn State
U. Theresa Zmurkewycz, St. Joseph's University

A special word of appreciation is due Ramonita Marcano-Ogando, Mónica Velasco-González, and Joyce Martin of the University of Pennsylvania for their support of the program and their valuable input on the new edition.

We thank the following people for sharing their lives and thoughts by supplying us with information for the **Fuente hispana** feature and other general cultural information. Through their words students will have the opportunity of seeing another very personal side of the Spanish-speaking world.

Helena Alfonzo, Venezuela
Alexandre Arrechea, Cuba
Martín Bensabat, Argentina
Marcus Brown, Peru
Dolores Cambambia, Mexico
Fernando Cañete, Argentina

Bianca Dellepiane, Venezuela
Pablo Domínguez, Argentina
Pedro Domínguez, Argentina
Viviana Domínguez, Argentina
Carmen Fernández Fernández, Spain
Fabián García, United States (Mexican-American)
Adán Griego, United States (Mexican-American)
Íñigo Gómez, Spain
María Jiménez Smith, Puerto Rico
Alejandro Lee Chan, Panama
Fabiana López de Haro, Venezuela
Esteban Mayorga, Ecuador
Mauricio Morales Hoyos, Colombia
Peter Neissa, Colombia
William Reyes-Cubides, Colombia
Bere Rivas de Rocha, Mexico
Ana Rodríguez Lucena, Spain
Magalie Rowe, Peru
Lucrecia Sagastume, Guatemala
Víctor San Antonio, Spain
María Fernanda Seemann Meléndez, Mexico
Mauricio Souza, Bolivia
Haggith Uribe, United States (Mexican-American)
Rosa Valdéz, United States (Mexican-American)
Natalia Verjat, Spain
Alberto Villate, Colombia
María Elena Villegas, Mexico

Thank you to Raquel Valle Sentíes for the use of her poem and self-portrait, to Sarah Bartels-Marrero for sharing her experience of walking the Inca Trail, to Jennifer Jacobsen and Jeff Stahley for their insight on teaching English abroad, to Hannah Nolan-Spohn for telling about her volunteer position while studying in Ecuador, to Khandle Hedrick and Stephanie Valencia for supplying realia, and to Nahuel Chazarreta, Leticia Mercado, Lucila Domínguez, Ann Widger, Laura Acosta, Carla Montoya Prado, Sabrina Stackler, Robert Miller, and Lorenzo Barello for supplying photos. A special thanks to Gene Kupferschmid for insightful comments and suggestions regarding different aspects of the program.

Thanks to Carmen Fernández, Ann Merry, Olga Tedias-Montero, Liby Moreno Carrasquillo, Martha Miranda Gómez, Miguel Gómez, Rosa Maldonado Bronnsack, Alberto Dávila Suárez, Virginia Laignelet, Blanca C. Dávila Knoll, Jorge Caycedo Dávila, Rosa Garza Mouriño, Lucía Sierra de Laignelet, and André Garner Caycedo for their help in polling people for linguistic items of use today in the Spanish-speaking world.

We are extremely grateful to Nancy Levy-Konesky for her outstanding work writing and producing *Videofuentes* and to Frank Konesky and TVMAN/ Riverview Productions, John Leguizamo, Elena Climent, Severino García, Nuria Miravalles, the Abuelas of Plaza de Mayo, Alberto Vasallo III, Tomás Moreno, Abel (Mayan guide), Patricia Sardo de Dianot, Ana María Pinto, Mercedes Meroño, Horacio Pietragalla Corti, and Buscarita Roa for participating in this project. We would also like to thank Telemundo for footage of their tribute to Celia Cruz, el deseo s.a. for allowing us to use clips from the Pedro Almodóvar film *Hable con ella*, and Rodrigo Silva Rivas and Aldo Aste Salbuceti for permission to show the short film *En la esquina*. Special thanks to Andrés Coppo, Stephanie Valencia, Nicole Gunderson, Sarah Link, the children who received awards at Fenway Park, and to our announcer Frances Colón for their participation in the video.

The authors wish to extend their thanks to several people who have made important contributions to the development of *Fuentes: Lectura y redacción*: Ramonita Marcano-Ogando, Mónica Velasco-González, Joyce Martin, Lisa Dillman, José Luis Boigues-López, Elva González, Irina Zaitseva, and Robyn Clarke (for providing feedback on previous editions of the text); Natalia Francis, Lisa Dillman, Miguel Valladares, Wilfredo Hernández (for helping locate new texts); Lucía Sierra de Laignelet, Virginia Laignelet and Blanca C. Dávila Knoll (for assistance answering linguistic and cultural questions). Special thanks go to Hugo Aparicio who generously offered to write an original essay for this book. We would also like to thank undergraduate students, graduate student instructors and faculty colleagues at Emory University for their input and encouragement during the development of this new edition.

Preface

A very special thanks to Sandy Guadano who has guided us every step of the way since we put our first words on paper in 1989. Although Sandy did not work on this edition of *Fuentes: Conversación y gramática*, she did work on *Fuentes: Lectura y redacción*. She has always been a source of wisdom for us and has guided us diligently putting her mark on all that we have done. Thanks to our developmental editors Sarah Link and Grisel Lozano-Garcini for their insightful comments, their ability to get us to do our best, their gentle nudges to get all done on time, and their encouragement during the development phase. Thanks also to our production editor Carol Newman, for her detailed approach, her clarity in instructions, and her dedication to making *Fuentes* the best it can be. We also thank all of the other people at Cengage, from technology to marketing to sales, who have helped us along the way, especially to Lara Semones. Thanks to Andrés Fernández Cordón, the Argentinian artist who gives our text life and always adds a touch of humor. Finally, a big thank you to our students for giving us feedback and for motivating us to do our best work.

D. R.
M. D.
L. C. G.
D. T.
C. E.

La vida universitaria

CAPÍTULO PRELIMINAR

Jóvenes universitarios en San Miguel de Allende, México.

METAS COMUNICATIVAS

- presentarse y presentar a otros
- obtener y dar información sobre el horario de clases
- hablar de gustos
- describir clases, profesores y estudiantes

I. Introducing Yourself and Others

Dos universitarias se saludan en Caracas, Venezuela.

ACTIVIDAD 1 ¡A conocerse!

Parte A: Completa las preguntas con las expresiones interrogativas **cuál, cómo, de dónde, qué** y **cuántos.**

¿_____________ te llamas?	Me llamo...
¿_____________ es tu nombre?	Mi nombre es...
¿_____________ es tu apellido?	(Korner.)
¿_____________ se escribe (Korner)?	(Ka, o, ere, ene, e, ere.)
¿_____________ años tienes?	Tengo... años.
¿_____________ eres?	Soy de (Chicago).
¿En _________ año (de la universidad) estás?	En primero/segundo/tercero/cuarto.
¿_____________ es tu pasatiempo favorito?	Me gusta (jugar al tenis).

Primero and **tercero** drop the final **o** before a masculine singular noun: **estoy en primer año.**

Parte B: Habla con un mínimo de tres personas y escribe su información de la Parte A.

Parte C: Presenta a una de las personas de la Parte B.

▶ Les presento a Jessy Korner, es de Chicago y tiene 20 años. Está en su tercer año de la universidad. Le gusta jugar al tenis.

II. Obtaining and Giving Information about Class Schedules

Las materias académicas

ACTIVIDAD 2 Las materias de este semestre

Parte A: Marca con una X las materias que tienes este semestre. Si tienes una materia que no aparece en la lista, pregúntale a tu profesor/a **¿Cómo se dice...?**

- ❑ alemán
- ❑ álgebra
- ❑ antropología
- ❑ arqueología
- ❑ arte
- ❑ biología
- ❑ cálculo
- ❑ ciencias políticas
- ❑ computación
- ❑ comunicaciones
- ❑ contabilidad (*accounting*)
- ❑ ecología
- ❑ economía
- ❑ filosofía
- ❑ francés
- ❑ historia
- ❑ ingeniería
- ☒ lingüística
- ☒ literatura
- ❑ matemáticas
- ❑ mercadeo/marketing
- ❑ música
- ❑ negocios
- ❑ oratoria (*public speaking*)
- ☒ psicología
- ❑ química
- ❑ relaciones públicas
- ☒ religión
- ❑ sociología
- ❑ teatro
- ❑ trigonometría
- ❑ zoología

Parte B: En parejas, averigüen qué especialización hace la otra persona, qué materias tiene y alguna información sobre esas clases. Hagan las siguientes preguntas.

¿Qué especialización haces o no sabes todavía?
¿Tienes clase de...?
¿Cuántos estudiantes hay en la clase de...?
¿Hay trabajos escritos (*papers*)?
¿Hay exámenes parciales? ¿Hay examen final?

Dos estudiantes españoles hacen experimentos con su profesor de química orgánica.

Universidades

Internet references such as this indicate that you will find links to related sites on the *Fuentes* website.

materias = **asignaturas**

Obvious cognates will be presented in thematic vocabulary lists throughout this text, and they will be translated only in the end-of-chapter vocabulary section.

computación = **informática** (*España*)

¿Lo sabían?

En un país hispano, las facultades (*schools, colleges*) de una universidad pueden estar distribuidas por toda la ciudad. Los estudiantes asisten a clase en la facultad y luego se reúnen a estudiar o a charlar en el bar de la facultad o en los cafés cercanos. Las universidades generalmente no tienen tantos clubes como en los Estados Unidos, pero sí hay representantes de los partidos políticos que organizan reuniones o manifestaciones.

¿Cómo es la vida de un universitario en este país?

ACTIVIDAD 3 Mi horario

Parte A: Completa la siguiente tabla sobre las materias que tienes este semestre.

lunes, martes, miércoles, jueves, viernes.
Abreviaturas = l/m/miér/j/v

materia				
día y hora				
profesor/a				

To tell time, use **¿Qué hora es? Es la una./ Son las dos.**

To tell at what time something takes place **¿A qué hora es? Es a la/s...**

Parte B: Completa cada pregunta con una palabra interrogativa.

¿____________ materias tienes?
¿A ____________ hora es tu clase de...?
¿____________ días tienes la clase de...?
¿____________ se llama el/la profesor/a? o, ¿____________ es el/la profesor/a?

Parte C: Ahora, con una persona diferente a la de la Actividad 2, usa las preguntas de la Parte B para anotar el horario de tu nuevo compañero/a.

materia				
día y hora				
profesor/a				

III. Expressing Likes and Dislikes

Gustar and Other Verbs

1. To express likes and dislikes you can use the verb **gustar,** as shown in the following chart.

(A mí)	**me**	
(A ti)	**te**	
(A Ud.) / **(A él)** / **(A ella)**	**le**	+ **gusta** + **el/la** + *singular noun*
		+ **gusta** + *infinitive(s)*
(A nosotros)	**nos**	+ **gustan** + **los/las** + *plural noun*
(A vosotros)	**os**	
(A Uds.) / **(A ellos)** / **(A ellas)**	**les**	

Me **gusta** la clase de historia.	*I like history class.*
¿Te **gusta** hacer experimentos?	*Do you like to do experiments?*
(A ellos) Les **gusta** reunirse con amigos y trabajar juntos en proyectos.*	*They like to get together with friends and work on projects.*
Nos **gustan** las matemáticas.	*We like math.*

***Note: Gusta,** the singular form of the verb, is used with one or more infinitives even if the infinitive is followed by a plural noun.

2. Between **gusta/n** and a noun, you need an article (**el, la, los, las**), a possessive adjective (**mi, mis, tu, tus,** etc.), or a demonstrative adjective (**este, ese, aquel,** etc.).

Me gusta **la** biología.	*I like biology.*
Me gustan **mis** clases este semestre, pero no me gusta estudiar mucho los fines de semana.	*I like my classes this semester, but I don't like to study much on weekends.*
A mis amigos y a mí nos gusta **esta** residencia estudiantil.	*My friends and I like this dorm.*

The pronoun **mí** takes an accent, but the possessive adjective **mi** does not: **A mí me gusta esta clase. Mi hermano estudia aquí.**

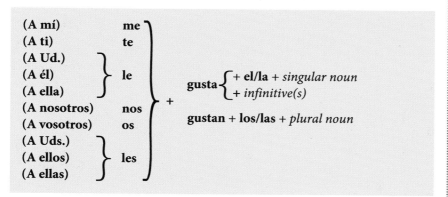

3. Other verbs used to express likes and dislikes that follow the same pattern as **gustar** are:

caer bien/mal	to like/dislike someone
encantar	to really like
fascinar	to really like
importar	to matter (to care about something)
interesar	to interest
molestar	to bother, to annoy

A los estudiantes no **les cae bien** la profesora de historia.* — *The students dislike the history professor.*

Me fascinan los libros que analizamos en la clase de literatura comparada. — *I really like the books we analyze in my comparative literature class.*

Nos importa sacar buenas notas. — *We care about getting good grades.*

Al profesor Hinojosa **le molestan** los estudiantes que no vienen preparados a clase.* — *Professor Hinojosa is bothered by students who don't come to class prepared.*

***Note:**

1. **Me gusta la profesora de historia** might imply that you are attracted to the person. This is not the case with **Me cae bien la profesora de historia.**
2. Remember that **a** + **el** = **al: al profesor Hinojosa,** but **a la profesora Ramírez; al Sr. Vargas,** but **a los Sres. Vargas.**

ACTIVIDAD 4 Los gustos de la gente

Parte A: Completa la primera columna con las palabras necesarias.

A _____ nos		los colores de la universidad
A _____ me		ir al gimnasio
_____ presidente de la universidad _____		la mascota de la universidad
A _____ le		estudiar y salir los sábados
_____ Uds. _____		las personas de la residencia
_____ profesor de... _____	fascina/n	mi compañero/a de cuarto
A mi padre _____	cae/n bien	tomar examen los viernes
_____ _____ les	molesta/n	las personas falsas
A ti _____		la gente que duerme en clase
_____ mis amigos _____		oír música de los años 70
A mi madre _____		las clases numerosas
_____ _____ profesora de... _____		la variedad de gente en esta universidad

In countries like Chile, Peru, and Argentina they say **Los profesores toman exámenes y los estudiantes los dan.** In many other countries these verbs are reversed.

numeroso/a = large (in number of people)

Parte B: Ahora, forma oraciones usando un elemento de cada columna. Puedes añadir la palabra **no** si quieres. Luego comparte tus oraciones con la clase.

► A nosotros (no) nos molesta trabajar los sábados.

ACTIVIDAD 5 Tus gustos

Parte A: Completa esta información sobre tus gustos usando por lo menos <u>cuatro</u> de los siguientes verbos: **fascinar, encantar, gustar, caer bien/mal, importar, interesar** y **molestar.**

1. ______________ las clases fáciles.
2. ______________ mi profesor/a de...
3. ______________ mi horario de clases este semestre.
4. ______________ las clases con trabajos escritos y exámenes.
5. ______________ los exámenes finales para hacer en casa.
6. ______________ mis compañeros/as de cuarto o apartamento.
7. ______________ la gente que bebe mucho alcohol en las fiestas.
8. ______________ los profesores exigentes (*demanding*).
9. ______________ el costo de la matrícula (*tuition*).
10. ______________ participar en el gobierno estudiantil.
11. ______________ las fraternidades y hermandades, como ΩΣΔ.
12. ______________ ser miembro del club de... de la universidad.

Parte B: Ahora, en parejas, háganse preguntas como las siguientes y justifiquen sus respuestas.

¿Te gustan las clases fáciles?
Sí, me encantan porque...
No, no me gustan porque...
No, me molestan mucho las clases fáciles porque...
¿Y cómo te caen tus profesores?
Todos me caen bien porque...
Mi profesor de historia me cae mal porque...
Me caen bien tres y me cae mal uno porque...

IV. Describing Classes, Professors, and Students

ACTIVIDAD 6 **¿Cómo es tu profe?**

To review adjective agreement, see Appendix C.

Parte A: Piensa en un/a profesor/a que te cae bien este semestre y marca los adjetivos que describan mejor a esa persona.

❑ admirable	❑ encantador/a (*charming*)
❑ astuto/a	❑ honrado/a (*honest*)
❑ atento/a (*polite, courteous*)	❑ ingenioso/a (*resourceful*)
❑ brillante	❑ intelectual
❑ capaz (*capable*)	❑ justo/a (*fair*)
❑ cómico/a	❑ sabio/a (*wise*)
❑ comprensivo/a (*understanding*)	❑ sensato/a (*sensible*)
❑ creativo/a	❑ sensible (*sensitive*)
❑ divertido/a	❑ tranquilo/a

Parte B: Ahora, habla con otra persona y descríbele a tu profesor/a.

► Me cae muy bien mi profesora de teatro porque es muy creativa y...

Parte C: En parejas, decidan cuáles son las cuatro cualidades más importantes de un profesor y por qué.

► Un profesor debe ser... porque...

ACTIVIDAD 7 **Me molesta mucho**

Remember: use **ser** to describe what the professor and/or class are like.

Parte A: Marca los adjetivos que describen la clase que menos te gusta este semestre y al profesor o a la profesora de esa clase. Piensa en la clase y las personas de esa clase.

☒ aburrido/a (*boring*)	❑ exigente
❑ cerrado/a (*narrow-minded*)	❑ fácil
❑ conservador/a	☒ insoportable (*unbearable*)
❑ creído/a (*vain*)	☒ lento/a (*slow*)
❑ despistado/a (*absent-minded*)	❑ liberal
❑ difícil	❑ numerosa
❑ estricto/a	❑ rígido/a

Parte B: Ahora, en parejas, quéjense de (*complain about*) la clase que menos les gusta sin mencionar el nombre del profesor / de la profesora.

► No me gusta nada mi clase de... porque es...

► No me interesa la clase porque el profesor es...

Parte C: Marquen y luego digan cómo están los estudiantes en una clase aburrida con un profesor malo y por qué.

Remember: use **estar** to say how the students in the class feel.

❑ aburridos (*bored*)	❑ enojados
❑ atentos (*attentive*)	❑ entretenidos (*entertained*)
❑ concentrados	❑ entusiasmados (*excited*)
❑ contentos	❑ nerviosos
❑ distraídos (*distracted*)	❑ preocupados
❑ dormidos	❑ relajados

ACTIVIDAD 8 Planes para este semestre

Parte A: En parejas, háganse preguntas sobre las cosas que van y no van a hacer este semestre usando las siguientes ideas.

To express future actions, use **voy, vas, va,** etc. + **a** + *infinitivo*.

► ¿Vas a cambiar alguna clase este semestre?

- cambiar alguna clase
- tener muchos trabajos escritos
- hablar con un/a profesor/a para entrar en una clase que está llena (*full*)
- tomar muchos exámenes finales
- tener un semestre fácil o difícil
- visitar a sus padres con frecuencia

Parte B: Cuéntenle a otra persona cómo va a ser el semestre de su compañero/a de la Parte A.

► Cintia no va a cambiar ninguna clase este semestre porque le gustan mucho todas. Va a tener...

Testing Your Knowledge of Spanish

ACTIVIDAD 9 La vida universitaria

Khandle está en Buenos Aires, Argentina, y le escribe un mail a su amigo Javier, que vive en el D. F. Completa su mensaje con palabras lógicas. Usa solo una palabra en cada espacio.

pasantía = internship

Querido Javier:

¿Cómo estás? Yo muy ___________ (1), pero muy cansada porque acabo de empezar clases en la universidad y no tengo más vacaciones ___________ (2) julio. Como sabes, me tengo que levantar temprano porque ___________ (3) durante el día en un banco donde hago una pasantía y ___________ (4) la noche voy a clase. Por suerte, mi jefa es ___________ (5) comprensiva y me permite salir del trabajo una hora antes. Después, voy a un bar enfrente de ___________ (6) universidad y mis compañeros y yo nos reunimos para estudiar para ___________ (7) clase de física. Es una clase muy difícil y no se pueden hacer muchas preguntas porque ___________ (8) más de 100 estudiantes. El profesor es muy inteligente ___________ (9) no es muy dinámico; por eso, los estudiantes muchas veces ___________ (10) aburridos en su clase. Pero no todas mis clases son así; las otras materias que tengo son mucho mejores y, aunque empiezan a las 8 de la noche y ___________ (11) a las 10, ___________ (12) caen bien los profesores que tengo. Bueno, luego cuando salgo de clase, tomo el autobús y llego a casa a ___________ (13) 10:30, pero no me acuesto hasta las 12. Como ves, mis días son ___________ (14) largos, pero los fines de ___________ (15) son muy buenos porque mis amigos y ___________ (16) siempre organizamos alguna fiesta ___________ (17) divertirnos.

Bueno, escríbeme y cuéntame qué haces. Hace un mes ___________ (18) no me escribes y quiero que me cuentes un poco de ___________ (19) vida.

Un abrazo,

Khandle

Do the corresponding web activities to review the chapter topics.

Vocabulario activo

CAPÍTULO PRELIMINAR

Las materias académicas

alemán *German*
álgebra *algebra*
antropología *anthropology*
arqueología *archeology*
arte *art*
biología *biology*
cálculo *calculus*
ciencias políticas *political sciences*
computación *computer science*
comunicaciones *communications*
contabilidad *accounting*
ecología *ecology*
economía *economics*
filosofía *philosophy*
francés *French*
historia *history*
ingeniería *engineering*
lingüística *linguistics*
literatura *literature*
matemáticas *mathematics*
mercadeo/marketing *marketing*
música *music*
negocios *business*
oratoria *public speaking*
psicología *psychology*
química *chemistry*
relaciones públicas *public relations*
religión *religion*
sociología *sociology*
teatro *theater*
trigonometría *trigonometry*
zoología *zoology*

Verbos como *gustar*

caer bien/mal *to like/dislike someone*
encantar *to really like*
fascinar *to really like*
importar *to matter (to care about something)*
interesar *to interest*
molestar *to bother, to annoy*

Adjetivos descriptivos con *ser*

aburrido/a *boring*
admirable *admirable*
astuto/a *astute, clever*
atento/a *polite, courteous*
brillante *brilliant*
capaz *capable*
cerrado/a *narrow-minded*
cómico/a *funny*
comprensivo/a *understanding*
conservador/a *conservative*
creativo/a *creative*
creído/a *vain*
despistado/a *absent-minded*
difícil *hard*
divertido/a *fun*
encantador/a *charming*
estricto/a *strict*
exigente *demanding*
fácil *easy*
honrado/a *honest*
ingenioso/a *resourceful*
insoportable *unbearable*
intelectual *intellectual*
justo/a *fair*
lento/a *slow*
liberal *liberal*
numeroso/a *large (in number of people)*
rígido/a *rigid*
sabio/a *wise*
sensato/a *sensible*
sensible *sensitive*
tranquilo/a *calm*

Adjetivos descriptivos con *estar*

aburrido/a *bored*
atento/a *attentive*
concentrado/a *concentrated*
distraído/a *distracted (momentarily)*
dormido/a *asleep*
enojado/a *angry*
entretenido/a *entertained*
entusiasmado/a *excited*
nervioso/a *nervous*
preocupado/a *worried*
relajado/a *relaxed*

Expresiones útiles

¿A qué hora es...? *At what time is . . . ?*
la facultad *school, college*
la matrícula *tuition*
el trabajo escrito *paper*

Learning Spanish is like learning to figure skate. Each year a skater adds a few moves to his/her routines, but never stops practicing and improving on the basics. As the skater progresses from doing a double axel to a triple axel, he/she must still polish technique. There are marks for both technical merit and artistic merit. Both must be worked on, and as the skater becomes better in the sport, actual progress is more and more difficult to perceive.

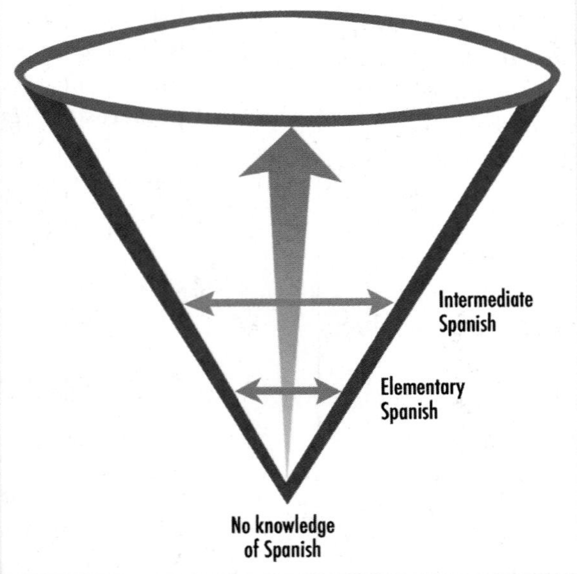

The process of learning a language is depicted in the cone. In order to learn a foreign language, students must progress vertically as well as horizontally. But as one proceeds vertically, one must always cover more distance horizontally. Progress is noted while moving vertically. This includes learning new tenses, object pronouns, etc. (or in skating, landing a new jump for the first time). Horizontal progress is not perceived as easily as vertical. Horizontal progress includes fine tuning what one has already learned by becoming more accurate, enlarging one's vocabulary, covering in more depth topics already presented in a beginning course, and gaining fluency. This progress is like improving scores for artistic merit or consistently skating cleaner programs than ever before. As you pursue your studies of Spanish, remember that progress is constantly being made.

Nuestras costumbres

CAPÍTULO 1

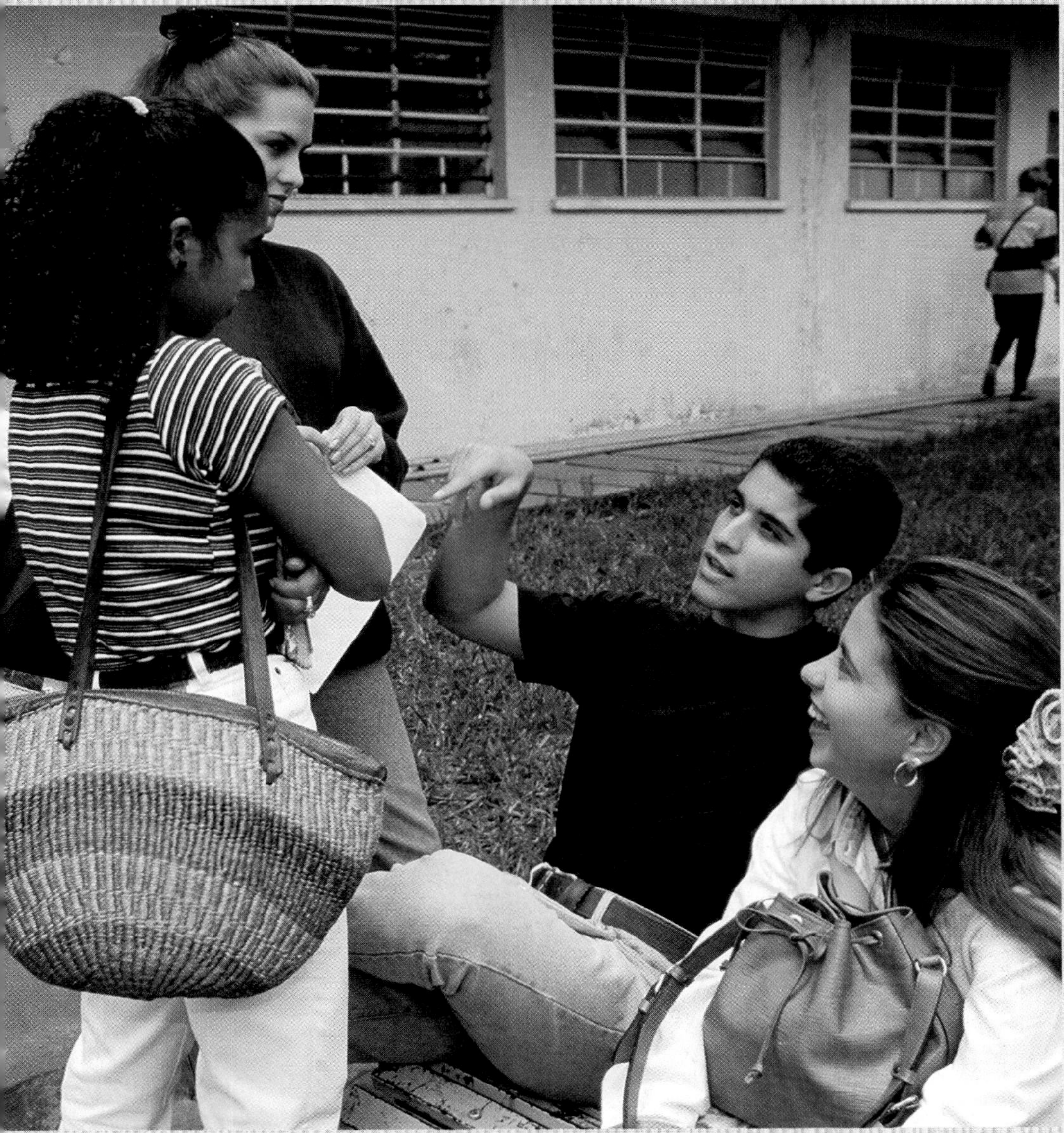

Estudiantes venezolanos charlan fuera de clase.

METAS COMUNICATIVAS

- narrar en el presente y en el futuro
- hablar sobre la vida nocturna
- dar y obtener información
- evitar (*avoiding*) redundancias

Una cuestión de identidad

Dos jóvenes almuerzan en un restaurante en Santiago de Chile.

llamarle la atención	to find something interesting/strange
ser un/a pesado/a	to be a bore
hace + *time expression* + **que** + *present tense*	to have been doing something for + *time expression*

ACTIVIDAD 1 Términos

Parte A: Los términos **chicano, mexicoamericano** y **latinoamericano** a veces provocan confusión. Decide qué características de la columna B pueden describir a cada uno de estos grupos. Es posible usar las características para más de un término.

El chicano (Internet references such as this indicate that you will find links to related sites on the *Fuentes* website.)

A	B
chicano: f/c	a. Es ciudadano norteamericano.
mexicoamericano: c	b. Es de Latinoamérica.
latinoamericano: e/b	c. Es de ascendencia mexicana.
	d. Habla español.
	e. Habla portugués.
	f. El término tiene connotación política.

Parte B: Pedro está en Chile y está completando una solicitud para ingresar a una universidad en los Estados Unidos. Le pregunta a su amiga Silvia, que estudió allí, qué significan ciertos términos. Escucha la conversación y compara tu información de la Parte A con lo que dice Silvia.

ACTIVIDAD 2 Más información

Antes de escuchar la conversación otra vez, lee las siguientes preguntas. Luego escucha la conversación para buscar la información necesaria.

1. ¿Qué problema tiene Pedro al completar la solicitud? No entiende la diferencia a chicano, mexicoamericano, etc.
2. Después de escuchar la explicación de Silvia, ¿qué decide marcar Pedro? latinoamericano
3. Según la conversación, ¿en qué se diferencia una universidad de los Estados Unidos de una universidad de Latinoamérica?

¿Lo sabían?

En general, en los países hispanos cuando se le pregunta a alguien de dónde es, lo típico es responder con la nacionalidad del país donde nació. La gente no responde con el origen de su familia, ya que lo importante no es de dónde vinieron sus antepasados, sino dónde nació uno. A pesar de que tampoco es común identificarse con el nombre de una región, sí se usan términos regionales como latinoamericano o centroamericano para describir a toda la gente de una región geográfica extensa. Entonces, una persona llamada Simona Baretti, nacida en Venezuela, se identifica como venezolana y no como sudamericana, o latinoamericana, o hispanoamericana, y mucho menos como "italovenezolana".

¿Existe algún término regional para referirse a la gente del continente donde vives?

ACTIVIDAD 3 ¿Qué eres?

What it means to be Latino

Parte A: En este libro vas a leer sobre las vivencias y opiniones de hispanos de 20 a 50 años, que son de diferentes partes del mundo. Sus comentarios no se pueden generalizar para todos los hispanos; simplemente son la opinión de cada persona en particular. Lee lo que dice una chica norteamericana sobre su identidad.

Fuente hispana

"Yo me considero chicana, pero me siento más cómoda identificándome como mexicoamericana porque para mí es el término que más representa mi estado entre dos culturas. Soy mexicana porque mis padres son de México y de allí viene parte de mi cultura y mi herencia, y a la vez soy americana porque nací y fui criada en los Estados Unidos. Para mí, los términos latina o hispana son muy generales, ya que cada país latinoamericano tiene sus propias luchas y diferencias culturales." ■

Parte B: En grupos de tres, utilicen las siguientes preguntas para hablar de su nacionalidad y el origen de su familia.

1. ¿Se consideran Uds. americanos, norteamericanos, italoamericanos, afroamericanos, francoamericanos, etc.? Y si son de Canadá, ¿se consideran Uds. norteamericanos, italocanadienses, etc.?
2. La población de los Estados Unidos o de Canadá que habla inglés, ¿siente alguna conexión con personas de Inglaterra, Australia u otros países donde se habla inglés?
3. ¿Cuánto tiempo hace que su familia vive en este país?
4. Si sus padres o abuelos no son originariamente de un país de habla inglesa, ¿hablan ellos el idioma de su país? ¿Lo entienden? ¿Hablan inglés también?
5. ¿Cuáles son algunas costumbres y tradiciones que conservan Uds. del país de origen de su familia? Piensen en la música, la comida, las celebraciones especiales, etc.
6. ¿Por qué preguntan muchas universidades de los Estados Unidos en la solicitud de ingreso la raza y/o el origen étnico de los estudiantes?

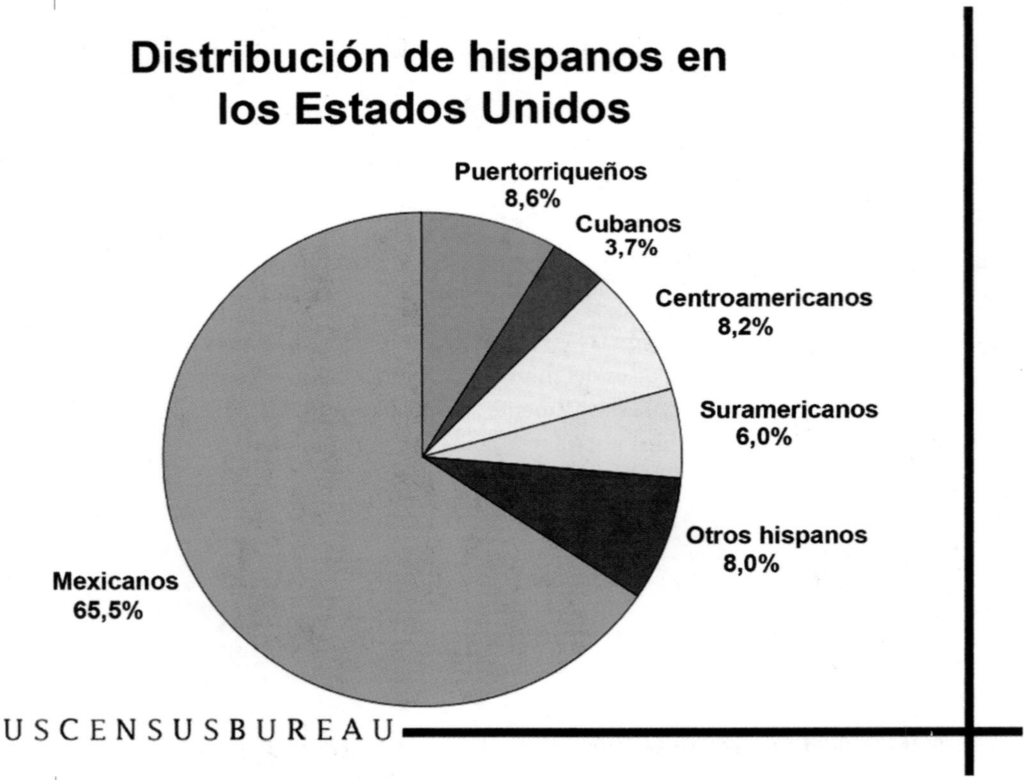

I. Narrating in the Present

A Regular, Stem-Changing, and Irregular Verbs

To talk about what you usually do, you generally use the present tense. For information on how to form the present indicative (**presente del indicativo**), including irregular and stem-changing verbs, see Appendix A, pages 354-356.

Do the corresponding web activities as you study the chapter.

Paulina y yo **caminamos** a la universidad todas las mañanas.	*Paulina and I walk to the university every morning.*
Ella **prefiere** tomar clases por la mañana, pero **sé** que a veces **trasnocha** y **falta** a clase.	*She prefers to take morning classes, but I know she sometimes stays up all night and misses class.*

Here are verbs that you can use to talk about what you usually do.

-ar verbs	
ahorrar (dinero/tiempo)	to save (money/time)
alquilar (películas)	to rent (movies)
charlar	to chat
cuidar (a) niños	to baby-sit
dibujar	to draw
escuchar música*	to listen to music
faltar (a clase/al trabajo)	to miss (class/work)
flirtear/coquetear*	to flirt
gastar (dinero)	to spend (money)
mirar (la) televisión*	to watch TV
pasar la noche en vela	to pull an all-nighter
pasear al perro	to walk the dog
probar (o → ue)	to taste; to try
sacar buena/mala nota	to get a good/bad grade
trasnochar	to stay up all night

Cuido niños. (*Kids, anybody's kids.*)

Cuido a los niños de mi hermana. (*Specific child/children*)

Stem-changing verbs are followed by **ue, ie, i,** and **u** in parentheses to show the stem change that takes place, for example, **jugar** (**u** → **ue**). Note that some **-ir** verbs have a second change, which is used when forming the preterit (**durmió**, **durmieron**) and the present participle (**durmiendo**). This change is listed second: **dormir** (**o** → **ue**, **u**).

*Notes:

1. **Flirtear** can take both male and female subjects, while **coquetear** usually takes a female subject.
2. The verbs **mirar** (*to look at*) and **escuchar** (*to listen to*) only take **a** when they are followed by a person.

Mientras estudio, **escucho** música clásica.	*While I study, I listen to classical music.*
Siempre **escucho a** mi padre.	*I always listen to my father.*

Devolver = to return <u>something</u> somewhere: **Él va a devolver el suéter a la tienda.**

Volver = to return somewhere. **Él va a volver a la tienda.**

-er verbs	
devolver (o → ue)	to return (*something*)
escoger*	to choose
hacer investigación/dieta	to do research / to be on a diet
poder (o → ue)	to be able to, can
soler (o → ue) + *infinitive*	to usually + *verb*
volver (o → ue)	to return

-ir verbs	
asistir (a clase/a una reunión)	to attend (class/a meeting)
compartir	to share
contribuir*	to contribute
discutir	to argue; to discuss
mentir (e → ie, i)	to lie
salir* bien/mal (en un examen)	to do well/poorly (on an exam)
seguir* (instrucciones / a + alguien) (e → i, i)	to follow (instructions/someone)

***Note:** Verbs followed by an asterisk in the preceding lists have spelling changes or irregular forms. See Appendix A, page 355 for formation of these verbs.

The present tense can also be used to state what one is going to do or is doing at the moment.

(*phone conversation*)
—¿Qué haces? ¿Puedo ir a tu casa?
—Miro la tele, pero dentro de quince minutos voy al bar de la esquina a encontrarme con mi novia.

ACTIVIDAD 4 Un conflicto familiar

Parte A: Una madre que vive en los Estados Unidos le escribe a Consuelo, una señora que da consejos (*advice*) en Internet. Completa el mail de la página siguiente sin repetir ningún verbo.

Parte B: En grupos de tres, comparen la familia de la madre desesperada con su propia familia. ¿Son iguales o diferentes?

► A mi madre también le molesta cuando mi hermano escucha música rap.

► Esos niños pequeños son perfectos, pero en mi familia no es así. Son muy mal educados. Asisten a clase, pero no escuchan a los maestros y no hacen la tarea.

Estimada Consuelo:

Estoy divorciada y tengo tres hijos: Enrique, Carlos y Maricruz, que ________________ (1) dieciséis, once y diez años respectivamente. Mis dos hijos menores ________________ (2) encantadores. ________________ (3) a clase todos los días, ________________ (4) notas excelentes y ________________ (5) en el comedor de la escuela sin protestar. Por la tarde, ________________ (6) a casa, ________________ (7) la tarea y ________________ (8) preparar sándwiches porque tienen hambre. Luego ________________ (9) mientras ________________ (10) televisión y por la noche ________________ (11) como unos angelitos.

- almorzar
- asistir
- comer
- dormir
- hacer
- mirar
- regresar — to return
- sacar
- ser
- soler — to be in the habit of
- tener

Mi hijo Enrique, en cambio, ____________ (12) muy rebelde. Está en la escuela secundaria, pero a veces ____________ (13) a clase por la mañana. Y el chico me ____________ (14), pues me dice que va a clase, pero en vez de ir a clase, ____________ (15) a un parque con sus amigos y allí ellos ____________ (16) al fútbol y también ____________ (17) con las chicas (a veces creo que estos chicos tienen demasiada testosterona). Y ahora, la novedad es que no ____________ (18) hablar español. Yo le hablo en español y él me ____________ (19) en inglés. El problema es que yo no ____________ (20) entender bien el inglés y sus abuelitos tampoco.

- contestar
- faltar
- flirtear
- ir
- jugar
- mentir
- poder
- querer
- ser

Yo ______________ (21) mi día muy temprano porque tengo que estar en el trabajo a las ocho. ______________ (22) todo el día en una tienda de ropa y luego ______________ (23) a una clase de inglés en un instituto norteamericano. Por lo tanto, ______________ (24) a casa tarde después de un día largo y ______________ (25) muy cansada. A esa hora, generalmente Enrique ______________ (26) música rap muy fuerte y yo le ______________ (27) que baje el volumen, pero el muchacho no ______________ (28) por qué me molesta. Entonces él y yo ______________ (29) y todo termina muy mal.

- asistir
- comenzar
- discutir
- entender
- estar
- pedir
- poner
- trabajar
- volver

Consuelo, ¿por qué mis hijos menores ______________ (30) tan buenos y mi hijo mayor __________ (31) tan rebelde? Yo __________ (32) a Enrique y todo el día __________ (33) en soluciones posibles, pero no ________ (34) qué hacer.

Madre desesperada

- pensar
- querer
- saber
- ser
- ser

ACTIVIDAD 5 Una clase aburrida

En grupos de tres, digan qué hacen o no hacen generalmente los estudiantes cuando están en una clase que es aburrida. Mencionen un mínimo de cinco acciones.

ACTIVIDAD 6 ¿Cuánto hace que...?

En parejas, túrnense para entrevistarse y averiguar si la otra persona hace las siguientes actividades y cuánto tiempo hace que las realiza. Sigan el modelo.

Remember: Use **hace** + *time expression* + **que** + *present tense* to indicate how long an action has taken place. The action started in the past and continues in the present.

como/unas = aproximadamente

► A: ¿Estudias psicología?

B: Sí, estudio psicología. — B: No, no estudio psicología.

A: ¿Cuánto (tiempo) hace que estudias psicología?

B: Hace (como/unas) tres semanas que estudio psicología.

ahorrar dinero	compartir apartamento/ habitación en una residencia estudiantil	hacer trabajo voluntario
esquiar	tocar un instrumento musical	trabajar
estudiar español	jugar al (*nombre de un deporte*)	hacer ejercicio
hablar otro idioma	tener una página de Facebook	¿?

ACTIVIDAD 7 Los fines de semana

Actividades de tiempo libre

Parte A: En parejas, miren el cuestionario de la página siguiente y túrnense para entrevistarse y averiguar qué hacen los fines de semana. El/La entrevistado/a debe cerrar el libro. Sigan el modelo.

► —¿Qué prefieres hacer los fines de semana: comer en la universidad, pedir comida a domicilio o almorzar en...?

—Prefiero...

Preferir:		
❑ comer en la universidad	❑ pedir comida a domicilio	❑ almorzar y/o cenar afuera
Dormir:		
❑ 7 horas o menos	❑ 8 horas	❑ más de 8 horas
Gastar dinero en:		
❑ música	❑ comida	❑ ropa
Asistir a:		
❑ conciertos	❑ eventos deportivos	❑ manifestaciones políticas
❑ conferencias	❑ estrenos (*premieres*) de películas	❑ exhibiciones de arte
Gustarle:		
❑ trasnochar	❑ hablar por teléfono	❑ alquilar películas
Soler:		
❑ pasar la noche en vela	❑ ir a fiestas	❑ jugar al (*nombre de un deporte*)

Parte B: Ahora compartan la información que averiguaron con el resto de la clase para comparar lo que hacen los universitarios típicos.

ACTIVIDAD 8 La puntualidad

Parte A: Lee las siguientes preguntas sobre la puntualidad y mira las respuestas que dio el panameño de la foto. Luego escribe tus respuestas a estas preguntas.

	Un panameño
1. Si invitas a amigos a cenar a tu casa, ¿para qué hora es la invitación y a qué hora llegan tus amigos?	"Es para las 8:00 y llegan a las 8:30/9:00."
2. Si quedas en encontrarte con un amigo en un café a las 3:00, ¿a qué hora llegas?	"Llego a las 3:15."
3. Si tienes una clase que empieza a las 10:00, ¿a qué hora llegas a la clase? ¿A qué hora llega tu profesor/a?	"Llego a las 10:15 y el profe llega a las 10:10. (Las clases son de dos horas.)"
4. Si tienes una entrevista de trabajo a las 9:15, ¿a qué hora llegas?	"Llego a las 9:10."
5. Si tienes cita con el médico a las 11:30, ¿a qué hora llegas? ¿A qué hora te ve el médico?	"Llego a las 11:30 y el médico me ve a las 12:00/12:30."
6. Dentro de las normas de tu país, ¿te consideras una persona puntual?	"Sí, soy bastante puntual."

Parte B: Ahora, en parejas, comparen sus respuestas y digan si son similares o no a las del panameño.

ACTIVIDAD 9 ¿Qué hacen?

Parte A: En grupos de tres, miren las listas de acciones de las páginas 17–18 y usen la imaginación para decir todo lo que hacen estas personas un día normal.

Use **ir a** + *infinitive* to discuss future events.

Parte B: Uds. tienen una bola de cristal y saben que la vida de estas cuatro personas se va a cruzar. Inventen una descripción lógica para explicar qué va a ocurrir. Comiencen diciendo: **La estudiante va a salir de su casa una noche y...**

ACTIVIDAD 10 Un conflicto en casa

En parejas, una persona es el padre/la madre y la otra persona es el/la hijo/a. Cada persona debe leer solamente las instrucciones para su papel.

Padre/Madre	Cosas que hace tu hijo/a
Tu hijo/a tiene 17 años y es un poco rebelde. Mira la lista de cosas que hace y que no debe hacer y luego dile qué tiene que hacer para cambiar su rutina. También hay algunas cosas de tu rutina que tu hijo/a no acepta y las va a comentar. Cuestiona lo que te dice, pero intenta entender a tu hijo/a. Empieza la conversación diciendo "Quiero hablar contigo".	• faltar a clase • tocar la batería (*drums*) constantemente • trasnochar con frecuencia • mentir mucho • preferir andar con malas compañías • sacar malas notas en la escuela • dormir todo el fin de semana

Hijo/a	Cosas que hace tu padre/madre
Tu padre/madre observa cada cosa que tú haces. Por eso tú decides observar las cosas que hace él/ella. Aquí hay una lista de cosas que hace él/ella. Ahora tu padre/madre va a hablarte de las cosas que tú haces. Cuestiona lo que te dice y háblale de las cosas que, en tu opinión, no debe hacer.	• gastar mucho dinero en cosas innecesarias • decir que está enfermo/a y faltar al trabajo cuando está bien • tocar el piano muy mal • soler mirar *La rueda de la fortuna* en la tele • gritar cuando habla con el celular • beber mucho los fines de semana • fumar a escondidas detrás del garaje

B Reflexive Constructions

1. To indicate that someone does an action to himself/herself, you must use reflexive pronouns (**pronombres reflexivos**). Compare the following sentences.

Me despierto a las 8:00 todos los días.	Todas las mañanas **despierto** a mi padre a las 8:00.
Mi padre **se baña** por la noche.	Mi padre **baña** a mi hermanito por la noche.
Mis hermanas siempre **se cepillan** el pelo por la mañana.	Mi hermana **cepilla** al perro una vez por semana.

In the first column of the previous examples, the use of reflexive pronouns indicates that the subject doing the action and the object receiving the action are the same. In the second column, subjects and objects are not the same; therefore, reflexive pronouns are not used.

Remember: Definite articles (**el, la, los, las**) are frequently used with body parts.

2. The reflexive pronouns are:

me acuesto	**nos** acostamos
te acuestas	**os** acostáis
se acuesta	**se** acuestan

For information on reflexive pronouns and their placement, see Appendix D, page 371.

3. Common reflexive verbs that are used to describe your daily routine are:

acostarse (o → ue)	**maquillarse** (*to put on makeup*)
afeitarse (la barba/las piernas/etc.)	**peinarse**
arreglarse (*to make oneself presentable*)	**ponerse la camisa/la falda/etc.**
bañarse	**prepararse (para)**
cepillarse (el pelo/los dientes)	**probarse ropa (o → ue)** (*to try on clothes*)
despertarse (e → ie)	**quitarse la camisa/la falda/etc.**
desvestirse (e → i, i)	**secarse (el pelo/la cara/etc.)**
dormirse (o → ue, u)	**sentarse (e → ie)**
ducharse	**vestirse (e → i, i)**
lavarse (el pelo/las manos/la cara/etc.)	

arreglar = to fix (*as in a car motor*)

arreglarse la cara = **maquillarse**

arreglarse el pelo = to fix one's hair

dormir = to sleep

dormirse = to fall asleep

Do not confuse **sentirse (e → ie, i)** with **sentarse (e → ie) =** to sit down.

4. Here are some verbs that do not indicate actions performed upon oneself, but need reflexive pronouns in order for them to have the meanings listed here.

aburrirse (de)	to become bored (with)
acordarse (de) (o → ue)	to remember
caerse	to fall down
callarse	to shut up
darse cuenta (de)	to realize
despedirse (de) (e → i, i)	to say good-by (to)
divertirse (e → ie, i)	to have fun, to have a good time
enfadarse/enojarse	to get mad
equivocarse	to err, to make a mistake
interesarse (por)	to take an interest (in)
irse (de)	to go away (from), to leave (*a place*)
ocuparse (de)	to take care (of)
olvidarse (de)	to forget (about)
preocuparse (de)	to take care (of)
preocuparse (por)	to worry (about)
quejarse (de)	to complain (about)
reírse (de) (e → i, i)	to laugh (at)
sentirse (e → ie, i)	to feel

ACTIVIDAD 11 La respuesta de Consuelo

Parte A: Completa el mail de la página siguiente que Consuelo le escribe a la madre desesperada de la Actividad 4.

Parte B: Consuelo cree que la comunicación entre la madre y su hijo es la mejor solución para ellos. En grupos de tres, comenten qué pueden hacer los padres para tener mejor comunicación con sus hijos.

► En mi opinión, los padres pueden... Deben... Tienen que...

Querida madre desesperada:

Yo también tengo un hijo adolescente y por eso entiendo muy bien su problema. Creo que no ________________ (1) si le digo que su hijo, como el mío, tiene malos hábitos: estoy segura de que ________________ (2) tarde por la mañana, no ________________ (3), no ________________ (4) y no ________________ (5) con ropa apropiada para ir a la escuela. También dice Ud. que su hijo a veces no va a la escuela y estoy segura de que ________________ (6) y, por eso, prefiere ir al parque, donde ________________ (7) con sus amigos. También me imagino que Ud. debe ________________ (8) triste cuando su hijo no quiere hablar español porque Ud. cree que él puede perder parte de su cultura. Pero él no quiere ser diferente de los otros adolescentes; quiere ________________ (9) y ser como los chicos de su edad y para él, eso significa, lamentablemente, no hablar español.

aburrirse
afeitarse
despertarse
divertirse
equivocarse
integrarse
peinarse
sentirse
vestirse

Nosotras, como madres, ________________ (10) por su apariencia física y su comportamiento, y les decimos qué deben hacer. Pero nuestros hijos ________________ (11) de los consejos que les damos y en parte tienen razón, pues creo que no ________________ (12) de que necesitan ser un poco más independientes.

darse cuenta
preocuparse
quejarse

Creo que Uds. deben ________________ (13) y hablar para poder negociar qué es aceptable e inaceptable para un adolescente. Por ejemplo, Ud. debe prometer hablarle en inglés delante de sus amigos y él debe intentar usar español cuando habla con su abuela y así ella puede ________________ (14) cómoda con su nieto. Pero intente no ________________ (15) con su hijo; escúchelo, y creo que la situación va a mejorar en su hogar.

enojarse
sentarse
sentirse

Le deseo mucha suerte,

Consuelo

ACTIVIDAD 12 Tu rutina

Parte A: En parejas, describan cuatro o cinco actividades de su rutina de la mañana y de su rutina de la noche. Usen verbos de la lista de la página 23 y mencionen algunos detalles adicionales. Sigan el modelo.

► Por la mañana yo me despierto a las 6:15, pero me levanto a las 6:45 y tomo café antes que nada. Después...

Parte B: Ahora díganse cuatro cosas que generalmente hacen los fines de semana y tres cosas que van a hacer este fin de semana.

► En general, los fines de semana me levanto tarde, pero este fin de semana voy a levantarme temprano porque...

ACTIVIDAD 13 La salud

Parte A: Completa la siguiente tabla sobre tu vida. Escribe tus iniciales en la columna apropiada.

	Siempre/Mucho	Generalmente	A veces	Nunca
despertarse tarde	______	______	______	______
dormirse con la tele encendida	______	______	______	______
escuchar música a todo volumen	______	______	______	______
practicar deportes	______	______	______	______
beber alcohol	______	______	______	______
cepillarse los dientes después de comer	______	______	______	______
pasar noches en vela	______	______	______	______
salir cuatro noches por semana	______	______	______	______
sentirse de buen humor	______	______	______	______
reírse de sí mismo/a	______	______	______	______
preocuparse mucho por todo	______	______	______	______

Parte B: En parejas, entrevisten a la otra persona y escriban sus iniciales en la columna apropiada. Al escuchar la respuesta de su compañero/a, reaccionen usando una de las expresiones que se presentan abajo y pídanle más información. Sigan el modelo.

► —¿Bebes alcohol?

—Sí, bebo mucho. / No, nunca bebo. / etc.

—¡No me digas! ¿Por qué?

—Porque...

Para reaccionar

¡No me digas! / ¿De veras? / ¿En serio?	Really? / You're kidding.
Yo también.	I do too. / Me too.
Yo tampoco.	Neither do I. / Me neither.
En cambio yo...	Instead I . . . / Not me, I . . .
¡Qué chévere! (*Caribe*)	That's cool!
¡Qué lástima!	What a pity!

sano/a = healthy

cuerdo/a = sane

Parte C: Ahora, miren las respuestas y díganle al resto de la clase si su compañero/a lleva una vida sana. Justifiquen su opinión.

► Liz (no) lleva una vida sana porque...

ACTIVIDAD 14 ¿Cómo son Uds.?

Parte A: En parejas, túrnense para entrevistar a la otra persona y así formar una idea de su perfil psicológico.

1. aburrirse cuando alguien le cuenta un problema
2. divertirse solo/a o en compañía de otros
3. acordarse del cumpleaños de sus amigos
4. preocuparse por los demás (*others*)
5. sentirse mal si está solo/a
6. aceptar sus errores cuando se equivoca en la vida
7. olvidarse de ir a citas
8. interesarse por la salud de sus familiares

Parte B: Ahora usen los siguientes adjetivos para describirle a la clase cómo es la persona que entrevistaron. Justifiquen su opinión.

Remember to use **ser** to describe what your partner is like.

Adjetivos: **considerado/a, despistado/a, egoísta, extrovertido/a, sociable, solitario/a, impaciente, introvertido/a, paciente**

► Tom es una persona muy sociable porque...

ACTIVIDAD 15 Las reacciones

Parte A: Primero, lee las siguientes situaciones y escribe en la primera columna un adjetivo para indicar cómo te sientes. Después, pon una X en la segunda o la tercera columna para indicar si te callas o te quejas.

Adjetivos: **enojado/a, fatal, frustrado/a, impaciente, irritado/a, nervioso/a, preocupado/a,** etc.

	Me siento...	Me callo	Me quejo
si no me gusta el servicio de un restaurante	________	____	____
si en el lugar donde trabajo una persona fuma en el baño	________	____	____
si estoy en un avión y el niño que está detrás de mí me molesta	________	____	____
si mi taxista maneja como un loco	________	____	____
si un profesor me da una nota que me parece baja	________	____	____
si alguien cuenta un chiste ofensivo	________	____	____
si mis vecinos ponen música a todo volumen	________	____	____
si no puedo matricularme en una clase	________	____	____

(*Continúa en la página siguiente.*)

Parte B: En parejas, comparen y discutan sus respuestas. Justifiquen por qué se quejan o se callan. Usen las siguientes frases para reaccionar.

Para reaccionar

No sirve de nada quejarse / No vale la pena quejarse...	It's not worth it to complain . . .
Vale la pena callarse porque...	It's worth it to keep quiet, because . . .
Tienes razón.	You're right.

ACTIVIDAD 16 Un poco de imaginación

En grupos de tres, imagínense que estas dos personas son sus amigos y contesten las preguntas que siguen.

1. ¿Cómo se llaman y dónde trabajan?
2. ¿Qué hace el hombre para divertirse? ¿Y la mujer?
3. ¿Quién se divierte más?
4. ¿Dónde se aburren ellos?
5. ¿Se preocupan por su apariencia física?
6. ¿Se dan cuenta de los comentarios de los demás o no se preocupan por esas cosas?
7. ¿Cuál de los dos se interesa por la política? ¿Por qué?
8. ¿Cuál de los dos se olvida de pagar las cuentas a tiempo?

II. Discussing Nightlife

La vida nocturna

Nombre del grupo: ¿Qué hacemos esta noche?

Tipo de grupo: Cerrado

Información:

Tipo: Vida nocturna

Descripción: La idea del grupo es contar y sugerir qué hacer los fines de semana por la noche. Contar qué haces esta noche y qué hiciste anoche.

Enviar mensaje al grupo
Crear evento
Editar:
grupo
miembros
coordinadores
Invitar a gente al grupo

Contacto:
carolaestanoche@gmail.com

Muro:

Fernanda Correa ha escrito hoy a las 11
Esta noche salgo con Carola y Victoria. No sé qué vamos a hacer.

Mariano Campoy ha escrito hoy a las 11:15
¿Por qué no van a la **disco** Luna Gaucha que va a estar mi dj preferido? Se puede **pedir algo de tomar** que no es caro y la música va a estar muy buena.

Fernanda Correa ha escrito hoy a las 11:20
Sí, la música va a estar muy buena, pero si nadie **te saca a bailar...**

Mariano Campoy ha escrito hoy a las 11:25
Pero Uds. **bailan en grupo.** ¿Cual es el problema?

Carola Medrano ha escrito hoy a las 12
Podemos ir al cine y yo puedo comprar **las entradas** por Internet. Fernanda, **¿me pasas a buscar?** Pero **no me vas a dejar plantada,** ¿no?

Victoria Caropi ha escrito hoy a las 13
Nos juntamos en el bar de la esquina a las 9 y ahí vemos qué hacemos - ir al cine, a comer algo y si no tenemos **plata, vamos a dar una vuelta.** ¿Bien? ¿Alguien más quiere unirse al programa?

club

order something to drink

asks you to dance

dance in a group

tickets; will you pick me up
you are not going to stand me up

we will get together

money (*slang*); we go cruising/for a ride/for a walk

The verb **ligar** is never followed directly by a noun as a direct object. **Todas las noches Juan sale con sus amigos a ligar.**

Palabras relacionadas con la vida nocturna	
ir a bailar	
pasar tiempo con alguien	to hang out with someone
ir a un bar	to go to a bar, café
ir a un concierto	
sacar/comprar entradas	to get/to buy tickets
sentarse en la primera/segunda/ última fila	to sit in the first/second/last row
ir detrás del escenario	to go backstage
el/la revendedor/a	scalper
ligar (*España, México*)	to pick someone up (at a club, bar, etc.)
pasar a buscar/recoger a alguien (por/en un lugar)	to pick someone up (at home, etc.)
pasear en el auto	to go cruising
quedar en una hora (con alguien)	to meet (someone) at an agreed upon time
reunirse/juntarse con amigos	to get together with friends
tener un contratiempo	to have a mishap (that causes one to be late)

ACTIVIDAD 17 Tu opinión

Lee y marca las ideas con las que estás de acuerdo. Luego, en grupos de tres, justifiquen sus respuestas.

1. ❑ Es preferible sacar a bailar a alguien que bailar en grupo.
2. ❑ La primera fila no es la mejor para ver un concierto.
3. ❑ La gente que sale a pasear en el auto no tiene nada mejor que hacer.
4. ❑ Ser revendedor es una buena forma de ganarse la vida.
5. ❑ Las personas que quedan en una hora y luego tienen contratiempos son desafortunadas.
6. ❑ La gente que te deja plantado/a generalmente es gente distraída.

ACTIVIDAD 18 Tu vida nocturna

En parejas, discutan las siguientes preguntas relacionadas con la vida nocturna.

1. ¿Van a bailar? ¿Con qué frecuencia? ¿Sacan a bailar a otra persona o esperan a que la otra persona los saque a bailar? ¿Por qué baila la gente?
2. ¿Les gusta ir a los bares? ¿Por qué? ¿Por qué se reúne la gente en los bares? ¿Por qué generalmente beben los jóvenes más que sus padres?
3. ¿Les compran las entradas a los revendedores el día del concierto o las compran con anticipación? ¿Cuánto cuesta normalmente una entrada? ¿Tienen a veces la oportunidad de ir detrás del escenario? ¿Qué hace la gente en un concierto de rock?
4. ¿Qué hacen si aceptan la invitación de alguien, pero después deciden no salir? ¿Y si alguien los está esperando en un lugar y Uds. tienen un contratiempo?

III. Obtaining and Giving Information

¿Qué? and ¿cuál?

1. In general, the uses of **qué** and **cuál(es)** parallel English uses of *what* and *which (one)*, except in cases where they are followed by **ser.**

¿**Qué** te ocurre?	*What's wrong? / What's the matter?*
¿**Qué** haces mañana?	*What are you doing tomorrow?*
¿**Cuál** le gusta más?	*Which (one) do you like more?*
¿**Cuáles** de estos cantantes prefieren?	*Which of these singers do you prefer?*

Note: A noun can follow both **qué** and **cuál(es)**, although **qué** + *noun* is more common: **¿Qué vestido te vas a poner esta noche?**

2. Use **qué** + **ser** to ask for a definition or for group classifications.

Definition	Group Classification
—¿**Qué es** un revendedor?	—¿**Qué eres,** demócrata o republicano?
—Es una persona que le vende a otro algo que compró.	—Ninguno de los dos. Soy del Partido Verde.

Note: The question **¿Qué es eso/esto?** is used to ask for the identification of an unknown object or action.

—**¿Qué es eso?**

—Es una quena, un instrumento musical que tocan en los Andes. (*identification*)

3. In all other instances not covered in points 1 and 2, use **cuál(es)** with **ser.**

¿**Cuál es** tu número de teléfono?	*What's your telephone number? (Which, of all the numbers in the world, is your phone number?)*
¿**Cuál es** tu dirección?	*What's your address? (Which, of all the addresses in the world, is your address?)*
¿**Cuáles son** tus zapatos?	*Which (of all the shoes) are your shoes?*

Compare the following questions.

—¿**Qué es** tarea?	—¿**Cuál es** la tarea?
—Tarea es un trabajo escrito que da el profesor para hacer en casa.	—La tarea para mañana es hacer las actividades 4 y 5 del cuaderno de ejercicios.

Notice that the question on the left is asking for a definition of what homework is while the one on the right is asking about a specific homework assignment.

ACTIVIDAD 19 ¿Qué hacemos esta noche?

Completa las siguientes preguntas sobre la página de Internet en la página 29 con **qué** o **cuál(es)**. Luego contéstalas.

1. ¿______________ es el objetivo del grupo?
2. ¿______________ programa sugiere Mariano: ir al cine, a una disco o a dar una vuelta?
3. ¿______________ es Luna Gaucha?
4. ¿______________ sugiere hacer Carola?
5. ¿______________ es posiblemente el mail de Carola Medrano?
6. ¿______________ significa "dejar plantada"?
7. ¿______________ de los programas deciden hacer las chicas?

ACTIVIDAD 20 ¿Cuánto sabes?

Parte A: Completa las siguientes preguntas sobre la cultura hispana con **qué** o **cuál(es).**

1. ¿A ______________ hora almuerza la gente en España?
2. ¿______________ es un sinónimo de "pasarlo bien"?
3. ¿Con ______________ de estas formas se despiden dos mujeres mexicanas jóvenes: un beso o un apretón de manos?
4. ¿______________ es "tener un contratiempo"?
5. ¿______________ películas ve más un mexicano: nacionales o extranjeras?
6. ¿______________ significa ser hispano?
7. Si se invita gente a una fiesta en Panamá a las nueve de la noche, ¿a ______________ hora llegan los invitados?
8. ¿______________ es una guayabera y en ______________ países se lleva?
9. ¿______________ es el nombre de la mujer argentina que sirvió de inspiración para una obra de Broadway y una película con Madonna?
10. ¿______________ son los dos países suramericanos que llevan el nombre de personajes históricos?
11. ¿______________ es un "taco" en España? ¿Y en México?
12. ¿______________ moneda usan en México?
13. ¿______________ de las islas del Caribe es la más grande?
14. ¿______________ es la montaña más alta de América?

Parte B: En parejas, túrnense para hacer y contestar las preguntas de la Parte A. Si no saben la respuesta, digan **No sé. / No tengo idea. ¿Lo sabes tú?**

IV. Avoiding Redundancies

Subject and Direct-Object Pronouns

Read the following conversation and state what is unusual.

A: ¿Agustín invita a salir a Sara?
B: No, Agustín no invita a salir a Sara porque Agustín no conoce a Sara.
A: ¿Cuándo va a conocer Agustín a Sara?
B: No sé cuándo va a conocer Agustín a Sara.

Obviously there is a great deal of repetition in the conversation. Two ways of avoiding repetition are (1) substituting a subject pronoun (**yo, tú, Uds.,** etc.) for the subject or omitting the subject altogether and (2) substituting direct-object pronouns for direct-object nouns.

A: ¿Agustín invita a salir a Sara?
B: No, no la invita a salir porque él no la conoce.
A: ¿Cuándo va a conocerla?
B: No sé cuándo la va a conocer.

Pobre Jaime. Sus amigos quedan a una hora con él y no vienen; siempre **lo** dejan plantado.

1. A direct object (**complemento directo**) is the person or thing that is directly affected by the action of the verb. It answers the question *whom?* or *what?* Notice that when the direct object refers to a specific person or to a loved animal, the personal **a** precedes it.

No encuentro **las llaves.**	*I can't find the keys.*
No encuentro a **mi hijo.**	*I can't find my child.*
No encuentro a **mi perro.**	*I can't find my dog.*

Note: The personal **a** is not usually used after the verb **tener**: **Tengo una hermana.**

2. The direct-object pronouns are:

me	nos
te	os
lo, la	los, las

Sentences with direct objects	Sentences with direct-object pronouns
Anoto **el teléfono de la muchacha.**	**Lo** anoto.
Carlos ve **a su novia** dos veces por semana.	Carlos **la** ve dos veces por semana.
XXX	Ella **me/te/os/nos** ve una vez por año.

3. Placement of direct-object pronouns:

Before the Conjugated Verb	or	After and Attached to the Infinitive
La ve dos veces por semana.		XXX
La va a ver.	=	Va a **verla.**
La tiene que ver ahora.	=	Tiene que **verla** ahora.

Before the Conjugated Verb	or	After and Attached to the Present Participle
Lo estoy comprando.	=	Estoy **comprándolo.**

This activity includes more uses of **a** besides the personal **a.** To review other uses, see Appendix E.

ACTIVIDAD 21 Mensajes de texto

Parte A: Lorena entra al baño y su madre toma el celular de su hija para leer los mensajes. Complétalos con **a, al, a la, a los, a las,** o deja el espacio en blanco cuando sea necesario.

Remember: **a** + **el** = **al**

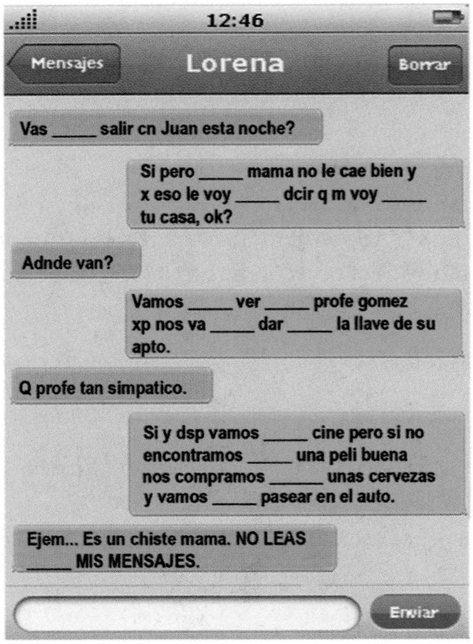

Abreviaciones en mensajes de texto:

adnde = adónde
cn = con
d = de
dcir = decir
dsp = después
m = me
q = que / qué
x = por

Parte B: En parejas, digan si hay personas que leen los mensajes de otros. Comenten de quiénes son los mensajes que leen y por qué creen Uds. que los leen.

ACTIVIDAD 22 En Los Ángeles

La siguiente historia sobre un joven que vive en Los Ángeles contiene redundancias de sujeto y complemento directo que están en bastardilla (*italics*). Léela y después intenta reescribirla para que sea más natural.

Soy de familia hispana y vivo en Los Ángeles con mis padres, mis hermanos y mi abuela. Mi abuela no habla inglés y por eso, cuando *mi abuela* necesita ir al médico, yo acompaño *a mi abuela*. Mientras el doctor examina *a mi abuela* para ver qué tiene, *yo* traduzco la conversación entre ellos. Mi abuela siempre tiene la misma enfermedad y parece que *la enfermedad* sigue *a mi abuela* por todas partes, porque vamos al consultorio del médico con frecuencia.

Hay mucha gente mexicana en esta ciudad y muchos saben inglés, otros estudian *inglés* y otros casi no hablan *inglés*. Sé que no es fácil aprender otro idioma, especialmente si uno trabaja 80 horas por semana. *Yo* tuve suerte porque aprendí *inglés* en la escuela y aprendí español en casa. Muchas personas, especialmente los mayores, que no hablan bien inglés tienen miedo de participar activamente como ciudadanos. Por eso trabajo en un centro de votación que contrata voluntarios. El centro entrena *a los voluntarios* y luego *los voluntarios* salen a hablar con la comunidad hispana. Vamos por lo general a los supermercados y le explicamos a la gente que su voto cuenta y que *el voto* no es obligatorio, sino que *el voto* es un privilegio. También *el voto* es un derecho y cada ciudadano debe ejercer *este derecho*. Cada año, el día de las elecciones, con orgullo, mi abuela ejerce *su derecho* y yo acompaño *a mi abuela* para traducir la papeleta y le digo dónde debe poner las equis. Pero ella siempre pone *las equis* sola con mucho cuidado...

ACTIVIDAD 23 ¿Sabes quiénes...?

En el mundo hispano hay gran variedad de costumbres, razas y usos del idioma español, entre otras cosas. En parejas, pregúntenle a su compañero/a si sabe qué grupo hispano hace las acciones que se indican. Sigan el modelo.

▶ decir la palabra "guagua" en vez de "autobús"

—¿Sabes quiénes dicen la palabra "guagua" en vez de "autobús"?

—Sí, la dicen los caribeños.

1. pronunciar la "ce" y la "zeta" como la "th" en inglés
2. usar el término "vos"
3. comer pan de muerto
4. decir "tacos"
5. generalmente no tener sangre indígena
6. decir la palabra "platicar" por "charlar"
7. tocar música con influencia de ritmos africanos

- argentinos
- caribeños
  - puertorriqueños,
  - cubanos,
  - dominicanos
- costarricenses
- españoles
- mexicanos

ACTIVIDAD 24 ¿Te visitan?

En parejas, háganse preguntas sobre cosas que hacen sus padres y sus amigos.

► —¿Te llaman por teléfono tus padres?

—Sí, me llaman mucho. —No, no me llaman nunca.

sus padres	llamarlo/la por teléfono visitarlo/la en la universidad controlarlo/la mucho
sus amigos	venir a visitarlo/la de otra universidad invitarlo/la a cenar criticarlo/la por algo dejarlo/la plantado/a con frecuencia

ACTIVIDAD 25 Los profes

En grupos de tres, piensen en los profesores que han tenido y en otros profesores que conocen. Después, formen oraciones explicando cómo son en general. Usen expresiones como: **algunos, pocos, normalmente, en general, generalmente** y **la mayoría**. Sigan el modelo.

► verlos fuera de sus horas de oficina

Generalmente, no **nos ven** fuera de sus horas de oficina.

Muchos de los profesores no **nos ven** fuera de sus horas de oficina, pero hay algunos que sí **nos ven**. Algunos incluso van a tomar algo con nosotros a la cafetería.

1. escucharlos atentamente cuando Uds. hablan
2. respetarlos
3. conocerlos bien
4. considerarlos parte importante de la universidad
5. subirles la nota si se quejan
6. invitarlos a tomar algo después de clase

ACTIVIDAD 26 La primera salida

Parte A: Lee lo que dicen dos jóvenes, un argentino y una mexicana, sobre la primera vez que uno sale con alguien. Compara sus respuestas.

Fuente hispana

"En una primera salida típicamente el chico invita a la chica. Si él tiene auto, la pasa a buscar o si no, quedan en un lugar que puede ser un bar o un cine. La primera vez paga el chico porque es una cuestión social, pero hay muchos jóvenes que no tienen mucho dinero y a veces las chicas que no tienen mucho dinero se aprovechan de los chicos y salen con ellos solo porque quieren salir. El chico muchas veces espera que ella le dé por lo menos un beso en la boca. En las próximas salidas generalmente pagan a medias y si se gustan, hay muchos más besos." ■

they take advantage of

Fuente hispana

"Por tradición, el hombre se acerca e investiga sobre la mujer que le interesa. Por tradición, el hombre invita por primera vez después de platicar algunas veces con la mujer. Tradicionalmente, el hombre la recoge en su casa y paga lo que sea que hagan (ir al cine, a un café, a una fiesta...). Por tradición, el hombre mantiene a su mujer y paga todos los gastos que tengan juntos. Hoy día hay mucha gente que no sigue las tradiciones porque no son muy prácticas. Entonces existen parejas que no dependen tanto de la diferencia de géneros. Así, a veces invita ella, a veces él o cada uno paga lo suyo." ■

Parte B: Ahora, en grupos de tres, digan cómo es una primera salida en este país.

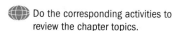

Do the corresponding activities to review the chapter topics.

CAPÍTULO 1

Vocabulario activo

Verbos

-ar *verbs*

ahorrar (dinero/tiempo) *to save (money/time)*
alquilar (películas) *to rent (movies)*
charlar *to chat*
cuidar (a) niños *to baby-sit*
dibujar *to draw*
escuchar música *to listen to music*
faltar (a clase / al trabajo) *to miss (class/work)*
flirtear/coquetear *to flirt*
gastar (dinero) *to spend (money)*
mirar (la) televisión *to watch TV*
pasar la noche en vela *to pull an all-nighter*
pasear al perro *to walk the dog*
probar (o → ue) *to taste; to try*
sacar buena/mala nota *to get a good/bad grade*
trasnochar *to stay up all night*

-er *verbs*

devolver (o → ue) *to return (something)*
escoger *to choose*
hacer investigación/dieta *to do research / to be on a diet*
poder (o → ue) *to be able to, can*
soler (o → ue) + *infinitive* *to usually + verb*
volver (o → ue) *to return*

-ir *verbs*

asistir (a clase / a una reunión) *to attend (class / a meeting)*
compartir *to share*
contribuir *to contribute*
discutir *to argue; to discuss*
mentir (e → ie, i) *to lie*
salir bien/mal (en un examen) *to do well/poorly (on an exam)*
seguir (instrucciones / a + alguien) (e → i, i) *to follow (instructions/someone)*

Verbos reflexivos

La rutina diaria

acostarse (o → ue) *to lie down; to go to bed*
afeitarse (la barba/las piernas/etc.) *to shave (one's beard/legs/etc.)*
arreglarse *to make oneself presentable*
bañarse *to take a bath*
cepillarse (el pelo/los dientes) *to brush (one's hair/teeth)*
despertarse (e → ie) *to wake up*
desvestirse (e → i, i) *to get undressed*
dormirse (o → ue, u) *to fall asleep*
ducharse *to take a shower*
lavarse (el pelo/las manos/la cara/etc.) *to wash (one's hair/hands/face/etc.)*
maquillarse *to put on makeup*
peinarse *to comb one's hair*
ponerse la camisa/la falda/etc. *to put on the shirt/the skirt/etc.*
prepararse (para) *to get ready (for)*
probarse ropa (o → ue) *to try on clothes*
quitarse la camisa/la falda/etc. *to take off the shirt/the skirt/etc.*
secarse (el pelo/la cara/etc.) *to dry (one's hair/face/etc.)*
sentarse (e → ie) *to sit down*
vestirse (e → i, i) *to get dressed*

Otros verbos que usan pronombres reflexivos

aburrirse (de) *to become bored (with)*
acordarse (de) (o → ue) *to remember*
caerse *to fall down*
callarse *to shut up*
darse cuenta (de) *to realize*
despedirse (de) (e → i, i) *to say good-by (to)*
divertirse (e → ie, i) *to have fun, to have a good time*
enfadarse/enojarse *to get mad*
equivocarse *to err, to make a mistake*
interesarse (por) *to take an interest (in)*
irse (de) *to go away (from), to leave (a place)*
ocuparse (de) *to take care (of)*
olvidarse (de) *to forget (about)*
preocuparse (de) *to take care (of)*
preocuparse (por) *to worry (about)*
quejarse (de) *to complain (about)*
reírse (de) (e → i, i) *to laugh (at)*
sentirse (e → ie, i) *to feel*

La vida nocturna

bailar en grupo *to dance in a group*
dejar plantado/a a alguien *to stand someone up*
ir a dar una vuelta *to go cruising/for a ride/for a walk*
ir a un bar *to go to a bar, café*
ir a un concierto *to go to a concert*
sacar/comprar entradas *to get/to buy tickets*
sentarse en la primera/segunda/última fila *to sit in the first/second/last row*
ir detrás del escenario *to go backstage*
el/la revendedor/a *scalper*
ir a una disco / ir a bailar *to go to a club / to go dancing*
ligar (*España, México*) *to pick someone up (at a club, bar, etc.)*
pasar a buscar/recoger a alguien (por/en un lugar) *to pick someone up (at home, etc.)*
pasar tiempo con alguien *to hang out with someone*
pasear en el auto *to go cruising*
pedir algo de tomar *to order something to drink*
la plata *money (slang)*
quedar en una hora con alguien *to meet at an agreed upon time*
reunirse/juntarse con amigos *to get together with friends*
sacar a bailar a alguien *to ask someone to dance*
tener un contratiempo *to have a mishap (that causes one to be late)*

Expresiones útiles

llamarle la atención *to find something interesting/strange*
ser un/a pesado/a *to be a bore*
hace + *time expression* **+ que +** *present tense* *to have been doing something for* + time expression
En cambio yo... *Instead I . . . / Not me, I . . .*
¡No me digas! / ¿De veras? / ¿En serio? *Really? / You're kidding.*
No sirve de nada quejarse / No vale la pena quejarse... *It's not worth it to complain . . .*
¡Qué chévere! (*Caribe*) *That's cool!*
¡Qué lástima! *What a pity!*
Tienes razón. *You're right.*
Vale la pena callarse porque... *It's worth it to keep quiet, because . . .*
Yo también. *I do too. / Me too.*
Yo tampoco. *Neither do I. / Me neither.*

Más allá

Canción: "Hablemos el mismo idioma"

Gloria Estefan

Nace en Cuba en 1957, pero llega a los dos años a vivir en los Estados Unidos con su familia. Al principio de su carrera como cantante, forma parte del Miami Sound Machine, grupo que luego se disuelve. Gloria lleva vendidos 70 millones de discos gracias a su popularidad y a su productor y esposo, Emilio Estefan. A lo largo de su carrera, ella recibe varios Grammys, entre ellos uno por su álbum *Mi tierra,* donde aparece la canción "Hablemos el mismo idioma". Estefan no solo es cantante y compositora, sino también escritora de libros para niños.

ACTIVIDAD Hispanos en los Estados Unidos

Parte A: En grupos de tres, digan cuáles son los principales grupos hispanos que hay en los Estados Unidos y digan dónde se encuentran las grandes poblaciones de cada grupo.

Parte B: Mientras escuchan la canción, busquen la siguiente información.

- qué cosas tienen en común los hispanos
- qué cosas los hacen diferentes
- qué significa para la cantante hablar el mismo idioma
- cuáles son los beneficios de hablar el mismo idioma

Parte C: Como dice Estefan, "en la unión hay un gran poder". En grupos de tres, mencionen grupos o asociaciones de personas que están unidas por una causa común y digan qué hacen para lograr su objetivo.

Videofuentes: *¿Cómo te identificas?*

Antes de ver

ACTIVIDAD 1 Términos hispanos

Explica la diferencia entre los términos **chicano, latinoamericano** y **mexicoamericano** que ya discutiste en clase.

Mientras ves

ACTIVIDAD 2 ¿Cómo se identifican?

Parte A: Mientras escuchas a varios hispanohablantes que explican cómo se definen, completa la siguiente tabla.

Jessica Carrillo Fernández

Nombre	País	Se identifica como...
Rodrigo	______________	______________
Cecilia	______________	______________
Gregorio*	______________	______________
Jessica*	______________	______________
Mirta*	______________	______________
John*	______________	______________
Carmen*	______________	______________
Alberto	______________	______________

*Personas que no fueron entrevistadas en su país.

Parte B: Ahora escucha las entrevistas otra vez y marca las definiciones que los entrevistados asocian con los siguientes términos.

1. __________ latinoamericano	a. hablar español, compartir tradiciones
2. __________ hispano	b. saber hablar español
3. __________ latino	c. ser gente cálida y tener cosas en común
	d. la unión de muchos pueblos
	e. la unión del continente

Después de ver

ACTIVIDAD 3 ¿Cómo te identificas tú?

En el video, algunos hispanohablantes dicen que se identifican como parte de Latinoamérica. En grupos de tres, discutan las siguientes preguntas.

1. ¿Se identifican Uds. como parte del continente americano o con un país específico?
2. ¿Con qué países del continente se identifican más o menos? Miren las ideas de la lista para justificar su respuesta.
   - tener costumbres similares
   - escuchar la misma música
   - hablar el mismo idioma
   - ver los mismos programas de televisión
   - pensar de forma similar
   - leer a los mismos escritores

Proyecto: Un anuncio publicitario

Para este proyecto, necesitas grabar un anuncio publicitario para la radio sobre un lugar o evento hispano en tu ciudad; por ejemplo, una noche de salsa en una disco, un restaurante hispano o un concierto de algún cantante hispano. El anuncio debe ser de 30 a 45 segundos. Puedes buscar la siguiente información en Internet.

- identificación del evento/lugar
- dirección (y fecha)
- por qué es especial
- precios
- para qué tipo de público

CAPÍTULO 1

Los hispanos

Victoria Abril ★ Christina Aguilera ★ Isabel Allende ★ Pedro Almodóvar ★ Alejandro Amenábar ★ Marc Anthony ★ Gloria Anzaldúa ★ Óscar Arias ★ Juan Esteban 'Juanes' Aristizábal Vásquez ★ Ramón 'Daddy Yankee' Ayala ★ Judith Baca ★ Michelle Bachelet ★ Joan Baez ★ Antonio Banderas ★ Javier Bardem ★ Eduardo Berástegui ★ Rubén Blades ★ Roberto Bolaño ★ el rey don Juan Carlos I de Borbón y la reina doña Sofía ★ Fernando Botero ★ Santiago Calatrava ★ Tego Calderón ★ Andrés Cantor ★ Mariah Carey ★ Fidel Castro ★ Hugo Chávez ★ Linda Chávez-Thompson ★ Chayanne ★ Sandra Cisneros ★ Penélope Cruz ★ Alfonso Cuarón ★ Pedro Delgado ★ Cameron Díaz ★ Junot Díaz ★ Plácido Domingo ★ Pedro Duque ★ Gloria Estefan ★ Freddy Ferrer ★ América Ferrera ★ Carlos Fuentes ★ Luis Miguel Gallego Basteri ★ Andy García ★ Gael García Bernal ★ Gabriel García Márquez ★ Baltasar Garzón ★ Salma Hayek ★ Enrique Iglesias ★ Julio Iglesias ★ Miguel Induráin ★ Bianca Jagger ★ John Leguizamo ★ Francisco "Pancho" Lombardi ★ Eva Longoria ★ George López ★ Jennifer López ★ Diego Luna ★ Diego Maradona ★ Subcomandante Marcos ★ Ricky Martin ★ Pedro Martínez ★ Shakira Mebarak Ripoll ★ Juana Molina ★ Evo Morales ★ Rafael Nadal ★ Lorena Ochoa ★ Edward James Olmos ★ Elena Poniatowska ★ Manuel Puig ★ Óscar de la Renta ★ Geraldo Rivera ★ Alex Rodríguez ★ Paul Rodríguez ★ Linda Ronstadt ★ Ken Salazar ★ Joaquín 'Quino' Salvador Lavado ★ Carlos Santana ★ Gustavo Santaolalla ★ Cristina Saralegui ★ Jon Secada ★ Carlos Slim Helú ★ Sonia Sotomayor ★ Ariadna Thalía Sodi Miranda ★ Hilda Solís ★ Ilán Stavans ★ Benicio del Toro ★ Guillermo del Toro ★ Mario Vargas Llosa

See the *Fuentes* website for related links and activities: www.cengage.com/spanish/fuentes

ACTIVIDAD 1 Los hispanos famosos

Activating background knowledge

Todos los nombres que aparecen en la página anterior son de personas famosas. Algunos viven en los Estados Unidos, otros en América Latina o España. Algunos son famosos en los Estados Unidos, otros tienen fama internacional y otros son conocidos en los países hispanos. En grupos de tres, identifiquen cinco personas que Uds. conocen. Hagan una lista de esas personas y contesten las siguientes preguntas para cada una.

- ¿De dónde es?
- ¿Qué hace?
- ¿Cuál es el lugar de origen de su familia?
- ¿Qué piensan Uds. de él/ella?

Lectura 1: Los anuncios personales

ESTRATEGIA DE LECTURA

Activating Background Knowledge
To understand a specific reading, you must employ knowledge you already have about the topic. Thinking about your background knowledge before reading helps you contextualize the topic and predict what kinds of information and vocabulary are likely to appear in the text. For example, based on what you know about personal ads in English, you can guess that Spanish ads contain similar information.

ACTIVIDAD 2 ¿Qué desean?

Activating background knowledge

Vas a leer unos anuncios personales escritos por hispanos y publicados en Internet. Primero, en grupos de tres, contesten las siguientes preguntas sobre los anuncios personales.

1. ¿Leen Uds. los anuncios personales con frecuencia? ¿Por qué?
2. ¿Les gustaría responder a un anuncio personal?
3. ¿Por qué escribe la gente anuncios personales?
4. ¿Qué información suelen incluir los anuncios personales?
5. ¿Creen que la gente miente mucho en los anuncios?
6. ¿Qué características buscan Uds. al leer los anuncios?

Scanning for information

ACTIVIDAD 3 ¿Cómo es?

Muchas veces buscamos características específicas al leer los anuncios personales. Mira rápidamente los siguientes anuncios personales y escoge uno o dos adjetivos para cada persona o grupo de personas.

Gerardo: ____________ *María:* ____________
Rakhel: ____________ *Carmen:* ____________
Álvaro: ____________ *Andrés:* ____________
Luisa: ____________ *Bárbara:* ____________
Juan Carlos: ____________ *"los Golfos":* ____________

Scanning for information

ACTIVIDAD 4 Las actividades preferidas

Con frecuencia buscamos las actividades preferidas de las personas al leer los anuncios personales. Mira rápidamente los siguientes anuncios personales y contesta cada una de las siguientes preguntas.

1. ¿Quién practica alpinismo? ____________
2. ¿A quién le interesa el rock latino? ____________
3. ¿A quién le gusta platicar? ____________
4. ¿Quién asiste a clases de veterinaria? ____________
5. ¿Qué persona tiene buen sentido del humor? ____________
6. ¿Quién corre todos los días? ____________
7. ¿Quién no come carne? ____________
8. ¿A quiénes les encantan las fiestas? ____________

Platicar (*México y partes de Centroamérica*) = hablar, charlar

Remember that you only need to understand these personal ads well enough to complete assigned activities. Rely on familiar vocabulary and cognates to get the main ideas.

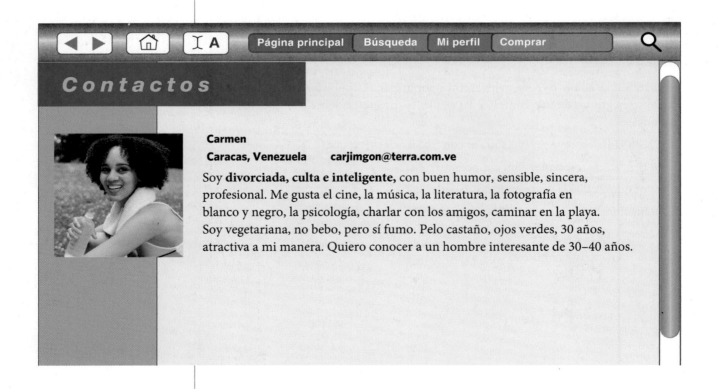

Página principal | Búsqueda | Mi perfil | Comprar

Contactos

Carmen
Caracas, Venezuela **carjimgon@terra.com.ve**

Soy **divorciada, culta e inteligente,** con buen humor, sensible, sincera, profesional. Me gusta el cine, la música, la literatura, la fotografía en blanco y negro, la psicología, charlar con los amigos, caminar en la playa. Soy vegetariana, no bebo, pero sí fumo. Pelo castaño, ojos verdes, 30 años, atractiva a mi manera. Quiero conocer a un hombre interesante de 30–40 años.

Gerardo

Distrito Federal, México   gerfer@terra.com.mx

Soy **un hombre emprendedor,** con miras al futuro, ambicioso, de carácter fuerte. Guapo, 27 años, 70 kilos, 1,77, atlético (hago pesas), ojos azules, rubio. Me dedico a la mercadotecnia y en mi tiempo libre practico alpinismo. Te busco a ti: la mujer de mis sueños, tierna pero decidida, emprendedora y con profesión.

Álvaro

Santiago, Chile   garciaal21@123click.cl

Soy estudiante, 21, soltero, pelo y ojos negros. Me considero una persona de buen corazón. Me gustan los deportes (fútbol, béisbol, tenis), la astrología (soy Tauro), la naturaleza, el rock latino, especialmente grupos mexicanos como Café Tacuba, Maná, etc., y me interesa conocer **gente (chicas) de México,** ya que quiero visitar el país.

No hay foto

Rakhel

Bilbao, España   rakhebv@yahoo.es

Buffff... por dónde empezar... mujer... jejeje... atractiva (dicen)... 32 años... de momento... espero cumplir muchos más... jejeje... con sentido del humor... irónica... me gusta reír... y hacer reír... me encantan las fiestas... y bailar... me fascina mi trabajo... me aburre la rutina... **odio la mediocridad**... y la injusticia... ¿tú?... guapo... jeje... buen conversador... diferente de los demás... escríbeme...

No hay foto

los Golfos

Madrid, España   golfos@wanadoo.es

Hola. Formamos **un grupo mixto de amigos** y queremos ampliarlo. Buscamos gente normal y simpática ☺. Si eres una persona abierta y simpática, y tienes entre 25 y 30 años, únete a nuestro grupo para salir de fiesta por Madrid.

Luisa

Buenos Aires, Argentina   luvalda@yahoo.com.ar

¡Hola! Tengo ojos marrones y pelo castaño. Soy porteña, a la que no le gusta la ciudad. Me encanta el campo, el aire libre... sentirme libre... Estudio veterinaria, **amo a los animalitos.** Soy super inquieta, me enloquece viajar y conocer lugares y culturas nuevas. Soy sensible, romántica, soñadora. Busco nuev@s amig@s y, si llega el caso, algo más.

Página principal | Búsqueda | Mi perfil | Comprar

No hay foto

Juan Carlos
San José, Costa Rica **juanca32@lycos.com**

Soy normal, sincero, muy romántico. **Soy divorciado, sin hijos, con título universitario.** Soy delgado, 1,78, peso normal, cara normal. Me gusta de todo – leer, ir a la playa, correr, andar en bicicleta, el deporte, el teatro, el arte, la música. Me gustaría conocer una mujer simpática, romántica, respetuosa, que crea en Dios.

Andrés
Lima, Perú **carvajalaa@situ.pe**

Soy del tipo intelectual, **libre pensador,** tolerante, acepto que existen otros mapas de la realidad. Me considero amigable, sencillo y espiritual. Tengo 40 años, soy médico, separado, vivo con mi hijo. Me mantengo en buena forma (corro todos los días). Busco amistad con una persona liberal, culta, inteligente, de cualquier edad. No necesito media naranja, sino buena amistad.

No hay foto

María
Tegucigalpa, Honduras **marijose@hotmail.com**

Soy amigable, **super alegre, cariñosa, sensible.** Tengo 28 años, ojos color miel, y soy morena. Me gusta platicar con la gente, bailar y escuchar salsa y merengue. Soy colombiana y vivo en Honduras hace seis años. Soy tradicional y quiero casarme con un hombre bueno. No me importa ni el dinero ni dónde vive.

Bárbara
Miami, EE.UU. **barbara3@hotmail.com**

Mi nombre lo dice todo. No busco ni sinceridad, ni honestidad, ni el amor de mi vida. Busco gente viva, loca, aventurera, sin inhibiciones, para viajar juntos, conocer el mundo y disfrutar sin límites de la vida.

Skimming and scanning

ACTIVIDAD 5 Las combinaciones perfectas

En grupos de tres, miren los anuncios otra vez. Busquen dos personas que se complementen bien y que puedan formar pareja, pensando en:

- qué características comparten
- qué valores comparten
- qué actividades prefieren

Luego, explíquenle a la clase por qué han seleccionado a esas dos personas o grupos de personas.

ACTIVIDAD 6 ¿A quién prefieres?

Personal reactions

Parte A: Individualmente, mira los anuncios y decide:

1. ¿Quién te cae bien? ¿Por qué?
2. ¿Quién te cae mal? ¿Por qué?
3. ¿Qué anuncios te llaman la atención? ¿Por qué?

Parte B: Después, en grupos de tres, comenten y justifiquen sus preferencias: ¿Quiénes les caen bien a todos Uds.? ¿Quiénes no? ¿Por qué? ¿Qué anuncios les llaman la atención?

ACTIVIDAD 7 Un corazón solitario

Brainstorming

Parte A: En parejas, escojan una de las fotos de la siguiente página. Imaginen cómo es la persona, usando las siguientes preguntas como guía.

1. ¿Quién es? ¿Cómo se llama?
2. ¿Qué hace? ¿Dónde trabaja?
3. ¿Cuántos años tiene?
4. ¿Cómo es físicamente?
5. ¿Qué le gusta/encanta hacer en su tiempo libre? (tres actividades)
6. ¿Qué prefiere no hacer? (tres actividades)
7. ¿Cómo es su personalidad? (tres características)
8. ¿Cómo es su pareja o amigo/a ideal?

Using models

Parte B: En parejas, escriban un anuncio para esta persona, usando los detalles de la Parte A. Usen el siguiente anuncio como modelo.

> Soy un hombre de 30 años, delgado, con pelo castaño y ojos marrones. Soy guapo, divertido y cariñoso. En mi tiempo libre juego al tenis, paseo al perro, leo novelas, voy al cine. Me encanta viajar. Deseo conocer a una mujer inteligente, culta y atractiva entre 30 y 40 años. Escríbeme, te contestaré. Vicente, Valencia, España.

Parte C: Después de terminar el anuncio, intercámbienlo con otra pareja, lean el anuncio de ellos y averigüen a qué foto pertenece.

1

2

3

4

5

6

Para ver miles de anuncios personales del mundo hispano, ve a la página web de **es.match.com**

Cuaderno personal 1-1

Imagina que te sientes muy solitario/a y decides poner un anuncio personal en un sitio web. Escribe un anuncio como los que acabas de leer.

Lectura 2: Panorama cultural

Activating background knowledge

ACTIVIDAD 8 Hispanos, latinos y americanos

Antes de leer "La dificultad de llamarse hispano, latino o americano", decidan en parejas cuáles de estos tres términos, **hispano, latino** o **americano,** se pueden usar para describir a una persona de los siguientes países. Luego, escriban una definición de cada término.

México	*Francia*	*Canadá*
España	*Cuba*	*Chile*
EE.UU.	*Brasil*	*Guatemala*

ESTRATEGIA DE LECTURA

Identifying Cognates
Spanish and English share the Latin alphabet as well as many words of Latin and Greek origin. By depending on these similar words, or cognates, you will often be able to understand much of any text written in Spanish. Familiar cognates include words like **información, artista, historia,** and **similar.**

ACTIVIDAD 9 Busca los cognados

Identifying cognates

En la siguiente lectura hay muchos cognados. Busca el equivalente en español de los siguientes términos.

the Caribbean	*Latin America*	*North American*
Central America	*Latin American*	*South America*
Hispanic	*North America*	*Spanish America*
Latin		

ACTIVIDAD 10 La idea general

Skimming

Parte A: Lee por encima la siguiente lectura y decide cuál de estas ideas representa mejor la idea general.

_______ *Es una descripción de tres hispanos: Orlando, Rosa y Rocío.*
_______ *Es una descripción de la geografía y la cultura hispanas.*
_______ *Es una exploración de palabras que describen distinciones raciales, culturales y geográficas.*

Parte B: Mientras lees, compara tus definiciones de **hispano, latino** y **americano** con las que aparecen en el texto. ¿Son iguales o diferentes?

Active reading

La dificultad de llamarse hispano, latino o americano

Orlando es de Buenos Aires, tiene la piel blanca y el pelo rubio. ¿Es hispano, latino o blanco? Rosa es de Venezuela, tiene la piel muy oscura y el pelo negro y rizado. ¿Es hispana o negra? Rocío es de México, es morena y tiene rasgos indígenas. ¿Es mexicana, hispana o indígena?

El adjetivo **hispano** es más frecuente que **hispánico.**

Indígena americano = Native American

Al leer el párrafo anterior, se puede ver que los términos *hispano* y *latino* se confunden con otros más bien raciales: indígena, negro, blanco, asiático. Sin embargo, *hispano* y *latino* no se basan históricamente en distinciones de raza sino en distinciones de cultura. *Latino* es un término de significado

El rumano también es una lengua romance, pero la cultura de Rumania es más bien eslava.

En los Estados Unidos, **latino = hispano**, aunque pueden tener connotaciones políticas diferentes en algunas comunidades.

Norteamérica = la América del Norte
Centroamérica = la América Central
Suramérica/Sudamérica = la América del Sur

bastante amplio que denomina a las personas que hablan lenguas romances como el portugués, el español, el catalán, el francés y el italiano, lenguas que tienen su origen en el latín, y por eso también se llaman lenguas *latinas*. Como la cultura y la lengua van íntimamente relacionadas, el término *latino* es tanto cultural como lingüístico. *Hispano* es un término que denomina a un habitante de la antigua provincia romana de Hispania, hoy España, y se usa actualmente para referirse a todas las personas de habla española y su cultura.

El uso de los nombres *latino* e *hispano* con connotaciones raciales es problemático, ya que hay hispanos blancos, negros, asiáticos e indígenas y mezclas de estos grupos. En realidad, *latino* empieza como una abreviatura de *latinoamericano*, término que puede incluir no solo a los hispanos, sino también a los brasileños (de habla portuguesa) y a los haitianos (de habla francesa). Por otro lado, puede excluir a muchos habitantes indígenas de Latinoamérica que no hablan español ni portugués y que no se consideran latinos.

Las cuestiones de nomenclatura se extienden también a los términos geográficos. *Latinoamérica* incluye a todos los países de lengua y cultura latinas, mientras que *Hispanoamérica* se compone de los diecinueve países de lengua española y cultura hispana. Otros términos geográficos son *Norteamérica, Centroamérica, Suramérica* y *el Caribe*. En español, el nombre *América* no se refiere a ningún país, sino al continente que se extiende desde el Ártico hasta Tierra del Fuego. Ya que todo habitante de América es *americano*, muchos dicen que la palabra *americano* no debe referirse solo a personas de los Estados Unidos. Se han buscado, entonces, alternativas como *estadounidense* y *norteamericano*. Sin embargo, no solo las personas de los Estados Unidos son *norteamericanos* porque los canadienses y los mexicanos también lo son. Y la palabra *estadounidense*, formal y burocrática, parece forzada en la conversación; así que, por falta de algo mejor, muchísimas personas dicen *americano* cuando se refieren a un habitante de los Estados Unidos.

Estos términos revelan la complejidad geográfica, cultural, racial y lingüística del mundo hispano y, por tanto, es importante entender qué significan. Aún más importante es reconocer que su significado puede variar de un grupo a otro, y en lugares y circunstancias diferentes. ■

ACTIVIDAD 11 Las ideas principales

Identifying main ideas of paragraphs

Hay cinco párrafos en la lectura anterior. Pon un número (1–5) al lado de la descripción que exprese mejor la idea principal de cada párrafo.

____2____ *los orígenes de* ***latino*** *e* ***hispano***
____1____ *ejemplos del uso confuso de algunos términos*
____3____ *el uso problemático de* ***latino*** *e* ***hispano***
____4____ *la importancia de entender los diferentes significados de los términos de identidad cultural*
____5____ *el uso de los términos geográficos para la identificación*

ACTIVIDAD 12 Definiciones

Scanning and circumlocution

Parte A: En parejas, escriban definiciones para las siguientes palabras. Busquen información en la lectura anterior y añadan otra información que Uds. conozcan. Usen expresiones como: **Es un término/adjetivo/nombre que se refiere a..., Es una expresión que denomina a...**

1. lenguas romances
2. latino
3. hispano
4. americano
5. hispanoamericano
6. latinoamericano
7. estadounidense

Parte B: Discutan con otra pareja las definiciones. ¿Hay palabras que tengan más de una definición? ¿Existen conflictos entre diferentes perspectivas y definiciones? ¿Por qué? ¿Hay definiciones que sean mejores que otras?

ACTIVIDAD 13 Reflexiones y reacciones

Después de terminar la lectura, lean y comenten las siguientes preguntas.

1. ¿Cómo te identificas tú? ¿Te identificas con una comunidad local, un estado o provincia, una región, una nación, una religión, un grupo étnico? ¿Crees que la gente debe preocuparse por estos términos de identidad? ¿Por qué?
2. ¿Crees que algunas personas en los Estados Unidos se equivocan cuando usan el término *Spanish*? ¿A qué se refieren al usar este término? ¿Crees que un mexicano o un puertorriqueño se siente mal o se enoja cuando alguien lo identifica como *Spanish*? ¿Por qué sí o no?
3. Algunas personas de origen "hispano" o "latinoamericano" en Estados Unidos se quejan del término *hispano* y prefieren llamarse *latinos*. ¿Por qué?

Cuaderno personal 1-2

En español, ¿prefieres usar americano/a, norteamericano/a o estadounidense para identificar a un habitante de los Estados Unidos? ¿Por qué?

VIDEOFUENTES

¿Cómo se identifican las personas entrevistadas en el video? ¿Las entrevistas confirman o contradicen las ideas presentadas en la lectura "La dificultad de llamarse hispano, latino o americano"?

Lectura 3: Artículos breves

ESTRATEGIA DE LECTURA

Scanning and Skimming
Scanning means searching a text for specific details or pieces of information without paying much attention to other information in the text. For example, when you decide to see a particular movie, you probably scan the film section of a newspaper or website for times and locations. *Skimming* means focusing on just enough features of a text to form a general idea of its content. You are skimming when you first glance over a newspaper article to see if it interests you and merits closer reading. Skimming is similar to scanning, but when you scan you search for specific details since you already know what kinds of information the text contains. Skimming and scanning are often done together.

Skimming

ACTIVIDAD 14 La primera aproximación

Parte A: En parejas, lean el título y los subtítulos, miren el formato y las fotos, y determinen el tema general de la siguiente lectura, "Gente hispana". Digan si la selección es de:

un periódico	*un catálogo*	*un documento oficial*
una carta	*una revista popular*	*una revista literaria*

Skimming and scanning

Parte B: Lee rápidamente los artículos de "Gente hispana" e indica qué descripción corresponde a cada persona famosa. Después, compara tus resultados con los de otros compañeros.

1. ______________________ compone música, canta y toca la guitarra.
2. ______________________ actúa en películas mexicanas e internacionales.
3. ______________________ juega al béisbol.

4. ______________________ escribe cuentos y novelas y defiende la identidad latina.

5. ______________________ actúa en películas y produce series de televisión.

Parte C: Miren la lectura otra vez y digan de dónde es cada persona.

Scanning

Gente hispana

¡Mujer latina!

Nace en Chicago de madre chicana y padre mexicano, y pasa la infancia entre México y los barrios pobres de Chicago. Más tarde, esta mujer independiente, hija única de una familia con seis hijos varones, rechaza el papel tradicional de la mujer latina. **Sandra Cisneros** se dedica, entonces, a escribir sobre su vida como mujer latina... ¡en inglés! ¿Por qué? Quizás porque, para ella, escribir significa poder cambiar la opinión que la gente tiene de su comunidad, su sexo y su clase social. En libros como *The House on Mango Street*, *Woman Hollering Creek* y *Caramelo*, Cisneros narra las experiencias de las chicanas y otras mujeres latinas pobres, creando personajes femeninos que triunfan en un mundo de tensión intercultural, pobreza y humillación. Y es muy importante recordar que Cisneros no se considera hispana, sino latina. Según Cisneros, *hispano* es un nombre de esclavo, asociado con los españoles que conquistaron a sus antepasados mexicanos. Para ella, solo *latino* define la orgullosa identidad nueva de los descendientes de los pueblos de América. ■

Ladrona de corazones

Nace en 1977 de padre libanés y madre colombiana. Se inicia en la música a la edad de cinco años. Escribe su primera canción a los ocho años. Recibe su primer contrato con Sony a los 13 años. Graba su primer álbum platino —*Pies descalzos*— a los 19 años, convirtiéndose de la noche a la mañana en una estrella del rock latino. Hoy **Shakira** es un nombre conocido en el mundo entero y su éxito no conoce límites. La cantante colombiana saca otros discos —*¿Dónde están los ladrones?, Laundry Service, Fijación Oral* y *Oral Fixation*— cantando no solo en español sino también en inglés (dice que habla tres lenguas pero que ama solo en español...). ¿A qué se debe este éxito? En parte, a su inconfundible voz; en parte, a su perfeccionismo; en parte, a la fusión singular de su música, que combina influencias latinoamericanas con la música árabe de su padre, la música rock de Led Zeppelin, The Cure y Nirvana, y las composiciones poéticas de Leonard Cohen y Walt Whitman. ■

En el ojo del huracán

Entre los jugadores del béisbol norteamericano, sobresale el nombre de **Alex "A-Rod" Rodríguez**. Nace en Washington Heights, el barrio dominicano de Nueva York, y luego su familia vuelve a la República Dominicana, donde aprende a jugar al béisbol. A sus ocho años, la familia se muda a Miami y allí Alex se convierte en una estrella local del béisbol. Inicia su carrera profesional con los Marineros de Seattle, pasa a los Rangers de Texas y luego a los Yankees de Nueva York. Ahora es un líder histórico en jonrones y disfruta del contrato más valioso de la historia del béisbol. Algunos dicen que nadie merece tanto dinero; otros lo llaman el mejor jugador del mundo. Todos lo ven como ambicioso. Algunos dicen que es un hombre creído y egoísta, otros responden que tiene que ser competitivo para ser el mejor. Algunos recuerdan su fama de "don Juan" y sus problemas con los esteroides, otros señalan sus actos de generosidad, su devoción por los niños y su lealtad a la República Dominicana. ¡Lo que es cierto es que Alex siempre se encuentra en el ojo del huracán! ■

Dos estrellas, dos trayectorias

Los dos son mexicanos: ella de Veracruz, él de Guadalajara. Los dos empiezan su carrera en la telenovela mexicana *Teresa*. Los dos representan en algún momento a un icono cultural de Latinoamérica: ella a la artista mexicana Frida Kahlo (*Frida*), él al revolucionario Che Guevara (*Diarios de motocicleta*). Y los dos son actores de gran éxito internacional. **Salma Hayek** y **Gael García Bernal** también son personas decididas, rebeldes e independientes, que saben forjar su propio destino. Salma deja una carrera fácil en México para buscar la fama en Hollywood, donde realiza su sueño de representar a Frida y también se convierte en una productora importante de películas y series televisivas como *Ugly Betty*. Gael decide quedarse en México, donde actúa en películas tan conocidas y controvertidas como *Amores Perros, Y tu mamá también* y *El crimen del padre Amaro*. Pero Gael no se queda siempre en casa: sale de su país para colaborar con el director español Pedro Almodóvar en *La mala educación* y con otros directores y actores conocidos en películas como *Babel* y *Los límites del control*. Diferentes y similares, Gael y Salma siguen dos trayectorias diferentes, pero los dos parecen destinados para la gloria... ■

Skimming and scanning

ACTIVIDAD 15 Detalles y pormenores

Busca la información indicada para cada persona en las lecturas de "Gente hispana".

- lugar de origen
- talentos/profesiones
- actividades favoritas
- un dato que te llama la atención

ACTIVIDAD 16 Una segunda aproximación

Parte A: En parejas, busquen las respuestas a las siguientes preguntas en la lectura anterior.

Sandra Cisneros: *¿A qué se dedica? ¿Qué escribe? ¿Cuál es su última novela? ¿De qué se queja?*
Shakira: *¿Qué escribe a los ocho años? ¿Cuál es su primer álbum platino? ¿Qué lenguas habla?*
Alex Rodríguez: *¿Qué hace? ¿Qué dicen los demás de él? ¿Cuál es su apodo en los EE.UU.?*
Salma y Gael: *¿Cuál es su lugar de origen? ¿Cuál de ellos trabaja más en los EE.UU.? ¿Qué buscan los dos?*

Scanning

Parte B: Busquen las respuestas a las siguientes preguntas en la lectura anterior. Escribe el nombre de cada persona en el espacio en blanco.

1. ¿Quién narra las experiencias de las mujeres latinas? ______________
2. ¿Quién rechaza el término **hispano**? ______________
3. ¿Quién combina varias influencias en su trabajo? ______________
4. ¿Quién combina muchas tradiciones en sus composiciones? ______________
5. ¿Quién tiene el contrato más valioso de la historia del béisbol? ______________
6. ¿Quién tiene fama de ser un "don Juan"? ______________
7. ¿Quiénes representan a dos iconos culturales de Latinoamérica? ______________
8. ¿Quién prefiere trabajar en México? ______________
9. ¿Quién produce el programa *Ugly Betty*? ______________

ACTIVIDAD 17 ¿Cómo son?

Skimming, scanning, and describing

Parte A: Los siguientes adjetivos se suelen usar para describir a las personas. Piensa en las cinco personas famosas. Para cada una, escoge tres adjetivos. Justifica o ejemplifica cada adjetivo con algo que es, cree o hace esa persona.

► Shakira es una persona polifacética, porque sabe bailar, cantar y componer música.

polifacético/a	*obstinado/a*	*generoso/a*
respetado/a	*responsable*	*idealista*
controvertido/a	*creativo/a*	*divertido/a* (fun)
rebelde	*egoísta* (selfish)	*trabajador/a*
decidido/a (determined)	*independiente*	*seductor/a*

Parte B: Ahora escoge tres adjetivos que te describan a ti y justifica o ejemplifica cada adjetivo con algo que eres, crees o haces.

Parte C: Ahora, en parejas, compartan sus adjetivos y ejemplos. ¿Tienen características en común o son muy diferentes? ¿Son similares o diferentes de las cinco personas famosas?

Using models

ACTIVIDAD 18 La descripción de un famoso

Parte A: Hay muchas maneras de describir a una persona. ¿Cuáles de los siguientes aspectos aparecen en las descripciones de "Gente hispana"?

______ *la edad*	______ *lo que no le gusta*
______ *la profesión*	______ *la familia*
______ *los gustos*	______ *la personalidad*
______ *las metas*	______ *las actividades preferidas*
______ *el origen*	______ *la apariencia física*
______ *los logros*	______ *sucesos especiales*

Parte B: Ahora, en parejas, escojan a una persona famosa. Pensando en los modelos de "Gente hispana", escriban una descripción de su persona. ¡Ojo! No mencionen el nombre de la persona, para que después otros estudiantes adivinen su identidad.

Cuaderno personal 1-3

Describe a una persona famosa que admires y sus actividades preferidas. ¿Por qué admiras a esta persona?

Redacción: Reseña de una entrevista

ESTRATEGIA DE REDACCIÓN

Reported Speech

The following activities will lead you to write an article based on an interview. In order to do this, you will need to convert direct speech to reported speech. Examine the following examples.

Direct Speech (estilo directo)	**Reported Speech (estilo indirecto)**
—Soy bella, elegante y rica.	**Dice que** es bella, elegante y rica.
—¡¡Yo no soy gordo!!	**Insiste en que** no es gordo.

Other expressions used to introduce reported speech:

Confiesa que...	Cree que...
Cuenta que...	Explica que...
Piensa que...	Le parece que...
Afirma que...	Contesta/Responde que...

ACTIVIDAD 19 Un poco de práctica

Reported speech

Cambia las siguientes frases del estilo directo al estilo indirecto.

1. En realidad, me llamo Isabel Mebarak.
2. No bebo, pero fumo un poco.
3. Me gusta viajar por el mundo.
4. Voy a sacar un nuevo disco el año que viene.
5. Creo que soy un poco perfeccionista.

ACTIVIDAD 20 La entrevista

Gathering information

Trabajando en parejas, uno de Uds. es periodista y la otra persona es una persona famosa. Sigan las instrucciones para su papel. Cuando terminen, cambien de papel.

Periodista

Tienes que escribir un artículo sobre una persona famosa. Por supuesto, necesitas información. Usa el siguiente cuestionario y entrevista a una persona famosa. Consigue toda la información que puedas. ¡Pídele detalles íntimos! Toma buenos apuntes para escribir el artículo.

Persona famosa

Eres una persona famosa (real o ficticia) y te va a entrevistar un/a periodista para un artículo. Contesta sus preguntas detalladamente.

1. ¿Cuál es su nombre verdadero?
2. ¿Le importa a Ud. si le pregunto su edad?
3. ¿Qué características físicas considera positivas en Ud.?
4. ¿Qué características de su personalidad contribuyen a su fama?
5. ¿Hay aspectos de su personalidad que considera negativos? ¿Cuáles?
6. ¿Cuáles son sus actividades favoritas?
7. ¿Qué piensa Ud. sobre (algún tema)?
8. ¿Qué planes tiene para el futuro?
9. ¿Tiene Ud. algún mensaje para nuestros lectores?

ESTRATEGIA DE REDACCIÓN

Defining Audience and Purpose

An effective writer defines and keeps in mind an audience. The audience may be the writer himself/herself, another person, a specific group, or the general public. At the same time, the writer must define and keep in mind a clear purpose. For example, a writer may want to brainstorm or explore ideas, express love, provide information, explain and/or convince. Defining and considering your audience and purpose will help you decide what to discuss and how to express your thoughts.

ACTIVIDAD 21 El artículo

Parte A: Estudia la información que tienes sobre la persona famosa. Las respuestas de la entrevista se pueden dividir en cuatro categorías:

- apariencia física
- opiniones y actividades preferidas
- personalidad
- planes

Cada una de estas categorías puede formar la idea principal de un párrafo. Antes de seleccionar y organizar la información que vas a presentar, escoge un público y un propósito de los siguientes.

Público

a. personas de 15 a 24 años

b. tus padres y personas de su generación

Propósito principal

a. informar objetivamente sobre la vida de una persona

b. interesar al público con detalles y chismes chocantes

Debes tratar de incluir toda la información pertinente, pero organizarla y presentarla pensando en las opiniones y preocupaciones de tu público y las necesidades de tu propósito. Ahora, escribe tu artículo.

Parte B: Después de escribir el artículo, muéstraselo a la "persona famosa" que entrevistaste para ver si la información es correcta.

España: pasado y presente

CAPÍTULO 2

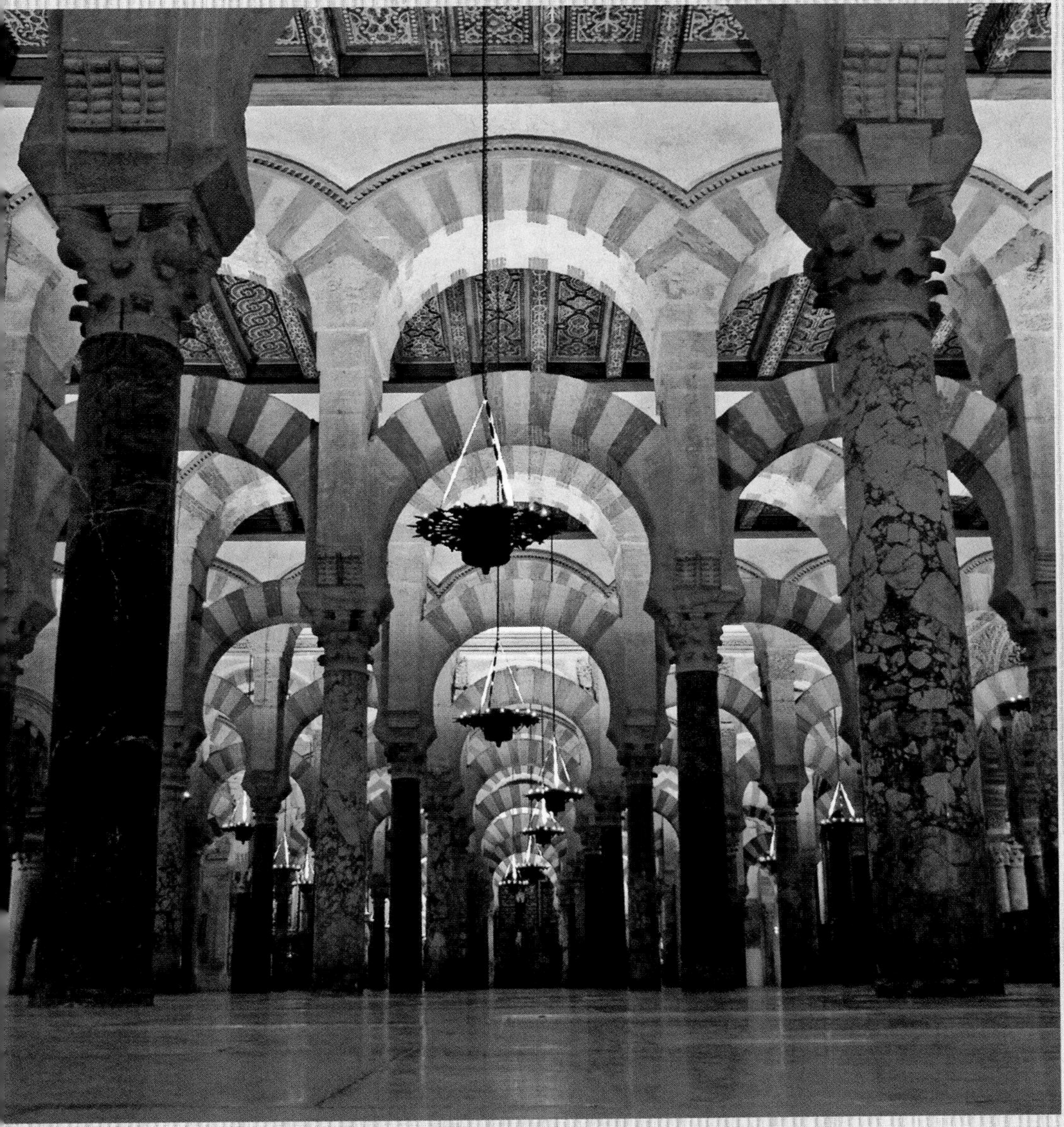

La mezquita de Córdoba, España.

METAS COMUNICATIVAS

- hablar de cine
- narrar en el pasado (primera parte)
- decir la hora y la edad en el pasado

Un anuncio histórico

La estrella mora.

estar harto/a (de + *infinitive*)	to be fed up (with + -*ing*)
el lunes	on Monday
los lunes	on Mondays
año(s) clave	key year(s)

llave = key (*as in a car key*)

ACTIVIDAD 1 Algo de historia

Historia de España

Parte A: Antes de escuchar un anuncio comercial de la radio, habla sobre la siguiente información.

1. ciudades, países o zonas geográficas que relacionas con las siguientes religiones:
   - el islamismo
   - el judaísmo
   - el catolicismo
2. religión que asocias con:
   - el Tora, la Biblia, el Corán
   - Mahoma, los reyes Fernando e Isabel de España, Maimónides
   - una iglesia, una sinagoga, una mezquita
3. año en que Colón llegó a América
4. tipo de gobierno que asocias con Francisco Franco (socialista, comunista, fascista, democrático)

Parte B: Lee los siguientes acontecimientos de la historia española y luego, mientras escuchas el anuncio comercial, ponlos en orden cronológico.

______ Murió Franco y empezó la transición a la democracia.

______ Los moros invadieron la península Ibérica.

______ España perdió sus últimas colonias.

______ Los judíos, los moros y los cristianos pudieron estudiar y trabajar juntos entre los años...

______ Empezó la Guerra Civil.

______ Los Reyes Católicos vencieron a los moros en España.

ACTIVIDAD 2 Más información

Escucha el anuncio comercial una vez más y contesta estas preguntas.

1. ¿Qué otro nombre se usa en España para musulmán?
2. ¿Por qué invadieron la península Ibérica los musulmanes? ¿Sabes qué países forman esa península?
3. ¿Quién fue el rey español entre 1252 y 1284?
4. ¿Con qué otro nombre se conoce a Fernando y a Isabel?
5. ¿Cuáles fueron las últimas colonias que perdió España?
6. ¿Cuántos años estuvieron los moros en la península Ibérica?
7. ¿Cuántos años duró la colonización española de América y la zona del Pacífico?
8. ¿Cuántos años duró la dictadura de Franco?

¿Lo sabían?

En el año 1492 ocurrieron tres acontecimientos de gran importancia, no solo en la historia de España sino también en la historia mundial.

- Se publicó la primera gramática de la lengua española.
- Los Reyes Católicos vencieron a los moros, que luego se fueron de la región, también expulsaron a los judíos, y así pudieron tener en la península una sola religión: el catolicismo.
- La llegada de Colón a América marcó el principio de la colonización española en el Nuevo Mundo.

El año 1975 fue clave para la España moderna porque murió Francisco Franco y empezó la transición a la democracia al nombrar rey a Juan Carlos de Borbón. En 1978 España se convirtió en una monarquía parlamentaria. En 1982 el país se unió a la OTAN y en 1986, España ingresó en lo que hoy día es la Unión Europea.

¿Cuál es la función de la OTAN? ¿En qué crees que se beneficia España al ser parte de la Unión Europea? ¿A qué organizaciones regionales o mundiales pertenece tu país y cuáles son sus beneficios?

OTAN (**Organización del Tratado del Atlántico Norte**) = NATO

I. Narrating in the Past (Part One)

Do the corresponding web activities as you study the chapter.

A The Preterit

1. In order to speak about the past you need both the preterit (**pretérito**) and the imperfect (**imperfecto**). This section will focus on the uses of the preterit. In general terms, the preterit is dynamic and active and is used to move the narrative along while talking about the past. The preterit forms of regular verbs are as follows.

entrar		**perder***		**vivir**	
entr**é**	entr**amos**	perd**í**	perd**imos**	viv**í**	viv**imos**
entr**aste**	entr**asteis**	perd**iste**	perd**isteis**	viv**iste**	viv**isteis**
entr**ó**	entr**aron**	perd**ió**	perd**ieron**	viv**ió**	viv**ieron**

***Note:** -**ar** and -**er** stem-changing verbs do not have a stem change in the preterit. To review formation of the preterit and irregular forms, including -**ir** stem-changers, see Appendix A, pages 357-359.

2. The main uses of the preterit are:

a. to denote a completed state or an action

X

Los romanos **llegaron** a la península Ibérica en 218 a. de C. — *The Romans arrived in the Iberian Peninsula in 218* B.C.

b. to express the beginning or end of a past action

X...

Los moros **comenzaron** la invasión en 711. — *The Moors began the invasion in 711.*

...X

La dominación mora **terminó** en 1492. — *Moorish domination ended in 1492.*

c. to express an action or state that occurred over a specific period of time

[X]

La dominación mora **duró** 781 años. — *Moorish domination lasted 781 years.*

Es común no poner acentos en las mayúsculas porque las reglas de acentuación dicen que es opcional. Por eso dice aquí EL LEYO, y no ÉL LEYÓ. ¿Cuál fue el último libro que leíste tú?

ACTIVIDAD 3 Analiza

Examina las siguientes oraciones sobre la historia de España y la colonización del continente americano. Primero, subraya (*underline*) los verbos en el pretérito y, segundo, indica cuál de los siguientes explica mejor el uso del pretérito en cada oración.

A. X

B. X... O ...X

C. [X]

To review large numbers, see Appendix G.

1. ______ Isabel, junto con Fernando, gobernó una España unida desde 1492 hasta su muerte.
2. ______ En 1502, empezó la colonización de las Antillas.
3. ______ Isabel la Católica murió en Medina del Campo en 1504.
4. ______ Desde 1510 hasta 1512, Juan Ponce de León fue gobernador de Puerto Rico.
5. ______ En 1513, Juan Ponce de León inició la búsqueda de la Fuente de la Juventud en lo que hoy en día es la Florida.
6. ______ En 1521, Hernán Cortés derrotó a los aztecas en la región que actualmente es México.
7. ______ Francisco Pizarro capturó a Atahualpa, el último emperador inca, en 1532.
8. ______ Pizarro completó la conquista del Imperio Inca en 1535.
9. ______ Los españoles llegaron a lo que hoy día es Texas en 1720.
10. ______ En 1769, los clérigos españoles comenzaron a fundar misiones en California para llevar la palabra de Dios a los indígenas.
11. ______ En 1898 terminó la dominación española del continente americano.
12. ______ Los españoles dominaron partes de Hispanoamérica y de los Estados Unidos durante más de cuatrocientos años.

ACTIVIDAD 4 El siglo XX

Para aprender más sobre la España del siglo XX, completa las siguientes oraciones con el pretérito de los verbos que se presentan.

Cuando los intelectuales huyen de un país por razones políticas, este éxodo se llama **fuga de cerebros**.

s/z sound = za **ce** ci **zo** zu (empe**cé**, hi**zo**)

1. Durante y después de la Guerra Civil española, intelectuales como el escritor Ramón Sender y el músico Pablo Casals __________ de España y __________ en el exilio porque su vida corría peligro. (salir, vivir)
2. En 1937 Picasso ________ el *Guernica*, un cuadro que representa la destrucción de un pueblo en el norte de España. Desde 1939 hasta 1981 se __________ el cuadro en el Museo de Arte Moderno de Nueva York y después de la dictadura de Franco, el *Guernica* __________ a España. (hacer, exhibir, volver)
3. Durante la dictadura de Franco, Dolores Ibárruri, uno de los líderes del Partido Comunista, ________ a vivir a la Unión Soviética, donde ________ casi cuarenta años en exilio. __________ a España en 1977, cuando se ___________ los diferentes partidos políticos. (irse, pasar, regresar, legalizar)

4. En mayo de 1976, ____________ el periódico *El País*, que ___________ la prensa española al permitir la libertad de palabra en la sección de opinión. (aparecer, cambiar)
5. En 1980, Pedro Almodóvar ___________ la película *Pepi, Luci, Bom y otras chicas del montón* que ___________ "la movida" de Madrid. "La movida" _________ parte de la revolución cultural y sexual de la España posfranquista. (producir, mostrar, formar)
6. Se ___________ el divorcio en 1981. (legalizar)

la movida = nightlife in post-Franco Spain

ACTIVIDAD 5 Eventos históricos

Parte A: Lee lo que dice un joven español sobre eventos históricos importantes que ocurrieron en las dos últimas décadas del siglo XX.

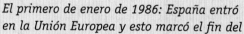

Fuente hispana

"El 23 de febrero de 1981: Este día es muy importante en la historia reciente de España porque un grupo de la Guardia Civil (similar a la policía) entró en el Parlamento con la intención de dar un golpe de estado. Por suerte no pudieron.

El primero de enero de 1986: España entró en la Unión Europea y esto marcó el fin del complejo de los españoles de ser un país atrasado con respecto a sus vecinos. La Unión Europea hoy les ofrece grandes posibilidades de trabajo y de convivencia a todos sus ciudadanos. Podemos viajar de un país a otro sin pasaporte, usar la misma moneda y trabajar en cualquiera de los países de la Unión." ■

Parte B: Haz una lista de tres o cuatro acontecimientos históricos que tuvieron lugar durante tu vida hasta el año pasado, pero no escribas las fechas. Incluye, por ejemplo, guerras, elecciones, muertes de personas famosas, accidentes graves (nucleares o desastres naturales, como terremotos o erupciones volcánicas), actos de terrorismo, asesinatos, inventos.

Parte C: Ahora, en parejas, háganse preguntas para ver si la otra persona sabe en qué año ocurrieron los acontecimientos que escribió cada uno.

▶ A: ¿En qué año empezó la segunda guerra de los Estados Unidos con Iraq?

B: Empezó en...

A: ¿En qué año fue el huracán Katrina?

B: El huracán fue en...

ACTIVIDAD 6 ¿Qué hiciste?

Parte A: Marca en la primera columna las cosas que hiciste tú el fin de semana pasado. Después, en parejas, túrnense para averiguar qué hizo su compañero/a y marquen sus respuestas en la segunda columna.

► —¿Miraste televisión el fin de semana pasado?

—Sí, miré televisión. —No, no miré televisión.

	yo	mi compañero/a
1. reunirse con amigos	☑	☑
2. comer fuera y pedir un plato caro	❑	❑
3. charlar con alguien interesante	❑	❑
4. dormir hasta muy tarde	☑	☑
5. reírse mucho	☑	☑
6. jugar a un deporte con pelota	❑	❑
7. alquilar una película	❑	❑
8. trasnochar	❑	❑
9. tocar un instrumento musical	❑	❑
10. pagar una cuenta	☑	☑
11. mentir para "proteger" a alguien	❑	❑
12. divertirse sin gastar dinero	☑	☑
13. ir a un concierto	❑	❑
14. ver una película en el cine	❑	❑
15. vestirse con ropa elegante	❑	❑

Remember the following letter combinations when spelling preterit forms:

hard **c** sound = ca **que** qui co cu (to**qué**)

hard **g** sound = ga **gue** gui go gu (ju**gué**)

s/z sound = za **ce** ci **zo** zu (empe**cé**, hi**zo**)

Parte B: Ahora, cambien de pareja (*partner*) y cuéntenle a la otra persona algunas de las cosas que hicieron, algunas que hizo su compañero/a de la Parte A y otras cosas que hicieron los dos.

B Narrating in the Past: Meanings Conveyed by Certain Verbs

In Spanish, some verbs convey a different meaning depending upon whether they are used in the present or in the preterit. The meaning conveyed by the preterit usually indicates a completed action or the beginning or end of an action.

	Present	**Preterit**
saber (+ *information*)	to know (something)	found out (something)
conocer (+ *place/* **a** + *person*)	to know (some place/ someone)	met for the first time/ began to know (some place/ someone)

(*Continúa en la página siguiente.*)

Cuando Colón **supo** que a los portugueses no les interesaba su viaje, se fue a España.

When Columbus found out that the Portuguese weren't interested in his trip, he went to Spain.

En 1486 **conoció a** los Reyes Católicos en Córdoba.

In 1486 he met the Catholic Kings in Cordoba.

	Present	Preterit
no querer (+ *infinitive*)	not to want (to do something)	refused and <u>didn't</u> (do something)
no poder (+ *infinitive*)	not to be able (to do something)	was/were not able and <u>didn't</u> (do something)

Los portugueses **no quisieron** financiar las ideas de Colón; por eso **no pudo** hacer el viaje.

The Portuguese refused to finance Columbus's ideas; that is why he couldn't make the trip.

	Present	Preterit
tener que (+ *infinitive*)	to have to (do something)	had to <u>and did</u> (do something)

Colón **tuvo que** ir a España para pedir dinero.

Columbus had to go to Spain to ask for money.

ACTIVIDAD 7 Este semestre

Habla de la siguiente información sobre el principio de este semestre.

1. Nombra a tres personas que conociste el primer día de clases.
2. ¿Cuándo supiste el nombre de tus profesores, el semestre pasado o al principio del semestre?
3. ¿Intentaste entrar en una clase y no pudiste? Si contestas que sí, ¿cuál fue?
4. ¿Cuáles son dos cosas que tuviste que hacer cuando llegaste a la universidad?
5. ¿Alguien te invitó a hacerte miembro de un club, pero no quisiste por no tener suficiente tiempo libre?

ACTIVIDAD 8 ¿Qué tal la fiesta?

En parejas, usen las siguientes ideas para contarle a su compañero/a sobre la última fiesta a la que fueron.

1. cómo supiste de la fiesta
2. adónde fuiste
3. quién la organizó
4. cómo fuiste (caminaste, fuiste en metro/coche)

5. a quién conociste
6. quiénes más asistieron
7. qué sirvieron para beber/comer
8. cuáles son tres cosas que hiciste
9. si lo pasaste bien o mal
10. si sueles ir a muchas fiestas

C Indicating When Actions Took Place: Time Expressions

1. To move the narration along in the past, use adverbs of time and other expressions of time that tell when an action took place. Some common expressions include:

a las tres/cuatro/etc.	at three o'clock/four o'clock/etc.
anoche	last night
anteanoche	the night before last
anteayer	the day before yesterday
ayer	yesterday
de repente	suddenly
el lunes/fin de semana/mes/año/ siglo pasado	last Monday/weekend/month/year/ century
en (el año) 1588	in (the year) 1588
la semana/década pasada	last week / in the last decade

Anteanoche miré una película sobre la Guerra Civil española. — *The night before last I saw a movie about the Spanish Civil War.*

Esa guerra empezó **en 1936.** — *That war started in 1936.*

2. To express how long ago an action took place, use one of the following formulas.

> **hace** + *period of time* + (**que**) + *verb in the preterit*
> *verb in the preterit* + **hace** + *period of time*

¿Cuánto tiempo **hace que** los europeos **probaron** el chocolate? — *How long ago did Europeans try chocolate?*

Que is frequently omitted in speech except when asking questions.

Hace cinco siglos (**que**) los europeos **probaron** el chocolate por primera vez.

Los europeos **probaron** el chocolate por primera vez **hace cinco siglos.**

} *Europeans tried chocolate for the first time five centuries ago.*

3. Use the following expressions with the preterit tense to denote how long an action occurred.

desde... hasta...	from . . . until . . .
durante...* años/semanas/horas	during . . . years/weeks/hours
por...* años/semanas/horas	for . . . years/weeks/hours

***Note:** It is common to specify a time period with or without **por** or **durante.**

España dominó Hispanoamérica **por/durante 406 años.**

España dominó Hispanoamérica **406 años.**

ACTIVIDAD 9 Averigua

Usa la siguiente información para hacerles preguntas a tus compañeros sobre el presente y el pasado. Escribe solo los nombres de los que contesten que sí.

▶ —¿Asististe a un concierto de música rap el fin de semana pasado?

—Sí, asistí a un concierto. (*escribe el nombre de la persona*)

—No, no asistí a ningún concierto.

	Nombre	
1.	___________	ir a la oficina de un/a profesor/a el semestre pasado
2.	___________	tener cuatro materias este semestre
3.	___________	elegir una clase fácil el semestre pasado
4.	___________	darse cuenta de algo importante la semana pasada
5.	___________	hacer ejercicio ayer durante 30 minutos
6.	___________	faltar al trabajo anteayer
7.	___________	dejar de salir con alguien el mes pasado
8.	___________	hacer experimentos en un laboratorio todas las semanas
9.	___________	sentirse muy cansado/a al principio del semestre
10.	___________	generalmente discutir con su compañero/a de habitación (o novio/a, esposo/a o un pariente)
11.	___________	tener un/a estudiante de posgrado como profesor/a el semestre pasado

ACTIVIDAD 10 ¿Qué hizo?

En parejas, túrnense para contar lo que Uds. creen que hizo su profesor/a ayer. Usen cada una de las siguientes expresiones de tiempo en cualquier orden. Tachen (*Cross out*) las expresiones al usarlas.

ayer	**más tarde**	**durante dos horas**
primero	**luego**	**a las cinco**
después	**por la tarde**	**por la noche**

ACTIVIDAD 11 ¿Cuánto hace?

En parejas, túrnense para preguntarse cuánto hace que hicieron las siguientes cosas y averiguar más información sobre cada una.

► A: ¿Cuánto tiempo hace que fuiste al cine con un amigo?

B: Hace tres días que fui al cine. / Fui al cine anteanoche.

A: ¿Qué viste?

B: ...

1. alquilar una película buena
2. invitar a alguien a cenar
3. conducir por lo menos dos horas
4. enojarse con alguien
5. ir a otra ciudad
6. venir a esta universidad
7. olvidarse de algo importante
8. faltar a una clase
9. gastar más de cien dólares en algo
10. hacer una locura (*something crazy*)

D Indicating Sequence: Adverbs of Time

In order to narrate a series of actions, it is necessary to use words that indicate when the actions occurred in relation to other actions. The following words and phrases are used to express sequence.

antes	before
antes de + *infinitive*	before + *-ing*
primero	first
luego/más tarde	later, then
después	later, then, afterwards
después de + *infinitive*	after + *-ing*
tan pronto como/en cuanto	as soon as
al terminar (**de** + *infinitive*)	after finishing (+ *-ing*)

preposition + infinitive: después **de** volver

(*Continúa en la página siguiente.*)

Enseguida may be written as one word or two: **en seguida.**

antes	before
inmediatamente	immediately
enseguida	at once
finalmente	finally
al terminar (de + *infinitive*)	after finishing (+ *-ing*)

Note: When sequencing events, use **más tarde, luego,** and **después.** Only use **entonces** to indicate a result and not to indicate "later" or "afterwards". **Estaba cansada y entonces/por eso me fui a dormir.**

ACTIVIDAD 12 Un día terrible

En parejas, creen una historia sobre el día terrible que tuvo un amigo de Uds. Usen las expresiones de la columna A en el orden en que aparecen y las acciones de la columna B en orden lógico.

A	B
1. Esta mañana...	ponerse dos medias de diferente color
2. En cuanto...	salir de la casa tarde
3. Luego...	llegar a clase con la ropa sudada (*soaked with sweat*)
4. Después...	entrar en la ducha/quemarse con agua caliente
5. Más tarde...	levantarse tarde
6. Tan pronto como...	correr a clase cansadísimo/a
7. Enseguida...	tomar el autobús equivocado
8. Al terminar...	bajar del autobús/torcerse el tobillo (*ankle*)

ACTIVIDAD 13 Tu día, ayer

En grupos de tres, cuéntenle a sus compañeros con muchos detalles qué hicieron ayer. Usen palabras como: **primero, luego, más tarde** y **después de** + *infinitivo.*

La arquitectura española

ACTIVIDAD 14 Sus vacaciones

Parte A: Lee esta parte del diario de un turista sobre las vacaciones que tomó en Granada y luego responde a las preguntas de tu profesor/a.

...por la mañana fui hacia la Alhambra, un castillo moro increíble. Al llegar, vi a un grupo de gitanas con flores para venderles a los turistas, pero no compré ninguna flor. Luego entré en la Alhambra, donde, con un grupo de turistas, visité las diferentes salas decoradas con diseños geométricos y poemas escritos en árabe. Pero lo que más me impresionó fue el constante sonido del agua. Hay agua en el Patio de los Leones y por todas partes. Luego vimos los baños y un guía nos explicó que en el siglo XIV los moros tenían agua fría, agua caliente y agua perfumada...

El Patio de los Leones en la Alhambra.

Parte B: En parejas, usen las siguientes ideas para contarle a su compañero/a sobre sus últimas vacaciones. Recuerden usar palabras como: **primero, luego, después, después de** + *infinitivo*.

- adónde fuiste
- cuánto tiempo estuviste
- con quién fuiste
- cuánto costó
- cómo viajaste
- qué viste
- qué cosas hiciste
- a quién conociste

Al escuchar sobre las vacaciones de su compañero/a, reaccionen usando algunas de estas expresiones.

Para reaccionar

Para expresar sorpresa:	**¡Por Dios!** **¡Por el amor de Dios!**
Para comentar positivamente sobre algo:	**¡Qué bueno!** **¡Qué divertido!**
Para pedir más información:	**¿Y después qué?** **¿Y qué más?**

E Past Actions That Preceded Other Past Actions: The Pluperfect

When narrating in the past, to express an action that occurred before another action Spanish uses the pluperfect (**pluscuamperfecto**). To form the pluperfect, use a form of the verb **haber** in the imperfect + *past participle* (**participio pasivo**).

haber		
había	habíamos	+ past participle
habías	habíais	
había	habían	

Past participles are formed by adding **-ado** or **-ido** (**hablado, vendido, comido**). Common irregulars include: **abrir → abierto, decir → dicho, escribir → escrito, hacer → hecho, poner → puesto, ver → visto, volver → vuelto.** To review the formation of past participles, see Appendix A, page 615.

The past participle always ends in **-o** when it is part of a verb phrase.

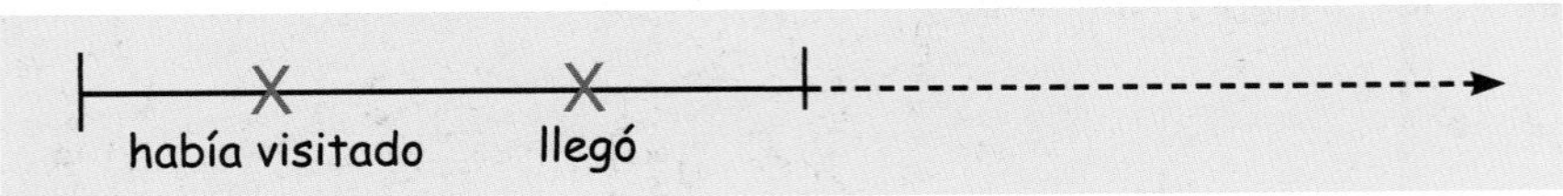

Leif Ericsson ya **había visitado** América cuando **llegó** Colón.	*Leif Ericsson had already visited America when Columbus arrived.*

Note: Ya is frequently used before the pluperfect to emphasize that an action had *already* occurred before another took place.

ACTIVIDAD 15 ¿Ya habías...?

En parejas, háganse preguntas sobre su pasado. Sigan el modelo.

► viajar a Europa / terminar la escuela secundaria

—¿(Ya) habías viajado a Europa cuando terminaste la escuela secundaria?

—Sí, fui con mis padres en 2006. / —No, ...

1. sacar la licencia de manejar / empezar el tercer año de la escuela secundaria
2. aprender a leer / empezar el primer grado de la primaria
3. vivir en el mismo lugar toda la vida / venir a estudiar aquí
4. ver una película de Almodóvar / decidir tomar esta clase
5. compartir dormitorio con otra persona / empezar la universidad

ACTIVIDAD 16 La vida de Pedro Almodóvar

Parte A: El cineasta español Pedro Almodóvar es conocido en todo el mundo. Lee su información biográfica para responder a las preguntas de tu profesor/a.

Pedro Almodóvar	
1949	Nace* en Calzada de Calatrava, España, durante la dictadura de Francisco Franco.
1965	A los 16 años llega a Madrid justo después de cerrarse la Escuela Oficial de Cine.
1969–1980	Consigue trabajo en una compañía telefónica, donde se queda por casi 12 años. Filma cortometrajes con una cámara de 8 mm. En 1975 muere Franco.
1980	Hace su primer largometraje *Pepi, Luci, Bom y otras chicas del montón*, que se convierte en una película de culto entre los españoles.
1984	Su película *¿Qué he hecho yo para merecer esto?*, una comedia negra, recibe aclamación mundial.
1988	Recibe una nominación al Oscar a la mejor película de habla no inglesa por *Mujeres al borde de un ataque de nervios*.
1989	Su película *Átame* tiene problemas al estrenarse en los EE.UU. La Motion Picture Association of America la califica con "X". Almodóvar y otros artistas empiezan un proceso legal contra la MPAA y logran que esta establezca una nueva clasificación moral, la de "NC-17".
2000	Gana el Oscar a la mejor película de habla no inglesa por *Todo sobre mi madre*.
2003	Gana el Oscar al mejor guion original por *Hable con ella*.
2006	Todas las actrices de su película *Volver* reciben el premio a la mejor actriz en el festival de Canes y la protagonista, Penélope Cruz, recibe una nominación al Oscar por la misma película.

*It is possible to use the present tense instead of the preterit to narrate in the past. This is called the **presente histórico**.

cortometraje = short (film)

largometraje = feature-length film

Pedro Almodóvar (centro) con Antonio Banderas y Penélope Cruz cuando ganó el Oscar por *Todo sobre mi madre*.

guion = script; screenplay

Parte B: Ahora usa la siguiente información para formar oraciones sobre la vida de Almodóvar. ¡Ojo! Algunos verbos deben estar en el pretérito y otros en el pluscuamperfecto.

► Franco subir al poder / nacer Almodóvar

Franco ya había subido al poder cuando nació Almodóvar.

1. llegar a Madrid / la Escuela Oficial de Cine cerrarse
2. morir Franco / hacer *Pepi, Luci, Bom y otras chicas del montón*
3. recibir aclamación mundial / recibir una nominación al Oscar a la mejor película de habla no inglesa por *Mujeres al borde de un ataque de nervios*
4. la MPAA darle una clasificación de "X" a *Átame* / la MPAA establecer la clasificación de "NC-17"
5. ganar el Oscar al mejor guion original / ganar el Oscar a la mejor película de habla no inglesa

¿Lo sabían?

Después de la muerte de Franco, España pasó por una época llamada "el destape". Es en este período cuando gente como Pedro Almodóvar pudo expresarse libremente. Para saber qué es el destape lee lo que dice una madrileña.

"El destape fue una época muy curiosa que empezó en el 75, año de la muerte de Franco. Se legaliza en la Semana Santa de 1976 el Partido Comunista. Se aprueba la Constitución en el 78. La represión existente en vida de Franco deja de existir. Surgieron muchas revistas que escribían sin censura y en las que hablaban de política, cotilleos, economía y sexualidad e incluían cantidad de fotos de chicas ligeras de ropa o topless *(destapadas). Todos los artículos que acompañaban estas fotos hablaban de la liberación de la mujer, de que las españolas éramos 'retrógradas', de 'cómo vivían las europeas' (nosotras al parecer no lo éramos), etc. La 'movida madrileña', equiparable en su concepto al destape, fue un movimiento de libertad que llenó las calles de gente joven hasta las madrugadas y que también llenó de asombro a las personas conservadoras. Fue como la fiebre, una fuerte subida y después todo volvió a la normalidad."* ■

¿Hubo una época parecida al destape en tu país?

ACTIVIDAD 17 La línea de tu vida

Parte A: En la siguiente línea marca un mínimo de cinco años importantes de tu vida. Algunas posibilidades son: el año en que naciste, el año en que recibiste un premio o tu equipo ganó una competencia, el año en que trabajaste por primera vez. Marca los años, pero no escribas qué hiciste en esos años.

Parte B: En parejas, muéstrense su línea y pregúntense sobre las fechas importantes de su vida. Hagan preguntas como: **¿Qué pasó en...? ¿En qué año (terminaste la escuela secundaria)? ¿Ya habías... cuando...?**

Parte C: Ahora hablen de la vida de su compañero/a diciendo oraciones como la siguiente.

► Elisa ya **había estudiado** un poco de español cuando **fue** a México por primera vez.

II. Discussing Movies

El cine

El cine

Criticamos películas clásicas y de actualidad

Juana la Loca
España, 2001
Castellano, color, 115 minutos
Clasificación moral: No recomendada para menores de 13 años
Drama
Director: Vicente Aranda
Reparto: Pilar López de Ayala, Daniele Liotti, Rosana Pastor, Giuliano Gemma, Roberto Álvarez, Eloy Azorín, Guillermo Toledo, Susy Sánchez, Manuela Arcuri, Carolina Bona
Guion: Vicente Aranda, Antonio Larreta
Productor: Enrique Cerezo Producciones
Fotografía: Paco Femenía
Banda Sonora: José Nieto

Crítico: Nahuel Chazarreta
publicado hoy a las 18:15

Crítica

La película es la historia de amor y celos entre Juana, hija de los Reyes Católicos, y Felipe el Hermoso que se que se unen en un matrimonio por conveniencia. A pesar de que no refleja de forma verdadera la historia real, me gustó mucho la película, entre ellos las **actuaciones** de Pilar López de Ayala en el **personaje** de Juana y la de Daniele Liotti en el personaje de Felipe. Le actriz mencionada ganó un **premio** Goya a la mejor actriz. El guion, los diálogos y los **vestuarios** son maravillosos. Le doy 4 estrellas, no dejen de verla.

Rating
This film was rated "**No recomendada para menores de 13 años**" in Spain, but received a rating of R in the U.S. and AA in Canada.

Cast

Critic

Screenplay

Soundtrack

Critique/Review

acting; character

award; costumes

El personaje is always masculine: **Me gustó el personaje que representó Penélope Cruz en *Volver*.**

Los premios Goya en España son equivalentes a los Oscar.

Palabras relacionadas con el cine

el actor/la actriz	
actuar	
los amantes	lovers
el argumento	plot
dar una película	to show a movie
los efectos especiales	
el estreno; estrenarse	premiere, opening; to premiere
filmar	
la fotografía	
el género	genre
comedia	
de acción	
de ciencia ficción	
de espionaje	spy movie

(*Continúa en la página siguiente.*)

de terror	
documental	
infantil	
melodrama	
musical	
las películas mudas	silent films
romántica	
thriller	
el papel de...	the role of . . .
hacer el papel del malo	to play the role of the bad guy
producir	to produce
los trailers	previews

Expresiones relacionadas con el cine	
seguir/estar en cartelera	to still be showing / "now playing"
ser muy hollywoodense	to be like a Hollywood movie
ser una película taquillera	to be a blockbuster

ACTIVIDAD 18 Definiciones

En parejas, túrnense para definir palabras o frases del vocabulario, pero no usen la palabra en su definición. La otra persona tiene que adivinar qué palabra o frase es. Usen frases como: **Es la persona que..., Es un tipo de película en que..., Es el lugar donde...**

ACTIVIDAD 19 La película

Mira el blog sobre la película *Juana la Loca* en la sección de vocabulario y contesta estas preguntas.

1. ¿Quién dirigió la película?
2. ¿Quiénes son los dos personajes importantes?
3. ¿Quién ganó un premio Goya y por qué?
4. ¿Cuándo se estrenó la película?
5. ¿De qué género es?
6. ¿Qué clasificación moral tiene?
7. Lee la crítica. ¿Te gustaría ver esta película? ¿Por qué sí o no?

ACTIVIDAD 20 El género

En grupos de tres, piensen en las películas que están dando en el cine y hablen sobre las siguientes ideas.

1. Clasifíquenlas por género.
2. Comenten si las bandas sonoras son buenas, malas o no son de importancia.
3. Comenten sobre la reacción de los críticos.
4. Nombren una película que vieron últimamente que no es un éxito de taquilla pero que vale la pena ver.
5. Comenten si todas las películas taquilleras son muy hollywoodenses o no.

ACTIVIDAD 21 Los Oscars

En grupos de cinco, decidan qué películas o personas deben recibir el Oscar este año en las siguientes categorías.

1. la mejor película
2. la mejor dirección
3. el mejor actor
4. la mejor actriz
5. el mejor guion original/adaptado
6. los mejores efectos especiales
7. el mejor vestuario

ACTIVIDAD 22 Mi favorita

Parte A: Piensa en tu película favorita. Después, prepárate para hablar de esa película con otra persona para convencerla de que debe alquilar la película o ir a verla si todavía sigue en cartelera. Piensa en los siguientes temas mientras te preparas para dar una pequeña sinopsis de la película.

- el/la director/a; los protagonistas
- la banda sonora; la fotografía
- si el guion está basado en un hecho real, una novela, un cuento, etc.
- dónde la filmaron y en qué año se estrenó
- si recibió alguna nominación o premio

Parte B: En parejas, hable cada uno de su película favorita usando el presente.

When summarizing the plot of a movie, it is common to use the present tense (**Es una película sobre una familia que vive en...**).

III. Stating Time and Age in the Past

The Imperfect

You saw how the preterit is used to move the narrative along. In this section you will see how the imperfect is used to set the scene or background when telling time and someone's age in reference to past events.

1. To tell time in the past, use **era/eran** + *the time.*

A: ¿Qué hora **era** cuando empezó la película?	*What time was it when the movie started?*
B: **Era** la una y cuarto.	*It was a quarter after one.*
A: ¿Qué hora **era** cuando terminó?	*What time was it when it ended?*
B: **Eran** las tres y pico.	*It was a little after three.*

2. To state someone's age in the past, use a form of the verb **tener** in the imperfect + *age.*

Pedro Almodóvar **tenía 16 años*** cuando se mudó a Madrid.	*Pedro Almodóvar was 16 when he moved to Madrid.*

*__Note:__ The word **años** is necessary when expressing age.

ACTIVIDAD 23 ¿Qué hiciste el viernes pasado?

Parte A: Mira la lista de acciones y tacha las cosas que no hiciste el viernes pasado.

- levantarte
- ducharte
- desayunar
- asistir a tu primera clase
- almorzar
- dar una vuelta
- volver a casa
- estudiar
- hacer ejercicio
- ir al cine
- cenar
- reunirte con amigos
- acostarte

Parte B: En parejas, intercámbiense las listas. Pregúntenle a su compañero/a qué hora era cuando hizo las cosas de la lista que no están tachadas. Miren el modelo e intenten variar sus preguntas.

▶ —¿Qué hora era cuando te levantaste? / —¿A qué hora te levantaste?

—Eran las ocho y media cuando me levanté. / —Me levanté a las ocho y media.

Parte C: Lean el siguiente párrafo que describe lo que hizo un joven español de 26 años el viernes pasado y comparen las horas a las que Uds. y él hicieron acciones similares.

► Se levantó a las 9, pero yo me levanté a las...

Fuente hispana

"Eran las 9:00 a. m. cuando me desperté el viernes. Me duché, desayuné y después empecé a estudiar para una asignatura. Eran las 11:30 cuando cogí el coche y conduje a la universidad para asistir a una hora de clase. Luego volví a casa a eso de la 1:00, encendí el ordenador y leí el mail. Era la 1:45 cuando preparé la comida. Comí solo y después de comer, leí el periódico en el sofá y luego dormí un poco. Eran las 5:00 cuando empecé a estudiar otra vez y estudié hasta las 8. Entonces me preparé para ir a nadar y fui a nadar por media hora. Eran las 9:15 cuando volví a casa y entonces mi familia y yo cenamos. Luego fui al cine con unos amigos. La película empezó a las 10:30. Al salir de la película, tomamos una cerveza en un bar. Allí hablamos un rato y después se fue cada uno a su casa. Eran las 2:00 de la mañana cuando llegué a casa." ■

ACTIVIDAD 24 Tenía...

Contesta estas preguntas sobre ti y tu familia.

1. ¿Cuántos años tenían tus padres cuando se conocieron? ¿Dónde se conocieron?
2. ¿Cuántos años tenía tu madre cuando tú naciste? ¿Y tu padre?
3. ¿Tienes un/a hermano/a menor? ¿Cuántos años tenías cuando nació?
4. ¿Tienes un/a hermano/a mayor? ¿Cuántos años tenía cuando tú naciste?
5. ¿Tienes un/a hijo/a o un/a sobrino/a? ¿Cuántos años tenías tú cuando nació?
6. ¿Cuántos años tenías cuando te graduaste de la escuela secundaria?
7. ¿Cuántos años vas a tener al terminar tus estudios universitarios?

ACTIVIDAD 25 La historia de la conquista

En parejas, una persona cubre el cuadro A y la otra persona cubre el cuadro B. Háganse preguntas para intercambiar la siguiente información y completar su cuadro sobre personajes famosos de la conquista.

a. cuándo nacieron
b. dónde nacieron
c. qué cosas importantes hicieron
d. cuántos años tenían cuando hicieron algunas de esas cosas
e. cuándo murieron y qué edad tenían cuando murieron

► A: ¿Cuándo nació Ponce de León?
B: Nació en... ¿Cuándo murió Ponce de León?
A: Murió en...

Estatua de Ponce de León en San Juan, Puerto Rico.

A

	Fechas	Nacionalidad	Datos importantes
Juan Ponce de León	_______ -1521	_______	_______, fundar San Juan, _______
Américo Vespucio	1451- _______	italiano	_______, hacer expediciones a América del Sur y América Central desde 1497 hasta 1503
Álvaro Núñez Cabeza de Vaca	_______-1557	_______	ser explorador, explorar el suroeste de los Estados Unidos y llegar al Golfo de California, _______
Francisco Pizarro	1471-_______	_______	ser líder de la conquista del Perú desde 1530 hasta 1535

B

	Fechas	Nacionalidad	Datos importantes
Juan Ponce de León	1460-_______	español	ser gobernador de Puerto Rico desde 1510 hasta 1512, _______, explorar la Florida en 1513
Américo Vespucio	1451-1512	_______	ser explorador, hacer expediciones a _______ y _______
Álvaro Núñez Cabeza de Vaca	1490-_______	español	ser explorador, _______ y _______, ser gobernador de Paraguay desde 1541 hasta 1542
Francisco Pizarro	_______-1541	español	_______

Vocabulario activo

CAPÍTULO 2

Expresiones de tiempo

a las tres/cuatro/etc. *at three o'clock/four o'clock/etc.*
anoche *last night*
anteanoche *the night before last*
anteayer *the day before yesterday*
ayer *yesterday*
de repente *suddenly*
desde... hasta... *from . . . until . . .*
durante... años/semanas/horas *during . . . years/weeks/hours*
el lunes/fin de semana/mes/año/siglo pasado *last Monday/weekend/month/year/century*
en (el año) 1588 *in (the year) 1588*
la semana/década pasada *last week/in the last decade*
por... años/semanas/horas *for . . . years/weeks/hours*

Palabras para indicar secuencia

al terminar (de + *infinitive***)** *after finishing (+ -ing)*
antes *before*
antes de + *infinitive* *before + -ing*
después *later, then, afterwards*
después de + *infinitive* *after + -ing*
enseguida *at once*
finalmente *finally*
inmediatamente *immediately*
luego/más tarde *later, then*
primero *first*
tan pronto como/en cuanto *as soon as*

El cine

el actor/la actriz *actor/actress*
la actuación *acting*
actuar *to act*
los amantes *lovers*
el argumento *plot*
la banda sonora *soundtrack*
la clasificación moral *rating*
la crítica *critique*
el/la crítico/a de cine *movie critic*
dar una película *to show a movie*
el/la director/a *director*
los efectos especiales *special effects*
estrenarse *to premiere*
el estreno *premiere, opening*
filmar *to film*
la fotografía *photography*
el género *genre*
- **comedia** *comedy*
- **de acción** *action*
- **de ciencia ficción** *science fiction*
- **de espionaje** *spy movie*
- **de terror** *horror*
- **documental** *documentary*
- **drama** *drama*
- **infantil** *children's movie*
- **melodrama** *melodrama*
- **musical** *musical*
- **las películas mudas** *silent films*
- **romántica** *romantic*
- **thriller** *thriller*

el guion *script; screenplay*
el papel de... *the role of . . .*
- **hacer el papel del malo** *to play the role of the bad guy*

el personaje *character*
el premio *award*
producir *to produce*
el/la productor/a *producer*
el reparto *cast*
los trailers *previews*
el vestuario *costumes*

Expresiones relacionadas con el cine

seguir/estar en cartelera *to still be showing/"now playing"*
ser muy hollywoodense *to be like a Hollywood movie*
ser una película taquillera *to be a blockbuster*

Expresiones útiles

año(s) clave *key year(s)*
estar harto/a (de + *inf.***)** *to be fed up (with + -ing)*
hacer una locura *to do something crazy*
el lunes *on Monday*
los lunes *on Mondays*
ya *already*
¡Por Dios! / ¡Por el amor de Dios! *My gosh/God!*
¡Qué bueno! *That's great!*
¡Qué divertido! *How fun!*
¿Y después qué? *And then what?*
¿Y qué más? *And what else?*

Más allá

Canción: "Milonga del moro judío"

La milonga es un tipo de música que tiene raíces similares al tango; puede tener un ritmo melancólico y tratar temas serios.

Jorge Drexler

Nació en Uruguay en 1964. Su abuelo tuvo que escaparse de Alemania en la época de Hitler por ser judío. En los años 70, los padres de Drexler y su familia tuvieron que irse de Uruguay al ser perseguidos por un gobierno militar y se establecieron un tiempo en Israel. Jorge Drexler estudió medicina en Uruguay, pero abandonó la profesión para ganarse la vida como cantautor. En 2005 recibió el Oscar a la mejor canción ("Al otro lado del río"). Hoy día vive en España con sus hijos y su pareja, quien es católica. Drexler se considera judío y "muchas otras cosas más".

cantautor = cantante que escribe sus propias canciones

ACTIVIDAD La canción y el cantante

Parte A: Antes de escuchar, lee el nombre de la canción y la biografía de Jorge Drexler y usa esa información para decir cómo crees que se relaciona el nombre de la canción con la vida del cantante. Después escucha la canción para ver si estás en lo cierto.

Parte B: Mientras escuchas la canción otra vez, busca la siguiente información y luego compártela con la clase.

- cómo se describe a sí mismo
- qué opina sobre las guerras
- quién gana en una guerra
- qué piensa sobre el concepto de un "pueblo elegido"

Parte C: En este capítulo aprendiste sobre la invasión de los moros en la península Ibérica y los casi 800 años de paz y convivencia intercalados con guerras. En grupos de cuatro, mencionen (además de la Reconquista española) persecuciones, conflictos, actos de terrorismo o guerras que se hicieron en nombre de la religión.

Videofuentes: *España: ayer y hoy*

Antes de ver

ACTIVIDAD 1 ¿Qué recuerdas?

Antes de ver un video sobre la historia de España, di cuáles son algunos de los grupos que habitaron la península Ibérica. Luego menciona personas famosas que están relacionadas con la historia de España.

Maimónides, médico, filósofo y rabino judío nacido en Córdoba, España, en 1135.

Mientras ves

ACTIVIDAD 2 Los invasores

Ahora lee las siguientes ideas y luego mira el video para buscar la información.

1. a. nombre de un grupo que invadió la península Ibérica
   b. cuándo llegaron
   c. en qué se vio su influencia
2. a. nombre de otro grupo que invadió la península Ibérica
   b. cuándo llegaron
   c. cuánto tiempo estuvieron
   d. en qué se vio su influencia
   e. dos lugares importantes que ocuparon en la península Ibérica
3. la importancia de la Reconquista y de Covadonga

Después de ver

ACTIVIDAD 3 La historia de su país

En grupos de tres, hablen sobre los siguientes datos de su país.

1. a. quiénes fueron sus primeros habitantes
   b. influencias que se ven hoy día
2. a. qué grupos llegaron al país
   b. cuándo llegaron
   c. influencias que se ven hoy día
3. dos momentos importantes en la historia de su país

Película: *La lengua de las mariposas*

Drama: España, 1999

Director: José Luis Cuerda

Guion: Rafael Azcona y José Luis Cuerda, basado en *¿Qué me quieres, amor?*, una novela de Manuel Rivas

Clasificación moral: Todos los públicos

Reparto: Fernando Fernán Gómez, Manuel Lozano, Uxía Blanco, Gonzalo Martín Uriarte, más...

Sinopsis: Un niño de ocho años, Moncho (Manuel Lozano), asiste a la escuela primaria por primera vez en 1936 en un pueblo de Galicia, España. Forma una relación especial con su maestro (Fernando Fernán Gómez), quien le enseña sobre el mundo, la vida y la importancia de que las mariposas tengan la lengua en forma de espiral. Pero el 18 de julio de ese año las cosas cambian cuando empieza la Guerra Civil española.

ACTIVIDAD Guerras de la historia

Parte A: La película que vas a ver ocurre en la época justo antes del comienzo de la Guerra Civil española. Para entender la historia del mundo hay que saber cómo un evento se relaciona con otro. En parejas, intenten decir qué guerra ocurrió antes que la otra.

► la Primera Guerra Mundial / la Guerra de Secesión norteamericana

La Guerra de Secesión norteamericana ya había ocurrido cuando empezó la Primera Guerra Mundial.

1. la guerra hispano-estadounidense / la Guerra Civil española
2. la guerra hispano-estadounidense / la Primera Guerra Mundial
3. la Guerra Civil española / la Primera Guerra Mundial
4. la Guerra Civil española / la Segunda Guerra Mundial
5. la Guerra Civil española / la guerra fría

Parte B: Ahora vayan al sitio de Internet del libro de texto y hagan las actividades que allí se presentan.

Historias de España

CAPÍTULO 2

See the *Fuentes* website for related links and activities: www.cengage.com/spanish/fuentes

La Sagrada Familia, Barcelona

La Ciudad de las Artes y las Ciencias, Valencia

Mezquita, Córdoba

Sinagoga de Santa María La Blanca, Toledo

Catedral gótica, Burgos

Teatro romano, Mérida

Palacio-Monasterio de El Escorial

Activating background knowledge

ACTIVIDAD 1 Los monumentos históricos

Los monumentos históricos de cualquier país reflejan su historia y la influencia de otras culturas. En grupos de tres, miren el mapa, los nombres de los monumentos y las fotos, y la información que aparece abajo. Decidan su fecha de construcción y digan con qué cultura o qué persona(s) se asocia cada monumento.

¿Qué?	¿Cuándo	¿Quiénes?
Mezquita, Córdoba	*el siglo XXI (2000+)*	*los cristianos*
Catedral gótica, Burgos	*el siglo X (la Edad Media)*	*los romanos*
Ciudad de las Artes y las Ciencias, Valencia	*el siglo I*	*el arquitecto Antonio Gaudí*
Teatro romano, Mérida	*el siglo XIII (Edad Media)*	*los judíos sefardíes*
Palacio-Monasterio de El Escorial	*el siglo XX (1882–1926)*	*los árabes (moros)*
Sinagoga de Santa María La Blanca, Toledo	*el siglo XVI (1562–1584)*	*Felipe II, rey de España*
La Sagrada Familia, Barcelona	*el siglo XIII (Edad Media)*	*el arquitecto Santiago Calatrava*

Lectura 1: Un programa de cine

ESTRATEGIA DE LECTURA

Recognizing Chronological Organization
Understanding how a text is organized aids comprehension. One of the most common ways to organize a text is to follow a chronological sequence. Examples of a schematic use of chronological organization include recipes, trip itineraries, schedules, and instructions for putting things together or repairing things. These sorts of texts are often characterized by numbering, or clear divisions between stages or events. Other more fully developed examples include certain types of news reports, histories, short stories, and novels. These last are generally referred to as examples of narrative.

ACTIVIDAD 2 Primera mirada

Skimming and scanning

Mira rápidamente el programa de cine y completa las siguientes oraciones.

1. El programa de cine es para...

   _____ la televisión. _____ un club de cine universitario.

   _____ una filmoteca. _____ un cine comercial.

   filmoteca = film library, archive, and/or club

2. Son películas que tratan de...

   _____ la historia del cine español. _____ la historia de España.

3. Las películas fueron producidas en...

   _____ Italia. _____ España. _____ Francia.

   _____ Estados Unidos. _____ México. _____ Reino Unido.

4. Los idiomas usados en las películas incluyen...

   _____ el inglés. _____ el castellano. _____ el gallego.

   _____ el euskera. _____ el catalán.

5. Las películas están ordenadas según...

   _____ el director y los actores. _____ las lenguas usadas.

   _____ la fecha de producción. _____ el período histórico de la trama.

ACTIVIDAD 3 El contexto histórico

Skimming and scanning

Mira brevemente la descripción de cada película y decide con qué período se asocia cada película.

la época romana | *la época imperial*
la Edad Media | *la guerra civil española*
la época de los Reyes Católicos | *la época franquista*

La guerra civil española: 1936–1939

La época franquista (la dictadura de Francisco Franco): 1939–1975

ACTIVIDAD 4 El cine histórico

Activating background knowledge

Parte A: En parejas, contesten las siguientes preguntas.

1. ¿Conocen películas que tratan de la historia de su país? Den dos ejemplos.
2. ¿Qué tipos de eventos se narran? ¿Qué tipo de personajes suelen aparecer?
3. ¿Con qué objetivo se hacen películas históricas?
4. ¿Las películas históricas cuentan la verdad o una versión de la verdad?

Parte B: Lee el siguiente programa de cine. Trata de identificar los personajes y los eventos básicos de la trama de cada película.

Ciclo de Cine: Historia de España

Organizado por la Filmoteca Municipal ▪ Proyección: Miércoles a sábado, 21–24 de noviembre, a las 20:00

Miércoles

El Cid (1961)
Director: Anthony Mann
Reparto: Charlton Heston, *Rodrigo Díaz de Vivar* (*El Cid*); Sophia Loren, *Jimena*
Duración: 182 min
País: Estados Unidos
Lengua: Inglés
Resumen: Esta película épica cuenta la historia —al estilo de Hollywood y Franco— del héroe cristiano de la Castilla medieval. La película cambia muchos aspectos de la leyenda tradicional, pero en lo esencial acierta… por medio de sus acciones, vemos al Cid[1] como el líder cristiano noble, honrado, justo, fiel, generoso y victorioso. El rey lo exilia injustamente, pero el leal Rodrigo acepta esa decisión. Durante largos años de separación, El Cid se mantiene fiel a su querida Jimena. Y cuando conquista el reino moro de Valencia, vuelve a declararse leal vasallo del rey. Al final, demuestra ser el líder de todos al unir a cristianos y musulmanes hispanos contra los invasores almorávides[2]. ■

1 "Cid" era adaptación del título árabe *sidi*, que significaba "señor".
2 Los almorávides fueron musulmanes fundamentalistas que invadieron la península en 1086; conquistaron a los reinos moros y también parte del territorio cristiano.

Jueves

Juana la Loca (2001)
Director: Vicente Aranda
Reparto: Pilar López de Ayala, *Juana;* Daniele Liotti, *Felipe*
Duración: 115 min
País: España
Lengua: Castellano
Resumen: En 1496, Isabel de Castilla y Fernando de Aragón, los Reyes Católicos, casan a su hija Juana de Castilla con Felipe "el Hermoso", hijo del Emperador alemán. Es una alianza política, pero Juana se enamora locamente de Felipe. Tienen varios hijos, entre ellos el futuro Emperador Carlos V[3], pero Juana se vuelve cada día más celosa a causa de las infidelidades de su marido. Al morirse Isabel en 1504, Juana se convierte en reina de Castilla. Continúan sus ataques de celos, y Felipe intenta declararla demente. Ella se defiende de su marido, pero sigue enamorada de él. Poco después Felipe muere de una fiebre. La reina declara que Felipe solo duerme y viaja por Castilla con su cadáver. Al final, su padre Fernando recupera el control de Castilla y encierra a su hija Juana en el castillo de Tordesillas… ■

3 Carlos V fue Emperador del Sacro Imperio Romano (Alemania) y Rey de España durante la expansión imperial de España (1519–1555).

As you skim and scan this reading, remember that you only need to understand enough to complete assigned activities. Use your existing vocabulary and cognates to understand main ideas, and try to guess the meaning of new words by relying on context.

Viernes

La misión (1986)
Director: Roland Joffé
Reparto: Robert De Niro, *Rodrigo Mendoza;* Jeremy Irons, *Gabriel*
Duración: 126 min
País: Reino Unido
Lengua: Inglés
Resumen: Durante el siglo XVIII, Gabriel, un jesuita español idealista, va al Paraguay para convertir a los indígenas guaraníes al cristianismo. Se enfrenta con Rodrigo, un cazador de esclavos indios, pero éste, después de matar a su propio hermano, hace penitencia convirtiéndose en misionero y defensor de los indígenas y las misiones. Gabriel y Rodrigo representan la cara buena del imperio, pero acaban enfrentándose con la cara mala: la realidad económica del imperio y la necesidad de trabajadores y esclavos. Cuando, con el apoyo de la Iglesia, la Corona de España vende el territorio de las misiones a los cazadores de esclavos (representados aquí por los portugueses), los jesuitas y los guaraníes tienen que tomar una decisión angustiosa: obedecer al Papa o resistir con la fuerza. ■

Sábado

El laberinto del fauno (2006)
Director: Guillermo del Toro
Reparto: Ivana Boquero, *Ofelia;* Ariadna Gil, *Carmen;* Doug Jones, *el fauno;* Sergi López, *Capitán Vidal;* Maribel Verdú, *Mercedes*
Duración: 112 minutos
Países: México y España
Lengua: Castellano
Resumen: España, 1944, cinco años después del final de la Guerra Civil. Un bando de rebeldes republicanos sobrevive en las montañas, luchando contra las fuerzas fascistas bajo el mando del cruel capitán Vidal. Ofelia, niña joven e imaginativa, viaja a las montañas con su madre Carmen, recién casada con el mismo capitán Vidal. Carmen está embarazada y enferma, y Ofelia se encuentra atrapada en la realidad violenta de su padrastro, quien persigue y tortura a los rebeldes. La niña intenta escaparse al mundo de la fantasía, donde un fauno mitológico le explica que ella es —"en realidad"— la hija de un rey, y para poder volver a ver a su padre el rey, debe sobrevivir tres tareas peligrosas. Ofelia cumple las dos primeras tareas, pero el fauno se niega a darle la tercera. La niña descubre que la tercera es trágica y hermosa a la vez. El espectador se queda con la duda: en la lucha entre la realidad y la fantasía, ¿cuál gana? ■

ACTIVIDAD 5 Personajes y acciones

Scanning

Después de leer el programa de cine, decidan en parejas a qué película se refiere cada oración. Después, decidan si son ciertas (C) o falsas (F), y corrijan las falsas.

1. _____ El Cid es un musulmán que conquista el reino moro de Valencia.
2. _____ El Cid se mantiene fiel a su esposa Jimena.
3. _____ Juana la Loca se enamora de Fernando de Aragón.
4. _____ Felipe el Hermoso se muere antes de casarse con Juana la Loca.

(*Continúa en la página siguiente.*)

5. _____ Gabriel y Rodrigo luchan por proteger a los indígenas guaraníes.
6. _____ Gabriel es cazador de esclavos antes de convertirse en misionero.
7. _____ El capitán Vidal lucha contra los fascistas.
8. _____ Ofelia es la hija del capitán Vidal.

Summarizing

ACTIVIDAD 6 ¿Cuál es la trama?

En parejas, hagan un breve resumen de la trama de una de las películas, con 3–6 acciones específicas. Usen adverbios temporales como **al principio, luego, después, finalmente** para completar el resumen. Por ejemplo, para la película *Juana la Loca:*

► Al principio, Juana de Castilla se casa con Felipe, el hijo del Emperador alemán. Luego...

Reacting to reading

ACTIVIDAD 7 Reacciones y recomendaciones

Parte A: En parejas, contesten y comenten las siguientes preguntas sobre sus reacciones a las películas.

1. ¿Cuál es la película más interesante para ti?
2. ¿Cuál es la película más triste para ti?
3. ¿Cuál es un aspecto sorprendente para ti?
4. ¿Cuál de estas películas te gustaría ver más?

Parte B: Imaginen que la clase va a ver una de estas películas. En parejas, decidan cuál de ellas les gustaría ver. Justifiquen su decisión.

Cuaderno personal 2-1

¿Cuál es tu película histórica favorita? Descríbela y explica por qué te gusta.

Lectura 2: Panorama cultural

ACTIVIDAD 8 Términos fundamentales

Building vocabulary

Pon la letra de la definición más apropiada al lado de cada palabra. Puedes usar el glosario al final del libro o el diccionario si es necesario.

1. ______ mezclar	a. grupo étnico o cultural
2. ______ pueblo	b. hacer y terminar, realizar
3. ______ lograr	c. mandar
4. ______ enviar	d. una producción artística de gran valor
5. ______ declive	e. combinar elementos diferentes
6. ______ obra maestra	f. que dura muchos siglos
7. ______ reino	g. decadencia, deterioro
8. ______ pertenecer	h. el territorio de un rey
9. ______ multisecular	i. formar parte de un grupo

ACTIVIDAD 9 En voz alta

En parejas, miren las siguientes expresiones y léanlas en voz alta.

1. 218 a. de C.
2. 409 d. de C.
3. 4.000
4. Felipe II
5. 1492, 1810, 1975
6. los siglos XVI y XVII

a. de C = B.C.

d. de C = A.D.

ACTIVIDAD 10 Hablando de historia

Predicting, Activating background knowledge

El tema de la siguiente lectura es la historia de España. En parejas, hagan una lista de temas y palabras que esperan encontrar en este tipo de lectura. Luego, lean para ver cuántos de éstos aparecen.

Brevísima historia de España

La Hispania romana

En el año 218 a. de C., los romanos invadieron la península Ibérica y crearon su nueva provincia de Hispania. Los seis siglos de dominio romano sobre Hispania vieron la mezcla de los romanos con los pueblos locales, el establecimiento de costumbres y leyes romanas y la adopción casi completa del latín como lengua común. A partir del año 409 d. de C., el dominio político de Hispania pasó a un pueblo germánico, los visigodos, pero con el tiempo estos también adoptaron las tradiciones romanas y la lengua latina.

Continúa en la página siguiente

Los vascos, del norte de España, nunca adoptaron el latín y todavía hoy hablan un idioma que no tiene relación con ningún otro idioma de Europa.

Unas 4.000 palabras del español son de origen árabe: **alfombra, alcalde, alquilar, álgebra, azúcar** y **ojalá**, del árabe "wa šā llāh" = y quiera Dios.

La época de las tres culturas

En el año 711, los moros entraron en Hispania y en solo siete años conquistaron casi toda la península, a la que llamaron Al-Ándalus. Los moros llevaron el islam y todo el esplendor de la civilización árabe del momento: su comercio, arquitectura, literatura, música y sus conocimientos de astronomía, agronomía, matemáticas y filosofía. Estos aportes enriquecieron la cultura hispánica y la europea. Sin embargo, en las montañas del norte, algunos reinos cristianos resistieron el dominio de los musulmanes y empezaron la "Reconquista" de la península. En ese conflicto multisecular, el reino central de Castilla ("tierra de castillos") conquistó la mayor parte de los territorios del sur y, por lo tanto, fue el dialecto de ese reino, el castellano, el que se extendió en las regiones reconquistadas. Aunque la Edad Media fue una época conflictiva, también fue un período de cooperación fructífera. Por ejemplo, bajo el rey castellano Alfonso X el Sabio (1252–1284), musulmanes, cristianos y judíos trabajaron juntos en la famosa Escuela de Traductores de Toledo (siglos XII y XIII), donde tradujeron del árabe al castellano las obras filosóficas y científicas de los musulmanes.

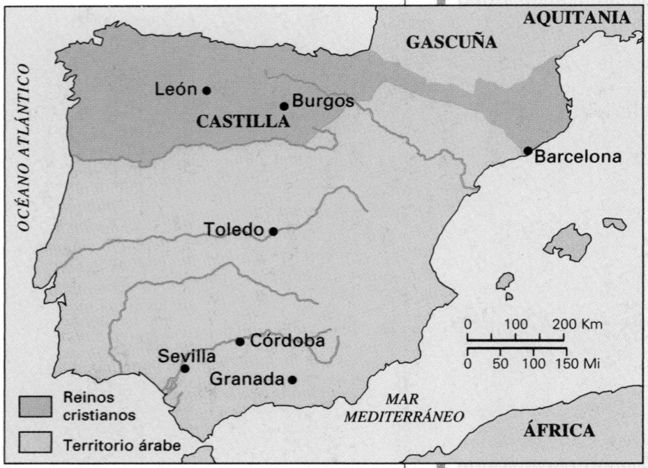

La península Ibérica en el siglo X.

Los judíos tuvieron un papel muy importante en la vida intelectual y económica de la España medieval. Llamaron a España Sefarad, y hasta 1492 fue un lugar de refugio para ellos, ya que durante la Edad Media otros reinos como Inglaterra y Francia ya habían expulsado a los judíos.

Vista exterior del palacio de La Alhambra en Granada, monumento de la arquitectura musulmana en España.

Los judíos expulsados de Sefarad (España) en 1492 son conocidos aun hoy día como los sefarditas.

1492

El día 2 de enero de 1492, los Reyes Católicos Isabel y Fernando conquistaron el último reino moro de Granada. Con su matrimonio, los reyes ya habían realizado la unificación de los reinos de Castilla y Aragón, pero la conquista de Granada les permitió continuar su unificación política y religiosa de España. Al eliminar a los musulmanes, también decidieron eliminar a los judíos y ordenaron su expulsión o conversión al cristianismo en el mismo año de 1492. Gracias a su victoria en Granada, los reyes también pudieron financiar al navegante Cristóbal Colón, cuyo viaje a América abrió un nuevo capítulo en la historia de España: la conquista y colonización del Nuevo Mundo. Fue en esta época que el castellano, lengua principal de los españoles, empezó a llamarse español, y fue en 1492 que Antonio de Nebrija publicó la primera gramática de la lengua española.

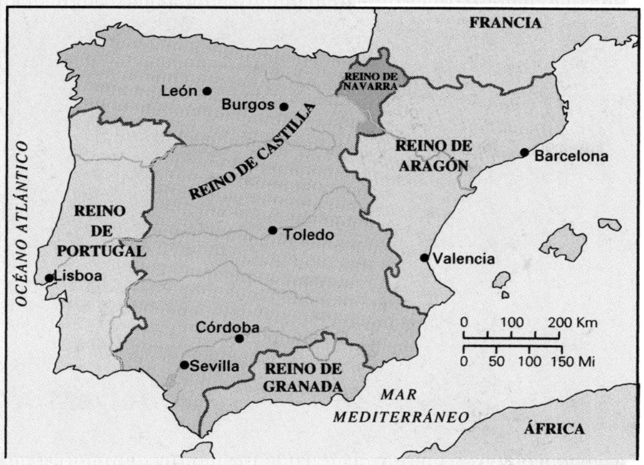

La península Ibérica en el siglo XV.

El imperio español

En el siglo XVI, España creó un gran imperio que llegó a extenderse a otras partes de Europa, a América y hasta a las islas Filipinas. Las colonias de México y Perú enviaron grandes cantidades de oro y plata, y España se convirtió en la superpotencia de la época. Pero el dinero se perdió en ruinosas guerras contra los protestantes, como fue el caso cuando el rey Felipe II mandó la "Armada Invencible" contra Inglaterra en 1588. En el siglo XVII, España entró en un largo declive político y económico. Sin embargo, la época de 1550 a 1650 también fue un momento de magnífica producción artística, y fue durante este "Siglo de Oro" cuando Cervantes publicó *Don Quijote de la Mancha* y los pintores El Greco y Velázquez produjeron sus obras maestras.

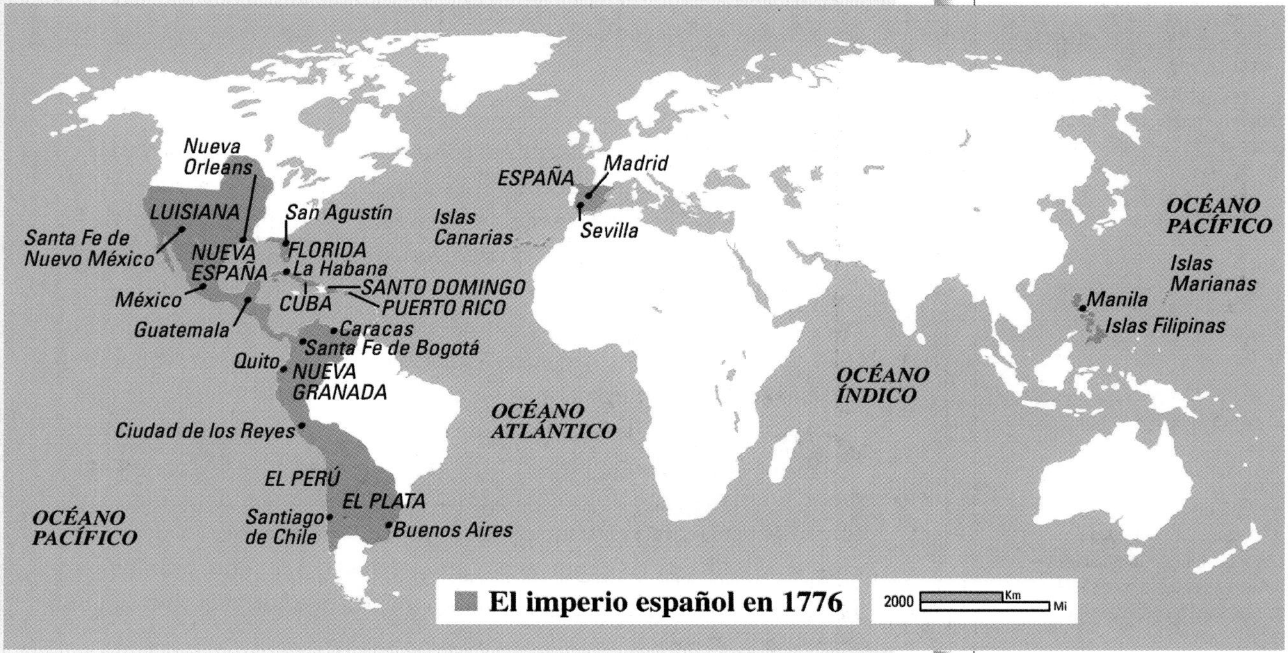

Continúa en la página siguiente

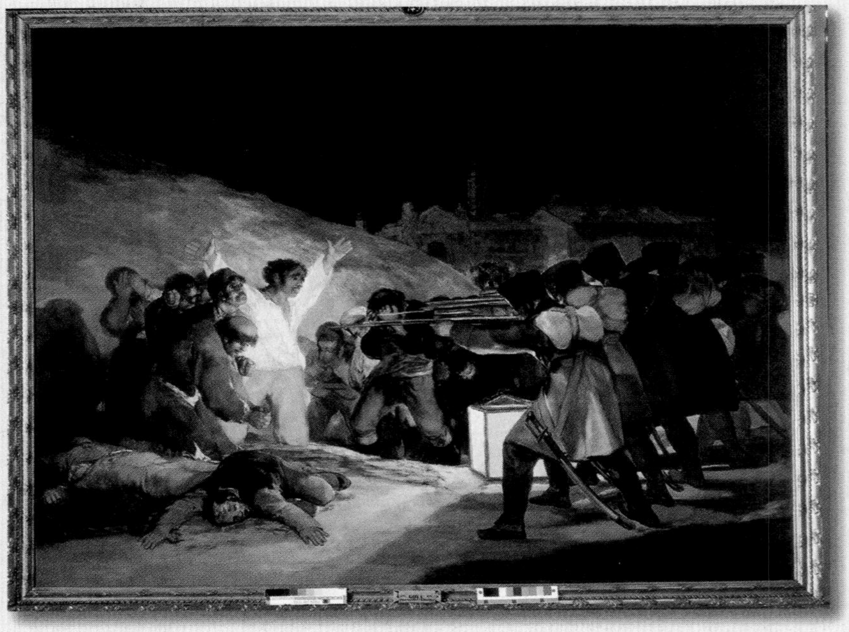

Los fusilamientos en la montaña del Príncipe Pío. Francisco de Goya, Madrid, Museo del Prado. Este cuadro muestra los fusilamientos del tres de mayo de 1808 de los españoles que lucharon contra la invasión de Napoleón.

Los españoles lucharon contra Napoleón de 1808 a 1814.

La independencia

En 1808, el dictador francés Napoleón invadió España. Mientras la nación española luchaba contra Napoleón para conservar su independencia, las colonias españolas de América iniciaron, a su vez, sus propias rebeliones contra la autoridad española. Casi todas las repúblicas hispanoamericanas lograron su independencia entre 1810 (Argentina) y 1828 (Bolivia).

La España moderna

En 1898, España perdió sus últimas colonias de Cuba, Puerto Rico y las Islas Filipinas en una guerra con los Estados Unidos, y el imperio español llegó a su fin. El choque fue seguido en el siglo XX por un momento de progreso, cuestionamiento y conflicto. Se estableció una república democrática en 1931, pero esta no duró mucho tiempo a causa de las grandes divisiones que existían entre las diferentes facciones políticas. En 1936, el general Francisco Franco se rebeló contra el gobierno republicano, lo cual inició la guerra civil española que terminó en 1939 con la victoria de Franco y los fascistas. La dictadura de Franco continuó hasta su muerte en 1975. A partir de entonces, España entró en una época de renovación social, política y económica. Actualmente el país es una monarquía constitucional, como el Reino Unido, y desde 1986 pertenece a la Unión Europea. Es una de las democracias más estables del mundo, y también se beneficia de una economía desarrollada, un alto nivel de vida y una cultura dinámica y variada. ■

España ahora está dividida en varias regiones autónomas. Cinco de las autonomías son bilingües: Cataluña, Valencia y Baleares (catalán y castellano) el País Vasco (euskera y castellano) y Galicia (gallego y castellano).

ACTIVIDAD 11 ¿Qué ocurrió ese año?

Skimming and scanning

La lectura menciona muchas fechas claves de la historia de España. Usa el pretérito para decir qué ocurrió en cada año.

► 218 a. de C.

► En el año 218 a. de C., los romanos invadieron la península Ibérica y crearon la provincia de Hispania.

711	*1588*	*1898*
1492	*1550–1560*	*1975*
1550–1650	*1810–1828*	*1936–1939*

ACTIVIDAD 12 Datos importantes

Skimming and scanning

Indica si cada oración es cierta (C) o falsa (F) según la lectura. Si es falsa, corrígela y lee la parte del texto que contiene la información.

1. ______ El latín, el castellano y el español son tres lenguas diferentes.
2. ______ La cultura y el idioma árabes tuvieron poco efecto sobre la cultura cristiana de la Edad Media.
3. ______ Con su matrimonio, los Reyes Católicos unificaron los reinos de Castilla y Portugal.
4. ______ La conquista de América fue, en cierto sentido, una extensión de la Reconquista medieval de España.
5. ______ El imperio español se convirtió en gran defensor del catolicismo.
6. ______ El imperio español entró en decadencia en el siglo XVII.
7. ______ Goya y Picasso son artistas asociados con el "Siglo de Oro" de España.
8. ______ Los fascistas o franquistas ganaron la guerra civil española.
9. ______ La muerte de Franco representó el principio de una democracia estable en España.

ACTIVIDAD 13 Ironías de la historia

Making inferences

Algunos acontecimientos de la historia pueden parecer irónicos desde una perspectiva moderna. En parejas, expliquen por qué los siguientes acontecimientos pueden considerarse irónicos.

1. Los judíos fueron expulsados de España en 1492.
2. El período de 1550 a 1650 se conoce como el "Siglo de Oro".
3. Las colonias españolas empezaron a luchar por su independencia en 1810.
4. Estados Unidos había sido una colonia antes de independizarse, pero convirtió a Puerto Rico y Filipinas en colonias.
5. La guerra civil española terminó en 1939.

Summarizing

ACTIVIDAD 14 Para resumir

En parejas, escojan y adapten palabras de la siguiente lista para terminar este resumen de la lectura.

expulsar	*el siglo XIX*	*perderse*	*mezcla*
Castilla	*sufrir*	*guerra*	*Siglo de Oro*
lograr	*imperio*	*1975*	

convivencia = coexistence, living together

La larga historia de España se puede dividir en tres grandes etapas: expansión, decadencia y renovación. En sus orígenes, la cultura española fue el resultado de la ____________ (1) de muchos pueblos y culturas y de la convivencia entre cristianos, musulmanes y judíos en la Edad Media. Esta convivencia terminó cuando los Reyes Católicos ____________ (2) unir los reinos cristianos de ____________ (3) y Aragón; conquistar Granada, el último reino moro, y ____________ (4) a los judíos. La expansión castellana continuó con la creación del ____________ (5) español, que se extendió en Europa, en América y hasta en las islas Filipinas. Las riquezas imperiales ____________ (6) en largas ____________ (7) religiosas, y desde temprano el imperio entró en declive económico, aunque también vio el florecimiento cultural conocido como el ____________ (8). El imperio llegó a su fin durante ____________ (9), con la invasión de Napoleón y la independencia de las colonias americanas. En el siglo XX, España ____________ (10) los trágicos efectos de la guerra civil española y la dictadura de Franco, pero desde ____________ (11) vive un período de renovación social, política y económica.

Cuaderno personal 2-2

En tu opinión, ¿cuál fue el evento más importante de la historia de España? ¿Cuál fue el acontecimiento más importante de la historia de tu propio país? ¿Por qué?

VIDEOFUENTES

¿Qué aspectos de la "Brevísima historia de España" se reflejan en el video sobre España? ¿Incluye el video otros aspectos de la historia de España? ¿Cuáles?

Lectura 3: Literatura

ESTRATEGIA DE LECTURA

Guessing Meaning from Context
When reading, you will often come across words that are unfamiliar to you. In many cases these may be easily understood cognates. In other cases, however, you will need to look at the wider *context* to guess the meaning of unfamiliar words. The parts of a passage that surround a particular word generally limit what that word can and cannot mean. Though you may be tempted to look up each unfamiliar word in the glossary or dictionary, it is often faster and sometimes more helpful to guess the meaning of a word from its context, or even to skip it if it seems unimportant.

ACTIVIDAD 15 Personajes y acciones

Guessing meaning from context

Las palabras que están en negrita en las siguientes oraciones aparecen en los cuentos que vas a leer. Lee cada oración y escribe a su lado la letra de la definición de la palabra.

1. ______ **El mercader** fue a vender sus productos y mercancías al mercado.	a. irse rápidamente de un lugar para escaparse
2. ______ Cuando la mujer oyó el ruido, hizo **un gesto** de sorpresa.	b. una persona que trabaja sirviendo a otra persona (su amo)
3. ______ El hombre robó el dinero, salió del banco y **huyó** en un coche viejo.	c. el fin de la vida
4. ______ **El criado** puso la mesa, sirvió la comida y limpió los platos.	d. palabra antigua para referirse a un comerciante
5. ______ A veces los políticos reciben **amenazas** de personas descontentas con sus acciones.	e. movimiento físico expresivo
6. ______ Omar está muy triste por la **muerte** de su abuelo.	f. palabras o acciones que demuestran que una persona le quiere hacer mal a otra

ACTIVIDAD 16 El principio del cuento

Predicting, Activating background knowledge

Parte A: El principio de un cuento es importante porque muchas veces allí se presenta el conflicto del protagonista. Lee el primer párrafo del cuento, mira el dibujo y después contesta las siguientes preguntas.

1. ¿Se parece el principio al de otros cuentos que conoces? ¿Cuáles?
2. ¿Por qué los cuentos folclóricos empiezan siempre con la misma fórmula?
3. ¿Qué crees que va a pasar en el cuento?

Active reading

Otros cuentos conocidos de *Las mil y una noches* son "Aladino y la lámpara maravillosa" y "Alí Babá y los cuarenta ladrones". Muchos de los cuentos árabes se conocían en España durante la época de Al-Ándalus.

Parte B: Ahora, lee el cuento y busca la moraleja.

Bernardo Atxaga *(se pronuncia [a-chá-ga]) es el seudónimo del autor vasco Joseba Irazu Garmendia. Nació en 1951 en Bilbao, España, y ha publicado cuentos, novelas, poesía y libros infantiles. Escribe en euskera, su primera lengua materna y luego traduce sus obras al español, su otra lengua materna. En 1989 se hizo famoso cuando su novela Obabakoak ganó el Premio Nacional de Literatura. En la novela, Atxaga reúne muchos cuentos cortos de varias culturas para hablar del arte de contar historias. Una de sus fuentes es* Las mil y una noches, *obra clásica de la civilización árabe en la que la princesa Scheherazada evita la muerte contando una historia cada noche durante mil noches. El cuento "El criado del rico mercader" pertenece a esta colección. Atxaga lo utiliza en su novela como ejemplo de un cuento bien escrito y para mostrar cómo influyen los cuentos en nuestra manera de pensar, y lo reescribe para mostrar cómo nuestra manera de pensar influye en nuestra manera de contar historias.*

Érase una vez... = Once upon a time there was/were...

El criado del rico mercader

Contado por Bernardo Atxaga

Érase una vez, en la ciudad de Bagdad, un criado que servía a un rico mercader. Un día, muy de mañana, el criado se dirigió al mercado para hacer la compra. Pero esa mañana no fue como todas las demás, porque esa mañana vio allí a la Muerte y porque la Muerte le hizo un gesto. Aterrado, el criado volvió a la casa del mercader.

—Amo —le dijo—, déjame el caballo más veloz de la casa. Esta noche quiero estar muy lejos de Bagdad. Esta noche quiero estar en la remota ciudad de Ispahán.

—Pero ¿por qué quieres huir?

—Porque he visto a la Muerte en el mercado y me ha hecho un gesto de amenaza.

El mercader se compadeció de él y le dejó el caballo, y el criado partió con la esperanza de estar por la noche en Ispahán.

Por la tarde, el propio mercader fue al mercado, y, como le había sucedido antes al criado, también él vio a la Muerte.

—Muerte —le dijo acercándose a ella—, ¿por qué le has hecho un gesto de amenaza a mi criado?

—¿Un gesto de amenaza? —contestó la Muerte—. No, no ha sido un gesto de amenaza, sino de asombro. Me ha sorprendido verlo aquí, tan lejos de Ispahán, porque esta noche debo llevarme en Ispahán a tu criado. ■

El presente perfecto, **ha sido,** se usa en algunas partes del centro de España en vez del pretérito **fue,** para referirse al pasado reciente.

ACTIVIDAD 17 Otra mirada al contexto

Guessing meaning from overall context

Busca las siguientes palabras en el cuento que acabas de leer y escoge el sinónimo de cada una de ellas.

1. (línea 6) aterrado
   a. tranquilo b. preocupado c. sorprendido d. con mucho miedo
2. (línea 8) veloz
   a. lento b. rápido c. bello d. caro
3. (línea 7) déjame
   a. abandóname b. párame c. regálame d. préstame
4. (línea 14) se compadeció
   a. habló b. sufrió c. se puso triste d. tuvo compasión
5. (línea 22) asombro
   a. sombra b. depresión c. sorpresa d. alegría

ACTIVIDAD 18 Secuencias de acciones

Recognizing chronological organization

En parejas, decidan si cada oración indica la secuencia correcta (C) o no (F) de las acciones del cuento. Si no, corrijan la oración.

1. ______ El criado había querido huir a Ispahán antes de ver a la Muerte.
2. ______ El criado ya había visto a la Muerte cuando le pidió el caballo al mercader.
3. ______ El criado ya había aceptado el caballo cuando partió para Ispahán.
4. ______ El mercader todavía no había hablado con el criado cuando fue al mercado.
5. ______ El mercader ya había llegado al mercado cuando vio a la Muerte.
6. ______ El criado no había salido para Ispahán cuando el mercader habló con la Muerte.

ACTIVIDAD 19 El final del cuento

Identifying and interpreting main ideas

Parte A: Los cuentos tradicionales suelen tener tres partes: principio, nudo y desenlace (el final). En el principio se presenta el problema del protagonista. En el nudo se complica la acción, y en el desenlace se soluciona el conflicto y se enseña una lección. En parejas, analicen y describan los siguientes aspectos del cuento.

1. ¿Quiénes son y cómo son los personajes?
2. ¿Qué pasa en el cuento? ¿Tiene un final sorpresivo o previsible?
3. ¿Dónde y cuándo ocurre la acción?

Parte B: En grupos de tres, comenten las siguientes preguntas.

1. ¿Cuál es la moraleja del cuento?
2. ¿Qué perspectiva o valores refleja y enseña?
3. ¿Están Uds. de acuerdo con la moraleja? ¿Por qué sí o no?
4. ¿Les gusta el cuento? ¿Por qué sí o no?

Skimming and predicting

ACTIVIDAD 20 Una versión moderna del cuento

Parte A: A Bernardo Atxaga no le gustó la visión fatalista de "El criado del rico mercader" y escribió otra versión. En parejas, miren el título y los dos dibujos, y después contesten las siguientes preguntas.

1. ¿Qué implicaciónes tiene el cambio en el título?
2. ¿Creen que esta versión termina con un final feliz o un final triste? ¿Por qué?

Active reading

Parte B: Ahora, lee la nueva versión de Atxaga y piensa en las siguientes preguntas. Después de leer, en parejas, discutan las preguntas.

1. ¿Tiene el criado el mismo problema que tiene en la primera versión?
2. ¿En qué línea empiezan a ser diferentes las acciones?
3. ¿Le da Atxaga un final sorpresivo o previsible?

Dayoub, el criado del rico mercader

Bernardo Atxaga

Érase una vez, en la ciudad de Bagdad, un criado que servía a un rico mercader. Un día, muy de mañana, el criado se dirigió al mercado para hacer la compra. Pero esa mañana no fue como todas las demás, porque esa mañana vio allí a la Muerte y porque la Muerte le hizo un gesto.

Aterrado, el criado volvió a la casa del mercader.

—Amo —le dijo—, déjame el caballo más veloz de la casa. Esta noche quiero estar muy lejos de Bagdad. Esta noche quiero estar en la remota ciudad de Ispahán.

—Pero ¿por qué quieres huir? —le preguntó el mercader.

—Porque he visto a la Muerte en el mercado y me ha hecho un gesto de amenaza.

El mercader se compadeció de él y le dejó el caballo, y el criado partió con la esperanza de estar esa noche en Ispahán.

El caballo era fuerte y rápido, y, como esperaba, el criado llegó a Ispahán con las primeras estrellas. Comenzó a llamar de casa en casa, pidiendo amparo.

—Estoy escapando de la Muerte y os pido asilo —decía a los que le escuchaban.

Pero aquella gente se atemorizaba al oír mencionar a la Muerte y le cerraban las puertas.

El criado recorrió durante tres, cuatro, cinco horas las calles de Ispahán, llamando a las puertas y fatigándose en vano. Poco antes del amanecer llegó a la casa de un hombre que se llamaba Kalbum Dahabin.

—La Muerte me ha hecho un gesto de amenaza esta mañana, en el mercado de Bagdad, y vengo huyendo de allí. Te lo ruego, dame refugio.

—Si la Muerte te ha amenazado en Bagdad —le dijo Kalbum Dahabin—, no se habrá quedado allí. Te ha seguido a Ispahán, tenlo por seguro. Estará ya dentro de nuestras murallas, porque la noche toca a su fin.

—Entonces, ¡estoy perdido! —exclamó el criado.

—No desesperes todavía —contestó Kalbum—. Si puedes seguir vivo hasta que salga el sol, te habrás salvado. Si la Muerte ha decidido llevarte esta noche y no consigue su propósito, nunca más podrá arrebatarte. Ésa es la ley.

—Pero ¿qué debo hacer? —preguntó el criado.

—Vamos cuanto antes a la tienda que tengo en la plaza —le ordenó Kalbum cerrando tras de sí la puerta de la casa.

Mientras tanto, la Muerte se acercaba a las puertas de la muralla de Ispahán. El cielo de la ciudad comenzaba a clarear.

—La aurora llegará de un momento a otro —pensó—. Tengo que darme prisa. De lo contrario, perderé al criado.

Entró por fin a Ispahán, y husmeó entre los miles de olores de la ciudad buscando el del criado que había huido de Bagdad. Enseguida descubrió su escondite: se hallaba en la tienda de Kalbum Dahabin. Un instante después, ya corría hacia el lugar. En el horizonte empezó a levantarse una débil neblina. El sol comenzaba a adueñarse del mundo.

La Muerte llegó a la tienda de Kalbum. Abrió la puerta de golpe y... sus ojos se llenaron de desconcierto. Porque en aquella tienda no vio a un solo criado, sino a cinco, siete, diez criados iguales al que buscaba.

Miró de soslayo hacia la ventana. Los primeros rayos del sol brillaban ya en la cortina blanca. ¿Qué sucedía allí? ¿Por qué había tantos criados en la tienda?

No le quedaba tiempo para averiguaciones. Agarró a uno de los criados que estaba en la sala y salió a la calle. La luz inundaba todo el cielo.

Aquel día, el vecino que vivía frente a la tienda de la plaza anduvo furioso y maldiciendo.

—Esta mañana —decía— cuando me he levantado de la cama y he mirado por la ventana, he visto a un ladrón que huía con un espejo bajo el brazo. ¡Maldito sea mil veces! ¡Debía haber dejado en paz a un hombre tan bueno como Kalbum Dahabin, el fabricante de espejos!

ACTIVIDAD 21 Detalles del cuento

Guessing meaning from overall context

Después de leer el cuento una vez, escoge el sinónimo de cada expresión indicada. Vuelve a mirar el contexto del cuento si es necesario.

1. (línea 16) Comenzó a llamar de casa en casa, pidiendo **amparo.**

   a. refugio   b. comida   c. dinero

(*Continúa en la página siguiente.*)

2. (línea 19) Pero aquella gente **se atemorizaba** al oír mencionar a la Muerte y le cerraban las puertas.

   a. tenía miedo   b. se aburría   c. se enojaba

3. (línea 31) No **desesperes** todavía.

   a. te despiertes   b. te pierdas   c. pierdas la esperanza

4. (línea 33) Si la Muerte ha decidido llevarte esta noche y no consigue su propósito, nunca más podrá **arrebatarte.**

   a. perderte   b. llevarte   c. pegarte

5. (línea 48) El sol comenzaba a **adueñarse del mundo.**

   a. ponerse   b. desaparecer   c. salir

6. (línea 50) Abrió la puerta de golpe y... sus ojos se llenaron de **desconcierto.**

   a. confusión   b. música   c. lágrimas

7. (línea 56) No le quedaba tiempo **para averiguaciones.**

   a. para investigar la situación   b. para mirarse más   c. para buscar a otras víctimas

Recognizing chronological organization

ACTIVIDAD 22 Primero, luego y después

Parte A: Pon las siguientes oraciones en orden lógico para formar un resumen del cuento.

______ *Al salir el sol se vio el reflejo del criado en todos los espejos.*
______ *Se encontró con la Muerte, que le hizo un gesto de amenaza.*
______ *Dayoub fue corriendo a su amo, el rico mercader, y le pidió el caballo más veloz que tenía para escaparse de la ciudad.*
______ *El criado Dayoub fue al mercado de Bagdad para hacer la compra.*
______ *Al llegar a Ispahán el criado buscó refugio, pero nadie quiso ayudarlo hasta que llegó a la casa de Kalbum Dahabin.*
______ *La Muerte entró con mucha prisa, se equivocó y cogió un espejo en vez de coger al criado.*
______ *Kalbum se dio cuenta de que la Muerte ya había llegado a Ispahán y llevó a Dayoub a su tienda de espejos, donde lo "escondió" en el centro de la tienda.*

Marking sequence with transition words

Parte B: Usen las oraciones de la Parte A para escribir un breve resumen del cuento de Dayoub. Usen expresiones y adverbios de tiempo como **un día, por la mañana/noche, luego, antes/después de, enseguida, inmediatamente, de repente, finalmente, tan pronto como, en cuanto,** etc.

Identifying and interpreting main ideas

ACTIVIDAD 23 Los dos cuentos

En parejas, comparen los dos cuentos respondiendo a las siguientes preguntas.

1. ¿En qué se parecen o diferencian los cuatro aspectos fundamentales de cada cuento: personajes, acción (principio, nudo, desenlace), lugar y tiempo? Hagan una lista de las diferencias más importantes.
2. ¿Qué cuento tiene un final más interesante? ¿Más pesimista?
3. ¿Qué valores refleja y enseña cada cuento?
4. ¿Qué relación tienen estos dos cuentos con la historia de España?

ACTIVIDAD 24 Una experiencia personal

Se dice que los mejores cuentos tienen un final sorpresivo. En parejas, piensen en una experiencia personal que terminó con una sorpresa y cuéntenle a su compañero/a lo que pasó. ¿Qué les asustó o sorprendió? ¿Qué hicieron Uds.? ¿Los/Las ayudó alguien?

Cuaderno personal 2-3

¿Qué cuento te gustó más? ¿Por qué? ¿Cuál de los dos cuentos refleja mejor tu propia perspectiva sobre la vida?

Redacción: Un cuento

ESTRATEGIA DE LECTURA

Marking Sequence with Transition Words
When writing about events or activities that occurred in a particular sequence (as in a short story), transition words can help mark the chronological relationships between the actions. These include:

al principio	at first
primero	first
luego	then; next; later
entonces	then, at that (same) moment
enseguida/en seguida	immediately; immediately afterward
antes	before
antes de eso	before that
después/más tarde	afterward; later
después de eso	after that
por último	finally (*last in a series*)
por fin/finalmente	finally (finally!)
al final	in the end

Avoid overusing sequence words. Reserve them primarily for clarification. You can also mark sequence by using verb tenses and time references such as **por la mañana** and **por la tarde** if the time sequence is clear.

The first important event of a traditional story is often marked with **un día.**

ACTIVIDAD 25 Los cuentos y la moraleja

Activating background knowledge

A continuación hay una lista de cuentos folclóricos muy populares. En parejas, adivinen el equivalente de cada título en inglés. Luego, escojan uno de los cuentos y

(*Continúa en la página siguiente.*)

preparen un resumen utilizando expresiones de transición. Después de completarlo, léanselo a la clase para que los demás digan la moraleja o lección moral.

Títulos	
Blancanieves y los siete enanitos	*Los tres cerditos*
Ricitos de oro y los tres osos	*El ratón de la ciudad y el ratón del campo*
La Cenicienta	*El patito feo*
El nuevo traje del emperador	*La bella durmiente*
Caperucita Roja	

Writing a story

ACTIVIDAD 26 La creación de un cuento original

Parte A: Vas a escribir un cuento original. Escoge una moraleja que te parezca importante para tu cuento. La moraleja puede ser tradicional o reflejar un tema moderno como el sexismo, el ecologismo o la alta tecnología.

Parte B: Los cuentos folclóricos suelen construirse a base de ciertos elementos tradicionales. Escoge varios de los siguientes para tu propio cuento.

un rey	*una reina*	*un encanto* (spell)
un reino	*un castillo*	*un tesoro*
un príncipe	*una princesa*	*un lobo*
una bruja (witch)	*un brujo/mago* (magician)	*un jorobado* (humpback)
la invisibilidad	*un pájaro que habla*	*una receta* (recipe)
una alfombra mágica	*un lago*	*un sapo* (toad)
una paloma (dove)	*una ventana*	*una serpiente*
un bosque	*una gota de sangre*	*un anillo*
un pez que habla	*un caballo que vuela*	*un dragón*
una llave	*un espejo mágico*	*una torre*
una lámpara mágica	*una espada mágica*	*un árbol con fruta mágica*
un hada madrina (fairy godmother)	*un pozo de los deseos* (wishing well)	

Once upon a time there was/were... = **Érase una vez.../Había una vez...**

...and they lived happily ever after. = **... y vivieron felices y comieron perdices.**

Hada es una palabra femenina que comienza con una **a** acentuada. Por tanto se dice **un hada madrina** o **el hada madrina**.

Parte C: Piensa en los acontecimientos de tu cuento y escribe la primera versión. Recuerda que el cuento necesita los siguientes elementos.

- título
- protagonista (el/la bueno/a)
- antagonista (el/la malo/a)
- descripción del contexto o del mundo de los personajes (el lugar, el tiempo)
- moraleja

Usa expresiones de transición cuando sea necesario.

La América precolombina

CAPÍTULO 3

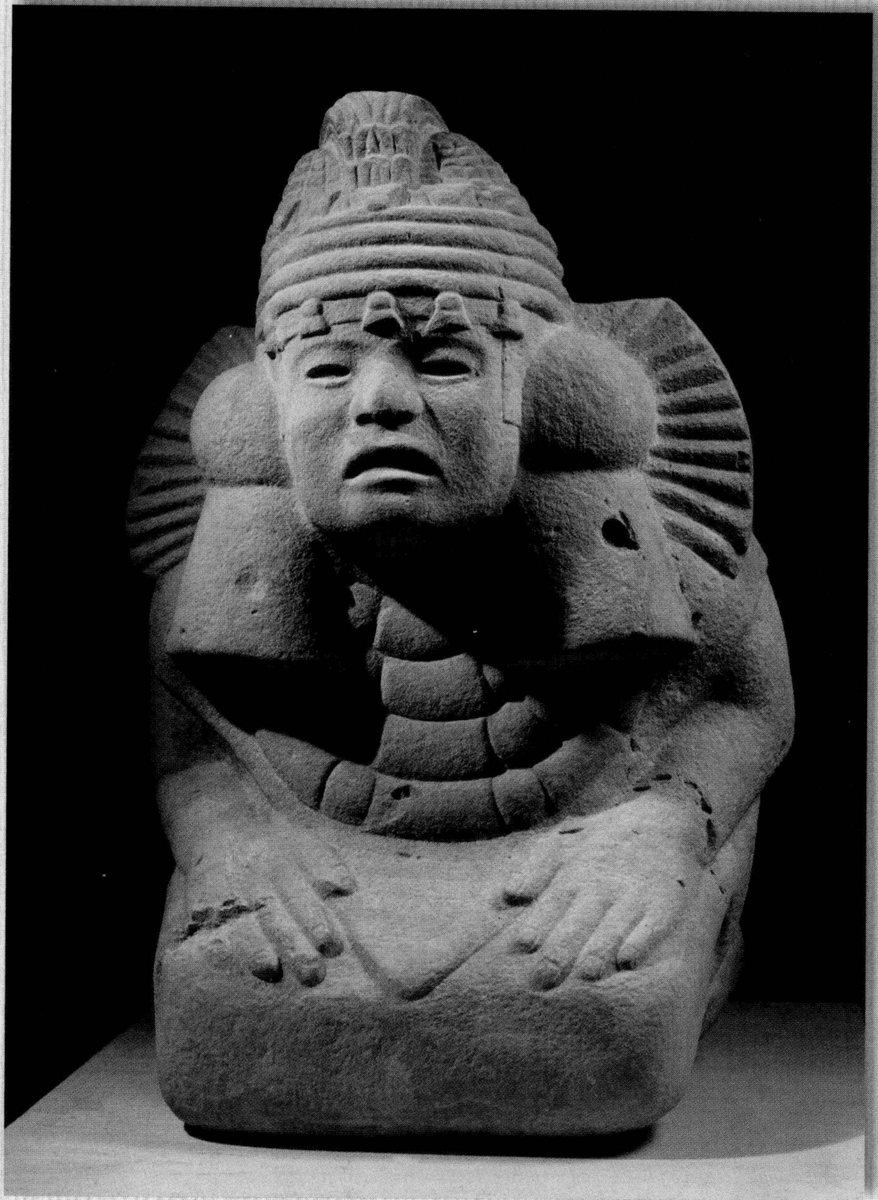

Estatua de la diosa Chihuateteo en Veracruz, México.

METAS COMUNICATIVAS

- narrar en el pasado (segunda parte)
- describir cosas y personas
- indicar el beneficiario de una acción

La leyenda del maíz

Había una vez...	Once upon a time there was/were . . .
¿A que no saben...?	Bet you don't know . . . ?
No saben la sorpresa que se llevó cuando...	You wouldn't believe how surprised he/she was when . . .

ACTIVIDAD 1 ¿Qué sucedió?

Parte A: La locutora de un programa de radio para niños va a contar una leyenda tolteca sobre cómo llegó el maíz a la tierra. El personaje principal de la leyenda se llama Quetzalcóatl. Antes de escucharla, en grupos de tres, miren los dibujos que también cuentan la leyenda e intenten adivinar qué sucedió.

1.

2.

3.

4.

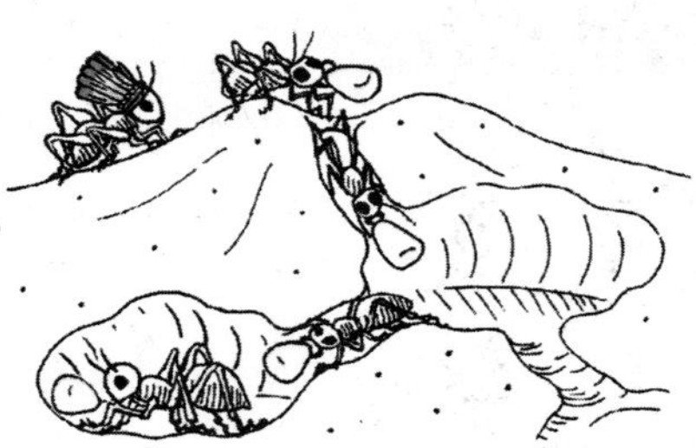
5.

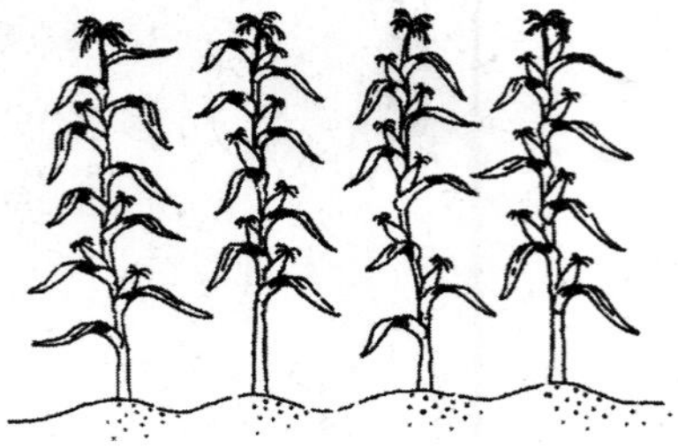
6.

hormigas = ants

hormiguero = anthill

Parte B: Ahora escuchen la leyenda y al terminar, discutan en su grupo si su interpretación era correcta. De no ser así, resuman qué ocurrió.

Parte C: Escuchen la leyenda otra vez y agreguen (*add*) detalles, especialmente sobre cómo consiguió Quetzalcóatl los granos de maíz y qué hizo con ellos.

ACTIVIDAD 2 Los regalos

Leyendas

Discutan cuál de los cinco regalos de los dioses fue el mejor para los toltecas y expliquen por qué. Después, digan cuál de los cinco regalos les interesó más a los españoles durante su dominación de Hispanoamérica y por qué.

¿Lo sabían?

Cabeza de Quetzalcóatl en Teotihuacán, México.

Quetzalcóatl, el dios emplumado, ocupa un lugar de mucha importancia en la mitología mexicana. En una leyenda se le atribuye la creación de la raza humana. Se dice que descendió de la tierra de los muertos, encontró unos huesos, vertió (*shed*) su propia sangre sobre ellos y así creó a los seres humanos. También se dice que inventó el calendario y les enseñó a los seres humanos la astronomía. Algunas leyendas cuentan que Quetzalcóatl era de color blanco y que tenía barba. Por eso, cuando Cortés llegó a México, Moctezuma, que era el líder azteca, creyó que había vuelto Quetzalcóatl y lo recibió amigablemente. Esto le facilitó a Cortés la conquista de México.

¿Cuál es un personaje mitológico de gran importancia en el folclore de tu país? Descríbelo y explica qué hizo.

I. Narrating in the Past (Part Two)

Do the corresponding web activities as you study the chapter.

A Preterit and Imperfect: Part One

In Chapter 2, you reviewed how to use the preterit to refer to a completed past action, to the beginning or end of past actions, and for an action that occurred over a set period of time. You also learned how to express time and age using the imperfect. In this section you will review other uses of the imperfect and how it is used with the preterit to narrate past events.

1. The imperfect is formed as follows.

estar	
est**aba**	est**ábamos**
est**abas**	est**abais**
est**aba**	est**aban**

hacer	
hac**ía**	hac**íamos**
hac**ías**	hac**íais**
hac**ía**	hac**ían**

dormir	
dorm**ía**	dorm**íamos**
dorm**ías**	dorm**íais**
dorm**ía**	dorm**ían**

For irregular forms, see Appendix A.

2. Use the imperfect:

a. to describe past actions in progress in which neither the beginning nor the end of the action matters. Compare the following examples.

Ayer a las siete **leía** otra leyenda tolteca.
Yesterday at seven he was reading another Toltec legend (action in progress, start or end of action not important).

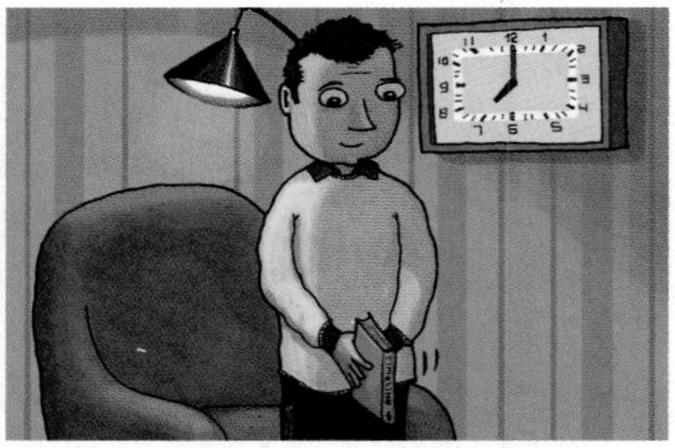

Ayer a las siete **terminó** de leer otra leyenda tolteca.
Yesterday at seven he finished reading another Toltec legend (end of an action).

b. to describe two or more actions in progress that occurred simultaneously. Use **mientras** or **y** to connect the two actions.

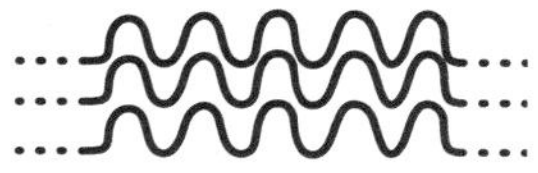

La diosa Tierra **observaba** a su hijo Quetzalcóatl **mientras** él **ayudaba** a los toltecas. *Mother Earth was observing her son Quetzalcóatl while he was helping the Toltecs.*

Él **seguía** a las hormigas y **miraba** lo que **hacían**. *He was following the ants and watching what they were doing.*

Note: Past actions in progress can also be expressed using the imperfect progressive. It gives greater emphasis to the ongoing nature of the action than the imperfect. Form it by using the imperfect of **estar** + *present participle* (***gerundio***).

Mientras **hablaba/estaba hablando** con sus padres, **pensaba/estaba pensando** cómo ayudar a los toltecas. *While he was talking to his parents, he was thinking about how to help the Toltecs.*

c. to describe an action in progress in the past when another action occurred or interrupted the action in progress. Use the preterit for the action that occurred or interrupted the action in progress. Use **cuando** or **mientras** to connect the two clauses. Compare the following sentences.

Quetzalcóatl **besaba/estaba besando** a su novia **cuando** su padre **abrió** la puerta.
Quetzalcóatl was kissing his girlfriend (action in progress) when his father opened the door (interrupting action). [Ok, so it wasn't part of the real legend . . .]

Quetzalcóatl **besó** a su novia y su padre **abrió** la puerta.

Quetzalcóatl kissed his girlfriend and his father opened the door. (First Quetzalcóatl kissed her, then his father opened the door.)

Quetzalcóatl **entró** al hormiguero **mientras** las hormigas **trabajaban/estaban trabajando** como locas.
Quetzalcóatl entered the anthill while the ants were working like crazy.

Cuando Quetzalcóatl **entró** al hormiguero, **tomó** los cuatro granitos y **se escapó.**
When Quetzalcóatl entered the anthill, he took the four grains and escaped.

ACTIVIDAD 3 ¿Qué hacías?

En parejas, túrnense para preguntarle a la otra persona sobre su pasado reciente y lejano. Hagan preguntas como: **¿Qué hacías ayer a las 2:30 de la tarde? ¿Dónde estabas...?**

1. ayer a las 10:15 de la mañana
2. en esta época el año pasado
3. en junio hace dos años
4. a las 9:20 de la noche el sábado pasado
5. en noviembre del año pasado
6. en agosto del año pasado

ACTIVIDAD 4 Acciones simultáneas

En parejas, digan qué hacía cada vecino en su apartamento e inventen lo que hacía un pariente o conocido.

► la señora del 3° B → hablar por teléfono, su hija → ¿?

Mientras la señora del 3° B hablaba/estaba hablando por teléfono, su hija jugaba/estaba jugando en el baño con el lápiz de labios.

1. el Sr. Pérez del 1° B → mirar televisión, su esposa → ¿?
2. el niño del 5° A → hacer la tarea, su hermana → ¿?
3. la mujer del 7° C → dar a luz (*give birth*) en su casa, su esposo → ¿?
4. la niña del 3° B → tocar el piano, su profesora de piano → ¿?
5. la abuelita del 4° A → dormir, sus nietos traviesos (*mischievous*) → ¿?

ACTIVIDAD 5 Situaciones

En parejas, combinen las acciones en progreso de la caja A con las interrupciones de la caja B para contar qué les ocurrió a diferentes personas de la clase. Por último, digan qué hicieron esas personas después. Sigan el modelo.

► afeitarse cortarse la luz

John se afeitaba cuando se cortó la luz y por eso usó su afeitadora manual para terminar de afeitarse.

A (acciones en progreso)
1. ducharse
2. caminar por la calle
3. manejar por la autopista
4. cocinar un huevo en el microondas
5. bajar las escaleras
6. pasear al perro

B (interrupciones)

morder a una persona
caerse
explotar
ver a su novio/a con otro/a
chocar con otro carro
acabarse el agua caliente

C

¿Qué hizo/hicieron después?

B Preterit and Imperfect: Part Two

You have been using the imperfect to refer to past actions or states that were in progress. In this section you will review other uses of the imperfect.

Read this narration of a children's story.

> Jack y Jill **salieron** de casa a buscar agua y **empezaron** a subir una cuesta. El pobre Jack **se cayó** y **se rompió** la coronilla y Jill **se cayó** también. Nunca **recogieron** el agua.

Now read the following version of the same story.

> Jack y Jill **salieron** de casa a buscar agua y **empezaron** a subir una cuesta. La cuesta **era** muy grande y **había** muchas piedras que **dificultaban** la subida. Jack y Jill no **llevaban** botas de montaña ni **tenían** cuerdas ni otros aparatos para poder subir. El pobre Jack no **era** muy ágil y generalmente no **practicaba** deportes y por eso **se cayó** y **se rompió** la coronilla. Jill tampoco **tenía** mucha coordinación y, por eso, **se cayó** también. Nunca **recogieron** el agua.

había = there was/were

In the preceding paragraph, the blue verbs are in the imperfect and the ones in red are in the preterit. Which tense is used to describe or set the scene? Which is used to move the action along? If you answered imperfect to the first question and preterit to the second, you were correct. It is by combining the two that you can narrate and describe past events and convey your thoughts about them.

1. Use the preterit:
- **a.** to express a completed action or state.
- **b.** to denote the beginning or the end of a past action or state.
- **c.** to express an action or state that occurred over a specific period of time.

To review uses of the preterit, see Chapter 2, pp. 45, 48–49.

2. Use the imperfect:
- **a.** to describe actions in progress.
- **b.** to set the scene or background of a story by:
  - telling the time an action occurred
  - telling the age of a person
  - describing people, places, and things
  - describing ongoing emotions or mental states

To review actions in progress, see pp. 71–72.

To review time and age, see Chapter 2, p. 61.

Eran las once de la noche y **había** luna llena.	*It was eleven o'clock at night and there was a full moon.*
El hormiguero **estaba** en la colina y **había** hormigas y flores por todas partes.	*The anthill was on a hill and there were ants and flowers all over the place.*
Quetzalcóatl **tenía** tanto sueño que no podía quedarse despierto.	*Quetzalcóatl was so tired that he couldn't stay awake.*
Tenía solo veintitantos años, pero siempre hacía más de lo que sus padres **esperaban**.	*He was only twenty-something, but he always did more than his parents expected.*

Always use the verb **soler** in the imperfect when talking about the past since it is only used to describe past habitual actions. It can be translated as *used to* and is followed by an infinitive.

Quetzalcóatl solía ir a la montaña por la noche.

c. to describe habitual actions in the past.

Todos los días Quetzalcóatl **iba** a la montaña y les **rezaba** a sus padres, los dioses.

Every day Quetzalcóatl went up/used to go up the mountain and prayed to his parents, the gods.

Durante el día **pasaba** el tiempo con los toltecas. **Trabajaba** y **comía** con ellos, pero sentía que les faltaba algo.

During the day he spent/used to spend time with the Toltecs. He worked/used to work and ate/used to eat with them, but he felt that they were lacking something.

The following time expressions are usually used with the imperfect to describe past habitual actions. However, they can be used with the preterit to indicate recurring completed actions that occurred during a specific time period. Compare the sentences.

siempre	*always*
a menudo / con frecuencia / frecuentemente	*frequently*
todos los días/meses/años	*every day/month/year*
muchas veces	*many times*

Quetzalcóatl les **pedía** inspiración a sus padres a menudo.

Quetzalcóatl frequently used to ask his parents for inspiration.

Durante una semana entera, les **pidió** ayuda a sus padres a menudo.

During an entire week, he frequently asked his parents for help.

Cuando era niña, comía chocolate todos los días.
El sábado pasado comí un chocolatito y mira lo que me pasó.

Sorpresas "agradables" que te da la vida.

ACTIVIDAD 6 Cómo vivían los aztecas

Leticia está de visita en México y escribió en su blog sobre la vida de los aztecas. Completa el blog con el pretérito o el imperfecto de los verbos indicados.

El blog de Leticia

hoy a las 15.34

Bueno, el guía nos __________ (1) que la civilización azteca __________ (2) en México doscientos años antes de la Conquista. El gobierno que tenían los aztecas __________ (3) una monarquía elegida y la lengua que __________ (4) era el náhuatl. Esa civilización __________ (5) a una multitud de dioses y sus líderes religiosos __________ (6) muchos sacrificios humanos. __________ (7) numerosos templos que __________ (8) a las pirámides de Egipto. Los aztecas __________ (9) su capital Tenochtitlán en una isla porque un día uno de sus líderes religiosos __________ (10) en ese preciso lugar un águila en un cacto devorando una serpiente, y __________ (11) que se cumplía la profecía hecha por un dios. Los aztecas __________ (12) esa capital en 1428. El imperio __________ (13) unido por la fuerza y no por la lealtad; por eso, cuando Cortés __________ (14), algunas ciudades descontentas con los líderes __________ (15) a él en contra del imperio azteca. En el siglo XVI, la sociedad azteca, que __________ (16) con ocho millones de habitantes, __________ (17) más de la mitad de la población ya que muchísimos __________ (18) de viruela, una enfermedad que __________ (19) del Viejo Mundo los españoles. Como ves, durante mi visita a Tenochtitlán __________ (20) mucho sobre los aztecas, y por supuesto, a menudo, le __________ (21) preguntas al guía (¡lo volví loco!).

- contar count
- comenzar start
- ser to be
- hablar talk/speak
- adorar adore/worship
- hacer to do
- tener; asemejarse to have; resemble
- construir build

ver to see
pensar to think

fundar found
estar to be
llegar arrive
unirse join/unite
contar; perder ; lose
morirse die
traer to bring
aprender to learn
hacer to do

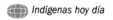

¿Lo sabían?

Después de la llegada de los colonizadores españoles, la vida de los indígenas cambió para siempre. Muchos de ellos murieron porque sus cuerpos no resistían las enfermedades extrañas de los europeos. Otros fueron matados por los colonizadores.

La mayoría de los colonizadores eran hombres que llegaban sin familia. Una vez allí, muchos tuvieron hijos con mujeres indígenas. El fruto de esas uniones tan tempranas en la historia poscolombina es el mestizo, que hoy en día forma una comunidad étnica predominante en muchos países hispanoamericanos, tales como Honduras (90%), El Salvador (90%), México (60%) y Colombia (58%).

La época de la colonización terminó cuando los países latinoamericanos se independizaron de España, pero hoy día, el avance de la modernización amenaza con hacer desaparecer las costumbres de los indígenas y es por eso que esa lucha por conservar sus costumbres, culturas y lenguas continúa.

¿Sabes quiénes son Rigoberta Menchú y Evo Morales? ¿Hay personas como ellos en tu país?

Indígenas hoy día

Historia de los incas, mayas y aztecas

ACTIVIDAD 7 Los mayas y los incas

Parte A: En parejas, Uds. son arqueólogos: uno estudia a los mayas y el otro a los incas. Lea cada uno solamente su información y úsenla para hablarle a su compañero/a.

Los mayas

- habitar la península de Yucatán en el sur de México y en Centroamérica
- comer maíz, tamales, frijoles e insectos
- tener calendario; poder predecir los eclipses del sol y de la luna
- emplear una escritura jeroglífica con más de 700 signos y conocer el concepto del "cero"

Los incas

- vivir en el sur de Colombia, Perú, Bolivia, Ecuador y el norte de Chile y Argentina
- tener una red de caminos excelente
- usar la piedra y el bronce
- hacer telas a mano, cerámica artística
- cultivar la papa y el maíz
- no tener escritura; todo transmitirse por tradición oral

Parte B: Ahora, en grupos de cuatro, hablen de cómo vivían los indígenas de su país antes de que llegaran los europeos.

ACTIVIDAD 8 La vida antes de la tecnología

En grupos de tres, digan por lo menos una o dos cosas que hacía la gente cuando no existían los siguientes inventos. Luego, digan cuáles son las ventajas y desventajas de cada uno.

► Cuando no existía el MP3, la gente escuchaba música con grabadoras o estéreos. La calidad de la grabación no era...

1. el televisor
2. el avión
3. el plástico
4. la electricidad
5. la computadora

ACTIVIDAD 9 El barrio de tu infancia

En parejas, describan cómo era su vida y el barrio donde vivían cuando eran niños, usando los temas de la página siguiente como guía. Mientras escuchan sobre la vida de su compañero/a, háganle preguntas para obtener más información y reaccionen usando las expresiones que aparecen al final de la actividad.

► —Mi barrio era muy bonito porque tenía muchos árboles y era tranquilo.

—El mío también era tranquilo.

Temas	
barrio	rural, urbano, casas, edificios, tiendas, centros comerciales, parques
amigos	descripción física y personalidad, lugares favoritos para jugar, cosas que hacían juntos
vecinos	descripción de personas interesantes o raras
robos (*thefts*)	muchos, pocos
casa	moderna o vieja, color, número de habitaciones
habitación	número de camas, compartir con un/a hermano/a
pertenencias	cosas favoritas y por qué

Casa, in this context, means where you lived.

Para reaccionar

¡No me digas! / ¿De veras?
Yo también.
Yo tampoco.
El/La mío/a también.
El/La mío/a tampoco.
¡Qué chévere! (Caribe)
¡Qué lástima!

ACTIVIDAD 10 ¿Qué hacían tus padres?

Parte A: Una muchacha mexicana describe cómo era la vida de sus padres cuando tenían la edad que ella tiene ahora. Lee con cuidado la descripción.

Fuente hispana

"Mi mamá trabajaba en una tienda departamental, en el departamento de ropa, y le gustaba salir con sus amigas a caminar por el centro y platicar en las cafeterías. Veía a mi papá solo los fines de semana porque él trabajaba en una ciudad diferente y venía cada fin de semana a ver a sus padres y, por supuesto, a mi mamá. Él era comerciante en esa época y se casaron cuando él tenía 24 años y ella 21. A ellos les gustaba ir de vacaciones a ciudades coloniales como Oaxaca y a la playa en Veracruz o Acapulco. Los fines de semana salían al cine, o días de campo, también iban a conciertos de cantantes de boleros. A mi papá le gusta bailar, pero no a mi mamá, así que raramente iban a clubes nocturnos. Cuando tuvieron a su primera hija, tenían parejas de amigos con hijos pequeños, y salían con ellos porque se mudaron a la ciudad donde trabajaba mi padre y estaban lejos de la familia de ambos." ■

Parte B: En parejas, describa cada uno la vida de sus propios (*own*) padres usando las siguientes ideas como guía. Luego compárenla con la de los padres de la muchacha mexicana de la Parte A.

- estudiar, dónde trabajar
- con quién/dónde vivir
- tener hijos
- qué hacer en su tiempo libre durante el día, durante la noche
- adónde ir de vacaciones

ACTIVIDAD 11 En el cielo

Unos animales están en el cielo contando cómo murió cada uno. Cada animal trata de impresionar a los otros con su cuento. En grupos de tres, usen la imaginación para completar lo que dijo cada uno y después compartan sus respuestas con la clase.

ACTIVIDAD 12 Una leyenda

Al principio de este capítulo escuchaste una leyenda tolteca sobre el maíz. En grupos de tres, usen la imaginación para crear una leyenda sobre cómo apareció el búfalo en Norteamérica. Utilicen las siguientes ideas como guía.

- quién era el personaje principal de la leyenda
- qué hacía en su vida diaria
- qué quería para su gente
- qué ocurrió un día
- después de crear al búfalo, cómo lo empezaron a utilizar los seres humanos para mejorar su vida

ACTIVIDAD 13 El encuentro

Parte A: Lee lo que dijeron un ecuatoriano y una venezolana sobre los aspectos positivos y negativos del encuentro entre los españoles y las culturas indígenas. Después contesta las preguntas de tu profesor/a.

Fuente hispana

"Uno de los aspectos positivos es que los europeos entendieron que el mundo era más grande, rico y diverso de lo que pensaban; que había personas con una vivencia cultural totalmente diferente de la tradicional europea.

Uno de los aspectos negativos es que esta vivencia sirvió para que la cultura europea se entendiera a sí misma, pero no para entender a las culturas indígenas." ■

Fuente hispana

"La conquista española trajo como consecuencia que diversas civilizaciones fueran exterminadas; los indígenas tuvieron que someterse al rey español y aprender un nuevo idioma y nuevas costumbres. Pero no todo fue malo, pues de ese encuentro resultó el mestizaje étnico y cultural que existe en Latinoamérica. Aunque tenemos muchos nexos con España, los latinos somos únicos, diferentes, y tenemos así una manera muy particular de ver la vida." ■

Parte B: En grupos de tres, digan los aspectos positivos y negativos del encuentro entre los europeos que llegaron a este país y las culturas indígenas. Luego compartan sus ideas con el resto de la clase.

II. Describing People and Things

A Descripción física

Emiliano Zapata, mexicano (1879–1919)

Zapata luchó en México por las tierras que los ricos les habían confiscado a los campesinos (indígenas y mestizos).

Forma de la cara	
ovalada	oval
redonda	round
triangular	triangular

Piel	
blanca	light-skinned
morena	dark-skinned
trigueña	olive-skinned

Señas particulares	
la barba	beard
la cicatriz	scar
los frenillos	braces
el hoyuelo	dimple
el lunar	beauty mark
las patillas	sideburns
las pecas	freckles
el tatuaje	tattoo
ser peludo/a	to be hairy
tener cuerpo de gimnasio	to be buff
tener brazos fornidos	to have muscular arms

Color de ojos	
azules	blue
claros	light colored
color café	brown
color miel	light brown
negros	black
pardos	hazel
verdes	green

Color y tipo de pelo/cabello

tener pelo canoso/castaño/negro
to have gray/brown/black hair

ser pelirrojo/a o rubio/a
to be a redhead or a blond/e

tener permanente
to have a perm

tener pelo lacio (liso)/ondulado/rizado
to have straight/wavy/curly hair

ser calvo/a
to be bald

tener cola de caballo/flequillo/trenza(s)
to have a ponytail/bangs/braid(s)

B Personalidad

All of the following adjectives are used with the verb **ser** when describing personality traits.

Cognados obvios		
idealista	**paciente**	**prudente**
impulsivo/a	**pesimista**	**realista**
optimista		

Otros adjetivos	
acogedor/a	welcoming, warm
atrevido/a	daring (*negative connotation*), nervy
caprichoso/a	capricious; fussy
cariñoso/a	loving, affectionate
celoso/a	jealous
espontáneo/a	spontaneous
holgazán/holgazana / perezoso/a	lazy
juguetón/juguetona	playful
malhumorado/a	moody, ill-humored
orgulloso/a	proud (*negative connotation*)
osado/a	daring (*positive connotation*)
tacaño/a	stingy, cheap
travieso/a	mischievous, naughty

To review other adjectives for describing people, see pp. 8, 9, and 12.

tacaño/a = cheap (unwilling to spend money; describes people)

barato/a = cheap (inexpensive; describes goods and services)

ACTIVIDAD 14 ¿Quién tiene esto?

Parte A: Mira a tus compañeros y escribe el nombre de personas que tienen las siguientes características.

	Nombre		Nombre
pelo lacio y largo	________________	un tatuaje	________________
un lunar en la cara	________________	ojos color café	________________
cara ovalada	________________	pecas	________________
una cicatriz	________________	barba o bigotes	________________
pelo rizado	________________	cola de caballo o trenza(s)	________________

Parte B: En grupos de tres, comparen sus observaciones.

ACTIVIDAD 15 Lo positivo y lo negativo

En grupos de tres, escojan tres adjetivos de las listas de la personalidad y digan qué es lo positivo y lo negativo de poseer esas características.

► Si una persona es muy, muy prudente cuando maneja, siempre va a llegar tarde, pero sí llegará porque no va a tener accidentes.

ACTIVIDAD 16 La persona ideal

Parte A: En parejas, describan cómo son físicamente el hombre y la mujer ideales que aparecen en los anuncios comerciales de este país. Mencionen también tres adjetivos que describan su personalidad.

Parte B: Ahora lean las siguientes descripciones que hacen una mexicana y un ecuatoriano sobre la persona ideal. Compárenlas con las descripciones que hicieron Uds.

Fuentes hispanas

"El hombre ideal que aparece en los anuncios comerciales de México es alto (más de 1 metro 75), de complexión atlética (cuerpo de gimnasio), tiene espalda ancha y brazos fornidos (hmmmm); es moreno, por supuesto; de ojos más bien claros, color miel, cabello oscuro y bien peinado. No es muy peludo de la cara; tiene labios gruesos, mandíbula cuadrada, pómulos resaltados y nariz recta. Es serio, pero muy optimista." ■

"Pues la mujer ideal tiene piel blanca o canela (durante el verano); es delgada, pero con curvas. Mide 1 metro 70. Tiene pelo castaño u oscuro, preferiblemente lacio. La boca es chica, la nariz respingada, los ojos claros y la cara delgada. Es idealista y cariñosa." ■

1,75m = 5' 7"

pómulos resaltados = high cheekbones

1,70m = 5' 6"

nariz respingada = turned-up nose

ACTIVIDAD 17 ¿Cómo eras de adolescente?

En parejas, descríbanle a la otra persona cómo eran Uds. cuando tenían 14 años. Usen tres adjetivos para describir su personalidad y tres para su físico. Díganle también si en la actualidad tienen o no esas características.

► Cuando yo era adolescente, era muy celoso porque..., pero ahora... Físicamente, tenía...

ACTIVIDAD 18 Los famosos

Las siguientes son fotos de personas famosas que fueron tomadas cuando eran jóvenes. ¿Quiénes son? En parejas, cada uno seleccione dos de las fotos y después diga cómo eran físicamente esas personas y qué hacían un día típico. Por último, comenten cómo son esas personas ahora y qué hacen.

III. Describing

A *Ser* and *estar* + Adjective

To describe, you can use **ser** and **estar** followed by adjectives. These rules will help you remember when to use which verb.

1. Use **ser** + *adjective* when you are describing the *being*, that is, when you are describing physical, mental, or emotional characteristics you normally associate with a person, or physical characteristics you associate with a thing.

Pablo **es** tan **alto** como su padre.	*Pablo is as tall as his father.*
Su esposa **es** (**una persona**) muy **celosa**. Él no puede ni mirar a otra mujer.	*His wife is (a) really jealous (person). He can't even look at another woman.*
Su apartamento **es** (**un lugar**) muy **moderno**.	*His apartment is (a) very modern (place).*

2. Use **estar** + *adjective* when describing the *condition* or *state of being* of a person, place, or thing.

Nosotros **estábamos cansados** de estar en la playa.	*We were tired of being at the beach.*
El agua **estaba muy fría.**	*The water was very cold.*
Mi padre siempre **estaba enojado** con alguien de la familia.	*My father was always mad at someone in the family.*

Siempre is normally used with **estar. Siempre está preocupado/borracho/enfermo**/etc.

3. Adjectives that are normally used with **ser** to describe the characteristics of a person or thing may be used with **estar** to indicate a change of condition.

Being **ser + *adjective***	**Change of Condition** **estar + *adjective***
Mi marido **es** (**un hombre**) **muy cariñoso.** *My husband is (a) very affectionate (man).*	**Estás muy cariñoso hoy,** ¿qué pasa? *You are really affectionate today; what's up?*
El gazpacho **es** una sopa española **fría.** *Gazpacho is a cold Spanish soup.*	Camarero, esta sopa **está fría.** *Waiter, this soup is cold.*

4. Some adjectives convey different meanings, depending on whether they are used with **ser** or **estar**. Remember that **ser** is used to describe the *being* and **estar** the *condition* or *state of being.*

	Being **ser + *adjective***	**Condition or State of Being** **estar + *adjective***
aburrido/a	boring	bored
bueno/a	good	(tastes) good
despierto/a	alert	awake
listo/a	smart	ready
vivo/a	smart/sharp	alive

La película **era aburrida.**
The movie was boring.

Nosotros **estábamos aburridos.**
We were bored.

Según la maestra, el niño **es muy despierto.**
According to the teacher, the child is very alert.

El niño **está despierto** y quiere jugar.
The child is awake and wants to play.

estar muerto/a = to be dead

ACTIVIDAD 19 Anuncios comerciales

Parte A: Las siguientes oraciones son partes de anuncios comerciales. Complétalas usando **ser** o **estar.**

1. Finalmente encontré al amor de mi vida. ______ acogedora, osada y espontánea.
2. No vengo más a este restaurante. Esta sopa ______ fría.
3. El plato cubano ropa vieja ______ caliente y muy adecuado para estos días de invierno.
4. Ellas ______ muy vivas. Siempre saben divertirse con muy poco dinero.
5. La película que vimos ______ muy aburrida y con tantas interrupciones comerciales parecía que nunca iba a terminar.
6. De adolescente, ______ gordo porque me encantaba comer.
7. – Tienes que cerrar los ojos.
   – Ya, ______ lista... ¡Uy! ¡Un anillo!
8. Mi esposo ______ muy cariñoso. Siempre me regala algo romántico para el día de San Valentín.
9. Son las doce de la noche y mi niña ______ despierta y no quiere dormir.

Parte B: En parejas, escojan uno de los anuncios comerciales, imaginen qué ofrece y desarrollen (*develop*) el comercial.

ACTIVIDAD 20 Impresiones equivocadas

En parejas, imaginen que Uds. trabajan para una empresa y por primera vez asisten a una fiesta con sus compañeros de trabajo. Se sorprenden porque algunas personas cumbia = baile colombiano

están mostrando un aspecto de sí mismos que nunca se ve en la oficina. Reaccionen a las descripciones. Sigan el modelo.

► Marta Ramos: secretaria; siempre le encuentra el lado positivo a las cosas, pero esta noche no porque su novio está bailando con otra.

Marta es tan..., pero, ¡qué increíble! Esta noche está muy...

1. Jorge Mancebo: jefe de personal; siempre lleva corbata y habla poco; esta noche lleva una cadena de oro; está bailando cumbia con la cocinera.
2. Cristina Salcedo: trabaja en relaciones públicas; siempre habla con todos y escucha sus problemas; esta noche está sentada sola en un rincón mirando al suelo y tomando Coca-Cola.
3. Paulina Huidobro: jefa de producción; nunca sonríe y siempre le ve el lado negativo a todo; esta noche tiene una sonrisa de oreja a oreja y está besando apasionadamente a Juan Gris, el jefe de ventas.

ACTIVIDAD 21 Sus compañeros

En parejas, hablen de la personalidad de tres compañeros de la clase por lo menos y digan cómo creen que se sienten ellos hoy.

► Craig es muy cómico e hiperactivo. Hoy está preocupado porque se peleó con su novia.

ACTIVIDAD 22 Un conflicto escolar

En parejas, una persona es el padre o la madre de un niño y la otra persona es el/la maestro/a. Cada persona debe leer solamente las instrucciones para su papel. Al hablar, usen las siguientes expresiones de **Para reaccionar**.

Padre/Madre

Tu hijo de ocho años es muy bueno y obediente. Siempre te dice que el/la maestro/a no lo quiere y lo trata muy mal y por eso recibe malas notas. Estás muy enojado/a y ahora tienes una cita con su maestro/a. Explícale la situación y háblale de la personalidad de tu hijo.

Maestro/a

Eres maestro/a y hay un estudiante de ocho años que tiene muchos problemas de comportamiento (*behavior*) y ahora viene el padre o la madre a hablarte. Explícale cómo es su hijo y cómo se comporta últimamente.

Para reaccionar

Me parece que...	It seems to me that . . .
Creo que...	I think that . . .
En mi opinión...	In my opinion . . .
Es decir... / **O sea...**	That is (to say) . . .
Ud. me dice que...	You are telling me that . . .

B The Past Participle as an Adjective

1. Use **estar** + *past participle* (**participio pasivo**) to indicate the result caused by an action.

Action	**Result**
Los padres **se preocupaban** porque sus hijos no sacaban buenas notas en la escuela.	**Estaban preocupados.** *They were worried.*
Pablo **pone** la mesa para comer.	La mesa **está puesta.** *The table is set.*

2. The past participle functions as an adjective and agrees in gender and number with the noun it modifies.

El pollo está servido.
Las camas están hechas.

3. Some irregular past participles that are frequently used as adjectives include:

abrir → abierto/a	poner → puesto/a
escribir → escrito/a	resolver → resuelto/a
hacer → hecho/a	romper → roto/a
morir → muerto/a	

To review formation and a more complete list of irregular past participles, see Appendix A, page 365.

ACTIVIDAD 23 En una disco

Parte A: Completa las conversaciones de la página siguiente que escuchas en una disco, usando **estar** + *el participio pasivo* de los siguientes verbos.

abrir
descomponerse (*to break down*)
disponerse (*to get ready*)
envolver
hacer
romper
vestirse

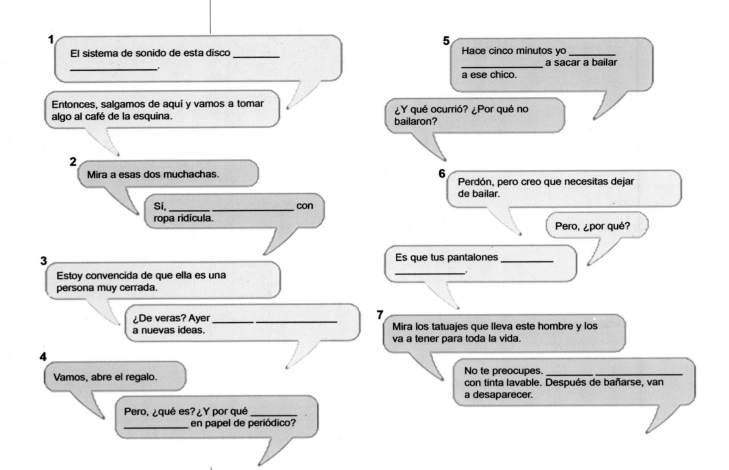

1

El sistema de sonido de esta disco ________ ________.

Entonces, salgamos de aquí y vamos a tomar algo al café de la esquina.

2

Mira a esas dos muchachas.

Sí, ________ ________ con ropa ridícula.

3

Estoy convencida de que ella es una persona muy cerrada.

¿De veras? Ayer ________ ________ a nuevas ideas.

4

Vamos, abre el regalo.

Pero, ¿qué es? ¿Y por qué ________ ________ en papel de periódico?

5

Hace cinco minutos yo ________ ________ a sacar a bailar a ese chico.

¿Y qué ocurrió? ¿Por qué no bailaron?

6

Perdón, pero creo que necesitas dejar de bailar.

Pero, ¿por qué?

Es que tus pantalones ________ ________.

7

Mira los tatuajes que lleva este hombre y los va a tener para toda la vida.

No te preocupes. ________ ________ con tinta lavable. Después de bañarse, van a desaparecer.

Parte B: En parejas, escojan una de las conversaciones y continúenla.

ACTIVIDAD 24 La escena

La puerta del vecino estaba abierta y Uds. entraron en el apartamento. Describan lo que vieron y saquen conclusiones para explicar qué ocurrió.

IV. Indicating the Beneficiary of an Action

The Indirect Object

1. In Chapter 1 you saw that a direct object answers the questions *what* or *whom*. An indirect object normally answers the questions *to whom* or *for whom*. In the sentence "I gave a gift to my friend," "a gift" is *what* I gave (direct object), and "my friend" is the person *to whom* I gave the gift (indirect object).

2. If a sentence has an indirect object (**complemento indirecto**), it almost always needs an indirect-object pronoun. As you saw with the verb **gustar**, the indirect-object pronouns are:

me	nos
te	os
le	les

Mi amiga Dolores hace investigaciones en el Amazonas y no tiene teléfono; por eso **le** escribí una carta.	*My friend Dolores is doing research in the Amazon and doesn't have a telephone; that's why I wrote a letter to her.*
Le escribí una carta **a Dolores.***	*I wrote a letter to Dolores.*
Les compré un regalo **a Marcos y a Ana.***	*I bought a present for Marcos and Ana.*
Me compraste ese regalo **a mí,** ¿no?*	*You bought that present for me, didn't you?*

***Note:** A prepositional phrase introduced by **a** can be used to provide clarity, or simply for emphasis. Here are the pronouns you can use after **a**.

a **mí**	a **nosotros/as**
a **ti**	a **vosotros/as**
a **Ud.**	a **Uds.**
a **ella**	a **ellas**
a **él**	a **ellos**

Use either the indirect-object pronoun or a prepositional phrase introduced by **para,** but not both in the same sentence. **Compré una camisa para mi padre. Le compré una camisa (a mi padre).**

Mí has an accent when it is a prepositional pronoun: **detrás de mí, a mí, para mí,** etc. **Mi** without an accent is a possessive adjective: **Mi madre es peruana.**

3. Place indirect-object pronouns:

Before the Conjugated Verb	or	**After** and **Attached** to the Infinitive
Le escribí una postal a mi hermano ayer.		XXX
Le había escrito una postal antes de irme de Ecuador.		XXX
Le quiero escribir una postal.	=	Quiero **escribirle** una postal.

Before the Conjugated Verb	or	**After** and **Attached** to the Present Participle
Le estoy escribiendo una postal.	=	Estoy **escribiéndole*** una postal.

*Note the need for an accent. To review accent rules, see Appendix F, pages 374–376.

ACTIVIDAD 25 ¿Quién besó a quién?

En parejas, miren el dibujo y decidan cuáles de las siguientes oraciones describen la escena.

1. Le dio ella un beso a él.
2. Él le dio un beso a ella.
3. Le dio un beso a ella.
4. Le dio un beso ella.
5. Le dio un beso.
6. Le dio un beso él.
7. Ella le dio un beso a él.
8. Le dio él un beso a ella.
9. Le dio un beso a él.
10. A ella le dio un beso.

ACTIVIDAD 26 El regalo

Usa pronombres de complemento indirecto para completar la historia sobre un episodio que le sucedió a un joven chileno durante un viaje.

Hace un mes mi hermano y yo fuimos de vacaciones a Oaxaca, México; una región que tiene hoy día un millón de indígenas. Allí ___1___ compramos a mis padres un jarrón de cerámica negra, típica de la región, para su aniversario de boda. Pusimos el regalo con mucho cuidado en una caja y lo facturamos (*checked it*) en el aeropuerto. Por desgracia, cuando llegamos a Santiago, nos dimos cuenta de que el jarrón estaba roto. Entonces fuimos directamente a la oficina de reclamos, donde ________ pidieron la queja (*complaint*) por escrito. Yo ________ escribí un mail al gerente de la aerolínea en ese aeropuerto. Poco después, el gerente ________ envió un mail disculpándose por lo que había pasado. Él ________ hizo muchas preguntas sobre el contenido de la caja y su valor en dólares norteamericanos. ¡Qué fastidio! Como yo no ________ pude contestar todas las preguntas, ________ pregunté a mi hermano que siempre lo sabe todo o, por lo menos, cree que lo sabe todo. Luego el gerente ________ ofreció el dinero que habíamos gastado, pero nosotros ________ explicamos enfáticamente que no queríamos el dinero, solo queríamos el recuerdo que ________ habíamos comprado a nuestros padres. A la semana siguiente recibimos otro mail del gerente que nos dejó boquiabiertos y en el que ________ proponía otra idea: ________ daba gratis (a nosotros) dos pasajes a Oaxaca, México, para nuestros padres. Nos fascinó la idea e inmediatamente ________ informamos que aceptábamos su oferta. ¡Valió la pena escribir tantos mails y ser tan perseverantes!

ACTIVIDAD 27 Parientes típicos o atípicos

parientes = relatives

Parte A: En parejas, entrevístense para obtener respuestas a las siguientes preguntas y así averiguar si la otra persona tiene parientes típicos o atípicos.

1. ¿Te regalan ropa pasada de moda o ropa de moda?
2. ¿Te dan mucha comida?
3. ¿Te pellizcaban (*pinched*) la mejilla cuando eras niño/a?
4. ¿Les daban muchos consejos a tus padres sobre cómo educarte cuando eras niño/a?
5. ¿Les ofrecen a otros parientes y a ti trabajos horribles en su compañía o su tienda durante los veranos?
6. ¿Les muestran a Uds. fotos o videos aburridísimos de la familia?
7. ¿Le dicen a la gente cuánto dinero ganan? Si contestas que sí, ¿le mienten sobre la cantidad?
8. Cada vez que te ven, ¿te dan dinero?
9. ¿Les piden dinero a tus padres?
10. ¿Te cuentan historias aburridas sobre su juventud?

padres = parents

Parte B: Ahora, díganle a su compañero/a si tiene una familia típica o atípica y defiendan su opinión.

► En mi opinión, tus parientes son atípicos porque te regalan...

ACTIVIDAD 28 ¿Cuándo fue la última vez que...?

Parte A: En parejas, túrnense para preguntarle a la otra persona cuándo fue la última vez que hizo las actividades de la lista de la página siguiente.

(*Continúa en la página siguiente.*)

► A: ¿Cuándo fue la última vez que le compraste flores a una persona?

B: Hace un mes les compré flores a mis padres.

A: ¿Por qué les compraste flores?

B: Porque era su aniversario.

B: Nunca le compro flores a nadie.

A: ¿Por qué nunca le compras flores a nadie?

B: Porque no me gusta regalar flores.

1. darle un beso a alguien
2. hablarles a sus padres sobre su novio/a
3. escribirle una carta de amor a alguien
4. regalarle algo a un/a amigo/a
5. decirle a alguien "te quiero"
6. escribirle un poema a alguien
7. mandarle a alguien una tarjeta virtual cómica o cursi

Parte B: Ahora digan cuándo fue la última vez que alguien les hizo a Uds. las acciones de la Parte A.

► Hace cinco meses que alguien me regaló flores. / Mi hermana me regaló flores hace cinco meses. / Nadie me regala flores nunca.

ACTIVIDAD 29 La historia de la Malinche

Parte A: Lee el párrafo sobre un personaje importante de la historia de México y contesta la pregunta que le sigue.

Malinalli es la hija de un noble indígena y sabe hablar maya y también náhuatl, el idioma azteca. Cuando se muere su padre, su madre **la** vende y la compra un grupo de indígenas. Este grupo, a su vez, se la vende a otro grupo de indígenas. Después de la batalla de Tabasco, estos indígenas **le** dan un regalo a Cortés: Malinalli. Él **la** bautiza y **le** pone el nombre de Marina. Aguilar, un español que sabe maya, **le** enseña español. Durante un período de seis años ella se convierte en compañera, intérprete, enfermera y amante de Cortés, y **le** enseña a Cortés a llevarse bien con los indígenas. **Lo** ayuda a formar una alianza con los tlaxcalas, archienemigos de los aztecas, para derrotar el imperio de Moctezuma. Doña Marina, como **la** llaman los conquistadores, es indispensable tanto para los españoles como para los tlaxcalas. El gran conquistador y doña Marina tienen un hijo juntos y Cortés se queda con ella hasta que no **la** necesita más. Luego, doña Marina pasa a ser propiedad de uno de sus capitanes. Después de su separación de Cortés, esta mujer tan importante en la conquista de México pasa a ser anónima. Hoy día se la conoce con el nombre de "la Malinche".

¿A quiénes se refieren las palabras en negrita?

a. **la** en la línea 2 ____________________
b. **le** en la línea 4 ____________________
c. **la** en la línea 5 ____________________
d. **le** en la línea 5 ____________________
e. **le** en la línea 6 ____________________
f. **le** en la línea 7 ____________________
g. **lo** en la línea 8 ____________________
h. **la** en la línea 10 ____________________
i. **la** en la línea 12 ____________________

Moctezuma, Hernán Cortés y la Malinche en el mural ***La alianza de Cortés***, de Desiderio Hernández Xochitiotzin.

Parte B: Es común usar el presente en un relato histórico. Este uso del presente se llama "el presente histórico". En parejas, lean la historia de la Malinche otra vez. Luego cierren el libro y entre los/las dos cuenten la historia usando el pretérito y el imperfecto.

La Malinche

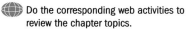

Do the corresponding web activities to review the chapter topics.

CAPÍTULO 3

Vocabulario activo

Adverbios de tiempo

a menudo / con frecuencia / frecuentemente *frequently*
mientras *while*
muchas veces *many times*
siempre *always*
todos los días/meses/años *every day/month/year*

Descripción física

Forma y partes de la cara *Shape and parts of the face*

cuadrada *square*
ovalada *oval*
redonda *round*
triangular *triangular*
la barbilla *chin*
la mandíbula *jaw*
el pómulo *cheekbone*

Color de ojos *Eye color*

azules *blue*
claros *light colored*
color café *brown*
color miel *light brown*
negros *black*
pardos *hazel*
verdes *green*

Color y tipo de pelo/cabello *Color and type of hair*

ser calvo/a *to be bald*
ser pelirrojo/a o rubio/a *to be a redhead or a blond/e*
tener cola de caballo/flequillo/trenza(s) *to have a ponytail/bangs/braid(s)*
tener pelo canoso/castaño/negro *to have gray/brown/black hair*
tener pelo lacio (liso)/ondulado/rizado *to have straight/wavy/curly hair*
tener permanente *to have a perm*

Piel *Skin*

blanca *light-skinned*
morena *dark-skinned*
trigueña *olive-skinned*

Señas particulares *Identifying characteristics*

la barba *beard*
los bigotes *mustache*
la cicatriz *scar*
los frenillos *braces*
el hoyuelo *dimple*
el lunar *beauty mark*
las patillas *sideburns*
las pecas *freckles*
el tatuaje *tattoo*
ser peludo/a *to be hairy*
tener cuerpo de gimnasio *to be buff*
tener brazos fornidos *to have muscular arms*

Descripción de la personalidad

acogedor/a *welcoming, warm*
atrevido/a *daring* (negative connotation), *nervy*
caprichoso/a *capricious; fussy*
cariñoso/a *loving, affectionate*
celoso/a *jealous*
espontáneo/a *spontaneous*
holgazán/holgazana *lazy*
idealista *idealistic*
impulsivo/a *impulsive*
juguetón/juguetona *playful*
malhumorado/a *moody, ill-humored*
optimista *optimistic*
orgulloso/a *proud* (negative connotation)
osado/a *daring* (positive connotation)
paciente *patient*
perezoso/a *lazy*
pesimista *pessimistic*
prudente *prudent*
realista *realistic*
tacaño/a *stingy, cheap*
travieso/a *mischievous, naughty*

Expresiones útiles

descomponerse *to break down*
disponerse *to get ready*
¿A que no saben...? *Bet you don't know . . . ?*
Creo que... / En mi opinión... *I think that . . . , In my opinion . . .*
El/La mío/a también. *Mine too.*
El/La mío/a tampoco. *Mine either.*
Es decir... / O sea... *That is (to say) . . .*
Había una vez... *Once upon a time there was/were . . .*
Me parece que... *It seems to me that . . .*
No saben la sorpresa que se llevó cuando... *You wouldn't believe how surprised he/she was when . . .*
Ud. me dice que... *You are telling me that . . .*

Más allá

Canción: "La Llorona"

Lila Downs

Nació en 1968 en la región de Oaxaca, México, de madre mixteca y de padre norteamericano. Pasó su adolescencia en los Estados Unidos para luego regresar a México. Cuando su padre murió, ella volvió a los Estados Unidos, donde estudió en la universidad de Minnesota en Minneapolis. Entre las variadas influencias musicales que Downs menciona en su página de Facebook se encuentran Mercedes Sosa, Nina Simone, Celia Cruz, John Coltrane, Billie Holiday, Bob Marley y los Grateful Dead. Lila apareció y cantó varias canciones, incluyendo "La Llorona", en la película *Frida*.

ACTIVIDAD Canción y leyenda

Parte A: Antes de escuchar una canción de la región de Oaxaca, haz lo siguiente.

- Mira el nombre de la canción y busca una palabra que conoces dentro de la palabra principal (es una acción).
- Di si la persona que hace esa acción es un hombre o una mujer.
- Infiere cuál es el tono de la canción.

Parte B: Lee las siguientes ideas y luego, mientras escuchas la canción, marca las opciones correctas.

_______ un hombre le habla a una mujer	_______ una mujer le habla a un hombre
_______ él va a morir porque ella quiere	_______ ella va a morir porque él quiere
_______ él acepta la muerte	_______ ella acepta la muerte
_______ él está muy feo ahora	_______ ella está muy fea ahora
_______ él vio a la mujer	_______ ella vio al hombre
_______ él llevaba ropa elegante	_______ ella llevaba ropa bonita
_______ él siempre va a quererla	_______ ella siempre lo va a querer

Parte C: La canción que escuchaste está basada en una leyenda prehispánica que se refiere a una mujer fantasma que llora por la muerte de sus hijos. Esta leyenda a veces se usa en ciertas regiones de México y en partes de Latinoamérica para asustar a los niños cuando no se portan bien. En grupos de tres, digan si había un personaje mítico que sus padres usaban para asustarlos a Uds. cuando se portaban mal. Digan cómo se llamaba, cómo era físicamente y qué les hacía a los niños.

Videofuentes: *Los mayas*

Antes de ver

ACTIVIDAD 1 Indígenas de Latinoamérica

Antes de mirar un video sobre un grupo indígena de Latinoamérica, habla sobre la siguiente información.

- grupos indígenas que habitan Latinoamérica
- la zona con que los asocias
- algo sobre sus tradiciones o conocimientos

Mientras ves

ACTIVIDAD 2 La cultura maya

Parte A: Mira la primera parte del video sobre la cultura maya, hasta donde empieza a hablar el guía turístico, y busca información sobre los siguientes lugares.

- Mérida
- Tulum
- Chichén Itzá

Chichén Itzá.

Parte B: Lee las siguientes preguntas y luego mira el resto del video para contestarlas.

1. ¿Quién era Kukulkán?
2. ¿Qué ocurre dos veces al año en su templo de Chichén Itzá?
3. Según el guía, ¿cómo desaparecieron los mayas?
4. ¿Cómo son físicamente los mayas?
5. ¿Por qué los jóvenes mayas se sienten avergonzados de ser mayas?

Familia maya.

Después de ver

ACTIVIDAD 3 La revalorización

En las últimas décadas se han empezado a apreciar más las culturas de los pueblos originales de Latinoamérica. En grupos de tres, discutan las siguientes preguntas sobre las culturas indígenas de su país.

1. ¿Qué grupos indígenas existen hoy día en su país?
2. ¿Qué lugares indígenas se pueden visitar? ¿Han estado en alguno de ellos?
3. ¿Conocen a alguien de origen indígena? Si contestan que sí, ¿saben si habla o no el idioma de sus antepasados? Si eres de origen indígena, ¿hablas el idioma de tus antepasados?
4. ¿Qué grupos indígenas conservan su idioma?

Proyecto: La leyenda de La Llorona

La leyenda de La Llorona es de origen prehispánico y, a través de los siglos, han aparecido muchas versiones diferentes de la misma. Casi todas estas versiones mencionan una mujer, unos niños, un hombre y un río. En este proyecto, vas a preparar una presentación de un mínimo de diez páginas de PowerPoint para contar una versión infantil de la leyenda de La Llorona. Necesitas seguir estos pasos:

1. leer en Internet diferentes versiones de la leyenda y escoger una
2. incluir en el cuento
   - cómo era cada uno de los personajes
   - el contexto en el que ocurrió la tragedia
   - cuál fue la tragedia
   - qué ve la gente hoy día que está relacionado con esta leyenda
3. agregar imágenes, efectos especiales y sonidos a tu presentación para que un niño pueda entenderla mejor

La América indígena: Ayer y hoy

CAPÍTULO 3

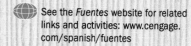

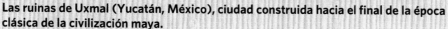

Las ruinas de Uxmal (Yucatán, México), ciudad construida hacia el final de la época clásica de la civilización maya.

See the *Fuentes* website for related links and activities: www.cengage.com/spanish/fuentes

Activating background knowledge

ACTIVIDAD 1 **¿Qué saben ustedes?**

En parejas, miren la foto de la página anterior e intenten contestar las siguientes preguntas.

1. ¿Qué se ve en la foto?
2. ¿Dónde está?
3. ¿Cuándo fue construido/a?
4. ¿Para qué servía?
5. ¿Quiénes lo/la construyeron?
6. ¿Existe esa cultura hoy día?

Lectura 1: Un artículo de revista

ESTRATEGIA DE LECTURA

Using Sentence Structure and Parts of Speech to Guess Meaning
When using context to guess the meaning of unfamiliar vocabulary, you usually focus on the meaning of surrounding words. However, at times it is also useful to focus on the basic sentence structure and its parts. The larger parts of a sentence (subject, verb, object, prepositional phrase) can often be broken down into individual words, which can then be identified with a particular function or part of speech (noun, adjective, verb, adverb).

The parts of speech (**las partes de la oración**) include the following:

- **el sustantivo:** A noun is a person, place, thing, or concept: **el jefe, el parque, la albóndiga, el impresionismo.**
- **el verbo:** A verb refers to an action or state: **subir, correr, estar.** Verbs can be transitive (they take a direct object—**Canto ópera.**) or intransitive (no direct object— **Estoy bien.**)
- **el adjetivo:** An adjective describes (**grande, impresionante, completo**) or limits (**algunos, este, doce**) a noun.
- **el adverbio:** An adverb describes the action of a verb (**despacio, rápidamente, temprano**) or describes the degree of an adjective (**muy, poco, increíblemente**).
- **el artículo:** An article marks the gender, number, and definite or indefinite nature of a noun: **el, la, los, las, un, una, unos, unas.**
- **la preposición:** A preposition identifies the links between other words: **a, con, contra, de, desde, en, entre, hacia, hasta, para, por, sin, sobre,** etc.
- **la conjunción:** A conjunction connects elements within a sentence: **y, o, pero, sino.**
- **el pronombre relativo:** A relative pronoun connects a subordinate verbal clause to another element in the sentence: **que, quien, donde, el cual,** etc.

Identifying parts of speech may give you just enough information to determine the basic relationships within a sentence. Try this sentence written in nonsense Spanish. What information can you safely determine about the words?

El manículo golupeó calamente a Paco en la cloba gara.

Start with the familiar: **El** and **la** mark the nouns **manículo** and **cloba. En** is a preposition and marks off at least **la cloba** as part of a prepositional phrase. **Paco** is a well-known proper noun or name, so the **a** could be a preposition (*to*) or **a** personal. Where's the verb? **Golupeó** looks likely since it follows the first noun (often the subject), ends in the preterit **-ó,** and is followed by an adverb ending in **-mente. Gara** is probably an adjective since it follows a noun and agrees with it in gender and number.

This sort of analysis can be useful in helping you understand difficult passages. Often, in order to get the gist of an idea, it is enough to pick out key verbs and nouns in order to know who is doing what. Then you can read on and clarify these basic ideas, since the natural redundancy of language will often lead to the same concept being repeated or referred to with different vocabulary farther on in the passage.

ACTIVIDAD 2 Las partes de la oración

Determining parts of speech

Determina las partes de las siguientes oraciones que aparecen en la lectura sobre los mayas.

1. Cinco siglos después, su civilización desapareció misteriosamente.
2. Un millón de los actuales habitantes de la región habla un dialecto.
3. Los investigadores acaban de descubrir cuatro nuevos sitios arqueológicos.
4. Los últimos hallazgos clarifican las razones que llevaron a los mayas a abandonar su imperio.

ACTIVIDAD 3 Palabras y oraciones

Using parts of speech to guess meaning

Parte A: Usa el glosario al final del libro para determinar el significado y la parte de la oración de cada una de las siguientes palabras.

esclavizar	*sequía*	*alimento*
guerrero	*sacerdote*	*hallazgo*
sangriento	*escasez*	*incendiado*

Parte B: En cada oración, decide la parte de la oración que se necesita para cada espacio en blanco. Después, elige una palabra de la Parte A para completar la oración, adaptando cada palabra al contexto.

1. Normalmente los mayas presentaban ____________________ como sacrificios a sus dioses, pero en ocasiones especiales ofrecían, en sacrificio, seres humanos.

2. En la religión maya, los ____________ eran las personas que hacían los sacrificios para los dioses.
3. Antes se creía que la civilización maya era muy pacífica, pero ahora se cree que era una cultura bastante ____________.
4. Algunos ____________ arqueológicos han revelado las causas de la desaparición de la civilización maya.
5. Los arqueólogos han encontrado evidencia de que las batallas y las guerras eran destructivas y ____________.
6. Los arqueólogos han encontrado edificios ____________, lo que demuestra que una táctica de la guerra era quemar los edificios de los adversarios.
7. Muchas veces las culturas indígenas mesoamericanas ____________ a los enemigos capturados en las guerras.
8. Los mayas temían las ____________ y, por lo tanto, construían muchos templos dedicados a Chac, dios de la lluvia.
9. Después de una sequía o un desastre natural, la gente suele sufrir ____________ de alimentos.

Guessing meaning from context

ACTIVIDAD 4 Hacia el significado

Las siguientes oraciones aparecen en el artículo que vas a leer. Determina el significado de las palabras en negrita según el contexto.

1. ... los arqueólogos abrieron la tierra para **desenterrar** los misterios de una de las civilizaciones más complejas y desafiantes hasta ahora analizadas.
   a. ocultar b. romper c. descubrir
2. Sus habitantes se internaron en **la selva** para volver a sus orígenes más primitivos...
   a. el bosque tropical b. el mar c. la ciudad
3. ... las guerras eran batallas bien **orquestadas,** con la finalidad de conquistar el poder y esclavizar nobles rivales.
   a. musicales b. organizadas c. originales
4. ... las guerras llevaron a la completa destrucción del pueblo, provocando **un quiebre** en la estructura social.
   a. un colapso b. un cambio c. una renovación
5. Hoy se sabe que ellas [las ciudades mayas] funcionaban exactamente como **una urbe** moderna... Las ciudades eran circundadas por ciudades satélites que albergaban a la población suburbana como artesanos y obreros.
   a. una civilización b. un estado c. una ciudad
6. ... las **escaramuzas** entre las decenas de ciudades-estado de la región evolucionaron hacia guerras sangrientas que transformaron poderosos centros urbanos en aldeas fantasmas.
   a. distancias b. comunicaciones c. pequeñas batallas

ACTIVIDAD 5 La muerte de una civilización

Activating background knowledge

Parte A: La lectura trata de una cultura de América que desapareció. En grupos de tres, contesten las siguientes preguntas.

1. ¿Conocen Uds. algunas culturas desaparecidas?
2. ¿Qué factores podían causar la destrucción de una civilización en el pasado?

la guerra (nuclear)
la conquista
la destrucción del medio ambiente
la pérdida de valores morales
el exceso de riqueza
la superpoblación
el hambre
las epidemias y enfermedades
un desastre natural

superpoblación o sobrepoblación

Parte B: Mientras lees este artículo de la revista chilena *Qué pasa*, escribe una lista de todas las causas que se mencionan sobre la desaparición de la gran civilización maya. Después, en grupos de tres, comparen sus apuntes para ver si están de acuerdo.

Active reading, Identifying main ideas

Autopsia de una civilización

Tras años de investigaciones, un grupo de arqueólogos descubre dos nuevos sitios arqueológicos [...] que ayudan a desentrañar el misterio de la desaparición de los mayas.

[...] Con sus monumentales ciudades en el medio de la selva y ejerciendo el dominio sobre la mayoría de los pueblos contemporáneos de la región, los mayas vivieron su época dorada a partir del año 250 de la era cristiana. Cinco siglos después, su civilización desapareció misteriosamente. Sus habitantes se internaron en la selva para volver a sus orígenes más primitivos y dejaron solo las pruebas de su cultura: los templos y pirámides. [...]

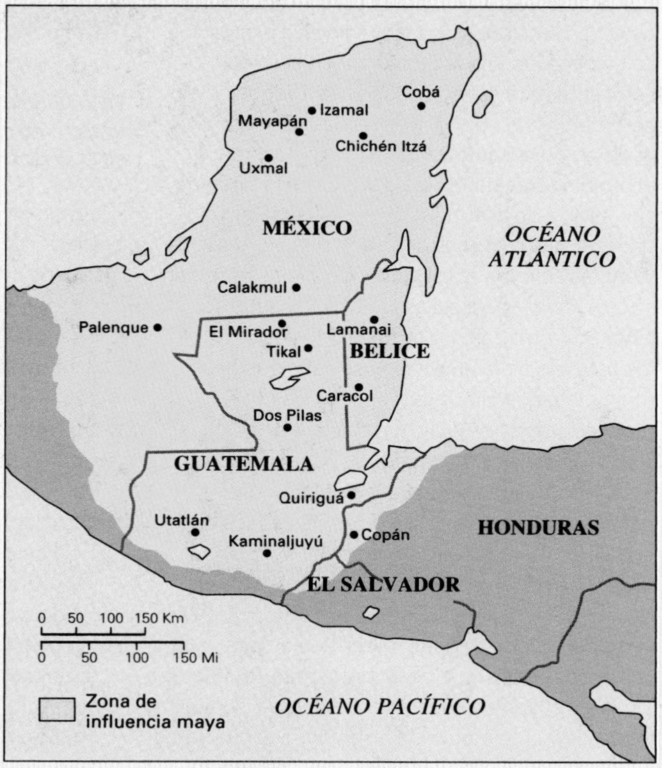

Aunque un millón de los actuales habitantes de la región habla un dialecto que se desarrolló directamente del lenguaje maya original, el misterio se ha mantenido por décadas. Sin embargo, los últimos hallazgos clarifican las razones que llevaron a los mayas a abandonar su imperio e internarse en la selva en el siglo octavo.

Los investigadores acaban de descubrir cuatro nuevos sitios arqueológicos —dos de ellos intactos— en las montañas al sur de Belice. La lectura de los jeroglíficos hallados muestra que los mayas adoraban luchar. Sus gobernantes se esmeraban en el arte de torturar y matar a los enemigos. Inauguraciones, celebraciones esporádicas y ceremonias religiosas culminaban siempre con sacrificios rituales. Los estudios del arqueólogo de la Universidad de Vanderbilt, Arthur Demarest, [...] dividen la historia del Imperio en dos períodos: antes y después del año 761 d.C.

En la primera fase, las guerras eran batallas bien orquestadas, con la finalidad de conquistar el poder y esclavizar nobles rivales. "En la segunda etapa las guerras llevaron a la completa destrucción del pueblo, provocando un quiebre en la estructura social", dice Demarest [...] Lo que ocurrió fue una guerra civil, una insurrección tan violenta contra las clases dominantes de nobles y sacerdotes, que toda la cultura entró en crisis. Sumado a lo anterior, el frágil lazo que representaba la religión se debilitó aún más. Una combinación de desastres naturales contribuyeron a ello, principalmente sequías severas provocadas por la desforestación, y la superpoblación, que elevó las tensiones sociales a niveles explosivos. La tierra ya no producía granos en cantidad suficiente para satisfacer a los sacerdotes y sus ceremonias de abundancia, en las que se quemaban grandes cantidades de alimentos, mientras el pueblo tenía hambre. La organización maya era similar a la de la antigua Grecia. Formaban ciudades-estado, organizadas independientemente y unidas solo por la religión y la lengua, pero con enormes rivalidades. Las ciudades mayas no solo estaban formadas por templos religiosos y por los palacios de la élite. "Hoy se sabe que ellas funcionaban exactamente como una urbe moderna", explica el antropólogo Antonio Porro. "Las ciudades eran circundadas por ciudades satélites que albergaban a la población suburbana como artesanos y obreros." Después de la era clásica, situada alrededor del año 750, las escaramuzas entre las decenas de ciudades-estado de la región evolucionaron hacia guerras sangrientas que transformaron poderosos centros urbanos en aldeas fantasmas. Prueba de ello fueron edificaciones incendiadas, arsenales militares y el aumento de las imágenes guerreras en los monumentos, evidencia encontrada en las ruinas de la ciudad de Caracol, en Belice. Aunque existe consenso en que una de las principales causas de la decadencia de la civilización maya fue su descontrolado instinto guerrero, ninguno de los investigadores piensa que esa es la única respuesta. Otro factor decisivo para la decadencia fue la superexplotación de la flora tropical, fuente de alimento y protección. Al comienzo de este año, investigadores ingleses analizaron sedimentos depositados en el lago Pátzcuaro, en México, y descubrieron que las antiguas prácticas agrícolas de la zona provocaron altas tasas de erosión del suelo, que no fueron igualadas ni por los invasores españoles.

En las últimas décadas los investigadores han descifrado la escritura maya. En esta escena, Pájaro Jaguar IV, rey de la ciudad de Yaxchilán, se prepara para una batalla.

Al analizar el polen enterrado entre los escombros de Yucatán, arqueólogos norteamericanos concluyeron que no existía flora tropical cerca de las principales ciudades mayas. "El polen encontrado muestra claramente que casi no existían más bosques para explotar", afirma Patrick Culbert, arqueólogo de la Universidad de Arizona. Desertificación, erosión, destrucción de bosques y hasta acidificación del suelo —problemas, familiares para el hombre moderno— fueron responsables por la declinación de una de las sociedades más organizadas y avanzadas del pasado. Tal vez la guerra y un medio ambiente agotado impulsaron a los mayas a escapar de un mundo adverso que ya no tenía nada que entregar, y donde la única forma de renacer era volver al origen en la profunda selva tropical. ■

ACTIVIDAD 6 Dos épocas distintas

Recognizing chronological order, Describing past states

Según el arqueólogo Arthur Demarest, la vida maya era muy distinta antes y después del año 761. Decide si cada oración describe la situación **antes** (A) o **después** (D) de esta fecha clave.

1. _____ Un ritual importante de la vida eran las batallas bien orquestadas y controladas.
2. _____ Se creaban arsenales militares y se hacían cada vez más imágines guerreras en los templos.
3. _____ Destruían los bosques, dañaban su medio ambiente y sufrían escasez de comida.
4. _____ Las guerras tenían el objetivo limitado de capturar y esclavizar nobles rivales.
5. _____ Los mayas formaban ciudades-estado que coexistían en relativa estabilidad.
6. _____ Los sacerdotes pedían y quemaban grandes cantidades de alimentos, mientras el pueblo tenía hambre.
7. _____ Las ciudades eran circundadas por ciudades satélites donde vivían los artesanos y trabajadores.
8. _____ Las guerras se hacían con el objetivo de destruir completamente las ciudades rivales.

ACTIVIDAD 7 Las causas de la decadencia

Summarizing

El siguiente párrafo es un breve resumen de las ideas importantes de la lectura. Escoge y adapta una expresión de la lista para cada espacio en blanco.

búsqueda	*empezar a*	*octavo/a*	*sacrificio*
crecer	*erosión*	*pacífico/a*	*sangriento/a*
dejar de	*guerrero/a*	*ritual*	

Las investigaciones recientes parecen indicar que la civilización maya era bastante ______________________ (1). En una primera etapa, sus guerras eran bien orquestadas, parte integral de una sociedad rígida y estable, y servían para obtener víctimas para los ______________________ (2) rituales. Sin embargo, en el siglo ______________________ (3), las escaramuzas empezaron a convertise en guerras ______________________ (4). Después de cinco siglos de relativa estabilidad, la población ya ______________________ (5) en exceso y la tierra se había cultivado cada vez más intensamente, llevando a la desforestación. Como resultado, la tierra había sufrido ______________________ (6) y acidificación, y ______________________ (7) producir suficientes alimentos, precisamente cuando la problación llegaba a su número más alto. Como no había suficiente comida para todos los habitantes, las guerras dejaron de ser un ______________________ (8) religioso y se convirtieron en una manera de buscar recursos y alimentos. Esta ______________________ (9) desesperada llevó a la destrucción de la civilización clásica de los mayas.

Scanning, Making inferences

ACTIVIDAD 8 Los detalles y sus implicaciones

Para entender bien una lectura, es necesario prestar atención a los detalles. En grupos de tres, terminen las siguientes oraciones, y justifiquen sus respuestas.

1. Durante el declive de la civilización clásica de los mayas, los españoles...
2. Durante los sacrificios rituales, los sacerdotes les ofrecían a los dioses...
3. El autor opina que los mayas clásicos eran...
4. El autor sugiere que los mayas posclásicos eran...

ACTIVIDAD 9 Un destino misterioso

Uds. son arqueólogos profesionales que han estudiado a los mayas y hablan sobre lo que posiblemente les pasó después de la destrucción de su civilización. En grupos de tres, túrnense para decir cuál creen que fue su destino. Especulen sobre los siguientes aspectos de la cultura maya: la religión, los trabajos, la comida, las ceremonias, las casas, la familia, el arte, la lengua, la arquitectura.

- ▶ — Es obvio que todos los mayas se enfermaron y se murieron.
- ▶ — No es verdad. Los mayas dejaron de construir grandes templos, pero...

Cuaderno personal 3-1

En tu opinión, ¿hay semejanzas entre el destino de la civilización maya y la nuestra? ¿Vamos por el mismo camino?

VIDEOFUENTES

¿Qué semejanzas y diferencias existen entre el artículo y el video respecto a los motivos de la desaparición de la civilización maya clásica? ¿Qué manifestaciones de la cultura maya existen hoy día?

Lectura 2: Panorama cultural

ACTIVIDAD 10 Partes relacionadas

Identifying parts of speech

La lectura "La presencia indígena en Hispanoamérica" contiene palabras relacionadas con los siguientes verbos. Para cada verbo en infinitivo (por ejemplo, **leer**), busca en el glosario o en un diccionario un sustantivo como **lector** (*reader*) o **lectura** (*reading*), y un adjetivo como **legible** (*legible*) o **leído** (*read*).

Verbo	Sustantivo	Adjetivo
desaparecer		
aislar		
dominar		
establecer		
conservar		
despreciar		

ACTIVIDAD 11 Palabras útiles

Building vocabulary

Después de mirar la siguiente lista, completa las oraciones que siguen con las palabras apropiadas.

los antepasados	ancestors
el/la portavoz	spokesperson
el rasgo	trait, feature
la supervivencia	survival
el culto	worship, adoration
la prueba	proof, evidence
autóctono	native
el esfuerzo	effort

1. ____________________ del gobierno anunció que las negociaciones iban bien.
2. Una de las características de muchas religiones es el ____________________ a los antepasados.
3. Un ____________________ importante de la cultura norteamericana es la afición a la tecnología.

4. El científico Charles Darwin definió la teoría de la ____________________ del más fuerte.
5. Algunos de los ____________________ de Juan Ferreira eran españoles, pero otros eran portugueses.
6. El éxito que tiene en su trabajo es ____________________ de su talento.
7. La papa y el maíz no se conocían en Europa antes del siglo XVI porque son comidas ____________________ del continente americano.
8. A pesar de sus ____________________, el presidente no pudo resolver la crisis.

Activating background knowledge

indígena americano = Native American

ACTIVIDAD 12 ¿Indígenas o indios?

Últimamente, tanto en Norteamérica como en Centro y Suramérica, ha habido una revaloración del indio; incluso se prefiere usar el termino **indígena** en vez de **indio.** En parejas, antes de leer la lectura siguiente, contesten estas preguntas.

1. ¿Cuáles eran algunas de las características negativas que se asociaban con el término **indio** en la cultura norteamericana?
2. ¿Cuáles son algunos aspectos positivos de la cultura indígena que se aprecian hoy día?
3. Actualmente, ¿a qué problemas se enfrenta la población indígena de Norteamérica? ¿la de Hispanoamérica?

Active reading, Identifying main ideas

ACTIVIDAD 13 Las ideas principales

Mientras lees, escribe en el margen una oración que resuma la idea principal de cada párrafo. Después, en grupos de tres, comparen sus apuntes para ver si están de acuerdo.

Presencia indígena en Hispanoamérica

Cuando Cristóbal Colón llegó al Nuevo Mundo, encontró una tierra habitada por pueblos que llevaban allí más de 30.000 años. Pueblos pequeños alternaban con los grandes imperios azteca e inca. Muy pronto, la conquista española y las enfermedades europeas causaron la desaparición de numerosos pueblos indígenas, la destrucción de las grandes civilizaciones y el establecimiento de la lengua y la cultura españolas en gran parte de América. Sin embargo, no se borró la presencia indígena, la cual sobrevivió en el mestizaje y en la conservación de muchas de sus sociedades.

América mestiza

La unión entre españoles y mujeres naturales de América produjo una nueva población, la de los mestizos, personas que llevaban en las venas una mezcla de sangre europea y sangre indígena. De esta unión racial nacieron nuevas culturas, y el mestizaje llegó a sentirse en todos los aspectos de la cultura.

En primer lugar, la lengua española adoptó vocablos de origen indígena, mientras que, a su vez, en la agricultura y la cocina, aparecieron productos y comidas propios del mestizaje. Asimismo, los productos lácteos y el arroz que trajeron los conquistadores se combinaron con maíz, papas, tomate y otras cosechas autóctonas para preparar nuevas y variadas comidas. Elementos igualmente inseparables se manifestaron en la expresión artística. Para dar un ejemplo, aún hoy en día, la música andina combina instrumentos indígenas, como la flauta, con otros españoles como la guitarra, en tanto que la literatura y las artes plásticas y artesanales de los diversos países muestran la riqueza de la fusión de las culturas.

La conocidísima imagen de la Virgen de Guadalupe (Villa de Guadalupe Hidalgo, México).

Pero si la lengua y las costumbres reflejan bien esta fusión, quizás sea la religión una de las pruebas más evidentes del mestizaje. La religión católica, impuesta por los españoles, fue aceptada por los indígenas como un vehículo de su expresión religiosa y las imágenes cristianas se interpretaron como representaciones de sus dioses. Así tenemos a la Virgen de Guadalupe, patrona de México, quien se apareció a un indígena en el lugar donde antes había existido un templo a Tonantzin, diosa madre de los aztecas. Tanto en México como en Guatemala, la celebración católica del Día de los Muertos tomó rasgos indígenas del culto de los antepasados, convirtiéndose hoy en una celebración de gran importancia. Por otro lado, en el Perú, la Virgen María fue asociada con Pachamama, diosa incaica de la tierra y, como tal, se la venera actualmente en muchas comunidades.

Una joven celebra el Día de los Muertos decorando la tumba de un pariente suyo en el cementerio San Gregorio Atlapulco de la ciudad de México.

Continúa en la página siguiente

Vocablos del taíno (Caribe): **canoa, tabaco, maíz, ají, maní.** Vocablos del náhuatl (México): **chocolate, tomate, chile, cacahuate, aguacate.** Vocablos del quechua (los Andes): **papa, chino/a** (= chico/a), **alpaca**.

Un producto muy conocido del mestizaje es la combinación del chocolate con el azúcar.

Países con una importante población indígena son México, Guatemala, Ecuador, Perú, Bolivia y Paraguay. En estos mismos países el mestizaje suele celebrarse como un aspecto importante de la identidad nacional.

Lo indígena frente a lo mestizo

Aunque en algunos países predomina una cultura mestiza, existen todavía comunidades indígenas que no se consideran parte del mundo mestizo hispanoamericano. Con frecuencia, las naciones de Hispanoamérica han celebrado el pasado indígena, ya que ese pasado ayuda a crear una identidad nacional distintiva. Sin embargo, las sociedades indígenas actuales no se han reconocido de la misma manera. Estas se han mantenido separadas, ya sea viviendo lejos de los centros urbanos o al margen de la sociedad dominante, y solo así han podido conservar lenguas y tradiciones propias. No obstante, el mismo aislamiento físico y cultural que ha permitido su supervivencia también ha impedido su participación en la vida política, económica e intelectual de sus países. A causa de su pobreza y falta de educación, se ha visto a los grupos indígenas como un obstáculo al progreso —el llamado "problema del indio"— y actualmente siguen siendo despreciados por la sociedad dominante.

El escudo nacional de México, adoptado en 1821, representa una historia azteca, según la cual se profetizó la fundación de la capital azteca en el lugar donde vieran un águila devorando a una serpiente. Este uso de la historia indígena ayudó a definir una identidad nacional mexicana distinta de la de otras naciones.

Resistencia y creciente fuerza política de los indígenas

No es verdad, sin embargo, que los indígenas siempre hayan aceptado su marginación con docilidad y conformismo, y desde la época colonial ha existido una tradición de resistencia. Los indígenas andinos recuerdan la oposición del último inca Túpac Amaru al dominio español. Los de México recuerdan la legendaria lucha de Cuauhtémoc contra Cortés, además de la más reciente lucha de Emiliano Zapata por defender los derechos de los indígenas durante la Revolución mexicana de 1910. El espíritu de Zapata inspiró al Ejército Zapatista de Liberación Nacional (EZLN), que en 1994 inició en Chiapas una lucha contra el gobierno mexicano. Los rebeldes protestaron por el continuo deterioro de su situación económica y por la poca atención que en general les prestaba el gobierno central.

La Revolución mexicana empezó en 1910.

Chiapas, cerca de Guatemala, está habitado principalmente por grupos mayas.

Afortunadamente, en años recientes han aparecido iniciativas que buscan soluciones más pacíficas y duraderas. Una táctica ha sido ganar el apoyo de la comunidad internacional, y en esto nadie ha tenido tanto éxito como la mujer quiché Rigoberta Menchú. Menchú huyó de Guatemala en 1981, en

Los quichés son uno de más de 20 grupos mayas de Guatemala.

medio de la lucha violenta entre el gobierno y los indígenas. En el exilio contó la historia trágica de su pueblo y en 1992 ganó el Premio Nobel de la Paz por sus esfuerzos a favor de las comunidades indígenas, convirtiéndose así en portavoz importante de las comunidades indígenas del mundo.

Menchú narró la historia de su vida y del pueblo quiché en su libro *Me llamo Rigoberta Menchú y así me nació la conciencia* (1983).

Otra táctica para mejorar las condiciones de los indígenas ha sido la formación de federaciones de indígenas que defienden sus intereses por medio de una nueva participación activa en la política de sus países. En el Ecuador, caso ejemplar del fenómeno, los pueblos indígenas organizaron la Confederación de las Nacionalidades Indígenas del Ecuador (CONAIE) para combatir la explotación del petróleo y la destrucción del hábitat natural. El éxito de los indígenas ecuatorianos ha servido de modelo para otros, y desde México hasta Chile nuevos movimientos indigenistas van ganando influencia. Cada vez hay más representantes indígenas en el gobierno de los diferentes países, y el indígena aimara, Evo Morales, llegó a la presidencia de Bolivia en 2005, desde donde lanzó un programa político proindigenista. Gracias a todos estos cambios, muchos países han modificado su Constitución para dar mayor protección a los descendientes de sus pobladores originales.

Los aimaras representan más del 30% de la población boliviana.

El creciente contacto y cooperación entre grupos indígenas se revela en su uso de Internet para divulgar sus programas. (Ve a la página web de *Fuentes* para encontrar enlaces a sitios relacionados con el tema de los indígenas.)

Estos y otros acontecimientos anuncian un cambio importante en las relaciones entre los diversos grupos que componen la población hispanoamericana. Durante siglos, los indígenas tuvieron que aceptar su absoluta subordinación; ahora están recobrando su voz y defendiendo sus culturas. Al mismo tiempo, se están convirtiendo en una fuerza transformadora que tiene que tomarse en cuenta dentro y fuera de América "Latina" durante el siglo XXI. ■

Evo Morales, primer presidente indígena de Bolivia, baila con mujeres aimaras durante la celebración de un ritual andino delante del Palacio de Gobierno en La Paz.

ACTIVIDAD 14 Detalles importantes

Scanning

Después de leer, determina si las siguientes oraciones son ciertas (C) o falsas (F), de acuerdo con la información que aparece en la lectura. Corrige las oraciones que sean falsas.

1. _____ La conquista española no tuvo mucho impacto en los pueblos indígenas de América.

2. ______ Pocos hispanoamericanos llevan sangre indígena en sus venas.

3. ______ El mestizaje ha tenido efecto en muchos aspectos de la cultura.

4. ______ Las comunidades indígenas nunca aceptaron la religión católica.

5. ______ Todavía hoy existen comunidades indígenas separadas de la cultura hispana.

6. ______ Muchos indígenas son pobres y analfabetos.

7. ______ El EZLN atacó a los indígenas por protestar contra el gobierno.

8. ______ El líder político indígena más conocido es Evo Morales.

9. ______ En años recientes la respuesta principal de los indígenas a su marginación ha sido la lucha armada.

Making inferences

ACTIVIDAD 15 Implicaciones

Las siguientes oraciones representan deducciones o inferencias que se basan en la información del texto anterior. Busca la información que apoya cada inferencia.

1. La conquista española fue bastante violenta.
2. La mayoría de la población mexicana es católica.
3. En Cuba, Costa Rica y Argentina, ya no hay una presencia indígena importante.
4. Muchos mestizos hispanoamericanos tienen vergüenza de su sangre indígena.
5. Para los indígenas modernos, la globalización representa una amenaza y una ayuda.

ACTIVIDAD 16 Comparaciones

Trabajen en grupos de cuatro. Dos personas son indígenas de los Estados Unidos y dos indígenas de Hispanoamérica. Comparen cómo eran sus relaciones con los europeos, cómo es su vida actual y cuál será su futuro. Temas posibles de discusión: el *mestizaje* o la separación, la comida, la religión, la música, el activismo político. Usen las expresiones:

Me parece que...	It seems to me that . . .
Creo que...	I think that . . .
En mi opinión...	In my opinion . . .
Es decir...	That is . . .
O sea...	That is . . . / In other words . . .
Ud. me dice que...	You're telling me that . . .

Cuaderno personal 3-2

¿Crees que los indígenas pueden defender sus culturas sin integrarse a la cultura dominante? ¿Por qué sí o no?

Lectura 3: Literatura

ESTRATEGIA DE LECTURA

Using the Bilingual Dictionary

Reading exposes you to new ideas and new words. As a general rule, the most efficient strategy for dealing with unfamiliar words is to try to guess their meaning from the context, or to skip over them if they do not seem important. However, there will be cases when you either need to look up a word in order to understand the passage, or you are simply curious to know more. If you finally decide to use the dictionary, here are some guidelines to help you.

1. Determine the part of speech.
2. Consider the context and try to guess its meaning. This may help you when you look up the word and are presented with numerous possibilities.
3. Look up the word in the Spanish half of a good bilingual dictionary. Be sure to check and compare all the possibilities given. Use the dictionary abbreviations to help you:

   m. masculine noun
   f. feminine noun
   adj. adjective (often given in masculine form)
   adv. adverb
   v. tr. transitive verb
   v. int. intransitive verb
   v. r. (ref., pr. or **prn.)** reflexive verb
4. Scan the entry to see if the word you are looking up is actually part of an idiom. Idioms are included toward the end of an entry.

Remember that it is not generally a good idea to translate every word in a reading. If you do, you are likely to focus on isolated words rather than the meaning of the words in context. In other words, you may not be able to see the forest for the trees.

The **pr.** or **prn.** refers to the reflexive pronoun that accompanies reflexive verbs.

ACTIVIDAD 17 A buscar palabras

Using the dictionary

Las palabras en negrita en las siguientes oraciones aparecen en el cuento que vas a leer. Intenta adivinar el significado de cada palabra por el contexto, determina la parte de la oración, y después busca la palabra en el vocabulario que sigue o en un diccionario bilingüe. Escribe el mejor equivalente inglés al final de la oración.

1. Después del accidente, la sangre **chorreaba** de la pierna de la víctima.
2. Todos los parientes entraron en la casa para despedirse del hombre enfermo, quien estaba ya en su **lecho** de muerte.
3. El hombre se presentó muy **confiado** ante el tribunal, pero al final lo condenaron a muerte.
4. Cuando la mujer se despertó, se encontró **rodeada** de todos sus amigos.
5. El prisionero intentó **engañar** a los guardias, pero no logró escaparse.
6. Los habitantes del pueblo miraban **fijamente** al recién llegado sin decir nada.

cho•rre•ar intr. *(fluir)* to gush, spout; *(gotear)* to drip, trickle —tr. *(derramar)* to pour; FIG., COLL. *(dar poco a poco)* to give in dribs and drabs; CUBA to tell off; ECUAD. to soak; ARG., URUG. to steal —reflex. COL. to steal.

con•fia•do, -da I. past part. see **confiar II.** adj *(presumido)* confident, assured; *(crédulo)* gullible, unsuspecting; *(que se fía)* trusting.

con•fiar §30 intr. *(fiar)* to trust, feel confident <*confiamos en que el plan tendrá éxito* we feel confident that the plan will succeed>; *(contar con)* to count, rely <*confío en mis amigos* I count on my friends>; to commit <c. *a la memoria* to commit to memory>—tr. *(encargar)* to entrust <*confiaron la tarea a un amigo íntimo* they entrusted the task to a close friend>; to confide <*c. un secreto* to confide a secret> —reflex. to trust, have faith <*me confío en usted* I have faith in you>.

en•ga•ñar tr. *(burlar)* to deceive, trick; *(encornudar)* to cuckold, be unfaithful to; *(distraer)* to ward or stave off< *e. el hambre* to stave off hunger>; *(pasar)* to kill, while away <*e. las horas* to while away the hours> —intr. to be deceptive or misleading —reflex. *(cerrar los ojos)* to deceive oneself; *(equivocarse)* to be mistaken *or* wrong.

fi•ja•men•te adv. *(con seguridad)* firmly, assuredly; *(atentamente)* fixedly, steadfastly; *(intensamente)* intensely, attentively.

fi•jo, -ja I. past part. see **fijar II.** adj. *(firme)* fixed, steady <*la mesa está f.* the table is steady>; *(permanente)* permanent <*un empleado f.* a permanent employee>; *(inmóvil)* stationary, fixed (*una estrella f.* a fixed star>; (*invariable*) fixed, set <*un precio f.* a set price>; *(estable)* stable, steady <*una renta f.* a steady income>; *(de colores)* fast, indelible; CHEM. fixed, nonvolatile **de f.** certainly, surely **III.** m. fixed salary —f. see **fija IV.** adv. fixedly, pointedly; PERU certainly.

le•cho m. *(cama)* bed; *(fondo)* bed (of a river, lake); *(capa)* layer, coat; ARCHIT. base; GEOL. bed, layer **abandonar el l.** FIG. to get up, get out of bed • **l. de roca** GEOL. bedrock.

ro•de•ar intr. *(dar la vuelta)* to go around; *(ir por el camino más largo)* to go by a roundabout way; FIG. (*hablar con rodeos*) to beat around the bush —tr. *(acorralar)* to surround <*los guardias rodearon al ladrón* the guards surrounded the thief>; *(encerrar)* to enclose, surround <*una muralla rodea el jardín* a wall encloses the garden>; *(dar la vuelta)* to go around; AMER. to round up (cattle) **r. de** to surround with —reflex. *(revolverse)* to toss and turn (in one's sleep); *(volverse)* to turn around **rodearse de** to surround oneself with <*rodearse amigos* to surround oneself with friends>.

Guessing meaning from context

ACTIVIDAD 18 Con la ayuda del contexto

Lee bien las siguientes oraciones para determinar el significado de las palabras en negrita.

1. Los hombres buscaban al criminal y por fin lo **apresaron** y lo llevaron a la prisión.
   a. mataron b. capturaron c. perdieron
2. El profesor tenía un gran **conocimiento** de la filosofía precolombina.
   a. lo que sabe una persona b. el grupo de amigos de una persona c. la conciencia
3. Las plantas suelen **florecer** en la primavera.
   a. perder las hojas b. morir c. echar flores
4. Muchos frailes españoles adquirieron un **dominio** sorprendente de lenguas indígenas como el quechua, el náhuatl y las lenguas mayas.
   a. poder sobre alguien b. capacidad de usar c. superioridad
5. Los indígenas **se disponían** a empezar la ceremonia cuando llegó el fraile.
   a. se preparaban b. tomaban decisiones c. se disputaban
6. El **rostro** impasible de ese hombre molesta a la gente, ya que es imposible saber lo que piensa.
   a. la lista b. la nariz c. la cara

ACTIVIDAD 19 La invención de una trama

Activating background knowledge

Parte A: Las siguientes palabras aparecen en el cuento que van a leer. En grupos de tres, digan o adivinen qué significa cada palabra o a quién se refiere cada nombre.

fray Bartolomé	*perdido*	*el sol*	*el corazón*
la selva	*el eclipse*	*chorrear*	*Guatemala*
engañar	*el sacrificio*	*Aristóteles*	*oscurecerse*
el desdén	*Carlos V*	*salvar*	*prever*
España	*indígenas*	*el calendario*	*astrónomos*

Predicting

Parte B: En parejas, miren la imagen y la lista de vocabulario, y digan qué creen que pasa en el cuento.

Parte C: Trabajando individualmente, y antes de leer el cuento, escribe un párrafo contando brevemente lo que crees que va a pasar en el cuento. Usa de seis a ocho palabras de la lista y subráyalas.

Parte D: Después de terminar tu versión del cuento, lee el cuento original para ver cuántas de tus predicciones son correctas.

Representación de un sacerdote maya encontrada en Yucatán (México).

Augusto Monterroso *(1921–2003) fue el escritor guatemalteco más importante del siglo XX. Desde muy joven se dedicó a la actividad política, la búsqueda de la justicia y la literatura. En 1944 tuvo que marcharse de su país natal a causa de la difícil situación política, para luego pasar el resto de su vida en México. En el exilio, Monterroso se hizo famoso por su especial cultivo de los minicuentos y tiene fama de haber escrito el cuento más corto de la historia: "Cuando despertó, el dinosaurio todavía estaba allí." Comenzó a publicar sus textos a partir de 1959, cuando salió su colección* Obras completas (y otros cuentos), *en la que apareció "El eclipse", el más conocido de sus cuentos. En este cuento se pueden apreciar algunos rasgos fundamentales de su escritura: el humor negro, la paradoja y el interés en la justicia.*

El eclipse
Augusto Monterroso

Cuando fray Bartolomé Arrazola se sintió perdido aceptó que ya nada podría salvarlo. La selva poderosa de Guatemala lo había apresado, implacable y definitiva. Ante su ignorancia topográfica se sentó con tranquilidad a esperar la muerte. Quiso morir allí, sin ninguna esperanza, aislado, con el pensamiento fijo en la España distante, particularmente en el convento de los Abrojos, donde Carlos Quinto condescendiera una vez a bajar de su eminencia para decirle que confiaba en el celo religioso de su labor redentora.

Al despertar se encontró rodeado por un grupo de indígenas de rostro impasible que se disponían a sacrificarlo ante un altar, un altar que a Bartolomé le pareció como el lecho en que descansaría, al fin, de sus temores, de su destino, de sí mismo.

Tres años en el país le habían conferido un mediano dominio de las lenguas nativas. Intentó algo. Dijo algunas palabras que fueron comprendidas.

Entonces floreció en él una idea que tuvo por digna de su talento y de su cultura universal y de su arduo conocimiento de Aristóteles. Recordó que para ese día se esperaba un eclipse total de sol. Y dispuso, en lo más íntimo, valerse de aquel conocimiento para engañar a sus opresores y salvar la vida.

—Si me matáis —les dijo— puedo hacer que el sol se oscurezca en su altura.

Los indígenas lo miraron fijamente y Bartolomé sorprendió la incredulidad en sus ojos. Vio que se produjo un pequeño consejo, y esperó confiado, no sin cierto desdén.

Dos horas después el corazón de fray Bartolomé Arrazola chorreaba su sangre vehemente sobre la piedra de los sacrificios (brillante bajo la opaca luz de un sol eclipsado), mientras uno de los indígenas recitaba sin ninguna inflexión de voz, sin prisa, una por una, las infinitas fechas en que se producirían eclipses solares y lunares, que los astrónomos de la comunidad maya habían previsto y anotado en sus códices sin la valiosa ayuda de Aristóteles. ■

Scanning

ACTIVIDAD 20 Personajes

Termina las siguientes oraciones según la información que da el cuento.

Fray Bartolomé era...
Al principio del cuento, fray Bartolomé estaba...
Al final del cuento fray Bartolomé estaba...
Las personas que rodeaban a fray Bartolomé eran...
Los indígenas eran/estaban...

ACTIVIDAD 21 ¿Qué pasó?

Recognizing chronological order

Parte A: Pon las siguientes frases en orden cronológico para formar un resumen del cuento.

_____ *Se perdió fray Bartolomé en la selva de Guatemala.*
_____ *Los sacerdotes esperaron el momento exacto del eclipse, y entonces le sacaron el corazón a fray Bartolomé.*
_____ *Recordó su juventud en un convento de España y el momento en que había conocido al emperador Carlos V.*
_____ *El fraile se sentó a esperar la muerte.*
_____ *Se durmió en la selva.*
_____ *Como había estudiado la ciencia de Aristóteles, recordó que iba a ocurrir un eclipse solar.*
_____ *Los sacerdotes mayas reaccionaron tranquilamente porque ya habían previsto el eclipse y sabían cuándo iba a ocurrir.*
_____ *Cuando se despertó, estaba en un altar, rodeado de sacerdotes indígenas que preparaban el sacrificio.*
_____ *Decidió engañar a los sacerdotes mayas y les dijo que iba a causar un eclipse si no lo ponían en libertad.*

Parte B: Después de poner los acontecimientos en orden, usa expresiones de transición como **al principio, luego, después, en seguida, por fin** y **al final** para crear un resumen coherente.

ACTIVIDAD 22 Consideraciones y especulaciones

Making inferences

Los cuentos siempre comunican las perspectivas de sus autores, pero también tienen implicaciones no previstas por el autor, al mismo tiempo que nos hacen pensar en cuestiones relacionadas. En parejas, comenten las siguientes preguntas.

1. ¿Cuál es el mensaje que Monterroso nos quiere comunicar sobre los indígenas? ¿Es positiva o negativa su perspectiva de los indígenas?
2. ¿Qué —o a quiénes— representa el personaje de fray Bartolomé?¿La Iglesia Católica? ¿Los conquistadores? ¿Los españoles? ¿Aristóteles? ¿La cultura y la civilización europeas? ¿Cuál es la perspectiva de Monterroso sobre cada uno de estos grupos?
3. Muchos frailes católicos no tuvieron la mala suerte de fray Bartolomé. De hecho, las comunidades indígenas de Mesoamérica adoptaron la fe católica con gran rapidez. Se ha dicho que esto ocurrió porque el cristianismo y las religiones de los aztecas y mayas compartían una creencia fundamental en la importancia del sacrificio humano. ¿Están de acuerdo?

Cuaderno personal 3-3

¿Crees que es válido hablar de sociedades "primitivas" y sociedades "avanzadas"? ¿Por qué sí o no?

Redacción: Un mito

Listening, Note taking

la historia = the story; history

ACTIVIDAD 23 El origen del ser humano

La literatura empezó en muchas culturas para explicar los orígenes y enseñar los valores, y se transmitía de generación en generación por vía oral. En el *Popol Vuh*, el libro sagrado de los mayas quiché, se cuenta el mito de la creación de los hombres. Así como los mayas, todas las culturas tienen historias que explican el origen de la humanidad. En este país, la tradición judeocristiana es la que mejor se conoce.

Parte A: Ahora tu profesor/a va a contar la historia de la creación de los hombres según el *Popol Vuh*. Escucha y toma apuntes para poder volver a contar la historia después. Usa el siguiente esquema para tus apuntes.

- dos o tres características del mundo que crearon los dioses
- lo que decidieron hacer los dioses después de crear el mundo y por qué
- cómo resultó esta creación
- otra decisión de los dioses
- características de los tres tipos de Hombre y cómo resultó ser cada uno

Características	**Resultados**
1.	
2.	
3.	

Parte B: Ahora, usando tus apuntes, ayuda a recrear la leyenda con el resto de la clase.

ESTRATEGIA DE REDACCIÓN

Using the Bilingual Dictionary

When you write, try to express yourself as much as possible with vocabulary that is already known to you. This will make it easier for you to compose directly in Spanish. Nevertheless, there will be cases when you need to look up specific vocabulary in order to communicate your thoughts. Here are some guidelines to help you better use the dictionary when writing.

1. Determine the part of speech of the word you want. If you need to look up a phrase or idiom, look under the key word or words.
2. Look up the word in the English-Spanish section of the dictionary. Find the equivalents that match the same part of speech. If the word you are seeking is part of an English idiom, it may be listed later in the entry or under another key word. Remember that the Spanish equivalent may be quite different from the English, as in *to be 10 years old* and **tener 10 años.**

3. If you find more than one Spanish equivalent, you may need to cross-check each of these in the Spanish-English section of the dictionary.
4. When looking up a verb, determine whether you need to use it as transitive, intransitive, or reflexive, in which case the verb is used with a reflexive pronoun. Read the examples to determine if preposition(s) should be used with the verb. Make sure you do not try to translate English phrasal verbs (such as *to get up, to get off, to get over,* etc.) too literally. Many such verbs have a specific Spanish equivalent that may or may not be accompanied by a preposition.

ACTIVIDAD 24 Los equivalentes en español

Using the dictionary

La palabra *light* tiene varios equivalentes en español. Usa la sección del diccionario que aparece al lado para buscar la traducción española de *light* según el contexto de cada oración.

1. Could you turn off the lights?
2. Have you got a light?
3. Then he saw things in a different light.
4. Priests often light candles during religious ceremonies.
5. They decided to paint the room light blue.
6. Experienced tourists prefer to travel light.

light[1] (līt) **I.** s. *(lamp)* luz *f* <*turn the lights on* enciende las luces>; *(radiation)* luz <*ultraviolet l.* luz ultravioleta>; *(illumination)* luz, iluminación *f*; *(daylight)* luz <*the l. of the day* la luz del día>; *(streetlamp)* luz, farol *m*; *(traffic light)* luz, semáforo; *(window)* ventana; *(skylight)* claraboya; *(headlight)* luz, faro; *(lighthouse)* faro, fanal *m*; *(flame)* fuego <*have you got a l.?* ¿me puedes dar fuego?>; FIG. *(spiritual awareness)* luz, iluminación; *(viewpoint)* aspecto, punto de vista <*I never saw the matter in that light* nunca vi el asunto desde ese punto de vista>; *(luminary)* lumbrera, eminencia <*he is one of the leading lights of science* él es una de las destacadas lumbreras de la ciencia>; *(gleam)* brillo <*the l. in her eyes* el brillo en sus ojos>; PINT. luz <*l. and shade* luz y sombra> ♦ **at first l.** al rayar la luz del día • **in l. of** en vista de, considerando • **in the cold l. of day** FIG. fríamente, desapasionadamente • **lights** FIG. *(opinions)* luces, conocimientos • **to bring to l.** FIG. sacar a luz, revelar • **to shed** *o* **throw l. on** FIG. arrojar luz sobre, aclarar • **to come to l.** salir a la luz, ser revelado • **to give the green l.** FIG. aprobar la realización (de un proyecto) • **to see in a different l.** FIG. mirar con otros ojos, mirar desde otro punto de vista • **to see the l.** FIG., RELIG. iluminarse; *(to understand)* comprender, darse cuenta • **to see the l. of day** salir a luz, nacer **II.** tr. **light·ed** *o* **lit** (lĭt), **light·ing** *(to ignite)* encender; *(to turn on)* encender, prender <*who lit this lamp?* ¿quién encendió esta lámpara?>;

light[2] (līt) **I.** adj. **-er, -est** *(lightweight)* ligero, liviano; FIG. *(easily digested)* ligero, liviano; *(not forceful)* suave, leve; *(slight)* fino <*a l. rain* una lluvia fina>; *(faint)* débil; *(easy)* ligero, liviano <*l. work* trabajo liviano>; *(frivolous)* superficial, de poca importancia <*a l. chat* una charla de poca importancia>; *(blithe)* alegre, contento <*a l. heart* un corazón alegre>; *(low in alcohol)* de bajo contenido alcohólico ♦ **as l. as air** liviano como el aire • **l. in the head** mareado • **to be l. on one's feet** ser ligero de pies, moverse con agilidad • **to make l. of** no tomar en serio, restar importancia a **II.** adv. **-er, -est** ligeramente ♦ **to travel l.** viajar con poco equipaje

ACTIVIDAD 25 Tu propio mito

Using the dictionary

Ahora vas a escribir tu propio mito. Primero, piensa en el aspecto del mundo o de la vida que quieres explicar. Luego, haz un esquema de los puntos importantes que vas a desarrollar en la historia con una lista del vocabulario necesario. Usa el diccionario para encontrar nuevas palabras. Luego, escribe el mito, usando palabras de transición y el pretérito y el imperfecto.

CAPÍTULO 4

Llegan los inmigrantes

Escena de mestizaje, Miguel Cabrera. México, 1763.

METAS COMUNICATIVAS

- hablar de la inmigración
- hablar de la historia familiar
- narrar y describir en el pasado (tercera parte)
- expresar sucesos (*events*) pasados con relevancia en el presente
- expresar ideas abstractas y sucesos no intencionales

Entrevista a un artista cubano

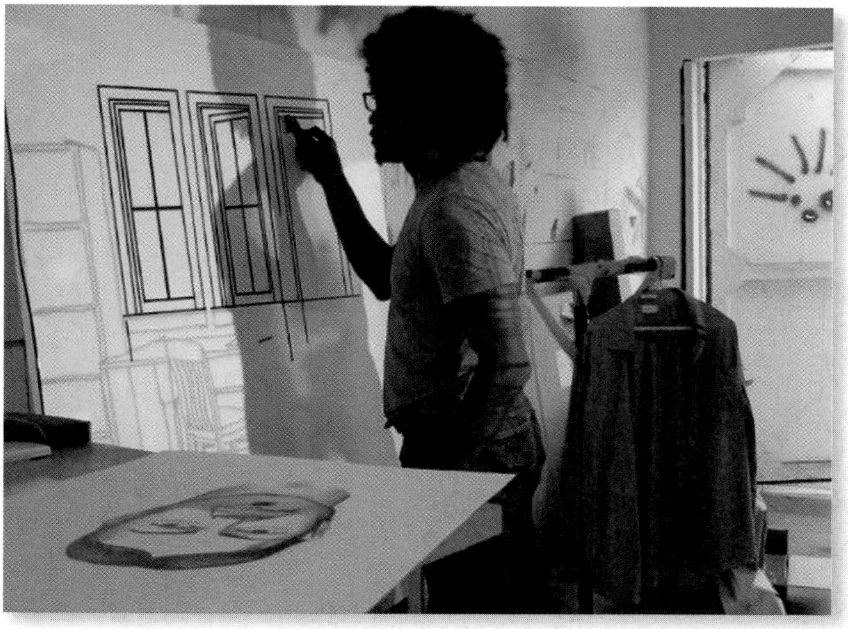

Alexandre Arrechea en su estudio de La Habana, Cuba.

por parte de (mi, tu, etc.) padre/madre	*on my/your/etc. father's/mother's side*
a pesar de que	*even though*
a la hora de + *infinitive*	*when the time comes* + infinitive

ACTIVIDAD 1 La influencia de los inmigrantes

Piensa en los diferentes grupos de inmigrantes que hay en este país y dónde se puede ver su influencia. Da ejemplos específicos.

ACTIVIDAD 2 La entrevista

Parte A: Vas a escuchar una entrevista con Alexandre Arrechea, un artista cubano. Mientras escuchas, anota la siguiente información.

1. origen de su familia
2. un ejemplo de influencia africana
3. un ejemplo de racismo

Parte B: Escucha la entrevista otra vez para contestar estas preguntas.

1. ¿Qué tipo de trabajo tuvieron sus antepasados de origen africano?
2. ¿Por qué dice el artista que la influencia africana en la comida cubana está camuflada?
3. ¿A qué se refiere el comentario "Tú no eres negro, eres blanco"?
4. En cuanto a las parejas, ¿hay muchos matrimonios entre blancos y negros?
5. Alex le sugiere a la entrevistadora que visite Cuba. ¿Dónde le recomienda que se quede para entender mejor a la gente?

¿Lo sabían?

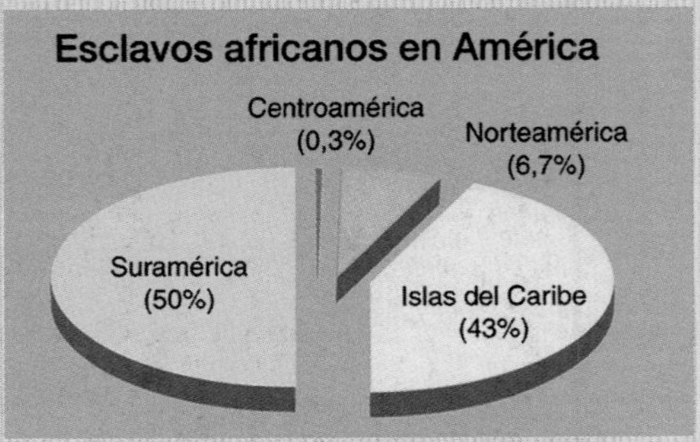

(Fuente: The African Presence in the Americas 1492–1992, Schomburg Center for Research in Black Culture, The New York Public Library. http://www.si.umich.edu/CHICO/Schomburg/text/migration7big.html.)

Cuando los conquistadores llegaron al continente americano, usaron inicialmente a los indígenas para los trabajos pesados, pero con el tiempo muchos empezaron a morirse de enfermedades que padecían los españoles. Los españoles comenzaron a darse cuenta de que los indígenas también se resistían a servir a los conquistadores. Fue en parte por esa falta de mano de obra que comenzó el tráfico de esclavos de África hacia el Nuevo Mundo. Aunque llegaron esclavos a todo el continente, el 38,2% fue a Brasil, el 7,3% a Cuba y solamente el 4,6% llegó a los Estados Unidos. Hoy día, en Cuba, la influencia africana se encuentra en la música, el baile, la comida y en la cultura en general. Hasta en la religión que practican algunos cubanos, que se llama santería, se ve esta fusión de culturas al combinar a dioses africanos con santos de la religión católica.

¿Qué fusión de culturas se puede observar en tu país?

ACTIVIDAD 3 En los Estados Unidos

En grupos de tres, hablen de los inmigrantes africanos que llegaron a los Estados Unidos. Digan cuándo y por qué llegaron y dónde se ve su influencia hoy día.

I. Discussing Immigration

La inmigración

Do the corresponding web activities as you study the chapter.

Pedro Domínguez y sus hermanos; Buenos Aires, Argentina, 1926.

Fuente hispana

"Mi madre es argentina y mi abuela también, pero mis **bisabuelos** *maternos eran italianos. Mi abuelo materno* **emigró** *de Casablanca, Marruecos, cuando tenía 18 años. A lo largo de este capítulo voy a contar la historia de la inmigración de mi padre.*

Mi padre llegó por barco a Buenos Aires, Argentina, desde España en 1925 cuando tenía dos años. Eran nueve en total: Mi abuelo, mi abuela y sus siete hijos. Todos **eran oriundos de** *Cáceres en la región de Extremadura e iban a Argentina a* **hacerse la América** *y* **en busca de nuevos horizontes**, *porque la situación en España no era muy buena y América prometía más oportunidades de triunfar. Era una familia* **de pocos recursos**, *pero llegaron con algo de dinero y mi abuelo* **tenía mucha iniciativa.** *Él era comerciante en España y cuando llegó a Buenos Aires, abrió una camisería, una tienda donde hacía camisas a medida."* ■

argentino

great-grandparents

emigrated

were originally from

to seek success in America; in search of new opportunities (horizons)

low-income

he had a lot of initiative

MUSEO DEL INMIGRANTE

Certificado de arribo a América

ISAAC BENSABAT
de Nacionalidad ***ESPAÑOLA***
procedente de ***STA. CRUZ DE TENERIFE,***
llegó a ***BUENOS AIRES***
el 7 de Junio de 1907
en el buque ***CAP. VERDE***

Sus datos de origen son :

EDAD	*: 58 años*
Estado Civil	*: CASADO*
Profesión	*: COMERCIANTE*
Religión	*: CATOLICA*

La información consignada fue obtenida por el C.E.M.L.A. según los registros de Embarque de inmigrantes de la Dirección Nacional de Población y Migración. No obstante este Certificado no tiene validez para realizar cualquier trámite administrativo, judicial o de otra índole.

altocity.com Line Casa FOA

Personas	
los antepasados	ancestors
el/la descendiente	descendant
el/la emigrante	
el/la esclavo/a	slave
el/la extranjero/a	foreigner
el/la inmigrante	
el/la mestizo/a	
el/la mulato/a	
el/la pariente lejano/a	distant relative
el/la refugiado/a político/a	political refugee
el/la residente	
el/la tatarabuelo/a	great-great-grandfather/ grandmother

Otras palabras relacionadas con la inmigración	
la ascendencia	ancestry
la discriminación, discriminar a alguien	
la emigración	
el extranjero	abroad
hacer algo contra su voluntad	to do something against one's will
hacerse ciudadano/a	to become a citizen
inmigrar, la inmigración	
la libertad	freedom
el orgullo	pride
recibir a alguien con los brazos abiertos	to receive someone with open arms
sentir nostalgia (por)	to be homesick; to feel nostalgic (about)
sentirse rechazado/a	to feel rejected
ser bilingüe/trilingüe/políglota	
ser mano de obra barata	to be cheap labor
ser una persona preparada	to have an education
tener incentivos	
tener prejuicios contra alguien	to be prejudiced against someone
tener título	to have an education/a degree
tener un futuro incierto	to have an uncertain future

ACTIVIDAD 4 Definiciones

En parejas, miren las listas de palabras sobre la inmigración de las páginas 103 and 104 y túrnense para definir una palabra o frase sin usarla en su definición. La otra persona debe adivinar qué palabra o frase es.

ACTIVIDAD 5 ¿Quiénes llegaron?

Los inmigrantes

Latinoamérica ha recibido gente de todas partes del mundo. En parejas, una persona debe mirar la tabla A y la otra la tabla B. Luego háganse preguntas para completar su tabla sobre los diferentes inmigrantes que llegaron.

A

nacionalidad y épocas importantes de emigración	adónde fueron y por qué	condiciones en su país de origen	otros datos
alemanes ¿?	Chile - el gobierno (ofrecerles) tierra	¿?	• (ser) gente preparada como artesanos, (tener) título universitario
chinos 1849-1874	¿?	¿?	• ¿? • (trabajar) bajo condiciones infrahumanas
italianos ¿?	Argentina - (trabajar) en las fábricas y en ¿?	• ¿? • en el norte (haber) interés en hacerse la América	• (haber) dos hombres por cada mujer emigrante
judíos al final del siglo XIX	¿?	• (huir) de la pobreza y el antisemitismo en Rusia	¿?

En Perú, hoy día hay restaurantes chinos que se conocen como *chifas*.

B			
nacionalidad y épocas importantes de emigración	**adónde fueron y por qué**	**condiciones en su país de origen**	**otros datos**
alemanes 1846–1851	¿?	(haber) problemas políticos (especialmente para la clase media con ideas liberales) y (haber) una crisis agrícola	¿?
chinos ¿?	Perú - (trabajar)	• (haber) sobrepoblación en China	• ¿? • casi todos (ser) hombres • hoy día 2 millones de peruanos (ser) de sangre china
italianos 1880–1914	Argentina - ¿? y (trabajar) en la agricultura	• en el sur (haber) sobrepoblación y pobreza • ¿?	¿?
judíos ¿?	Argentina - (haber) tolerancia religiosa después de independizarse de España	¿?	• Argentina (ser) hoy el séptimo país del mundo en números de judíos

¿Lo sabían?

En el año 1965, cuando la situación económica en Corea estaba en crisis, algunos ciudadanos coreanos optaron por inmigrar a países como Paraguay y Argentina, que ofrecían incentivos para inmigrantes, y con el tiempo llegaron a tener una posición económica estable. Aunque los hijos de estos inmigrantes asistían a escuelas donde se mezclaban con los niños locales, las familias coreanas vivieron apartadas y muchas nunca se integraron culturalmente. Desafortunadamente, cuando los países receptores entraron en un período económico difícil, algunas personas discriminaron a los coreanos por tener éxito con sus negocios cuando otras personas estaban perdiendo trabajo en el sector industrial. Por eso, algunos de esos inmigrantes decidieron irse del país que en un momento los había recibido con los brazos abiertos.

¿Puedes nombrar casos en la historia de tu país cuando el aumento de xenofobia ha coincidido con una crisis económica?

ACTIVIDAD 6 El mosaico de razas

Parte A: Todos los países tienen inmigrantes de diferentes partes del mundo. En grupos de tres, mencionen cuáles son los principales grupos de inmigrantes que vinieron a este país.

Shakira, colombiana de raíces siriolibanesas, canta con Stevie Wonder antes de la asunción de mando del presidente Obama.

Parte B: Ahora discutan las siguientes ideas sobre los italianos que llegaron a los Estados Unidos.

- cuándo llegaron
- por qué emigraron
- cuál era la situación en su país
- cómo llegaron a los Estados Unidos
- si fueron recibidos con los brazos abiertos
- qué idioma hablaban
- qué educación tenían
- si hubo discriminación una vez que llegaron
- en qué partes del país se establecieron

ACTIVIDAD 7 Un pariente

En parejas, lean otra vez la descripción de Pablo en la sección de vocabulario sobre cómo llegó su padre a Buenos Aires. Luego, cuéntenle a su compañero/a cómo llegó un/a pariente o un/a conocido/a suyo/a a este país.

II. Expressing Past Intentions, Obligations, and Knowledge

Preterit and Imperfect (Part Three)

1. To express a past plan that did not materialize, use the imperfect of **ir** + **a** + *infinitive*. This construction can be used to give excuses.

Mi bisabuelo **iba a ir** a los EE.UU. en el *Titanic*, pero se enfermó y fue unas semanas más tarde en otro barco.	*My great-grandfather was going to go to the U.S. on the* Titanic, *but he got sick and went some weeks later on another ship.*
Iba a mudarse al norte, pero hacía mucho frío en esa región y por eso no fue.	*He was going to move to the north, but it was very cold in that region and that's why he didn't go.*

2. Because the imperfect and the preterit express different aspects of the past, they may convey different meanings with certain verbs when translated into English. In these cases, the imperfect emphasizes the ongoing nature of the state, while the preterit emphasizes the onset or end of an action. These verbs or verb phrases include:

	Imperfect (ongoing state)	**Preterit (action)**
conocer (**a** + *person*)	knew (someone or some place)	met for the first time / began to know (someone or some place)
saber (+ *information*)	knew (something)	found out (something)
no querer (+ *infinitive*)	didn't want (to do something)	refused and didn't (do something)
no poder (+ *infinitive*)	was/were not able (to do something)	was/were not able and didn't (do something)
tener que (+ *infinitive*)	had to / was supposed to (do something), but didn't necessarily do it	had to and did (do something)

Josef Hausdorf **no podía** vivir más en su país y por eso emigró con su familia a Chile.	*Josef Hausdorf couldn't live in his country any more so he emigrated with his family to Chile.*
Su hijo Hans **no quería** irse a Chile porque no **conocía** a nadie allá.	*His son Hans didn't want to go to Chile because he didn't know anyone over there.*
Hans **tenía que** despedirse de su mejor amigo Fritz, pero fue a su casa y no estaba.	*Hans had to say good-by to his best friend Fritz, but he went to his house and he wasn't there.*
Al final **no pudo** verlo, así que le escribió una carta donde **no quiso** decirle "adiós", sino "hasta luego".	*In the end he wasn't able (didn't manage) to see him, so he wrote him a letter in which he refused to say "good-by" but rather "until later".*
Al llegar al puerto, Hans **supo** que había otros niños en el barco a Chile.	*When he arrived at the port, Hans found out there were other kids on the ship to Chile.*
Conoció a quince niños la primera noche y para el segundo día ya **sabía** todos los nombres.	*He met fifteen kids the first night and by the second day he already knew all their names.*

ACTIVIDAD 8 Miniconversaciones

Parte A: Diferentes personas en la cafetería de la universidad hablan del fin de semana pasado. Completa las conversaciones con el pretérito o el imperfecto de los verbos indicados. Lee cada conversación antes de decidir qué forma del verbo usar.

1

Me presentaron al novio de María, pero yo ya lo ____________ muy bien. (conocer)

¿Dónde lo ____________? (conocer)

Es mi ex novio.

2

Pedro ____________ llamar al dentista para cancelar la cita. (tener que)

¿Y lo llamó o no?

Se olvidó por completo porque la cita era un sábado.

3

Ayer, en la fiesta, mi novio __no quiso__ bailar conmigo. (no querer)

¿Y qué hiciste?

Cuando vio que yo iba a bailar con otro, vino rápidamente. Bailamos hasta las cinco de la mañana. Hoy ____________ ponerme mis zapatos favoritos porque me duelen mucho los pies. (no poder)

4

¡Qué contento te ves!

Sí, cuando era niño __no podía__ hablar con mi abuelito mexicano, pero gracias a esta clase de español, finalmente tuvimos una plática de una hora y __supe__ por él que mi tatarabuela era huichola. (no poder, saber)

5

¿Por qué no fuiste a la fiesta el sábado?

____________ estudiar y ahora estoy muy bien preparado para el examen. (tener que)

6

Por fin llegaron mis padres de Guatemala.

Deben estar muy contentos tus padres de ver a sus nietos.

Sí y no, porque mis niños, que hablan inglés todo el día, ____________ hablarles en español. (no querer)

Huicholes are indigenous people in Mexico who are descendent from the Aztecs and are related to the Hopi of Arizona.

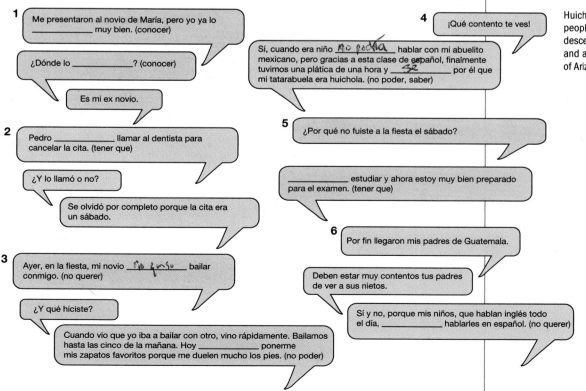

Parte B: En parejas, escojan una de las conversaciones y continúenla. Mantengan una conversación por lo menos de diez líneas usando el pretérito y el imperfecto dentro de lo posible.

ACTIVIDAD 9 Tenía todas las buenas intenciones

Ayer tus amigos y tú iban a hacer muchas cosas, pero todos tuvieron diferentes problemas. Usa la siguiente información para decir cuáles eran sus intenciones, por qué no las llevaron a cabo y qué hicieron después.

► Paul y yo íbamos a esquiar en el lago, pero no pudimos prender el motor del bote y por eso nos quedamos allí tomando el sol y nadando un poco.

A Intenciones
1. hacer un picnic
2. ir a una fiesta
3. comprar el libro de trigonometría
4. estudiar para el examen
5. jugar un partido de tenis
6. sacar un libro de la biblioteca
7. pagar la cuenta de la luz por Internet

B Problemas
no tener conexión
llover
estar cansados
invitarte a una fiesta
no haber más en la librería
no tener el carnet de estudiante
quedarse dormidos

C
¿Qué ocurrió después?

ACTIVIDAD 10 La semana pasada

En parejas, digan tres cosas que tenían que hacer y que no hicieron la semana pasada y por qué. Luego digan tres cosas que sí tuvieron que hacer. Piensen en cosas como las siguientes.

- dejar una clase
- hacer fotocopias
- comprar...
- llamar a sus padres / un/a amigo/a
- estudiar para la clase de...
- devolver un libro
- mandarle un mail a...
- pagar la cuenta de luz/gas/etc.
- limpiar su apartamento/habitación
- empezar a escribir un trabajo

ACTIVIDAD 11 Un cambio radical

Parte A: Lee la siguiente historia de lo que ocurrió cuando el padre de Pablo llegó a Argentina.

Fuente hispana

"Después de cuarenta días en barco con siete niños —la más pequeña de un añito— la familia de mi padre llegó a Argentina. Mis abuelos **no conocían a nadie** *y* **no sabían dónde iban** *a vivir. Por suerte, otro español los ayudó y encontraron un lugar en la capital. Lamentablemente, al mes de llegar a Argentina, se murió mi abuela y mi abuelo se quedó solo con siete hijos. Entonces* **tuvo que poner** *a sus hijas en un internado de monjas y a los hijos en un internado de curas. Al principio los niños* **no querían ir** *a la escuela, pero finalmente lo aceptaron. Los dos únicos que se quedaron en casa por un tiempo fueron la hija menor, que tenía un año, y mi padre, que tenía dos años y medio."* ■

internado = boarding school

En el caso de los hijos del abuelo de Pablo, la educación fue gratuita debido a sus circunstancias.

Parte B: En grupos de tres, hablen sobre una vez que Uds. se mudaron a un lugar nuevo, empezaron a asistir a una escuela nueva o fueron a un campamento durante el verano. Expliquen los problemas que tuvieron, qué tuvieron que hacer para hacer nuevos amigos y también hablen de las cosas que no querían hacer porque se sentían incómodos.

¿Lo sabían?

Cuando una persona va a vivir a otro país, generalmente pasa por lo que se llama el choque cultural. Este proceso consta de cuatro etapas diferentes. La primera etapa es la llamada luna de miel, en la que al recién llegado le fascina el nuevo país y todo le resulta atractivo. La segunda etapa es la del rechazo, cuando el individuo se siente incómodo con todo lo que esté conectado con la "nueva" cultura; se cuestiona por qué está allí y se aísla de su entorno. A medida que pasa el tiempo, la persona comienza a aceptar las nuevas costumbres y a adaptarse. Algunas personas se quedan en esa tercera etapa, pero por lo general, muchas van más allá y entran en la cuarta etapa cuando se integran a la cultura: celebran las tradiciones del lugar, comen sus comidas y tienen amigos de esa cultura.

¿Has pasado un período largo en otro país? Si contestas que sí, ¿pasaste por alguna etapa del choque cultural?

III. Expressing Abstract Ideas

Lo + Adjective and *lo que*

1. Use the word **lo**, followed by a masculine singular adjective, to express abstract ideas.

Lo bueno es que muchos inmigrantes logran integrarse a la sociedad.	*The good (part/thing/point) is that many immigrants manage to integrate into society.*
Lo triste son los individuos que discriminan a esos inmigrantes.*	*The sad (part/thing) are the individuals who discriminate against those immigrants.*

*__Note:__ Just as in English, since **individuos** is plural, so is the verb that precedes it.

2. **Lo que** is used to express *the thing that* or *what,* whenever *what* is not a question word.

Lo que les interesaba era no perder contacto con la familia.	*What/The thing that they were interested in was not losing contact with their family.*
¿Qué dices? **Lo que** propones es absurdo.	*What are you saying? What/The thing that you propose is absurd.*

ACTIVIDAD 12 Libros y películas

Parte A: Vamos a ver cuánto sabes de libros y películas. Intenta combinar ideas de las tres columnas y empieza cada oración con **lo** + *adjetivo.*

► trágico *Romero* asesinar / al arzobispo

Lo trágico de la película *Romero* fue que asesinaron al arzobispo.

interesante	*Psicosis*	Hester Prynne / tener / un hijo ilegítimo
trágico	*Frida*	él / enamorarse / de Dulcinea
increíble	*ET*	quemarse / la ciudad de Atlanta
escandaloso	*Bambi*	morirse / su madre
terrible	*La letra escarlata*	esconderse / en el armario
cómico	*El Quijote*	los dos / suicidarse
triste	*Lo que el viento se llevó*	él / atacarla / en la ducha
romántico	*Romeo y Julieta*	sufrir / un accidente de tráfico horrible

Parte B: Ahora menciona otras películas o libros y di qué fue lo interesante, lo horrible, lo increíble, lo cómico, etc.

ACTIVIDAD 13 El año pasado

En parejas, díganle a la otra persona qué fue lo mejor, lo peor, lo terrible, lo que les fascinó, lo que les molestó y lo que les interesó del año pasado.

► Lo que me molestó del año pasado fueron los nuevos programas de la televisión... todos los reality shows... prefiero la ficción.

ACTIVIDAD 14 Tu universidad

En grupos de tres, discutan las siguientes ideas sobre su universidad.

- lo que les divierte
- lo que les gusta
- lo que les molesta
- lo que proponen para mejorarla

ACTIVIDAD 15 Lo triste fue que...

Parte A: Lee el siguiente episodio de la familia de Pablo y responde a las preguntas de comprensión de tu profesor/a.

Fuente hispana

"Antes de emigrar a Argentina, mi abuelo tenía una mercería en Cáceres y al lado había una zapatería. Todos los meses, el dueño de la zapatería y mi abuelo jugaban juntos a la lotería. ***Lo triste*** *fue que al mes de irse mi abuelo con toda su familia a Argentina, el dueño de la zapatería se sacó 'la grande'. Mi abuelo supo esto como un año más tarde porque en esa época era muy difícil comunicarse a larga distancia.* ***Lo irónico*** *fue que mi abuelo se fue a Argentina para hacerse la América y su amigo, que se quedó en España, fue el que se hizo millonario."* ■

mercería = notions shop

Parte B: En parejas, hablen de momentos de su vida o de la vida de alguien que conozcan y digan qué fue lo triste, lo cómico, lo trágico, lo irónico, etc.

IV. Expressing Accidental or Unintentional Occurrences

Unintentional *se*

Note that the singular and plural nouns function as subjects of the verbs in this construction even though they are placed after the verb.

1. To express accidental or unintentional occurrences, use the following construction with **se** and an indirect-object pronoun.

se me **se te** **se le** **se nos** **se os** **se les**	*+ singular verb + singular noun* *+ plural verb + plural noun*

Se nos cay**ó** la **computadora.** — *We dropped the computer.*

Se le perd**ieron** las **llaves.** — *He/She/You lost the keys.*

Se le perd**ieron** las **llaves** a Eva.*
A Eva **se le** perd**ieron** las **llaves**.
} *Eva lost the keys.*

*__Note:__ A phrase introduced by **a** + *noun/pronoun* can be used to provide clarity or emphasis of the indirect-object pronoun (**me, te, le, nos, os, les**). It can be placed at the beginning or end of a sentence.

2. Compare the following sentences, one involving an intentional occurrence and the other an unintentional one.

Intentional Occurrence	Unintentional Occurrence
El otro día me enfadé con mi novio y **quemé su foto** para no tener ningún recuerdo de él.	El otro día prendí una vela cerca de la foto de mi novio y me fui. Cuando volví, **se me había quemado la foto.**
The other day I got mad at my boyfriend and I burned his picture so as not to have any reminder of him.	*The other day I lit a candle near my boyfriend's picture and I left. When I returned, the picture had burned.*

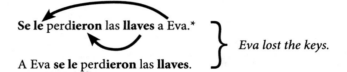

3. The following list presents verbs commonly used with this construction.

acabar/terminar	**Se me acabó** el dinero. No tengo ni un centavo.
caer	**Se le cayeron** dos platos al suelo (a Jorge).
descomponer	**Se me descompuso** el televisor y me costó 250 pesos arreglarlo.
olvidar	No me llamaste. ¿**Se te olvidó** el celular en casa?
perder	Tu tía me contó que **se te perdió** el perrito.
quedar (*to leave behind*)	**Se le quedaron** los anteojos en casa (a Daniela).
quemar (*to burn*)	¡Qué mala suerte! **Se nos quemó** la cena.
romper	Cuidado con esa copa de cristal. **Se te va a romper**.

descomponer (*some countries in Hispanic America*) = **averiar** (*Spain*)

ACTIVIDAD 16 La boda

Dos parejas de novios que se casaron la semana pasada tuvieron bastante mala suerte el día de su boda. En parejas, una persona mira la información del matrimonio A y la otra la información del matrimonio B. Después, cuéntense qué le ocurrió a cada pareja y luego decidan cuál creen que tuvo peor suerte y por qué.

A: Clara Gómez y Aldo Portillo
a ella / caer / un pedazo de pastel de boda / en el vestido
a él / romper / la cremallera (*zipper*) de los pantalones
a ellos / quedar / los pasaportes en la casa / tomar el avión un día más tarde
a él / perder / las tarjetas de crédito el segundo día de la luna de miel
a él / perder / el anillo de matrimonio

B: Santiago Vélez y Sara Sosa
a él / romper / una botella de champaña
a ella / caer / el anillo de matrimonio por el lavabo
a ellos / olvidar / los pasajes de avión en la casa
a ellos / acabar / la gasolina camino al aeropuerto / el avión salir / sin ellos
a ella / perder / las maletas

ACTIVIDAD 17 Excusas por llegar tarde

Mañana cinco policías van a llegar tarde al trabajo para protestar contra los sueldos bajos. Escribe las cinco excusas que van a dar por llegar tarde, usando la construcción con el **se** accidental. Empieza las oraciones con frases como: **Una policía va a decir que... / Un policía va a explicar que...**

ACTIVIDAD 18 **La pregunta inocente**

Parte A: Antes de mirar la tira cómica, contesta las siguientes preguntas sobre tu niñez.

1. Cuando eras pequeño/a y se te caía un diente, ¿dónde lo ponías?
2. ¿Alguien te traía algo? Si contestas que sí, ¿quién y qué te traía?

Parte B: En muchas culturas hispanas, los niños ponen los dientes debajo de la almohada y el Ratoncito Pérez les deja dinero. Mira la tira cómica y contesta las siguientes preguntas.

1. ¿Qué se le cayó a la computadora?
2. ¿Dónde la quiere poner el niño?
3. ¿Cuál es el juego de palabras en la tira cómica?

V. Narrating and Describing in the Past

Summary of Preterit and Imperfect

As you read more about Pablo's father's childhood in Argentina, pay attention to how the preterit and imperfect are used to talk about the past.

Preterit	Imperfect
	Setting the scene: Description **(1)** "Después de la muerte de mi abuela, mi abuelo ***estaba*** solo y ***tenía*** muy poco dinero para mantener a sus siete hijos.
Completed action **(2)** Por eso un día ***puso*** a sus hijos en un internado.	**Setting the scene: Time and age** **(3)** Mi padre ***tenía*** siete años cuando empezó la escuela. ***Eran*** las ocho de la mañana cuando llegó a su primer día de clase.
	**Setting the scene: Ongoing emotion or mental state** **(4)** ***Estaba*** muy triste porque su padre y sus hermanas estaban muy lejos.
	Action or state in progress **(5)** Pero, le ***gustaba*** ir a la escuela porque sus hermanos ***estaban*** allí.
	Habitual action **(6)** Luis, hermano mayor de mi padre, siempre ***se escapaba*** de la escuela.
Action in progress when another action occurred **(7)** Un día, mientras Luis ***se escapaba*** por una ventana, un cura lo ***vio*** y ***llamó*** a mi abuelo para decirle que su hijo ya no podía volver a la escuela.	
Beginning/End of action **(8)** Mi padre ***terminó*** de estudiar a los 12 años y ***empezó*** a trabajar con mi abuelo.	**Intention** **(9)** Mi padre ***iba a estudiar*** hasta los 18, pero la familia necesitaba dinero.
Action over specific period of time **(10)** Así que mi padre ***asistió*** a la escuela solo cinco años.	**Simultaneous ongoing actions** **(11)** Mientras los hijos ***trabajaban***, las hijas ***preparaban*** la comida y ***lavaban*** y ***planchaban*** la ropa.

ACTIVIDAD 19 Siempre hay una primera vez

Parte A: Piensa en una de las siguientes situaciones y completa la tabla de la página siguiente.

¿Cuándo fue la primera vez que...

- diste o recibiste un beso?
- viajaste en avión o en tren?
- manejaste un coche y estabas solo/a?

Circunstancias				Lo que ocurrió
Edad	Lugar	Mes / Día de la semana	Emociones	

Parte B: Ahora, en parejas, cuéntense sus historias y háganse preguntas para averiguar más información. Usen las siguientes expresiones para reaccionar a la historia de su compañero/a.

Para reaccionar

¡Qué horror!	How terrible/horrible!
¡Qué cursi!	How tacky!
¡Qué genial!	How great!
Lo pasaste bien/mal, ¿eh?	You had a good/bad time, right?
Te cayó bien/mal, ¿eh?	You liked/disliked him/her, right?
¡Caray!	Geeze!
Fuiste de Guatemala a Guatepeor.	You went from bad to worse. (*play on words in Spanish*)
No puede ser. / No te creo.	That can't be true. / I don't believe you.

ACTIVIDAD 20 Una historia interesante

Parte A: Piensa en una de las siguientes situaciones y completa la tabla para prepararte a contar la historia.

- una vez que hiciste algo malo y tus padres te pillaron (*caught you*)
- la ocasión en que conociste a tu primer/a novio/a
- una fiesta sorpresa a la cual asististe
- tu primer día de universidad
- la peor salida con alguien

Circunstancias				Lo que ocurrió
Edad	Lugar	Mes / Día de la semana	Emociones	

Parte B: Ahora, en parejas, cuéntense sus historias y háganse preguntas para averiguar más información. Tomen apuntes sobre la historia de su compañero/a para luego contarle la historia a otra persona.

Parte C: Ahora cambien de compañero/a y usen sus apuntes para contarle la historia que acaban de escuchar.

ACTIVIDAD 21 La historia de Canelo: un perro fiel

En parejas, miren los siguientes dibujos que cuentan la historia verídica (*true*) de un hombre enfermo que necesitaba diálisis y que no tenía a nadie excepto a su perro Canelo. Expliquen qué ocurrió usando el pretérito y el imperfecto.

Canelo de verdad existió y si vas a Cádiz, en el sur de España, puedes visitar la calle Canelo, leer la placa en su honor y ver su estatua.

Todos los días...

Pero un día...

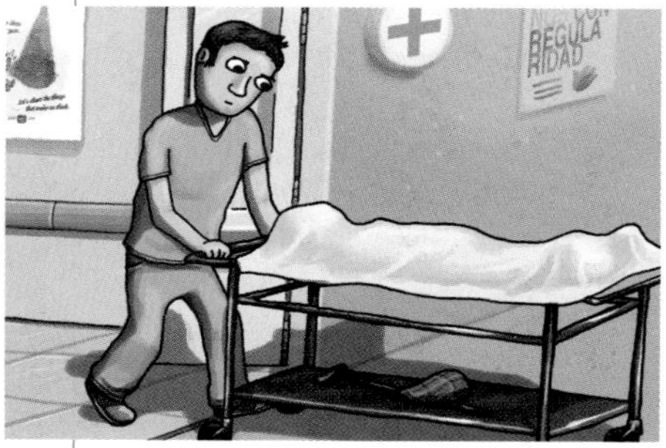

Lamentablemente...

Una mañana...

Pero al día siguiente...

Unos meses después...

Lo increíble fue que...

Al día siguiente...

Pero una noche, doce años después, cuando...

Al final...

ACTIVIDAD 22 Armemos una historia

En parejas, cada uno mire solamente una de las siguientes listas de palabras y luego, inventen juntos una historia integrando las palabras. Deben turnarse para usar las expresiones de su lista en el orden que prefieran. Al usar una expresión, táchenla. Comiencen la historia con la siguiente oración: **Manuela había llegado a los Estados Unidos hacía dos semanas y no hablaba inglés...**

A	
un día	mientras
pero entonces	lo que siempre
conoció	sentía nostalgia
tenía que	lo cómico fue que mientras

B	
al final	de repente
ya sabía	no quería
por suerte	se le cayó
lo triste fue que	se sentía rechazada

ACTIVIDAD 23 La foto misteriosa

En grupos de tres, miren la siguiente foto y usen la imaginación y la guía de ideas para inventar una historia sobre lo que ocurrió.

- cómo era la vida de esta persona, de qué país había emigrado, qué tenía que hacer un día típico, qué sabía hacer, a qué persona importante conocía
- qué ocurrió un día y por qué, qué hora era, a quién conoció, qué iba a hacer pero no pudo, qué tuvo que hacer ese día
- al final qué pasó

VI. Discussing the Past with Present Relevance

The Present Perfect

present = relevance in the present

perfect = perfective or completed action

1. To discuss past occurrences you can use the preterit, the imperfect, and the pluperfect. In addition, you can use the present perfect (**pretérito perfecto**) to discuss events that have taken place in the past and are relevant to present, or to past events that began in the past and may continue in the present. This parallels English usage. To form the present perfect, use a form of **haber** in the present indicative + *past participle.*

haber		
he	hemos	+ past participle
has	habéis	
ha	han	

To review the formation of past participles, see page Appendix A, page 365.

—¿**Has visto** *El Norte* de Gregory Nava? — *Have you seen* El Norte *by Gregory Nava?*

—Sí, la he visto varias veces. La **han mostrado** en escuelas, universidades y cines por casi 30 años. — *Yes, I've seen it many times. They've shown it in schools, universities, and movie theaters for almost 30 years.*

2. Use the present perfect with the expression **alguna vez** to ask the question *Have you ever . . . ?*

¿Alguna vez **has visitado** el pueblo donde nació tu bisabuelo? — *Have you ever visited the town where your great-grandfather was born?*

3. **Ya** (*already, yet*) is mainly used only in Spain with the present perfect in affirmative questions and affirmative sentences and it usually precedes the verb. **Todavía** (*still, yet*) is used in most Spanish-speaking countries in negative questions and negative sentences and is placed before the word **no** or at the end of the sentence.

—¿**Ya** has terminado? (*Spain*) / ¿**Ya** terminaste? — —Sí, **ya** he terminado. (*Spain*) / Sí, **ya** terminé.

Have you already finished? / Have you finished yet? — *Yes, I've already finished.*

—¿**Todavía no** has comido?	—No, **todavía no** he comido nada. / No, **no** he comido nada **todavía.**
Haven't you eaten yet?	*No, I still haven't eaten anything./ No, I haven't eaten anything yet.*

Fusión de culturas

ACTIVIDAD 24 Tu familia

Parte A: Hazles preguntas a tus compañeros para averiguar quién ha hecho las siguientes cosas.

1. ver el árbol genealógico de su familia
2. hacer investigación sobre su familia en Internet
3. visitar el sitio en Internet de la isla de Ellis
4. ir a otro país donde viven/vivieron parientes suyos
5. estudiar la lengua de sus tatarabuelos
6. sentirse discriminado/a por su raza, sexo, religión, orientación sexual
7. asistir a un festival o celebración de otra cultura
8. salir con alguien de otra nacionalidad

Parte B: Ahora comparte tus respuestas con el resto de la clase.

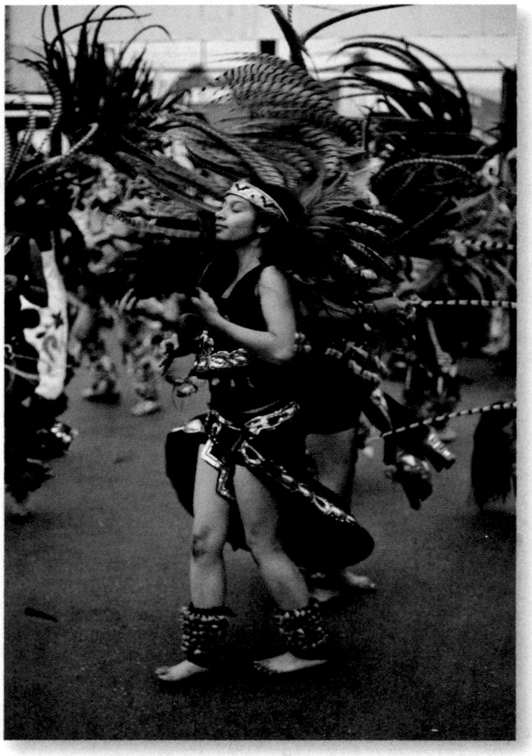

El Día de los Muertos en el cementerio Hollywood Forever de Los Ángeles.

ACTIVIDAD 25 Y este semestre, ¿qué?

En parejas, pregúntenle a la otra persona si ha hecho las siguientes actividades este semestre. La persona que responde debe explicar su respuesta. Sigan el modelo.

▶ —¿Ya has tomado un examen?

—Sí, ya he tomado un examen. Tuve uno...

—No, todavía no he tomado ningún examen. Tengo uno...

1. hablar con su consejero/a académico/a
2. ir a la oficina de su profesor/a de español
3. elegir las materias para el próximo semestre
4. decidir con quién(es) va a vivir el año que viene
5. encontrar un lugar para vivir el año que viene
6. solicitar un trabajo para el verano

ACTIVIDAD 26 Cambios

Parte A: En grupos de cuatro, dos de Uds. son personas muy pesimistas y las otras dos son muy optimistas. Mencionen tres o cuatro de los sucesos (*events*) sociales o políticos más importantes que han ocurrido en los últimos doce meses. Pueden usar la lista de sucesos que se presenta a continuación. Sigan los modelos.

▶ (pesimista) Este año ha habido muchos robos en esta ciudad.

▶ (optimista) Este año hemos creado más programas sociales.

- haber más/menos personas sin trabajo
- crear más/menos programas para reducir la violencia en el hogar
- aumentar/reducir la contaminación
- haber más/menos escándalos políticos
- aumentar/reducir el nivel de pobreza
- mejorar/empeorar el nivel de la enseñanza primaria y secundaria
- tener más/menos accidentes de avión
- haber más/menos atentados terroristas

Parte B: Ahora profundicen sobre uno o dos de los sucesos sociales o políticos que mencionaron en la Parte A.

Do the corresponding web activities to review the chapter topics.

CAPÍTULO 4

Vocabulario activo

La inmigración

Personas

los antepasados *ancestors*
el/la bisabuelo/a *great-grandfather/grandmother*
el/la descendiente *descendant*
el/la emigrante *emigrant*
el/la esclavo/a *slave*
el/la extranjero/a *foreigner*
el/la inmigrante *immigrant*
el/la mestizo/a *mestizo (indigenous and European)*
el/la mulato/a *mulatto (black and European)*
el/la pariente lejano/a *distant relative*
el/la refugiado/a político/a *political refugee*
el/la residente *resident*
el/la tatarabuelo/a *great-great-grandfather/grandmother*

Otras palabras relacionadas con la inmigración

la ascendencia *ancestry*
en busca de nuevos horizontes *in search of new opportunities (horizons)*
la discriminación *discrimination*
discriminar a alguien *to discriminate against someone*
la emigración *emigration*
emigrar *to emigrate*
el extranjero *abroad*
hacer algo contra su voluntad *to do something against one's will*
hacerse ciudadano/a *to become a citizen*
hacerse la América *to seek success in America*
la inmigración *immigration*
inmigrar *to immigrate*
la libertad *freedom*
el orgullo *pride*
recibir a alguien con los brazos abiertos *to receive someone with open arms*
sentir nostalgia (por) *to be homesick; to feel nostalgic (about)*
sentirse rechazado/a *to feel rejected*
ser bilingüe/trilingüe/políglota *to be bilingual/trilingual/a polyglot*
ser mano de obra barata *to be cheap labor*
ser oriundo/a de (+ *ciudad o país*) *to be originally from (+ city or country)*
ser una persona de pocos recursos *to be a low-income person*
ser una persona preparada *to have an education*
tener incentivos *to have incentives*
tener iniciativa *to have initiative/drive*
tener prejuicios contra alguien *to be prejudiced against someone*
tener título *to have an education / a degree*
tener un futuro incierto *to have an uncertain future*

Verbos que se usan con *se* accidental

acabar/terminar *to run out (of)*
caer *to fall*
descomponer *to break down*
olvidar *to forget*
perder *to lose*
quedar *to leave behind*
quemar *to burn*
romper *to break*

Expresiones útiles

a la hora de + *infinitive* *when the time comes* + infinitive
a pesar de que *even though*
por parte de (mi, tu, etc.) padre/madre *on (my, your, etc.) father's/mother's side*
¡Caray! *Geeze!*
Fuiste de Guatemala a Guatepeor. *You went from bad to worse.*
Lo pasaste bien/mal, ¿eh? *You had a good/bad time, right?*
No puede ser. / No te creo. *That can't be true. / I don't believe you.*
¡Qué cursi! *How tacky!*
¡Qué genial! *How great!*
¡Qué horror! *How terrible/horrible!*
Te cayó bien/mal, ¿eh? *You liked/disliked him/her, right?*

Más allá

Canción: "Papeles mojados"

Lamari

María del Mar Rodríguez o Lamari, como se la conoce, nació en 1975 en Málaga, una ciudad en el sur de España, en la región donde se encuentran las raíces de la música flamenca. Esta cantante y compositora es la voz del conjunto Chambao. Su estilo de música, conocido como *flamenco chill*, combina ritmos del flamenco con música electrónica. Según Lamari, "En la música no existen fronteras, ni barreras, ni razas, ni religiones" y es por eso que sigue experimentando y evolucionando. Como compositora, Lamari busca inspiración en todas partes del mundo, pero su música mantiene una conexión fuerte con el flamenco de su ciudad natal.

ACTIVIDAD Sin la documentación

Parte A: España es uno de los países de Europa que hoy día tiene que enfrentarse al tema de los indocumentados. Antes de escuchar la canción, di de dónde crees que llega a ese país el principal grupo de inmigrantes y cómo llega.

1. **principal grupo de inmigrantes**
   a. de Portugal　b. del norte de África　c. del sur de Francia
2. **cómo llega**
   a. a pie　b. por barco　c. por avión

Parte B: Ahora que sabes de dónde viene y cómo llega este grupo de inmigrantes, trata de explicar a qué hace referencia el nombre de la canción.

Parte C: Mientras escuchas la canción, marca las respuestas a las siguientes preguntas.

1. ¿Cómo se refiere la cantante a estas personas que emigran?
   a. refugiados políticos　c. gente de poca educación
   b. buena gente
2. ¿Qué ocurre con muchos indocumentados?
   a. llegan y se integran　c. no llegan porque mueren
   b. llegan, pero luego se regresan
3. Se personifica al mar en la canción. ¿Qué hace el mar?
   a. canta　b. llora　c. grita

(*Continúa en la página siguiente.*)

4. ¿Qué nos quiere mostrar la cantante?
   a. lo difícil que es decidir abandonar su país natal
   b. lo peligroso que es hacer el viaje para emigrar
   c. lo duro que es integrarse a otra cultura

Parte D: En grupos de tres, mencionen por los menos dos grupos de indocumentados que llegan a este país, y digan de dónde vienen, cómo llegan y qué peligros encuentran en el camino.

Videofuentes: *La legendaria Celia Cruz*

Antes de ver

ACTIVIDAD 1 Los famosos

Antes de ver un video sobre Celia Cruz, di cuántas personas de la primera lista conoces y si tienes música de algunas de ellas. Luego, en grupos de tres, discutan la lista de ideas de la segunda columna.

Elvis Presley
Billie Holiday
Jerry García
Jim Morrison
Ella Fitzgerald
Judy Garland
Bill Haley
Barry White
Frank Sinatra
John Lennon

- qué hicieron estas personas
- por qué fueron una leyenda en vida o después de su muerte
- qué talento tenían
- cómo se vestían para el escenario
- cuáles fueron sus innovaciones
- edad de la gente que los escuchaba
- qué aspectos tenían en común con otras personas famosas

"La negra tiene tumbao", de Celia Cruz, ganó un Grammy Latino.

La negra tiene tumbao = The black woman's got style

Mientras ves

ACTIVIDAD 2 **Su vida**

Parte A: Ahora mira el primer segmento del video hasta donde la reportera pregunta quién es Celia Cruz. Mientras miras el video, piensa en la siguiente información para después comentarla.

1. ritmos que influyeron en la salsa
2. año en que nació Celia Cruz
3. edad que tenía cuando llegó a los Estados Unidos
4. premios que recibió
5. año en que murió
6. lugar del funeral
7. bandera que llevaba el ataúd (*casket*)
8. lugares donde era famosa

Parte B: Primero, lee las siguientes preguntas y después mira el resto del video para buscar las respuestas.

1. ¿Sabía hablar inglés?
   a. sí
   b. no
2. ¿Qué edad tenía el público que escuchaba a la cantante?
   a. 18–30 años
   b. 30–50 años
   c. mayores de 50 años
   d. gente de todas las edades
3. ¿Qué crees que hacía ella para mantener la atención de este público? (Marca todas las respuestas posibles.)
   a. Cantaba diferentes tipos de música.
   b. Se cambiaba el color del pelo con frecuencia.
   c. Sonreía mucho.
   d. Se vestía de maneras divertidas.
   e. Era optimista siempre.
   f. Bailaba mientras cantaba.
4. ¿Cómo se sentía respecto a su país natal?
   a. Nunca quería volver.
   b. Estaba enojada.
   c. Sentía nostalgia.
5. ¿Qué gritan al final los cantantes que le rinden homenaje (*pay homage*)?
   a. ¡Viva Celia!
   b. ¡Azúcar!
   c. ¡Rumba!

Después de ver

ACTIVIDAD 3 El funeral

Parte A: Lee la descripción del funeral de Celia Cruz y contesta las preguntas de tu profesor/a.

Celia Cruz murió el 16 de julio de 2003 en su casa de Nueva Jersey. Después de su muerte, el cuerpo de la cantante fue trasladado a Miami para un velorio al que asistieron más de cien mil personas. En Nueva York, otras cien mil personas, incluyendo a políticos como Hillary Clinton y Charles Rangle, también le rindieron homenaje.

El funeral de Celia Cruz se realizó en la catedral de San Patricio de Nueva York, donde asistieron actores y cantantes, tales como Antonio Banderas, Jon Secada, y Gloria y Emilio Estefan. El alcalde de Nueva York, Michael Bloomberg, acompañaba al marido de Celia al entrar en la catedral y Patti LaBelle cantó el Ave María durante la ceremonia. Se enterró a la cantante en el cementerio del Bronx, como era su deseo, ya que quería estar en ese barrio entre los latinos y los negros. Allí se encuentran personalidades famosas, como Miles Davis, Irving Berlin y Duke Ellington.

Parte B: En grupos de tres o cuatro, imaginen que la semana pasada murió un/a artista muy famoso/a. Decidan quién era e incluyan la siguiente información para describir el funeral.

- de qué o cómo murió
- dónde fue y quiénes asistieron
- quiénes hablaron y cantaron
- qué hacían sus admiradores mientras el ataúd pasaba por la calle
- dónde se enterró a la persona

Película: *Al otro lado*

Drama: México, 2005

Director: Gustavo Loza

Guion: Gustavo Loza

Clasificación moral: No apta para menores de 13 años

Reparto: Carmen Maura, Silke, Jorge Miló, Adrián Alonso, Nauofal Azzouz, Sanâa Alaoui, Nuria Badih, Ronny Bandomo, Susana González, más...

Sinopsis: Un niño cubano, otro mexicano y una niña marroquí enfrentan cada uno los problemas de la migración cuando un ser querido se va. Cada uno de estos niños echa de menos a su padre, que está "al otro lado". Este amor entre padres e hijos es universal y no tiene límites aun cuando uno de ellos está ausente. Cada niño reacciona de manera distinta al tratar de mejorar sus circunstancias.

ACTIVIDAD Familias separadas

Parte A: La película *Al otro lado* presenta el tema migratorio y lo que ocurre cuando las fronteras separan a los hijos de sus padres. El caso de Elián González en los Estados Unidos fue un caso relacionado con el tema migratorio. Busca información en Internet para contestar las siguientes preguntas sobre ese caso.

1. ¿Con quiénes y de qué país salió Elián González? ¿Adónde iban ellos?
2. ¿Cuántos años tenía el niño?
3. ¿En qué viajaron? ¿Qué ocurrió durante el viaje? ¿Quiénes y dónde encontraron a Elián y a las otras dos personas?
4. ¿Con quiénes vivió el niño al llegar a los Estados Unidos?
5. ¿Dónde estaba su padre? ¿Sabía que su hijo iba a ir a otro país? ¿Cómo supo dónde estaba su hijo?
6. Al final, ¿qué pasó? ¿Quiénes estaban contentos y quiénes no?
7. ¿Dónde está hoy día Elián y cuántos años tiene?

Parte B: Ahora ve al sitio de Internet del libro de texto y haz las actividades que allí se presentan.

CAPÍTULO 4

África en América: el Caribe

See the Fuentes website for related links and activities: **www.cengage.com/spanish/fuentes**

ACTIVIDAD 1 ¿Qué saben del Caribe?

Activating background knowledge

Usando sus conocimientos y la información del mapa en la página anterior, en grupos de tres miren el mapa, lean las siguientes oraciones y determinen cuáles son ciertas y cuáles son falsas. Si no están seguros, adivinen.

1. _____ Haití y Jamaica son los únicos países del Caribe que tienen una fuerte influencia africana.
2. _____ La comida caribeña es muy similar a la comida mexicana.
3. _____ La salsa es muy popular en el Caribe.
4. _____ El español es el idioma oficial de todas las naciones caribeñas.
5. _____ Hay grandes comunidades indígenas en las islas caribeñas.
6. _____ En el pasado, había muchas plantaciones con esclavos en el Caribe.
7. _____ La música caribeña no conserva las tradiciones de la música española.
8. _____ En el Caribe, la influencia africana ha sido más importante que la influencia indígena.

Lectura 1: Una reseña biográfica

ESTRATEGIA DE LECTURA

Using Syntax and Word Order to Understand Meaning
In the previous chapter, you practiced analyzing sentences in terms of parts of speech. These small units are organized into larger units that are fundamental to the meaning of a sentence.

- **El verbo:** The verb describes an action or state; it may be simple, compound, or linked in a series to form a verb phrase (**frase verbal**) as in **El hijo de Carmen no *pudo ir*.** All sentences contain either a verb or verb phrase.
- **El sujeto:** Nearly every verb has a subject with which it agrees. A subject may be one word or several: ***El hijo de Carmen* no pudo ir.** Remember that the subject is often not explicitly expressed in Spanish. In this case, it is necessary to look at surrounding context to determine the subject. A few verbs have no subject: ***Hay* veinte personas aquí.**
- **El complemento directo:** The direct object receives the action of the verb. It can be one word or more as in **Yo vi *al hijo de Carmen*.** Notice that specific persons or person-like things are introduced by the **a personal.**
- **El complemento indirecto:** The indirect object is the recipient of the direct object or the beneficiary of the action of the verb: **Paco *le* dio un libro *al hijo de Carmen*.** Notice in the example that the indirect object is preceded by the preposition **a** and marked redundantly with the indirect-object pronoun **le.**

(*Continúa en la página siguiente.*)

- **El complemento circunstancial:** This unit tells under what circumstances the action occurs (when, where, how, why) and often begins with a preposition such as **a, de, en, con, por, para. El hijo de Carmen llegó *a la fiesta* y se quedó *hasta las doce.***

If you have problems understanding a sentence, you may want to slow down, analyze the sentence, and figure out *when* or *where who* did *what* to *whom,* while remembering that the subject, verb, and objects are often groups of words. It helps to locate the verb first, determine its number, and look for a subject that corresponds. In Spanish, the subject may appear before the verb (as in English), after the verb, or at the end of the sentence. For example, these two sentences are both true of Celia Cruz and Tito Puente, yet they differ in meaning:

Conoció Celia a Tito Puente.
Conoció a Celia Tito Puente.

Can you explain this difference in meaning?

Using syntax and word order to understand meaning

ACTIVIDAD 2 La estructura de las oraciones

En parejas, analicen las siguientes oraciones que van a ver en la lectura sobre la cantante cubana Celia Cruz e identifiquen en cada una si hay sujeto (S), verbo (V), complemento directo (CD), complemento indirecto (CI) o complemento circunstancial (CC). Subráyenlos si aparecen.

1. Esta mujer tiene un significado trascendental en la historia de la música caribeña.
2. En esa época empezaban... el chachachá y el mambo.
3. La salsa empezó en 1967, en Nueva York.
4. Toda la música tiene su encanto.
5. Cuando todavía era estudiante, un familiar la inscribió en un concurso radial.
6. Desde hace años ha incluido en ese trabajo a algunos puertorriqueños.

Guessing meaning from context

ACTIVIDAD 3 ¡Adivina!

Lee estas oraciones basadas en el artículo sobre la cantante cubana Celia Cruz y escoge el sinónimo de las expresiones indicadas en negrita.

1. Su carrera profesional empezó cuando ganó el primer lugar en **un concurso** de radio.
   a. un canal b. un curso c. una competición
2. La salsa es **el conjunto** de todos los ritmos cubanos mezclados en uno solo.
   a. el grupo musical b. la conjunción c. la combinación
3. Los instrumentos de la salsa incluyen instrumentos de cuerda, como la guitarra y **el bajo.**
   a. un tipo especial de tambor b. un tipo especial de guitarra c. un tipo especial de flauta

(*Continúa en la página siguiente.*)

4. Los arreglos de sus canciones son **realizados** por un músico cubano.
   a. hechos b. apreciados c. financiados
5. Esta música la **tildaban** de callejera, de música cualquiera, sin crédito.
   a. decoraban b. apreciaban c. caracterizaban

ACTIVIDAD 4 La palabra apropiada

Building vocabulary

Celia Cruz murió en 2003, pero el artículo que vas a leer fue publicado antes de su muerte.

Lee las siguientes oraciones sobre Celia Cruz y complétalas con una palabra de la lista.

salida	*bondad*	*grabación*	*encanto*
arreglos	*significado*	*cansada*	*incansable*

1. Le gusta mucho esta ____________________ de la canción. Se oye muy bien.
2. Una canción puede tener muchos ____________________ distintos, según los instrumentos que se usen.
3. Esa mujer nunca para. Es verdaderamente ____________________.
4. Celia era honesta, paciente y generosa. Su gran ____________________ era bien conocida por todos.
5. Después de su ____________________ de Cuba, Celia se fue a vivir a los Estados Unidos.
6. Su música tiene un ____________________ especial que sigue atrayendo a la gente.
7. Es difícil exagerar el ____________________ que ha tenido Celia Cruz para la música afrocaribeña.

ACTIVIDAD 5 Los nombres de Celia

Skimming and scanning

Parte A: Mira el título, el primer párrafo y la foto del artículo. Luego, en parejas, hagan una lista de todos los nombres y títulos de Celia y digan qué temas se comentan en el artículo.

Parte B: Mientras lees el artículo, decide cuántos de los siguientes temas se comentan en la lectura.

Active reading

_____ *los orígenes de la salsa*
_____ *las características de la salsa*
_____ *los planes de Celia*
_____ *los orígenes de la música cubana o caribeña*
_____ *la historia de la carrera profesional de Celia*
_____ *lo que dicen los críticos de la música de Celia*

La Reina Rumba habla de la 'salsa'

Norma Niurka ▪ Redactora de *El Miami Herald*

Celia, embajadora de la música salsa, durante un concierto en Hamburgo, Alemania.

Celia Cruz es algo más que una cantante de "salsa", término que era desconocido cuando empezó su carrera interpretando ritmos que se conocían como la rumba y la guaracha. Aún en vida, se ha convertido en leyenda: *la Reina Rumba, la Guarachera de Cuba, la Reina de la Salsa.*

Admirada por antillanos[1], suramericanos, europeos y estadounidenses, esta mujer tiene un significado trascendental en la historia de la música caribeña. El Olympia de París, el Madison Square Garden de Nueva York; el Palacio de la Salsa en México; han temblado ante esa figura incansable, llena de energía, gracia y bondad, que canta, baila a su aire y despliega una fascinante personalidad escénica.

Cuando Celia se iniciaba en el ambiente artístico, en la radio cubana, estaba familiarizada con la guaracha y la rumba; en esa época empezaban a ponerse de moda el chachachá y el mambo.

"Lo que ahora se llama salsa, en la época en que empecé a cantar era la rumba. La salsa, para mí, es el conjunto de todos los ritmos cubanos metidos en uno solo." Celia tiene sus teorías acerca del surgimiento de la palabra "salsa".

"La salsa empezó en 1967, en Nueva York, yo ya estaba en Estados Unidos. En ese año, estuve en Venezuela, en un programa de Fidias Danilo Escalona, que se llamaba *La hora de la salsa*... Para mí no hubo cambio, yo seguí cantando de la misma forma que he cantado siempre."

Celia cita tres cambios en el proceso de rumba a salsa: los instrumentos, los arreglos y una cierta influencia de Estados Unidos.

"Los arreglos te dan más oportunidad de desarrollar un número. Cuando grabé *La bemba colorá* duraba tres minutos, ahora dura diez. Los instrumentos para la salsa son electrónicos. Yo nunca con la Sonora toqué con bajo eléctrico. Antes los pianos eran grandísimos, el pianista necesitaba un camión para él solo. Ahora son electrónicos, pequeños, y se llevan como un violín."

Sus arreglos son realizados por el cubano Javier Vázquez (pianista de la Sonora Matancera), pero desde hace años ha incluido en ese trabajo a algunos puertorriqueños que se han formado en Estados Unidos. Estos, según Celia, han impregnado su música de otros sonidos.

"En estos pasajes de arreglos de salsa hay un poco de la esencia del jazz, por haber ellos estudiado aquí, aunque sea música del Caribe. La música cubana no pierde sus raíces, ahí están el bajo, la tumbadora, el bongó y, a veces, la maraca; pero yo a esta música le pondría jazz latino si no tuviera el nombre de salsa."

Sin embargo, aclara que no ha cantado jazz ni lo hará.

"En Cuba éramos muy adeptos a oír la música americana. Conocimos muy bien a Ella Fitzgerald y a Count Basie. Toda la música tiene su encanto, pero nunca me interesó cantar ese tipo de música. Si no lo haces en inglés, no sale igual. Si yo hago una guaracha en inglés no me va a salir lo mismo." Con su buen sentido del humor, comenta: "No es lo mismo que en vez de decir ¡Azúca!, diga ¡Sugar!"[2]

---

1 **antillano** = de las Antillas (las islas del Caribe)

2 Celia solía gritar **¡Azúca(r)!** cuando interpretaba una canción.

A pesar de aceptar que entre sus admiradores se encuentran muchos americanos, Celia no es optimista en cuanto al interés del país en la salsa. "Cuesta trabajo entrar un disco de salsa en español en el mercado americano. El idioma es la barrera."

De origen muy humilde, Celia se crió entre catorce primos y hermanos, en una casa que compartía su madre, con su hermana y su prima. Cuando todavía era estudiante, un familiar la inscribió en un concurso radial y ése fue el comienzo de una carrera brillante en el campo de la música popular.

Continuó interpretando ritmos afrocubanos y muy pronto se estableció su estilo en la guaracha. Su nombre siempre estuvo asociado a la orquesta La Sonora Matancera, con quien grabó hasta su salida de Cuba, continuando la unión más tarde, en el exilio.

"Si hoy tengo un par de aretes me lo he ganado cantando", dice. "He dado un ejemplo, no sólo con mi música, sino porque me he dado a respetar. Esta música la tildaban de callejera, de música cualquiera, sin crédito. Hoy es música de mucho valor, es folklore y es cultura, es una música que todo el mundo respeta. Y yo me he dado a respetar comportándome como una dama. En el escenario canto y bailo, pero cuando me bajo de ahí todos me tienen que respetar." ■

ACTIVIDAD 6 Celia

Scanning

Determina si las siguientes oraciones son ciertas o falsas. Corrige las oraciones falsas.

1. _____ Celia era de familia bastante rica.
2. _____ Celia empezó su carrera musical cantando guarachas y rumbas en los años 50.
3. _____ Celia se hizo famosa solo en Cuba, Miami y Nueva York.
4. _____ Celia nació y vivió en Cuba hasta que se fue a los Estados Unidos.
5. _____ Celia cantaba bien, pero tenía una personalidad difícil.
6. _____ A Celia no le gustaba cantar en inglés.

ACTIVIDAD 7 La salsa según Celia

Scanning

Celia explica la historia de la salsa, dando información y opiniones propias. Lee cada detalle y contesta la pregunta que le sigue.

1. Había cuatro ritmos cubanos que eran populares antes de la salsa. ¿Cuáles eran?
2. Hubo tres cambios que llevaron a la creación de la salsa. ¿Cuáles fueron?
3. Existía otro nombre posible para la salsa. ¿Cuál era?
4. La salsa y la música caribeña no entraban fácilmente en los EE.UU. ¿Por qué?
5. La música que cantaba era especial. ¿Por qué?
6. Hubo varios lugares y culturas que contribuyeron a la creación de la salsa. ¿Cuáles fueron?

ACTIVIDAD 8 Una canción de Celia

Discussing music

Parte A: Ahora vas a escuchar una canción de Celia Cruz, típica del Caribe. Primero, mira el cuadro de abajo y de la página siguiente.

¿Cómo describes esta canción?	
Título: ______________________	
Marca todas las palabras que reflejen tus reacciones a la canción	
_____ aburrida	_____ cómica
_____ dulce	_____ monótona
_____ religiosa	_____ sabrosa
_____ sosa	_____ triste
_____ apasionante	_____ desagradable
_____ inspiradora	_____ política
_____ repetitiva	_____ salvaje
_____ trágica	_____ con buen ritmo
_____ bailable	_____ divertida
_____ lenta	_____ rápida
_____ romántica	_____ sensual
_____ tranquila	_____ de mensaje social
Marca todas las frases que reflejen tus opiniones.	
_____ Es demasiado larga.	_____ Quiero escucharla otra vez.
_____ Tiene buen arreglo.	_____ Se la regalaría a un amigo.
_____ Tiene buena letra.	_____ Me gustaría asistir a un concierto.
_____ Tiene una letra tonta.	
Creo que la persona que canta:	
_____ es sincera	_____ está enojada
_____ es aburrida	_____ está enamorada
_____ está aburrida	_____ está divirtiéndose

Using additive connecting words

Parte B: Ahora, en parejas, comparen sus reacciones y digan por qué reaccionaron así. Para conectar sus ideas, usen las siguientes expresiones: **también, además (de)** (*in addition, besides*), **es más** (*what's more*).

ACTIVIDAD 9 Influencias en la música

En la lectura sobre Celia Cruz se dice que la salsa y la música caribeña, en general, muestran gran influencia africana. En grupos de tres, discutan si existe o no esta misma influencia y otras influencias en la música de su país. Den ejemplos concretos y expliquen cómo se manifiestan esas influencias. Piensen en el rock, el jazz, el reggae, etc.

Cuaderno personal 4-1

Muchos músicos respetaban a Celia Cruz tanto por su talento como por su personalidad. ¿A qué músico o cantante respetas? ¿Por qué?

VIDEOFUENTES

¿Qué aspectos del artículo se reflejan bien en el video? ¿Qué muestra el video que no muestra el artículo? ¿Por qué Celia es una figura tan importante para la gente hispana y latina?

Lectura 2: Panorama cultural

ACTIVIDAD 10 Del contexto al significado

Guessing meaning from context

Las palabras en negrita aparecen en la lectura "El sabor africano del Caribe". Adivina el significado de estas palabras según el contexto de la oración.

1. Después de llegar a América, los **esclavos** fueron obligados a vivir en las plantaciones, donde a menudo tuvieron que trabajar largas horas bajo condiciones muy duras.
   a. miembros de un grupo cultural y lingüístico que predomina en el este de Europa
   b. personas que tienen que trabajar para otras personas
   c. personas bajo el control de otra persona que las ha comprado
2. Un esclavo tenía que hacer todo lo que le ordenaba su **amo**.
   a. persona que está enamorada de otra persona
   b. persona que posee autoridad sobre otras personas, como los sirvientes
   c. un tipo de perro agresivo que se usaba para proteger los edificios
3. Los instrumentos son de variada **procedencia:** el güiro parece ser de origen indígena, pero la guitarra vino de España.
   a. origen b. forma c. manera de tocar
4. De África se adoptaron todos los instrumentos que marcan el ritmo, todo tipo de **tambores...**
   a. un tipo de instrumento de cuerda
   b. un tipo de instrumento de viento
   c. un tipo de instrumento de percusión
5. El ritmo es **primordial** en la música caribeña, mientras que la melodía ocupa un nivel secundario.
   a. de principal importancia b. de muy poca importancia c. de interés para el especialista

Guessing meaning from context, Using the dictionary

ACTIVIDAD 11 El verdadero significado

Busca las siguientes palabras en la lectura "El sabor africano del Caribe" y trata de deducir su significado según el contexto. Después, usa un diccionario bilingüe o el glosario para determinar si has deducido correctamente. Escribe el significado correspondiente en el espacio en blanco.

1. (línea 11) el sabor ______________
2. (línea 17) provenir ______________
3. (línea 20) la ascendencia ______________
4. (línea 35) comestible ______________
5. (línea 53) el culto ______________
6. (línea 64) fundirse ______________
7. (línea 123) orgullo ______________

ESTRATEGIA DE LECTURA

Distinguishing Main Ideas and Supporting Details
Texts that seek to inform and explain (as opposed to narratives, which tell stories) are normally organized around a central topic and certain main ideas. The main idea is often the topic of a paragraph, though several paragraphs may also develop one main idea. The body of the paragraph is made up of supporting details. Correctly distinguishing main ideas from supporting details and ideas can greatly improve your overall comprehension of a text.

Distinguishing main ideas and supporting details, Skimming and scanning

ACTIVIDAD 12 ¿Idea principal o detalle?

Lee rápidamente cada párrafo de la lectura para ver cuál de las dos frases es la idea principal del párrafo y cuál es un detalle de apoyo. Luego lee todo el texto sin interrupción para ver la interrelación entre las ideas.

Párrafo 1
a. la llegada de inmigrantes europeos
b. la mezcla cultural del Caribe

Párrafo 2
a. orígenes de la presencia africana
b. orígenes y definición de "mulato"

Párrafo 3
a. la comida caribeña como manifestación de la mezcla cultural
b. el sancocho como ejemplo y símbolo de la mezcla cultural

Párrafo 4
a. el origen de los cabildos
b. fusión de diferentes tradiciones religiosas en la santería

Párrafo 5

a. los aspectos africanos e híbridos de la música caribeña
b. los instrumentos musicales de origen africano

Párrafo 6

a. la salsa, el reggaetón, el hip hop caribeño
b. la continuación de la tradición de contacto y mezcla cultural

Párrafo 7

a. lo distintivo de la cultura caribeña
b. el sancocho, la santería y el son cubano

El sabor africano del Caribe

Al decir "el Caribe" acuden a la mente ideas de música, de playas y de sol. Pero el Caribe es mucho más que esto: es un mar y una región cultural de islas y costas, divididas entre muchas naciones y lenguas. No obstante esta diversidad, existe en el Caribe cierta unidad cultural, y en toda la región se notan los efectos de la mezcla racial y cultural de los indígenas con los inmigrantes europeos y los africanos. Los primeros europeos fueron españoles, y aunque después llegaron portugueses, holandeses, ingleses y franceses, el idioma español y la cultura hispana todavía predominan en la región. Pero los europeos no llegaron solos al Caribe; llevaron con ellos esclavos africanos y son estos los que le dieron su sabor especial a la región.

La presencia africana no es única del Caribe. Una rica cultura afrohispana florece en las costas del Pacífico en Colombia, Ecuador y Perú, y en menor grado en la costa del Golfo en México. Los africanos también tuvieron una fuerte influencia sobre la cultura brasileña.

Una inmigración forzada

Los colonizadores europeos de la región necesitaban trabajadores para sus plantaciones de caña de azúcar, café y tabaco. Inicialmente usaron a los indígenas caribeños, pero sus comunidades desaparecían a causa de las enfermedades europeas y las duras condiciones de trabajo. Por esa razón, se llevaron esclavos africanos al Caribe, práctica que se mantuvo hasta bien entrado el siglo XIX. Los esclavos provenían mayormente de la cultura yoruba y de otras culturas de África Occidental. Con el tiempo, la población africana creció enormemente, empezó a mezclarse con la europea y así nacieron los primeros mulatos, personas de ascendencia africana y europea. Esta mezcla racial se vio acompañada de la mezcla cultural en muchos aspectos de la vida, como la comida, la religión y la música.

El tabaco es una planta autóctona de América. La caña de azúcar, de origen asiático, fue llevada a España por los árabes, y los españoles la llevaron al Caribe, donde se convirtió en el producto más importante de la región. El café, originalmente de Etiopía, fue llevado al Nuevo Mundo por los franceses, y en el siglo XVIII se empezó a cultivar en Cuba, Colombia y Brasil.

Solo hubo un breve período de mestizaje antes de la destrucción de los pueblos indígenas. Los indígenas taínos y caribes desaparecieron, pero dejaron contribuciones a la cultura regional: instrumentos musicales, varias comidas y el cultivo del tabaco.

El pueblo yoruba o lucumí era de una región que hoy forma parte de Nigeria y Benin.

Sancocho cultural

Los esclavos tuvieron que adaptarse a las culturas de los amos europeos. En las colonias españolas, por ejemplo, todos aprendieron español. Sin embargo, lograron mantener algunas tradiciones africanas y con el tiempo, todos los habitantes del Caribe —europeos, mestizos, mulatos y africanos— fueron afectados por el contacto entre culturas. Se creó una nueva síntesis cultural, que se ve reflejada en la comida. Aunque la dieta

(*Continúa en la página siguiente.*)

caribeña contiene productos autóctonos que consumían los indígenas, como la malanga y la guayaba, además de ingredientes y métodos de cocinar de los españoles, los africanos introdujeron productos comestibles como el ñame, los gandules, el plátano y el banano, y aportaron sus costumbres culinarias como el uso de mucho aceite y la frecuente mezcla de los frijoles con el arroz. Un plato que simboliza bien esta fusión es el sancocho de la República Dominicana y Puerto Rico, que lleva el nombre de ajiaco en Cuba y Colombia. El sancocho es una especie de "supersopa" en la que se combinan productos españoles como carne de res y jamón, con otros americanos, como maíz y papas, y otros traídos desde África, como ñame y plátano. En el sancocho, igual que la cultura caribeña, se disuelven completamente algunos ingredientes mientras que otros se mantienen intactos y reconocibles, pero la totalidad es completamente original.

El sancocho, símbolo de la mezcla cultural caribeña, contiene ingredientes tan variados como carne de res, rabo de buey, pollo, jamón, cebolla, pimientos, tomates, tocino, papas, batatas, ñame, yautía, yuca, plátano y mazorcas de maíz.

Santos y orishas

La mezcla cultural también se manifiesta en la religión. La santería, culto muy popular en Cuba, Puerto Rico y en comunidades cubanas y puertorriqueñas de los Estados Unidos, es un buen ejemplo. Cuando los africanos entraron en contacto con los santos de la religión católica, notaron elementos comunes entre los santos y sus dioses yorubas, los orishas. En reuniones secretas llamadas cabildos, los esclavos mantuvieron la adoración a los orishas fundiendo sus nombres y símbolos con los de los santos. Conservaron ritos africanos y los mezclaron con otros católicos e incluían música y baile, altares con flores y comida, oraciones y magia. Los españoles llamaron santería a esa fusión de ritos y figuras religiosas. Y es tal esa fusión, que

Un altar casero de santería dedicado a Babalú Ayé, el orisha que causa y cura las enfermedades, y que se conoce también como San Lázaro, el patrón católico de los enfermos.

aun hoy día, San Lázaro, santo patrón de los enfermos, se funde con Babalú Ayé, el dios que causa y cura las enfermedades, y la Virgen de Regla, patrona de la Bahía de La Habana, es en santería Yemayá, diosa del mar y fuente de la vida.

Percusión, ritmos y bailes

La música caribeña también refleja perfectamente la mezcla cultural del Caribe. Los instrumentos son de variada procedencia: el güiro y las maracas parecen ser de origen indígena, mientras que la guitarra proviene de España. De África se adoptaron los instrumentos de percusión, como la clave y todo tipo de tambores, que luego se convirtieron en batá, bongoes, congas, timbales y tumbadoras. Los tambores establecen el ritmo, elemento primordial de la música caribeña, en tanto que la melodía tiene un papel secundario. Debido a su fuerte ritmo, la música del Caribe está íntimamente asociada con el baile y cada ritmo se asocia con un baile. Además, las canciones caribeñas conservan tradiciones poéticas de España al mismo tiempo que la música juega con la improvisación, tradición que proviene principalmente de África pero que tiene también antecedentes en Europa y en el jazz estadounidense. Todos estos elementos se encuentran mezclados en ritmos y bailes como la rumba y el son cubanos, la cumbia colombiana-panameña, la plena puertorriqueña y el merengue dominicano.

Aunque la cumbia se originó en Colombia y Panamá, se ha convertido, con adaptaciones, en uno de los ritmos y bailes más populares de los mexicanos y de muchos argentinos.

(*Continúa en la página siguiente.*)

Nuevas fusiones y mezclas

Los Orishas, un grupo cubano que mezcla los ritmos tradicionales caribeños con los del hip hop contemporáneo.

Gracias a nuevos contactos culturales, y también a una revaloración positiva de la hibridez cultural, la tradición de mezcla cultural continúa hoy día, especialmente en la música. Por ejemplo, a finales de los años sesenta, artistas caribeños que habían inmigrado a Nueva York, como Celia Cruz, Willie Colón, Johnny Pacheco y Héctor Lavoe, comenzaron a desarrollar la s alsa, producto de la fusión de muchos bailes y ritmos caribeños. De ahí se extendió la salsa por todo el Caribe y artistas como Rubén Blades y Juan Luis Guerra le dieron toques políticos y sociales, mientras otros como Lalo Rodríguez y Gilberto Santa Rosa le dieron toques más románticos. El hip hop estadounidense se ha regado por toda Latinoamérica, y agrupaciones como los Orishas, que son de Cuba, combinan el hip hop con la tradición musical afrocaribeña en lo que se puede llamar el hip hop caribeño. En el reggaetón, un género musical reciente, artistas como El General, Tego Calderón y Calle 13 toman ritmos del 'dancehall' jamaiquino y los combinan con otras tradiciones puertorriqueñas, dominicanas y panameñas, para crear una música "puramente" caribeña.

Entonces, ¿qué es el Caribe? Es una cultura y muchas culturas, que se formaron gracias a la mezcla entre indígenas, europeos y africanos, pero son los "ingredientes" africanos los que le dan su sabor singular. Los contactos del pasado se manifiestan en productos culturales como el sancocho, la santería y el son cubano, pero la tradición de mezcla cultural no ha desaparecido. Se siguen produciendo nuevas combinaciones y fusiones, como la música salsa, el hip hop caribeño y el reggaetón. Aun más importante, ha surgido un nuevo orgullo que celebra y fomenta el carácter híbrido de las culturas caribeñas. ■

ACTIVIDAD 13 ¡Datos incorrectos!

Skimming and scanning

Las siguientes oraciones son todas incorrectas. Corrígelas de acuerdo con la información de la lectura.

1. Todas las naciones del Caribe son de habla española.
2. La mayor parte de los esclavos africanos en el Caribe eran del norte de África.
3. Los mulatos son personas de origen indígena y europeo.
4. La comida caribeña es una combinación de contribuciones africanas, asiáticas e indígenas.
5. Los esclavos africanos adoptaron totalmente la religión cristiana.
6. La santería ya no se practica.
7. La melodía tiene especial importancia en la música africana.
8. La tradición de mezcla cultural ha desaparecido del mundo caribeño.

ACTIVIDAD 14 La cultura caribeña

Organizing information

Los términos de la siguiente lista representan detalles y ejemplos de la lectura. Para ver si has entendido bien, haz un mapa mental que refleje la organización de la lectura. Comienza con el siguiente esquema y relaciona cada elemento con la categoría correspondiente.

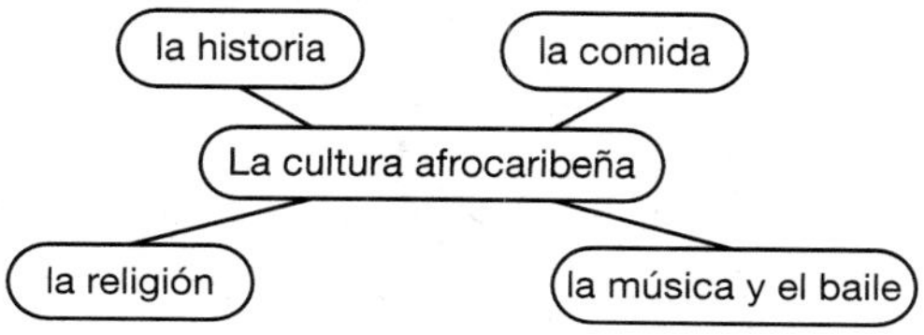

Elementos			
la rumba	*los cabildos*	*los mulatos*	*el ajiaco*
la malanga	*el sancocho*	*mucho aceite*	*Nueva York*
los esclavos	*la caña de azúcar*	*la improvisación*	*Yemayá*
el merengue	*bongoes*	*el plátano*	*San Lázaro*
el banano	*la salsa*	*Willie Colón*	*el café*
la plena	*el tabaco*	*el ritmo*	*el mambo*
el reggaetón	*Celia Cruz*	*timbales*	*Juan Luis Guerra*
los yorubas	*la Virgen de Regla*	*tumbadoras*	*Lalo Rodríguez*
las plantaciones	*Los Orishas*		

ACTIVIDAD 15 Tu propia herencia

En parejas, usen el esquema básico de la Actividad 14 para hablar de las tradiciones étnicas y culturales que han influido en sus propias familias. También pueden mencionar otros aspectos, como lenguas o costumbres típicas que se mantienen en su familia.

Cuaderno personal 4-2

¿En qué aspectos refleja el sureste u otras regiones de los Estados Unidos la cultura del Caribe?

Lectura 3: Literatura

Identifying register and genre

ACTIVIDAD 16 Frases conocidas

El cuento "Habanasis" que vas a leer se basa en una historia muy conocida. Las siguientes frases aparecen en esa historia judeocristiana. Lee todas las frases e identifica el nombre de esa historia o el libro donde se incluye esa historia. Después, escribe una traducción inglesa de cada frase.

1. "En el principio creó Dios los cielos y la tierra."
2. "Que haya luz."
3. "Júntense en un solo lugar las aguas que están debajo del cielo, y descúbrase lo seco. Y así fue."
4. "Y vio Dios que era bueno."
5. "Fructificad y multiplicaos."
6. "Y Dios quedó complacido."

En España, las formas de **vosotros** se asocian con el trato informal, pero en Latinoamérica su uso se asocia más bien con el lenguaje bíblico o literario.

Using syntax and word order to understand meaning

ACTIVIDAD 17 El orden de las palabras

Para entender las oraciones y las historias, es importante poder determinar quién hizo qué. Determina los componentes de las siguientes oraciones: S, V, CD, CI y/o CC.

1. Dios... dijo: "Que haya música."
2. Dijo Dios: "Que haya luna y estrellas..."
3. Le daré buenos compañeros.
4. Dios formó un Taíno de un puñado de arcilla roja.
5. El séptimo día, Dios sonrió.

ACTIVIDAD 18 A leer

Guessing meaning from format

Parte A: En parejas, miren el título, las fotos y la primera línea del cuento, y decidan a qué se refiere el título.

Active reading, Identifying tone

Parte B: Mientras lees el cuento, piensa en el tono en que el autor lo ha escrito. ¿Tiene un tono serio, trágico, cómico, irónico, positivo, negativo...?

***Richard Blanco** es un poeta cuya historia personal es todo un símbolo de la mezcla cultural. Según el autor mismo, él fue "creado en Cuba, ensamblado en España e importado a los Estados Unidos". Esto significa que su madre, embarazada de siete meses, y su familia se fueron de Cuba al exilio, primero a Madrid, donde nació el poeta en 1968, y después a Nueva York. Blanco también ha vivido en Miami y Washington, D.C. Ha trabajado como ingeniero y poeta, y también se divierte fabricando muebles, tocando el bongó y sacando fotos submarinas. Su primer libro de poemas y cuentos,* City of a Hundred Fires *(1997), recibió muchos elogios, ganó un premio importante y lanzó su carrera como poeta. El cuento/poema de "Habanasis" es una celebración de Cuba, tierra de origen de su familia.*

Habanasis

Richard Blanco

Las hermosas palmeras de la isla de Cuba.

En el principio, antes de que Dios creara Cuba, la tierra era un caos, vacía y sin forma, y sin música. El espíritu de Dios despertó sobre las oscuras aguas tropicales, y dijo: "Que haya música". Y se oyó el ritmo suave de una conga, que comenzó a marcar un uno-dos en lo más profundo del caos.

Entonces Dios convocó a Yemayá y dijo: "Júntense todas las aguas bajo los cielos, y descúbrase la tierra". Y así fue. La fértil tierra roja Dios la llamó Cuba, y las aguas las llamó el Caribe. Y Dios quedó complacido, marcando suavemente con los pies el ritmo de la conga.

Después dijo Dios: "Que haya papaya, coco y la masa blanca del coco; malanga y mango en tonos de oro y ámbar; que haya tabaco y café, y azúcar para el café; que haya ron; que haya ondulantes plataneros y guayabos y todo lo tropical". Y Dios quedó complacido y entonces creó las palmeras —su *pièce de résistance*.

Dijo Dios: "Que haya luna y estrellas para alumbrar las noches tropicales sobre Tropicana, y sol los 365 días del año". Y Dios quedó complacido. Y Dios nombró la noche vida nocturna, y el día lo llamó paraíso.

Luego Dios dijo: "Que haya peces y aves de todo tipo".

Y hubo enchilado de camarones, fricasé de pollo y frituritas de bacalao. Pero Dios quiso algo aun más sabroso y dijo: "Basta. Que haya

(*Continúa en la página siguiente.*)

papaya, coco, mango, guayaba = frutas tropicales

malanga = una raíz similar a la papa o patata

ron = una bebida alcohólica hecha a base de caña de azúcar

pièce de résistance (francés) = lo mejor de todo

Tropicana = club de espectáculos de La Habana

bacalao = un tipo de pescado

chivo = un animal cuya piel o cuero se usa para fabricar tambores

cuero = tambor

Taínos = el pueblo indígena más importante de Cuba

guaguancó y son = ritmos y bailes afrocubanos

guajiro = campesino cubano

Cachita = nombre coloquial de la Virgen de la Caridad del Cobre, patrona de Cuba, asociada en santería con Ochún, orisha del amor y la maternidad

carne de puerco". Y hubo masitas de puerco fritas, hubo asados, chicharrones y chorizos. Dios creó los chivos y usó sus pieles para bongoes y batúes; hizo claves y maracas y todos los cueros habidos y por haber.

Entonces, de un puñado de arcilla roja, Dios formó un Taíno, y lo puso en una ciudad que llamó La Habana. Luego Dios dijo: "No es bueno que Taíno esté solo. Le daré buenos compañeros". Y así Dios creó la mulata para bailar el guaguancó y el son con Taíno; el guajiro para cultivar su tierra y su folklore, la santera Cachita para marcar el compás de su música, y un poeta para elaborar los versos de su paraíso.

Dios les otorgó poder sobre todas las criaturas y todos los instrumentos musicales y les dijo: "Creced y multiplicaos, comed carne de puerco, tomad ron, tocad música y bailad". El séptimo día, al contemplar los festejos y escuchar la música, Dios sonrió y descansó de sus labores. ■

Tradicionalmente se veía una rica variedad de frutas y comidas en los mercados callejeros de Cuba.

Organizing information, Making inferences

ACTIVIDAD 19 Lo cubano

En "Habanasis" el autor representa lo cubano como una fusión de muchos elementos de origen variado. En grupos de tres, comenten las siguientes preguntas sobre el cuento.

1. ¿Por qué creen Uds. que el autor escogió el título "Habanasis"?
2. Según el cuento, ¿cuáles son los elementos esenciales de Cuba?
3. ¿Cuáles son tres cosas mencionadas en la lectura que se asocian con lo indígena? ¿Lo europeo? ¿Lo africano?
4. ¿El autor presenta las cosas y los elementos en el orden en que aparecieron en Cuba (primero lo indígena, después lo español, y luego lo africano), o los mezcla libremente? ¿Por qué?
5. ¿Hay algunos elementos que no tienen un solo origen? ¿Hay algunos que se crearon por primera vez en Cuba o el Caribe?

ACTIVIDAD 20 Más allá de lo bonito

Making inferences

El cuento de "Habanasis" es una gran celebración de lo cubano. En parejas, reflexionen sobre su significado al contestar las siguientes preguntas.

1. ¿Por qué o para qué creen que el autor escribió este cuento? ¿Creen que su historia personal influyó en el tono del cuento?
2. ¿Por qué decidió usar como base la historia judeocristiana de Génesis en vez de alguna leyenda de creación africana o indígena?
3. En el cuento el autor nos presenta una imagen de Cuba como un "paraíso". ¿Creen que esta presentación de Cuba está completa? ¿Por qué creen que se enfoca en los aspectos presentados y no en otros?

Cuaderno personal 4-3

¿Cuáles son los elementos o ingredientes fundamentales de la cultura de tu universidad, ciudad o país? ¿Crees que tu universidad, ciudad o país se puede presentar como un "paraíso"?

Redacción: Una biografía

ACTIVIDAD 21 La biografía y sus elementos

Defining purpose

Parte A: En parejas, contesten las siguientes preguntas.

1. ¿Por qué se escriben biografías?
2. ¿Qué tipos de personas se escogen para las biografías?
3. ¿En qué consiste una buena biografía?
4. ¿Qué elementos o tipo de información contiene una biografía? Hagan una lista de cinco elementos.

Organizing information

Parte B: Ahora, en parejas, comparen su lista de tipos de información con la lista de tipos y preguntas que aparece abajo. ¿Creen que hay que incluir más elementos?

1. **Nacimiento:** ¿Dónde nació? ¿Cuándo nació?
2. **Historia de su familia:** ¿Dóndo vivió su familia? ¿De dónde era su familia? ¿Qué efecto tuvo (o ha tenido) la historia familiar sobre su personalidad y perspectiva sobre la vida?
3. **Fechas claves:** ¿Cuándo empezó sus estudios? ¿Cuándo se casó/divorció/mudó? ¿Cuándo murió?
4. **Educación:** ¿Cómo influyeron sus estudios en su perspectiva sobre la vida?
5. **Experiencias importantes:** ¿Cómo influyeron sus experiencias en su perspectiva sobre su vida?

(*Continúa en la página siguiente.*)

6. **Metas y objetivos:** Cuando era joven, ¿qué quería hacer? ¿A qué se dedicó?
7. **Personalidad:** ¿Qué tipo de persona era? ¿Cómo era?
8. **Creencias:** ¿En qué creía? ¿Qué era lo más importante de su vida?
9. **Éxitos:** ¿Qué pudo o quiso hacer en la vida? ¿Qué éxitos o logros tuvo?
10. **Remordimientos:** ¿Qué iba a hacer o quería hacer que nunca pudo hacer? ¿Qué hizo que lamentaba o se arrepintió de haber hecho?

ESTRATEGIA DE REDACCIÓN

Providing Smooth Transitions
Transition words provide the glue that holds a piece of writing together. Transition words often refer to sequence; however, there are others that can be used to express other types of relations and that can be important for describing and explaining actions in a biography.

así que...	so . . . (*result*)
como resultado	as a result
entonces	so (*logical result*)
por eso	that's why
por lo tanto	therefore
sin embargo/no obstante	however
a pesar de (eso)	despite, in spite of (that)

Providing smooth transitions

ACTIVIDAD 22 La inmigración y sus consecuencias

Parte A: La biografía de los inmigrantes y de sus descendientes suele ser muy marcada por su historia de inmigración. Por ejemplo, en la Lectura 1 leímos una reseña biográfica de Celia Cruz, para quien el tema de la inmigración tuvo gran importancia. Termina las siguientes oraciones con una expresión de transición apropiada.

1. Celia se opuso a Fidel Castro, ____________________ decidió abandonar su país y emigrar a los Estados Unidos.
2. Celia salió de Cuba en 1960. ____________________ ella nunca olvidó su país de origen y lo recordó en casi todos sus conciertos.
3. A diferencia de algunos inmigrantes, Celia no quería salir de su país de origen. ____________________ conservó una gran nostalgia por Cuba y todo lo cubano durante sus más de cuarenta años en los Estados Unidos.
4. Los antepasados y parientes de Celia eran de origen africano y eran santeros, ____________________ ella también era santera y cantaba música afrocubana.

Parte B: En grupos de tres, completen las siguientes actividades sobre la biografía y la inmigración.

Activating background knowledge

1. Hagan una lista de inmigrantes famosos (del pasado o del presente) cuya vida es muy interesante para Uds.
2. Escojan una de esas personas. ¿Qué efectos tuvo la inmigración sobre su vida? Den dos ejemplos.

ACTIVIDAD 23 La investigación y la escritura

Organizing information

Ahora escoge a un/a inmigrante y escribe una breve biografía. Puede ser un/a pariente o una persona famosa que hayan identificado en la actividad anterior. Presta atención a las siguientes sugerencias al preparar la biografía.

1. Usa Internet o enciclopedias para encontrar información sobre la persona. Si es un/a pariente, hazle una entrevista.
2. Decide qué efectos tuvo la inmigración sobre su historia familiar y personal.
3. Decide qué es lo más interesante o lo más importante de su vida.
4. Decide la relación entre sus logros y su experiencia como inmigrante. ¿Tuvo éxito o problemas a causa de ser inmigrante o a pesar de ser inmigrante?
5. Decide qué información hay que incluir en la biografía y qué información se puede excluir y escribe su biografía.

CAPÍTULO 5

Los Estados Unidos: Sabrosa fusión de culturas

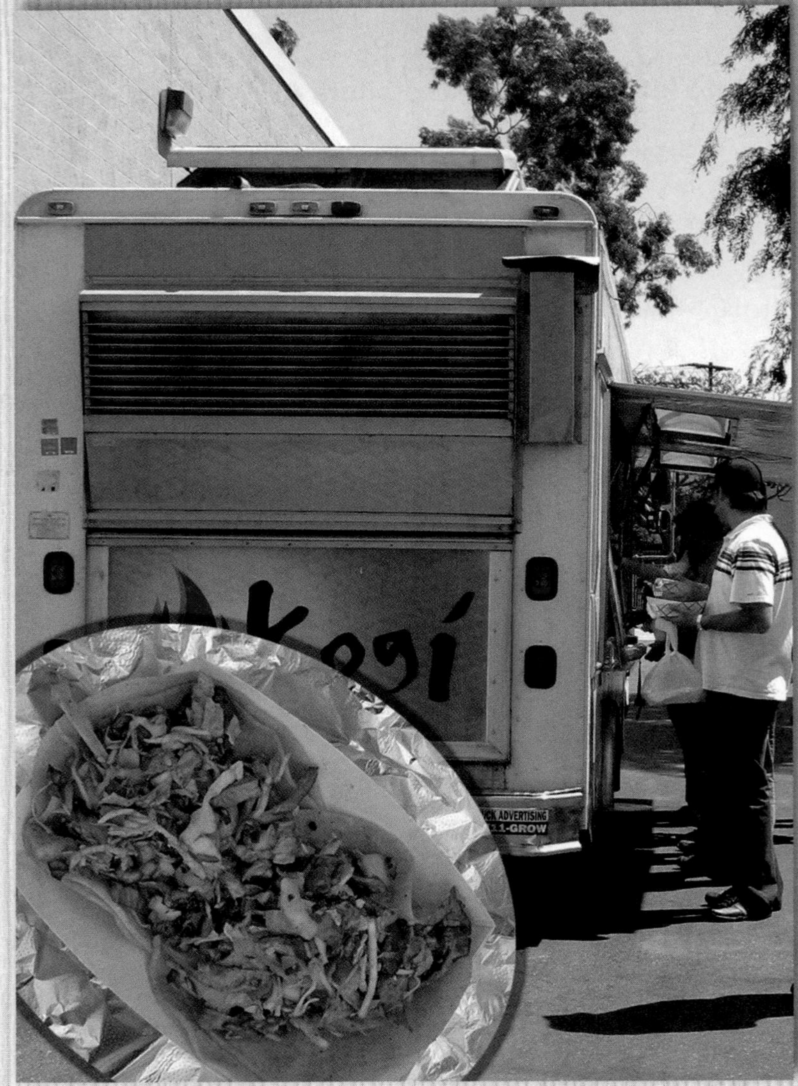

Taco coreano, un ejemplo de fusión de culturas en Los Ángeles.

METAS COMUNICATIVAS

- influir, sugerir, persuadir y aconsejar
- dar órdenes directas e indirectas
- hablar de hábitos alimenticios
- informar y dar instrucciones

En esta mesa se habla español

tener ganas de + *infinitive*	to feel like + *-ing*
¿Acaso no sabías?	But, didn't you know?
dar cátedra	to lecture someone (on some topic)
... y punto.	. . . and that's that.

catedrático/a = university professor

ACTIVIDAD 1 La comida y su origen

Parte A: Una familia está en los Estados Unidos almorzando en un restaurante hispano. Antes de escuchar su conversación, nombra platos típicos que conoces de España, México y Cuba. También nombra tipos de música que asocias con esos países.

Parte B: Ahora, mientras escuchas la conversación, marca los adjetivos que describan la conversación y luego, di qué problema tiene el niño con la comida.

______ agresiva	______ informativa
______ estimulante	______ romántica
______ graciosa	______ tensa
______ inesperada	______ tranquila

Lo afrocubano

ACTIVIDAD 2 En el restaurante

Lee las siguientes oraciones y complétalas mientras escuchas la conversación otra vez.

1. La familia pidió __________, __________ y __________ para comer.
2. Estos platos son de __________. (país)
3. El niño no quiere hablar __________. (idioma)
4. Hay un señor que está bailando __________ y no es buen bailarín.
5. El plátano es original de __________. (continente)
6. Los españoles llevaron el plátano al Caribe desde __________ (lugar) en __________. (año)
7. Los padres quieren que el niño ponga __________ en la mesa.
8. Según el niño, el plátano viene de __________.

El Tratado de Guadalupe Hidalgo

¿Lo sabían?

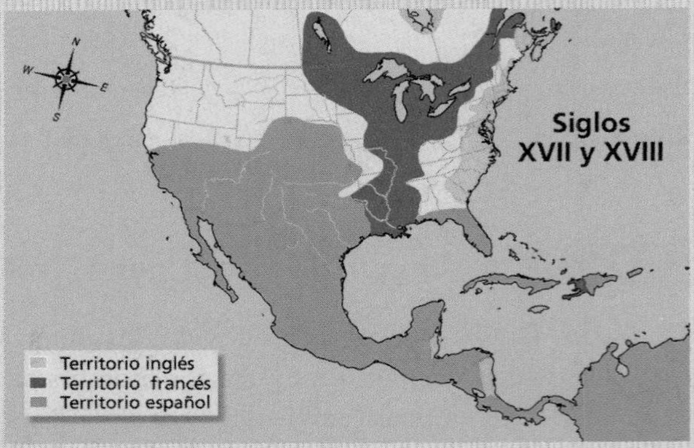

Por más de dos siglos, los españoles exploraron y ocuparon gran parte del territorio de lo que hoy son los Estados Unidos, especialmente la Florida y la región del suroeste. Entre 1810 y 1821, perdieron sus posesiones en Norteamérica. México logró su independencia de España en 1821 y luego, en 1848, por el Tratado de Guadalupe Hidalgo, le cedió a los Estados Unidos lo que hoy es conocido como el "Southwest". Los norteamericanos se encontraron allí con una población ya establecida que no hablaba inglés y que se integró a la cultura estadounidense a través de las sucesivas generaciones. Algunos de sus descendientes conservaron su lengua y sus tradiciones.

Hoy hay más de 45.000.000 de hispanos en los EE.UU., muchos de los cuales hablan solo inglés, otros solo español y otros son bilingües. Debido a que se encuentran rodeados de inglés, es común oír a hispanos alternar entre los dos idiomas dentro de una misma conversación, a veces sin darse cuenta.

¿Qué palabras del español usas al hablar inglés?

Es típico que a todo inmigrante adulto de primera generación le cueste aprender un idioma. Los hispanos de segunda y subsiguientes generaciones hablan bien inglés, pero empiezan a perder el idioma de sus padres y abuelos. Esto suele ocurrir también con otros grupos de inmigrantes (italianos, chinos, alemanes, etc.).

ACTIVIDAD 3 La influencia culinaria

La comida hispana: Recetas

Parte A: En grupos de tres, intenten decir cuáles de estos alimentos conocían los indígenas del continente americano antes de 1492 y cuáles conocían los europeos. Si no están seguros, traten de adivinar. Sigan el modelo.

► Antes de 1492 los europeos ya conocían..., pero los indígenas no lo/la/los conocían.

1. la papa
2. los productos lácteos (*dairy*)
3. el tomate
4. el chocolate
5. el chile
6. el trigo (*wheat*)
7. el maíz
8. el azúcar

Se ofrecen productos de variado origen étnico en los EE.UU.

Parte B: Después de comparar sus respuestas con el resto de la clase, digan cómo influyeron estos productos en la dieta italiana, irlandesa y mexicana.

► En México, usan el queso (producto lácteo) para preparar chiles rellenos.

ACTIVIDAD 4 Las implicaciones

En la conversación que escuchaste, la mujer le dice al niño que el plátano está delicioso. Dado el contexto, lo que el mensaje probablemente implica es "Debes comértelo". Hay muchas maneras de influir sobre la forma de actuar de otra persona. Por ejemplo: si eres una persona muy perezosa y hay una ventana abierta y tienes frío, puedes decir frases directas e indirectas para lograr que otra persona se levante y cierre la ventana.

Directas	Indirectas
Por favor, ¿podrías cerrar la ventana?	¿No tienes frío? Te vas a enfermar.
Debes cerrar las ventanas cuando hace frío.	¿De dónde viene esa corriente de aire?
Tienes que cerrar la ventana... hace frío.	¡Qué frío!

En parejas, formen oraciones que muestren maneras directas e indirectas para lograr que otra persona haga estas acciones.

- preparar café
- sacar a pasear al perro
- lavar los platos
- no cambiar de canal de televisión constantemente

Do the corresponding web activities as you study the chapter.

I. Influencing, Suggesting, Persuading, and Advising

A The Present Subjunctive

In Spanish, the indicative (**el indicativo**) and the subjunctive (**el subjuntivo**) are two verbal moods. So far in this text, you have been using the indicative mood in asking questions, stating facts, and describing. The subjunctive mood can be used in sentences that express influence, doubt, emotion, and possibility. This chapter will focus on the use of the subjunctive to express influence and give advice.

1. The present subjunctive endings are as follows.

	hablar			**comer**			**salir**	
que	hable	hablemos	que	coma	comamos	que	salga	salgamos
	hables	habléis		comas	comáis		salgas	salgáis
	hable	hablen		coma	coman		salga	salgan

To review the formation of the present subjunctive, see Appendix A, pages 361–362.

2. Compare the following columns and notice how you use the subjunctive to express influence or advice in a personal way, and the infinitive to merely express a person's own preferences.

Influencing or advising others Verb of influence or advice + **que** + *subjunctive*	**Stating one's own preferences** Verb of preference + *infinitive*
(Yo) Quiero que (Uds.) vengan mañana. *I want you to come tomorrow.*	**Quiero venir** mañana. *I want to come tomorrow.*
Ellos prefieren que Marc Anthony cante salsa. *They prefer that Marc Anthony sing salsa.*	**Ellos prefieren cantar** salsa. *They prefer to sing salsa.*

All the sentences in the first column contain two clauses, each with its own verb. For example, in the first sentence **(Yo) Quiero** is an independent clause and can stand on its own because it is a complete sentence. On the other hand, **que (Uds.) vengan mañana** is a dependent clause that is a phrase and cannot, therefore, stand on its own.

3. Use these verbs to express influence or give advice.

esperar (*to hope*) insistir en preferir (ie, i) querer (ie)

me/te/le/etc. + { aconsejar, exigir (*to demand*), pedir (i, i), proponer (*to propose*), recomendar (ie), rogar (ue) (*to beg*), sugerir (ie, i), suplicar (*to implore*) }

Me aconsejan que pruebe el plátano frito.*	*They advise me to try the fried plantain.*
Les rogamos que bajen la música.*	*We beg them to lower the music.*

*__Note:__ The indirect-object pronouns (**me, te, le,** etc.) refer to the person being advised/begged/etc. and not to the person doing the advising/begging/etc.

4. Compare the following columns. Notice how you can also use the subjunctive to express influence or advice in an impersonal way to a specific person, and the infinitive to express advice or influence to no one in particular.

Impersonal advice to a specific person Impersonal expression of influence or advice + **que** + *subjunctive*	**Impersonal advice to no one specific** Impersonal expression of influence or advice + *infinitive*
Es preferible que (Uds.) preparen las papas ahora. *It's preferable that you prepare the potatoes now.*	**Es preferible preparar las papas** ahora. *It's preferable to prepare the potatoes now.*
Es mejor que (tú) vuelvas mañana. *It's better that you return tomorrow.*	**Es mejor volver** mañana. *It's better to return tomorrow.*

5. Use the following impersonal expressions in the affirmative or the negative to express influence in an impersonal way.

(no) + { es aconsejable (*it's advisable*), es buena/mala idea, es bueno/malo, es importante, es mejor, es necesario, es preferible }

Es buena idea que pongamos la mesa.	*It's a good idea that we set the table.*
Es importante que tengan todo listo.	*It's important that you have everything ready.*

ACTIVIDAD 5 Un deseo

Parte A: Un periódico de un pueblo de los Estados Unidos publicó el deseo que tiene una muchacha mexicoamericana para el próximo año. Complétalo usando el infinitivo o el presente del subjuntivo de los verbos que se presentan.

aprender	Mi deseo es muy simple: Espero que la gente ____________ (1) un poco más sobre
	quiénes somos los hispanos. Estoy un poco cansada de escuchar decir cosas como que a los
trabajar	hispanos no les gusta ____________ (2), que prefieren dormir la siesta y que nunca son
darse	puntuales. Es necesario que la gente ____________ (3) cuenta de que no es verdad
generalizar	y que no es bueno ____________ (4) de esa manera por el comportamiento de unos
hacer	pocos. Prefiero que nadie ____________ (5) comentarios ni positivos ni negativos.
entender	Es importante ____________ (6) que los hispanos somos muy variados ya que no todos
	hablamos español y, si hablamos español, no todos somos de España. También es importante que
saber	los americanos ____________ (7) que no todos somos católicos y que no todos comemos
buscar	arroz con frijoles. Les recomiendo que ____________ (8) en Internet información sobre
saber	quiénes somos los hispanos, pues es importante ____________ (9) con quién comparti-
	mos nuestro día a día. Un guatemalteco y un chileno tienen tantas diferencias como un esta-
entender	dounidense y un inglés. Pero lo más importante es que quiero que ____________ (10)
	que somos tan americanos como el resto del país. Ese es mi deseo para el próximo año.

Parte B: En grupos de tres, mencionen los estereotipos que existen en los Estados Unidos sobre diferentes grupos (hombres blancos, mujeres asiáticas, rubias, deportistas, etc.). Expliquen si alguna vez alguien ha hecho comentarios de este tipo sobre Uds. y qué quieren Uds. que sepa la gente que hace esa clase de comentarios.

ACTIVIDAD 6 El compañero de cuarto

En parejas, díganle a la otra persona qué cualidades son importantes y qué cualidades no son importantes en un/a compañero/a de cuarto o apartamento.

► Para mí, es importante que mi compañero/a no ponga música a todo volumen.

- ser ordenado/a
- saber cocinar
- no fumar
- no hacer mucho ruido
- ser hombre/mujer
- no mirar la televisión a toda hora
- no usar mis cosas sin permiso
- tener mucho dinero
- pagar las cuentas a tiempo
- no llevar muchos amigos a casa
- no hablar mal de otros
- ¿?

ACTIVIDAD 7 Choque de culturas

El show de Silvina, similar al show de Oprah Winfrey, pero para hispanos en los Estados Unidos, presenta hoy un programa que se llama "Padres hispanos, hijos rebeldes". Lean los siguientes comentarios típicos de padres e hijos.

Comentarios de los padres	Comentarios de los hijos
"Mi hija es una rebelde. Nunca llega a casa a la hora que le digo."	"Mamá no habla inglés bien."
"Mi hijo siempre lleva la misma gorra (*cap*). Nunca se la quita."	"Me molesta hablar español en público."
"Ahora anda con unos que no respetan a los mayores."	"A los 18 años me voy a ir de la casa."

En parejas, imaginen que Uds. son psicólogos invitados al programa. Deben pensar en los comentarios y preparar por lo menos tres consejos para darles a padres e hijos hispanos.

► Es importante que Uds. aprendan a escuchar a la otra persona.

► Les recomiendo que conozcan a los amigos de sus hijos.

ACTIVIDAD 8 "Sí, se puede"

Parte A: Lee esta biografía de Dolores Huerta y cámbiala al pasado usando el pretérito y el imperfecto.

Dolores Huerta

Nace en Nuevo México en 1930. Cuando deja la casa de sus padres, se muda con su madre, dos hermanos y su abuelo a Stockton, California, donde tiene parientes. Puesto que su madre tiene un restaurante y un hotel, puede vivir con cierta comodidad. Después de su primer matrimonio, durante el cual nacen dos hijas, obtiene un título universitario. Después de la Segunda Guerra Mundial, participa en un grupo que se dedica a inscribir a la gente para votar y organiza clases de ciudadanía; finalmente termina trabajando como la mano derecha de César Chávez en la organización y administración del sindicato de trabajadores agrícolas *United Farm Workers* y, cuando muere Chávez, la nombran presidenta del sindicato. Hoy día es la presidente de la Fundación Dolores Huerta y sigue con su trabajo de defensora de los derechos del campesino y de la mujer.

Mural en Tucson, Arizona.

Parte B: Muchas personas que trabajan en los campos agrícolas de los Estados Unidos van de granja en granja. Sus niños muchas veces viajan con ellos y van de escuela en escuela. Formen oraciones con las siguientes frases para hacer una lista de medidas que organizaciones como *United Farm Workers* esperan que los dueños de las granjas tomen.

► La organización *United Farm Workers* espera que los dueños de las granjas...

1. darles viviendas adecuadas a los campesinos
2. no emplear a los niños
3. no usar insecticidas dañinos como bromuro de metilo (*methylbromide*)
4. pagarles un sueldo apropiado a los campesinos
5. ofrecerles seguro médico a los campesinos
6. cooperar económicamente con las escuelas donde estudian los niños

ACTIVIDAD 9 Las exigencias de la sociedad

Parte A: En grupos de tres, digan si eran los hombres o las mujeres los que hacían las siguientes labores en las familias típicas de la televisión de los años 60 ó 70, como la familia Brady del programa *The Brady Bunch*.

► Generalmente, cocinaban las mujeres.

labores domésticas: cocinar, limpiar el baño, lavar los platos, sacar la basura, cortar el césped, pasar la aspiradora

trabajo: trabajar tiempo completo, trabajar horas extras

niños: cuidarlos, bañarlos, darles de comer, llevarlos a la escuela, hablar con sus maestros, disciplinarlos, participar en sus actividades deportivas

Parte B: En grupos de tres, usen la lista de la Parte A para comentar qué espera la sociedad norteamericana actual que hagan los hombres y las mujeres después de casarse. Usen expresiones como: **La sociedad le exige a la mujer que..., espera que el hombre..., quiere que...**

► La sociedad le exige al hombre que tenga trabajo y le exige a la mujer que...

Parte C: Ahora lean lo que dicen dos mexicoamericanos de primera y segunda generación sobre lo que se espera del hombre y de la mujer. Luego comparen esas opiniones con las que discutieron en la Parte B.

Fuentes hispanas

"En la sociedad mexicana se espera que sea el hombre el que trabaja fuera de la casa y la mujer dentro, pero cuando llegan a los Estados Unidos, las cosas cambian. Aquí la sociedad le exige a la mujer que trabaje fuera de la casa y también dentro, pero el hombre mexicano que viene aquí no quiere hacer los quehaceres domésticos pues teme ser un mandilón." ■

mexicoamericana de segunda generación

mandilón = a man wrapped around his wife's little finger

"Las mujeres mexicanas que llegan a este país saben cocinar y atender al esposo, hacen los quehaceres de la casa y también trabajan fuera de la casa. En cambio, las mexicanas de segunda generación no saben ni quieren hacer nada. Creo que es porque sus papis les dan todo. Yo quiero una mujer que me atienda y que, como yo, trabaje dentro y fuera de la casa. Por supuesto, en la casa yo voy a contribuir lavando los platos, haciendo la comida a veces y llevando a los niños a la escuela." ■

mexicoamericano de primera generación

B Giving Indirect Commands and Information: *Decir que* + Subjunctive or Indicative

1. To give indirect commands, you can use a form of the verb **decir** + **que** + *verb in the subjunctive.*

Tu madre **te dice que pruebes** el asopao de camarones.	*Your mom is telling you to try the shrimp stew.*
Les dice que estén más abiertos a otras culturas.	*He's telling them to be more open to other cultures.*

Notice how you can use this construction to express impatience or emphasize a point when someone does not heed your desires.

—Ayúdame... esta caja es muy pesada.	*Help me . . . this box is very heavy.*
—Sí, sí... espera.	*OK, OK . . . wait.*
—¡**Te digo que** me **ayudes!**	*I'm telling you to help me!*

tell to (do something) → subjunctive

2. To give information instead of indirect commands, use the verb **decir** + **que** + *verb in the indicative.*

Tu padre **dice que** siempre **comes** toda la comida. ¡Qué bueno eres!	*Your dad says that you always eat all your food. You're so good!*
Él **dice que** ella **está** ocupada con los niños.	*He says that she's busy with the kids.*

say/tell that → indicative

ACTIVIDAD 10 ¿Qué dijo?

Parte A: Estás tomando café en un bar y escuchas las siguientes conversaciones. Complétalas según el contexto, con el indicativo o el subjuntivo del verbo que está entre paréntesis.

1
- Yo probé ropa vieja y es un plato de Cuba.
- ¡¿Qué?! No te creo.
- Te digo que ropa vieja ______________ un plato cubano. (ser)

2
- ¿Qué tarea dio el profesor de cocina hoy?
- Dice que ______________ a Internet y que ______________ más recetas caribeñas. (ir, buscar)

3
- Estoy cansadísima.
- Siempre te digo que no ______________ tanto, pero nunca me escuchas. (bailar)

4
- ¿Conoces algún restaurante bueno cerca de aquí?
- Me dicen que ______________ uno que tiene comida mexicana auténtica cerca del congreso. (haber)

5
- Perdón. ¿Puede hablar más despacio? No hablo español bien.
- Digo que la panadería ______________ a las 13:30. (cerrar)

6
- No puedo bailar merengue. Es muy difícil.
- Te digo que ______________ unas clases y vas a ver qué rápido aprendes. (tomar)

Parte B: En parejas, escojan una de las conversaciones y continúenla.

ACTIVIDAD 11 La reunión de voluntarios

Parte A: En parejas, el/la estudiante A llegó tarde a una reunión sobre trabajo voluntario en la comunidad y el/la estudiante B se tuvo que ir antes del final de la reunión. Usen los apuntes que tomaron para explicarle a la otra persona qué ha dicho la coordinadora. También usen expresiones como: **La coordinadora dice que nosotros hablemos... La coordinadora dice que hay trabajos...**

A	B
• nosotros: darle nuestro número de celular • su oficina preparar a los voluntarios • nosotros: no descuidar los estudios • nosotros: elegir el trabajo que vamos a hacer	• nosotros: comenzar trabajando con otro voluntario • haber muchos trabajos diferentes • nosotros: dedicarle tres horas semanales al trabajo • nosotros: notificar si no podemos ir

Parte B: Ahora contesten estas preguntas.

1. ¿Hacen Uds. algún tipo de trabajo voluntario?
2. ¿Qué trabajo voluntario se puede hacer a través de su universidad? ¿Cuál prefieren y por qué?
3. ¿Hay programas patrocinados por su universidad en otros países? ¿Cuáles son?

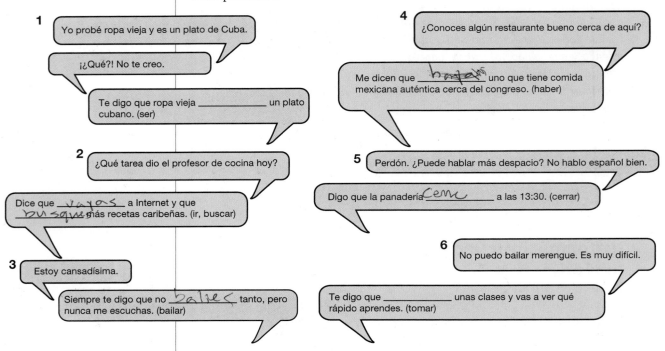

II. Giving Direct Commands

A Affirmative and Negative Commands with *Ud.* and *Uds.*

1. You already know a number of ways to express influence over another person's actions. Some are more direct than others. The most direct way to get someone to do something is by giving a command (**una orden**). When giving commands to people you address as **Ud.** or **Uds.,** follow these rules.

Affirmative Ud./Uds. Commands Subjunctive **Ud./Uds.** form	**Negative Ud./Uds. Commands** **No** + subjunctive **Ud./Uds.** form
Venga (Ud.)* mañana. *Come tomorrow.*	**No haga** eso. *Don't do that.*
Vayan (Uds.)* ahora mismo. *Go right now.*	**No toquen** eso; está caliente. *Don't touch that; it's hot.*

***Note:** Subject pronouns are rarely used with commands, but if they are, they follow the verb.

2. Object pronouns (reflexive, direct, or indirect) follow and are attached to affirmative commands; they precede verbs in negative commands.

Affirmative Commands	**Negative Commands**
Pruében<u>lo</u>, está muy rico. **Díga<u>melo</u>** todo... quiero saber todos los detalles. **Levánte<u>se</u>.**	No <u>**lo**</u> **prueben,** está horrible. No <u>**me**</u> <u>**lo**</u> **diga,** prefiero no saber nada. No <u>**se**</u> **levante.**

To review accent rules, see Appendix F, page 374.

To review formation of commands, see Appendix A, pages 362–364. To review placement of object pronouns, see Appendix D, pages 370–372.

ACTIVIDAD 12 Directo o indirecto

Completa las oraciones con **viene**, **venir** o **venga**. Luego numéralas de la más a la menos directa.

________	Quiero que Ud. ________ mañana.
________	¿Por qué no ________ Ud. mañana?
________	Ud. tiene que ________ mañana.
________	Es mejor que Ud. ________ mañana.
________	________ mañana.

ACTIVIDAD 13 Para bajar el colesterol

Una doctora le dice a un paciente lo que necesita hacer para bajar el colesterol. Cambia las sugerencias a órdenes.

1. Ud. tiene que hacer una dieta estricta.
2. No puede comer flan de coco.
3. Su esposa y Ud. no deben comer en restaurantes.
4. Necesita hacer ejercicio por lo menos tres veces por semana.
5. Ud. y su esposa deben salir a caminar juntos.
6. Es mejor evitar (*avoid*) el pescado frito.
7. Debe venir a verme dentro de tres meses.
8. Necesita hacerse otro examen de colesterol antes de venir.

ACTIVIDAD 14 La clase de salsa

Parte A: El paciente de la actividad anterior decide tomar una clase de salsa como parte de su actividad física semanal. En parejas, completen las instrucciones que les dio el profesor a los estudiantes el primer día de clase.

El paso hacia atrás

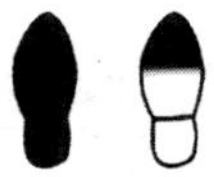

1. ______________ la punta del pie derecho en el suelo. No ____________ el peso y no _______________ el pie izquierdo. (poner, cambiar, mover)

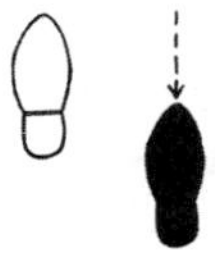

2. En el segundo tiempo, ______________ el pie derecho hacia atrás y _______________ el peso a la pierna derecha. No _________________ el pie izquierdo. (llevar, cambiar, mover)

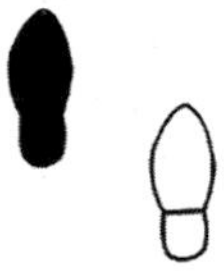

3. ____________________ el peso a la pierna izquierda. No ____________ la pierna derecha. (cambiar, mover)

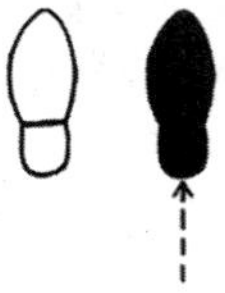

4. ____________________ el pie derecho hacia el centro y ___________________ el peso hacia la pierna derecha. No ____________________ el pie izquierdo. (llevar, cambiar, mover)

El paso hacia delante

5. ____________________ exactamente lo mismo hacia delante, pero ____________________ con el pie izquierdo. (hacer, empezar)

Parte B: Ahora pongan música salsa y practiquen los pasos.

¿Lo sabían?

Música hispana

Una pareja bailando salsa en el Club 21 de Sacramento, California.

La música y los bailes típicos varían de un país hispano a otro. En España, por ejemplo, el flamenco, de origen principalmente árabe, es uno de los bailes tradicionales, mientras que en Cuba son populares la rumba, el chachachá y el mambo. La salsa, a pesar de lo que se cree comúnmente, se originó en Nueva York entre los inmigrantes cubanos y puertorriqueños, y no en Cuba o Puerto Rico. Entre los músicos famosos de música caribeña se encuentran Celia Cruz (cubana, 1925-2003), conocida como "la Reina de la Salsa" y Tito Puente (1923-2000), percusionista que nació en Harlem de familia puertorriqueña y que combinó elementos del jazz americano con la música caribeña y los ritmos africanos. Pero la música latina más popular en los Estados Unidos es la norteña, que combina ritmos mexicanos, como la ranchera, con música popular en los Estados Unidos, como la polka. Uno de los conjuntos norteños más famosos es el de Ramón Ayala y sus Bravos del Norte. Además existen artistas de diferentes tipos de música latina que primero se hicieron famosos cantando en español y luego hicieron el "crossover" al cantar en inglés para el mercado norteamericano. En esta categoría se destacan cantantes como Shakira, Enrique Iglesias y Paulina Rubio.

¿Conoces a otros cantantes que han hecho "crossover"?

ACTIVIDAD 15 Problemas y soluciones

Dos personas acaban de llamar a un programa de radio para contar sus problemas. Lee sus problemas y dales órdenes (*commands*) y sugerencias para que los solucionen.

Llamada no. 1

"Mi vecino es insoportable. Se levanta temprano y se pone a bailar salsa. Hace un ruido fatal. Hablé con él, pero dice que hace ejercicio porque necesita bajar el colesterol, que está en su casa y que nadie puede decirle lo que debe o no debe hacer."

Llamada no. 2

"Mi esposo está loco. Desde que el doctor le dijo que debe hacer ejercicio para bajar el colesterol no para un momento. Ahora baila salsa todo el día, por la mañana se levanta temprano y empieza chaca, chaca chaca chaca, chaca chaca, chacachá. Insiste en que yo vaya a su clase de salsa también. Pero yo no sé bailar. Estoy harta y no sé qué hacer."

B Affirmative and Negative Commands with *tú* and *vosotros*

The affirmative **tú** and **vosotros/as** commands are the only commands that do NOT use the subjunctive form.

1. When giving commands to people you address using **tú,** follow these rules.

Affirmative tú Commands Present indicative **tú** form without the **-s** at the end	Negative tú Commands **No** + subjunctive **tú** form
Cierra la puerta.	**No cierres** la puerta.
Siéntate aquí.	**No te sientes** aquí.
Cuéntame el problema.	**No me cuentes** el problema. Ya sé qué pasa.
Explícalo mejor.	**No lo expliques** más.

Remember that object pronouns (reflexive, direct, or indirect) follow and are attached to affirmative commands, and precede verbs in negative commands.

2. Irregular affirmative **tú** command forms include:

	Affirmative Commands	Negative Commands
decir	**Di** la verdad.	No digas nada.
hacer	**Hazlo.**	No hagas eso.
ir(se)	**Vete** de aquí.	No te vayas.
poner	**Pon** los vasos en la mesa.	No pongas los codos en la mesa.
salir	**Sal** inmediatamente.	No salgas.
ser	**Sé** bueno.	No seas malo.
tener	**Ten** cuidado, está caliente.	No tengas miedo, el perro es bueno.
venir	**Ven** aquí.	No vengas todavía.

To review formation of commands, see Appendix A, pp. 362–364. To review placement of object pronouns, see Appendix D, pp. 370–372. To review accent rules, see Appendix F, pp. 374–376.

3. When giving commands to people you address using **vosotros/as,** follow these rules. Remember: the **vosotros/as** form is only used in Spain.

Affirmative vosotros/as Commands Delete **r** from the infinitive and substitute **d**	Negative vosotros/as Commands **No** + subjunctive **vosotros/as** form
Habladme en voz alta.	**No me habléis.**
Corred.	**No corráis.**

Reflexive Verbs Delete the **r** from the infinitive and add **os**	Reflexive Verbs **No + os +** subjunctive **vosotros/as** form
Levantaos.	**No os levantéis.**

ACTIVIDAD 16 Instrucciones especiales

Un compañero de trabajo puso las siguientes instrucciones en el tablón de anuncios de la oficina. Complétalas con órdenes correspondientes a la forma de **tú**.

Remember: Place the object pronoun before the verb in a negative command and after and attached to an affirmative command.

confesarlo

Esperar
buscarla

molestar

Adoptar

dejarlo

sentarse
esperar

sentirse

ir

Tener
Hacer

ser
dejarlo

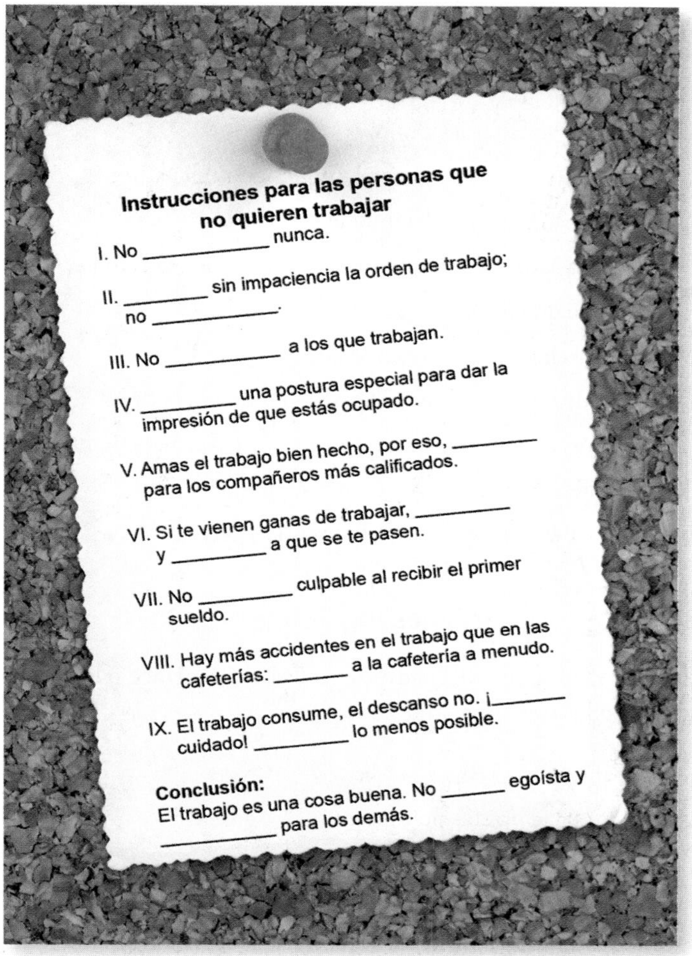

Instrucciones para las personas que no quieren trabajar

I. No ________ nunca.

II. ________ sin impaciencia la orden de trabajo; no ________.

III. No ________ a los que trabajan.

IV. ________ una postura especial para dar la impresión de que estás ocupado.

V. Amas el trabajo bien hecho, por eso, ________ para los compañeros más calificados.

VI. Si te vienen ganas de trabajar, ________ y ________ a que se te pasen.

VII. No ________ culpable al recibir el primer sueldo.

VIII. Hay más accidentes en el trabajo que en las cafeterías: ________ a la cafetería a menudo.

IX. El trabajo consume, el descanso no. ¡________ cuidado! ________ lo menos posible.

Conclusión:
El trabajo es una cosa buena. No ________ egoísta y ________ para los demás.

ACTIVIDAD 17 Los cuatro mandamientos para un amigo triste

En parejas, Uds. tienen un amigo que siempre está triste y deciden escribirle una lista de **cuatro mandamientos** (*commandments*) para ayudarlo a ser feliz. Intenten ser graciosos. Pueden usar el estilo de la actividad anterior como guía.

► No salgas con personas más tristes que tú. Sal con personas más alegres.

ACTIVIDAD 18 La asistente social y su caso

Una asistente social les da órdenes a miembros de una familia porque no escuchan sus consejos. Cambia las siguientes sugerencias a órdenes con la forma para **tú, Ud.** o **Uds.,** según a quién le esté hablando ella.

► Felipe, debes limpiar tu habitación.

Felipe, limpia tu habitación.

1. Uds. deben escuchar a su hijo.
2. Juan, es importante que te comuniques con tus padres.
3. Uds. no deben pelearse delante de sus hijos.
4. Muchachos, Uds. tienen que ir a la escuela todos los días.
5. Señor, tiene que darles consejos a sus hijos.
6. Muchachos, no deben acostarse tarde.
7. Lucía, no debes desobedecer las órdenes de tus padres.
8. Muchachos, deben hacer un esfuerzo por pasar más tiempo con sus padres.
9. Todos deben gritar menos y escuchar más.
10. Ignacio, debes venir a verme el mes que viene.

Desobedecer is conjugated like **conocer**.

ACTIVIDAD 19 Órdenes implícitas

Parte A: Mira el siguiente cuadro sobre la oración **Hace frío** y las órdenes que están implícitas en las tres situaciones.

Oración	Quién a quién	Dónde	Orden implícita
Hace frío.	un jefe a su empleado	en una oficina	Apague el aire acondicionado.
	un instructor de esquí a otro	en la montaña	Ponte el anorak.
	un amante a su pareja	en un coche aparcado	Dame un beso.

Parte B: Ahora, en grupos de tres, completen las cajas en blanco del siguiente cuadro. Recuerden poner una orden bajo la columna "Orden implícita".

Oración	Quién a quién	Dónde	Orden implícita
Tengo hambre.	un niño a su padre	en un carro en la autopista	
	una mujer a su esposo		
Dentro de cinco minutos los atiendo.		en un restaurante	
Esta sopa está fría.	una suegra a su nuera		
		en un restaurante	

Discussing Food

La comida

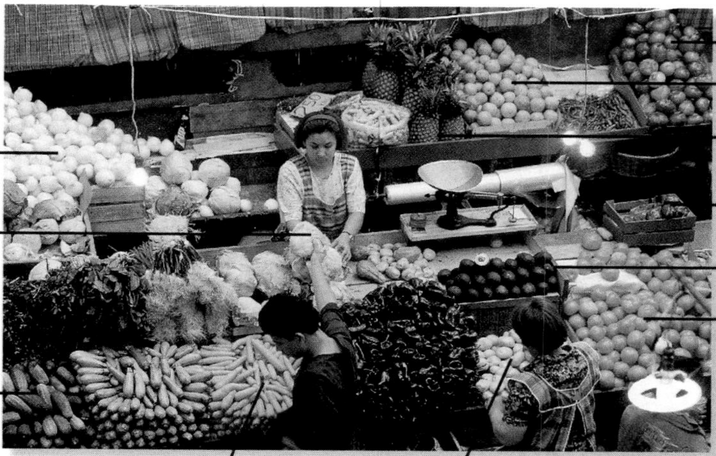

Un puesto en un mercado de Guadalajara, México.

papas (*Latinoamérica*) = **patatas** (*España*)

Carnes: cerdo (*pork*), **cochinillo** (*roast suckling pig*), **cordero** (*lamb*), **solomillo** (*filet mignon*), **ternera** (*veal*)
Pescado: anchoas, atún, lenguado (*sole*), **merluza** (*hake*), **sardinas**
Mariscos: calamares, camarones (*shrimp*), **langostinos** (*prawns*), **mejillones** (*mussels*), **ostras**
Fruta: durazno (*peach*), **pera, plátano** (*banana; plantain*), **sandía** (*watermelon*)
Verduras: berenjena (*eggplant*), **brócoli, maíz**
Legumbres: arvejas (*peas*), **frijoles** (*beans*), **garbanzos** (*chick peas*), **lentejas** (*lentils*)
Embutidos: salchicha (*sausage*)
Cereales: arroz
Dulces: flan, pastel (*cake; pie*)
Frutos secos: almendras, maní (*peanuts*), **nueces** (*walnuts*)
Productos lácteos: crema, leche, leche descremada (*skim*), **mantequilla**
Bebidas (*Beverages*)**: agua mineral con o sin gas, jugo** (*juice*), **vino**
Productos: congelados (*frozen*), **enlatados** (*canned*), **frescos**
Platos: el aperitivo, el primer plato, el segundo plato, el postre, el café

For more food items see Appendix G, p. 377.

camarones (*Latinoamérica*) = **gambas** (*España*)

durazno (*Latinoamérica*) = **melocotón** (*España*)

arvejas (*partes de Latinoamérica*) = **guisantes** (*España*)

maní (*Latinoamérica*) = **cacahuetes** (*España*), **cacahuates** (*México*)

jugo (*Latinoamérica*) = **zumo** (*España*)

aperitivo = comida y bebida antes de la comida

ACTIVIDAD 20 Me encanta

Parte A: En parejas, digan qué comidas de la lista de vocabulario les encantaba comer cuando eran niños y cuáles no les gustaban para nada.

Parte B: Ahora digan cuáles de las comidas que mencionaron comen ahora.

ACTIVIDAD 21 Congelados, enlatados o frescos

En parejas, decidan a qué categoría(s) pertenecen los siguientes productos. Luego añadan (*add*) dos productos más en cada categoría.

	Productos		
	Enlatados	**Congelados**	**Frescos**
1. pollo			
2. berenjena			
3. jamón			
4. ajo			
5. arvejas			
6. langostinos			
7. maíz			
8. anchoas			

ACTIVIDAD 22 ¿Qué comiste?

Parte A: Haz una lista de todo lo que comiste ayer y di cuándo lo comiste.

Desayuno típico español.

► A las ocho comí cereal con leche y un plátano.

► A las diez comí una barra de chocolate—un Snickers.

Parte B: En parejas, lean lo que comieron una española y una mexicana y comparen lo que comieron ellas con lo que comieron Uds. También comparen el horario de las comidas. ¿Quién comió comida más saludable? ¿Quién almorzó más temprano? Etc.

Fuentes hispanas

chilaquiles = tortillas con salsa y queso

"El sábado desayuné a las nueve de la mañana chilaquiles con frijoles, cóctel de frutas y jugo de naranja. Comí a las tres de la tarde crema de brócoli, pechuga de pollo asada con ensalada de verduras y un pastelito de postre. Cené a las nueve de la noche un vaso de leche." ■

mexicana

"Ayer desayuné una tostada, un par de galletas y un café con leche. Sobre las 11:30 entré en un bar y me tomé un café con un croissant y, a eso de la una, empecé a preparar la comida. De primer plato hice mahonesa para acompañar unos espárragos; de segundo, una carne guisada con patatas y zanahorias y de postre, sandía y melocotón. Me puse a comer alrededor de las dos y media y claro, para terminar, me tomé un cortadito. Por la tarde fui de compras con mi madre y a las 7:30 paramos en un bar, donde tomamos un aperitivo. Pedimos unas cañas y el camarero nos dio unas patatas fritas y aceitunas para picar, pero teníamos hambre y pedimos una ración de gambas al ajillo para compartir. Dejé a mi madre en su casa; al volver a la mía me encontré con un amigo y paramos en otro bar, donde tomé una Coca-Cola y compartimos un pincho de tortilla. Por la noche, más o menos a las once, me preparé dos huevos fritos con una loncha de jamón y un poco de queso. De postre me comí un poco más de la sandía mientras miraba la tele." ■

española

café con leche = café con mucha leche caliente (se sirve en taza normal, generalmente se toma por la mañana y no después de comer)

mayonesa (*Latinoamérica*) = **mahonesa** (*España*)

carne guisada = *stew*

cortadito = un café expreso con un poquito de leche (se sirve en taza pequeña, se toma después de comer o por la tarde)

cañas = *glasses of beer*

tortilla = omelet (*España*)

ACTIVIDAD 23 El menú

Parte A: En grupos de tres, imaginen que Uds. trabajan en una compañía de servicio de comidas para eventos. Su profesor/a de español es un/a cliente y les pide que le planeen el menú para una cena importante. Decidan qué van a servir de aperitivo, de primer y segundo plato y de postre, y discutan por qué. Esto es lo que saben sobre los invitados.

Diego Maldonado: Es vegetariano.

Alicia Carvajal: Le fascina todo tipo de carne.

Germán Martini: Tiene alergia a los camarones y a los langostinos y está a dieta, por eso prefiere comida de bajas calorías.

Lucrecia Hernández: Tiene buen paladar, le gusta absolutamente todo.

Parte B: Ahora denle las sugerencias del menú perfecto a su profesor/a y estén preparados para explicar por qué eligieron ese menú. Usen expresiones como; **De aperitivo le recomendamos que sirva..., también le sugerimos que ofrezca...**

ACTIVIDAD 24 Gustos personales

Parte A: En parejas, entrevístense para averiguar sus preferencias alimenticias.

1. ¿Te gusta la comida de otros países? ¿Cuál es tu plato favorito? ¿Cuál es el país de origen de esa comida?

Cena familiar en San Miguel de Allende, México.

2. ¿Prefieres la comida casera o la de restaurante?
3. ¿Cuándo fue la última vez que comiste fuera y qué comiste?
4. ¿Qué platos comías con mucha frecuencia cuando eras niño/a?
5. ¿Cuántas veces por día comes?
6. ¿Comes mientras miras televisión o mientras lees algo?
7. ¿Comes mucha comida chatarra (*junk food*)?
8. ¿Te gusta cocinar? Si contestas que sí, ¿quién te enseñó? ¿Qué platos cocinas?

Parte B: Ahora usen la información de la Parte A para decirle a la otra persona si tiene buenos hábitos alimenticios. Si no tiene buenos hábitos, denle consejos.

► No tienes buenos hábitos alimenticios porque... Te aconsejo que...

ACTIVIDAD 25 Los modales de la mesa

Parte A: Usa las siguientes ideas para decir órdenes que normalmente oyen los niños hispanos o los de tu país a la hora de comer.

1. poner las dos manos en la mesa
2. poner la mano que no usas debajo de la mesa
3. empujar los frijoles con el cuchillo
4. no apoyar los codos en la mesa
5. dejar el cuchillo y tomar el tenedor con la otra mano al comer
6. tomar solo un pedazo de pan para comerlo y no todo el pan
7. no levantarse de la mesa inmediatamente después del postre

Parte B: En parejas, decidan cuáles de las órdenes anteriores se oyen en su país y cuáles se oyen en un país hispano.

¿Lo sabían?

Etiqueta y modales de mesa

Los modales de mesa varían en todo el mundo. Lo que es apropiado en un lugar, puede ser descortés en otro. En la mayoría de los países de habla española, se considera buena educación poner las dos manos en la mesa, no levantar los codos al cortar la comida y empujar con la ayuda del cuchillo o, en algunos países, con un pedazo de pan. El pan se rompe con la mano en trozos pequeños a medida que se come.

Después de comer el postre, viene la sobremesa, que consiste en conversar mientras se toma el café. Por eso en un restaurante el mesero lleva la cuenta a la mesa solo cuando los clientes la piden, ya que se considera mala educación llevarla si no la han pedido.

Cuando comes en casa, ¿qué hace tu familia después de comer el postre? ¿Y en un restaurante?

ACTIVIDAD 26 A discutir

En grupos de tres, lean las siguientes citas relacionadas con la comida y coméntenlas.

Fuentes hispanas

"En la mesa se descubre la educación de cualquier persona. Si quieres saber si un hombre o una mujer tiene buenos modales, invítalo a comer: si no sabe comportarse, pues fuera de la mesa será peor, te lo aseguro." ■

—Pedro Vargas Ponce
Director de la Escuela Superior de Protocolo, Venezuela

"Comer no es solo una actividad biológica; es también algo social, cultural. La comida es un momento muy especial en el que de algún modo se manifiestan actitudes esenciales ante la vida." ■

—José Fernando Calderero
Autor de* Los buenos modales de tus hijos mayores, *España

III. Informing and Giving Instructions

Impersonal and Passive *se*

The first two examples contain the **se impersonal** (no noun follows). The last three contain the **se pasivo** (a noun follows or is implied).

1. When giving information or instructions in situations where the person doing the action is not important, you may use the following construction with **se**.

se	+	*third person singular of verb*		
		third person singular of verb	+	*singular noun*
		third person plural of verb	+	*plural noun or series of nouns*

Se come bien en esta casa.	*People/They/You eat well in this house.* (No noun follows the verb; therefore the verb is singular.)
Se estudia mucho en esta universidad.	*People/They/You study a lot at this university.*
En España, **se usa aceite** de oliva para cocinar.	*Olive oil is used to cook in Spain.*
Se comen quesadillas en México y **se hacen*** con carne o con pollo.	*Quesadillas are eaten in Mexico and they are made with beef or chicken.*
Se añaden sal y pimienta.	*Salt and pepper are added.*

***Note:** At times, the noun following the verb is omitted to avoid repetition, but is understood from the context.

2. The following verbs related to food preparation are frequently used with the **se** construction.

añadir	to add
bajar/subir el fuego	to lower/raise the heat
calentar (ie)	to heat
echar	to pour; to put in
freír (i, i)	to fry
hervir (ie, i)	to boil
mezclar	to mix

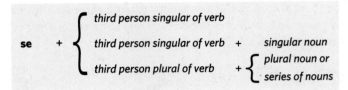

ACTIVIDAD 27 Información para novatos

En parejas, contesten estas preguntas sobre actividades estudiantiles de su universidad. Usen la construcción con **se** en las respuestas.

1. ¿Dónde se come bien?
2. ¿Dónde se estudia? ¿Cuándo se estudia?
3. ¿Se estudia mucho o poco?
4. ¿Adónde se va los fines de semana para divertirse?
5. ¿Dónde se vive el primer año? ¿Y el último año?
6. Normalmente, ¿a qué hora se va a la primera clase?

ACTIVIDAD 28 Una receta

La comida hispana: Recetas

Parte A: Completa las instrucciones para una receta típica de Puerto Rico, usando la construcción con **se**. Atención: gandules y habichuelas son tipos de frijoles.

limpiar	____________________ (1) las habichuelas.
lavar	____________________ (2) dos veces en agua fría y
dejar	____________________ (3) en agua durante
quitar	una noche. ____________________ (4) el agua.
hervir	____________________ (5) 8 tazas de agua
añadir	en una olla. ____________________ (6) las
dejar	habichuelas y la calabaza. ____________________ (7)
	hervir a fuego moderado por una hora hasta que las
	habichuelas estén casi blandas.
preparar	Mientras tanto, ____________________ (8) el sofrito.
calentar	En una cacerola ____________________ (9) el aceite.
freír	A fuego lento ____________________ (10) el cerdo
	curado y el jamón hasta que estén dorados.
bajar	____________________ (11) el fuego a muy bajo,
freír	y ____________________ (12) ligeramente la cebolla,
	los pimientos, el ajo, el cilantro y el orégano
	por 10 minutos.
	Cuando las habichuelas están casi blandas,
pisar	____________________ (13) la calabaza con un
añadir	tenedor y ____________________ (14) la mezcla al
añadir	sofrito. ____________________ (15) la salsa de tomate
poner	y la sal. ____________________ (16) todo a hervir
cocinar	y ____________________ (17) sin tapar, a fuego
	moderado, por una hora hasta que espese al gusto.

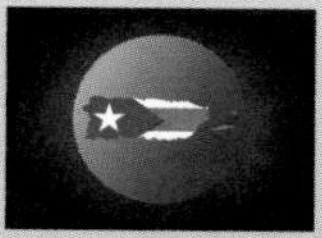

Habichuelas puertorriqueñas

(**8** porciones)
1 libra de gandules o habichuelas
8 tazas de agua
3/4 de libra de calabaza, pelada y cortada en pedacitos
1 cucharada de aceite vegetal
1 pedazo (**2** onzas) de cerdo curado (tocino grueso)
2 onzas de jamón
1 cebolla, picada
1 pimiento verde, picado
2 pimientos rojos, picados
1 cucharada de cilantro, picado
1/4 de cucharadita de orégano, espolvoreado
1 diente de ajo
1/4 de taza de salsa de tomate
2 cucharaditas de sal

calabaza = pumpkin

sofrito = combination of lightly sautéed ingredients

dorados = golden

espese = it thickens

Parte B: Ahora, dale instrucciones detalladas a tu profesor/a para preparar un sándwich de mantequilla de maní y mermelada.

ACTIVIDAD 29 Música y comida

La música y la comida son una parte importante de la cultura de un país. En parejas, completen el cuadro y luego formen oraciones usando la construcción con **se** para decir en qué país se consumen las siguientes comidas y se escucha la siguiente música.

► tomar fabada (una sopa)

En España se toma fabada. / No estoy seguro/a, pero creo que se toma fabada en España.

	Comidas y bebidas	Música
Cuba		
España	tomar fabada,	
México		
Argentina		
Perú		

Comidas y bebidas
servir arroz con pollo
usar salsa picante
preparar gazpacho (una sopa fría)
hacer asado (*barbecue*)
comer mole
beber Inca Cola
freír plátano
hacer tortillas de maíz
comer tortillas de huevos
beber sangría
comer ropa vieja

Música
tocar música andina
bailar el flamenco
componer tangos
bailar el mambo y la rumba
tocar música de mariachis
bailar el chachachá
tocar la gaita (*bagpipe*)

Tocando jazz afrocubano en el Festival de Jazz de Monterey, California.

ACTIVIDAD 30 En el restaurante puertorriqueño

En grupos de cuatro, lea cada uno solamente uno de los siguientes papeles y prepárense para representarlo. También miren el menú de la página siguiente.

A

Eres camarero/a en un restaurante. No te gusta tu trabajo y por eso eres muy antipático/a con los clientes. Ahora llega una familia a una mesa. Prepárate para darles algunas sugerencias y recuerda que el símbolo del corazón en el menú indica bajo contenido graso. Usa expresiones como: **Le sugiero/recomiendo que pruebe... La ensalada se prepara con... ¿Quiere algo de primer plato?** Tú apareces en la escena para tomar el pedido, servir la comida, darles alguna mala noticia o hacerles algún comentario negativo. Usa alguna de las expresiones que aparecen al final de la página.

B

Estás en un restaurante con tu esposa e hijo/a. Tu hijo/a tiene muy malos modales en la mesa y siempre estás atento para corregirlo/la. Tú tienes el colesterol alto, pero te encantan las comidas de alto contenido graso. Pídele sugerencias al camarero o a la camarera. Usa expresiones como: **¿Qué me sugiere/recomienda? ¿El pollo se prepara con (mucho aceite/ajo)? ¿Con qué viene la carne?** Usa alguna de las expresiones que aparecen al final de la página.

C

Estás en un restaurante con tu esposo y tu hijo/a. Tu esposo tiene el colesterol alto y le encanta comer comidas con muchas calorías. Tienes que asegurarte de que él pida comida de bajo contenido graso y que no coma mucho. Tú eres vegetariana y tienes un hambre atroz. Pídele sugerencias al camarero o a la camarera. Usa expresiones como: **¿Qué me sugiere/recomienda? ¿El bistec se sirve con papas o con papas fritas?** Usa algunas de las expresiones de la siguiente lista.

D

Estás en un restaurante con tus padres y estás muy aburrido/a y no tienes mucha hambre. También tienes muy malos modales en la mesa. Te gusta, por ejemplo, poner los codos en la mesa para llamar la atención de tu padre. Haz diferentes modales inaceptables en una mesa hispana. A tus padres les gusta comer, y tu rol es comentar sobre sus hábitos alimenticios y los tuyos usando algunas expresiones de la siguiente lista.

Para comentar

Buen provecho.	Enjoy your meal.
Estoy satisfecho/a. **No puedo más.**	I'm full.
ser de buen comer	to have a good appetite
tener un hambre atroz	to be really hungry
querer repetir	to want a second helping

Borinquen

Restaurante puertorriqueño

Especialidades de la casa

	Camarones a la criolla	$14.95
♥	Arroz con pollo	$10.50
	Bistec encebollado	$14.95
	Fricasé de ternera	$12.50
♥	Arroz con gandules	$6.75
	(con plátano frito)	$7.75
	Lechón asado con yuca frita	$14.00
	Carne guisada de res	$12.95
♥	Pescado del día con papas	$14.25
♥	Pollo al ajo con verduras	$10.95
	Pechuga de pollo rellena de plátano maduro	$12.95
	Arroz blanco y habichuelas	$4.00
	Mofongo	$2.50
	Tostones	$2.50
	Pasteles	$2.50
	Plátanos maduros	$2.50

Ensaladas

♥	Ensalada mixta	$5.50
♥	Ensalada de tomate	$5.50
♥	Ensalada verde	$5.00

Sopas

♥	Habichuelas negras	$5.00
	Pollo	$5.00
	Asopaos de Pollo, Camarones, Mariscos	$10.95

Postres

Flan de coco	$3.95
Coco rallado con queso	$4.50
Dulce de papaya con queso	$4.50

Bebidas

Agua mineral	$2.00
Cerveza	$4.50
Jugos tropicales	$2.50
Batida de mango	$2.50
Café	$2.00

Debido a la influencia de los Estados Unidos en Puerto Rico, los puertorriqueños usan punto en vez de coma cuando escriben números: Puerto Rico $8.95.

batida (*Puerto Rico*) = **batido** (*otros países*)

lechón asado = roast suckling pig

mofongo = plantain side dish

tostones = fried plantain chips

Do the corresponding web activities to review the chapter topics.

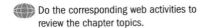

Vocabulario activo

Verbos de influencia

aconsejar *to advise*
esperar *to hope*
exigir *to demand*
insistir en *to insist*
pedir (i, i) *to ask (for)*
preferir (ie, i) *to prefer*
proponer *to propose*
querer (ie) *to want*
recomendar (ie) *to recommend*
rogar (ue) *to beg*
sugerir (ie, i) *to suggest*
suplicar *to implore*

Expresiones impersonales para expresar influencia

es aconsejable *it's advisable*
es buena/mala idea *it's a good/bad idea*
es bueno/malo *it's good/bad*
es importante *it's important*
es mejor *it's better*
es necesario *it's necessary*
es preferible *it's preferable*

La comida

Carnes *Meat*

el cerdo *pork*
el cochinillo *roast suckling pig*
el cordero *lamb*
el solomillo *filet mignon*
la ternera *veal*

Pescado *Fish*

las anchoas *anchovies*
el atún *tuna*
el lenguado *sole*
la merluza *hake*
las sardinas *sardines*

Mariscos *Seafood*

los calamares *calamari, squid*
los camarones/las gambas (*Spain*) *shrimp*
los langostinos *prawns*
los mejillones *mussels*
las ostras *oysters*

Fruta *Fruit*

el aguacate *avocado*
el durazno/melocotón (*Spain*) *peach*
la manzana *apple*
la naranja *orange*
la pera *pear*
la piña *pineapple*
el plátano *banana; plantain*
la sandía *watermelon*

Verduras *Vegetables*

la berenjena *eggplant*
el brócoli *broccoli*
la cebolla *onion*
la lechuga *lettuce*
el maíz *corn*
la papa/patata (*Spain*) *potato*
el pepino *cucumber*
el pimiento (verde/rojo) *(green/red) pepper*
el tomate *tomato*
la zanahoria *carrot*

Legumbres *Legumes*

las arvejas/los guisantes (*Spain*) *peas*
los frijoles *beans*
los garbanzos *garbanzos (chick peas)*
las lentejas *lentils*

Embutidos *Types of Sausages*

la salchicha *sausage*

Cereales *Cereals*

el arroz *rice*

Dulces *Sweets*

el flan *custard*
el pastel *cake; pie*

Frutos secos *Nuts*

las almendras *almonds*
el maní/los cacahuetes (*Spain*)**/los cacahuates** (*Mexico*) *peanuts*
las nueces *walnuts*

Productos lácteos *Dairy products*

la crema *cream*
la leche *milk*
la leche descremada *skim milk*
la mantequilla *butter*

Bebidas *Drinks*

el agua mineral
  con gas *sparkling water*
  sin gas *mineral water*
el café con leche *coffee with milk*
el cortado *espresso with a touch of milk*
el jugo/zumo (*Spain*) *juice*
el vino *wine*

Productos *Products*

congelado/a *frozen*
enlatado/a *canned*
fresco/a *fresh*

Platos *Dishes, courses*

el aperitivo *food and beverage before a meal*
el primer plato *first course*
el segundo plato *second course*
el postre *dessert*

Verbos para la cocina

añadir *to add*
bajar el fuego *to lower the heat*
calentar (ie) *to heat*
echar *to pour; to put in*
freír (i, i) *to fry*
hervir (ie, i) *to boil*
mezclar *to mix*
subir el fuego *to raise the heat*

Expresiones útiles

¿Acaso no sabías? *But, didn't you know?*
la comida chatarra *junk food*
dar cátedra *to lecture someone (on some topic)*
tener ganas de + *infinitive* *to feel like + -ing*
... y punto. *. . . and that's that.*
Buen provecho. *Enjoy your meal.*
Estoy satisfecho/a. / No puedo más. *I'm full.*
querer repetir *to want a second helping*
ser de buen comer *to have a good appetite*
tener un hambre atroz *to be really hungry*

Más allá

Canción: "Ella y él"

Ricardo Arjona

Nació en 1964 en un pueblo de Guatemala. A los ocho años su padre le regaló una guitarra y el niño pronto empezó a soñar con ser músico. Después de una juventud rebelde, grabó su primer disco a los 21 años, pero no tuvo éxito. Por eso dejó el sueño de su juventud y jugó al basquetbol para el equipo nacional guatemalteco, estudió en la universidad y también, siguiendo el camino de su padre, fue maestro de escuela por unos años. Pero su sueño lo persiguió y volvió al estudio de grabaciones para hacer otro álbum. Este tuvo éxito regional, y fue al grabar su tercer disco que sus canciones con letras poéticas llegaron a ser conocidas mundialmente.

ACTIVIDAD **Los opuestos se atraen**

Parte A: En parejas, digan qué tienen en común las personas de cada pareja y en qué son diferentes.

Will Smith y Jada Pinkett	Demi Moore y Ashton Kutcher
Jennifer López y Marc Anthony	Bill y Hillary Clinton
Michelle y Barack Obama	Angelina Jolie y Brad Pitt

Parte B: La canción "Ella y él" de Ricardo Arjona habla de dos personas que son opuestas y se enamoran. Lee la siguiente lista y luego, mientras escuchas la canción, marca con quién asocias cada palabra o frase, con ella o con él.

ella		él	ella		él
_____	Cuba	_____	_____	champagne	_____
_____	Estados Unidos	_____	_____	mojito	_____
_____	salsa, rumba, mambo	_____	_____	moreno/a	_____
_____	rock and roll	_____	_____	blanco/a	_____
_____	intelectual	_____	_____	habla español	_____
_____	liberal	_____	_____	habla inglés	_____
_____	conservador/a	_____	_____	habla mucho y rápidamente	_____
_____	comida norteamericana	_____	_____	Lincoln, Clinton, el Tío Sam	_____
_____	comida caribeña	_____	_____	Fidel, Lenín	_____

Parte C: Escucha la canción otra vez y contesta estas preguntas: ¿Dónde se conocieron? ¿Por qué estaban allí? ¿Dónde viven hoy?

Parte D: Ahora, en parejas, una persona debe recomendarle a su compañero/a que salga con un/a amigo que es totalmente el opuesto de él/ella. La otra persona debe mostrarse reticente.

Videofuentes: *Entrevista a John Leguizamo*

Antes de ver

ACTIVIDAD 1 Hispanos famosos

Antes de ver la entrevista a un hispano famoso, di el nombre de hispanos famosos que viven en los Estados Unidos, explica de dónde son o de qué origen es su familia y qué hacen.

Mientras ves

ACTIVIDAD 2 Leguizamo y su vida

Mira la primera parte de la entrevista con el actor y cómico John Leguizamo hasta donde explica en qué idioma siente. Contesta las siguientes preguntas.

1. ¿De dónde es? ¿De dónde son sus padres?
2. ¿Cuántos años tenía cuando llegó a los Estados Unidos?
3. Según Leguizamo, ¿en qué idioma piensa y en qué idioma siente? ¿Por qué crees que dice que piensa en un idioma y siente en otro?

ACTIVIDAD 3 Los inmigrantes

Mira ahora el resto de la entrevista para contestar las siguientes preguntas.

1. ¿Qué mensaje quiere el cómico que entendamos?
2. Según el cómico, ¿cuál es la dura realidad del hispano que emigra a los Estados Unidos?
3. ¿Qué les recomienda a las personas que estudian español?

Después de ver

ACTIVIDAD 4 Los estereotipos

Parte A: En el video, vemos cómo John Leguizamo se ríe de los estereotipos de los latinos que viven en los Estados Unidos. En grupos de tres, discutan en qué consiste el estereotipo de la gente norteamericana que existe en otros países.

Parte B: Ahora, en su grupo, digan cómo quieren Uds. que el resto del mundo vea a la gente de los Estados Unidos.

Proyecto: Una receta

Vas a filmar un programa de cocina para *Gourmet*, un canal de televisión. En el video, vas a dar instrucciones usando el **se pasivo** (se corta/n, se añade/n, etc.) y órdenes (mezclen, hiervan, etc.) para preparar una receta de un país de habla española. Aquí hay algunas posibilidades: tortilla española, moros y cristianos, baleada, tamales de Cambray, empanadas, arepas con queso, sancocho y churros.

Latinos americanos

CAPÍTULO 5

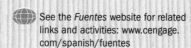

Revistas latinas que se venden en los Estados Unidos.

See the *Fuentes* website for related links and activities: www.cengage.com/spanish/fuentes

Activating background knowledge

ACTIVIDAD 1 Las caras hispanas de los Estados Unidos

En parejas, miren y comenten la foto de la página anterior. Contesten las siguientes preguntas.

1. ¿Qué tipos de publicaciones se ven en la foto del kiosco?
2. ¿Hacia qué público(s) van dirigidas? ¿Cómo se sabe?
3. ¿Qué lenguas se usan en las portadas? ¿Qué implica este uso?
4. ¿Qué intereses se reflejan en los titulares?
5. ¿Qué ideas o conceptos sobre los hispanos o latinos intentan comunicar las imágenes que aparecen en las portadas?
6. ¿En qué se asemejan o se diferencian estas revistas de otras revistas publicadas en los Estados Unidos?
7. ¿Ven Uds. portadas como estas en las tiendas de su ciudad o universidad?

Lectura 1: Una entrevista

Guessing meaning from context

ACTIVIDAD 2 Palabras y nombres

Busca la definición que corresponde a la palabra o expresión en negrita de las oraciones que siguen. Luego escribe la letra de la definición en el espacio correspondiente. Las palabras en negrita aparecen en la entrevista que vas a leer sobre el spanglish.

1. ______ En el mundo hispano, el diccionario de mayor prestigio es el publicado por la **RAE**.	a. dos autores del siglo de oro de España, famosísimos por su uso elegante del español
2. ______ El **lema** de la RAE es "limpia, fija y da esplendor".	b. la Real Academia (de la Lengua) Española, institución oficial fundada en Madrid en 1713 que publica diccionarios y gramáticas
3. ______ En el mundo hispano, las obras de **Góngora** y **Quevedo** se consideran ejemplos del buen uso del español.	c. un lenguaje muy coloquial y poco prestigioso que cambia rápidamente
4. ______ Los estudiantes universitarios tienen fama de usar mucho **argot,** como "uni", "biblio" y "facu".	d. desear algo que tiene otra persona
5. ______ El español se usa cada vez más para el envío de mensajes electrónicos en la **red.**	e. el sistema de computadoras conectadas por medio de la telecomunicación
6. ______ Muchas personas **envidian** a Bill Gates por su dinero y su poder.	f. un golpe en la cara
7. ______ En las películas tradicionales de Hollywood, las mujeres enojadas les daban **bofetadas** a los hombres "frescos".	g. palabra o frase que se identifica o se asocia con un grupo u organización

ESTRATEGIA DE LECTURA

Recognizing Symbols, Similes, and Metaphors
When reading, you must be careful not to take everything too literally. Many words and expressions are used for their symbolic potential. A symbol (**un símbolo**) signifies or represents something else, often more powerfully than a direct reference. For example, the skull and crossbones is a visual symbol used to warn of dangerous poisons. Similes and metaphors are comparisons between elements, which are often used with symbolic significance in writing. A simile (**un símil**) is explicit and uses the words *like* or *as* (**como**): *He's as cold as ice.* A metaphor (**una metáfora**) directly equates two elements without the use of *like* or *as*: *All the world's a stage.* Symbols, similes, and metaphors are used in all types of writing, though they are especially frequent in songs and poetry.

ACTIVIDAD 3 Más allá de lo literal

Parte A: En parejas, miren el título y la foto del artículo y comenten las siguientes preguntas.

Activating background knowledge, Predicting

1. ¿Qué simboliza el título?
2. ¿De qué va a tratar la lectura?
3. ¿Qué opinan del spanglish? ¿Quiénes lo hablan?
4. ¿Conocen algún ejemplo de spanglish?

Parte B: Mientras lees individualmente, subraya las palabras o expresiones que se usan como símbolos, símiles o metáforas.

Active reading, Identifying symbols, similes, and metaphors

"¿Cómo estás you el día de today?"

IMA SANCHÍS, • *La Vanguardia*

Entrevista con Ilán Stavans
Nacido en Ciudad de México, Ilán Stavans es profesor en Amherst College, Massachusetts, donde tiene la primera cátedra de spanglish en Estados Unidos.

—*Buenas tardes, señor Stavans.*

—Hallo, gringa. ¿Cómo estás you el día de today?

—*Sin respuesta.*

—Verá, el spanglish no son sólo unas cuantas palabras en argot, es un mestizaje verbal entre el inglés y el español, un cruce de dos lenguas y dos civilizaciones. Es una revolución subversiva. ¿Y sabe qué es lo mejor?

—*Pues no.*

—Que el spanglish va más allá de la clase social, la raza, el grupo étnico y la edad. Lo hablan 40 millones de personas.

—*¿Y cuándo empezó a hablarse?*

—En 1848, en el momento en que México le vende por 15 millones de dólares a Estados Unidos dos terceras partes de su territorio con

Continúa en la página siguiente

Ilán Stavans

sus pobladores. Luego en 1898 la guerra hispano-americana arraiga todavía más la cohabitación verbal y cultural.

—*Pero otras lenguas han desaparecido de Estados Unidos.*

—Sí, el alemán, el francés, el polaco, el ruso, el italiano o el yiddish terminaron por desaparecer a partir de la segunda generación de inmigrantes. Sin embargo, el castellano tiene muchísima presencia, hay más emisoras de radio en California que en toda Centroamérica, dos cadenas nacionales de televisión y periódicos de amplia difusión.

—*¿Escriben y hablan en spanglish?*

—Sí, el otro día en un diario puertorriqueño leí: "Una de las actividades favoritas de la región es el jangueo en los malls..."

—*¿Y qué significa?*

—Janguear, que viene del verbo inglés "to hang out", significa pasar el rato, divertirse, perder el tiempo. En su mayoría esas expresiones son adaptaciones literales del inglés, como "llamar pa'tras", que viene de "to call you back"; o "vacunar la carpeta", que significa pasar el aspirador por la alfombra.

—*La RAE no debe estar muy contenta.*

—No, pero es absurdo. ¿Cuál es el español puro y legítimo, el de Góngora y Quevedo? ¿Y quién lo habla en la actualidad? Que el lema de la RAE sea todavía el de "limpia, fija y da esplendor" me parece ofensivo.

—*¿Y cómo lo llevan los americanos?*

—En algunos estados se ha llegado a promulgar la ley English Only, pero EE.UU. es un país bilingüe... La realidad está en la calle y también tiene mucho que ver con los webones.

—*¿?*

—Los que se pasan todo el día conectados a la red... Pero todos somos webones, la cultura se ha webatizado en los últimos diez años.

—*¿Ciber-spanglish?*

—Sí, un lenguaje que se disemina por todo el mundo. Incluso ustedes hablan de "chatear" en lugar de charlar, del "maus" en lugar del ratón y "printean" en vez de imprimir.

—*¿Y los anglosajones hablan spanglish?*

—En los últimos años muchos lo hablan porque es muy cool.

—*¿Se ha puesto de moda?*

—Muchísimo. Veo que esa palabra la conoce. ¿Conoce coolísimo?

—*Ésa ya no.*

—Es un mexicanismo. Y los cubanos llaman al traidor "kenedito". El spanglish tiene muchas tipologías según el territorio en el que se desenvuelve; está el dominicanish, el spanglish cubano, el chicano.

—*¿Y hay literatura?*

—Hay novelas escritas en spanglish que tiran 3.000 ejemplares y los poetas nuyorriqueños están empezando a destacar.

—*¿Se convertirá en un idioma?*

—Yo creo que tiene futuro. Hay mucho que escribir y que soñar, y cuando se sueña en spanglish el sabor de los sueños es distinto, es más divertido porque es un idioma muy imaginativo, muy creativo, muy espontáneo, muy libre, se parece al jazz.

—*¿Y usted? ¿Se ha lanzado a hablar en spanglish?*

—Antes de que me entrara esta pasión por el spanglish tenía la sensación de vivir encerrado en dos prisiones, la del idioma español y la del idioma inglés.

—*Así que estudiaba el spanglish, pero no lo hablaba.*

—Sí, y envidiaba a la generación de mis sobrinas y a mis estudiantes porque hablaban spanglish, pero yo como profesor y como intelectual tenía que mostrar la corbata, el buen corte de pelo, el afeitado...

—*¿Se atrevió?*

—Sí, de repente me lancé y decidí utilizarlo incluso en mis clases, y en ese momento una libertad interior me invadió... Le parecerá una estupidez, pero soy más feliz.

—*¿Difícil atraparlo en un diccionario?*

—Sí, se reinventa continuamente. Yo sé que en el momento en que se publique mi diccionario, el idioma se habrá transformado nuevamente.

—*Pues dígame: a día de hoy, ¿qué se le dice a una mujer para conquistarla?*

—"Oye, yo te lovyu muchísimo", y si no te da una bofetada es que la has conquistado. ■

We la gente de los Unaited Esteits, pa'formar una unión más perfecta, establisheamos la justicia, aseguramos tranquilidá doméstica, provideamos pa'la defensa común, promovemos el welfér, y aseguramos el blessin de la libertad de nosotros mismos y nuestra posterity, ordenando y establisheando esta Constitución de los Unaited Esteits de América.

¿Se debe usar el spanglish en documentos importantes?

ACTIVIDAD 4 ¿En qué consiste el spanglish?

Analyzing

Parte A: Los expertos dicen que el spanglish consiste en dos tipos de mezcla:

- **los préstamos:** palabras o expresiones tomadas de un idioma y usadas en otro, típicamente con cambios de pronunciación y forma. Por ejemplo, el inglés usa varios préstamos del español: *burrito, taco, tapa, patio, plaza, ranch.* Las traducciones literales también son préstamos.
- **el cambio de código:** la alternancia entre un idioma y otro, entre oraciones, dentro de una oración o con una sola palabra; cada palabra, expresión u oración mantiene su pronunciación y gramática original: "María llegó tarde. *I was really angry.* Siempre está *promising* cosas, pero *then she doesn't follow through.*"

préstamo = borrowing or loanword

cambio de código = code-switching

En grupos de tres, decidan qué tipo de mezcla se usa en cada ejemplo tomado de la entrevista con Ilán Stavans.

1. ¿Cómo estás *you* el día de *today*?
2. el jangueo en los malls
3. vacunar la carpeta
4. chatear, maus, printear
5. llamar pa'trás

pa'trás = **para atrás** = back, backwards

Parte B: En grupos de tres, contesten las siguientes preguntas sobre el cambio de código.

1. ¿Por qué no aparecen muchos ejemplos del cambio de código en la entrevista?
2. ¿Qué requiere el cambio de código que no requiere el uso de los préstamos?
3. Muchos dicen que se usa el spanglish porque sus hablantes no saben usar ni inglés ni español. ¿Creen que esto es verdad?

Skimming and scanning, Summarizing

ACTIVIDAD 5 Siete ideas populares

Las siguientes oraciones representan creencias populares sobre el spanglish. Después de leer la entrevista, imagina que eres Ilán Stavans y responde a cada idea.

1. El spanglish no es más que un argot.
2. El spanglish solo lo usan los pobres y los ignorantes.
3. El spanglish es un fenómeno muy reciente.
4. El spanglish se habla igual en todas partes.
5. El español y el spanglish van a desaparecer pronto en los Estados Unidos.
6. El spanglish se habla pero no se escribe.
7. El español siente la influencia del inglés solo en los Estados Unidos.

Distinguishing fact from opinion

ACTIVIDAD 6 Diferencias de opinión

Parte A: El spanglish es un tema que inspira reacciones muy fuertes en diferentes personas y grupos. En parejas, comenten las siguientes preguntas.

1. ¿Qué opina la RAE del spanglish? ¿Por qué?
2. ¿Qué opina Ilán Stavans? ¿Cómo se sentía antes de usar el spanglish en sus clases? ¿Cómo se siente ahora? ¿Por qué?
3. ¿Qué opinaban Uds. del spanglish antes de leer la entrevista? ¿Qué opinan ahora? ¿Por qué?
4. ¿Qué opina su profesor/a del spanglish? ¿Por qué?
5. En su opinión, ¿por qué surgió el spanglish? ¿Por qué se sigue usando?
6. ¿El spanglish va a sobrevivir en este país? ¿Por qué?

Recommending

Parte B: En parejas, completen las siguientes oraciones según la información dada en la entrevista y la información que ha salido durante la discusión en clase.

1. La Real Academia Española les exige a los hispanohablantes que...
2. Ilán Stavans les recomienda a los hablantes que...
3. Nosotros les aconsejamos a los otros estudiantes de la clase que...
4. Nuestro/a profesor/a nos pide que...

Cuaderno personal 5-1

¿Tiene más sentido llamar esta mezcla lingüística spanglish, espanglish o espanglés? ¿Por qué? ¿Hay otras posibilidades?

Lectura 2: Panorama cultural

ACTIVIDAD 7 La palabra adecuada

Building vocabulary

Estudia la siguiente lista de palabras y expresiones de la lectura "El sabor latino de los Estados Unidos", y luego termina las oraciones que siguen.

el crisol	melting pot
desafiar	to challenge
el desempleo	unemployment
el elenco	cast (of film or TV program)
fomentar	to encourage, to promote
la forja	forge, forging
humilde	humble, modest, lowly
el nivel de vida	standard of living

1. Las series de televisión suelen tener un ____________________ compuesto de actores que viven cerca del estudio, o por lo menos en la misma región.
2. Aunque ____________________ ha afectado a gran parte del país desde 2008, es un problema que ha afligido a muchas ciudades del noreste desde los años 70.
3. ____________________ de una identidad positiva es un objetivo importante de todos los grupos inmigrantes.
4. En los Estados Unidos la imagen o metáfora dominante para describir o comprender los procesos de asimilación y americanización es ____________________.
5. El ____________________ de un individuo, un grupo o un país depende en gran parte de la cantidad de riqueza o dinero que posee.
6. En las comunidades hispanas de los Estados Unidos existen organizaciones para ____________________ la cooperación y la ayuda mutua.
7. Con frecuencia, los inmigrantes son personas ____________________, sin mucho dinero ni otras ventajas como estudios avanzados.
8. Los inmigrantes muchas veces ____________________ las normas culturales de los países adonde llegan.

Activating background knowledge

ACTIVIDAD 8 ¿De quiénes estamos hablando?

Se usan muchos de los siguientes términos en la lectura "El sabor latino de los Estados Unidos." En parejas, definan cada término y digan los idiomas principales que se hablan en cada grupo.

hispanos	*hispanoamericanos*
latinos	*latinoamericanos*
mexicanos	*mexicoamericanos*
chicanos	*centroamericanos*
norteamericanos	*suramericanos*
cubanos	*cubanoamericanos*
puertorriqueños	*neorriqueños*
dominicanos	*caribeños*
guatemaltecos	*americanos*
españoles	*ecuatorianos*

Activating background knowledge, Active reading

ACTIVIDAD 9 ¿Qué saben Uds. de los hispanos?

En grupos de tres, contesten y comenten las siguientes preguntas. Luego, lean la siguiente lectura para ver si contestaron correctamente las preguntas 2, 3 y 4. ¿Hay información que les llame la atención?

1. ¿Conocen a algunos hispanos? ¿De dónde son? ¿Qué idioma hablan?
2. ¿En qué partes de los Estados Unidos viven los hispanos?
3. ¿De dónde son los hispanos que viven en los Estados Unidos?
4. ¿Cuándo llegaron los primeros hispanos a los Estados Unidos?

El sabor latino de los Estados Unidos

Desde Nueva York, Miami, Chicago, San Antonio y Los Ángeles, hasta Savannah, Burlington, Sioux City y Boise, se nota la presencia hispana en los Estados Unidos. En realidad, es una presencia evidente en todo el país, que se nota en la comida, en la música y el arte; se nota en el comercio, la política y el lenguaje. Pero, ¿de dónde viene? Es una presencia que existe desde años atrás, mas en su forma actual, ha llegado con los millones de hispanos o latinos que se han establecido y viven en los Estados Unidos. La mayor parte de ellos han

El Palacio de los Gobernadores de Santa Fe es el edificio público más antiguo de los Estados Unidos. Fue construido en 1610, doce años después de la llegada de los primeros colonos españoles a Nuevo México. Sus descendientes viven todavía en la región.

Los cuatro primeros países hispanohablantes: México, España, Colombia y Argentina.

La creciente población hispana de EE.UU.: 22.000.000 (1990), 35.000.000 (2000), 49.000.000 (2010), 66.000.000 (2020). La población hispana de Canadá: casi 1.000.000 de los 30.000.000 de canadienses (2000).

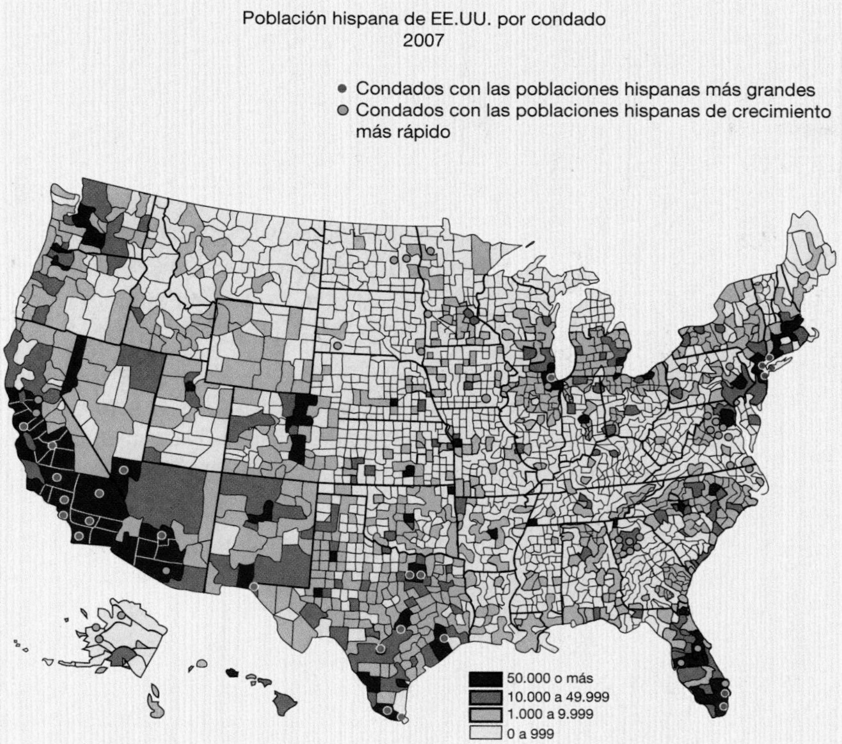

Source: Pew Hispanic Center analysis of U.S. Census Bureau county population estimates

venido de Latinoamérica y el Caribe, y de estos, la gran mayoría habla español. Su presencia ha hecho de los Estados Unidos el quinto país de habla española del mundo, y su llegada en masa ha convertido a los hispanos en el grupo étnico más grande del país, con más de 45 millones de personas de origen hispano. No obstante, es erróneo verlos a todos como miembros de un solo bloque monolítico, ya que no comparten necesariamente ni el mismo origen, ni la misma lengua, ni la misma raza ni la misma identidad.

Orígenes de la población hispana

Los primeros hispanos "americanos" fueron mexicanos, descendientes de los primeros colonos españoles, que vivían en los territorios que perdió México durante la guerra de 1846. A principios del siglo XX, empezaron a llegar inmigrantes mexicanos que cruzaban la frontera para trabajar en la industria agrícola de California y en la construcción de ferrocarriles. Desde entonces, la inmigración mexicana ha continuado, aunque a partir de los años 60 empezó a dirigirse hacia los grandes centros urbanos que ofrecían más oportunidades de trabajo, salud y educación. Como con otros grupos inmigrantes, muchos de los descendientes de los primeros inmigrantes mexicanos forman ahora parte de la clase media, pero también es verdad que han tenido que luchar contra el racismo y la marginación. Entre tanto,

Continúa en la página siguiente

la guerra de 1846 = the Mexican American War. La guerra terminó con el Tratado de Guadalupe Hidalgo y les cedió a los EE.UU. los territorios de Texas, Nuevo México, Arizona, California, Nevada, Utah y parte de Colorado.

Muchos mexicoamericanos nacidos en EE.UU. prefieren llamarse chicanos. Este término también se asocia con una tradición de protesta política.

la continua inmigración de grandes números de mexicanos ha convertido a los mexicoamericanos en el grupo hispano más importante de los Estados Unidos.

A diferencia de los mexicanos, los puertorriqueños han llegado a los Estados Unidos siendo ya ciudadanos estadounidenses, puesto que la isla de Puerto Rico fue convertida en territorio estadounidense después de la guerra de 1898 y sus habitantes fueron declarados ciudadanos estadounidenses en 1917. Entre 1945 y 1974, ocurrió una migración masiva de puertorriqueños a las ciudades del norte, especialmente a Nueva York, donde se necesitaban trabajadores industriales. Desde entonces, gran parte de las familias inmigrantes puertorriqueñas han llegado a formar parte de la clase media, dispersándose por otras partes de los Estados Unidos, al mismo tiempo que gran número de profesionales puertorriqueños también se han extendido por el país. Por otro lado, muchos pobres sin formación profesional se quedaron atrapados en los barrios pobres de Nueva York y otras ciudades después del declive del sector industrial en los años 70. Estos han tenido que luchar contra problemas de pobreza y desempleo, pero a pesar de eso, los "nuyoricans", por ejemplo, mantienen una fuerte presencia en la ciudad.

la guerra de 1898 = the Spanish American War (between Spain and U.S.)

Desde 1948 Puerto Rico es Estado Libre Asociado. Sus residentes eligen a sus líderes locales y participan en las fuerzas armadas de los EE.UU., pero no votan para elegir presidente de los EE.UU. ni pagan impuestos federales.

La palabra **barrio** significa vecindario, pero en los EE.UU. tiene, a veces, la connotación negativa de *ghetto*.

Los cubanos forman el tercero de los tres grandes grupos hispanos. Los primeros inmigrantes cubanos salieron de Cuba después de que Fidel Castro tomó el gobierno en 1959, llegando a Miami y Nueva York como refugiados políticos. Estos eran en su mayoría miembros de la élite socioeconómica de Cuba, y sus conocimientos y experiencia comercial y profesional les ayudaron a prosperar en los Estados Unidos y a convertir a la ciudad de Miami en la principal capital financiera de Latinoamérica. Después, han llegado otros inmigrantes cubanos que en general han sido de origen más humilde. A pesar de eso, los cubanoamericanos siguen constituyendo hoy día el único grupo hispano de los Estados Unidos que, por lo general, disfruta de un nivel de vida parecido al de otros americanos de la clase media.

Además de estas tres grandes comunidades, han llegado en las últimas décadas varios millones de inmigrantes de diversos países latinoamericanos. Actualmente no es nada raro encontrarse con dominicanos, colombianos, ecuatorianos, guatemaltecos, hondureños, nicaragüenses y venezolanos. Sus razones de emigrar a los Estados Unidos varían según el país de origen. Los disturbios políticos causaron el éxodo de muchos centroamericanos en los años 80 y 90, pero, por lo general, la oportunidad económica ha atraído a los demás.

La forja de la cultura latina

De la vivencia de esos grupos en los Estados Unidos ha surgido una nueva identidad latina que se ve expresada en su variada producción cultural. La salsa, música creada entre los países caribeños y Nueva York, combina ritmos y arreglos de muchos países sin ser de ninguno de ellos. En la literatura, autores como Sandra Cisneros (chicana de Chicago), Achy Obejas (cubana), Tato Laviera (puertorriqueño) y Junot Díaz (dominicano de Nueva Jersey) publican libros que tratan de las experiencias de los latinos

En la actualidad, más del 60% de los hispanos de EE.UU. han nacido en el país.

en los Estados Unidos. El arte mural que durante mucho tiempo se asoció solo con México, ahora se ha convertido en medio de expresión no solo de la comunidad chicana sino de otras comunidades hispanas.

El arte mural empezó como forma de expresión de la comunidad mexicoamericana, pero se ha extendido a otros grupos latinos. Este mural celebra la vida e identidad puertorriqueñas en el barrio de Humboldt Park, Chicago.

Es cierto que la mayoría de los hijos de los inmigrantes aprenden a usar el inglés junto con el español, y que los nietos ya tienen el inglés como primer, y a veces, único idioma (de hecho, los autores latinos más importantes escriben mayormente en inglés). Pero, a diferencia de otras comunidades inmigrantes, los latinos han mantenido muchos elementos de sus culturas latinoamericanas, especialmente el uso del español en muchas de sus comunidades. Esto ha ocurrido por razones diversas: la inmigración de los hispanos es superior a la de cualquier grupo anterior; el número de hispanohablantes y la constante llegada de nuevos inmigrantes fomentan el uso continuo del español; y el avión, el teléfono, la televisión e Internet hacen posible mantener fácilmente el contacto con la tierra natal, cosa que no ocurría con los inmigrantes anteriores. Además, el concepto del multiculturalismo, que surgió en los años 60, también ha promovido una nueva actitud hacia la diferencia cultural al ver en ella un motivo de orgullo. Todos estos factores han contribuido a mantener vivo el uso del español y una identidad distinta.

La exportación de la identidad latina

La cultura latina estadounidense no está realmente separada de las latinoamericanas. En ella se continúan muchas tradiciones, como la celebración mexicana del Día de los Muertos o las fiestas de las quinceañeras celebradas por varios grupos latinos. Pero al mismo tiempo, la cultura latina representa una innovación cultural, ya que tiende a combinar y sustituir a las culturas estrictamente nacionales. Por ejemplo, en las universidades norteamericanas, estudiantes de origen nacional muy variado tienden a pertenecer a la Organización de Estudiantes Latinos, y hay cada vez más políticos que se declaran representantes de las comunidades latinas en vez de especificar un grupo en particular.

Continúa en la página siguiente

El chileno Mario Kreutzberger es conocido como "Don Francisco" y es el anfitrión de "Sábado Gigante", el programa de televisión más duradero de la historia. Se emite todos los sábados desde Miami.

Además, aunque sea difícil de creer, existe el fenómeno de la 'exportación' de la cultura latina estadounidense a Latinoamérica. Esto ocurre, por ejemplo, por medio de la televisión: hoy en día televidentes en Argentina, Colombia, Nicaragua y otros países ven en sus casas programas producidos en Miami, como el show de "Cristina", "Sábado Gigante" y telenovelas hechas en español. Algunas de estas telenovelas, como "Tierra de pasiones", se centran en los problemas de los inmigrantes latinos en los Estados Unidos e incluyen un elenco internacional en el que podemos escuchar mezclas de acentos mexicanos, puertorriqueños, colombianos y cubanos. Un efecto de estas series televisivas es que cada vez más latinoamericanos aprenden a identificarse como 'latinos', una identidad que se inventó en los Estados Unidos.

Estados Unidos: tierra de cambios

La importancia de la población hispana en los Estados Unidos es innegable. Ahora que los norteamericanos consumen más salsa mexicana que ketchup, se puede decir que los latinos literalmente han cambiado el sabor de la cultura norteamericana. Los hispanos, como tantos grupos anteriores, contribuyen a la cultura de los Estados Unidos, cambiándola al mismo tiempo que se asimilan a ella. Pero también han continuado su larga tradición de mezcla cultural; esos contactos dentro y fuera de los Estados Unidos han creado una nueva identidad latina que parece desafiar la imagen tradicional del crisol americano. ■

Scanning

ACTIVIDAD 10 Los tres grupos originales

Parte A: Asocia cada uno de los siguientes rasgos o hechos con los mexicanos o mexicoamericanos (M), los cubanos o cubanoamericanos (C) o los puertorriqueños (P).

1. _____ antepasados que estuvieron antes de la expansión de los Estados Unidos
2. _____ la revolución de 1959, refugiados políticos
3. _____ ciudadanos de los Estados Unidos antes de llegar

4. ______ la guerra de 1846
5. ______ la guerra de 1898
6. ______ Miami, una comunidad comercial de gran éxito
7. ______ Nueva York y ciudades norteñas, dispersión de la clase media por los EE.UU.
8. ______ la industria agrícola y los ferrocarriles del suroeste, urbanización posterior

Summarizing

Parte B: En parejas, reconstruyan la historia de los hispanos en los Estados Unidos, usando como base la lista de detalles de la Parte A, además de otra información de la lectura.

ACTIVIDAD 11 Una nueva identidad

Reacting to reading

En grupos de tres, contesten las siguientes preguntas.

1. ¿En qué sentido es nueva la identidad latina?
2. ¿A qué se debe esta nueva identidad?
3. ¿Cuáles son algunas manifestaciones de la cultura latina?
4. ¿Creen que va a sobrevivir la cultura latina o representa solo un paso hacia la asimilación total?
5. En su opinión, ¿presenta la cultura latina un desafío para la identidad nacional estadounidense? ¿Un desafío para las identidades nacionales de Latinoamérica?

ACTIVIDAD 12 ¿Americanización?

Making inferences, Analyzing

Parte A: En la historia de los Estados Unidos, la mayoría de los inmigrantes se ha asimilado a la cultura dominante. En parejas, digan cuáles de los aspectos siguientes u otros son los más importantes para mostrar que se es plenamente norteamericano. Si es posible, usen expresiones como **Se habla..., Se viste..., Se come..., Se maneja...**

la comida (las bebidas)
la ropa
manejar un carro
otras costumbres (¿cuáles?)
el número de años que lleva en los Estados Unidos
tener pasaporte
tener ciudadanía legal
tener hijos nacidos en los Estados Unidos
estar casado/a con un/a norteamericano/a
tener padres norteamericanos
hablar inglés
no hablar otro idioma

Parte B: En parejas, comenten las siguientes preguntas.

1. ¿Es posible ser latino (o chino, coreano, ruso, etc.) y norteamericano al mismo tiempo? ¿Por qué sí o no?
2. ¿Qué significa ser "plenamente (norte)americano"?
3. ¿Es posible definir una identidad latina —diferente de la "angloamericana"— con base en lo que se habla, se come o se viste?

ACTIVIDAD 13 ¿Cómo debe ser?

En parejas, contesten las siguientes preguntas, imaginándose que son de El Salvador y que llegaron a los Estados Unidos a la edad de 13 años.

1. ¿Hablan mejor español o inglés?
2. ¿Se identifican como salvadoreños, hispanos, latinos u otra cosa?
3. ¿Se sienten "americanos"?
4. ¿Qué opinan de la cultura y las personas norteamericanas?
5. ¿Qué opinan de su cultura salvadoreña?

Cuaderno personal 5-2

¿Cómo ves a la sociedad norteamericana, como un crisol, un mosaico o una ensalada? ¿Crees que a largo plazo los latinos van a mantener una identidad distinta o van a asimilarse completamente a la cultura general?

VIDEOFUENTES

¿Cómo refleja la experiencia personal de John Leguizamo la historia de los grupos hispanos en los Estados Unidos? ¿Las opiniones de Leguizamo sobre los hispanos reflejan o contrastan con las perspectivas presentadas en la lectura "El sabor latino de los Estados Unidos"? ¿Cómo?

Lectura 3: Literatura

ESTRATEGIA DE LECTURA

Approaching Poetry
Poetry is often written to express deep feelings. Relative to prose writing, it is marked by its careful, limited use of vocabulary and powerful use of symbols. Fewer words and more metaphors can make interpretation more challenging and more interesting. Some familiarity with the topic and with basic poetic devices (**recursos poéticos**) can aid comprehension. Many poems are characterized by:

- a rhythmic use of language (**el ritmo**)
- the grouping of words into lines (**versos**), stanzas (**estrofas**), and refrains or repeated lines (**estribillos**)

- the repetition (**la repetición**) of sounds, words, phrases, or structures to emphasize important aspects
- rhyme (**la rima**)
- frequent use of metaphors (**metáforas**) and symbols (**símbolos**)

This poem, actually the lyrics of a song by Willie Colón and Héctor Lavoe, contains examples of some poetic devices.

Ausencia

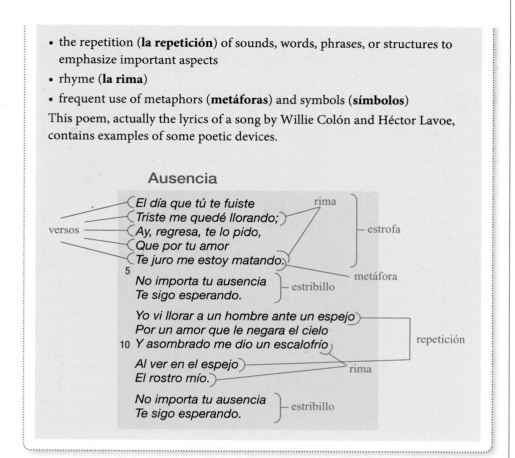

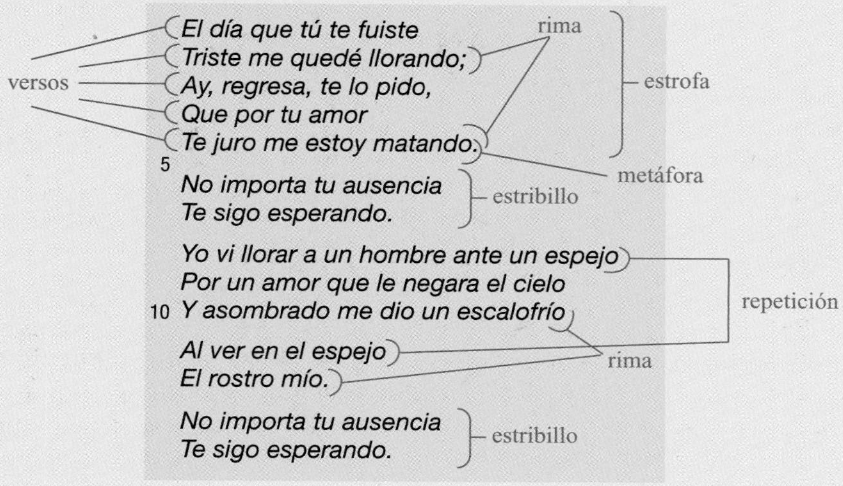
El día que tú te fuiste
Triste me quedé llorando;
Ay, regresa, te lo pido,
Que por tu amor
Te juro me estoy matando.
No importa tu ausencia
Te sigo esperando.
Yo vi llorar a un hombre ante un espejo
Por un amor que le negara el cielo
Y asombrado me dio un escalofrío
Al ver en el espejo
El rostro mío.
No importa tu ausencia
Te sigo esperando.
versos
rima
estrofa
metáfora
estribillo
repetición
rima
estribillo

ACTIVIDAD 14 Dos poemas bilingües

Activating background knowledge

Los dos poemas que Uds. van a leer fueron escritos por hispanos de los Estados Unidos y hablan de sus experiencias bilingües y biculturales. Teniendo en cuenta esta información, en parejas, hagan una lista de temas, ideas o elementos que piensan que van a aparecer en estos poemas.

ACTIVIDAD 15 Contenido y forma

Approaching poetry

Parte A: Lee los dos poemas "Where you from?" y "Bilingual Blues". Después, en parejas, decidan las semejanzas y las diferencias entre los dos poemas, enfocándose en los siguientes aspectos.

- el origen del/de la poeta: ¿De dónde es?
- su mensaje: temas y sentimientos
- el uso de inglés y español: ¿Por qué se usan los dos? ¿Cuándo se usa cada uno? ¿Cuál domina?
- el tono: enojado, amargado, triste, cómico, juguetón, serio, irónico, nostálgico

Parte B: En parejas, identifiquen los recursos poéticos que emplea cada poema. Busquen por lo menos un ejemplo de cada uno de los siguientes recursos.

	"Where you from?"	**"Bilingual Blues"**
el estribillo		
la repetición de palabras o expresiones		
la rima o la repetición de sonidos		
el ritmo		
símbolos o metáforas		

Parte C: En parejas, identifiquen las relaciones entre el contenido del poema y su forma. ¿Cómo refleja y refuerza la forma las ideas contenidas en el poema? ¿Es posible separar el contenido y la forma de cada poema?

Gina Valdés *nació en Los Ángeles, California y se crio a los dos lados de la frontera entre los Estados Unidos y México. Estudió en la Universidad de California–San Diego y ha enseñado cursos de literatura chicana y de escritura en universidades a través de los Estados Unidos. En su poesía explora las múltiples barreras que existen entre las personas, las culturas y los países.*

Where you from?

Gina Valdés

norteada = affected by the cold north wind

tartamuda = stuttering

mareada = dizzy

zurda = left-handed ("wrong, clumsy")

Soy de aquí
y soy de allá
from here
and from there
born in L.A.
del otro lado
y de éste
crecí en L.A.
y en Ensenada
my mouth
still tastes
of naranjas
con chile
soy del sur
y del norte
crecí zurda
y norteada
cruzando fron
teras crossing
San Andreas
tartamuda
y mareada
where you from?
soy de aquí
y soy de allá
I didn't build
this border
that halts me
the word fron
tera splits
on my tongue. ■

Barrera cerca de Tijuana y San Diego que marca la frontera entre México y los Estados Unidos.

Gustavo Pérez Firmat *nació en La Habana pero se crio en Miami. Tiene doctorado en literatura comparada de la Universidad de Michigan y enseñó durante muchos años en la Universidad de Duke en Carolina del Norte. Ahora es profesor de la Universidad de Columbia en Nueva York. Además de escribir obras de crítica literaria, se ha dedicado a explorar la vida cubanoamericana a través de la poesía.*

Bilingual Blues

Gustavo Pérez Firmat

Soy un ajiaco de contradicciones
I have mixed feelings about everything.
Name your tema, I'll hedge;
name your cerca, I'll straddle it
like a cubano.
I have mixed feelings about everything.
Soy un ajiaco de contradicciones.
Vexed, hexed, complexed,
hyphenated, oxygenated, illegally alienated,
psycho soy, cantando voy:
You say tomato,
I say tu madre;
You say potato,
I say Pototo.
Let's call the hole
un hueco, the thing
a cosa, and if the cosa goes into the hueco,
consider yourself en casa,
consider yourself part of the family.
Soy un ajiaco de contradicciones,
un puré de impurezas:
a little square from Rubik's Cuba
que nadie nunca acoplará.
(Cha-cha-chá) ■

¡CHA-CHA-CHÁ!

ajiaco = sopa caribeña de muchos ingredientes

cerca = fence

Pototo = personaje cómico del teatro cubano

acoplará = fit together

Making inferences

ACTIVIDAD 16 Reacciones personales

En parejas, comenten las siguientes preguntas.

1. ¿Creen que las fotos que acompañan cada poema representan bien sus ideas? ¿Qué otras imágenes visuales se pueden usar para representar cada poema? ¿En qué línea(s) se basa su selección?
2. Imaginen que alguien quiere usar uno de los poemas como la letra de una canción. ¿Con qué tipos de música se puede combinar cada poema? ¿Cuál les parece mejor a Uds.?
3. Imaginen que Uds. tienen la oportunidad de conocer a uno de los dos poetas. ¿Cuál les parece más interesante como persona? ¿Qué preguntas sobre el poema tienen para ella o él?

Analyzing

ACTIVIDAD 17 Voces dramáticas

Cada poema incluye una variedad de voces: una voz en español, otra en inglés, una voz hispana, otra anglosajona. En grupos de cuatro, hagan una representación dramática de uno de los poemas.

1. Decidan qué voz o voces dice(n) cada línea o palabra, y con qué tono se debe leer cada línea o palabra (con alegría, con tristeza, irónicamente, etc.).
2. Asignen cada verso o palabra a una persona o combinación de personas, y practiquen, enfatizando la pronunciación y la expresión.
3. Decidan si los movimientos físicos pueden ayudar a comunicar el significado del poema.

ACTIVIDAD 18 Una identidad desdoblada

Parte A: En cada poema se revela una personalidad desdoblada (*split*) entre diferentes fuerzas culturales. En parejas, compartan sus reacciones a las siguientes preguntas.

¿Se pueden sentir igualmente divididas las personas que no son inmigrantes? ¿Cómo? ¿Cuándo?
¿Te has sentido alguna vez "desdoblado" entre diferentes culturas o fuerzas culturales?

Parte B: Individualmente, escribe un breve poema bilingüe en el que expreses tus sentimientos de desdoblamiento o tus diferentes sentimientos respecto a algún aspecto de la vida. Para hacerlo debes:

- decidir el tema y la idea más importante: se puede expresar en una frase repetida o un estribillo
- escoger una metáfora central para expresar la idea principal y la idea de mezcla: se puede usar una imagen basada en una comida y sus ingredientes
- decidir cómo puedes usar la combinación de inglés y español para expresar diferentes perspectivas y sentimientos

Cuaderno personal 5-3

¿Qué símbolo o metáfora representa mejor tus sentimientos sobre tu identidad? ¿Por qué?

Redacción: Una entrevista

ESTRATEGIA DE REDACCIÓN

Interviewing

Interviews are the most effective means of finding out what individuals think about a specific topic. A successful interview begins with planning *before* the interview.

1. Decide the main topic(s) of the interview. The topic guides all other decisions. For example, for the interview you will conduct, the main topics are Hispanic cultural identity and Spanish language.
2. Find an appropriate Spanish speaker to interview. Explain to your candidate that the interview is for a Spanish class and what it is about, and politely ask if he or she can participate. Tell him/her that you would like to conduct the interview in Spanish but that some English is acceptable. Arrange a mutually convenient time and place for the interview.
3. Develop a list of questions to guide the interview. Decide if you will use both Spanish and English during the interview. Use open-ended questions whenever possible (yes-no questions lead to short, uninteresting answers).
4. Decide how long the interview should last.
5. Decide if you will take notes, record, or videotape the interview.

During the interview you should keep in mind the following tips.

1. Greet and thank your interviewee politely.
2. Ask one clear question at a time.
3. Listen carefully to your interviewee and be flexible. Ask a few questions that are not on your list in order to get more details, or simply respond appropriately to what is being said.
4. Avoid inappropriate and offensive questions. For example, in the interview you will conduct, do not assume that a person of Hispanic background is an immigrant, and do not ask directly about a person's immigration or residency status.
5. Don't talk about yourself: the interview is about what the other person thinks.

Continúa en la página siguiente

After the interview, prepare a written version, keeping in mind the following points.

1. Write up the interview (or at least your notes) as soon after the interview as possible.
2. Decide who your audience is and consider how this should affect your presentation.
3. Think of an interesting title.
4. Decide what parts of the interview are relevant to the topic. Discard those parts which are not.
5. Edit your content. Exclude filler words and sounds such as **este, aahhh, pues..., well, um,** etc. Eliminate unnecessary words or comments, but try not to alter the meaning of what the person said. You may need to change the order of actual questions and answers in order to keep the written version short and interesting.

Planning the interview

ACTIVIDAD 19 Quién, dónde, cómo, cuándo

Uds. van a hacer entrevistas con personas hispanas que viven en los Estados Unidos. Las entrevistas deben enfocarse en cuestiones de identidad y lengua. Aunque hay muchas personas hispanas en los Estados Unidos que no hablan español, para esta entrevista deben buscar una persona que hable español. En parejas, respondan a las siguientes preguntas para prepararse.

1. ¿Dónde y cómo se pueden poner en contacto con personas que hablan español?
2. ¿Es necesario grabar la entrevista o es suficiente tomar apuntes?
3. ¿Cuánto tiempo debe durar la entrevista? ¿Cuándo se puede hacer?
4. ¿Se puede usar algo de inglés durante la entrevista?

Preparing interview questions

ACTIVIDAD 20 Preguntas apropiadas... e inapropiadas

Es necesario llegar a la entrevista con una lista de preguntas preparadas. En parejas, decidan cuáles de las siguientes preguntas son apropiadas y cuáles no, y expliquen por qué. Una pregunta puede ser inapropiada por ser irrelevante, de poca importancia o por ser (posiblemente) ofensiva.

1. ¿Cómo se llama Ud.?
2. ¿Cuántos años tiene?
3. ¿Tiene familia? ¿Cómo es?
4. ¿De dónde es Ud.? ¿Dónde nació? ¿Cuánto tiempo lleva en los Estados Unidos?
5. ¿Cómo se identifica Ud.? (como hispano, latino, American, americano, mexicoamericano, guatemalteco) ¿Se asocia mucho con otras personas de origen _____?
6. ¿Qué tradiciones culturales conserva de [su país de origen]?

7. Generalmente, ¿habla español o inglés?
8. Cuando Ud. era niño/a, ¿qué lenguas se hablaban en su casa?
9. ¿Prefiere Ud. hablar español o inglés? ¿En qué situaciones habla español? ¿e inglés?
10. ¿Ha tenido Ud. problemas o experiencias positivas por hablar español?
11. ¿Ud. mira la televisión o escucha la radio en español? ¿en inglés?
12. ¿Quiere que sus hijos aprendan a hablar español? (¿Es probable que lo hagan?)
13. ¿Qué opina Ud. del spanglish?
14. ¿Qué aspectos de la vida de este país le gustan más? ¿menos?
15. ¿Prefiere la vida en los Estados Unidos o en su país de origen?
16. ¿Quisiera hacer un comentario final?

ACTIVIDAD 21 De lo oral a lo escrito

Writing the interview

Después de la entrevista, prepara una versión escrita de la entrevista. Imagina que escribes una entrevista para estudiantes de español. Para hacerlo, piensa en los siguientes aspectos.

1. Decide si tienes mejor información sobre el tema de la identidad o el tema de la lengua. Puedes enfatizar uno de los dos temas.
2. Escribe un título interesante que refleje las opiniones de la persona entrevistada. El título puede ser una cita directa.
3. Decide qué comentarios son más importantes e interesantes. La entrevista escrita no necesita incluir todo lo que se ha dicho en la entrevista oral. Además, es probable que tengas que cambiar el orden de algunas preguntas y respuestas para ayudar a los lectores de tu entrevista escrita.

CAPÍTULO 6

Nuevas democracias

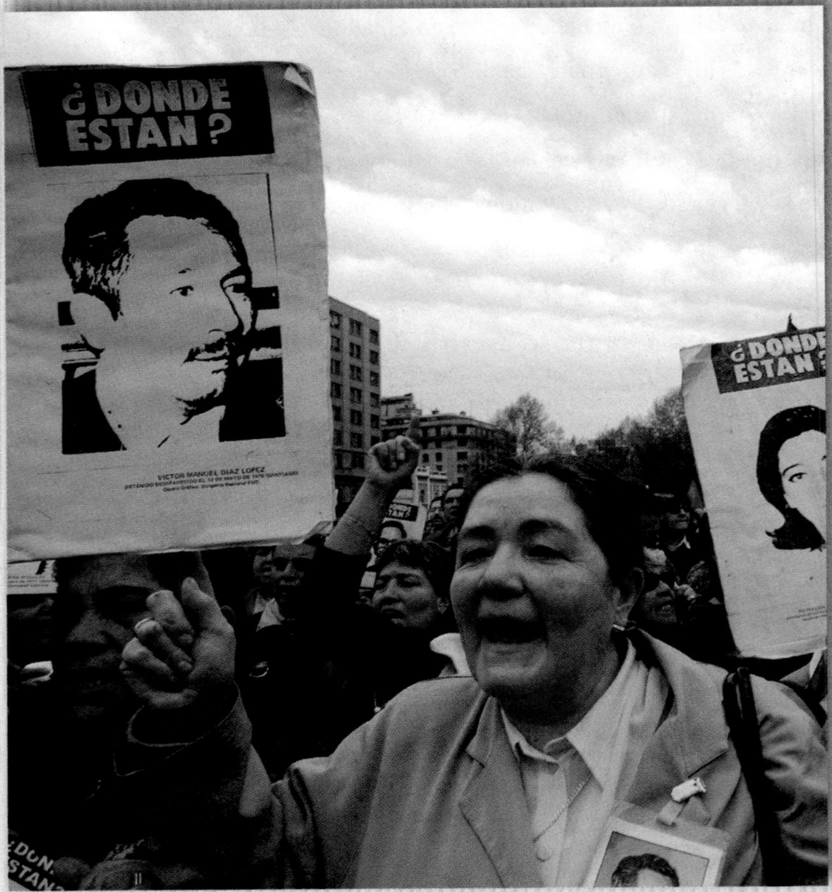

Chilenos protestan en reclamo por familiares que desaparecieron durante la dictadura de Pinochet.

METAS COMUNICATIVAS

- expresar emociones y opiniones
- expresar duda y certeza
- hablar de política

METAS ADICIONALES

- formar oraciones complejas
- usar *para* y *por*

Nadie está inmune

los desaparecidos	missing people
quién diría	who would have said/thought
salirse con la suya	to get his/her way

Sting cantó "Ellas danzan solas" para familiares de desaparecidos en Argentina.

ACTIVIDAD 1 La situación política

Parte A: Antes de escuchar a dos chilenos hablar sobre la gente que desapareció en Chile durante el gobierno militar del general Pinochet, identifica las siguientes cosas.

- dos países hispanos, aparte de Chile, que han tenido gobierno militar
- un país hispano que hoy día tiene un gobierno estable
- dos factores que pueden causar inestabilidad económica en una democracia

Parte B: Lee las siguientes oraciones y luego escucha la conversación para completarlas.

1. En ____________________ (año), Sting dio un concierto en Mendoza, Argentina, en honor de ____________________.
2. Durante el gobierno militar de Chile torturaron e hicieron desaparecer a ____________________ personas.
3. Pinochet, el ex dictador chileno, estaba de viaje en ____________________ cuando el juez español Garzón le pidió a ese país su extradición.
4. Algunas de las víctimas de Pinochet eran de ascendencia ____________________.
5. Al final, el dictador Pinochet no fue encarcelado por sus crímenes por estar ____________________.

Mendoza es una ciudad en Argentina al lado de los Andes y cerca de la frontera con Chile.

ACTIVIDAD 2 Más datos

Escucha la conversación otra vez para responder a las siguientes preguntas.

1. ¿Por qué fueron 15.000 chilenos al concierto de Sting en Mendoza, Argentina?
2. Sting escribió una canción dedicada a las madres y esposas de los chilenos desaparecidos. ¿Por qué crees que la llamó "Ellas danzan solas"?
3. ¿A qué se refiere la chica cuando dice que los gobernantes no van a salirse con la suya?
4. ¿Por qué decidieron los familiares de los desaparecidos hacer el reclamo a España?
5. Pinochet creía que tenía inmunidad diplomática, pero Garzón no opinaba lo mismo. Después de lo que ocurrió en Inglaterra, ¿va a ser más fácil o más difícil para los gobernantes que violan los derechos humanos visitar otros países?

Los desaparecidos

¿Lo sabían?

Durante la dictadura de Pinochet en Chile, entre el 11 de septiembre de 1973 y 1990, desaparecieron o murieron más de 3.000 personas. Entre ellos había estudiantes, trabajadores de fábricas, artistas y profesionales. Muchos de ellos fueron torturados y asesinados por disentir del gobierno. La forma pacífica que encontraron algunas madres y esposas de los desaparecidos para expresar su protesta era bailar la cueca frente a una estación de policía. Este es un baile típico de Chile que es lento y se baila en pareja, pero en esas ocasiones las mujeres llevaban en su pecho la foto del familiar desaparecido y bailaban con un compañero invisible. Cuando el cantante Sting se enteró de la situación en Chile, se conmovió por lo ocurrido, escribió una canción en honor de esas mujeres y la llamó "Ellas danzan solas". La canción imitaba en parte el ritmo de la cueca.

Hay músicos o actores que han dado conciertos o han hecho anuncios a favor de los derechos humanos. ¿Conoces a alguno?

ACTIVIDAD 3 La situación aquí

En grupos de tres, digan si están de acuerdo con estas ideas sobre su país y justifiquen sus respuestas.

1. La situación económica de este país está cada día mejor.
2. Cada vez hay más gente de clase media y menos gente de clase baja.
3. Existe la violación de los derechos humanos en este país.
4. Hay muchos actos de violencia.

I. Expressing Feelings and Opinions about Future, Present, and Past Actions and Events

A The Present Subjunctive

Do the corresponding web activities as you study the chapter.

In Chapter 5, you learned how to use the subjunctive to make suggestions, persuade, influence, and give advice. The subjunctive can also be used to express feelings and opinions about another person's states or actions.

1. Compare the following columns and notice how you use the subjunctive to express feelings and opinions in a personal way about another person's situation, and the infinitive to merely express a person's feelings about their own situation.

Expressing feelings/opinions about another person's situation Verb of emotion + **que** + *subjunctive*	**Expressing feelings/opinions about one's own situation** Verb of emotion + *infinitive*
(Nosotros) estamos contentos de que (Uds.) puedan votar. *We are happy that you can vote.*	**(Nosotros) estamos contentos de poder** votar. *We are happy to be able vote.*
(Ella) espera que (él) vote por el Partido Verde. *She hopes that he votes for the Green Party.*	**(Ella) espera votar** por el Partido Verde. *She hopes to vote for the Green Party.*

2. Use the following verbs to express feelings or opinions.

esperar	estar contento/a (de)	estar triste (de)	lamentar (*to lament, to be sorry*)
sentir (ie, i) (*to be sorry*)	temer (*to fear*)		tener miedo (de)
me/te/le/etc. +	alegrar* (*to be glad/happy*) dar pena* (*to feel sorry*) molestar* sorprender* (*to be surprised*)		

*Note: These verbs function like **gustar** and take the singular form when followed by a clause introduced by **que: me/te/le alegra/da/molesta/sorprende.**

(A ellas) **Les molesta que no haya** libertad de palabra.
It bothers them that there is no freedom of speech.

(A ellas) **Les molesta no tener** libertad de palabra.
It bothers them not to have freedom of speech.

Me alegra que (tú) puedas ir a la manifestación.
I'm happy that you can go to the protest.

Me alegra poder ir a la manifestación.
I'm happy to be able to go to the protest.

3. Compare the following columns and notice how you can also use the subjunctive to express feelings or opinions in an impersonal way about a specific person or situation, or the infinitive to express feelings or opinions about no one in particular.

Impersonal feelings/opinions about a specific person Impersonal expression of emotion + **que** + *subjunctive*	**Impersonal feelings/opinions about no one specific** Impersonal expression of emotion + *infinitive*
Es una vergüenza que ese político sea corrupto. *It's shameful that this politician is corrupt.*	**Es una vergüenza ser** corrupto. *It's shameful to be corrupt.*
¡Qué lástima que no tengamos elecciones este año! *What a shame not having elections this year!*	**¡Qué lástima no tener** elecciones este año! *What a shame that we aren't having elections this year!*

4. Use the following impersonal expressions to express feelings or opinions.

es horrible/terrible es fantástico es maravilloso es bueno/malo es una lástima/pena (*it's a pity/ shame*) es una vergüenza (*it's a shame/ shameful*)	es lamentable es raro (*it's strange*) ¡Qué sorpresa...! (*What a surprise . . . !*) ¡Qué bueno...! (*How good . . . !*) ¡Qué lástima/pena...! (*What a pity/ shame . . . !*) ¡Qué vergüenza...! (*How shameful . . . !*)

5. The word **ojalá** (*I hope*) comes from the Arabic expression *may Allah grant* and is used to express wishes. The verb that follows **ojalá** is always in the subjunctive form. **Que** is optional.

Ojalá (que) tengamos paz en el mundo.
I hope that we have peace in the world.

ACTIVIDAD 4 Un colega

Parte A: Dos oficinistas están hablando sobre un colega de la oficina. Completa la conversación con la forma apropiada del presente del subjuntivo o el infinitivo de los verbos que se presentan.

MARTA Me sorprende que nuestros jefes no le __________ (1) un aumento de sueldo a Carlos el mes que viene. (dar)

ERNESTO ¿Qué dices? ¿Cómo lo sabes?

MARTA Me lo contó nuestra jefa. Es una lástima que él no __________ (2) aumento como nosotros. Ojalá que la jefa __________ (3) de idea. (recibir, cambiar)

ERNESTO Mira, mujer. Me alegra que la jefa __________ (4) el trabajo que nosotros hacemos y lamento que la empresa no le __________ (5) a Carlos el aumento. Pero tú sabes que él no trabaja tanto como los demás. Es bueno que las cosas __________ (6) justas. (reconocer, dar, ser)

MARTA ¡Qué increíble! Es lamentable __________ (7) este tipo de comentario de tu parte. (oír)

ERNESTO ¿A qué te refieres?

MARTA ¡Qué pena que tú no __________ (8) ser objetivo y que no __________ (9) hacer un comentario imparcial sobre un colega! Dices eso sobre Carlos porque te molesta que él __________ (10) mejor trabajador que tú. Y punto. (intentar, poder, ser)

Parte B: En parejas, usen la conversación entre Ernesto y Marta como ejemplo, pero cámbienla para hablar de un estudiante de la escuela secundaria que no va a recibir una beca (*scholarship*) el año que viene y por eso no va a poder ir a la universidad.

ACTIVIDAD 5 Me molesta

En grupos de tres, usen la lista para decir cuatro o cinco cosas que les molestan o no de otras personas. Digan si les molestan mucho, un poco o nada, y expliquen por qué.

► Me molesta (mucho) que una persona siempre esté contenta porque...

- ser inmadura
- fumar cerca de ti
- quejarse constantemente
- masticar (*chew*) chicle y hacer ruido
- hablar mal de otros
- mentir mucho
- votar a un candidato solo por ser carismático
- dar consejos
- hablar con la boca llena
- no compartir sus cosas
- pedir dinero prestado
- opinar de política sin fundamentos (*facts*)
- criticar al gobierno, pero no votar
- ¿?

ACTIVIDAD 6 ¿Lamentables o raras?

Parte A: Lee las situaciones siguientes e indica si son buenas, lamentables o si son raras o no.

a. es bueno	c. es raro
b. es lamentable	d. no es raro

1. ________ un hombre / gastar / mucho dinero en ropa
2. ________ una persona desconocida / pedirte / dinero para el autobús
3. ________ un hombre / ser / víctima de acoso (*harassment*) sexual
4. ________ tu ex novio/a / salir / con tu mejor amigo/a
5. ________ tus amigos / criticar / a tu pareja
6. ________ un esposo / quedarse / en casa con los niños y / no trabajar
7. ________ una persona / no pagar / los impuestos (*taxes*)
8. ________ un estudiante muy perezoso / recibir / una beca importante

Parte B: Ahora, en parejas, túrnense para dar su opinión sobre estas situaciones y expliquen por qué piensan así.

► (No) Es raro que un hombre gaste mucho dinero en ropa porque generalmente a los hombres (no) les interesa la ropa.

ACTIVIDAD 7 La universidad y sus prioridades

La situación actual de tu universidad te afecta como estudiante y por eso crees que se necesitan cambios. En parejas, miren la siguiente lista y elijan dos cambios de cada categoría. Luego escriban su opinión sobre la situación actual e indíquenles a las autoridades de la universidad los cambios necesarios.

► Es lamentable que no haya facultad de estudios afrocaribeños. Es necesario que Uds. abran esa facultad.

Remember: **facultad** = academic department (Biology) or school (Law)

Facultades
• abrir una nueva facultad de...
• contratar a más profesores para la facultad de...
• tener más/menos ayudantes de cátedra (*teaching assistants*)
• prestar más atención a las evaluaciones de los profesores que hacen los estudiantes
• poner en Internet las evaluaciones que hacen los estudiantes
Vivienda y transporte
• construir más residencias estudiantiles
• construir apartamentos baratos para estudiantes casados o con hijos
• aumentar/implementar el/un sistema de autobuses gratis
• ofrecer más lugares para estacionar carros y bicicletas
• bajar el precio de las residencias y las comidas

Tecnología

- emplear a más personal para reparar computadoras
- tener soporte técnico gratis las 24 horas
- darles a los estudiantes un programa de correo electrónico más moderno
- modernizar los laboratorios de ciencias

ACTIVIDAD 8 Las elecciones en Perú

Parte A: Así como participar en la política de la universidad hace que se produzcan cambios, votar en las elecciones presidenciales también genera cambios. Lee lo que explica una peruana sobre el voto en Perú.

Fuente hispana

"En Perú el voto es obligatorio, como en varios países de Latinoamérica, pero cuando no nos gustan los candidatos que se presentan, tenemos la opción de votar en blanco. Ese tipo de voto se usa como señal de protesta y los políticos lo tienen muy en cuenta. También en Perú, un candidato necesita el 50% más un voto para ganar. Pero si nadie obtiene ese porcentaje, se realiza una segunda elección entre los dos candidatos con el mayor número de votos. Lo bueno es que entonces todo el pueblo puede reevaluar su voto y volver a votar." ■

Parte B: En grupos de tres, digan si han votado en el pasado y especifiquen en qué elecciones. Luego den su opinión sobre el voto obligatorio, el voto en blanco y la segunda votación en Perú. ¿Creen que pueda existir una segunda votación en este país algún día? Usen expresiones como: **Me alegra que... porque..., Espero que..., Tengo miedo de que..., Me sorprende que...**

El voto en blanco

B The Present Perfect Subjunctive

So far, you have learned how to express feelings about the present and the future using the present subjunctive. Look at the following sentences said by a man who has not seen his wife in a while and is anxiously waiting for her.

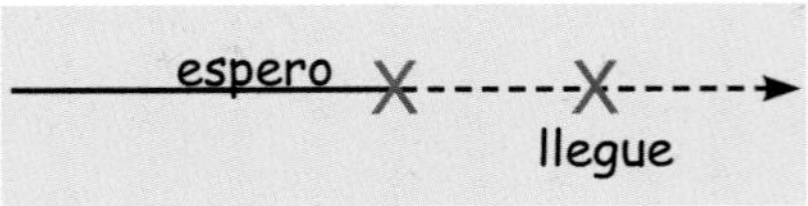

Espero que el vuelo de LanChile **llegue** pronto.
I hope that the LanChile flight arrives/will arrive soon.

Espero que Rosa **esté** en ese vuelo.
I hope that Rosa is on that flight.

When expressing present feelings about something that has already occurred, use an expression of emotion + **que** + *present perfect subjunctive* (**pretérito perfecto del subjuntivo**), which is formed by using the present subjunctive form of the verb **haber** + *past participle.*

haber		
que haya	que hayamos	
que hayas	que hayáis	+ *past participle*
que haya	que hayan	

To review the formation of past participles, see Appendix A, page 365.

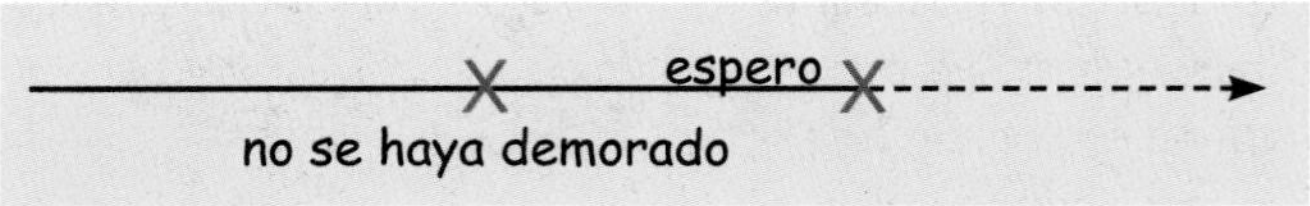

Espero que el avión no **se haya demorado.***
I hope that the plane hasn't had any delays.

¡Qué bueno que ella **haya encontrado** un pasaje económico!
How good that she (has) found a cheap ticket!

Me sorprende que hayan puesto a Rosa en primera clase.
It surprises me that they (have) put Rosa in first class.

*Note: In a verb phrase, past participles (e.g., **demorado**) always end in **-o.** Also note that reflexive and object pronouns (**me, lo, le, se,** etc.) are placed before **haber.**

ACTIVIDAD 9 Mail a una hija

Un padre le escribe un mail a su hija que está en otro país. Completa esta parte del mail con la forma apropiada del presente del subjuntivo, del pretérito perfecto del subjuntivo o con el infinitivo de los verbos que se presentan.

Querida Gabriela:

Espero que ____________________ (1) bien. Toda la familia te echa de menos. Sí, finalmente se acabaron las elecciones. Es una pena que tú no ____________________ (2) escuchar el discurso del nuevo presidente porque estuvo sensacional. Él dijo que es necesario ____________________ (3) paciencia, pero que las cosas van a cambiar. Es maravilloso que el domingo pasado los ciudadanos ____________________ (4) a alguien del P.R.U. después de años de un gobierno opresivo. Por mi parte, estoy contento de que el país ____________________ (5) este nuevo presidente. Ahora es importante ____________________ (6) conciencia de la situación del país y que nosotros ____________________ (7) algo para que la situación mejore. Lamento que tú no ____________________ (8) aquí la noche de las elecciones para ver las celebraciones en las calles por toda la ciudad. Ojalá que ____________________ (9) un recordatorio en tu agenda para ir al consulado a votar el domingo pasado y que no ____________________ (10) de fecha. Me olvidé de recordártelo antes. Como sabes, creo que el voto es un derecho que todos tenemos que ejercer.

estar
poder
tener
elegir
tener
tomar
hacer
estar
ponerse
equivocarse

¿Lo sabían?

A la hora de las elecciones, los candidatos para la presidencia de los Estados Unidos tienen muy en cuenta a la población hispana ya que, con más de 45 millones, es la minoría más grande de ese país. El votante hispano tiende a ser conservador en asuntos (*issues*) sociales, pero en general, apoya a aquellos candidatos que suelen ser un poco más liberales. Aunque, como grupo de votantes, existe una tendencia entre los latinos a inclinarse hacia el partido demócrata, también hay grupos que suelen votar por los republicanos, como los cubanoamericanos, cuyos votos, especialmente en el estado de Florida, fueron de gran importancia en las elecciones presidenciales del año 2000. Ocho años más tarde el voto hispano fue igual de importante para los demócratas, especialmente en estados como Florida, Colorado, Nuevo México y Nevada.

Hoy día, los políticos organizan campañas para atraer el voto latino y algunos de ellos dan discursos y hacen debates en español. Además, tienen páginas Web en español y hacen propaganda en Univisión y Telemundo.

¿Sabes el nombre de algún político hispano en tu ciudad, estado o en el gobierno federal?

Las páginas Web de los partidos norteamericanos en español

Latina trabajando para la campaña presidencial de Barack Obama.

ACTIVIDAD 10 Acontecimientos importantes

Expresa tu opinión sobre los siguientes acontecimientos del pasado con frases como **Es lamentable que..., Me alegra que..., Es interesante que...**

► administración del canal de Panamá / pasar a manos panameñas

Me alegra que la administración del canal de Panamá haya pasado a manos panameñas porque el canal está en ese país y ellos están capacitados para administrarlo.

1. México / venderles California a los Estados Unidos
2. en 2003 los hispanos / convertirse en la minoría más numerosa de los Estados Unidos
3. en Argentina / desaparecer 30.000 personas durante la guerra sucia entre 1976 y 1983
4. Michelle Bachelet / ser la primera mujer presidenta de Chile
5. Óscar Arias (ex presidente costarricense) / ganar el Premio Nobel de la Paz
6. el Che Guevara / escribir su famoso diario entre 1966 y 1967
7. Perón (ex presidente argentino) / quemar iglesias

ACTIVIDAD 11 El año pasado

Parte A: En parejas, miren la siguiente lista de acciones. Escoja cada uno dos temas para hablar en detalle sobre cosas que hicieron el año pasado.

1. aprender español
2. conseguir un buen trabajo
3. preocuparte seriamente por los estudios
4. hacer nuevos amigos
5. hacer un viaje a otro país
6. ver un documental sobre...

Parte B: Ahora miren la lista otra vez y expresen cómo se sienten con respecto a algunas cosas que hicieron el año pasado. Expliquen también las consecuencias que esas acciones tienen hoy día en su vida. Usen expresiones como: **Es una lástima que..., Es fantástico que...**

► ir a fiestas

Es una lástima que no haya ido a más fiestas porque me encantan. Ahora que tengo clases más difíciles y un trabajo, no tengo mucho tiempo para divertirme.

ACTIVIDAD 12 Los jubilados

Parte A: En parejas, uno de Uds. es don Rafael, un jubilado que está haciendo una revisión de su vida, y la otra persona es su amiga doña Carmen. Lean la biografía de Rafael y hagan comentarios. Don Rafael debe hablar de las cosas que lamenta de su pasado usando expresiones como: **¡Qué lástima que...!, Es triste que...** Doña Carmen debe hacerle ver a don Rafael el lado positivo usando expresiones como: **¡Qué bueno que...!, Es maravilloso que...** Pueden inventar detalles.

Rafael Legido, 75 años, jubilado
Cuando era joven, sus padres ofrecieron pagarle los estudios universitarios, pero no quiso estudiar. En vez de estudiar, fue a trabajar de cajero en un banco. Después de muchos años, llegó a ser subgerente del banco. En su trabajo, conoció a la mujer con la cual se casó. No tuvieron hijos. Sus compañeros de trabajo jugaron juntos a la lotería y ganaron 10 millones de dólares. Él no quiso jugar.

Parte B: Ahora, Carmen hace una revisión negativa de su vida y Rafael trata de hacerle ver el lado positivo.

Carmen Ramos, 77 años, jubilada
Llegó a ser Miss Chile. Nunca usó su fama para luchar contra el abuso de menores o la pobreza de su país. No se casó con el amor de su vida porque él no tenía dinero. En cambio, se casó con un millonario, pero no tuvo un matrimonio feliz. Tuvo seis hijos, pero nunca les dedicó mucho tiempo; más bien pasó su tiempo viajando.

II. Discussing Politics

La política

Las noticias del día

Fuente hispana

"El **activismo** *político y social es una faceta más de la vida estudiantil universitaria de América Latina. Diariamente, antes de empezar clases, entre clases y después de ellas, los estudiantes se reúnen en cafeterías cerca de las universidades para charlar y es frecuente debatir la situación política y social del país. El mantenerse al tanto de lo que está sucediendo no se considera una tarea sino un deber ciudadano, un* **compromiso** *social.*

Pero la participación sociopolítica no solo es el discutir los **sucesos del momento,** *sino también la intervención en* **huelgas** *o* **paros** *nacionales y en* **protestas** *y* **manifestaciones** *públicas para que se realicen cambios en el sistema que afectan* **el bienestar común.** *Tan importantes son la valoración y el consenso estudiantil para la vida política de un país en Latinoamérica, que en algunos países la Cámara y el Senado tienen representantes de la juventud."* ■

ecuatoriano

activism

commitment

current events

strikes; work stoppages

protests; demonstrations

the common good

Cognados obvios	
el abuso, abusar	**la estabilidad/inestabilidad**
la corrupción	**la influencia, influir* en**
la democracia, democrático/a	**la protección, proteger**
la dictadura, el/la dictador/a	**protestar**
la eficiencia/ineficiencia	

*Note: irregular verb

To refer to the two major U.S. political parties use **el partido demócrata** and **el partido republicano.**

For irregular verbs, see Appendix A, page 355.

Otras palabras	
el acuerdo	agreement/pact
estar de acuerdo	to be in agreement
llegar a un acuerdo	to reach an agreement
la amenaza, amenazar	threat, to threaten
el apoyo, apoyar	support, to support
el asunto político/económico	political/economic issue
la campaña electoral	political campaign
la censura, censurar, censurado/a	censorship, to censor, censored
el golpe de estado	coup d'état
la igualdad/desigualdad	equality/inequality
la inversión, invertir (ie, i)	investment, to invest
la junta militar	military junta
la libertad de palabra/prensa	freedom of speech/the press
la política	politics
el político / la mujer política	politician
el pueblo	the people
el respeto a / la violación de los derechos humanos	respect for / violation of human rights
el soborno	bribe

el soborno = la mordida (*México*)

ACTIVIDAD 13 La democracia y la dictadura

En parejas, digan cuáles de las siguientes palabras asocian Uds. con la dictadura y cuáles con la democracia y por qué. Es posible asociar la misma palabra con las dos.

- amenazas
- gran número de robos (*thefts*)
- campaña electoral
- censura
- soborno
- corrupción
- ineficiencia
- violación de derechos humanos
- libertad de prensa
- gran número de manifestaciones

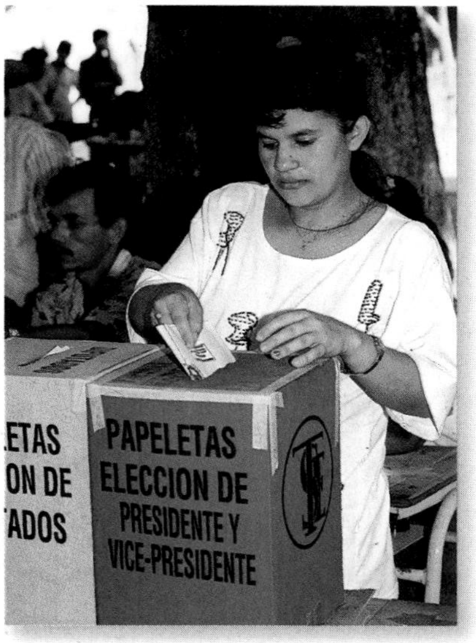

Una joven vota en Guazapa, El Salvador.

ACTIVIDAD 14 La voz de los jóvenes

En grupos de tres, comparen lo que dice el ecuatoriano en la página 173 con lo que pasa en su universidad o en su país. ¿Hablan de política los estudiantes? Comenten sobre la participación o falta de participación de los estudiantes de su universidad y den ejemplos específicos de su participación reciente.

Manifestantes en Quito

ACTIVIDAD 15 Situación política en Hispanoamérica

Da tu opinión y expresa emociones sobre los siguientes ejemplos de la situación política y social pasada y actual de Hispanoamérica, y explica por qué piensas así. Usa expresiones como: **(No) Me sorprende, Es una lástima, Es bueno/malo.**

► Un juez español pidió la extradición de un militar argentino para juzgarlo en España.

Me alegra que un juez español haya pedido la extradición de un militar argentino para juzgarlo en España porque...

1. Rigoberta Menchú, indígena guatemalteca, ganó el Premio Nobel de la Paz.
2. Existe discriminación racial en Hispanoamérica.
3. La CIA ayudó al general Pinochet a subir al poder en Chile con un golpe de estado.
4. Hay mucha desigualdad económica en Hispanoamérica.
5. Han muerto muchos políticos en Colombia por hacerles frente a los narcotraficantes.
6. Los militares tienen mucha influencia en algunos gobiernos hispanoamericanos.
7. El voto en blanco ganó en las elecciones de legisladores de Buenos Aires en 2002.

ACTIVIDAD 16 ¿Intervenir?

Di si es bueno o no que un país intervenga en otros países y defiende tu opinión. Usa expresiones como: **(No) Es buena idea que un país... porque..., Me molesta que un país... porque...**

► ayudar a educar a los analfabetos

Es buena idea que un país ayude a educar a los analfabetos de otros países porque si más gente sabe leer, creo que esos países van a necesitar menos ayuda en el futuro.

1. darles ayuda económica para mejorar su infraestructura
2. venderles armas y entrenar a los militares para combatir el tráfico de drogas
3. tolerar la violación de los derechos humanos
4. mandarles medicamentos y construir hospitales
5. ayudar a proteger el medio ambiente
6. abrir fábricas y crear fuentes de trabajo
7. contribuir a la campaña electoral de algunos candidatos
8. ayudar cuando hay desastres naturales

III. Expressing Belief and Doubt about Future, Present, and Past Actions and Events

In this chapter you have seen how to use the subjunctive to express feelings and opinions about other people's actions. Additionally, the subjunctive is used to express doubt.

1. Compare the following columns and notice how the subjunctive is used to express doubt in a personal way about your or another person's future, present, and past situation. In contrast, the indicative is used to express belief and certainty about self or others.

To express doubt about self or others Verb of doubt + **que** + *subjunctive*	**To express belief or certainty about self or others** Verb of belief/certainty + **que** + *indicative*
El candidato no está seguro (de) que (él) tenga suficientes votos.* *The candidate isn't sure that he has enough votes.*	**El candidato está seguro (de) que (él) tiene** los votos que necesita para ganar. *The candidate is sure he has the votes he needs in order to win.*
(Yo) dudo que (ellos) reformen la Constitución. *I doubt that they will reform the Constitution.*	**(Yo) estoy seguro (de) que (ellos) van a reformar** la Constitución. *I am sure that they will reform the Constitution.*
Ana no cree que la policía haya detenido a su hermano en la manifestación. *Ana doesn't think (believe) that the police (have) arrested her brother at the demonstration.*	**Ana cree que la policía ha detenido / detuvo** a su hermano en la manifestación. *Ana believes that the police (have) arrested her brother at the demonstration.*

*Notice that the verb indicating doubt and the verb following **que** can have the same subject.

2. Here is a list of expressions of doubt that take the subjunctive and a list of those that necessitate the use of the indicative to express belief and certainty.

Expressions of Doubt: Subjunctive	**Expressions of Belief or Certainty: Indicative**
no estar seguro/a (de)	estar seguro/a (de)
no creer	creer
¿creer?	
dudar	
¿Crees que el presidente tenga una buena política exterior?	**Creo que el presidente tiene** una buena política exterior.

3. Compare the following columns to see how you can use the subjunctive to express doubt in an impersonal way or the indicative to express certainty in an impersonal way.

Impersonal expression of doubt + que + *subjunctive*	Impersonal expression of certainty + que + *indicative*
Es probable que nosotros **hayamos perdido** las elecciones.	**Es evidente que** nosotros **hemos perdido / perdimos** las elecciones.
No es verdad que los partidos políticos **tengan** mucho dinero.	**Es verdad que** los partidos políticos **tienen** mucho dinero.

4. The following lists contain impersonal expressions of doubt and of certainty.

Impersonal Expressions of Doubt: Subjunctive	Impersonal Expressions of Certainty: Indicative
es imposible*	está claro
(no) es posible*	no cabe duda (de)
(no) es probable	es seguro
(no) puede ser	
no es evidente	es evidente
no es obvio	es obvio
no es verdad/cierto	es verdad/cierto

*Note: These impersonal expressions can be followed by an infinitive if no specific person is mentioned. Compare:

Es imposible que ganen con esa política exterior.	**Es imposible ganar** con esa política exterior.
No es probable que ella haya perdido las elecciones solo por no tener el apoyo de los sindicatos.	**No es posible haber perdido** las elecciones solo por no tener el apoyo de los sindicatos.

ACTIVIDAD 17 Un candidato a presidente

Parte A: Un candidato presidencial está preparando su discurso final antes de las elecciones. Complétalo con la forma apropiada de los verbos correspondientes.

	Querido pueblo:
ir	Mañana son las elecciones y llega el momento de la decisión final. Si Uds. me eligen como líder del país, pueden estar seguros de que _______________ (1) a hacer todo lo que
complacer	prometí durante la campaña electoral. Ya sé que es imposible _______________ (2)
preocuparse	a todos los ciudadanos, que hay gente que no cree que yo _______________ (3) por
abrirse	sus problemas en el pasado y que duda que yo _______________ (4) y que
poder	_______________ (5) escuchar los problemas del pueblo cuando era senador.
importar	Lo niego (*deny*) categóricamente. No es verdad que a mí no me _______________ (6)
cometer	sus problemas. Admito que _______________ (7) errores en esa época, pero no cabe
conocer	duda que _______________ (8) los problemas del pueblo y se lo voy a demostrar a todos. Les prometo prestar atención a todas sus necesidades. Yo quiero trabajar por el país, pero creo
tener	que todos _______________ (9) que poner nuestro granito de arena para que el país progrese.
deber	Mis colaboradores y yo creemos que _______________ (10) empezar a actuar ya mismo.
necesitar	No cabe duda de que el país _______________ (11) un cambio inmediato. Pueblo querido: ¡Mañana triunfaremos!

Parte B: Ahora, en grupos de tres, expresen su opinión sobre los políticos en general usando frases como: **(No) Creo que..., (No) Estoy seguro/a (de) que..., Dudo que...**

► Dudo que muchos políticos se preocupen por los niños de este país porque ellos no votan.

- prestar atención al medio ambiente
- hacer lo que quiere la gente
- preocuparse por los pobres
- cumplir sus promesas
- interesarse por las grandes empresas
- ser honrados

ACTIVIDAD 18 Un político con éxito

En parejas, elijan las cinco características más importantes para que un político tenga éxito y justifiquen sus ideas. Usen expresiones como: **(No) Es importante, (No) Es necesario, (No) Es posible.**

► Es importante que el político aparezca con niños en las fotos.

► No es posible que tenga éxito si no habla bien.

- ser honrado/a
- besar a los bebés
- tener buena apariencia física
- tener dinero para su campaña electoral
- creer en Dios
- ser buen padre o buena madre
- tener título universitario
- tener buen sentido del humor
- estar casado/a
- serle fiel a su esposo/a
- estar en buen estado físico
- ¿?

ACTIVIDAD 19 ¿Mentira o verdad?

Parte A: ¡Vas a decir mentiras! Escribe una lista de cinco cosas que hiciste en el pasado; algunas deben ser mentira.

Parte B: En parejas, escuchen lo que dice su compañero/a y decidan si es verdad o no.

► —Me gradué de la escuela secundaria cuando tenía dieciséis años.

—Dudo que te hayas graduado de la escuela secundaria cuando tenías dieciséis años.

—Creo que es verdad porque eres muy inteligente.

ACTIVIDAD 20 Opiniones sobre historia

En grupos de tres, den su opinión sobre los siguientes sucesos usando expresiones como: **(No) Creo que... porque..., Dudo que..., No cabe duda que...**

1. Mark McGwire fue el mejor bateador de la historia del béisbol.
2. Michael Jordan fue el mejor jugador de la historia del basquetbol.
3. Bill Clinton aspiró el humo cuando fumó mariguana.
4. O. J. mató a Nicole Brown Simpson y a Ron Goldman.
5. Oswald actuó solo en el asesinato de Kennedy.
6. Madoff estafó (*swindled*) a miles de personas e instituciones.

IV. Forming Complex Sentences

The Relative Pronouns *que* and *quien*

As you progress in your study of Spanish, using relative pronouns (**pronombres relativos**) in your speech and writing will improve your fluency. Compare these two narrations in English.

Dick and Jane are friends. They have a dog. The dog's name is Spot. Spot runs fast.	Dick and Jane, who are friends, have a dog named Spot that runs fast.

As you can see, relative pronouns are important to connect shorter sentences in order to avoid repetition. They help make speech interesting to listen to and give prose richness and variety.

1. When you want to describe a person, place, or thing with information that is essential and omitting it would change the meaning of the sentence, you may introduce it with **que** (*that/which/who*).

En los países hispanos, las personas **que estudian inglés** tienen mejores oportunidades de trabajo.	*In Hispanic countries, the people who/that study English have better job opportunities.* (only the people who study English)
Cursé una clase de geografía social **que me interesaba mucho.**	*I took a social geography class which/that interested me a lot.*
El cuadro ganador fue pintado por un niño **que solo tenía cuatro años.**	*The winning painting was painted by a child who/that was only four years old.*

Remember to use **que** for essential information even when referring to people.

2. When you want to give nonessential information in a sentence, you may introduce it with **que** or **quien(es)** for people, and **que** for things. In writing, you must set off the nonessential information with commas. Note that nonessential information may be omitted from a sentence without changing the meaning of the sentence. Compare the following sentences.

La maestra fue con algunos niños a la playa. Los niños, **que/quienes** sabían nadar, se metieron en el agua en cuanto llegaron.	*The teacher went with some kids to the beach. The kids, who knew how to swim, got in the water as soon as they arrived.* (All the kids knew how to swim, all the kids got in the water.)
La maestra fue con algunos niños a la playa. Los niños **que** sabían nadar se metieron en el agua en cuanto llegaron. Los otros hicieron castillos de arena.	*The teacher went with some kids to the beach. The kids who knew how to swim got in the water as soon as they arrived. The others made sand castles.*

Quien(es) is generally preferred in writing to give nonessential information about people.

ACTIVIDAD 21 Comentarios

Completa estos comentarios que se oyeron en una manifestación en contra del presidente y el Congreso con **que** o **quien(es)**.

1 Los políticos ____________ entienden los problemas económicos votaron en contra de un aumento de sus propios sueldos. Al final perdieron porque hay más congresistas egocéntricos, ____________ se preocupan de sí mismos y no por el bienestar del pueblo. ¡Qué pena!

2 El presidente, ____________ se divorció tres veces, cree que el matrimonio como institución es fundamental. Claro, con tanta práctica...

3 Los senadores ____________ ganaron las elecciones este año recibieron una invitación de la esposa del presidente a una cena de gala. Van a comer como reyes mientras el pueblo se muere de hambre.

4 Todos los políticos del Partido Populista, ____________ votaron en bloque contra la protección del medio ambiente, son unos sinvergüenzas.

5 El presidente invitó a un grupo de congresistas a su despacho e incluyó en ese grupo a los tres congresistas ____________ habían participado en el golpe de estado hace cinco años. ¡Increíble! Estos tres hombres no creen en un gobierno democrático.

6 Josefina Montoya, ____________ es la Malinche de hoy día, dice una cosa durante la campaña y luego hace otra. Basta de mentiras. Basta de corrupción.

ACTIVIDAD 22 Identifica a hispanos famosos

En parejas, túrnense para identificar al mayor número posible de hispanos famosos usando pronombres relativos.

► La Malinche es la mujer que ayudó a Cortés a entenderse con los indígenas.

- Carlos Santana
- Isabel Allende
- Alex Rodríguez
- Juan Domingo Perón
- Evo Morales
- Celia Cruz
- Hernán Cortés
- Hugo Chávez
- Cameron Díaz
- Francisco Franco
- Gabriel García Márquez
- Isabel la Católica

ACTIVIDAD 23 ¿Qué es eso?

Parte A: Al llegar a un país nuevo, muchas personas tienen problemas para entender los modismos y expresiones del nuevo idioma. En parejas, una persona es un/a extranjero/a que no entiende algunas cosas que oye en CNN y la otra persona le explica los significados. Usen pronombres relativos en las respuestas. Sigan el modelo.

► —Dicen que el candidato de Texas no puede ganar las elecciones porque tiene *baggage*. No entiendo. ¿A quién le importa si tiene maletas o no?

—*Baggage* no significa "maletas" en ese contexto. Significa que el candidato hizo cosas que pueden ser ilegales o que no les van a gustar a los ciudadanos del país.

1. Oí que el partido republicano tuvo un *field day* ayer porque alguien descubrió que una senadora demócrata había recibido sobornos. ¿Significa que pasaron el día en el campo?
2. Luego dijeron que esa senadora le dio una explicación a la prensa, pero muchos la llamaron un *tall story*. ¿Cómo puede ser alto un cuento?
3. Otros comentaron que la senadora iba a salir adelante porque había asistido al *school of hard knocks* y por eso iba a sobrevivir el escándalo. ¿Existe una escuela con ese nombre?
4. Más tarde oí decir que los de la radio le iba a poner su *spin* a la historia. ¿Qué es *spin*?

Parte B: Ahora, cambien de papel.

1. Dijeron en la tele que iban a poner *sound bites* de una pelea entre dos políticos. No es posible que muerdan el sonido, ¿verdad? ¿Lo oí mal?
2. Uno de los políticos llamó a otro un *fuddy-duddy*. No tengo la más remota idea qué significa eso. ¿Sabes tú?
3. Luego dijeron que ese *fuddy-duddy* estaba *ticked off*. No entendí nada.
4. Más tarde dijeron que el *fuddy-duddy* salió en un programa de televisión y que había tenido un *hissy fit*. ¿Se enfermó? ¿Tuvo un ataque de asma?

V. Indicating Cause, Purpose, and Destination

Por and *para*

Remember to use prepositional pronouns after **por** and **para** when needed: **mí, ti, Ud., él/ella, nosotros/as, vosotros/as, Uds., ellos/as.**

Uses of *por*

a. to express *on behalf of, for the sake of,* or *instead of*

Acepto este premio **por** mi padre que murió durante la guerra sucia.	*I accept this award for* (*on behalf of*) *my father who died during the Dirty War.*
Debes hacerlo **por** el bienestar común.	*You should do it for* (*for the sake of*) *the common good.*
 Ayer trabajé **por** mi tío.*	*Yesterday I worked for* (*instead of*) *my uncle.*

*Note: Compare this sentence with **Ayer trabajé para mi tío.** Yesterday I worked for my uncle. (He is my boss.)

b. to indicate movement *through* or *by*

 Caminé **por** el Congreso.	*I walked through the Congress.*
 Pasé **por** el Congreso.	*I went by the Congress.*

c. to express reason or motivation

La congresista va a tomar licencia **por** estar* embarazada.	*The congresswoman is going to take a maternity leave.* (The pregnancy is the reason she is taking her leave.)
Por el golpe de estado en 1973, los chilenos vivieron años de mucha inseguridad.	*Because of the coup d'état in 1973, the Chileans lived years of much insecurity.*

*Note: **Por** and **para** are prepositions; therefore, verbs immediately following them need to be in the infinitive form.

Uses of *para*

a. to express physical or temporal destination

Después del terremoto, el gobierno mandó medicinas **para** los damnificados. ⟶X	*After the earthquake, the government sent medicine for the victims.* (physical destination)
El presidente salió **para** la estación de radio e hizo un anuncio.	*The president left for the radio station and made an announcement.* (physical destination)
Deben tener listo el discurso presidencial **para** mañana, ¿verdad?	*They should have the presidential speech ready for tomorrow, right?* (temporal destination)

b. to express purpose

Ella trabaja como voluntaria en el Congreso **para** adquirir experiencia en la política.	*She works as a volunteer in Congress to have experience in politics.*
Este programa de computación es **para** realizar gráficos tridimensionales.	*This computer program is for making three-dimensional graphs.*
Estudia **para** (ser) diplomática.	*She's studying to be a diplomat.*

After having studied the uses of **por** and **para,** compare the following sentences and analyze the reason for using **por** or **para** in each case.

El presidente sale mañana **para** la zona del desastre.	Va a pasar cinco horas viajando **por** los pueblos más afectados.
Lo va a hacer **para** ayudar a los damnificados.	Lo va a hacer **por** ser su responsabilidad.

ACTIVIDAD 24 Los itinerarios

Elige un itinerario de la primera columna y el lugar de paso lógico de la segunda para formar la ruta completa de cada viaje. Consulta los mapas de este libro si es necesario. Sigue el modelo.

► Washington ⟶ Miami / Atlanta

Mañana salgo de Washington **para** Miami y pienso pasar **por** Atlanta.

Inicio del viaje → destino final	Lugar de paso
• Lima → Machu Picchu	*Taxco*
• Madrid → Barcelona	*Córdoba*
• la Ciudad de México → Acapulco	*Zaragoza*
• La Paz → Sucre	*Valparaíso*
• Buenos Aires → Salta	*Antigua*
• Santiago → Viña del Mar	*Cali*
• Medellín → Popayán	*Cochabamba*
• Guatemala → Chichicastenango	*Cuzco*

ACTIVIDAD 25 Los cacerolazos

Parte A: Lee la historia sobre un tipo de protesta muy popular en Latinoamérica y completa los espacios con **por** o **para.**

En Chile, durante el gobierno de Allende, se empezó un tipo de protesta llamada "el cacerolazo". Espontáneamente, algunas madres de familias salieron de sus casas, caminaron __________ (1) las calles con sus ollas, sartenes y cucharas, y empezaron a hacer ruido __________ (2) estar descontentas con el gobierno __________ (3) la falta general de comida. Los cacerolazos, como los famosos *sit-ins* de los años 60 en los Estados Unidos, son una manera no violenta __________ (4) luchar __________ (5) el bienestar del pueblo.

A través de los años, las cacerolas se convirtieron en símbolo de protesta; hasta se ven cacerolas como iconos en algunas páginas web. Hoy día se anuncian la hora y el lugar de los cacerolazos __________ (6) Internet o muchas veces __________ (7) mensaje de texto __________ (8) obtener una buena difusión.

Parte B: En grupos de tres, hablen de diferentes problemas a nivel internacional, nacional, estatal o local. Digan si saben de algo interesante que hizo la gente de su país como forma de protesta.

Cacerolazo contra el presidente en Venezuela.

ACTIVIDAD 26 Motivos y propósitos

Habla de los motivos y propósitos de cada una de las siguientes situaciones, formando oraciones con una frase de la primera columna y una de la segunda. Debes encontrar dos posibilidades para cada frase de la primera columna: una con **por** para indicar el motivo de la acción y otra con **para** para indicar el propósito.

► La familia llegó a casa tarde, a las nueve, **por** el tráfico que había.

► La familia llegó a casa a las nueve **para** ver su programa de televisión favorito.

Personas y hechos	Motivos y propósitos
1. Romeo y Julieta se suicidaron	a. haber prometido cambios radicales
2. El presidente subió al poder	b. las oportunidades de trabajo que crea
3. César Chávez hizo una huelga de hambre	c. vender sus productos
4. Nike usa en sus anuncios a muchos deportistas	d. estar unidos en la muerte
5. El gobierno norteamericano participa en el Tratado de Libre Comercio (TLC)	e. protestar contra el uso de insecticidas en las huertas
	f. la fama que tienen entre los jóvenes
	g. mejorar la situación económica
	h. los problemas de salud de los campesinos
	i. amor
	j. aumentar las exportaciones a México y Canadá

ACTIVIDAD 27 Debate sobre la pena de muerte

Parte A: La pena de muerte es un tema muy controvertido. Lee las siguientes ideas y completa las que tienen espacio en blanco con **por** o **para**. Luego marca si las oraciones están a favor (AF) o en contra (EC) de la pena de muerte.

	AF	EC
1. La pena de muerte se implementa __________ evitar más asesinatos.	_____	_____
2. La violencia genera violencia.	_____	_____
3. Los asesinos pasan __________ un juicio (*trial*) imparcial antes de ser condenados a muerte.	_____	_____
4. La ejecución es necesaria __________ aliviar el sufrimiento de los familiares de la víctima.	_____	_____
5. __________ miedo a la pena de muerte, los criminales matan menos.	_____	_____
6. __________ el bien de la sociedad, no debe haber pena de muerte. Somos un país civilizado.	_____	_____
7. Es muy costoso darles a los criminales cadena perpetua (*life imprisonment*).	_____	_____
8. Matar al asesino no es una solución __________ los familiares de la víctima.	_____	_____
9. La gente que no tiene dinero __________ contratar a un abogado suele perder el caso.	_____	_____
10. Se puede ejecutar a algunas personas __________ crímenes que no cometieron.	_____	_____

Parte B: Ahora, en grupos de cuatro, dos personas van a debatir a favor de la pena de muerte y dos personas en contra. Pueden usar sus propias ideas y las de la Parte A para defender su postura.

Do the corresponding web activities to review the chapter topics.

Para debatir

Para estar de acuerdo:	Para no estar de acuerdo:	Para interrumpir:
Estoy de acuerdo (con lo que dices).	No estoy de acuerdo (con lo que dices).	Pido la palabra. (*May I speak?*)
Seguro.	Lo dudo.	Perdón, pero...
Es verdad/cierto.		Quiero hablar.

Vocabulario activo

CAPÍTULO 6

Verbos para expresar emoción u opinión

alegrarle (a alguien) *to be glad/happy*
darle pena (a alguien) *to feel sorry*
esperar *to hope*
estar contento/a (de) *to be happy*
estar triste (de) *to be sad*
lamentar *to lament, to be sorry*
molestarle (a alguien) *to be bothered/annoyed by*
sentir (ie, i) *to be sorry*
sorprenderle (a alguien) *to be surprised*
temer *to fear*
tener miedo (de) *to be afraid (of)*

Expresiones impersonales para expresar emoción u opinión

es bueno *it's good*
es fantástico *it's great*
es horrible *it's horrible*
es lamentable *it's a shame/lamentable*
es una lástima *it's a pity/shame*
es malo *it's bad*
es maravilloso *it's wonderful*
es una pena *it's a pity/shame*
es raro *it's strange*
es terrible *it's terrible*
es una vergüenza *it's a shame/shameful*
ojalá *I hope*
¡Qué bueno...! *How good . . . !*
¡Qué lástima...! *What a pity/shame . . . !*
¡Qué pena...! *What a pity/shame . . . !*
¡Qué sorpresa...! *What a surprise . . . !*
¡Qué vergüenza...! *How shameful . . . !*

Expresiones para indicar duda

¿creer? *to think/believe?*
dudar *to doubt*
es imposible *it's impossible*
no creer *not to think/believe*
no es cierto *it's not true*
no es evidente *it's not evident*
no es obvio *it's not obvious*
(no) es posible *it's (not) possible*
(no) es probable *it's (not) probable*
no es verdad *it's not true*
no estar seguro/a (de) *not to be sure*
(no) puede ser *it can(not) be*

Expresiones para indicar certeza

creer *to think/believe*
es cierto *it's true*
es evidente *it's evident*
es obvio *it's obvious*
es seguro *it's certain*
es verdad *it's true*
está claro *it's clear*
estar seguro/a (de) *to be sure*
no cabe duda (de) *there is no doubt*

Palabras relacionadas con la política

abusar *to abuse*
el abuso *abuse*
el activismo *activism*
el acuerdo *agreement/pact*
  estar de acuerdo *to be in agreement*
  llegar a un acuerdo *to reach an agreement*
la amenaza *threat*
amenazar *to threaten*
apoyar *to support*
el apoyo *support*
el asunto político/económico *political/economic issue*
el bienestar común *the common good*
la campaña electoral *political campaign*
la censura *censorship*
censurado/a *censored*
censurar *to censor*
el compromiso *commitment*
la corrupción *corruption*
la democracia *democracy*
democrático/a *democratic*
los desaparecidos *missing people*
la desigualdad *inequality*
el/la dictador/a *dictator*
la dictadura *dictatorship*
la eficiencia *efficiency*
la estabilidad *stability*
el golpe de estado *coup d'état*
la huelga *strike*
la igualdad *equality*
la ineficiencia *inefficiency*
la inestabilidad *instability*
la influencia *influence*
influir en *to influence (something)*
la inversión *investment*
invertir (ie, i) *to invest*
la junta militar *military junta*
la libertad de palabra/prensa *freedom of speech/the press*
la manifestación *demonstration*
el paro *work stoppage*
el partido demócrata *Democratic party*
el partido republicano *Republican party*
la política *politics*
el político / la mujer política *politician*
la protección *protection*
proteger *to protect*
la protesta *protest*
protestar *to protest*
el pueblo *the people*
el respeto a / la violación de los derechos humanos *respect for / violation of human rights*
el soborno *bribe*
el suceso; los sucesos del momento *the event; current events*

Expresiones útiles

el/la ayudante de cátedra *teaching assistant*
la beca *scholarship*
Lo dudo. *I doubt it.*
quién diría *who would have said/thought*
salirse con la suya *to get his/her way*
(No) Estoy de acuerdo (con lo que dices). *I (don't) agree (with what you say).*
Perdón, pero... *Excuse me, but . . .*
Pido la palabra. *May I speak?*
Quiero hablar. *I want to speak.*
Seguro. *Sure.*

Más allá

Canción: "Desapariciones"

Rubén Blades

Nació en Panamá en 1948. Blades no es solo cantante y compositor, sino también músico, actor, abogado y político. Fue un fuerte crítico de las dictaduras de su país entre 1968 y 1989, y de otros países de Latinoamérica. A lo largo de su extensa carrera lleva grabados por lo menos veinte álbumes y ha colaborado con más de quince artistas en estilos de música como el rock, el reggaetón, la salsa, el hip hop y el jazz. Blades ha recibido al menos seis premios Grammy, varias nominaciones al Emmy y un doctorado honorario de la Escuela de Música Berklee. Llegó a ser el ministro de Turismo en su país natal.

ACTIVIDAD ¿Quiénes desaparecieron?

Parte A: Antes de escuchar la canción, mira el título y di qué aprendiste en este capítulo sobre los desaparecidos. Explica quiénes eran, por qué se los llama así, por qué desaparecieron y en qué país/es ocurrió esto.

Parte B: Escucha la canción y completa los seis puntos siguientes. Recuerda leer cada punto con cuidado antes de escuchar la canción.

1. En la primera parte de la canción, diferentes personas hablan del familiar que desapareció en cada caso.

Desaparecido	Parentesco del desaparecido	Cuándo desapareció	Por qué desapareció
No. 1			X
No. 2			X
No. 3			
No. 4		X	

2. Escribe cuatro de los muchos ruidos que escuchó el hombre anoche en la calle.

_____________ _____________ _____________ _____________

3. A pesar de los ruidos la gente no salió a la calle porque...

______ tenía miedo ______ miraba una telenovela ______ llovía

4. Se puede buscar a los desaparecidos en...
   ______ los hospitales ______ centros de detención ______ el agua
5. Las personas desaparecen porque....
   ______ critican al gobierno ______ no son todos iguales ______ ponen bombas
6. Los desaparecidos...
   ______ finalmente vuelven ______ vuelven muertos
   ______ vuelven solo al pensamiento de la gente

Parte C: En grupos de tres, miren la información que anotaron en la Parte B y discutan qué quiere mostrar el cantante con las tres partes de la canción (las personas específicas que desaparecieron, lo que ocurrió anoche y las preguntas y respuestas sobre los desaparecidos).

Videofuentes: *En busca de la verdad*

Antes de ver

ACTIVIDAD 1 ¿Qué recuerdas?

Antes de ver un video sobre algo que ocurrió durante la dictadura militar en Argentina entre 1976 y 1983, hablen en grupos de tres sobre lo que saben de las siguientes ideas.

- los desaparecidos de Chile y el general Pinochet
- Sting y los derechos humanos
- los desaparecidos de Argentina y las Madres de Plaza de Mayo

Mercedes Meroño, vicepresidenta de Madres de Plaza de Mayo.

Mientras ves

ACTIVIDAD 2 Los desaparecidos

Lee las siguientes preguntas y luego, para contestarlas, mira el video sobre los desaparecidos, hasta donde Horacio empieza a hablar de sus padres.

1. ¿Cuántas personas desaparecieron en Argentina?
2. ¿Qué les ocurrió a los desaparecidos? ¿Y a sus hijos?
3. ¿Cuáles fueron los grupos de protesta que se formaron y cuáles eran sus objetivos?

ACTIVIDAD 3 La historia de Horacio

Ahora lee las siguientes ideas y luego mira el resto del video para escuchar la historia de Horacio.

1. qué hace Horacio
2. quiénes eran sus padres y qué les ocurrió
3. cómo llegó Horacio a su nueva familia
4. cómo descubrió su verdadera identidad
5. por qué es importante no olvidar lo que ocurrió

Horacio Pietragalla Corti describe a su familia.

Después de ver

ACTIVIDAD 4 Nunca más

En grupos de tres, discutan las siguientes preguntas sobre los derechos humanos. Usen expresiones como: **Dudo que... haya..., Creo que..., Es terrible que...**

1. ¿Conocen otros países donde hubo o hay hoy día violaciones de derechos humanos? ¿El mundo hizo o hace algo para detenerlas? ¿Alguien hizo o hace algo para juzgar a los culpables?
2. ¿Alguna vez ha violado el gobierno de este país los derechos humanos de sus ciudadanos? ¿Y de los ciudadanos de otros países? Si contestan que sí, ¿el mundo hizo algo para detenerlo? ¿Alguien hizo algo para juzgar a los culpables? ¿Cómo reaccionaron los ciudadanos del país?
3. ¿Qué creen que se pueda hacer para que los gobiernos del mundo respeten los derechos humanos? Mencionen por lo menos cuatro ideas.

Proyecto: Una viñeta política

Busca en Internet dos viñetas políticas de uno de los siguientes humoristas gráficos hispanos y luego contesta las preguntas que se presentan. Entrégale al/a la profesor/a las viñetas que seleccionaste y las respuestas a las preguntas.

- Lalo Alcaraz (mexicoamericano)
- Quino (argentino)
- Allan McDonald (hondureño)

1. ¿Qué ocurre en la escena? ¿Qué crítica hace el humorista? ¿Qué quiere que el lector comprenda?
2. ¿Qué lamenta el humorista? ¿Qué le molesta? ¿Qué espera que ocurra? Empieza tus respuestas con **El humorista lamenta que..., A él le molesta que..., Espera que...**

Dictadura y democracia

CAPÍTULO 6

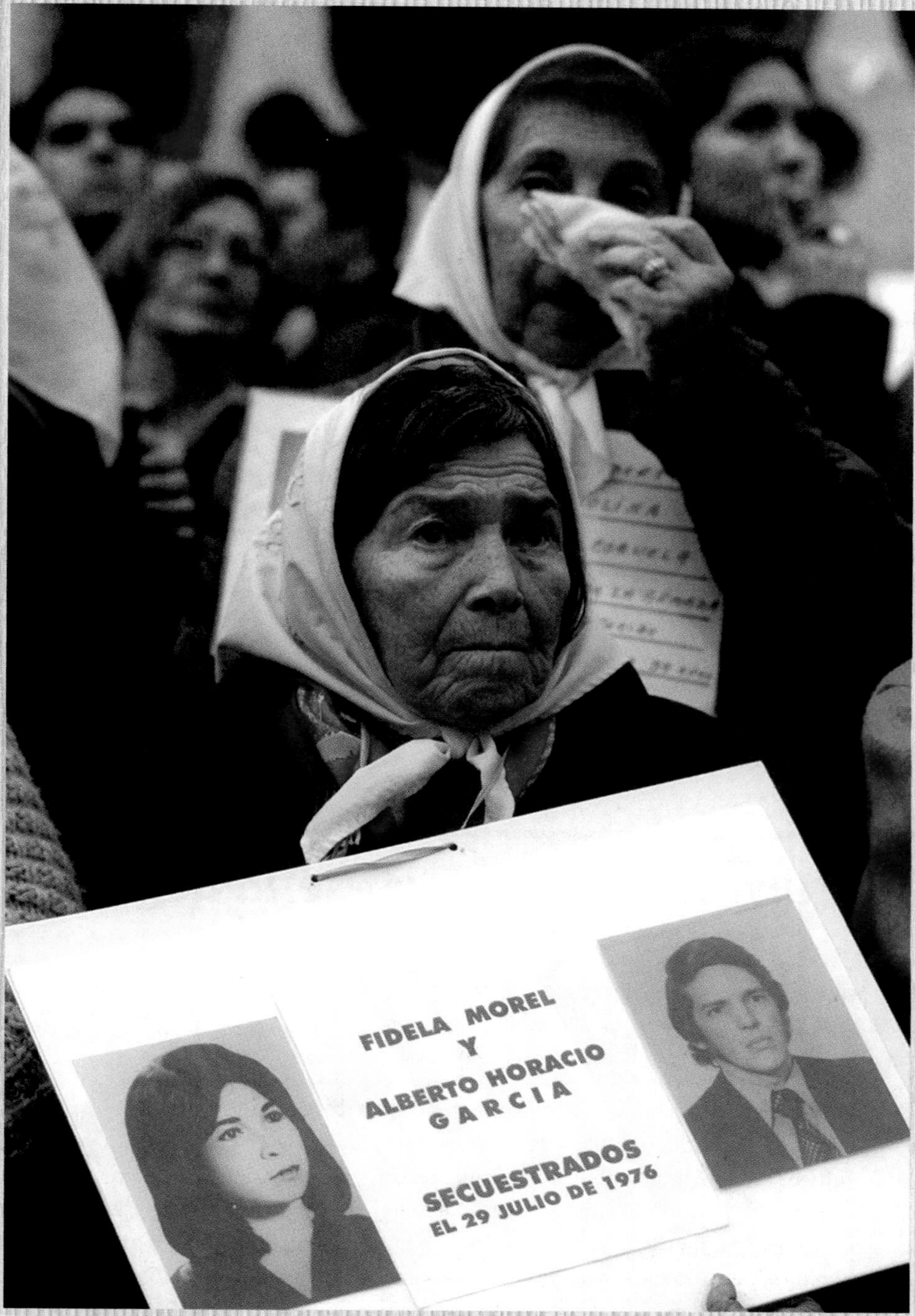

FIDELA MOREL
Y
ALBERTO HORACIO
GARCIA
SECUESTRADOS
EL 29 JULIO DE 1976

Una manifestación de las Madres de Plaza de Mayo, Buenos Aires, Argentina.

See the *Fuentes* website for related links and activities: www.cengage.com/spanish/fuentes

Activating background knowledge

ACTIVIDAD 1 Las responsabilidades de un gobierno

Parte A: En grupos de tres, numeren las responsabilidades de un buen gobierno según su importancia (1 = la más importante; 11 = la menos importante). Después, decidan qué tipo de gobierno —dictadura o democracia— cumple mejor esas responsabilidades.

a. _____ la distribución justa de los recursos de la sociedad

b. _____ el mantenimiento de una economía estable

c. _____ el control del crimen

d. _____ la protección de los derechos humanos

e. _____ el mantenimiento de los valores dominantes de la sociedad

f. _____ la protección de los derechos civiles

g. _____ la conservación del medio ambiente

h. _____ la adquisición de nuevos recursos o territorios

i. _____ el mantenimiento de relaciones de paz con otros países

j. _____ la protección de la salud de los ciudadanos

k. _____ la defensa de las libertades (de palabra, de religión, etc.)

Aunque las madres y abuelas dejaron de hacer manifestaciones (los jueves en Plaza de Mayo) en 2006, hoy en dia siguen protestando contra la injusticia y mantienen un sitio web: **www.madres.org**

Parte B: La foto de la página anterior es de las Madres de Plaza de Mayo de Argentina. Los hijos de estas mujeres eran, en su mayoría, intelectuales y estudiantes que desaparecieron misteriosamente por protestar contra la junta militar de 1976–1983. Hubo unos treinta mil desaparecidos, la mayoría de los cuales murieron después de ser torturados. Las manifestaciones de las madres, que tuvieron lugar los jueves en Plaza de Mayo, ayudaron a poner fin a la dictadura y a restaurar la democracia. ¿Qué responsabilidades de la Parte A no cumplió el gobierno de la junta militar argentina?

Lectura 1: Editorial y reseña de cine

ESTRATEGIA DE LECTURA

Dealing with False Cognates

English and Spanish have many cognates or words that have a similar form and meaning: **posible** = *possible*, **generosidad** = *generosity*. As you've studied, recognizing cognates can make reading much easier. However, some words, though of similar form, have slightly or completely different meanings (**cognados falsos**): **asistir a** = *to attend*, **atender** = *to wait on/pay attention*, **embarazada** = *pregnant*. If you encounter an apparent cognate that does not seem to make sense in a particular context, it is likely to be a false cognate. The context may be sufficient to guess the meaning, but, if not, you will need to look up the word in the dictionary.

ACTIVIDAD 2 Amigos falsos

Dealing with false cognates, Using the dictionary

Las siguientes oraciones contienen cognados falsos que aparecen en el artículo "Silencio y obediencia". Piensa en el contexto de la oración para adivinar el significado de cada palabra en negrita. Luego, busca la palabra en un diccionario bilingüe o en el glosario para ver si adivinaste correctamente.

1. Algunos dicen que el estilo de vida **actual** es insostenible y que vamos a tener que hacer grandes cambios en el futuro.
2. Al iniciar terapia sicológica, muchas personas tienen que **afrontar** memorias desagradables.
3. En ese pueblo todos viven muy bien, pero no **sucede** nada interesante.
4. El presidente de Venezuela recibió a los representantes de la República **Popular** de China.
5. No quiero **molestar** ni ofender a nadie, pero voy a decir lo que creo necesario.

ACTIVIDAD 3 Del contexto al significado

Guessing meaning from context

Antes de leer la reseña, escribe la traducción de las palabras en negrita, usando el contexto como guía.

1. ______________ Un **golpe de estado** es la toma del máximo poder político de un modo violento por parte de un grupo poderoso.
2. ______________ Dicen que hay que **escudriñar** en el pasado para no repetir la historia.
3. ______________ Muchas personas tratan de **suprimir** los recuerdos traumáticos y acordarse solo de los buenos.
4. ______________ El presidente dijo: "Tengo que **lidiar** con muchos problemas, sobre todo la crisis económica."
5. ______________ En las clases de historia de los EE.UU., se estudian los grandes **acontecimientos** de su pasado, como la declaración de independencia, las guerras y la depresión económica que empezó en 1929.
6. ______________ En 1973, los generales chilenos **derrocaron** al presidente y establecieron una dictadura militar.
7. ______________ Muchos ciudadanos son **reacios** a participar en las elecciones y no se deciden a votar ya que no están satisfechos con los partidos y candidatos políticos.
8. ______________ En cualquier investigación, es importante determinar los **hechos**, o sea, la información sobre lo ocurrido, y después explicarlos.
9. ______________ Un **arzobispo** es un miembro de la Iglesia católica con un rango superior al de obispo e inferior al del Papa.

Activating background knowledge

ACTIVIDAD 4 Los filmes políticos

Parte A: El siguiente artículo es un comentario sobre un documental chileno de contenido político. Las películas políticas suelen personalizar la política, es decir, mostrar los resultados de las acciones o pensamientos de uno o varios individuos en ciertas situaciones causadas por la política del país. Al mismo tiempo suelen enseñar una lección. En parejas, escojan una película de contenido político, decidan si es documental o drama, y describan la(s) historia(s) que narra y cómo afecta la política a los personajes. ¿Cuál es la "moraleja" de la película? Posibilidades:

Syriana	*W.*	*Una verdad incómoda*	*La vida de los otros*
Fahrenheit 9/11	*Milk*	*Frost/Nixon*	*Sicko*

Parte B: El comentario/reseña que Uds. van a leer discute la importancia de un documental sobre la historia de la política chilena: *La memoria obstinada*. En grupos de tres, discutan las siguientes preguntas: ¿Por qué algunos directores de cine prefieren hacer documentales? ¿Son objetivos los documentales? ¿Cuál es la función del documental? ¿Prefieren Uds. ver una película documental o una ficticia? ¿Por qué?

Active reading

ACTIVIDAD 5 Dos títulos y dos párrafos

Parte A: En 1998 salió el documental chileno *La memoria obstinada* dirigido por el cineasta Patricio Guzmán. Ese mismo año, Carlos Ramos, redactor del periódico *La Opinión* de Los Ángeles, escribió "Silencio y obediencia", un editorial y reseña de la película. En parejas, comenten el posible significado de estos dos títulos.

Parte B: Después, lean los dos primeros párrafos y contesten las siguientes preguntas antes de continuar con la lectura y determinar por qué Ramos y Guzmán seleccionaron estos títulos.

¿De qué se sorprende Carlos Ramos?
¿Cómo explica Ramos ese hecho?
¿Qué opina el cineasta Patricio Guzmán?

Silencio y obediencia

CARLOS RAMOS • Redactor de La Opinión

En este septiembre se han cumplido 25 años del golpe de estado que derrocó en Chile al presidente constitucional Salvador Allende, y sorprende que se hable poco del hecho. Quizá sea porque un cuarto de siglo es bastante tiempo. O porque la vida actual va tan acelerada que casi nunca hay espacio – o ganas – para visitar esa esquina oculta allá en el fondo de nuestra memoria. Peor cuando esa memoria tiene que lidiar con acontecimientos nada agradables que aun ahora son objeto de intensa polémica.

Según el director de cine chileno Patricio Guzmán, no hay otra alternativa que afrontar esa memoria, no obstante lo dolorosa o dramática que pueda ser.

El cineasta ha hecho un documental - *Chile, la memoria obstinada* - que trata precisamente sobre lo que los chilenos ahora saben, piensan o recuerdan del golpe de estado de septiembre del 73. Lo que se concluye del documental de Guzmán es que las nuevas generaciones de chilenos saben muy poco de lo que sucedió en los tres años de gobierno socialista en los inicios de la década de los años 70.

Y mucho menos sobre la represión que vino después una vez que se derrocó al presidente Allende y se instaló la junta militar. Hay varias secuencias del documental en las que no sabe uno si llorar o reírse.

Se ve a chilenos adolescentes argumentando con toda sinceridad sobre "la necesidad" del golpe militar y de cómo los uniformados "salvaron" al país. De lo "injusto" que era que el gobierno de Allende tratara de quitarles tierras o fábricas a la gente rica y del caos en que vivía Chile en ese septiembre del 73. Estos jóvenes por supuesto sólo han tenido como fuente de información la versión oficial, que es enseñada en las escuelas. En general sus padres no hablan sobre el tema y la sociedad mucho menos está interesada en escarbar sobre el asunto.

Ha existido en Chile algo así como una conspiración del silencio para hablar lo menos posible sobre Allende, el golpe de estado, los uniformados o los desaparecidos. Aun la misma gente que tuvo algunas simpatías con el proyecto de la Unidad Popular - así se llamó al gobierno de Allende - parecen reacios a escudriñar en su propia memoria.

Dos imágenes del Palacio de la Moneda, sede del presidente de Chile, en Santiago de Chile. La primera muestra el bombardeo del 11 de septiembre de 1973, cuando las fuerzas militares chilenas mataron al presidente Allende. La segunda muestra el palacio treinta años después.

Guzmán entrevista a una mujer que aparece en un filme de la época de Allende desfilando en una marcha en favor del gobierno socialista. Casi con pena la mujer acepta que es ella. Quizá sea yo, es lo más que llega a decir. Luego una pausa y la mujer revela que "desaparecieron" a cinco miembros de su familia. Pero ¿qué es esto? se pregunta uno. Una cosa es que esos jóvenes que eran unos niños cuando el golpe de Pinochet no puedan escudriñar en su memoria histórica. Por fin, ¿cómo lo podrían hacer? si los hechos nunca entraron en su memoria o nunca les fueron revelados en toda su extensión.

Otra cosa es que la gente misma que fue golpeada por la represión opte por suprimir de su memoria momentos fundamentales en su vida. Que no son agradables, cierto. Pero que sucedieron, no hay duda. Tan reales, que en el caso de esa mujer, a los cinco desaparecidos nunca se les vio de nuevo.

Por limitaciones de espacio hay que escoger un solo país más de Latinoamérica con situaciones similares a las de Chile. Vayamos a El Salvador, que vivió a finales de la década de los años 70 y principios de los 80 un periodo de represión tal que lo de Pinochet y compañía se queda pequeño.

¿Qué información tendrán los jóvenes salvadoreños sobre esa época? ¿Hablarán acaso como los adolescentes chilenos? ¿Sabrán que en el año 80, incluso se mató a un arzobispo dando misa? ¿Estarán enterados de que el 20% de la población del país tuvo que emigrar

Continúa en la página siguiente

debido a la guerra civil? Y qué decir de los que vivieron en carne propia esos años de terror. ¿Les contarán por ejemplo a sus hijos cómo en muchos casos, familiares, amigos, compañeros de estudio o vecinos simplemente desaparecieron?

Quién sabe, quizá sea mejor no acordarse de esos momentos. No molestar la memoria haciéndola revisar imágenes que hace mucho se optó por suprimir. Al final del documental de Guzmán se muestra a un grupo de jóvenes universitarios a quienes se les ha exhibido otra película que Guzmán hizo en los años 70 sobre el golpe de estado chileno.

Todos terminan llorando, abrazándose, gritando como locos. No pueden creer que eso que han visto sea cierto. Que haya sucedido en su Chile querido. Los fantasmas del pasado, diría alguien, han penetrado en la memoria de estos jóvenes. Ojalá sea para siempre. ■

Scanning, Making inferences

ACTIVIDAD 6 Hechos y deducciones

En el artículo el autor afirma que ciertos hechos son verdad. Lee cada una de las siguientes oraciones y decide si es cierta o falsa según el autor del artículo. Corrige las falsas y justifica todas con información sacada del artículo.

1. _____ En 1973, ocurrió un golpe de estado que derrocó a la junta militar.
2. _____ Los seguidores de Allende "desaparecieron" a los chilenos en los años 70.
3. _____ En los años 70 el cineasta Patricio Guzmán hizo un documental sobre el golpe de estado chileno.
4. _____ En 1998 Guzmán hizo otro documental, *La memoria obstinada*, sobre las memorias que tienen los chilenos mayores y jóvenes del golpe de estado.
5. _____ En el documental, hay evidencia de que algunas personas mayores no quieren reconocer su participación en el partido de Allende.
6. _____ En el documental casi todos los jóvenes chilenos critican el golpe de estado como un gran error innecesario.
7. _____ Cuando los jóvenes entrevistados por Guzmán vieron el primer documental sobre el golpe de estado, no se sorprendieron de lo que habían visto.
8. _____ Otros países como El Salvador sufrieron dictaduras violentas en los años 70 y 80, pero eran menos violentas que la de Chile.

Making inferences, Reacting to reading

ACTIVIDAD 7 Interpretaciones y opiniones

En el artículo se expresan muchas interpretaciones y opiniones de Patricio Guzmán y Carlos Ramos. En parejas, busquen en el artículo la información que permita terminar cada una de las siguientes oraciones. Después compartan sus oraciones con el resto de la clase y decidan si reflejan bien las opiniones de Guzmán y Ramos.

1. Para Ramos, es sorprendente que...
2. Para Guzmán, es necesario (que)...
3. Para Guzmán, es triste que...
4. Para Guzmán y Ramos, es bueno (que)...

ACTIVIDAD 8 Las reacciones propias

Reacting to reading

Los estudiantes chilenos se sorprenden y se emocionan al ver el primer documental de Guzmán sobre el golpe de estado. Ahora que Uds. también han descubierto lo que ocurrió en Chile en 1973 y en los años de la dictadura de Pinochet, ¿qué reacciones tienen? En parejas, expresen tres opiniones propias sobre lo que han leído en el artículo, utilizando expresiones como las siguientes.

¡Qué pena/lástima que...!	Nos molesta que...	Nos sorprende que...
Lamentamos que...	Tememos que...	Nos alegra que...
Sentimos que...	Estamos tristes de que...	Esperamos que...

ACTIVIDAD 9 Mi película

Individualmente, piensa en una película que hace un comentario político; puede ser drama o documental. Luego, busca una pareja y cuéntale brevemente el tema y/o la trama de la película. Explícale el comentario político que hace la película y después dile tu opinión de la actuación, del guion y del mensaje, y por qué piensas así. Después, escucha los comentarios que hace tu compañero/a sobre su película.

Cuaderno personal 6-1

Patricio Guzmán cree que se debe hablar de los aspectos positivos y negativos de la historia nacional. ¿Qué crees tú? ¿Es importante estudiar la historia nacional? ¿Para qué sirve enseñar el lado "feo" de la historia? ¿Cómo podemos decidir qué aspectos son "positivos" o "negativos"?

VIDEOFUENTES

Argentina sufrió una dictadura violenta entre 1976 y 1983 durante la cual desaparecieron unas 30.000 personas. ¿Qué secreto descubre Horacio en el breve documental? ¿Por qué fue tan importante para Horacio descubrir la verdad? ¿Estás de acuerdo con sus decisiones? ¿Qué harías tú en una situación semejante?

Lectura 2: Panorama cultural

ESTRATEGIA DE LECTURA

Recognizing Word Families

Many words with similar spelling and meaning share a common stem (**la raíz**) which is found in a base word. The base word is usually a shorter form, often a noun or verb but sometimes an adjective. For example: **enfermar, enfermo/a, un enfermo, enfermedad, enfermero** form a word family. **Enfermar(se)** (*to get sick*) is a verb and **enfermo/a** (*sick*) is an adjective. Either can be considered the base form for others in this group. **Un enfermo** (*a sick person*) is a noun, as are **una enfermedad** (*an illness*) and **un enfermero** (*a nurse*). Though each form has a precise meaning, they are all related to the concept of sickness. By combining your knowledge of base forms with information from the context, you can often guess the exact meaning of related words.

Recognizing word families

Adjectives such as **rico** and **desaparecido** can be turned into nouns: **el rico, los desaparecidos.**

ACTIVIDAD 10 Familias de palabras

Parte A: Mira esta lista de palabras emparentadas y decide el significado de cada una. Algunas de sus formas aparecen en la lectura "Política latinoamericana: pasos hacia la democracia". Si sabes el significado de cada palabra base (la que está en negrita), debes poder adivinar el significado de las otras formas, pero también puedes consultar el glosario o un diccionario.

Sustantivo	Verbo	Adjetivo
el asesinato / el ***asesino***	*asesinar*	*asesinado/a*
la desaparición	**desaparecer**	*desaparecido/a*
el desarrollo	**desarrollar**	*desarrollado/a*
la elección	**elegir**	*elegido/a*
la (in)estabilidad	*(des)estabilizar*	*(in)***estable**
el gobierno / el gobernador	**gobernar**	*gobernado/a*
la (des)igualdad	*igualar*	*(des)***igual**
la riqueza	*enriquecer(se)*	**rico/a**

Parte B: Completa las siguientes oraciones con una forma apropiada de las familias de palabras que aparecen en la Parte A.

1. La ______________ económica es una de las causas de la inestabilidad política.
2. Los ______________ militares de los años 70 y 80 encarcelaron y torturaron a muchas personas.

3. Se suele decir que el ____________________ de una tradición democrática requiere tiempo y cierta igualdad social y económica.
4. Decimos que existe un problema de corrupción cuando las miembros de un gobierno usan su posición para ____________________.
5. El ____________________ de John F. Kennedy ocurrió en 1963.
6. Entre 1976 y 1983, ____________________ muchas personas que habían protestado contra la dictadura de Argentina.
7. En el momento actual, casi todos los países latinoamericanos tienen un presidente ____________________.

ACTIVIDAD 11 La política

Building vocabulary

Después de estudiar esta lista de palabras que aparecen en la lectura sobre la política latinoamericana, escoge la palabra adecuada para completar cada una de las oraciones.

el caudillo	political or military boss/leader
derechista (de derecha)	rightist
exigir	to demand
la guerrilla	guerrillas
izquierdista (de izquierda)	leftist
la jerarquización	hierarchization
la junta	board, council, "junta"
la medida	measure, step
el soborno	bribery, bribe

1. En los parlamentos franceses, los conservadores se sentaban hacia la derecha y por lo tanto se llamaban ____________________.
2. En el siglo XX los socialistas y los comunistas se consideraban ____________________.
3. Para evitar la corrupción, es necesario que los ciudadanos ____________________ una conducta ética por parte de sus representantes políticos.
4. La ____________________ lucha contra un gobierno establecido por medio de pequeños ataques militares contra las instalaciones del gobierno.
5. El ____________________ ocurre cuando uno tiene que pagar por servicios o autorizaciones que normalmente no se pagan.
6. Una ____________________ militar es un grupo de generales u oficiales militares que gobiernan un país.
7. La ____________________ consiste en una división de la sociedad en varias clases desiguales, con una élite que controla la riqueza y el poder.
8. El aumento de los impuestos y otras ____________________ implementadas por el gobierno provocaron la ira de los ciudadanos.
9. Los ____________________ solían ser líderes carismáticos que lograron el poder presentándose como defensores del pueblo o de ciertos grupos del pueblo.

Activating background knowledge

ACTIVIDAD 12 Formas de gobierno

En grupos de tres, contesten y comenten las siguientes preguntas antes de leer el texto.

1. ¿En qué se diferencian estos tipos de gobierno: la monarquía, la democracia, la dictadura?
2. ¿Cuál de estas formas de gobierno es más difícil de establecer? ¿Por qué?
3. ¿Cuál de estas formas de gobierno asocian Uds. con Latinoamérica? ¿Por qué?

Active reading, Identifying main ideas

ACTIVIDAD 13 Las ideas principales

La siguiente lectura contiene diez párrafos. Para cada párrafo, subraya la oración que resume la idea general o escribe al lado una oración original que resuma la idea general del párrafo.

Política latinoamericana: Pasos hacia la democracia

Golpes de estado, dictaduras, revoluciones, violencia e inestabilidad: estas son las nociones que se han asociado con la política latinoamericana durante los dos últimos siglos. Sin embargo, en el siglo XXI, casi todas las naciones de Latinoamérica gozan de presidentes elegidos y de gobiernos democráticos, y se puede afirmar que la extensión general de la democracia representa la nueva tendencia "revolucionaria" de la política latinoamericana.

El porqué de las dictaduras

Aunque la democracia ha sido el ideal de casi todas las repúblicas latinoamericanas desde su nacimiento a principios del siglo XIX, es un ideal que ha tardado mucho en hacerse realidad. Es difícil generalizar sobre todos los países, pero se pueden señalar varios factores que han contribuido a su historia turbulenta. En primer lugar, trescientos años de dominio imperial español impidieron el desarrollo de tradiciones e instituciones democráticas, dejando en cambio una fuerte tradición de control autoritario y patriarcal. La tradición autoritaria se ha manifestado en la figura del caudillo político o líder de un ejército que mantenía la paz social por medio de la fuerza. Otro factor que ha impedido el desarrollo de una tradición estable ha sido la enorme división entre pobres y ricos, complicada por el problema racial en algunos países, y la acumulación de riqueza y poder político en manos de pequeñas élites. En tercer lugar, la inseguridad económica ha contribuido a la inestabilidad política, ya que es difícil para un gobierno elegido mantener el orden en momentos de crisis económica.

La mayoría de los países hispanoamericanos se independizaron entre 1810 y 1828, aunque Cuba no logró su independencia hasta 1898, y Puerto Rico forma parte de los Estados Unidos desde ese año.

Estas generalizaciones, sin embargo, solo son más o menos válidas según el país del que se hable. En el siglo XIX, surgieron fuertes democracias en algunos países, como Costa Rica, Chile y Uruguay. En otros, como

Paraguay, Bolivia y algunos países de Centroamérica, diversos tipos de dictadura se establecieron como norma desde el momento de su fundación como naciones independientes. En la mayoría de los países latinoamericanos, sin embargo, generalmente ha existido una alternancia entre gobiernos elegidos y gobiernos autocráticos bajo un caudillo o dictador.

A excepción de Costa Rica, Centroamérica se llegó a conocer por numerosas y largas dictaduras tradicionales, como la de la familia Somoza en Nicaragua (1933–1979).

México no encaja bien en estas generalizaciones. Aunque hubo elecciones, durante la mayor parte del siglo XX, el país estuvo bajo el control de un solo partido político, el Partido Revolucionario Institucional (PRI). Esto acabó en el año 2000 con la victoria del Partido de Acción Nacional.

La intervención directa de los militares

Un elemento común ha caracterizado a casi todos estos gobiernos: la necesidad del apoyo de las fuerzas militares. El ejército siempre ha tenido gran importancia en los países de la región y su función ha sido no tanto defender al país de enemigos externos como mantener el orden interno. Tradicionalmente, el ejército solo intervenía directamente en la política nacional durante breves períodos para restablecer el orden, pero a partir de 1960, el ejército de varios países suramericanos empezó a tomar el poder y a establecer juntas militares para gobernar de forma relativamente permanente. Esto ocurrió en Brasil, Argentina, Perú, Ecuador, Uruguay y Chile.

De estas dictaduras, fueron especialmente sorprendentes las de Uruguay y Chile, países que se reconocían como tradicionalmente democráticos. En Uruguay, los militares tomaron el poder en 1973 para combatir a grupos revolucionarios que buscaban el cambio social radical. En el mismo año, el ejército de Chile, bajo el mando del general Augusto Pinochet, asesinó al presidente legalmente elegido, Salvador Allende, durante un período de disturbios sociales, económicos y políticos. La dictadura de Pinochet, que duró dieciséis años, se conoció por su abuso de los derechos humanos, la tortura y la desaparición de más de tres mil personas.

Aun más notorio fue el régimen militar que se estableció en Argentina en 1976. Una junta militar se apoderó del gobierno durante una crisis política y económica, agravada por ataques de la guerrilla izquierdista. Durante la campaña de represión y terror del gobierno contra los disidentes, desaparecieron unas treinta mil personas, muchas de ellas jóvenes estudiantes. Finalmente, en 1983, las protestas de las familias de los desaparecidos, la pérdida de la guerra de las Malvinas contra Gran Bretaña y una economía en estado de caos llevaron a la caída de la junta militar.

Las protestas más eficaces contra la dictadura argentina fueron las de las Madres y Abuelas de Plaza de Mayo.

la guerra de las Malvinas = The Falkland Islands War (1982)

Las nuevas democracias y sus desafíos

Los años 80 y 90 vieron el retorno de gobiernos constitucionales. Hubo elecciones en casi todos los países que habían vivido bajo la dictadura y, en gran parte, los militares se alejaron del campo político. Casi la última dictadura en

Muchos artistas y cantantes latinoamericanos, entre ellos la conocida cantante argentina Mercedes Sosa, lucharon contra los abusos de los derechos humanos de los años 70 y 80. sus apasionadas interpretaciones de canciones de resistencia como "Solo le pido a dios" animaron la lucha por la justicia.

Continúa en la página siguiente

caer fue la de Chile, donde en 1988 se realizó un histórico plebiscito, por medio del cual los ciudadanos rechazaron el gobierno de Pinochet. El regreso a la democracia se debe a las protestas contra la violación de los derechos humanos, a la incapacidad de los militares para administrar la economía y también a la conclusión de la guerra fría entre los Estados Unidos y la Unión Soviética. Al terminar ese conflicto en 1989, los Estados Unidos, que habían temido los movimientos revolucionarios izquierdistas, no vieron la necesidad de apoyar a gobiernos represivos de la extrema derecha.

Aunque los países recibieron a la democracia con aclamación casi total, los gobiernos han tenido que enfrentarse a problemas que amenazan la estabilidad. Desde los años 80, se ha observado un aumento constante en la desigualdad entre pobres y ricos, un factor que siempre ha sido causa de inestabilidad; y, en las dos últimas décadas, la adopción de medidas económicas para establecer un mercado competitivo ha empeorado aun más la situación de los pobres. Entonces, si se presentan disturbios sociales que el gobierno civil no pueda controlar, es posible que los ejércitos, que todavía tienen poder, estén dispuestos a imponer el orden, o que aparezcan políticos "populistas" que sepan aprovechar la frustración popular para llegar al poder y acabar con la democracia.

El presidente venezolano Hugo Chávez ha sido una figura polémica. Muchos venezolanos lo ven como un líder que puede acabar con los privilegios de la élite tradicional y ayudar a los pobres. Otros lo ven como un político autoritario y populista que pretende acabar con la democracia.

Ha habido intentos de castigar a los militares por sus abusos contra los derechos humanos. Algunos han sido juzgados y encarcelados, como el General Videla que fue jefe de la junta militar en Argentina. En algunos casos han sido castigados por naciones cuyos ciudadanos también fueron víctimas, como fue el caso de España. Pero en general los culpables no han sido castigados.

De la corrupción a la transparencia

Otro gran desafío al que se enfrenta Latinoamérica es la eliminación de la corrupción. En toda la región, existe una larga historia de favoritismo y soborno causada por la jerarquización social, en que los caudillos y una élite de grandes familias controlaban los recursos y el poder, y quien tenía un cargo político lo usaba para enriquecerse y ayudar a sus familiares. Para tener éxito, tradicionalmente ha sido más importante tener buenos contactos que estar bien capacitado y preparado. De esta manera, no se desarrolló el sentido de responsabilidad cívica necesaria en toda democracia. Sin embargo, en años recientes, se han creado grupos cívicos que exigen una conducta más responsable de parte de sus representantes elegidos y en los últimos años se han formado nuevos grupos internacionales, como Transparencia Internacional (TI), y otros nacionales, como Fundación Poder Ciudadano (FPC) en Argentina, que luchan por eliminar la corrupción. La formación de grupos como estos representa un gran cambio cultural, ya que por primera vez los ciudadanos están exigiendo una conducta responsable por parte de sus representantes.

El favoritismo se ve reflejado en el frecuente uso de las expresiones **tener palanca** y **tener enchufe,** que significan *to have connections*.

La renovación política de Latinoamérica se pudo constatar en la quinta Cumbre de las Américas de 2009, donde todos los líderes presentes habían sido elegidos democráticamente. Sin embargo, el golpe de estado que ocurrió poco después en Honduras recordó la relativa fragilidad de la democracia en algunos países.

Un momento de optimismo e incertidumbre

El siglo XXI representa un momento de optimismo e incertidumbre para Latinoamérica. Por primera vez en su historia, casi todas las naciones gozan de un presidente legítimamente elegido, aunque hay que reconocer que algunos de ellos disfrutan de un poder tal vez excesivo y que la corrupción sigue presentando un gran desafío. Sin embargo, si se logra la estabilidad económica y un mejor nivel de vida para todos, quizá la democracia se establezca como la nueva norma política de Latinoamérica. ■

ACTIVIDAD 14 Datos y detalles

Decide si cada oración es correcta o incorrecta según la lectura y las anotaciones, y evalúa cada oración usando las expresiones **Es verdad que...** o **No es verdad que...** Después corrige todas las oraciones incorrectas con información de la lectura.

Scanning

Es verdad = es cierto

► La guerra de las Malvinas ocurrió en 1999.

No es verdad que la guerra de las Malvinas haya ocurrido en 1999. Ocurrió en 1982.

1. La vuelta a la democracia empezó en la década de los años 70.
2. La desigualdad entre ricos y pobres ha sido la única causa del lento desarrollo de la democracia en Latinoamérica.
3. Los caudillos eran figuras autoritarias tradicionales.
4. Durante la mayor parte de su historia, Chile, Uruguay y Costa Rica han funcionado como democracias.

5. Los grupos TI y FPC organizaron una campaña de terror y la desaparición de unas treinta mil personas en Argentina entre 1976 y 1983.
6. En 1988, los ciudadanos de Chile rechazaron el régimen de Pinochet en un plebiscito histórico.
7. La vuelta a la democracia durante los años 80 y 90 se puede explicar como el resultado de un solo factor: el fin de la Guerra Fría.
8. En la actualidad pocas personas o grupos se preocupan por el problema de la corrupción.

ESTRATEGIA DE LECTURA

Distinguishing Fact from Opinion
When reading informational texts, it is easy to assume that all the information is factual or true. However, nearly all texts contain opinions of the author. These are not necessarily flaws, since even in deciding what information to include and what to leave out, the writer expresses an opinion. As a reader you must be alert to this distinction so that you can make decisions about the validity of what is being said. For example, it is a fact that there have been numerous dictatorships in Latin America. However, whether these dictatorships were necessary, good, bad, or counterproductive is a matter of opinion. In this sense, histories are often interpretations that attempt to make sense of sets of observable facts.

Distinguishing fact from opinion

ACTIVIDAD 15 Hechos u opiniones

Parte A: En parejas, miren las oraciones de la Actividad 14 ya corregidas y decidan qué ideas describen hechos y cuáles dan opiniones.

Parte B: Ahora, miren las siguientes oraciones y decidan si describen hechos, opiniones o una mezcla de los dos. Luego, si son opiniones, decidan si están de acuerdo o no.

1. En 1973, el ejército de Chile, bajo el mando del general Augusto Pinochet, asesinó al presidente legalmente elegido, Salvador Allende, durante un período de disturbios sociales, económicos y políticos.
2. A partir de los años 80 hubo elecciones en casi todos los países que habían vivido bajo una dictadura.
3. En 1983, las protestas de las familias de los desaparecidos, la pérdida de la guerra de las Malvinas contra Gran Bretaña y una economía en estado de caos llevaron a la caída de la junta militar de Argentina.
4. En su lucha contra los comunistas e izquierdistas durante la Guerra Fría, los Estados Unidos tuvieron que apoyar muchas dictaduras latinoamericanas.
5. La corrupción es uno de los mayores problemas de los gobiernos latinoamericanos.
6. El nepotismo es una clara señal de corrupción.
7. La libertad de prensa es fundamental para combatir la corrupción.
8. Es evidente que los países latinoamericanos necesitan un poder político central y un líder fuerte.

ACTIVIDAD 16 Desde otra perspectiva

Parte A: En grupos de tres, definan qué son los derechos humanos y decidan si el gobierno tiene la obligación de defenderlos. ¿Qué debe hacer un gobierno para defender los derechos humanos a nivel internacional?

Parte B: Aunque algunos dicen que las relaciones entre los Estados Unidos y los países latinoamericanos están mejor que nunca, no todos están de acuerdo. Hay muchos latinoamericanos que desconfían de la política exterior de los Estados Unidos. Lean la tira cómica y comenten la opinión del artista hacia los Estados Unidos. Según el artista, ¿qué es lo que quieren los Estados Unidos? ¿A Uds. les parece justa o injusta la opinión del artista?

ACTIVIDAD 17 ¿Qué opinan ustedes?

Reacting to reading

Parte A: En grupos de tres, hagan una lista de tres hechos históricos o políticos comentados en la lectura y expresen sus opiniones.

- Nos sorprende que no hayan castigado a todos los dictadores como Pinochet.
- Esperamos que duren las democracias latinoamericanas.

Parte B: En grupos de tres, piensen en algunos hechos históricos o políticos mundiales y expresen sus opiniones. Por ejemplo, el comunismo, el Holocausto, los conflictos de los Balcanes, el 11 de septiembre de 2001, la invasión de Iraq, los ataques de piratas somalíes, etc.

- Dudamos que el comunismo tenga importancia en el futuro.
- Esperamos que jamás vuelvan a ocurrir incidentes terroristas como el del 11 de septiembre.

Cuaderno personal 6-2

¿Es posible que un dictador tome el poder en los EE.UU.? ¿Por qué sí o no?

Building vocabulary

Lectura 3: Literatura

ACTIVIDAD 18 Palabras fundamentales

Las siguientes palabras aparecen en el cuento que van a leer. Usa las palabras para terminar las oraciones.

el baldío	empty land, wasteland
jactarse de algo	to brag about something
la mancha de sangre	blood stain
el matorral	thicket, bushes, scrubland
el mendigo	beggar
la picana eléctrica	electric (cattle) prod
el puesto de canje	stall or booth for small trades or exchanges
el orificio de bala	bullet hole

1. Los ________________ suelen pedir dinero a la gente que pasa por la calle.
2. Los habitantes de Buenos Aires adoran a su ciudad y suelen ________________ sus glorias.
3. Muchas personas abandonan cosas inútiles y basura en los ________________ de las afueras de la ciudad.
4. El policía, quien había estado en una pelea violenta, tiró su camisa a la basura, ya que tenía varias ________________.
5. Aunque uno puede comprar todo tipo de ropa en los grandes almacenes, las personas más humildes tienen que comprar ropa usada en pequeños ________________.
6. El vaquero usaba una ________________ para obligar a las vacas a moverse.

Identifying word families

Remember that adjective forms can be turned into nouns by adding articles such as **el** or **la.**

ACTIVIDAD 19 Familias de palabras

Busca el significado de la palabra base de estas familias de palabras, y después termina las oraciones con formas apropiadas de cada familia de palabras.

Sustantivo	Verbo	Adjetivo
el calzado	**calzar**	*calzado/a*
el consuelo	**consolar**	*consolado/a*
______	**enterar**	*enterado/a*
el entierro	**enterrar**	*enterrado/a*
el **fin**	*finar*	*finado/a*
la quemadura	**quemar**	*quemado/a*

1. ____________________ de la desaparición de su hijo, los padres de Jaime Coretti llamaron inmediatamente a la policía para denunciar el caso.
2. Los padres describieron el físico de su hijo, y declararon que había salido de casa muy bien vestido, con un traje elegante, y bien ____________________, con unos zapatos de cuero negro.
3. Pocos días después, unos pobres descubrieron un cadáver sin ____________________ abandonado en un baldío.
4. La autopsia reveló que el ____________________ era el estudiante universitario Jaime Coretti.
5. Al examinar el cadáver, los médicos descubrieron muchas ____________________, aparentemente causadas por una picana eléctrica.
6. Los padres de Jaime lloraron mucho, pero a diferencia de muchos padres de "desaparecidos", tuvieron el triste ____________________ de haber recuperado el cuerpo de su hijo.

ACTIVIDAD 20 Aproximación al texto

Predicting, Skimming and scanning

Parte A: En grupos de tres, comenten las siguientes preguntas antes de leer "Los mejor calzados".

1. El cuento trata de acontecimientos que ocurrieron durante la dictadura militar de Argentina entre 1976 y 1983. ¿A qué se puede referir el título "Los mejor calzados"? ¿Cómo se traduce "Los mejor calzados"?
2. Miren el texto por encima. ¿Parece ser un monólogo o un diálogo?
3. Lean las tres primeras oraciones. ¿Por qué todos los mendigos tienen zapatos? ¿De dónde provienen?

Focused reading, Identifying tone

Parte B: Ahora, lee el texto de "Los mejor calzados". Al leer, trata de contestar las siguientes preguntas sobre el contenido y el tono. ¿De qué trata el cuento? ¿Parece un cuento tradicional? ¿Por qué sí o no? ¿Es cómico, serio, triste, melancólico, irónico, alegre o amargo? ¿Quién es el narrador?

Luisa Valenzuela *nació en Buenos Aires en 1938. Desde muy joven, trabajó de periodista, colaborando con el famoso diario argentino* La Nación. *Pasó temporadas fuera de Argentina: en Francia escribió su primera novela a los 21 años y en los Estados Unidos, adonde se escapó durante la dictadura militar en Argentina, dictó clases en la Universidad de Columbia y la Universidad de Nueva York entre 1979 y 1989. Luego volvió a Argentina. Los escritos de Valenzuela tratan los temas de la libertad, la censura y la opresión, y critican los aspectos de la sociedad que apoyan esa opresión. Es conocida por su uso de la ironía, juegos de palabras, metáforas, y su preferencia por narrativas que evitan las estructuras claras y el orden impuesto del cuento tradicional.*

Los mejor calzados

Luisa Valenzuela

Invasión de mendigos pero queda un consuelo: a ninguno le faltan zapatos, zapatos sobran. Eso sí, en ciertas oportunidades hay que quitárselo a alguna pierna descuartizada que se encuentra entre los matorrales y sólo sirve para calzar a un rengo. Pero esto no ocurre a menudo, en general se encuentra el cadáver completito con los dos zapatos intactos. En cambio las ropas sí están inutilizadas. Suelen presentar orificios de bala y manchas de sangre, o han sido desgarradas a latigazos, o la picana eléctrica les ha dejado unas quemaduras muy feas y difíciles de ocultar. Por eso no contamos con la ropa, pero los zapatos vienen chiche. Y en general se trata de buenos zapatos que han sufrido poco uso porque a sus propietarios no se les deja llegar demasiado lejos en la vida. Apenas asoman la cabeza, apenas piensan (y el pensar no deteriora los zapatos) ya está todo cantado y les basta con dar unos pocos pasos para que ellos les tronchen la carrera.

Es decir que zapatos encontramos, y como no siempre son del número que se necesita, hemos instalado en un baldío del Bajo un puestito de canje. Cobramos muy contados pesos por el servicio: a un mendigo no se le puede pedir mucho pero sí que contribuya a pagar la yerba mate y algún bizcochito de grasa. Sólo ganamos dinero de verdad cuando por fin se logra alguna venta. A veces los familiares de los muertos, enterados vaya uno a saber cómo de nuestra existencia, se llegan hasta nosotros para rogarnos que les vendamos los zapatos del finado si es que los tenemos. Los zapatos son lo único que pueden enterrar, los pobres, porque claro, jamás les permitirán llevarse el cuerpo. Es realmente lamentable que un buen par de zapatos salga de circulación, pero de algo tenemos que vivir también nosotros y además no podemos negarnos a una obra de bien. El nuestro es un verdadero apostolado y así lo entiende la policía que nunca nos molesta mientras merodeamos por baldíos, zanjones, descampados, bosquecitos y demás rincones donde se puede ocultar algún cadáver. Bien sabe la policía que es gracias a nosotros que esta ciudad puede jactarse de ser la de los mendigos mejor calzados del mundo. ■

Guessing meaning from context

ACTIVIDAD 21 Las palabras del narrador

Parte A: En el texto el narrador usa otras palabras para expresar todas las ideas que aparecen abajo. Identifica la oración del texto donde el narrador expresa cada idea.

1. Hay muchos zapatos para todos los mendigos y pobres.
2. La ropa no se puede usar, pero los zapatos sí son útiles.
3. Ganan poco dinero vendiendo zapatos a los mendigos y los pobres.
4. Ganan bastante dinero vendiendo zapatos a las familias de los muertos.
5. Buscar y vender los zapatos de los muertos son actos de caridad.

Parte B: Contesta cada pregunta desde la perspectiva del narrador del cuento.

Scanning

1. ¿Por qué los mendigos buscan los zapatos y dejan la ropa?
2. ¿Quiénes son y cómo son los dueños del puesto de canje?
3. ¿Quiénes compran los zapatos? ¿Por qué?
4. ¿Por qué la policía no molesta a los dueños del puesto de canje?
5. ¿Dónde encuentran los cuerpos de los muertos?
6. ¿Quiénes son los muertos?

ACTIVIDAD 22 ¿El narrador o la autora?

Making inferences

Parte A: En parejas, decidan si cada oración expresa una opinión del narrador o de la autora del cuento. Justifiquen sus respuestas.

1. Es bueno que todos los mendigos tengan zapatos.
2. Es trágico que los mendigos lleven zapatos que antes pertenecían a víctimas de la dictadura.
3. Es bueno que se encuentren los cadáveres completos con los dos zapatos intactos.
4. Es horrible que abandonen los cadáveres en los baldíos y matorrales de las afueras de la ciudad.
5. Es una lástima que las ropas tengan manchas de sangre, orificios de balas y quemaduras dejadas por la picana eléctrica.
6. Es bueno que el pensar no deteriore los zapatos.
7. Es bueno que los zapatos no salgan de circulación.
8. Es lamentable que Buenos Aires se pueda jactar de tener los mendigos mejor calzados del mundo.

Parte B: En parejas, comenten las siguientes preguntas.

1. ¿En qué consiste la ironía? ¿Qué oraciones del cuento revelan opiniones que la autora ha expresado irónicamente?
2. ¿Por qué Valenzuela optó por expresar sus ideas irónicamente? ¿Por qué escribió este cuento?

ACTIVIDAD 23 Las reacciones de los lectores

Reacting to reading

En parejas, comenten los siguientes temas.

1. ¿Cuál es su reacción personal a la realidad revelada en el cuento?
2. ¿Cuál es su reacción personal al cuento como obra literaria? ¿Les gustó o no? ¿Por qué?
3. ¿En qué aspectos del cuento se basa su título? ¿Cuál es otro título posible para este cuento?

Cuaderno personal 6-3

Reflexiona un poco sobre la ironía. ¿La usas tú? ¿Cuándo? ¿Por qué? ¿Asocias su uso con algunas personas o grupos? ¿Por qué crees que a Luisa Valenzuela le gusta usar la ironía?

Redacción: Una reseña de cine

ESTRATEGIA DE REDACCIÓN

Reacting to a Film

When critics review films, they may simply describe the plot and characters, as well as give information about the actors. More frequently, a review centers on the critic's opinion of the film and the actors' performances, or its larger importance in relation to society, culture and politics. In this case, details of the plot are included only to support the declared opinion of the critic. The following words and expressions are useful when discussing films.

la trama	plot	**rodar una película**	to shoot a film
el personaje	character	**el montaje**	editing
tener lugar en	to take place in	**el doblaje (doblar)**	dubbing (to dub)
tratar de	to be about	**la banda sonora**	soundtrack
la escena	scene	**el reparto**	cast
el guion	script	**el decorado**	the set (decorations and props)

Using model texts

ACTIVIDAD 24 Análisis de una reseña

Parte A: La lectura siguiente es una reseña que apareció en la revista española *Cambio 16*. Reseña una película clásica del cine argentino, *La historia oficial*. Léela rápidamente (no es necesario entender todas las palabras) y decide cuáles de los siguientes componentes contiene: indicación del género, nombre del director, nombres de guionistas, lugar de producción, actores y papeles, premios recibidos, opinión o evaluaciones del/de la redactor/a, evidencia o justificación de las opiniones.

Parte B: Después, en parejas, contesten las preguntas.

1. ¿Se enfoca esta reseña más en la trama de la película o en la evaluación?
2. ¿Qué críticas positivas y negativas hace el autor? ¿Cómo las justifica el autor?
3. ¿Cómo se puede mejorar esta reseña?

POLÍTICA A RITMO DE TANGO

«La historia oficial», de Luis Puenzo, con Norma Aleandro, Héctor Alterio, Hugo Arana, Guillermo Battaglia, Chela Ruiz. Color. 111 minutos.

Prácticamente desconocida entre nosotros, como el resto de las cinematografías latinoamericanas, la argentina, que a finales del pasado octubre presentó en Madrid una selección de sus últimos títulos, salta ahora a las pantallas comerciales con el que, en aquella semana, alcanzó mayor éxito. Se trata de «*La historia oficial*», un hermoso melodrama político, que nos coloca ante el tremendo drama de los desaparecidos durante los años de dictadura, sobre los que, incansablemente, pedían —exigían— información las ya célebres Abuelas de la Plaza de Mayo.

Luis Puenzo, que en colaboración con Aida Bortnik es autor del guion, ha desarrollado con inteligencia y mesura — sin temer a la desmesura cuando la ocasión la requería — la bien urdida trama, basando su puesta en escena, fundamentalmente, en la dirección de actores y, sobre todo, en el trabajo de esa soberbia actriz que es Norma Aleandro, galardonada en el último Festival de Cannes. Y, sin ser extraordinaria — hay ciertas lagunas, determinados baches de credibilidad, algún ingenuismo — ha conseguido una obra sólida y en más de una ocasión realmente emocionante.

– César Santos Fontenla

ACTIVIDAD 25 Las películas del momento

Reacting to films

Parte A: En grupos de tres, hagan una lista de las tres o cuatro películas más populares del momento, sobre todo películas con relevancia política.

Parte B: En grupos de tres, escojan una de las películas que Uds. ya han visto. Luego, contesten las siguientes preguntas para explicar de qué trata la película.

1. ¿Quiénes son los personajes principales y cómo son?
2. ¿Qué sucede en la película?
3. ¿Cuál es el tema principal? ¿Hay otros temas? ¿Tiene relevancia política?
4. ¿Cuál es la escena más importante para Uds.?
5. ¿Qué es lo más impresionante de la película?
6. ¿Quiénes son los actores? ¿Cómo son sus actuaciones?
7. ¿Les recomiendan esta película a otras personas? ¿Por qué?

ESTRATEGIA DE REDACCIÓN

Using Transitions of Concession

Often when discussing or giving opinions, certain transition words and expressions are particularly useful for acknowledging the validity of another person's points or ideas, while at the same time challenging them.

a pesar de (que)	despite, in spite of
aunque	although, even though
con todo/aún así	still, even so, nevertheless
no obstante	nevertheless
sin embargo	however

A pesar de que la trama es excelente, hay, **sin embargo,** ciertas lagunas que afectan la credibilidad.

Writing a film review

ACTIVIDAD 26 A escribir

Ahora, escribe una reseña de cine. Primero piensa en un título interesante que refleje tu reacción a la película. Después, escribe la reseña, empezando con el siguiente formato:

I. Introducción [director, año, tema(s), tu opinión general]

II. Breve resumen de la trama

III. Discusión de detalles que apoyan tu opinión

IV. Conclusión con recomendación

Nuestro medio ambiente

CAPÍTULO 7

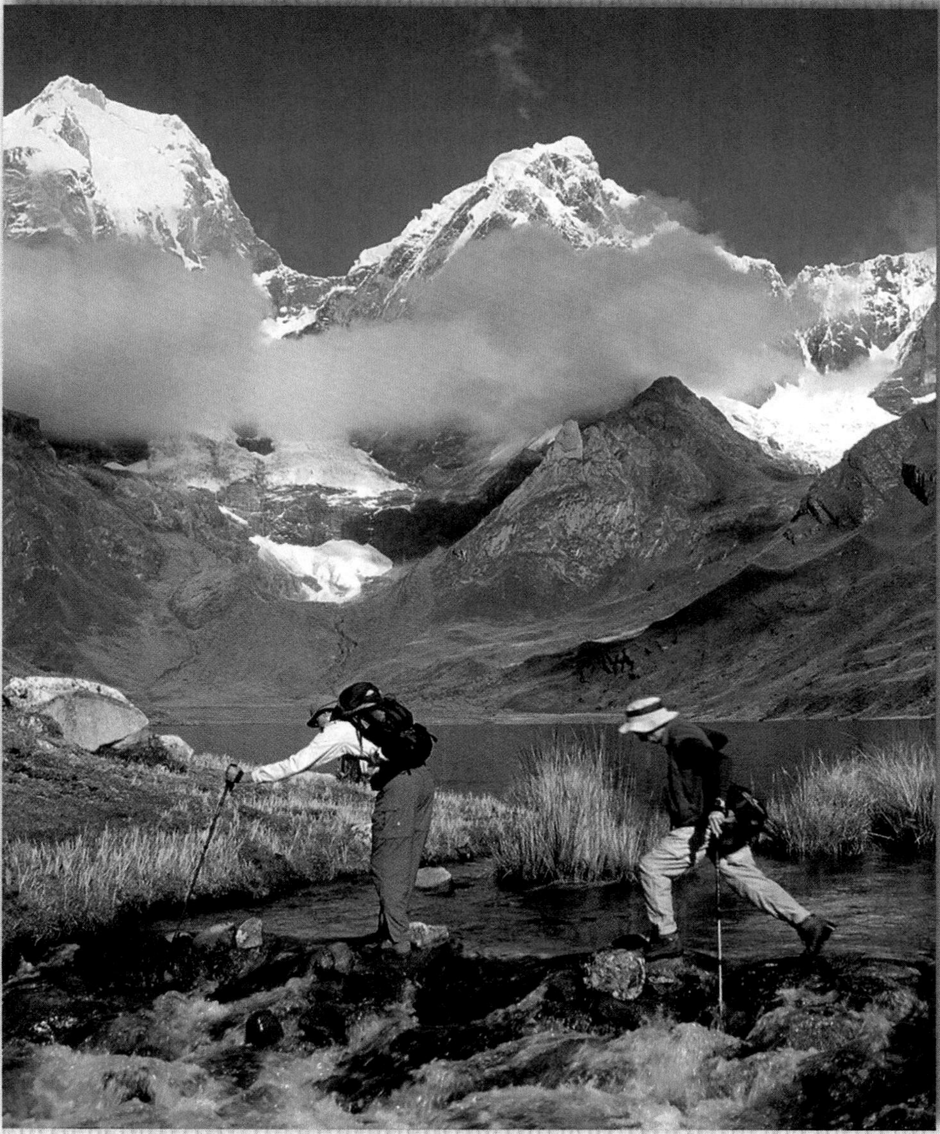

Grupo de ecoturistas cruzan la laguna Carhuacocha, Perú.

METAS COMUNICATIVAS

- afirmar y negar
- describir lo que uno busca
- evitar la redundancia
- describir acciones que van a ocurrir
- hablar del medio ambiente y del turismo de aventura

Unas vacaciones diferentes

¡Ya sé!	I've got it!
algo así	something like that
desde luego	of course

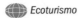

Mujeres quichuas preparan terrazas de cultivo en Latacunga, Ecuador.

ACTIVIDAD 1 Viajando se aprende

Parte A: Antes de escuchar la conversación, menciona los tres últimos lugares adonde fuiste de vacaciones, di qué hiciste en cada viaje y cómo lo pasaste.

Parte B: Ahora vas a escuchar una conversación en la cual María José habla con Pablo sobre sus próximas vacaciones. Primero lee las siguientes oraciones y luego, mientras escuchas, marca si son ciertas (**C**) o falsas (**F**).

1. _______ María José no conoce muchos lugares.
2. _______ Ella quiere ir a un lugar donde pueda visitar catedrales.
3. _______ El verano pasado estuvo en Venezuela.
4. _______ Un amigo de Pablo estuvo en Ecuador.
5. _______ A María José no le interesa ir a Ecuador.

ACTIVIDAD 2 Los detalles

Primero, lee las siguientes preguntas y después escucha la conversación otra vez para contestarlas.

1. ¿Qué grupo indígena vive en Capirona, Ecuador?
2. ¿En qué consiste el programa que organizan?
3. ¿Qué es una minga?
4. ¿Cómo se llega al pueblo?
5. ¿Por qué crees que le interese este viaje a María José?

ACTIVIDAD 3 Opiniones

En grupos de tres, discutan qué es lo peligroso, lo divertido y lo beneficioso de hacer un viaje de ese tipo.

¿Lo sabían?

La toma de conciencia por el medio ambiente ha despertado interés por hacer viajes que incluyan más que una semana en la playa. Por eso hay muchas organizaciones que preparan grupos para viajar a regiones del mundo donde se necesita ayuda. Una de ellas es "Amigos de las Américas", que recluta a gente para trabajar en proyectos en pueblos rurales de América Latina. Hoy día, también hay numerosos lugares que son frecuentados por ecoturistas. Entre ellos están: las Islas Galápagos de Ecuador para ver la flora y fauna, el Parque Tayrona en Colombia para explorar la selva, la laguna de Scammon en México para ver ballenas y los glaciares de la Patagonia en Argentina.

¿Tu universidad ofrece estos tipos de viajes?

Para más información: www.volunteerabroad.com y www.ecotourism.org

Parque Nacional Natural Tayrona, Colombia.

I. Discussing Adventure Travel and the Environment

Do the corresponding web activities as you study the chapter.

A El equipaje

El blog de Sara

Para ver fotos, haz clic

Mis Links

Camino del Inca

Machu Picchu

Ecoturismo

Cuzco

Iquitos

Amazonas en peligro

Selva negra

Mi padre y yo llegamos hace unos días de hacer el Camino del Inca que termina en Machu Picchu. Estamos agotados, pero valió la pena hacerlo. Fue increíble. Pisamos las mismas piedras y cruzamos los mismos puentes que construyeron los incas antes de la llegada de los españoles. Para los que quieran hacer este viaje de tres días y medio por las montañas de Perú, recuerden que hay que estar en buen estado físico, pero por suerte los porteadores (asistentes) cargan **las tiendas de campaña** y **las mochilas.** No se preocupen por comprar **mapa** topográfico porque un guía siempre acompaña al grupo. Lo fundamental para llevar es **saco de dormir, linterna** (con **pilas cargadas**), **repelente contra insectos** y—siempre viene bien—**una navaja suiza.** También un buen **protector solar** es esencial porque a esas alturas el sol es peligroso. Y fundamental para este viaje es una buena cámara con **la batería cargada** porque se van a querer pegar un tiro si no pueden sacar fotos del espectáculo maravilloso que van a ver.

tents
backpacks; map
sleeping bag
flashlight; charged batteries (AA, AAA);
insect repellent; Swiss army knife;
sunscreen
charged battery (cell phone, camera)

B Deportes

acampar

bucear, el buceo

escalar (montañas)

hacer alas delta

hacer vela

Otros deportes	
hacer	
una caminata	to go for a walk/hike
esquí nórdico/alpino/acuático	to cross country/downhill/water ski
kayak	
rafting	
senderismo/trekking	to hike
snorkel	
snowboard	
surf	
montar	
a caballo	to ride a horse
en bicicleta de montaña	

You may also see the word **piragua** for *kayak*.

hacer rafting = hacer navegación de rápidos (*Costa Rica*)

Many sports that have become popular in recent years take their names from English. These words may change in the future and already vary in use from one country to another. The words presented here are the most common.

C El medio ambiente

El reciclaje

For basic words related to the environment, see Appendix G.

contaminación = polución, but the former is preferable.

la agricultura sostenible	sustainable agriculture
los cambios climáticos	climate changes
la contaminación, contaminante, contaminar	pollution, contaminating, to contaminate/pollute
los desechos, desechable, desechar	rubbish, disposable, to throw away
el desperdicio, desperdiciar	waste, to waste
la destrucción, destruir	destruction, to destroy
el equilibrio/desequilibrio	balance/imbalance
la extinción, extinguirse	extinction, to become extinct
las fuentes de energía renovable	sources of renewable energy
la huella ecológica	ecological footprint
la preservación, preservar	
la protección, proteger	
recargable, el cargador (solar)	rechargeable, (solar) charger
los recursos naturales	natural resources
reducir	
la restricción, restringir	

ACTIVIDAD 4 Los viajes

En grupos de tres, hagan una lista de cosas que se necesitan para hacer las siguientes actividades y compártanla con la clase.

1. acampar un fin de semana
2. una caminata de un día
3. un viaje de una semana por la selva
4. un viaje en bicicleta de 15 días

ACTIVIDAD 5 Categorías

En grupos de tres, túrnense para nombrar por lo menos cuatro deportes que pertenecen a las siguientes categorías. Incluyan palabras del vocabulario y otras que sepan.

1. deportes acuáticos
2. deportes en los cuales los participantes usan zapatos especiales
3. deportes que se practican en el aire
4. deportes que se practican cuando hace frío
5. deportes que se practican cuando hace calor
6. deportes baratos
7. deportes caros

Iquitos, Perú.

ACTIVIDAD 6 Deportes peligrosos

Parte A: En grupos de tres, discutan las siguientes preguntas.

1. ¿Practican algún deporte peligroso?
2. ¿Qué deportes peligrosos se pueden practicar en la ciudad donde viven o cerca de allí?
3. ¿Por qué creen que algunas personas disfrutan de los deportes peligrosos como escalar montañas o bucear en cuevas del Caribe?

Parte B: Hay gente que dice que todos los deportes son peligrosos. Cuente cada uno un accidente que tuvo mientras practicaba un deporte. Si no tuvieron ninguno, hablen de un accidente que tuvo alguien que conozcan.

ACTIVIDAD 7 Cuidemos el mundo en que vivimos

En grupos de tres, discutan las siguientes preguntas.

1. ¿Qué factores contribuyen a los cambios climáticos que se están viendo en nuestro planeta hoy día? ¿Qué productos destruyen la capa de ozono y cuáles no la contaminan?
2. ¿Cuántos animales que están en peligro de extinción pueden nombrar? ¿Por qué están en peligro? ¿Podemos hacer algo para detener su extinción?
3. ¿Qué se puede usar en los carros en lugar de gasolina? ¿Creen Uds. que los países deben tener restricciones en el nivel de emisiones tóxicas que producen los carros? ¿Por qué?

ACTIVIDAD 8 Los recursos naturales

Parte A: Lee lo que dice una venezolana sobre los recursos naturales de Latinoamérica y explica de qué manera no intencional recicla la gente.

Fuente hispana

"En muchos países latinoamericanos se usan menos recursos naturales que en países como los Estados Unidos porque la gente, que en general tiene menos dinero, compra menos y por lo tanto consume menos. Esto incluye la compra de comida, de ropa, de objetos de diversión y recreación, como música, artículos de deportes, etc., y también energía. Mucha gente consume menos gasolina porque usa el transporte público o tiene carros pequeños que consumen menos. Y cuando algo se rompe, como un televisor, un microondas o un secador de pelo, conviene llevarlo a arreglar ya que la mano de obra para arreglarlo es mucho más barata que el valor del producto nuevo. Entonces en Latinoamérica muchas veces se recicla no necesariamente de manera consciente, sino porque resulta más práctico y económico y así al consumir menos, logran conservar más." ■

Parte B: Ahora, en grupos de tres, preparen por lo menos cinco recomendaciones para hacerle a la clase sobre qué puede hacer cada uno en su vida diaria para consumir menos recursos naturales y reducir su huella ecológica. Miren la lista de ideas que se presenta abajo y al hablar, usen expresiones como: **Les recomendamos que..., Les aconsejamos que...**

► Les recomendamos que vayan menos a las tiendas para no ver tantas cosas atractivas y así comprar menos cosas innecesarias.

- cosas que se compran todos los días
- cantidad de plástico/papel que se usa para empacar las cosas
- gas/electricidad/agua/gasolina
- cantidad de comida que se compra
- compras innecesarias
- productos desechables
- compra de libros versus biblioteca
- uso innecesario del carro
- comerciales en la tele, el periódico y la radio
- propaganda por correo (catálogos, ofertas del supermercado, etc.)

Héctor Ceballos Lascuráin, creador del término **ecoturismo**

ACTIVIDAD 9 Ecoturismo, ¿peligro o no?

Parte A: Lee las siguientes oraciones y marca tu opinión usando esta escala:

a = estoy seguro/a **b** = es posible **c** = no lo creo

1. ______ La sola presencia del ser humano destruye el medio ambiente.
2. ______ Para llegar a lugares remotos hay que usar medios de transporte que contaminan el medio ambiente.
3. ______ Para tomar conciencia del valor de la naturaleza, hay que ver las zonas remotas y vírgenes con nuestros propios ojos.
4. ______ El dinero que gastan los turistas se puede usar para la preservación de las áreas silvestres.
5. ______ Después de hacer un viaje de ecoturismo, los participantes tienen un papel más activo en el movimiento verde: reciclan más, compran productos que contaminan menos e intentan cambiar las leyes de su país para proteger el medio ambiente.
6. ______ Los controles de un gobierno nunca van a ser suficientemente estrictos para controlar los problemas que puede traer el ecoturismo.
7. ______ El contacto con los turistas cambia para siempre la vida de las personas de una región.
8. ______ Los ecoturistas nunca tiran basura ni hacen nada para destruir el lugar que visitan.
9. ______ La presencia constante de grupos de turistas no es natural y por eso, crea un desequilibrio en el área.

Parte B: Algunos creen que el ecoturismo es beneficioso porque así la gente aprende a apreciar y preservar la naturaleza. Otros creen que el mismo ecoturismo ayuda a destruir el medio ambiente. Formen grupos de cuatro, con dos a favor y dos en contra, y preparen un debate sobre este tema. Pueden usar las ideas mencionadas en la Parte A y expandirlas e inventar otras razones para apoyar su postura. Al debatir usen las siguientes expresiones.

Para debatir

Para estar de acuerdo:	**Para no estar de acuerdo:**	**Para interrumpir:**
Tienes razón.	No estoy de acuerdo del todo.	¿Me dejas hablar?
Sin duda alguna. (*Without a doubt.*)	No me termina de convencer. (*I'm not totally convinced.*)	Ahora me toca a mí. (*Now it is my turn.*)
Opino como tú.	De ningún modo. (*No way.*)	Un momento.

II. Affirming and Negating

In this section you will review commonly used affirmative and negative expressions, and specifically how negative expressions are used.

1. Here is a list of common affirmative and negative expressions.

Affirmative Expressions	Negative Expressions
todo everything **algo** something	**nada** nothing, (not) anything
todos/as everyone **todo el mundo** everyone **muchas/pocas personas** many/few people **alguien** someone	**nadie** no one
siempre always **muchas veces** many times **con frecuencia / a menudo** frequently **a veces** sometimes **una vez** once	**nunca / jamás** never

2. Two common ways to create sentences with negative expressions in Spanish are:

no + *verb* + *negative word*
negative word + *verb*

Remember: If you use **no** before the verb, use a negative word after the verb.

—¿Te ayudó la Sra. López?	*Did Mrs. López help you?*
—¿Ayudarme? Esa mujer **no** me **ayuda jamás.** / Esa mujer **jamás** me **ayuda**.	*Help me? That woman doesn't ever help me / never helps me.*
—¿Quiénes fueron a la reunión de negocios?	*Who went to the business meeting?*
—**No fue nadie. / Nadie fue.**	*Nobody went.*
—¿Funciona?	*Does it work?*
—No, **no funciona nada** en esta oficina. / No, **nada funciona.***	*No, nothing works in this office.*

***Note: Nada** can only precede the verb when it is the subject.

3. When **nadie** and **alguien** are direct objects, they must be preceded by the *personal* **a**. Compare:

Direct object (needs personal *a*)	Subject
—¿Viste **a alguien**?	—¿**Alguien** te vio?
—**No, no** vi **a nadie.**	—No, **nadie** me vio. / No, no me vio **nadie**.

4. To talk about indefinite quantity in affirmative sentences and questions, use the following adjectives and pronouns.

Affirmative Adjectives	Affirmative Pronouns
algún/alguna/algunos/ algunas + *noun*	**alguno/alguna/algunos/ algunas**

—Hay **algunos sacos de dormir** en rebaja en la tienda Sierra y quiero comprar uno.
There are some sleeping bags on sale at the Sierra store and I want to buy one.

—¡Yo también! ¿Sabes si hay **alguna** cerca de mi casa?
Me too! Do you know if there is one (referring to the store) near my house?

5. To talk about indefinite quantity in negative sentences, use the following adjectives and pronouns.

The plural form **ningunos/as** is seldom used except with plural nouns such as **pantalones** and **tijeras** (*scissors*): No tengo **ningunos pantalones** limpios.

Negative Adjectives	Negative Pronouns
ningún/ninguna + *singular noun*	**ninguno/a**

—**No** hay **ningún centro de reciclaje** en mi barrio.
There aren't any recycling centers in my neighborhood.

—Es verdad. **No** hay **ninguno.**
That's true. There aren't any.

6. It is common to use the pronouns **ninguno** and **ninguna** with a prepositional phrase beginning with **de: Ninguno de mis amigos** recicla.

ACTIVIDAD 10 Conversaciones ecológicas

Parte A: Completa las siguientes conversaciones relacionadas con la ecología usando palabras afirmativas o negativas.

1
No, gracias. No necesito ________ bolsa. Traje tres de mi casa para toda la compra.

Ud. va a necesitar más.

2
¿Hay ________ que podamos hacer para detener la deforestación? ¡Mira este lugar!

Sí, es terrible, pero no sé qué se puede hacer.

3
¿________ de tu familia desperdicia agua?

Sí, mi hermano se da duchas de 25 minutos.

4
¡Qué horror! Hay 50 personas y __________ se preocupa por reciclar el papel que se usa en este lugar.

Estoy totalmente de acuerdo. Debemos hablar con __________ para resolver este problema.

5
No compro árboles de Navidad de verdad _________ porque tengo uno de plástico.

Yo también y, aunque parezca mentira, se ve bien bonito.

6
¿Oyes ___________ ruido?

No, no oigo __________ . ¡Qué placer! Me encanta el silencio de este lugar.

Parte B: Ahora, en parejas, digan dónde creen que tiene lugar cada conversación y de qué se habla. Usen oraciones como: **Es posible que ellos estén en... y creo que están hablando sobre...**

ACTIVIDAD 11 ¿Con qué frecuencia?

Parte A: En parejas, túrnense para averiguar y marcar en la tabla con qué frecuencia hace su compañero/a las siguientes actividades. Sigan el modelo.

► —¿Con qué frecuencia montas en bicicleta?

—Monto en bicicleta a veces.

	jamás	a veces	a menudo
1. montar en bicicleta	❑	❑	❑
2. comprar verduras orgánicas	❑	❑	❑
3. hacer deportes que no contaminan	❑	❑	❑
4. usar transporte público	❑	❑	❑
5. vestirse con ropa de algodón orgánico y/o de bambú	❑	❑	❑
6. reciclar latas (*cans*) de bebidas	❑	❑	❑
7. hacer ecoturismo	❑	❑	❑
8. contribuir con dinero a organizaciones que protegen el medio ambiente	❑	❑	❑

Parte B: Repitan la actividad, pero ahora con referencia a sus años de la escuela secundaria.

ACTIVIDAD 12 ¿Conoces a tu compañero?

Parte A: Escojan un/a compañero/a y luego, sin consultar con esa persona, marquen las cosas de la siguiente lista que creen que tiene en la habitación o apartamento.

❑ cestos para reciclar	❑ pósteres de animales en peligro de extinción
❑ plantas	❑ guías de turismo
❑ cuadros de arte moderno	❑ fotos de su familia
❑ ositos de peluche (*teddy bears*)	❑ DVDs de películas de acción

Parte B: Ahora, hablen con su compañero/a para confirmar sus predicciones. Sigan el modelo.

► —Creo que tienes algunos cestos para reciclar.

—Es verdad, tengo dos: uno para papel y otro para latas de gaseosas.

—Te equivocas, no tengo ninguno. / No tengo ningún cesto para reciclar.

ACTIVIDAD 13 ¿Cómo es tu familia?

En parejas, usen la siguiente lista de ocupaciones para averiguar sobre la familia de su compañero/a. Sigan el modelo.

► A: ¿Hay algún piloto en tu familia?

B: Sí, hay una mujer piloto.

A: ¿Quién es?

B: Mi hermana y trabaja para Mexicana.

B: No, no hay ningún piloto. / No, no hay ninguno.

1. vendedor
2. enfermero
3. plomero
4. artista
5. político
6. arquitecto
7. cartero
8. ecologista
9. carpintero
10. camarero

plomero = **fontanero** (*España*)

III. Describing What One Is Looking For

The Subjunctive in Adjective Clauses

1. As you have already learned, the subjunctive can be used in sentences to express influence, emotion, doubt, and denial. Additionally it can be used to describe persons, animals, or things that you are looking for or want but you don't know if they exist. Study the following examples.

May or May Not Exist Present Subjunctive	**Exists** Indicative
Buscamos una persona **que organice** programas de reciclaje.* *We are looking for someone who organizes recycling programs.* (There may or may not be such a person.)	Buscamos a la persona **que organiza** programas de reciclaje aquí. *We are looking for the person who organizes recycling programs here.* (We know this person exists.)
Tengo que encontrar un abogado **que haya estudiado** derecho ambiental.* *I have to find a lawyer who has studied environmental law.* (Might exist, might find one.)	Conozco a un abogado **que estudió** derecho ambiental. *I know a lawyer who studied environmental law.* (Exists, I could introduce you to him.)
Buscamos un lugar **donde no haya** mucha contaminación. *We are looking for a place where there isn't much pollution.* (Might exist, we might find it.)	Sabemos de un lugar **donde no hay** mucha contaminación. *We know of a place where there isn't much pollution.* (Exists, we can take you there.)

*__Note:__ When describing a person that you are looking for or want and that may or may not exist, the *personal* **a** is not used (compare the first two sets of sentences in each column) unless you use the word **alguien: Buscamos a alguien que haya reducido su huella ecológica.**

Notice that sometimes you must use **donde** instead of **que** to talk about places. This use parallels English.

Remember: never use the *personal* **a** after **hay**.

2. The subjunctive is also used when emphatically describing something that, according to the speaker, does not exist. Compare the following constructions.

Making a statement	Making an emphatic statement <u>no</u> + *verb* + *negative word* + <u>que</u> + *subjunctive*
Nadie me entiende en mi familia.	**No hay nadie que me entienda** en mi familia.
Ningún profesor da poca tarea.	**No hay ningún profesor que dé** poca tarea.
Nadie me cae bien.	**No encuentro a nadie que me caiga** bien.*

***Note:** Use the *personal* **a** before **nadie** when it is a direct object.

ACTIVIDAD 14 El medio ambiente

Parte A: Mira la siguiente información y di qué se necesita hacer para proteger el medio ambiente. Usa frases como: **Necesitamos..., Se necesita/n..., Queremos tener...** Sigue el modelo.

► personas / recoger / basura de la calle

Se necesitan personas que recojan basura de la calle.

¡REMUEVA!
¡CORTE!
¡PÓNGALO EN EL BOTE!
RECICLE SU ARBOLITO DE NAVIDAD
CIUDAD DE LOS ANGELES DEPARTAMENTO DE OBRAS PÚBLICAS BURÓ DE SANEAMIENTO

1. fábricas / no tirar / desechos a los ríos
2. más científicos / hacer / estudios para encontrar fuentes de energía renovable
3. más organizaciones / proteger / las especies de animales que están en peligro de extinción
4. alcaldes / construir / zonas verdes en las ciudades
5. carros / emitir / menos gases tóxicos
6. compañías / construir / paneles de energía solar baratos para las casas
7. supermercados / no envolver / muchos productos con plástico
8. gente / no desperdiciar / recursos naturales

Parte B: En grupos de tres, organicen las ideas anteriores de la más importante a la menos importante. Estén listos para justificar el orden que han elegido. Usen expresiones como: **Lo más importante es que..., También es importante que...**

ACTIVIDAD 15 El lugar ideal

Parte A: En el mundo hay una gran variedad de lugares para vivir. Mira la siguiente lista y marca con una X las tres características más importantes para ti.

❑ nevar mucho/poco	❑ tener temperaturas moderadas
❑ estar cerca de las montañas	❑ estar cerca del agua
❑ ser posible comprar comida de huertas con agricultura sostenible	❑ ser un centro urbano con un buen sistema de transporte público
❑ haber muchas/pocas actividades culturales	❑ no haber fábricas que contaminen
❑ estar en el campo	❑ tener buenas escuelas
❑ convivir gente de diferentes razas y culturas	❑ existir programas para reducir, reutilizar y reciclar
❑ ser un lugar tranquilo	❑ haber poca delincuencia

Parte B: En parejas, díganle a su compañero/a las características que buscan Uds. en un lugar para vivir. Usen expresiones como: **Busco un lugar que/donde..., Quiero vivir en un lugar que/donde...** Después, digan si conocen un lugar que tenga esas características. Usen (**No**) **Conozco un lugar que/donde...**

¿Lo sabían?

- Cada año, Suramérica pierde el 1% de los bosques.
- En el sur de Chile hay conejos con cataratas y ovejas con córneas inflamadas, posiblemente por el agujero en la capa de ozono.
- La urbanización de América Latina crece más rápidamente que en ninguna otra parte del mundo. En la actualidad el 78% de la población vive en zonas urbanas.
- En América Latina se encuentra el 40% de todas las especies de los bosques tropicales del mundo.
- Centroamérica, con solo el 0,5% de la superficie emergida (*land*) del planeta, tiene el 7% de la biodiversidad del planeta.
- Colombia tiene el 10% de las especies de flora y fauna del mundo.

¿Sabes qué animales de tu país están en peligro de extinción? ¿Hay un lugar donde la deforestación sea un problema? Si contestas que sí, ¿dónde?

ACTIVIDAD 16 ¿Qué piensas?

Parte A: Completa estas ideas sobre tu universidad con la forma correcta del verbo indicado. Después, marca con una X las oraciones con las que estás de acuerdo y con una O aquellas con las que no estás de acuerdo.

1. ____ No hay ninguna facultad que ____________________ profesores sobresalientes. (tener)
2. ____ No hay ninguna cafetería en esta universidad que ____________________ buena comida. (servir)
3. ____ No conozco a ningún profesor que ____________________ tarde a clase. (llegar)
4. ____ No hay ningún profesor que ____________________ exámenes finales fáciles. (dar)
5. ____ No hay nadie en esta universidad que ____________________ en los exámenes. (copiar)
6. ____ No hay ningún estudiante que ____________________ estudiar muchas horas por día. (querer)
7. ____ No hay ninguna facultad que ____________________ una huella ecológica baja. (tener)

Parte B: En grupos de tres, compartan y justifiquen sus opiniones. Usen expresiones como: **(No) es verdad que..., Es obvio que..., Es posible que...**

ACTIVIDAD 17 Una encuesta

Parte A: Usa la siguiente información para hacerles preguntas a tus compañeros. Escribe solo los nombres de los que contesten que sí.

► —¿Apagas las luces al salir de tu habitación?

—Sí, las apago. —No, no las apago.

Nombre	
1. ____________________	reciclar papel
2. ____________________	tener un carro híbrido
3. ____________________	usar pilas recargables
4. ____________________	no desperdiciar agua al ducharse
5. ____________________	comprar bombillas de luz de bajo consumo
6. ____________________	ser miembro de un grupo ecológico como Greenpeace
7. ____________________	no comprar agua en botellas de plástico
8. ____________________	consumir comida orgánica y local

Greenpeace en España

Parte B: En parejas, túrnense para averiguar si su compañero/a tiene a alguien en su lista que haga las actividades de la Parte A.

► —¿Hay alguien en tu lista que apague las luces?

—Sí, Cindy las apaga. ¿Y tú? ¿Hay alguien en tu lista que...?

—No, no hay nadie que las apague. ¿Y tú? ¿Hay alguien en tu lista que...?

Ecuador recicla.

ACTIVIDAD 18 ¿Conoces a alguien que...?

En parejas, túrnense para decir si conocen a alguien que haya hecho las siguientes actividades. Sigan el modelo.

► A: ¿Conoces a alguien que haya nadado en el río Amazonas?

B: No, no conozco a nadie que haya nadado en el Amazonas.

B: Sí, conozco a alguien.

A: ¿Quién es y cuándo lo hizo?

B: Mi hermano nadó en el Amazonas el año pasado.

1. ver pingüinos en la Patagonia
2. escalar los Andes
3. hacer rafting
4. ver una película de esquí de Warren Miller
5. cruzar el Atlántico en barco
6. hacer alas delta
7. saltar con una cuerda bungee
8. hacer una caminata de ocho horas

ACTIVIDAD 19 Un lugar de vacaciones

En parejas, una persona quiere ir de vacaciones y llama a una agencia de viajes para que le recomienden un lugar. El/La agente de viajes le da algunas sugerencias. Lea cada uno un papel y luego mantengan una conversación telefónica.

30 grados centígrados = 86 Fahrenheit

Cliente/a

Estas son algunas de las características que buscas en un lugar de vacaciones: al lado del mar, tranquilo, económico, temperatura no mayor de 30 grados. Usa expresiones como: **Busco un lugar que..., Quiero un lugar donde...**

Agente de viajes

Averigua qué tipo de lugar busca el/la cliente/a y luego recomiéndale y descríbele uno de los siguientes lugares. Usa expresiones como: **Le recomiendo que..., Le aconsejo que..., Este lugar es...**

Isla Margarita, Venezuela:
Parque nacional, con muchos pájaros, aguas tranquilas
Clima agradable, vientos suaves
Hoteles: $, $$

Isla Contoy, México:
Santuario de pájaros (especialmente pelícanos)
Snorkel
Clima agradable, vientos suaves
Hoteles: $

Acapulco, México:
Vida nocturna, deportes acuáticos de todo tipo, pesca
Clima agradable, bahía protegida, playas preciosas
Hoteles: $, $$, $$$

IV. Expressing Pending Actions

The Subjunctive in Adverbial Clauses

A conjunction is a word that links two clauses, each containing an action or a state.

1. When you want to talk about *pending* actions or states use the present subjunctive after the following adverbial conjunctions of time (**conjunciones adverbiales de tiempo**).

cuando	when
después (de) que	after
en cuanto	as soon as
hasta que	until
tan pronto como	as soon as

Look at the following examples:

Independent Clause	Dependent Clause
Present indicative or **ir a** +*infinitive*	Conjunction of time + Present subjunctive

Me voy a casar con él *I'll marry him*	**cuando** *when*	un astronauta **llegue** a Plutón. *an astronaut lands on Pluto.* (pending action)
Quiere ir a las Galápagos *She wants to go to the Galápagos*	**en cuanto** *as soon as*	**tenga** dinero. *she has money.* (pending state)

2. In contrast, when you want to talk about *habitual* actions or states, use the indicative in the dependent clause. Compare the following sentences.

Habitual actions = Indicative	Pending actions = Subjunctive
Todos los días ella llama a sus padres **tan pronto como llega** a casa. *Every day she calls her parents as soon as she arrives home.*	Ella va a llamar a sus padres **tan pronto como llegue** a casa. *She's going to call her parents as soon as she arrives home.*
Después de que almorzamos, generalmente caminamos por el parque. *After we have lunch, we generally walk in the park.*	**Después de que almorcemos,** queremos caminar por el parque. *After we have lunch, we want to walk in the park.*

3. Después de and **hasta** without the word **que** are prepositions, not conjunctions, and are followed directly by an infinitive.

Después de terminar mis estudios, voy a hacer ecoturismo por Costa Rica.	*After finishing my studies, I am going to take an ecotour of Costa Rica.*

ACTIVIDAD 20 El futuro está en nuestras manos

Parte A: Lee el siguiente comentario sobre el medio ambiente que publicó en su blog un ecologista y complétalo con el infinitivo, el indicativo o el subjuntivo de los verbos que aparecen en el margen.

Mi comentario de hoy:

Gran parte de la población está consciente de que hay que proteger el
tener — medio ambiente y ojalá que cuando nuestros hijos __________ (1) su propia
familia, haya agua limpia y aire puro. Pero para que eso ocurra cada uno
tiene que poner su granito de arena.

En nuestra ciudad, muchos ciudadanos llevan un carrito o sus propias
ir — bolsas para los comestibles cuando _____ (2) al supermercado. Otros reciben
usar — bolsas de plástico en el supermercado, pero después de ______(3) las bolsas,
las reciclan utilizándolas como bolsas de basura. Sin embargo, no vamos a
solucionar el problema del desperdicio de plástico hasta que todos los
usar; reciclar — ciudadanos ____________ (4) carritos o ___________________ (5) las bolsas.

comprar — Generalmente, cuando alguien ___________ (6) bebidas en el supermercado,
devolver — deja un depósito que luego se le entrega en cuanto ______________ (7) sus
envases. No obstante, todavía se ven botellas rotas en la calle; pero
estar — hasta que todos ______________ (8) conscientes del desperdicio que es eso,
no vamos a poder solucionarlo.

Tampoco debemos olvidar que consumimos papel en cantidades industriales
y que existen supermercados con centros de recolección de papel
periódico y de envases como los de Tetra Pak. Por eso no debemos olvidar
tener — de llevar estos residuos al supermercado tan pronto como ____________ (9)
una bolsa llena.

Tenemos que prometernos que no vamos a dejar de trabajar por esta
gozar — causa hasta que _____________ (10) de agua limpia y aire puro. Es nuestra
obligación. Se lo debemos a nuestros hijos.

Parte B: El gobierno de la Ciudad de México hace una campaña para cuidar el medio ambiente. Mira el póster para hablar de las siguientes preguntas.

1. ¿Qué son materiales orgánicos e inorgánicos? Da algunos ejemplos.
2. ¿Qué significa la frase "tírala bien" en este contexto? ¿Qué significa la frase "Lo que tiras bien, se te regresa bien."?
3. ¿Cuáles son las tres erres que se mencionan en el póster? Da ejemplos de cómo pones tú en práctica las tres erres.

ACTIVIDAD 21 En una reunión de Mundo Verde

La ecología

Estás en una fiesta con miembros de Mundo Verde, una organización que se dedica a proteger el medio ambiente. Solo oyes partes de las conversaciones, pero puedes imaginar el resto. Completa estas frases de forma lógica.

1. Los bosques van a estar en mejores condiciones después de que...
2. Va a haber más fuentes de energía renovable cuando...
3. Los cambios climáticos van a empeorar hasta que...
4. Va a seguir agrandándose (*grow larger*) el agujero en la capa de ozono hasta que...
5. La contaminación causada por las fábricas va a reducirse en cuanto...
6. Si compras un coche usado, tienes que hacerle un control de emisión tan pronto como...

Pending → Subjunctive

Habitual → Indicative

ACTIVIDAD 22 Tu vida actual y tus planes futuros

En parejas, túrnense para hacerse las siguientes preguntas. Al contestar, usen las expresiones que están entre paréntesis.

► —¿Cuándo vas a ir a visitar a tu familia? (en cuanto)

—En cuanto termine el semestre.

1. ¿Cuándo vas a comprar un carro nuevo? (en cuanto)
2. ¿Cuándo sales con tus amigos? (después de)
3. Generalmente, ¿cuándo haces la tarea para esta clase? (después de que)
4. ¿Cuándo miras televisión? (cuando)
5. ¿Hasta cuándo vas a vivir en el lugar donde vives ahora? (hasta que)
6. ¿Cuándo vas al cine? (cuando)
7. ¿Cuándo te levantas? (tan pronto como)
8. ¿Cuándo vas a ver a tus padres? (después de que)

ACTIVIDAD 23 ¿Verdad o mentira?

Parte A: ¡Vas a mentir! Escribe cuatro cosas que piensas hacer, usando las ideas que se presentan abajo. Algunas cosas deben ser mentira y otras deben ser verdad. Usa, en tus oraciones, las conjunciones adverbiales **cuando, después de que, en cuanto** y **tan pronto como**.

► terminar la clase de hoy

Después de que termine la clase de hoy, voy a alquilar una película en español.

- tu jefe / pagarte
- empezar las vacaciones
- tener mucho dinero
- graduarte de la universidad
- conseguir tu primer trabajo estable
- ¿?

Parte B: En parejas, una persona comparte sus planes y la otra decide si son verdad o mentira. Usen frases como: **Dudo que..., No creo que..., Creo que..., Es posible que...** Luego cambien de papel.

V. Avoiding Redundancies

Double Object Pronouns

1. In Chapters 1 and 3 you reviewed the use of direct-object pronouns (**me, te, lo/la, nos, os, los/las**) and indirect-object pronouns (**me, te, le, nos, os, les**). When you use both in the same sentence, the indirect-object pronoun precedes the direct-object pronoun. The following chart contains all possible combinations of indirect- and direct-object pronouns.

me lo, me la, me los, me las	nos lo, nos la, nos los, nos las
te lo, te la, te los, te las	os lo, os la, os los, os las
se lo, se la, se los, se las	se lo, se la, se los, se las

—¿Quién **te** mandó **las flores**?

—José Carlos **me las** mandó.
José Carlos sent them to me.

—¿**Me** puedes explicar **el problema**?

—Ya **te lo** expliqué.
I already explained it to you.

Never use **me lo, me la,** etc., with verbs like **gustar** since the noun following the verb is not a direct object, but rather the subject of the verb.

2. The indirect-object pronouns **le** and **les** become **se** when followed by the direct-object pronouns **lo, la, los,** or **las.**

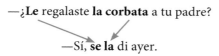

—¿**Le** regalaste **la corbata** a tu padre?

—Sí, **se la** di ayer.

Remember: Indirect-object pronoun before direct-object pronoun.

3. Review the following rules you learned for placement of object pronouns.

<u>**Before** the Conjugated Verb (Including Negative Commands)</u>	**or**	<u>**After** and **Attached** to the Infinitive, Present Participles, and Affirmative Commands</u>
Siempre **se lo digo.**		XXX
Se lo dije.		XXX
¿Quieres que yo **se lo diga?**		XXX
Se lo he dicho.		XXX
Se lo voy a decir. (**voy** = conj. verb)	=	Voy a **decírselo.*** (**decir** = inf.)
Se lo estoy diciendo. (**estoy** = conj. verb)	=	Estoy **diciéndoselo.*** (**diciendo** = pres. part.)
¡No **se lo digas!** (**no digas** = neg. command)		**¡Díselo!*** (**di** = aff. command)

***Note:** Remember the use of accents. To review accent rules, see Appendix F.

ACTIVIDAD 24 El regalo anónimo

Lee la siguiente conversación y contesta las preguntas que le siguen.

MARCOS ¿Y estas flores?

IGNACIO **Se** las mandaron a mi hermano Juan.

MARCOS ¿Quién?

IGNACIO No tengo la menor idea. En este momento mi hermano **le** está preguntando a su novia Marisol por teléfono.

MARCOS Mira, aquí entre las flores hay una tarjeta.

IGNACIO A ver. Dáme**la**, que quiero leerla.

MARCOS ¿Qué dice?

IGNACIO "Ojalá que te gusten. **Te las** mando por ser tu cumpleaños. Espero verte esta noche." Pero, ¿quién escribió esto?

JUAN [Cuelga. (*He hangs up.*)] ¡Oigan! Marisol dijo que ella no **me las** envió.

MARCOS Vamos, dinos quién es. Confiésa**noslo.** ¿Quién es tu admiradora secreta?

¿A qué o a quién se refieren los siguientes pronombres de complemento directo e indirecto?

1. línea 2, **se** ____________________
2. línea 5, **le** ____________________
3. línea 7, **la** ____________________
4. línea 9, **te** y **las** ____
5. línea 11, **me** y **las** ____
6. línea 13, **nos** y **lo** ____

ACTIVIDAD 25 ¿Quién?

En parejas, una persona le hace preguntas sobre su vida a la otra. La que contesta debe usar pronombres de complemento directo e indirecto cuando sea posible. Cuando terminen, cambien de papel.

► quién te manda mensajes de texto graciosos

—¿Quién te manda mensajes de texto graciosos?

—Nadie me los manda. —Mi amigo Paul me los manda.

1. quién te envía mail
2. quién te manda flores
3. a quién le mandas mail
4. quién te da regalos que te gustan
5. quién te da regalos que no te gustan
6. a quién le das consejos amorosos

ACTIVIDAD 26 La vida universitaria

En parejas, túrnense para hacerse preguntas sobre su vida universitaria. Al contestar deben usar pronombres de complemento directo e indirecto cuando sea posible.

1. si alguien le prestó el dinero para la universidad
2. si recibió una beca al graduarse de la escuela secundaria
3. si la universidad le ofreció una beca
4. quién le da consejos para seleccionar las materias
5. dónde estudió español por primera vez
6. cuándo va a terminar su carrera
7. quién le explica las materias difíciles
8. cuál de sus amigos lo/la ayuda más

ACTIVIDAD 27 Vamos a acampar

Parte A: En parejas, Uds. están preparándose para ir a acampar juntos. Mire cada uno su papel. El/La estudiante A debe preguntarle a B si hizo las cosas que tenía que hacer. Si B no las hizo, A debe darle órdenes para que las haga. Sigan el modelo.

► A: ¿Le diste las llaves del apartamento al vecino?

B: Sí, se las di. Desde luego.

B: No, no se las di.

A: ¿Por qué no se las diste?

B: Porque...

A: Pues dáselas.

A

Esto es lo que tenía que hacer tu compañero/a hoy:

- ☐ poner la navaja en la mochila
- ☐ mandarle el dinero al Sr. Gómez para la reserva del camping
- ☐ darle a un amigo un número de teléfono en caso de emergencia
- ☐ comprar protector solar

B

Esto es lo que tenías que hacer hoy:

- ☐ poner la navaja en la mochila
- ☑ mandarle el dinero al Sr. Gómez para la reserva del camping
- ☐ darle a un amigo un número de teléfono en caso de emergencia
- ☑ comprar protector solar

A check mark indicates that you completed the task.

A check mark indicates that you completed the task.

Parte B: Ahora el estudiante B mira su información y le pregunta a A si hizo las cosas que tenía que hacer y le da órdenes si no las hizo.

A

Esto es lo que tenías que hacer hoy:
- ☑ limpiar los sacos de dormir
- ☑ darle el código de la alarma del apartamento a tu padre
- ☐ pedirle el mapa topográfico a tu prima
- ☐ poner las pilas en la mochila

B

Esto es lo que tenía que hacer tu compañero/a hoy:
- ☐ limpiar los sacos de dormir
- ☐ darle el código de la alarma del apartamento a su padre
- ☐ pedirle el mapa topográfico a su prima
- ☐ poner las pilas en la mochila

Costa Rica

ACTIVIDAD 28 Costa Rica

Parte A: Vas a leer parte de un folleto que escribió el gobierno costarricense sobre Costa Rica. Antes de leer y en parejas, completen el siguiente gráfico sobre ese país. Si no saben, traten de adivinar.

Geografía	Clima	Flora y fauna	Deportes
Gobierno	**Historia**	**Composición étnica**	**Nivel de vida actual**

Parte B: Lean individualmente esta parte del folleto y después contesten las preguntas que le siguen.

Imagínense un pequeño país lleno de asombrosos bosques tropicales, un sinnúmero de playas, donde la persona con la que probablemente va a encontrarse es con su yo interior; un clima variado (más fresco en las montañas y cálido en las playas), una fascinante vida silvestre y un ambiente hogareño; esto les permitirá tener una idea básica de Costa Rica. Detengámonos ahora en su gente: su cultura es una refrescante mezcla de tradiciones europeas, americanas y afrocaribeñas, pulida por más de cien años de educación gratuita y una democracia estable. Alguien dijo una vez que para el resto del mundo, Costa Rica es como un parque nacional: un lugar donde aquello que se valora es preservado. Es una pequeña maravilla.

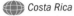

Aguas termales de Tabacón en Costa Rica.

Belleza y aventura

Un escritor de viajes americano dijo que Costa Rica "ofrece más belleza y aventura por acre que cualquier otro lugar en el mundo". Los viajeros salen de Costa Rica sintiendo que no solo han visto mucho, sino que han hecho cosas nuevas. Las caminatas, la pesca, el "snorkeling", el buceo, la navegación de rápidos, el ir en kayak y el "surfing", se ubican entre las actividades favoritas. Las caminatas probablemente se ubican en primer lugar debido a que hay tanto que ver en Costa Rica, desde sus paisajes naturales, pasando por aves, mariposas, hasta tortugas que vienen a desovar. Costa Rica es reconocida por pescadores experimentados en todo el mundo debido a los récords mundiales en pesca de sábalo, róbalo y pez vela. La navegación de rápidos ha ido aumentando en popularidad como una manera excitante pero segura de experimentar la naturaleza. Los amantes de este deporte saben que en Costa Rica pueden encontrar corrientes confiables durante todo el año. Para cualquiera de estas actividades resulta fácil encontrar proveedores y guías profesionales. Muchos de ellos cuentan con la representación de mayoristas y agentes en los Estados Unidos y Canadá, entre otros.

Diversidad

Costa Rica es un puente biológico entre América del Norte y América del Sur. Esto explica la increíble diversidad de su flora y fauna, como también el flujo constante de especies emigrantes. Más pequeño que el Lago Michigan, el territorio costarricense cuenta con tres cadenas montañosas y más de doce zonas climáticas. Usted podrá manejar desde el Caribe hasta el Pacífico en un día, visitar un volcán y disfrutar de una gran variedad de paisajes. Hay más de 600 millas de playa que le permitirán descansar del bullicio de la gente.

Una naturaleza espléndida

Costa Rica goza de reconocimiento internacional por sus Parques Nacionales. Incluyen impresionantes volcanes, bosques, llanuras, escenarios de anidamiento de aves y desove de tortugas, arrecifes de coral y virtualmente cualquier forma de naturaleza que usted espera encontrar en el Trópico.

- Costa Rica posee más de 800 especies de aves, más de lo que se encuentra en toda Norte América.

Un ocelote en un parque nacional costarricense.

- Tiene unas 1.200 especies de orquídeas.
- 8.000 especies de plantas de mayor evolución.
- El 10% de todas las mariposas del mundo y más mariposas de las que existen en todo el continente africano.
- Más quetzales que cualquier otro país en el mundo.
- Más de 150 especies de frutas comestibles.*

*Éstos y otros datos tomados de *Costa Rica, the traveler's choice* de Rex Govorchin.

Nación pacífica culta

Cristóbal Colón, suponiendo la existencia de muchísimo oro, bautizó estas tierras con el nombre de Costa Rica. Luego resultó que la mayoría del oro ya había sido convertido en joyería por los indígenas. Sin poseer el atractivo que generan las minas de oro y plata, Costa Rica permaneció relativamente aislada y despoblada durante 400 años. Todos, incluso el gobernador español, tenían que producir su propia comida. Esto condujo a que Costa Rica tuviera una sociedad relativamente igualitaria de pequeños agricultores. Las cosas comenzaron a cambiar durante el siglo XIX, cuando el café de Costa Rica comenzó a exportarse a Europa. La recién independiente sociedad costarricense adquirió los beneficios de la civilización, tales como educación, desarrollo político, ferrocarriles y energía eléctrica, sin muchos de los trastornos inherentes a la misma. Cien años más tarde, Costa Rica posee el nivel de alfabetización más elevado de Latinoamérica, un alto promedio de esperanza de vida y una Orquesta Sinfónica de clase mundial. Un 25% de su territorio lo constituyen las áreas de conservación.

1. ¿Cómo es el clima de Costa Rica?
2. ¿Qué puedes decir de la flora y fauna?
3. ¿Cuál es el tamaño de Costa Rica?
4. ¿Hay muchos ríos en Costa Rica? ¿Cómo lo sabes?
5. ¿Qué deportes acuáticos se pueden practicar en Costa Rica? ¿Dónde se pueden practicar?
6. ¿Cuál es un deporte muy popular y por qué?
7. ¿Qué te gustaría hacer en Costa Rica?
8. ¿Cómo es el nivel de vida de Costa Rica? ¿Puedes compararlo con el de los otros países centroamericanos?
9. ¿Hace algo el gobierno para conservar el medio ambiente?
10. Obviamente, el gobierno costarricense escribió este folleto para gente de habla española, pero ¿a quién crees que se dirija principalmente? ¿Cómo lo sabes? (Hay tres pistas en el texto.)

Parte C: En parejas, vuelvan a mirar su gráfico de la Parte A y comparen sus respuestas con lo que aprendieron al leer. ¿Tenían la información correcta? Ahora, hagan un gráfico semejante con los datos que aprendieron al leer. Después, decidan qué datos son los más sorprendentes. Al hablar, usen expresiones como: **Me sorprende mucho que Costa Rica..., Es interesante que...**

Parte D: Ahora, imagínense que Uds. van a pasar una semana en Costa Rica. Hagan una lista de lo que van a hacer cada día. Usen expresiones como: **Busco un lugar que/donde..., por eso quiero que nosotros...; Después de que... podemos...; Lo que prefiero...**

Do the corresponding web activities to review the chapter topics.

Vocabulario activo

CAPÍTULO 7

Expresiones afirmativas y negativas

a menudo / con frecuencia *frequently*
a veces *sometimes*
algo *something*
alguien *someone*
algún/alguna/os/as + *noun* *a, some, any*
alguno/a/os/as *one, some*
jamás/nunca *never*
muchas/pocas personas *many/few people*
muchas veces *many times*
nada *nothing, (not) anything*
nadie *no one*
ningún/ninguna + *singular noun* *not any*
ninguno/a *not any, none, no one*
siempre *always*
todo *everything*
todo el mundo / todos/as *everyone*
una vez *once*

Conjunciones adverbiales de tiempo

cuando *when*
después (de) que *after*
en cuanto / tan pronto como *as soon as*
hasta que *until*

Los viajes de aventura

El equipo *Equipment*

la batería *battery (cell phone, camera)*
cargado/a *charged*
la linterna *flashlight*
el mapa *map*
la mochila *backpack*
la navaja suiza *Swiss army knife*
la pila *battery (AA, AAA)*
el protector solar *sunscreen*
el repelente contra insectos *insect repellent*
el saco de dormir *sleeping bag*
la tienda de campaña *tent*

Deportes *Sports*

acampar *to go camping*
bucear *to scuba dive*
el buceo *scuba diving*
escalar (montañas) *to climb (mountains)*
hacer
- **alas delta** *to hang-glide*
- **una caminata** *to go for a walk/hike*
- **esquí nórdico/alpino/acuático** *to cross country/downhill/water ski*
- **kayak** *to go kayaking*
- **rafting** *to go rafting*
- **senderismo/trekking** *to hike*
- **snorkel** *to snorkel*
- **snowboard** *to snowboard*
- **surf** *to surf*
- **vela** *to sail*

montar a caballo *to ride a horse*
montar en bicicleta de montaña *to ride a mountain bike*

El medio ambiente *The Environment*

la agricultura sostenible *sustainable agriculture*
los cambios climáticos *climate changes*
el cargador (solar) *(solar) charger*
la contaminación *pollution*
contaminante *contaminating*
contaminar *to contaminate, pollute*
desechable *disposable*
desechar *to throw away*
los desechos *rubbish*
el desequilibrio *imbalance*
desperdiciar *to waste*
el desperdicio *waste*
la destrucción *destruction*
destruir *to destroy*
el equilibrio *balance*
la extinción *extinction*
extinguirse *to become extinct*
las fuentes de energía renovable *sources of renewable energy*
la huella ecológica *ecological footprint*
la preservación *preservation*
preservar *to preserve*
la protección *protection*
proteger *to protect*
recargable *rechargeable*
los recursos naturales *natural resources*
reducir *to reduce*
la restricción *restriction*
restringir *to limit, restrict*

Expresiones útiles

algo así *something like that*
desde luego *of course*
¡Ya sé! *I've got it!*
Ahora me toca a mí. *Now it is my turn.*
De ningún modo. *No way.*
¿Me dejas hablar? *Will you let me speak?*
No estoy de acuerdo del todo. *I don't completely agree.*
No me termina de convencer. *I'm not totally convinced.*
Opino como tú. *I'm of the same opinion.*
Sin duda alguna. *Without a doubt.*
Tienes razón. *You are right.*
Un momento. *Just a moment.*

Más allá

Canción: "¿Dónde jugarán los niños?"

Maná

El grupo mexicano Maná (que significa *energía positiva* en polinesio) es conocido por su estilo de música pop rock. Sus canciones de amor son muy populares; entre ellas se encuentran "Oye mi amor" y "Vivir sin aire". Maná se hizo famoso en los Estados Unidos después de que el músico Carlos Santana invitó al grupo a participar en un álbum. A lo largo de sus más de veinte años de trayectoria, Maná ha recibido varios premios nacionales e internacionales. Hoy día su organización *Fundación Selva Negra* se dedica al rescate y a la conservación del medio ambiente.

Para más información: http://www.selvanegra.org.mx

ACTIVIDAD **Cambios climáticos**

Parte A: En la canción que vas a escuchar el cantante cuenta cómo eran ciertas cosas cuando su abuelo era niño. En parejas, miren la siguiente lista y usen la imaginación para describir cómo creen Uds. que eran estas cosas.

- juegos y juguetes
- el tiempo y la temperatura
- la condición de los ríos, lagos, mares y océanos
- la calidad del aire

Parte B: Ahora escucha la primera parte de la canción y marca las cosas relacionadas con la naturaleza que veía el abuelo cuando era niño.

❑ alcatraces (*calla lilies*)	❑ margaritas (*daisies*)
❑ animales sanos	❑ muchos peces
❑ aire limpio	❑ ríos transparentes
❑ árboles	❑ cielo azul

Parte C: Antes de escuchar el resto de la canción describe las condiciones en que está la naturaleza hoy día. Luego, mientras escuchas, presta atención a las palabras que usa el cantante para describir el cielo y el mar.

Parte D: La preocupación del cantante en la canción que escucharon es la condición en que vamos a dejarles el planeta a los niños. En grupos de tres, miren la lista de la Parte A y den su opinión sobre cómo creen que van a ser esas cosas dentro de cuarenta años, cuando Uds. tengan nietos. Usen expresiones como: **Creo que dentro de 40 años, los juguetes van a ser...; Dudo que...; Cuando tenga nietos, la naturaleza...; Dentro de 40 años, no va a haber ningún...**

Videofuentes: *El turismo rural*

Antes de ver

ACTIVIDAD 1 La provincia de Asturias

Antes de ver un video sobre Asturias, España, mira la siguiente foto y el mapa, luego usa la imaginación para decir qué deportes se pueden practicar allí y qué clima tiene la región.

Montañas asturianas.

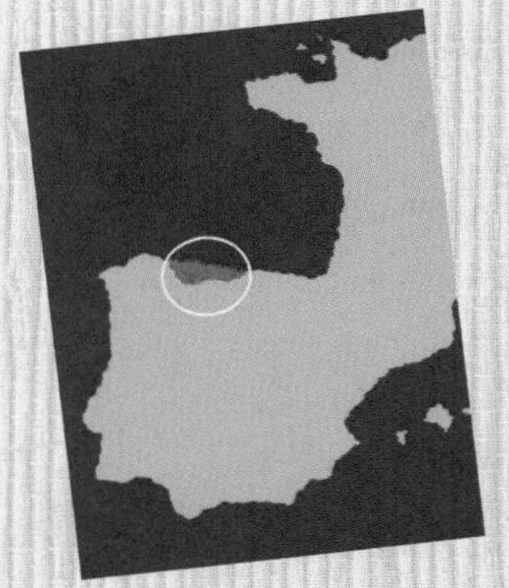

Mientras ves

ACTIVIDAD 2 Un turismo diferente

Lee las siguientes ideas y luego mira el video y apunta esta información.

1. las tres zonas principales de Asturias
2. tipo de turismo que se puede hacer en la región y en qué consiste
3. dos tipos de animales que están en peligro de extinción
4. descripción de los hórreos
5. proceso para hacer sidra
6. cómo se sirve la sidra y por qué

Después de ver

ACTIVIDAD 3 Turismo rural en tu país

En grupos de tres, usen la siguiente descripción de la Quintana de la Foncalada como modelo para crear una casa rural en su país. Miren las siguientes ideas y piensen en las cosas que necesitan. Al hablar, usen expresiones como: **Buscamos un lugar que..., Tenemos una persona que..., Vamos a enseñarles...**

- región del país donde puede estar la casa rural
- proceso que pueden enseñarles a los turistas
- animales que pueden estar en peligro de extinción que Uds. van a proteger

Casería tradicional asturiana totalmente rehabilitada en una finca de una hectárea. Alojamiento rural con la posibilidad de quedarse en una habitación con baño o alquilar una casa entera. En la finca tenemos un parque infantil, mesas para merendar. Finca ganadera con razas autóctonas en peligro de extinción: ponis asturcones, ovejas xaldas, pitas pintas. Producción ecológica de cordero, sidra. Planta de energía solar térmica y fotovoltaica. Ecomuseo del Asturcón con exposiciones y actividades relacionadas con las especies ganaderas asturianas. Taller de alfarería con producción y cursos de cerámica tradicional asturiana.

Para más información y para hacer reservas, buscar La Quintana de la Foncalada en este sitio web: **http://www.asturcon-museo.com**

Proyecto: Un anuncio informativo

ACTIVIDAD Crea conciencia

Vas a grabar un anuncio informativo para la radio de por lo menos 45 segundos para incentivar a la gente a proteger el medio ambiente. Debes ser muy específico/a y no hablar de cosas generales. Al preparar el anuncio piensa en las siguientes ideas:

- cómo motivar a la gente a proteger el medio ambiente
- qué sugerencias concretas se pueden dar
- qué decir para que la gente quiera escuchar el anuncio

La crisis ecológica

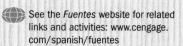

CAPÍTULO 7

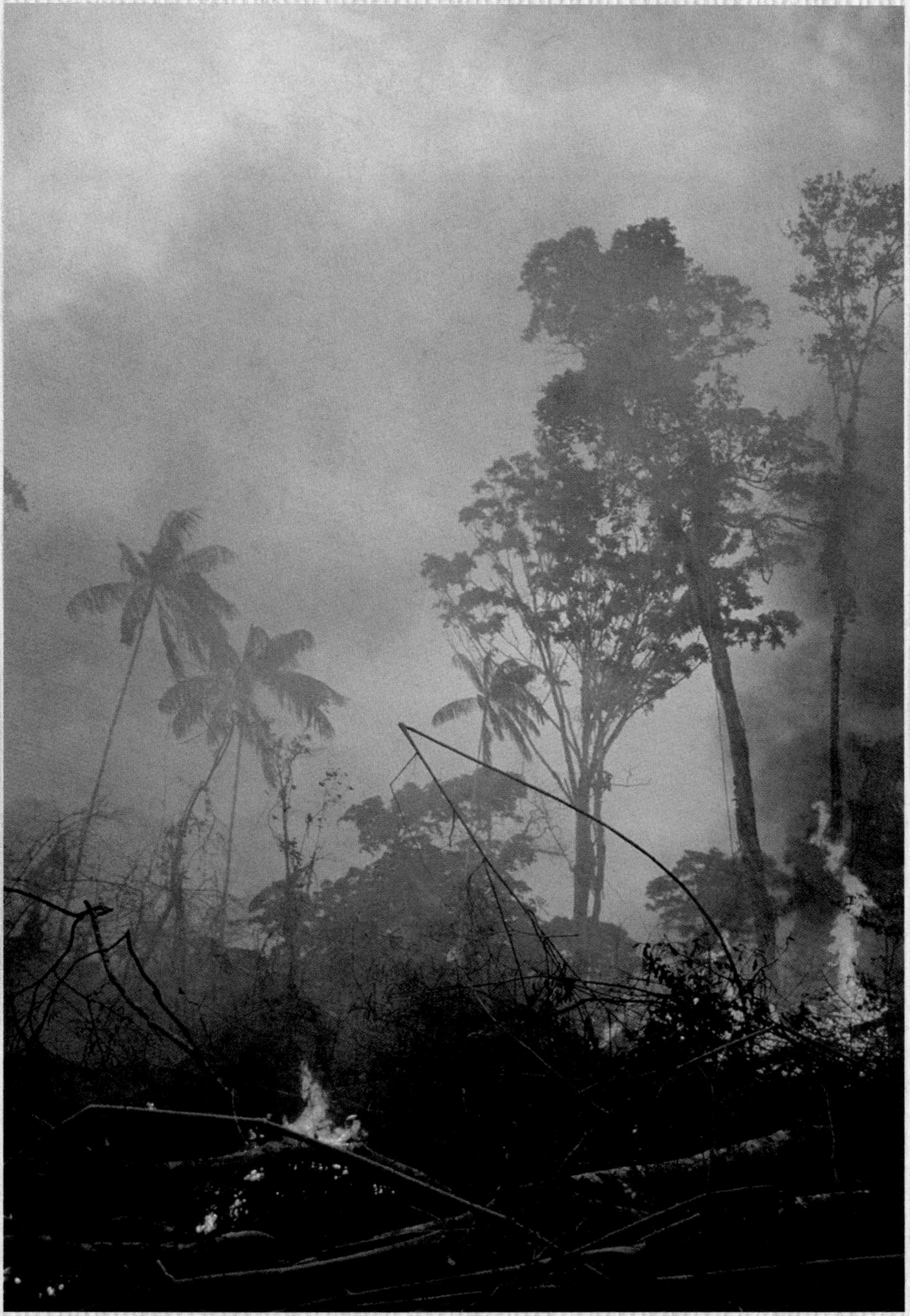

Cada año, los agricultores pobres queman grandes extensiones de la selva amazónica.

See the *Fuentes* website for related links and activities: www.cengage.com/spanish/fuentes

Activating background knowledge

ACTIVIDAD 1 Problemas ecológicos

En grupos de tres, miren la foto de la página anterior y decidan con cuáles de los siguientes problemas se relaciona el tema de la foto.

deforestación o desforestación

la deforestación
la contaminación del aire
la acumulación de basura
la pérdida de la biodiversidad
el calentamiento global
la contaminación del agua
la contaminación del mar
la urbanización excesiva
la explosión demográfica

Lectura 1: Artículo de una página web

ESTRATEGIA DE LECTURA

Using Suffixes to Distinguish Meaning
Suffixes can help you determine the function and meaning of a word. Certain suffixes are associated with certain parts of speech; for instance, **-ar** is often a marker of a verb infinitive. The following suffixes often mark conceptual nouns (nouns that express a concept), as opposed to a concrete object or an agent.

Certain suffixes are generally masculine (**-miento, -aje**) or feminine (**-dad, -tud, -ción**). You can predict the gender of many words if you remember the usual gender of these suffixes.

-miento, -mento	el mantenimiento, el compartimento
-ancia, -encia	la importancia, la influencia
-dad, -tud	la sociedad, la magnitud
-io, -ía, -ia	el desperdicio, la presencia
-(c)ión	la contaminación, la deforestación
-ado/a, -ido/a	el cuidado, la pérdida
-aje	el reciclaje, el porcentaje
-ez	la validez, la honradez

Some conceptual nouns are the same as the **yo** or **él/ella** form of the related verb.

el comienzo (comenzar)	la mejora (mejorar)

Adjectives may be marked with suffixes such as the following.

Some adjectives borrowed from Latin end in **–ico/a** and normally carry the accent on the first syllable preceding the suffix, as in **orgánico/a** and **hermético/a**.

-ante, -(i)ente	interesante, creciente
-ado/a, -ido/a	habitado/a, reconocido/a
-dor/a	hablador/a, conservador/a
-ero/a	casero/a, fiestero/a

Some of these adjective suffixes can also serve as noun suffixes to indicate a noun agent (person or thing as doer of an action).

-ero/a	el/la cocinero/a, el/la ranchero/a
-dor/a	el/la operador/a, el contestador (automático)
-ante, -(i)ente	el/la cantante, el/la dependiente

Two well-known noun suffixes mark movements and their followers.

-ismo	el surrealismo, el ecoturismo
-ista	el/la surrealista, el/la capitalista

Adverbs are often marked with **-mente: rápidamente, precisamente.**

Adverbs ending in **-mente** have an accent when the adjective they derive from has an accent: **rápido → rápidamente.**

Some high-frequency adverbs do not end in **-mente: bien, temprano, mucho, despacio.**

ACTIVIDAD 2 Palabras con sufijos

Using suffixes to determine meaning

Parte A: Usa el glosario o un diccionario para identificar la parte de la oración (sustantivo, adjetivo, etc.) y los significados de cada una de las siguientes palabras que aparecen en la lectura a continuación. Identifica la palabra base si la palabra se construye sobre otra.

especialmente	*contaminante*	*afinado*	*asado*
pegamento	*limpieza*	*rotulado*	*ejercicio*
funcionamiento	*soplador*	*emisión*	*calidad*

Parte B: Ahora, completa las siguientes oraciones con la forma apropiada de una palabra de la lista de la Parte A.

1. El ____________________ es muy útil en la construcción de muebles y otros artefactos.
2. Es ____________________ importante evitar el uso de productos no reciclables.
3. En muchos países se están controlando cada vez más las ____________________ de los automóviles.
4. Para mantener el automóvil ____________________, hay que cambiarle el aceite y los filtros de aire.
5. Muchos agentes de ____________________ contienen sustancias químicas peligrosas.
6. Los gases ____________________ se escapan de los productos químicos que a menudo se usan en las casas y los lugares de trabajo.
7. Con creciente frecuencia los productos "verdes" vienen claramente ____________________ como tales.
8. Es mejor hacer un ____________________ en una parrilla a gas o una parrilla eléctrica.
9. Una preocupación importante del movimiento ecologista es la protección de la ____________________ de vida.

10. Se recomienda no hacer ______________ los días en que hay un nivel elevado de ozono en el aire.
11. Hay que revisar los sistemas de calefacción y aire acondicionado para asegurar su ______________ eficiente.
12. Los ______________ de hojas quitan las hojas rápidamente pero también levantan mucho polvo y ensucian el aire.

Guessing meaning from context

ACTIVIDAD 3 Del contexto al significado

El artículo siguiente de una página web de CONAMA, la Comisión Nacional del Medio Ambiente de Chile, tiene cuarenta sugerencias para la conservación del aire limpio. Busca en los apartados (*sections*) indicados el equivalente español de cada expresión de la lista. Usa tus conocimientos, el contexto, los cognados y los sufijos para escoger la palabra correcta.

Apartado	Expresión (inglés)	Apartado	Expresión (inglés)
6	cruising speed	21	heating
8	errands	22	insulate
10	tires	23	fan
11	report or denounce	24	microwave
14	choose	25	hot water heater
16	paintbrush	26	showerhead
17	store	28	packages
18	grill	31	print
19	room	32	wood stove

Activating background knowledge

ACTIVIDAD 4 La lectura

Parte A: Antes de leer el artículo sobre las maneras de mantener el aire limpio, contesta las siguientes preguntas y después comenta tus respuestas con un/a compañero/a de clase.

1. ¿Es muy importante para ti la conservación del medio ambiente o entorno? ¿Por qué sí o no?
2. ¿Haces algo para evitar la contaminación del aire? Da un ejemplo.
3. ¿Por qué crees que es tan importante este tema para una ciudad como Santiago de Chile?

Active reading

Parte B: Ahora, lee todo el artículo. Mientras lo haces, apunta tu reacción a cada sugerencia usando la siguiente escala. Guarda tus apuntes para la Actividad 6.

a = Ya lo hago.
b = No lo hago, pero me parece buena idea.
c = No lo hago y no me parece útil.
d = No entiendo la idea.

Cuarenta formas de contribuir a un aire más limpio

Gobierno de Chile, Comisión Nacional del Medio Ambiente (CONAMA)

Le presentamos algunos datos prácticos con los cuales usted podrá ayudarse a ahorrar y al mismo tiempo colaborar en la mejora de su entorno y en la limpieza del medio ambiente.

Maneje menos y mejor

Más de la mitad de la contaminación de la Región Metropolitana de Santiago viene del sector transporte, ya sea buses, camiones o autos particulares. Dos efectivas formas de reducir la contaminación son conducir menos y conducir mejor. Mientras menos viajes realice estará emitiendo menos contaminantes, y la forma en que maneje también puede ayudar a contaminar menos.

1. Comparta el auto.
2. Camine o ande en bicicleta.
3. Compre por teléfono, por catálogo o por *internet.*
4. Trasládese en transporte público.
5. Acelere gradualmente.
6. Use la velocidad crucero cuando esté en una autopista.
7. Obedezca los límites de velocidad.
8. Agrupe todos sus trámites de modo que necesite hacer un solo viaje.
9. Mantenga su vehículo afinado y con las revisiones de gases al día.
10. Mantenga sus llantas bien infladas.
11. Denuncie a los vehículos que contaminan.
12. Cuando vaya a comprarse un auto nuevo, busque el que tenga certificadas las menores emisiones.
13. Prefiera un vehículo nuevo y de tecnología avanzada, generalmente mientras más viejos contaminan más.

Elija productos amigables con el entorno

Muchos productos que usa generalmente en la casa, en el patio, en su oficina y en otros sitios contienen productos que, una vez liberados, ayudan a generar contaminación.

14. Elija productos que estén hechos a base de agua o tengan bajas concentraciones de Compuestos Orgánicos Volátiles (COVs).
15. Use pinturas a base de agua (busque las que están rotuladas cero-COV).
16. Al pintar use una brocha, no un spray.
17. Almacene los solventes (bencina blanca, parafina, alcohol de quemar, amoniaco, aceite de máquina, etc.) en contenedores herméticos.
18. Cuando haga asados, use (en lo posible) una parrilla eléctrica o a gas.

Ahorre energía

Al ahorrar energía se reduce la contaminación del aire. Esto ocurre porque al quemar un combustible fósil (aquellos derivados del petróleo, la leña y el carbón) estamos emitiendo partículas y gases contaminantes al aire.

19. Apague las luces cuando no esté en una pieza.
20. Reemplace las luces incandescentes por las fluorescentes, que iluminan más y consumen menos.
21. Instale un termostato programable que apague el aire acondicionado o la calefacción cuando no sean necesarios.
22. Aísle bien su casa, de este modo requerirá menos calefacción.
23. Use ventilador en vez de aire acondicionado; consumen menos energía.
24. Use el microondas para calentar la comida.
25. Aísle y chequee su califont.
26. Instale chayas de ducha de bajo flujo.

No gaste de más

Los productos que usamos y vendemos requieren de energía para ser creados.

27. Elija productos reciclados.
28. Elija productos con envases reciclables.
29. Reutilice las bolsas de papel y plástico.
30. Recicle papeles, plásticos, vidrios y metales.
31. Imprima y saque fotocopias por ambos lados del papel.

Preocúpese de lo que no puede ver

Cada vez que respira, partículas muy pequeñas de polvo, hollín y ácidos pueden entrar hacia sus pulmones, sobrepasando a sus defensas naturales.

32. No use estufas a leña.
33. Evite usar sopladores de hojas y equipos similares que levanten polvo.
34. Maneje despacio en caminos o calles sin pavimentar.
35. Evite hacer ejercicio o actividad física intensa en días con mala calidad del aire.

Preocúpese de lo que pasa adentro

La contaminación del aire no ocurre sólo en la calle, también es un problema de interiores.

36. No fume, especialmente si hay niños, ancianos o enfermos en la casa.

(*Continúa en la página siguiente.*)

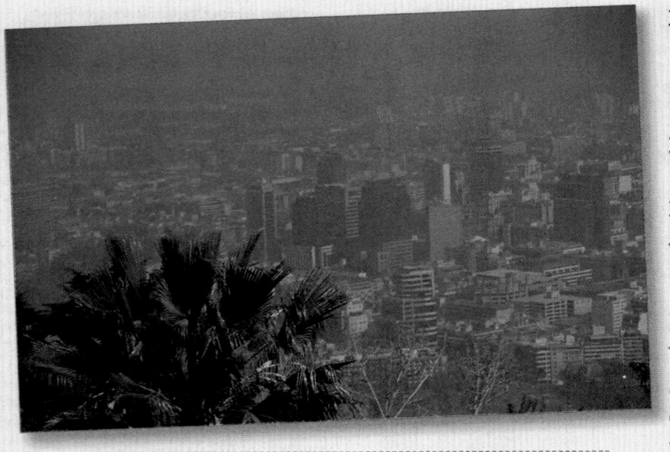

La Comisión Nacional del Medio Ambiente (CONAMA) ha lanzado varios programas para combatir la contaminación del aire en Santiago de Chile.

37. Muchos agentes de limpieza, pegamentos y otros productos similares contienen químicos peligrosos. Preocúpese de usarlos fuera de la casa o bien en ambientes bastante ventilados.
38. Use productos más seguros como bicarbonato, en vez de limpiadores más abrasivos y fuertes.
39. No use la cocina a gas para calefaccionar su casa.
40. Preocúpese de revisar y chequear el correcto funcionamiento de sus equipos a gas y estufas.

¡¡¡Exija un aire limpio!!!

Ahora que sabe qué cosas hacer para mejorar su calidad de vida y la de los demás, preocúpese de difundirlo y de conocer sus derechos como ciudadano. Su derecho a un medio ambiente libre de contaminación está consagrado en la Constitución y en muchas leyes y decretos. ■

Making inferences

ACTIVIDAD 5 ¿Para qué sirven?

Parte A: Después de leer, piensa en cinco de las recomendaciones y explica cómo o por qué cada una ayuda a evitar la contaminación del aire.

Classifying

Parte B: Muchas de las recomendaciones sirven no solo para evitar la contaminación del aire sino también para proteger el medio ambiente en general. Usa las ideas de la siguiente lista, y escribe los números de las recomendaciones relevantes a la derecha de cada función.

- ahorrar energía: ____________
- evitar la contaminación del agua: ____________
- evitar el desperdicio del agua: ____________
- combatir la acumulación de basura: ____________
- conservar los bosques: ____________
- proteger la salud: ____________
- cambiar la cultura y las actitudes hacia el medio ambiente: ____________

Reacting to reading

ACTIVIDAD 6 Un sondeo

Parte A: En grupos de cuatro, pregunten si los miembros del grupo hacen las siguientes actividades mencionadas en la lectura. Indiquen cuántas personas dicen que sí y cuántas dicen que no.

1. ¿Usas productos más seguros como bicarbonato en vez de limpiadores más abrasivos y fuertes?
2. ¿Imprimes y sacas fotocopias por ambos lados del papel?
3. ¿Reutilizas las bolsas de papel y plástico?

4. ¿Tienes instaladas chayas de ducha de bajo flujo?
5. ¿Usas ventilador en vez de aire acondicionado en el verano?
6. ¿Apagas las luces cuando no estás en una pieza?
7. ¿Almacenas los solventes en contenedores herméticos?
8. ¿Compartes el auto siempre que puedes?
9. Cuando manejas, ¿aceleras gradualmente?
10. ¿Te trasladas en transporte público?

Parte B: En el mismo grupo de cuatro, contesten las siguientes preguntas. Deben entrevistarse y usar los apuntes que tomaron para la Actividad 4.

1. ¿Hay alguna actividad mencionada en la lectura que hagan todos los miembros del grupo?
2. ¿Hay alguna actividad que no haga ninguno de Uds. nunca?
3. ¿Hay alguna actividad mencionada en la lectura que les parezca a Uds. especialmente buena o útil?
4. ¿Hay alguna actividad que les parezca especialmente tonta o inútil?
5. ¿Hay otras ideas que se puedan incluir en esta lista? Inventen tres.

ACTIVIDAD 7 ¿Tonterías?

Reacting to reading

En parejas, decidan cuál es la peor sugerencia de la lectura. Después, entre todos, hagan una lista de esas ideas en la pizarra. Cada pareja debe presentar y criticar su selección; los demás deben decir si están de acuerdo o no y por qué.

ACTIVIDAD 8 En nuestra comunidad

Comparing and contrasting

En grupos de tres, comenten las actividades y programas ecologistas de su comunidad (universidad, vecindario o ciudad). Hagan las dos listas indicadas, busquen contrastes y después, compartan sus ideas con el resto de la clase.

a. actividades que se hacen ya
b. actividades que se deben implementar

► —Ya reciclamos los periódicos, pero no hacemos nada con otros tipos de papel.

—Es verdad. Se necesita algún programa que...

Cuaderno personal 7-1

¿Haces algo para conservar el medio ambiente y para reducir tu huella ecológica (*ecological footprint*)? ¿Por qué sí o no? ¿Crees que debes hacer más? ¿Por qué? ¿Cuáles son dos o tres cosas que podrías hacer fácilmente?

Lectura 2: Panorama cultural

ESTRATEGIA DE LECTURA

Using Prefixes to Determine Meaning

Prefixes in Spanish and English have the same function: they modify the basic meaning of a word. However, unlike suffixes, they cannot change a word's part of speech, or sentence function. Many prefixes in English and Spanish share similar or the same forms since they are largely derived from Greek and Latin roots. The following list includes the most common Spanish prefixes and their typical meanings.

Prefix	Meaning	Example
a-, an-	not	anormal, analfabeto
ante-	before	anteayer, anteojos
anti-/contra-	against, counter	antisocial, contraataque
auto-	self	autodefensa, autorretrato
bi-	two	bicicleta, bilingüe
co(m)-	with	copresidente, compadre
de(s)-	not, un-	desaparición, de(s)forestar
eco-	eco-	ecoproducto, ecosistema
extra-	beyond	extraterrestre, extraordinario
i-, in-, im-, ir-	not	ilegal, inaccesible, impenetrable, irreal
mal-	bad, mis-	malintencionado, maltrato
pre-	before	preservación, prever
re-	again; completely	reaparecer; rellenar
sobre-, super-	over, super-	sobrepoblar, superpoblación
sub-	under	subdesarrollo, subrayar

Prefixes can co-occur with suffixes to mark derived forms: **grupo ⟶ agrupar, consejo ⟶ aconsejar.** The prefixes in some words indicate an altered meaning which is not predictable from the prefix. For example:

coger to take ⟶	⟶ **recoger** to gather or collect
echar to throw (out) ⟶	⟶ **desechar** to discard, to throw away
perder to lose ⟶	⟶ **desperdiciar** to waste
conocer to know, be familiar with	⟶ **reconocer** to recognize

Using prefixes and suffixes to determine meaning

Si no conoces algunas de las palabras base, puedes consultar el glosario o un diccionario.

ACTIVIDAD 9 Palabras con prefijos y sufijos

Usa tus conocimientos de los prefijos y los sufijos para determinar el significado de las siguientes palabras de la lectura. Primero, determina la palabra base de cada palabra y escríbela entre los paréntesis. Por ejemplo, la palabra base de **malintencionado** es **intención.** Después, escribe la letra de la definición que corresponde a cada palabra derivada.

1. _____ sobrevivir (______________)	a. sin posibilidad de remisión o perdón
2. _____ el/la ecoguarda (______________)	b. sin control ni límites
3. _____ incontrolado (______________)	c. persona que tiene a su cargo el cuidado del medio ambiente
4. _____ deshielo (______________)	d. la sustitución de una cosa o persona por otra
5. _____ el reemplazo (______________)	e. con necesidad urgente o absoluta, sin otras posibilidades
6. _____ irremisiblemente (______________)	f. la conversión en líquido de algo congelado
7. _____ desesperadamente (______________)	g. continuar vivo después de algún momento, evento o desafío

ACTIVIDAD 10 Hablando del medio ambiente...

Building vocabulary

Después de estudiar la siguiente lista de vocabulario sacado de la lectura, escoge la mejor expresión para completar cada oración.

las aguas negras	untreated sewage
el campesino	peasant (poor subsistence farmer)
la cantidad	quantity
demandar	to sue
fomentar	to promote, encourage
invertir	to invest
el nivel de vida	standard of living

1. Los habitantes de un país viven mejor cuando tienen un ________________ más alto.
2. Las ciudades que no tienen buenas instalaciones para el tratamiento de las ________________ pueden llegar a tener serios problemas de contaminación.
3. Una persona o grupo que sufre daño a causa de las acciones de otro puede ________________ a este último.
4. El gobierno quiere ________________ la reforma del sistema energético y de los sistemas de transporte.
5. Muchos organismos ambientales recomiendan ________________ en nuevas tecnologías de energía renovable.
6. En años recientes muchos ________________ han abandonado la vida rural para trasladarse a las grandes ciudades.
7. La capa de ozono ha sido dañada por el aumento de la ________________ de CFC (clorofluorocarbonos) en la atmósfera.

Predicting, Active reading

ACTIVIDAD 11 Los problemas ecológicos

Parte A: En grupos de tres, hagan una lista de los principales problemas ecológicos que afectan a este país. Luego, pónganlos en orden del más grave al menos grave y justifiquen el orden.

Parte B: Lee individualmente el texto para ver cuáles de estos problemas se mencionan para Latinoamérica. Si encuentras información que te sorprenda, escribe tu reacción en el margen: por ejemplo, **¡Qué horror! ¡Parece mentira! No estoy de acuerdo. ¡Qué bien!** (etc.)

Latinoamérica y el medio ambiente: ¿entre la espada y la pared?

Desde hace siglos se ha reconocido la enorme riqueza natural de Latinoamérica: tierra para la agricultura y la ganadería, bosques y madera para la construcción, minerales y petróleo para la industria. Desde el siglo XIX, los líderes latinoamericanos, enfrentados con problemas económicos, una población creciente y grandes números de pobres, han venido afirmando que el futuro de la región está en la industrialización, el desarrollo de las vastas tierras y la explotación de sus recursos naturales. De hecho, la explotación de estas riquezas ha constituido, y sigue constituyendo, la principal esperanza de una vida mejor para los habitantes de Latinoamérica.

Sin embargo, hasta el siglo XX, la geografía casi impenetrable de ríos, selvas y montañas dificultó el aprovechamiento de estas riquezas, convirtiéndolas en una especie de "El Dorado" inaccesible. Pero, en los últimos setenta años, se han invertido enormes cantidades de dinero en proyectos de desarrollo e industrialización, y se han utilizado nuevas tecnologías para llegar a nuevas tierras y explotar sus recursos. Estos esfuerzos han tenido mucho éxito, pero el desarrollo de los recursos ha traído consigo la destrucción del medio ambiente, sobre todo en las selvas y en las ciudades.

El mito de **El** (**hombre**) **Dorado** se refería originalmente a un príncipe indígena que se cubría de oro, después a una ciudad de oro y, finalmente, a todo un país de fabulosa riqueza, escondida en la selva. Los conquistadores del siglo XVI buscaron El Dorado sin éxito.

Destrucción de las selvas tropicales

Las selvas tropicales constituyen los ecosistemas más extensos de Latinoamérica y su papel en la evaporación del agua y la producción de lluvias es de importancia global. Las selvas cubren un 30% de la región y contienen casi el 40% de todas las especies de vida animal y vegetal del planeta. Más del 50% de los productos farmacéuticos modernos tienen ingredientes derivados de estas especies. Sin embargo, no se detiene la destrucción sistemática de las selvas. Cada año se queman unos cinco mil millones de hectáreas, creando grandes cantidades de gases que contaminan la atmósfera y contribuyen al calentamiento global, el deshielo polar y la subida en el nivel del mar.

Aunque las selvas sí producen mucho oxígeno, las algas marinas producen el 90% del oxígeno de la atmósfera.

cinco mil millones = 5.000.000.000

una hectárea = 2,47 acres

La destrucción de la selva amazónica es la más alarmante. La Amazonia cubría originalmente un territorio enorme que se extendía por partes de Brasil, las Guayanas, Venezuela, Colombia, Ecuador, Perú y Bolivia, pero que cada día se encuentra más reducido a causa de la devastación. Las industrias maderera, hidroeléctrica y minera causan gran parte de la deforestación y contaminación de ríos, pero los campesinos pobres también queman los árboles para cultivar la tierra y los rancheros lo hacen para criar el ganado. Después de algunos años, este uso ineficiente deja la tierra tan árida que no se puede usar ni para la agricultura ni para la ganadería. Además, los campesinos dependen de la leña para cocinar, calentarse y sobrevivir, lo cual contribuye también a la destrucción de la selva. Se calcula que se ha perdido más de una séptima parte de la selva amazónica y que, si la destrucción continúa, no quedará nada dentro de cincuenta o cien años.

La extracción de oro y otros recursos en el Amazonas acelera la deforestación.

Contaminación de las ciudades

Las ciudades grandes de Latinoamérica también sufren de graves problemas ambientales, debido en gran parte a la rápida urbanización de la población. Desde 1950, decenas de millones de campesinos se han trasladado a las ciudades en busca de una vida mejor. La ola de migración ha seguido sin pausa, aunque los emigrantes acaban viviendo en barrios pobres sin electricidad ni otros servicios. La rápida concentración demográfica en las áreas urbanas ha creado problemas incontrolados de basura, escasez de agua potable, aguas negras y contaminación del aire.

México, caso ejemplar de este fenómeno, es la segunda zona metropolitana más poblada del mundo y una de las más contaminadas. En 1950, tenía unos 3 millones de habitantes, aire limpio y cielos azules. Hoy tiene entre 20 y 30 millones de habitantes y se enfrenta con graves problemas ecológicos. Además, el gobierno ha triunfado en su campaña de industrialización: hoy existen unas 35.000 fábricas en el valle, de las cuales varios miles se consideran extremadamente peligrosas para el medio ambiente. Hay más de tres millones de automóviles que echan gases a la atmósfera además de docenas de miles de taxis y autobuses viejos e ineficientes. Para colmo, la ubicación de la ciudad de México en un valle rodeado de montañas atrapa el aire contaminado y perjudica la salud de los habitantes, quienes sufren con frecuencia de infecciones respiratorias, hemorragias nasales o enfisema.

Mexico City = (**ciudad de**) **México, "la capital"** o **el Distrito Federal** (**D.F.**)

Reacción de los ecologistas

En años recientes, la destrucción ha provocado una fuerte reacción por parte de los ecologistas de Latinoamérica y del mundo entero. Estos arguyen que

Continúa en la página siguiente

no tiene sentido sacrificar el medio ambiente para mejorar el nivel de vida material, ya que un medio ambiente limpio debe considerarse parte íntegra de un buen nivel de vida. Las críticas ecologistas y la presión de organismos internacionales han llevado a algunos gobiernos a limitar la destrucción y crear innovadores programas ecológicos . Quizás el más conocido es la industria del ecoturismo, que se desarrolló primero en Costa Rica y ahora se ha extendido a otros países de Latinoamérica y del mundo. El ecoturismo permite que la conservación de la naturaleza se base en principios económicos: la compra de tierra para parques y su mantenimiento se financia con el dinero de turistas "verdes", quienes pagan por visitar un lugar natural protegido y contribuyen a su protección. El ecoturismo intenta minimizar el impacto del turismo sobre el medio ambiente, y también fomenta la educación sobre las maneras de salvar el medio ambiente.

Los indígenas: aliados contra la destrucción

Los ecologistas también han encontrado unos aliados inesperados: los habitantes indígenas de las selvas tropicales, quienes sufren directamente de la destrucción y el cambio climático. Con la ayuda de organismos internacionales, los pueblos indígenas se han unido para protegerse. Por ejemplo, en los años 90, varios grupos indígenas del norte del Ecuador demandaron a la petrolera americana Texaco por daños ecológicos, y su éxito sirvió para animar a otros pueblos indígenas a defender la selva amazónica contra la explotación descontrolada. Los indígenas también han empezado a enseñar cómo han vivido y viven ellos en la actualidad con la naturaleza sin destruirla. No sin razón, algunos han llamado a los indígenas los ecologistas más activos de Latinoamérica.

Se estima que la selva amazónica del Ecuador contiene algunos de los depósitos más grandes de petróleo de Latinoamérica y del mundo. Están casi sin explotar.

Desde 1956 los taxis "vochos" han adornado las calles de México, pero para 2012 todos se habrán sustituido por autos menos contaminantes y más seguros.

La capital de México y su lucha contra la contaminación

Las ciudades latinoamericanas han sido objeto de esfuerzos por mejorar las condiciones ambientales. Por ejemplo, en 1992 México fue declarada la ciudad más contaminada del mundo, y este triste hecho obligó al gobierno de la capital mexicana a tomar medidas radicales. En un caso que hizo historia, el presidente mexicano cerró una refinería de petróleo que producía el 7% de la contaminación de la ciudad, a pesar de que la acción costó 500 millones de dólares y cinco mil empleos en una sociedad que desesperadamente necesitaba el trabajo. Se eliminó también el uso de la gasolina con plomo, se ordenó el uso del convertidor catalítico y se estableció el programa de "Hoy no circula", que prohíbe el uso de cada automóvil un día a la semana. Se ha organizado también una policía de "ecoguardas" para sancionar a los que violan las nuevas normas. En el último Plan Verde, iniciado recientemente, se promueven nuevas líneas de metro, nuevos carriles para bicicletas y autobuses, el reemplazo de todos los taxis y autobuses con modelos menos contaminantes y la construcción de azoteas y fachadas verdes, que son jardines que reducen las gastos en aire acondicionado y conservan el agua en los edificios. También incluye programas educativos que buscan cambiar la conducta y la cultura de los habitantes de México.

En busca de soluciones

Estos logros son positivos, pero todos los expertos afirman que la situación ecológica de Latinoamérica y el mundo entero es cada día peor. La población sigue creciendo y con ella el número de pobres. Como otras regiones del mundo, Latinoamérica parece estar atrapada entre la espada, o la necesidad de proteger el medio ambiente, y la pared, o el deseo de darles trabajo a los pobres y mejorar así el nivel de vida de todos. Tanto los ecologistas como los economistas sugieren que la única solución es buscar un equilibrio entre estas dos necesidades en el llamado "desarrollo sostenible", el cual permitiría la extracción y el uso de recursos naturales sin la destrucción del ecosistema mundial. Nadie sabe si tal sistema puede funcionar, pero pocos dudan que el sistema actual nos está llevando irremisiblemente al desastre. ■

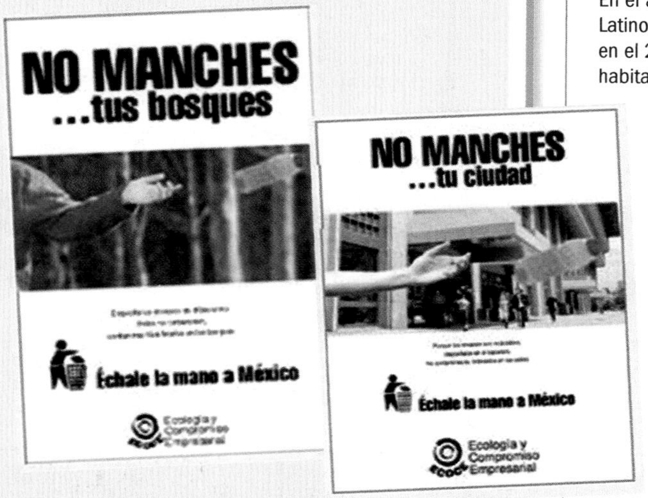

Estos carteles anuncian una campaña para promocionar el reciclaje de plásticos, otra iniciativa de México para reducir la contaminación del medio ambiente.

En el año 2000, la población total de Latinoamérica superó los 500 millones y en el 2025 llegará a los 758 millones de habitantes.

Scanning

ACTIVIDAD 12 Falsedades

Las siguientes oraciones son todas falsas. Corrígelas de acuerdo con la información de la lectura.

1. Desde el siglo XIX la protección del medio ambiente ha sido una gran prioridad para los gobiernos latinoamericanos.
2. Los esfuerzos por explotar los recursos naturales han tenido poco éxito.
3. La destrucción de las selvas tropicales no es un problema particularmente grave, por lo menos en Latinoamérica.
4. Las industrias maderera, hidroeléctrica y minera causan casi toda la deforestación de la Amazonia.
5. Durante los últimos 150 años, millones de personas han abandonado las ciudades para buscar una vida mejor en el campo.
6. Actualmente, la zona metropolitana de México tiene unos 3 millones de habitantes, aire limpio y cielos azules.
7. Las costas mexicanas son los centros más conocidos del ecoturismo.
8. En su lucha por conservar la selva, los indígenas de la Amazonia han recibido mucha ayuda de las compañías petroleras.
9. Entre 1992 y 2000 se resolvieron la mayor parte de los problemas ecológicos de la ciudad de México.
10. Es seguro que Latinoamérica va a poder limitar la destrucción del medio ambiente en el futuro.

Making inferences

ACTIVIDAD 13 En busca de soluciones

En grupos de tres, escojan uno de los siguientes dilemas. Imaginen que tienen responsabilidades oficiales y decidan cómo se puede resolver el dilema.

un/a concejal/a = alderperson, town council member

1. Uds. son concejales de la ciudad de México. La mayoría de las personas creen que las fábricas producen la mayor parte de la contaminación. En realidad, los automóviles producen el 75% de la contaminación. ¿Qué pueden hacer Uds. para animar a los ciudadanos a manejar menos?
2. Uds. son concejales de la ciudad de México. Las personas de clase media y alta creen que el metro es para los pobres. ¿Qué pueden hacer Uds. para animar a más personas a viajar en el metro?
3. Uds. son concejales de la ciudad de México. Hay decenas de miles de taxistas que conducen autos ineficientes que contaminan el aire. Los taxistas no tienen mucho dinero y no lo quieren gastar en automóviles caros. ¿Qué pueden hacer Uds. para mejorar esta situación?

asesor = advisor

4. Uds. son asesores del presidente del Ecuador. El país necesita mejorar urgentemente su economía para crear más trabajo y ayudar a los pobres. En el este del país existen grandes depósitos de petróleo sin explotar. Sin embargo, los indígenas reclaman estos territorios y no quieren que se exploten los depósitos. ¿Qué pueden hacer Uds. para responder a las necesidades de todos?

ACTIVIDAD 14 Diferencias y semejanzas

Comparing and contrasting

En parejas, comparen los problemas y soluciones ecológicos de Latinoamérica con los problemas y soluciones de Canadá y Estados Unidos. Traten de identificar una diferencia importante y una semejanza importante. Piensen en los siguientes temas: tipos de ecosistema, ideas de los ecologistas, impacto de la industria y el desarrollo en el medio ambiente, prioridades sociales y económicas, el desarrollo sostenible.

ACTIVIDAD 15 ¿Cuándo, cuándo?

Reacting to reading

En parejas, terminen las siguientes oraciones, y otras originales, de forma lógica, según la información del texto o basándose en otra información que sepan Uds.

1. La destrucción de las selvas no va a terminar hasta que...
2. Las industrias minera, maderera, hidroeléctrica, ganadera y petrolera van a preocuparse más por el medio ambiente tan pronto como (en cuanto)...
3. Las ciudades latinoamericanas van a ser más habitables cuando (después de que)...
4. No se va a definir un buen modelo de desarrollo sostenible mientras...
5. Los problemas ecológicos no van a desaparecer mientras (hasta que)...

Cuaderno personal 7-2

¿Cómo te afectan a ti los problemas ecológicos de Latinoamérica? ¿Cómo contribuyes tú a resolver o a incrementar los problemas ecológicos de Latinoamérica?

VIDEOFUENTES

¿Qué aspectos de la vida tradicional asturiana se conservan gracias al turismo rural? ¿El turismo rural se puede considerar un tipo de ecoturismo? ¿Por qué sí o no?

Lectura 3: Literatura

ACTIVIDAD 16 Agricultura y espiritualidad

Building vocabulary

Estudia estas expresiones que aparecen en la próxima lectura de Rigoberta Menchú. Luego, lee las oraciones y complétalas con la forma adecuada de las expresiones apropiadas.

agradecer	to thank	**juntar**	to join or bring together
la cosecha	harvest	**la milpa**	cornfield
dañar	to damage	**rezar**	to pray
dar de comer	to feed	**sagrado/a**	sacred
herir	to wound	**sembrar**	to sow, plant seed

1. Hay que mostrar gran respeto a las cosas ______________.
2. En el hemisferio norte, la primavera es la estación principal para ______________.
3. El otoño es la estación de ______________.
4. Todas las mañanas, el chico se levantaba para ______________ a los animales hambrientos.
5. Los vegetarianos suelen creer que es malo ______________ a un animal.
6. En muchas familias religiosas, todos ______________ antes de cenar para ______________ a Dios sus bendiciones.
7. Demasiada lluvia puede ______________ la cosecha.
8. Todos los habitantes ______________ sus recursos económicos para comprar la lotería.
9. Se siembra maíz en una ______________.

Activating background knowledge, Predicting

ACTIVIDAD 17 El concepto de lo sagrado

Parte A: En toda cultura se aprecian algunas cosas más y otras cosas menos. En parejas, piensen en la cultura dominante de Norteamérica y hagan una lista de cuatro cosas "sagradas" de esta cultura. Expliquen por qué son importantes. Después, miren el título y subtítulo de la lectura para ver qué cosas se consideran sagradas en la cultura indígena quiché según Rigoberta Menchú. ¿Qué implicaciones tienen las diferencias culturales en lo que se considera sagrado?

Active reading

Parte B: Lee el texto para determinar por qué los quiché consideran sagrados a la tierra, el sol, el copal, el fuego y el agua.

Rigoberta Menchú *nació en Guatemala en 1959. En 1992 ganó el Premio Nobel de la Paz por sus esfuerzos a favor de las comunidades indígenas de su país y del mundo. Menchú huyó de Guatemala en 1981, en medio de la lucha violenta entre el gobierno y los indígenas. En el exilio, tuvo que perfeccionar el español —idioma extranjero ya que su lengua materna era el quiché— para poder contar la historia trágica de su pueblo. Elizabeth Burgos transcribió el testimonio oral de Menchú y lo publicó en 1983 bajo el título* Me llamo Rigoberta Menchú y así me nació la conciencia. *Hoy día, Menchú sigue defendiendo los derechos de los indígenas de Guatemala, de Latinoamérica y del mundo entero. Su lucha incluye la defensa del medio ambiente, y la siguiente lectura es una sección de su libro que revela la perspectiva quiché de la relación entre el ser humano y la naturaleza.*

Me llamo Rigoberta Menchú y así me nació la conciencia

La Naturaleza. La tierra madre del hombre.

El sol, el copal, el fuego, el agua.

Entonces también desde niños recibimos una educación diferente de la que tienen los blancos, los ladinos. Nosotros, los indígenas, tenemos más contacto con la naturaleza. Por eso nos dicen politeístas. Pero, sin embargo, no somos politeístas... o, si lo somos, sería bueno, porque es nuestra cultura, nuestras costumbres. De que nosotros adoramos, no es que adoremos, sino que respetamos una serie de cosas de la naturaleza. Las cosas más importantes para nosotros. Por ejemplo, el agua es algo sagrado. La explicación que nos dan nuestros padres desde niños es que no hay que desperdiciar el agua, aunque haya. El agua es algo puro, es algo limpio y es algo que da vida al hombre. Sin el agua no se puede vivir, tampoco hubieran podido vivir nuestros antepasados. Entonces, el agua la tenemos como algo sagrado y eso está en la mente desde niños y nunca se le quita a uno de pensar que el agua es algo puro. Tenemos la tierra. Nuestros padres nos dicen "Hijos, la tierra es la madre del hombre porque es la que da de comer al hombre". Y más, nosotros que nos basamos en el cultivo, porque nosotros los indígenas comemos maíz, fríjol y yerbas del campo y no sabemos comer, por ejemplo, jamón o queso, cosas compuestas con aparatos, con máquinas. Entonces, se considera que la tierra es la madre del hombre. Y de hecho nuestros padres nos enseñan a respetar esa tierra. Sólo se puede herir la tierra cuando hay necesidad. Esa concepción hace que antes de sembrar nuestra milpa, tenemos que pedirle permiso a la tierra. Existe el pom, el copal, es el elemento sagrado para el indígena, para expresar el sentimiento ante la tierra, para que la tierra se pueda cultivar.

El copal es una goma que da un árbol y esa goma tiene un olor como incienso. Entonces se quema y da un olor bastante fuerte. Un humo con un olor muy sabroso, muy rico. Cuando se pide permiso a la tierra, antes de cultivarla, se hace una ceremonia. Nosotros nos basamos mucho en la candela, el agua, la cal. En primer lugar se le pone una candela al representante de la tierra, del agua, del maíz, que es la comida del hombre. Se considera, según los

ladinos (***Guatemala***) = personas que rechazan los valores indígenas y se orientan hacia la cultura occidental europea

Una milpa o campo de maíz en el pueblo de Santiago Atitlán, Guatemala.

Continúa en la página siguiente

antepasados, que nosotros los indígenas estamos hechos de maíz. Estamos hechos del maíz blanco y del maíz amarillo, según nuestros antepasados. Entonces, se ponen esas candelas y se unen todos los miembros de la familia a rezar. Más que todo pidiéndole permiso a la tierra, que dé una buena cosecha.

Se menciona en primer lugar, el representante de los animales, se habla de nombres de perros. Se habla de nombres de la tierra, el Dios de la tierra. Se habla del Dios del agua. Y luego, el corazón del cielo, que es el sol... y luego se hace una petición concreta a la tierra, donde se le pide "Madre tierra, que nos tienes que dar de comer, que somos tus hijos y que de ti dependemos y que de ese producto que nos das pueda generar y puedan crecer nuestros hijos y nuestros animales..." y toda una serie de peticiones. Es una ceremonia de comunidades, ya que la cosecha se empieza a hacer cuando todo el mundo empieza a trabajar, a sembrar.

Luego para el sol, se dice "Corazón del cielo, tú como padre, nos tienes que dar calor, tu luz, sobre nuestros animales, sobre nuestro maíz, nuestro fríjol, sobre nuestras yerbas, para que crezcan para que podamos comer tus hijos". Luego, se promete a respetar la vida del único ser que es el hombre. Y es importantísimo. Y decimos "Nosotros no somos capaces de dañar la vida de uno de tus hijos, que somos nosotros. No somos capaces de matar a uno de tus seres, o sea ninguno de los árboles, de los animales". Es un mundo diferente. Y así se hace toda esa promesa, y al mismo tiempo, cuando está la cosecha tenemos que agradecer con toda nuestra potencia, con todo nuestro ser, más que todo con las oraciones... Entonces, la comunidad junta sus animalitos para comer después en la ceremonia. ■

Scanning

ACTIVIDAD 18 Los elementos sagrados de la vida maya

En parejas, expliquen por qué son sagrados para los quiché los siguientes elementos.

el agua
el maíz
la tierra
el copal (el pom)
el sol
el hombre, los árboles y los animales

Making inferences

ACTIVIDAD 19 Los quiché y los ladinos

Parte A: Rigoberta Menchú habla de las creencias y la educación de su pueblo, que son diferentes de las creencias y la educación de los "ladinos". En parejas, indiquen cómo cada una de las siguientes observaciones contrasta con los valores y el estilo de vida de las culturas modernas occidentales.

1. Nosotros, los indígenas, tenemos más contacto con la naturaleza.
2. ... somos politeístas... respetamos una serie de cosas de la naturaleza.
3. ... el agua es algo sagrado... no hay que desperdiciar el agua.

4. ... no sabemos comer... jamón o queso, cosas compuestas con aparatos, con máquinas.
5. Sólo se puede herir la tierra cuando hay necesidad... tenemos que pedirle permiso a la tierra.
6. Cuando se pide permiso a la tierra, antes de cultivarla, se hace una ceremonia.
7. No somos capaces de matar a uno de tus seres, o sea ninguno de los árboles, de los animales.

Parte B: En parejas, contesten y comenten las siguientes preguntas sobre la lectura.

1. En su opinión, ¿cuál es el origen de la visión indígena de la naturaleza y el ser humano? ¿Por qué difiere tanto de la perspectiva dominante en las culturas modernas occidentales?
2. ¿Qué podemos aprender nosotros de los indígenas?
3. ¿Creen que los contrastes son tan radicales como implica Menchú? ¿Es posible que ella haya idealizado las diferencias? ¿Por qué?

ACTIVIDAD 20 Un poema de protesta

En el poema que sigue, el autor Eduardo Galeano expresa sus reacciones a los cambios que han ocurrido en el mundo actual. En parejas, hagan una lista de tres cambios problemáticos del mundo actual. Después, lean el poema individualmente para ver si sus ideas aparecen en el poema.

Activistas de Greenpeace protestan contra el peligroso transporte de desechos nucleares por el territorio de Chile.

Eduardo Galeano *nació en Uruguay en 1940. Ha sido director de varias revistas y periódicos y sigue trabajando como periodista y autor. Sus libros han sido traducidos a más de veinte lenguas. Es conocido por sus elocuentes y feroces protestas contra la represión y la injusticia, pero él mismo jura que su principal interés siempre ha sido el pasado, el presente y el futuro de Latinoamérica.*

Fin de siglo

Eduardo Galeano

Está envenenada la tierra que nos entierra o destierra.
Ya no hay aire, sino desaire.
Ya no hay lluvia, sino lluvia ácida.
Ya no hay parques, sino *parkings*.
Empresas en lugar de naciones.
Consumidores en lugar de ciudadanos.
Aglomeraciones en lugar de ciudades.
Competencias mercantiles en lugar de relaciones humanas.
No hay pueblos, sino mercados.
No hay personas, sino públicos.
No hay realidades, sino publicidades.
No hay visiones, sino televisiones.
Para elogiar una flor, se dice: "Parece de plástico".

envenenada = poisoned
entierra = buries
destierra = exiles
desaire = gracelessness, rudeness

Empresas = Companies
ciudadanos = citizens

públicos = audiences

Approaching poetry

ACTIVIDAD 21 Contrastes con el pasado

Parte A: Galeano establece una serie de contrastes entre el pasado y el presente. En parejas, hagan una lista de todos los símbolos de la vida del pasado y otra lista de los símbolos de la vida actual que menciona el autor. Expliquen qué respresenta o a qué se refiere cada símbolo, e identifiquen los juegos de palabras o repeticiones que Galeano usa para subrayar los contrastes.

Reacting to reading

Parte B: En parejas, contesten y comenten las siguientes preguntas.

1. ¿Se ven reflejados en este poema los valores de Rigoberta Menchú?
2. ¿Creen que el pesimismo de Galeano es justificado?
3. ¿Creen que escribir poemas como este puede cambiar la cultura y mejorar la situación?

Cuaderno personal 7-3

Muchos ecologistas afirman que la sociedad moderna necesita un cambio de valores. ¿Estás de acuerdo? ¿Por qué sí o no? ¿Qué valores debemos cambiar?

Redacción: Un reportaje

ESTRATEGIA DE REDACCIÓN

Writing a News Report
News reports attempt to summarize the most important facts about an event, person, problem, crisis, or discovery. All news articles include:

- **title:** mentions the most significant information of the article
- **dateline:** place of origin of the report
- **introduction:** answers the questions *what?, who?, when?, where?, why?, how?* The summarization of these points at the beginning of the article allows readers to quickly skim to see if it interests them. The introduction begins by answering the most important or relevant of these questions. Some very short articles amount to little more than this introduction.
- **body:** allows for the development of details in a longer article. The details chosen will depend on the most interesting points in the introduction. Sources of information (**fuentes**) and quotes (**citas**) by experts or involved persons may also be included.
- **conclusion:** recapitulates the main points, emphasizes the overall significance of the issue, and/or includes opinions of the author. Many news articles, however, do not contain a conclusion.

ACTIVIDAD 22 El reportaje

Using a model

Lee el artículo que sigue y busca las respuestas a las preguntas: ¿qué? ¿quién? ¿cuándo? ¿dónde? ¿por qué? y ¿cómo? Identifica si hay introducción, cuerpo y conclusión, y el tipo de información que contiene cada parte.

Indígenas ecuatorianos sientan precedente ecológico mundial

QUITO, ECUADOR. Cuatro tribus indígenas de Ecuador sentaron un precedente ecológico a nivel mundial al demandar a la petrolera estadounidense Texaco por unos 1.500 millones de dólares como indemnización por daños y contaminación de grandes áreas del Amazonas ecuatoriano. La demanda, que causó revuelo en la opinión pública mundial, fue presentada el 3 de noviembre en una corte federal estadounidense y se espera que antes de seis meses haya un pronunciamiento judicial.

Pero a pesar de que se acusa a la cuarta compañía petrolera de los Estados Unidos de causar deterioros considerables en la ecología ecuatoriana, Texaco se defiende señalando que no es posible determinar si la "supuesta" contaminación presente en el área se ha generado en una fecha reciente o años atrás.

"Si se descubre ahora que hay gran contaminación en la zona, no se sabe si fue hecha hace un año o ahora", dijo a Reuters Rodrigo Pérez Pallares, representante legal de Texaco en Ecuador.

Indígenas de las tribus Quichua, Secoya y Cofan, habitantes de la Amazonia ecuatoriana, fueron en representación de las etnias afectadas a Nueva York a presentar dos demandas, con las que pretenden demostrar que Texaco vertió desechos tóxicos en los ríos de la región.

"Se vertieron a los ríos de la región oriental del Ecuador alrededor de 4,3 millones de galones (unos 16 millones de litros) diarios de sustancias extraídas de los pozos petroleros, durante 20 años", afirmó Cristóbal Bonifaz, abogado defensor de los indígenas. Todo esto ha provocado, según el mismo representante, que los pobladores de la región no puedan utilizar las fuentes de agua, porque se corre el riesgo de contraer cáncer, o padecer de enfermedades gastrointestinales y respiratorias.

Writing a news report

ACTIVIDAD 23 A investigar y escribir

Imagínate que trabajas para un periódico local en español y el jefe de redacción ha pedido más noticias sobre temas ecológicos.

Parte A: Busca información en Internet o en revistas y periódicos en la biblioteca sobre los temas ambientales más importantes del momento. Selecciona un tema que te interese y sobre el cual haya bastante información.

Parte B: Basándote en la información que tienes, contesta las siguientes preguntas antes de escribir el reportaje.

- ¿Qué? ¿Quién? ¿Cuándo? ¿Dónde? ¿Por qué?
- ¿Cuál de estos puntos es más importante? O sea, ¿por qué es importante esta noticia?
- ¿Para qué puntos hay que elaborar detalles?
- ¿Hay otras preguntas que se deben considerar? (¿cuántos? ¿cómo?)

Después, escribe un artículo breve, con título, introducción y cuerpo.

Hablemos de trabajo

CAPÍTULO 8

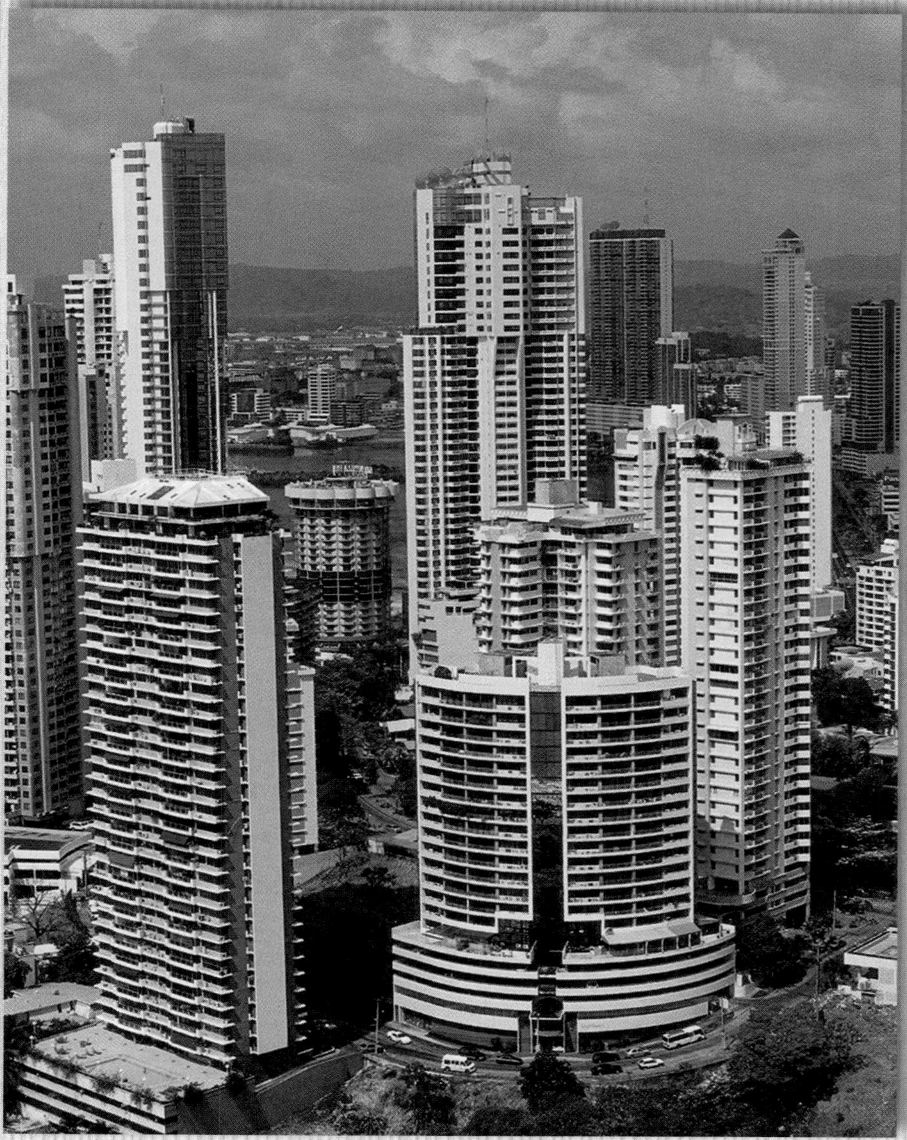

Edificios de oficinas y viviendas en la Ciudad de Panamá, Panamá.

METAS COMUNICATIVAS

- expresar posibilidad, tiempo, propósito y restricción
- hablar sobre el trabajo
- negar y expresar opciones
- contar lo que dijo otro
- describir acciones recíprocas

Un trabajo en el extranjero

un montón	a lot
No, en absoluto.	No, not at all.
darle igual (a alguien)	to be all the same (to someone), to not care

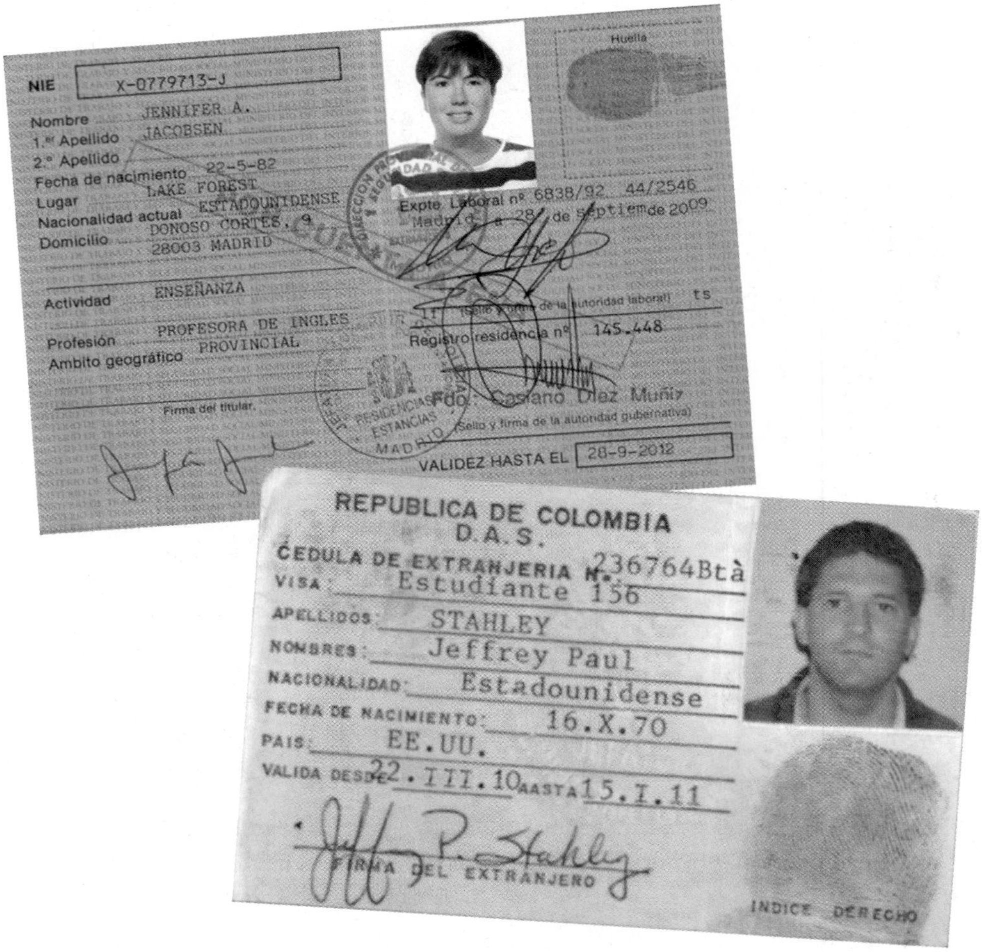

ACTIVIDAD 1 Trabajar fuera del país

Vas a escuchar a dos norteamericanos hablar en una entrevista de radio sobre cómo consiguieron trabajo en el extranjero. Antes de escucharlos, en grupos de tres, discutan las siguientes preguntas y luego compartan sus respuestas con el resto de la clase.

1. ¿Conocen a alguien que haya trabajado en el extranjero? Si contestan que sí, ¿qué hizo esa persona? ¿Cómo consiguió el trabajo?
2. ¿Les gustaría trabajar en el extranjero? Si contestan que sí, ¿qué tipo de trabajo les gustaría hacer? ¿Adónde les gustaría ir?

ACTIVIDAD 2 Las entrevistas

Parte A: Lee la lista de ideas y después, mientras escuchas la primera entrevista, toma apuntes sobre estos temas.

1. país en el que trabajó la persona
2. tipo de trabajo que hizo
3. estudios que había hecho antes
4. cómo consiguió el trabajo
5. si el dinero que ganaba le alcanzaba para vivir

Parte B: Ahora lee esta lista de ideas y después, mientras escuchas la segunda entrevista, toma apuntes sobre estos temas.

1. país en el que trabajó la persona
2. tipo de trabajo que hizo
3. cómo consiguió el trabajo
4. lo beneficioso del trabajo para esta persona
5. consejo que les da esta persona a los que quieran hacer lo mismo

ACTIVIDAD 3 Una comparación

Di en qué se asemejan y en qué se diferencian la situación de Jenny y la de Jeff. Escucha las entrevistas otra vez si es necesario.

¿Lo sabían?

He aquí algunos consejos para conseguir trabajo como profesor de inglés en el extranjero.

- Toma en la universidad una clase o más sobre la pedagogía de la enseñanza de inglés como segunda lengua o como lengua extranjera.
- Ve al congreso de TESOL (*Teachers of English to Speakers of Other Languages*) adonde van muchas escuelas, institutos y universidades en busca de profesores.
- Busca academias de inglés en el país que te interesa en sitios como **www.eslcafe.com** y el **Craigslist** de cada país.
- Si el país que te interesa es España, puedes solicitar una beca del gobierno español para trabajar por un año en una escuela como auxiliar de conversación (solo para ciudadanos de los EE.UU. y Canadá).
- Al llegar al país que hayas escogido, puedes conseguir estudiantes particulares a través de anuncios en los periódicos o en librerías, o a través de amigos o de maestros de escuela primaria.

El curriculum

I. Discussing Work

El trabajo

Do the corresponding web activities as you study the chapter.

You may also hear **práctica profesional** instead of **pasantía.**

Hace una semana que llegué a Chile desde mi querido El Salvador natal y poco a poco me estoy acostumbrando a mi nuevo lugar de trabajo aquí en Santiago. Gracias a la organización AIESEC conseguí una **pasantía** donde trabajo **medio tiempo** en una **empresa** de publicidad. Estoy aprendiendo bastante sobre diseño gráfico y esta semana empecé a colaborar en una campaña de una **ONG** para ayudar a los niños de la calle. Espero que tenga éxito la campaña porque el tema me entristece mucho. Con mis compañeros de trabajo me llevo muy bien y, en cuanto a la pasantía, gano un pequeño **sueldo,** pero no recibo ni **seguro médico** ni otros **beneficios.** Lo que sí voy a tener es **experiencia laboral**, que pienso incluir en mi **curriculum,** y espero que mi jefe me dé una buena **carta de recomendación** para mejorar así las posibilidades de conseguir un buen trabajo. Acá estoy en el trabajo—¿te gusta la corbata roja? Mi jefe es el de pelo canoso que está detrás de mí.

internship
part time; company
organización no gubernamental
salary
health insurance; benefits
work experience; CV, résumé
letter of recommendation

Palabras relacionadas con el trabajo	
los avisos clasificados	classified ads
completar una solicitud	to fill out an application
contratar/despedir (i, i) a alguien	to hire/fire someone
entrevistarse (con alguien)	to be interviewed (by someone)
estar desempleado/a / estar sin trabajo	to be unemployed
la oferta y la demanda	supply and demand
las referencias	references
sin fines/ánimo de lucro	nonprofit
solicitar un puesto/empleo	to apply for a job
tomar cursos de perfeccionamiento/ capacitación	to take continuing education/training courses

estar desempleado/a = estar sin empleo / estar en (el) paro (*España*)

El empleo	
aumentar/bajar el sueldo	to raise/lower the salary
los ingresos	income
el pago mensual/semanal	monthly/weekly pay
el salario mínimo	minimum wage
trabajar tiempo completo	to work full time

Note: **sueldo** = salary; **salario** = wages (hourly pay)

Los beneficios	
el aguinaldo	end-of-the-year bonus
los días feriados	holidays
la guardería (infantil)	child care center
la licencia por maternidad/paternidad/ enfermedad/matrimonio	maternity/paternity/sick/wedding leave
el seguro dental/de vida	dental/life insurance

el aguinaldo = **la paga extraordinaria** (*España*)

ACTIVIDAD 4 Quiero un trabajo

Cómo buscar trabajo

Usa el vocabulario sobre el trabajo y di qué se necesita hacer para conseguir un trabajo.

ACTIVIDAD 5 Los beneficios

En grupos de tres, discutan cuáles son los beneficios que puede ofrecer una empresa. Luego pónganse de acuerdo para ponerlos en orden de importancia y justifiquen su orden. Comiencen diciendo **¿Cuáles son algunos de los beneficios que...?**

ACTIVIDAD 6 Las pasantías

Parte A: La mitad de la clase debe buscar información en su universidad sobre qué oportunidades hay para hacer pasantías. La otra mitad tiene que buscar información de organizaciones que ofrecen pasantías en el extranjero. Para la próxima clase deben estar listos para hablar de diferentes posibilidades.

Parte B: En grupos de cuatro, hablen de lo que encontraron sobre las pasantías.

Parte C: Miren el chiste y luego discutan si es común que a la persona que hace una pasantía se le pida que haga cosas que no tienen nada que ver con su descripción laboral.

Pereyra, estudiante de ingeniería hidráulica, descubre que su pasantía puede estar llena de sorpresas

ACTIVIDAD 7 Historia laboral

En grupos de tres, discutan las siguientes preguntas.

1. ¿Han trabajado alguna vez?
2. ¿Han tenido o tienen trabajo de tiempo completo con beneficios? Si contestan que sí, ¿qué beneficios recibieron?
3. ¿Han trabajado medio tiempo? ¿Han trabajado solo durante los veranos? Si contestan que sí, ¿recibieron algunos beneficios?
4. ¿Cuál es el mejor o el peor trabajo que han tenido? Descríbanlo y expliquen por qué fue bueno o malo.
5. Cuando nacieron, ¿estaba empleada su madre? Si contestan que sí, ¿dejó el puesto? ¿Le dieron licencia por maternidad? ¿Volvió a trabajar? ¿Trabajó tiempo completo o medio tiempo? ¿Existía la oportunidad de pedir licencia por paternidad? Si contestan que sí, ¿la pidió su padre?

ACTIVIDAD 8 ¿Qué opinas?

Di si estás de acuerdo o no con las siguientes ideas y por qué.

1. Todas las empresas deben tener guardería.
2. Debe haber más cursos de capacitación para los desempleados.
3. Es justo que las empresas bajen los sueldos para no tener que despedir a algunos empleados.
4. Si una empresa tiene que despedir a unos empleados, estos deben ser los últimos que se han contratado.
5. Todo empleado de tiempo completo debe tener seguro médico y un mes de vacaciones pagadas cada año.

ACTIVIDAD 9 La entrevista de trabajo

En parejas, una persona va a entrevistar a la otra para el puesto de recepcionista de un hotel usando la información que aparece a continuación. El trabajo es de tiempo completo durante el verano y medio tiempo durante el año escolar. El/La candidato/a debe contestar diciendo la verdad sobre su experiencia y su preparación. El/La entrevistador/a debe decidir si va a darle el puesto a esta persona o no. Escuchen primero mientras su profesor/a entrevista a otro/a estudiante y después entrevisten a su pareja.

Responsabilidades y requisitos	
• tener buena presencia	• tener experiencia con el público
• saber llevarse bien con otros empleados	• ser organizado/a
• usar computadoras	• trabajar días feriados
• contestar el teléfono	• tener conocimiento de uno o dos idiomas extranjeros
• ser capaz de resolver conflictos	

ACTIVIDAD 10 La oferta y la demanda

Parte A: En grupos de cuatro, analicen sus posibilidades de empleo en el futuro. Para hacerlo, apunten la siguiente información para cada miembro del grupo.

- el puesto que quiere tener
- dónde prefiere tener ese trabajo
- cuánto dinero quiere ganar
- la oferta y la demanda de ese trabajo en el mundo, en este país, en diferentes regiones del país o en ciudades específicas
- el efecto de la oferta y la demanda sobre el sueldo que va a poder ganar

Parte B: Basándose en las respuestas de la Parte A, decidan quién tiene las mejores posibilidades de conseguir el puesto que busca y quién creen que va a tener más dificultades y por qué.

¿Lo sabían?

Pro and Con of Trade Agreements

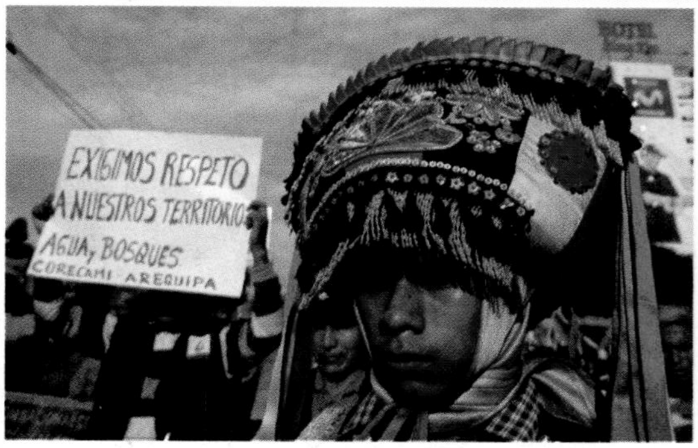

Indígenas peruanos se manifiestan en contra de un tratado entre la Comunidad Andina (CAN) y la Unión Europea.

Entre los acuerdos comerciales en que participan algunos países hispanos se encuentran el CAFTA-DR (Tratado de Libre Comercio de Centroamérica y la República Dominicana) y el Mercosur (Mercado Común del Sur). Los defensores de estos tratados opinan que los países participantes se benefician económicamente, ya que facilitan, entre otras cosas, la importación y exportación de productos sin tarifas aduaneras. El negociar como grupo, especialmente para países menos fuertes económicamente, es otra de las consecuencias positivas. Sin embargo, hay quienes critican estos acuerdos porque argumentan que benefician solo a los ricos y no a los pobres. Entre quienes sufren las consecuencias negativas de estos acuerdos internacionales están los indígenas de los países miembros. Ellos sufren la explotación del territorio donde viven, que afecta no solo la diversidad biológica, sino también su manera de vivir y sus tradiciones.

¿Sabes si tu país tiene tratados de libre comercio con otros países? ¿Cuáles son? En tu opinión, ¿brindan beneficios o no para tu país?

To remember the conjunctions, memorize the acronym **ESCAPAS.**

E en caso (de) que

S sin que

C con tal (de) que

A antes (de) que

P para que

A a menos que

S siempre y cuando

II. Expressing Restriction, Possibility, Purpose, and Time

The Subjunctive in Adverbial Clauses

In Chapter 7, you studied how to express pending actions with the subjunctive. In this chapter, you will study how to express restriction, possibility, purpose, and time.

1. The following adverbial conjunctions are followed by the subjunctive. They are used when the subject in the dependent clause is different from the subject in the independent clause.

Restriction:	**siempre y cuando / con tal (de) que**	provided that
	a menos que	unless
	sin que	without
Possibility:	**en caso (de) que**	in the event that, if
Purpose:	**para que**	in order that, so that
Time:	**antes (de) que**	before

Podemos comenzar el proyecto **siempre y cuando** la jefa lo **autorice.** — *We can start the project provided that the boss authorizes it.*

Voy a cancelar la reunión **en caso de que** el jefe **no pueda** venir. — *I'm going to cancel the meeting if the boss can't come.*

2. If there is no change of subject, an infinitive follows the prepositions **sin, para,** and **de** (in phrases like **antes de, con tal de, en caso de**). Compare the following sentences.

Two Subjects: Conjunction + *subjunctive*	**One Subject: Preposition + *infinitive***
Mi hermano trabaja día y noche **para que su familia pueda** vivir bien.	**Mi hermano** trabaja **para poder** vivir bien.
Yo pienso hacerlo **sin que nadie** me **oiga.**	**Yo** pienso hacerlo **sin hacer** ruido.
Los empleados van a reunirse **antes de que la jefa** les **hable** sobre los beneficios.	**Los empleados** van a reunirse **antes de hablarle** a la jefa sobre los beneficios.
Carmen va a aceptar ese trabajo **con tal (de) que** le **den** vacaciones.	**Carmen** va a aceptar ese trabajo **con tal de tener** muchas vacaciones.

3. The conjunctions **a menos que** and **siempre y cuando** are always followed by the subjunctive whether or not there are two different subjects.

Ellos van a buscar un regalo esta tarde **a menos que** (**ellos**) no **tengan** tiempo.	*They are going to look for a present this afternoon unless they don't have time.*
(**Nosotros**) Podemos terminar el proyecto **siempre y cuando** (**nosotros**) **tengamos** el dinero.	*We can finish the project provided that we have the money.*

ACTIVIDAD 11 Beneficios laborales

Parte A: Completa la siguiente explicación que da un argentino sobre los beneficios laborales que existen en su país con la forma apropiada de los verbos que se presentan.

La licencia por paternidad también existe en muchos países hispanos.

"Argentina ofrece algunos beneficios para que el trabajador ____________________ (1. tener) cierta protección económica. Uno de estos beneficios es la licencia por matrimonio, gracias a la cual si alguien se casa, puede faltar al trabajo por doce días sin que su jefe le ____________________ (2. computar) esas faltas. En caso de ____________________ (3. estar) embarazada, una mujer tiene derecho a pedir licencia por maternidad por tres meses. En caso de que un empleado ____________________ (4. estar) enfermo, se le puede dar licencia por enfermedad y el número de días que puede faltar depende de la gravedad del caso. Cuando un trabajador se siente mal, no puede faltar sin ____________________ (5. llamar) a su trabajo ese mismo día. El jefe se encarga entonces de mandar a un médico a la casa del empleado para que lo ____________________ (6. examinar), lo ____________________ (7. diagnosticar) y ____________________ (8. pasar) un informe a la empresa.

Los empleados reciben un aguinaldo, que es equivalente a un mes de sueldo y que reciben mitad en junio y mitad en diciembre, siempre y cuando ____________________ (9. trabajar), por los menos, un año entero. Por ley, las empresas les pagan a sus trabajadores ese bono para que ellos ____________________ (10. tener) un ingreso adicional.

Antes de ____________________ (11. despedir) a un empleado, un jefe tiene que mandarle un telegrama a su casa diciéndole que va a quedar cesante después de un mes. A partir de ese momento y durante su último mes, el empleado trabaja seis horas por día en vez de ocho y generalmente usa esas dos horas diarias restantes para ____________________ (12. buscar) otro trabajo. Por lo general, el empleador no tiene problemas, siempre y cuando ____________________ (13. hacer) lo que le indica la ley: pagarle al empleado el sueldo de su último mes, un sueldo mensual por cada año que trabajó en la empresa, más las vacaciones que no tomó y parte del aguinaldo." ■

Parte B: En parejas, discutan las siguientes preguntas.

1. ¿Ofrecen las empresas de su país los mismos beneficios?
2. ¿Les sorprenden algunos de estos datos? ¿Por qué?
3. ¿Creen que estos beneficios sean buenos para las empresas? ¿Y para los empleados?

ACTIVIDAD 12 Derechos y obligaciones laborales

Trabajas en la oficina de Recursos Humanos de una empresa y estás a cargo de redactar algunos de los derechos y obligaciones de los empleados. Completa las siguientes reglas.

Los empleados...
no deben hacer llamadas personales a larga distancia en el trabajo a menos que...
pueden llegar tarde algunas veces siempre y cuando...
pueden trabajar en su casa una vez por semana en caso de que...
que hacen llamadas a larga distancia desde su casa, deben apuntar la fecha, la hora y el nombre de la persona para que...
no deben usar papel con membrete (*letterhead*) de la compañía a menos que...
no deben trabajar horas extras sin...
pueden navegar por Internet para...

ACTIVIDAD 13 Los mexicanos y los negocios

Parte A: Un hombre de negocios norteamericano va a ir a México en un viaje de negocios y recibe la siguiente información de una colega sobre cómo comportarse con los mexicanos. Lee la información y luego contesta las preguntas de tu profesor/a.

Cómo dirigirse a la gente
Los títulos profesionales son muy importantes en el protocolo mexicano. Use los términos **doctor, profesor, ingeniero, abogado, licenciado, contador** y **arquitecto** seguido del apellido al hablar con estos profesionales para mostrar respeto.

Vestimenta
- A mucha gente de negocios le causa una buena impresión que otros lleven ropa de diseñadores siempre y cuando sea de colores oscuros, como gris o azul marino.
- En caso de que tenga una comida informal, no lleve guayabera (camisa liviana que se usa afuera de los pantalones). Eso se acepta en el Caribe, pero normalmente no en México.

Temas de conversación
Para que le cause buena impresión a sus clientes mexicanos, es importante poder hablar de México y de sus lugares famosos, de la cultura y de la historia mexicana. También, si comenta sobre fútbol nacional o internacional, va a ser bien recibido. En caso de que ya conozca bien a la persona, es buena idea preguntar por la familia. Si no la conoce todavía, hágale preguntas sobre ella. Obviamente, también se habla del trabajo, pero no al principio de la conversación.

Temas que hay que evitar
Para que no tenga problemas, es aconsejable que evite hablar de política y de religión.

Comportamiento
- Al hablar, la gente está físicamente más cerca uno de otro que en los EE.UU. Se considera descortés alejarse de la persona con la que uno habla.
- Los hombres mexicanos son cálidos y por lo general establecen contacto físico con otro hombre ya sea tocándole los hombros o tomándolo del brazo.
- En caso de que un mexicano lo invite a su casa, no hable de negocios. La invitación es simplemente social y quizás para establecer un primer contacto.

Sé que se va a México y quería darle algunas recomendaciones para que las tenga en cuenta a la hora de hacer negocios con los mexicanos.

Clara González

Parte B: En parejas, decidan cuáles son los tres consejos más importantes que leyeron y por qué. Justifiquen sus respuestas diciendo **Es importante que... para que..., a menos que...**

Parte C: Ahora, en grupos de tres, preparen un mínimo de cinco ideas sobre cómo debe comportarse un hombre/una mujer de negocios mexicano/a que va a venir a este país. Incluyan expresiones como: **para (que), sin (que), en caso de (que), a menos que, siempre y cuando.**

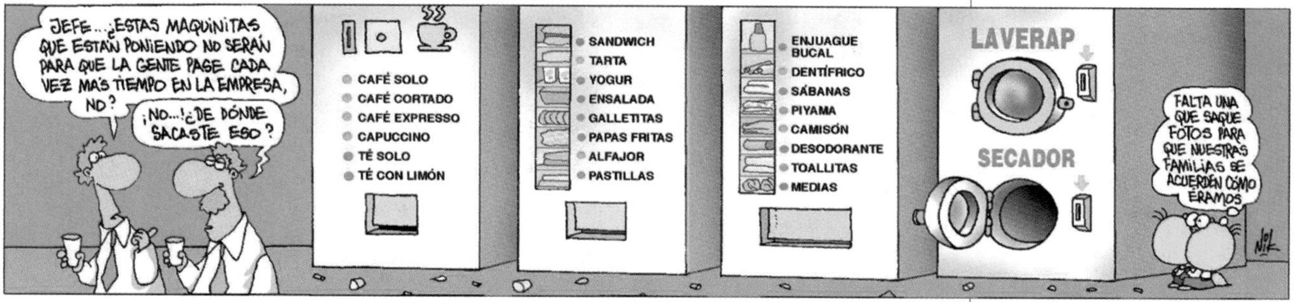

ACTIVIDAD 14 El coche perfecto

Una empresa hizo un concurso de diseños para el coche perfecto y el siguiente es uno de los posibles ganadores. Mira el coche y después termina las siguientes oraciones.

1. Hay una cafetera con una cantidad ilimitada de café para que...
2. Hay un paraguas en caso de que...
3. Hay una cámara de video en la parte trasera del carro y un televisor adelante para que...
4. Con un periscopio el conductor puede ver el tráfico sin...
5. El asiento del conductor vibra para...
6. Las llantas traseras son enormes en caso de que...
7. Hay una pajita que va de la cafetera al conductor para que...

pajita = straw = **popote** (*México*), **pitillo** (*Colombia*)

ACTIVIDAD 15 Reacción en cadena

En grupos de tres, inventen una historia con una de las ideas de la siguiente lista. Formen cinco oraciones en cadena (*chain sentences*) con expresiones como: **para que, sin que, en caso de que, a menos que, siempre y cuando.** Creen las oraciones de la siguiente manera: la última idea de una oración se convierte en la primera idea de la oración siguiente. Sigan el modelo.

► ir a Guatemala

A: Antes de que yo vaya a Guatemala, mis padres tienen que darme dinero.
B: Mis padres van a darme dinero siempre y cuando saque buenas notas.
C: No voy a sacar buenas notas a menos que estudie mucho. etc.

1. conseguir un buen trabajo
2. comprar un perro
3. el/la profesor/a de español estar contento/a

III. Reporting What Someone Said

Reported Speech

Telling or reporting what someone said is called reported speech **(estilo indirecto)**. Look at the following exchange.

> **PEDRO** **¿Vas a ir** a la reunión con los representantes de Telecom?
> **TERESA** Sí, **¿y tú?**
> **PEDRO** **No, no voy a ir** porque **me invitaron** a una exposición de productos nuevos de Nokia.

Now look at a report of what was said.

> Pedro le preguntó a Teresa si **iba a ir** a la reunión con los representantes de Telecom. Ella le respondió que **sí** y le preguntó a Pedro si él **iba a ir.** Él dijo que **no** porque lo **habían invitado** a una exposición de productos nuevos de Nokia.

Study the following examples showing how to report what was said when the reporting verb is in the preterit.

When a reporting phrase in the present is used (**dice que, explica que, pide que, comenta que**), the action or state being reported doesn't change tense: **Ocurrió** un accidente terrible. **Dice** (*introductory verb → present*) **que ocurrió** (*reporting verb*) un accidente terrible.

What Someone Said	Reporting What Someone Said (reporting verb in the preterit)
Narration in the Present	**Imperfect**
"Raúl **trabaja** tiempo completo."	Dijo que Raúl **trabajaba** tiempo completo.
Narration in the Future	
"**Voy a solicitar** el puesto."	Le comentó que **iba a solicitar** el puesto.
Narration in the Past with the Imperfect	
"**Tomábamos** cursos de capacitación."	Me explicaron que **tomaban** cursos de capacitación.
Narration in the Past without the Imperfect	**Pluperfect**
"¿**Has completado** la solicitud?"	Le preguntó si **había completado** la solicitud.
"Sí, la **terminé** anoche."	Le respondió que la **había terminado** anoche/la noche anterior.
"Nunca **había trabajado** con nadie tan rápido."	Añadió que nunca **había trabajado** con nadie tan rápido.

Note: Some common reporting phrases in the preterit are: **dijo que, explicó que, añadió que, preguntó qué/cuándo/si, contestó que, respondió que, comentó que.**

ACTIVIDAD 16 ¿Qué dijeron?

Cambia esta conversación del estilo directo al indirecto. Sigue el modelo.

► Mauricio le preguntó a Virginia qué iba a hacer esa noche. Ella le contestó que...

MAURICIO ¿Qué vas a hacer esta noche?
VIRGINIA Tengo una reunión de trabajo.
MAURICIO ¿Qué pasó?
VIRGINIA No terminamos el proyecto, por eso tenemos que quedarnos en la oficina.
MAURICIO ¿Han tenido muchos problemas?
VIRGINIA Sí, hemos tenido algunos, pero esta noche vamos a terminar. Si quieres, a las once, podemos ir al bar de la esquina de mi casa para tomar un café.

ACTIVIDAD 17 La desaparición de un compañero

En parejas, una persona es un/a estudiante universitario/a y la otra persona es un/a detective de la policía. Lean solo el papel que les corresponde.

El/La estudiante universitario/a

Hace dos días que tu compañero/a de cuarto salió por la noche y no volvió. Esta fue la última conversación que tuviste con él/ella.

COMPAÑERO/A ¡Qué cansado/a estoy! He estado todo el día con el proyecto de física para la clase del profesor López y finalmente lo terminé.
TÚ Pensé que nunca ibas a terminar... trabajaste 12 horas en ese proyecto.
COMPAÑERO/A Estoy muerto/a. Ahora voy a ir al cine para distraerme.
TÚ ¿Qué película vas a ver?
COMPAÑERO/A Creo que la última de Benicio del Toro.
TÚ Ah sí, la están dando en el cine que está cerca de aquí.
COMPAÑERO/A Sí, la función empieza a las 8:00, así que pienso estar en casa a las 10:30. ¿Quieres ir conmigo?
TÚ No, gracias. Voy a encontrarme con unos amigos para cenar.

Ahora vas a hablar con un/a detective. Contesta sus preguntas usando el estilo indirecto.

► Me dijo que estaba muy cansado/a.

(Continúa en la página siguiente.)

El/La detective

Un/a estudiante universitario/a te llama para decirte que hace dos días que su compañero/a de cuarto no aparece por la residencia. Hazle preguntas.

1. su compañero/a / decirle / cómo / sentirse
2. por qué / estar / cansado/a
3. decirle a Ud. / adónde / ir
4. informarle a Ud. / a qué hora / volver
5. él/ella / hacer / algún otro comentario
6. qué / explicarle / Ud. / que ir a hacer

Empieza la conversación preguntándole **¿Le dijo su compañero cómo se sentía?**

ACTIVIDAD 18 Dos historias cómicas

En parejas, cada persona lee una de las siguientes historias y luego se la cuenta a su compañero/a usando el estilo indirecto. Al escuchar la historia de la otra persona, usen las siguientes expresiones.

Para reaccionar

¡Qué curioso!	How strange/weird!
¡Qué gracioso!	How funny!
¡Uy! ¡Metió la pata!	Wow! He/She put his/her foot in his/her mouth!
Me lo imagino.	I imagine/bet.
A ver si te entendí bien.	Let me see if I get it.
¡Ya caigo!	Now I get it.

Historia 1

"Me considero una persona muy respetuosa y nunca he sido irrespetuoso con nadie. Pero el miércoles pasado tenía una entrevista de trabajo a las ocho de la mañana y mi despertador no sonó. Me desperté a las ocho menos cuarto, salté de la cama, me vestí y salí de casa corriendo. Estaba muy nervioso porque sabía que iba a llegar tarde. Iba en mi carro y al llegar al lugar, vi que un auto estaba por estacionar en el único lugar que había. Pero yo estaba desesperado y estacioné en ese lugar. La mujer del otro carro estaba furiosa, pero yo entré corriendo al edificio donde tenía la entrevista. Me recibió la secretaria, esperé unos diez minutos y pasé a la oficina para la entrevista. Qué sorpresa cuando vi entrar a la mujer a quien yo le quité el último lugar para estacionar. Voy a comprarme dos despertadores para no llegar tarde a citas importantes y para no hacer cosas desesperadas."

Empieza diciendo: Un amigo me dijo que...

Historia 2

"El otro día mi jefe nos mandó un mail a Fernanda y a mí con la siguiente información:

> 'Fernanda y Marcos:
> Hoy tenemos que terminar el proyecto y entregárselo al Sr. Covarrubias, que lo necesita con urgencia.'

El Sr. Covarrubias es insoportable; le encanta trabajar y nos obliga a trabajar tanto como él. Pero yo tengo esposa e hijos y también quiero pasar tiempo con ellos. Por eso, me molestó mucho recibir ese mail y para descargarme, le escribí un mail a mi jefe, que también opina que ese señor es muy molesto:

> 'Ese hombre me tiene harto. Estoy seguro que está solo en la vida y no tiene otra cosa que hacer sino trabajar. Tengo una idea: voy a presentarle a mi hermana. Así va a interesarse menos por el trabajo.'

El único problema fue que en vez de hacer clic en 'contestar', hice clic en 'contestar a todos', sin acordarme que mi jefe nos había mandado el mail a Fernanda, a mí Y AL SR. COVARRUBIAS. A los cinco minutos recibí un mail del Sr. Covarrubias que decía: 'Quisiera conocerla'."

Empieza diciendo: Mis amigos Marcos y Fernanda recibieron un mail ayer de su jefe. Él me contó que el otro día su jefe les había mandado un mail a él y a Fernanda donde les dijo que...

ACTIVIDAD 19 ¿Alguna vez?

En grupos de tres, háganse las siguientes preguntas para hablar de diferentes situaciones personales.

1. ¿Alguna vez te has vuelto a encontrar con un vecino o un amigo de tu niñez? ¿Qué te preguntó? ¿Qué te contó de su vida? ¿Qué le contaste tú?
2. Cuando estabas en la escuela secundaria, ¿tuviste novio/a alguna vez? ¿Qué le dijiste o que te dijo la otra persona para comenzar el noviazgo?
3. ¿Alguna vez alguien te ha ofrecido en su casa una comida que te disgustaba mucho? ¿Qué le dijiste?
4. ¿Alguna vez has rechazado la invitación de alguien con una mentira? ¿Qué le dijiste?
5. ¿Alguna vez le has dicho a alguien una verdad muy difícil de aceptar? ¿Qué le dijiste?
6. ¿Alguna vez has estado con alguien que tenía mal aliento? ¿Le dijiste algo?

IV. Negating and Expressing Options

O... o, ni... ni, ni siquiera

To review rules on negating, see Chapter 7, pages 200–201.

Remember to use the **no** before the verb since Spanish requires the use of the double negative.

1. When you want to say *either . . . or*, use **(o)... o.** When you want to express *neither . . . nor*, use **(ni)... ni.**

Esta noche quiero ir (**o**) al cine **o** a un restaurante.	*I want to go (either) to the movies or to a restaurant tonight.*
Trabajé tanto que esta noche **no** quiero ir (**ni**) al cine **ni** a un restaurante.	*I worked so hard that tonight I don't want to go to the movies or to a restaurant.* (literally, I worked so hard that tonight I don't want to go neither to the movies nor to a restaurant.)
Ni Carlos ni Perla me han llamado.*	*Neither Carlos nor Perla has called me.*

*__Note:__ When subjects are preceded by **ni... ni...** , or **(o)... o...** the verb is plural.

2. To express *not even,* use **ni** (**siquiera**).

Ni (**siquiera**) mi novia me entiende.	*Not even my girlfriend understands me.*
No recibí **ni** (**siquiera**) un centavo por el trabajo.	*I didn't even receive a penny for the work.*

ACTIVIDAD 20 Lectura entre líneas

Lee primero la siguiente conversación y después contesta las seis preguntas que le siguen para reconstruir lo que crees que ocurrió. Hay muchas posibilidades; por eso, usa la imaginación al contestar, pero basa tus respuestas en la conversación. Intenta usar **ni... ni** y **o... o** al hablar.

Lola Por fin has llegado. ¿Sabes algo?
Verónica Nada. Y tú no te has movido; sigues al lado del teléfono.
Lola No sé qué hacer. Ni ha llamado ni ha dejado una nota... ¡Nada!
Verónica ¡Qué raro que no haya dado ni una señal de vida!
Lola Han pasado tres días.
Verónica ¿Ha llamado él a Víctor?
Lola Ni siquiera a él. No ha llamado ni a Víctor ni a nadie.
Verónica ¿Has llamado a la policía?

(*Continúa en la página siguiente.*)

LOLA No, todavía no he hecho nada. O lloro pensando en alguna tragedia o me enfado pensando que está divirtiéndose por ahí y que no se ha preocupado ni siquiera por avisar.

VERÓNICA ¿Qué vas a hacer cuando vuelva?

LOLA O lo voy a abrazar... o lo voy a matar.

1. ¿Cuál de estas palabras describe mejor los sentimientos de Lola: desesperada, interesada o preocupada?
2. ¿De quién hablan las mujeres: un esposo, un amante, un hijo o un amigo? ¿Por qué crees eso?
3. ¿Qué crees que haya hecho Verónica en las últimas dos o tres horas?
4. ¿Es Víctor una persona importante en la vida del hombre misterioso? ¿Cuál es la importancia de las palabras "ni siquiera" en la frase "Ni siquiera a él"? ¿Quién puede ser Víctor?
5. ¿Dónde crees que esté el hombre misterioso y qué crees que esté haciendo?
6. ¿Va a llamar el hombre? ¿Va a volver? Si vuelve, ¿qué va a pasar?

ACTIVIDAD 21 Tu futuro

En parejas, miren las siguientes listas y decidan qué lugares y tipo de trabajos van a ser parte de su futuro y cuáles no. Usen las siguientes ideas u otras originales y sigan el modelo.

► Me gustaría vivir o en... o en..., pero no quiero estar ni en el campo ni...

Lugar para vivir			
pueblo pequeño	norte del país	Europa	Suramérica
Alaska	campo	oeste del país	este del país
sur del país	Hawai	ciudad	afueras de una ciudad

Lugar de trabajo			
oficina	al aire libre	escuela	empresa pequeña
hospital	laboratorio	casa	negocio de mi familia

Un trabajo relacionado con...			
construcción	ventas	salud	investigación
educación	turismo	política	administración

¿Lo sabían?

El microcrédito

Mujeres peruanas deciden cómo utilizar el dinero en sus microempresas.

Algunas personas tienen pocas posibilidades de elegir lo que van a hacer en la vida por haber nacido en una familia pobre, con poco acceso a la educación y al dinero. Desde hace unos años ha surgido una manera innovadora para ayudar a esas personas o, más bien, para que se ayuden ellas mismas. Lee lo que explica una peruana sobre lo que pasa en su país.

"Existen en el mundo los llamados bancos éticos que son organizaciones que buscan ayudar a la gente necesitada a la vez que les brindan beneficios a sus inversores. El sistema de estos bancos consiste en dar microcréditos a familias pobres en países en vías de desarrollo; en especial a las mujeres, porque son ellas las que, por lo general, tienen menos acceso a la educación y al trabajo, y quienes, en algunos casos, son jefe de familia. Se forman así los bancos comunales que consisten en grupos de diez a treinta mujeres que se encargan de seleccionar un comité de administración. Estas mujeres reciben préstamos con un interés muy bajo que cada una destina a diferentes microempresas; por ejemplo, a la venta de comida y la manufactura y venta de ropa. El grupo de mujeres se apoya en sus microempresas y en el pago del préstamo en cuotas." ■

The **asistencia** page is where they take attendance for meetings (**p = presente, t = tarde, f = falta**). The **cuenta interna** page is the official bookkeeping system.

V. Describing Reciprocal Actions

Se/Nos/Os + Plural Verb Forms

1. The pronouns **se, nos,** and **os** may be used to describe actions that people do *to themselves:* **Ella se ducha.** Another use of these pronouns is to describe actions people do *to each other* or *to one another.* These are called reciprocal actions (**acciones recíprocas**). Compare the following sentences and drawings.

Él **se baña.**	Los trillizos de la familia Peñalver **se bañan.**
He's bathing (himself).	*The Peñalver triplets are bathing one another.*
Se llaman por teléfono con frecuencia.	*They call each other frequently.*
Nos peleamos como perros y gatos.	*We fight like cats and dogs.*
Vosotros **os** lleváis muy bien.	*You get along very well.*

2. Note the ambiguity in meaning of the following sentence.

Ellos **se miraron.** { *They looked at themselves.* / *They looked at each other.* }

To avoid ambiguity or to add emphasis, it is common to include the phrase **(el) uno a(l) otro** and its feminine and plural forms **(la) una a (la) otra / (los) unos a (los) otros / (las) unas a (las) otras.** The definite articles are optional.

Después de hacer su última oferta, los dos negociadores **se miraron** intensamente **(el) uno a(l) otro.**	*After making their last offer, the two negotiators looked intensely at each other.*
Los empleados **se ayudan (los) unos a (los) otros** con el nuevo programa de computadoras.	*The employees help one another with the new computer program.*
Él y ella se miraron (el) uno a(l) otro.*	*They looked at each other.*

***Note:** When there is a masculine and a feminine, use the masculine form: **(el) uno a(l) otro**.

3. Verbs that are often used with a specific preposition use the same prepositions to clarify a reciprocal action.

Se despidieron (la) una **de** (la) otra.	*They said good-by to each other.*
Se pelearon (el) uno **con** (el) otro.	*They fought with each other.*
Se rieron (los) unos **de** (los) otros.	*They laughed at one another.*

ACTIVIDAD 22 La interacción

En parejas, digan cómo se comportan Uds. con diferentes personas o cómo se comportan ciertas personas entre ellas y por qué, combinando una frase de la primera columna y una frase de la segunda.

mi novio/a y yo	• no dirigirse la palabra
mi padre/madre y yo	• llevarse bien/mal
mis padres	• (no) entenderse
mi hermano/a y yo	• amarse
mis primos	• (no) pelearse
mi perro/gato y yo	• besarse
mi abuelo/a y mi madre	• escribirse mails
mi compañero/a de cuarto y yo	• mandarse mensajes de texto
mi ex novio/a y yo	

ACTIVIDAD 23 Un guion de telenovela

Parte A: Completa esta parte del guion de una telenovela, usando pronombres de complemento directo o indirecto y pronombres reflexivos y recíprocos.

Remember: Direct-object pronouns are **me, te, lo, la, nos, os, los, las** and indirect-object pronouns are **me, te, le, nos, os, les.**

Él __________ entrega una flor a ella y ella __________ huele (*smells*) y sonríe. Ella __________ toma la mano (a él). __________ miran uno a otro con mucha intensidad y (ellos) __________ besan. En ese momento entra otra mujer.

Ella __________ mira (a ellos) con asombro, pero ellos no __________ ven hasta que ella __________ comienza a insultar. Él __________ pone una mano sobre la boca y __________ intenta calmar. Ella no __________ calla.

Las dos mujeres __________ siguen mirando. La primera mujer __________ explica a la otra quién es. Todos __________ ríen aliviados. Al final, todos ellos __________ abrazan.

Parte B: Ahora, en grupos de cuatro, representen el guion que acaban de completar. Uno de Uds. debe leerlo mientras los otros tres actúan.

ACTIVIDAD 24 No nos entendemos

Parte A: En grupos de cuatro, formen dos parejas (Pareja A y Pareja B). Lean solamente el papel para su pareja y antes de entrar en negociaciones con la otra pareja, tomen unos minutos para hacer una lista de lo que quieren pedir/ofrecer y por qué.

Pareja A

Uds. son representantes del sindicato (*labor union*) de MicroTec y deben crear una lista de beneficios laborales para los empleados. En los últimos años la empresa ha reducido los beneficios y ahora Uds. los consideran miserables y una desvalorización de su trabajo.

Pareja B

Uds. son representantes de la dirección de MicroTec y deben crear una lista de beneficios laborales para los empleados. Obviamente quieren empleados felices, pero también quieren ahorrarle dinero a la empresa. En los últimos años, Uds. han reducido los beneficios BASTANTE para no tener que despedir a ningún empleado.

Parte B: Ahora los representantes del sindicato y la dirección deben discutir los beneficios laborales e intentar llegar a un acuerdo. Usen expresiones como: **Queremos..., Insistimos en..., a menos que..., para (que)...**

Do the corresponding web activities to review the chapter topics.

CAPÍTULO 8

Vocabulario activo

Conjunciones adverbiales

En caso (de) que *in the event that, if*
Sin que *without*
Con tal (de) que *provided that*
A menos que *unless*
Para que *in order that, so that*
Antes (de) que *before*
Siempre y cuando *provided that*

Palabras relacionadas con el trabajo

los avisos clasificados *classified ads*
la carta de recomendación *letter of recommendation*
completar una solicitud *to fill out an application*
contratar a alguien *to hire someone*
el curriculum (vitae) *CV, résumé*
despedir (i, i) a alguien *to fire someone*
entrevistarse (con alguien) *to be interviewed (by someone)*
estar desempleado/a / estar sin trabajo *to be unemployed*
la experiencia laboral *work experience*
hacer una pasantía *to do an internship*
la oferta y la demanda *supply and demand*
la organización no gubernamental (ONG) *non-governmental organization (NGO)*
las referencias *references*
sin fines/ánimo de lucro *nonprofit*
solicitar un puesto/empleo *to apply for a job*
tomar cursos de perfeccionamiento/capacitación *to take continuing education/training courses*

El empleo

aumentar/bajar el sueldo *to raise/lower the salary*
la empresa *company*
los ingresos *income*
el pago mensual/semanal *monthly/weekly pay*
el salario mínimo *minimum wage*
el sueldo *salary*
trabajar medio tiempo / tiempo completo *to work part/full time*

Los beneficios

el aguinaldo *end-of-the-year bonus*
los días feriados *holidays*
la guardería (infantil) *child care center*
la licencia *leave (of absence)*
por enfermedad *sick leave*
por maternidad *maternity leave*
por matrimonio *wedding leave*
por paternidad *paternity leave*
el seguro médico/dental/de vida *health/dental/life insurance*

Expresiones útiles

darle igual (a alguien) *to be all the same (to someone), to not care*
el uno al otro / la una a la otra *each other*
los unos a los otros / las unas a las otras *one another* (*more than two people*)
un montón *a lot*
ni... ni *neither . . . nor*
ni (siquiera) *not even*
No, en absoluto. *No, not at all.*
o... o *either . . . or*
A ver si te entendí bien. *Let me see if I get it.*
Me lo imagino. *I imagine/bet.*
¡Qué curioso! *How strange/weird!*
¡Qué gracioso! *How funny!*
¡Uy! ¡Metió la pata! *Wow! He/She put his/her foot in his/her mouth!*
¡Ya caigo! *Now I get it.*

Más allá

Canción: "El imbécil"

León Gieco

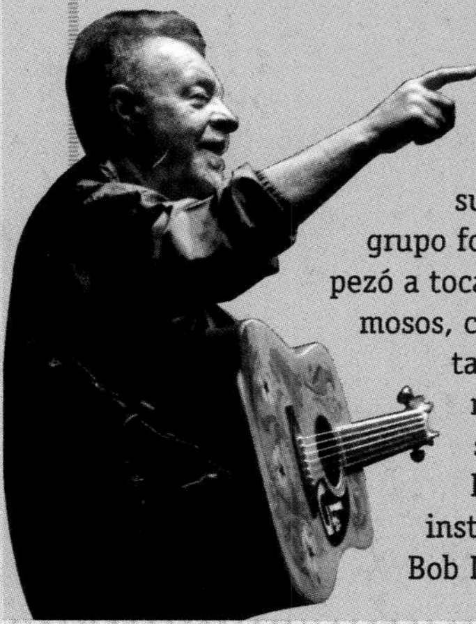

El cantautor argentino (1951–) compró su primera guitarra con su propio sueldo cuando tenía ocho años y comenzó tocando durante fiestas patrias en su escuela. Luego tocó con un conocido grupo folclórico de Argentina y con el tiempo empezó a tocar con bandas de rock y con músicos famosos, como Charly García, María Rosa Yorio y Gustavo Santaolalla. Se lo conoce por combinar música folclórica con rock argentino y por sus letras con contenido político y social. Por los temas de sus canciones y el uso de instrumentos como la harmónica lo llaman el Bob Dylan de Argentina.

ACTIVIDAD **Los mendigos**

Parte A: Hay personas que salen a la calle para pedir dinero. Antes de escuchar la canción, habla de los siguientes puntos.

- quiénes son estas personas (incluye la edad)
- dónde piden dinero
- por qué lo piden
- si ofrecen algo a cambio de dinero, qué ofrecen
- cómo los mira la gente

Parte B: En la canción que vas a escuchar, hay dos personas que hablan: el cantante y un padre de familia. La canción menciona a personas menores de edad que se acercan a los autos en el semáforo para pedir dinero. Mira las siguientes preguntas y luego escucha la canción para marcar las respuestas que se mencionan. Para cada pregunta hay más de una respuesta correcta.

A cambio de dinero, ¿qué ofrecen los niños?	______ dulces	______ estampitas religiosas	______ hacer malabarismo (*juggling*)	______ limpiar el parabrisas
¿Qué hace el padre cuando se acerca un niño a pedir "guita"?	______ cerrar las puertas	______ cerrar las ventanillas	______ darle unas monedas	______decirle que se vaya
¿Qué les dice el padre a sus hijos Patri, Ezequiel y Nancy y a su tía?	______ cuidado con el reloj	______ cuidado con el pañuelo de seda	______ miren sin mirar	______ pongan el brazo adentro
Según el padre, ¿por qué los menores piden en la calle?	______ tienen hambre	______ no quieren trabajar	______ no son afortunados como sus hijos	

Parte C: El cantante dice que el padre es un imbécil. En grupos de tres, discutan por lo menos tres razones por las cuales creen que lo llama así.

Videofuentes: *Almodóvar y los estereotipos*

Antes de ver

ACTIVIDAD 1 ¿Con quién asocias este trabajo?

Antes de ver algunas escenas de una película de Pedro Almodóvar, mira la siguiente lista de ocupaciones y di si generalmente las asocias con un hombre o con una mujer. Justifica tus respuestas.

1. doctor/doctora
2. enfermero/enfermera
3. general/mujer general
4. maestro/maestra de jardín infantil
5. piloto/mujer piloto
6. portero/portera
7. presidente/presidenta de este país
8. profesor/profesora de química
9. torero/torera

Almodóvar dirige una escena de *Hable con ella*.

Mientras ves

ACTIVIDAD 2 Hable con ella

Parte A: Vas a mirar tres clips de la película *Hable con ella*, donde se ven hombres y mujeres que tienen diferentes trabajos. Mira el video hasta donde terminan los clips y piensa en las siguientes ideas.

- las ocupaciones que se presentan
- si un hombre o una mujer tiene el trabajo
- estereotipo(s) que se presenta(n) en cada clip

Parte B: Ahora lee las siguientes preguntas y luego, para contestarlas, mira los clips otra vez.

Clip 1

1. ¿Qué pregunta dice Benigno que le ha hecho el padre de la chica? ¿A qué cultura le atribuye la pregunta?
2. ¿Cómo se siente Benigno con la pregunta que le hizo el padre?

Clip 2

Marcos, un amigo de Benigno, va a alquilar la casa de Benigno y habla con la portera.

1. ¿Por qué está sorprendida e indignada la portera?
2. ¿Qué información recibe ella sobre Benigno?
3. ¿Cómo crees que va a obtener ella más información sobre Benigno?

Marcos habla con la portera.

Clip 3

1. ¿En qué tipo de programa de televisión aparece la torera?
2. ¿Por qué dice la entrevistadora que el torero llamado el Niño de Valencia se ha burlado de ella?

Parte C: En el siguiente segmento, Pedro Almodóvar habla sobre el personaje de Lydia, la torera, que trabaja en una profesión de hombres donde hay mucho machismo. Mira la entrevista con Almodóvar y luego di si existen otras profesiones donde haya machismo y no se acepte a las mujeres como iguales.

Después de ver

ACTIVIDAD 3 Tus estereotipos

Parte A: En grupos de tres, contesten estas preguntas y justifiquen sus respuestas.

1. Cuando tengan hijos pequeños, ¿van a emplear a un hombre o a una mujer como niñero/a? Imaginen que hay dos maestros (un hombre y una mujer) para la clase de primer grado y Uds. pueden elegir: ¿van a elegir al hombre, a la mujer o van a dejar que la escuela decida?
2. En el trabajo, ¿prefieren trabajar para un jefe, una jefa o les da igual?
3. En el gobierno, ¿prefieren un presidente, una presidenta o les da igual? ¿Cambia su respuesta si la persona tiene hijos adolescentes?
4. En cuanto a la salud, ¿prefieren ir a un doctor, a una doctora o les da igual? ¿Depende su preferencia del problema que tengan?
5. En el ejército, ¿las mujeres deben servir igual que los hombres? Imaginen que Uds. tienen un hijo que es soldado y está en la guerra: ¿prefieren que la persona que combata junto a su hijo sea hombre, mujer o les da igual?

Parte B: Discutan las siguientes preguntas teniendo en cuenta sus respuestas de la Parte A.

1. ¿Existen prejuicios contra la mujer en el campo laboral? ¿Y contra el hombre?
2. ¿Uds. mismos tienen prejuicios?
3. Los idiomas evolucionan con los cambios en la sociedad. Hoy día hay ocupaciones que se asociaban o se asocian típicamente con un solo sexo. En inglés, la palabra *president* puede referirse a un hombre o a una mujer, pero en algunos casos se usa una palabra diferente si la ocupación la ejerce un hombre o una mujer. ¿Pueden pensar en ejemplos de palabras como estas?

Película: *Crimen ferpecto*

Comedia negra

España, 2004

Director: Alex de la Iglesia

Guion: Jorge Guerricaechevarría y Alex de la Iglesia

Clasificación moral: No recomendada para menores de 18 años

Reparto: Guillermo Toledo, Mónica Cervera, Luis Varela, Fernando Tejero, Javier Gutiérrez, Kira Miró, más...

Sinopsis: Rafael, un enamorado de las mujeres bonitas, trabaja en la sección de ropa femenina de una tienda. Su sueño es ser jefe de planta. Don Antonio, su rival para el puesto, es el encargado de la sección de hombres. Este último muere accidentalmente durante una discusión con Rafael. La única testigo de este suceso es Lourdes, una vendedora obsesiva que trata de chantajear a Rafael para que se case con ella. Para salir de esa situación, Rafael tiene que planear el *crimen perfecto*.

ACTIVIDAD El trabajo y sus conflictos

Parte A: Antes de ver la película *Crimen ferpecto*, en grupos de tres hablen sobre las siguientes preguntas.

1. ¿Existe la palabra "ferpecto"? ¿Por qué creen que se usa ese término en el nombre de la película?
2. ¿Cuáles son cuatro cualidades que debe tener un buen vendedor?
3. ¿Cuáles son los problemas de tener una relación amorosa con un/una compañero/a de trabajo?
4. ¿Creen que sea posible cometer el crimen perfecto? Justifiquen su respuesta.

Parte B: Ahora vayan al sitio de Internet del libro de texto y hagan las actividades que allí se presentan.

CAPÍTULO 8

En busca de seguridad económica

See the *Fuentes* website for related links and activities: www.cengage.com/spanish/fuentes

El siglo XXI: Época de mercado libre, competencia y ¿crisis social?

El presidente de Bolivia nacionaliza reservas de gas; ataca el neoliberalismo

TRABAJADORES PERUANOS RECLAMAN MEJORES SUELDOS

Puertas abiertas a la competencia extranjera

UNASUR: Hacia la creación de un mercado unido en Suramérica

Padre sin trabajo roba para dar de comer a su familia

El mercado libre: ¿los ricos más ricos y los pobres más pobres?

CHILE: MODELO DE NEOLIBERALISMO MODERADO

Empresas españolas aumentan sus inversiones en Latinoamérica

Vuelven a subir desempleo, desigualdad y pobreza con la crisis económica

ACTIVIDAD 1 Noticias económicas de Latinoamérica

Activating background knowledge

En grupos de tres, lean los titulares y consulten el glosario para buscar los términos que no conozcan. Después, identifiquen:

- dos o tres tendencias reflejadas en los titulares
- dos o tres problemas con que se enfrentan las economías latinoamericanas
- dos o tres datos que les sorprendan a Uds.

Lectura 1: Un artículo

ACTIVIDAD 2 Palabras del empresario

Guessing meaning from context

Las palabras en negrita en las siguientes oraciones aparecen en el artículo que vas a leer sobre Carlos Slim. Lee cada oración y escribe a su lado la letra de la definición apropiada para la palabra indicada.

a. compañía o negocio

b. propiedad que no se puede trasladar de un lugar a otro, como solares, casas y edificios

c. contrato por el cual una compañía se obliga a pagar las pérdidas o daños que ocurran a determinadas personas

d. una institución o mercado en que se realizan transacciones de compra y venta de partes de compañías privadas

e. persona que tiene un negocio o trabaja en él

f. partes en que está dividido el capital de una empresa o corporación y que se compran y se venden

g. números o cantidades

h. empleo o gasto del capital en aplicaciones que pueden aportar dinero, como las compañías privadas

1. _____ Algunos dicen que Telmex, la **empresa** telefónica más importante de México, prácticamente constituye un monopolio.

2. _____ Muchas personas invierten en la **bolsa** con la esperanza de obtener grandes beneficios monetarios.

3. _____ Hoy día es importante tener todo tipo de **seguros**; por ejemplo, los seguros de carro, los seguros de casa, los seguros de vida y los seguros médicos.

4. _____ Han aumentado las **cifras** de la deuda nacional desde que empezó la crisis económica.

5. _____ Muchos **comerciantes** de la zona han podido mantener sus tiendas abiertas gracias a la reducción de los impuestos.

6. _____ Los Estados Unidos y España son los dos países con mayores **inversiones** en las economías latinoamericanas.

7. _____ Las personas que quieren comprar casa tienen que mirar los anuncios de **bienes raíces** en los periódicos o en Internet.

8. _____ En septiembre de 2008 Carlos Slim pagó 250 millones de dólares por 9,1 millones de **acciones** de la compañía New York Times.

Building vocabulary

ACTIVIDAD 3 La expresión exacta

Un equivalente de cada una de las siguientes expresiones inglesas aparece en las oraciones que las siguen. Escribe el equivalente español al lado de cada término en inglés.

fever: ____________________
in trouble: ____________________
proof: ____________________
sign or sample: ____________________
to surround: ____________________
to commit oneself to: ____________________

1. Carlos Slim compró muchas compañías cuando estaban en apuros, las reorganizó y después las volvió a vender, ganando así enormes cantidades de dinero.
2. En Latinoamérica los años 80 y especialmente los 90 vieron una fiebre de privatización de industrias nacionales y liberalización de los mercados.
3. Muchas historias, mitos y rumores rodean a los hombres ultrarricos como Bill Gates y Carlos Slim.
4. Algunos dicen que el semimonopolio telefónico que estableció Carlos Slim en México es una muestra de la corrupción, mientras otros lo ven como señal de inteligencia comercial.
5. No se han encontrado pruebas de que ocurrieron actividades ilegales durante la venta de las compañías paraestatales o públicas, que pertenecían al estado mexicano.
6. Después de vender las compañías paraestatales, el gobierno mexicano se comprometió a proteger a los inversionistas de la competencia extranjera por un periodo de seis años.

Activating background knowledge

ACTIVIDAD 4 Un hombre verdaderamente rico

Parte A: En grupos de tres, hagan una lista de tres a cinco personas ultrarricas del planeta y contesten las siguientes preguntas sobre cada persona.

1. ¿De dónde es?
2. ¿Cuánto dinero o riqueza tiene y en qué se basa?
3. ¿Cómo consiguió tanta riqueza?
4. ¿Cómo creen que sea la vida diaria de esta persona? ¿Cuáles serán sus intereses?

Active reading

Parte B: Ahora, lee el artículo de la cadena noticiera internacional BBC Mundo para ver cuáles de estas características se ven reflejadas en la vida de Carlos Slim.

¿Quién es Carlos Slim?

MIGUEL MOLINA • BBC Mundo

Carlos Slim es una de las personas más ricas del mundo. Aquí, recibe el premio "Hombre del año" del Consejo Mundial del Boxeo, organismo patrocinado por la Fundación Telmex, que pertenece a Slim.

Su fortuna toca restaurantes, bancos, hoteles, bienes raíces y constructoras de carreteras. Pero también incluye plantas de tratamiento de aguas y plataformas petroleras marinas, minas, metalurgia, museos, computadoras, organizaciones de beneficencia, cigarreras y teléfonos. Sobre todo teléfonos.

Escape

Yusef Salim Haddad era hijo de un cristiano maronita libanés que a principios del siglo XX decidió escapar de la persecución del régimen militar de los turcos otomanos. Yusef y su familia llegaron a México. Era 1902.

En 1911 Yusef se llamaba Julián y era dueño de La Estrella del Oriente, un almacén que le permitió comprar propiedades en el centro de la ciudad de México y casarse con Linda Helú, hija de otro próspero comerciante libanés.

Su hijo Carlos (que nació en 1940) invirtió dinero por primera vez cuando tenía 12 años y compró 44 acciones del Banco Nacional de México.

"Mi padre me enseñó que no importa cuán grave sea una crisis, México no va a desaparecer, y si tenemos confianza en el país cualquier inversión sólida dará frutos eventualmente", diría tiempo después.

Turbulencia y fortuna

Ese fue el caso de Carlos Slim, quien a los 26 años ya era ingeniero graduado en la Universidad Nacional Autónoma de México, había estudiado en Europa, en Estados Unidos y en Chile, y tenía US$400.000 y una embotelladora de refrescos.

El siguiente paso fue casarse en 1959 y crear el Grupo Carso (acrónimo de su nombre y el de su esposa Soumaya).

La década de los 70 le permitió extenderse a la bolsa, la banca, los seguros y la administración de fondos de pensiones, y lo vio dar sus primeros pasos en las telecomunicaciones.

Pero todavía era un desconocido para la mayoría de los mexicanos. La turbulencia que vivió México a principios de la década de los 80 le ofreció a Carlos Slim nuevas ocasiones para crecer.

Slim aprovechó lo que se le presentaba y compró baratas empresas en apuros, las hizo ganar dinero y las vendió caras o las conserva.

Compras

Y Slim compró. Phillip Morris México, Bimex, Hoteles Calinda, Reynolds Aluminio, Sanborn´s, Minera Frisco, General Tire e Inmuebles Cantabria.

Tal vez fue en esos años cuando le preguntaron a Slim cuántas empresas tenía: "No lo sé, no me dedico a contar empresas".

Una década después, México vivió una fiebre de privatizaciones que le ofrecieron la oportunidad de su vida. Entre las paraestatales que el gobierno mexicano puso a la venta estaba Teléfonos de México (Telmex).

Continúa en la página siguiente

El Grupo Carso se asoció con France Telecom y Southwestern Bell Corporation de Estados Unidos y compró Telmex.

Al final, Carso, es decir Carlos Slim, se quedó con el control de la empresa porque la ley mexicana prohibía que la propiedad mayoritaria quedara en manos de extranjeros.

Dudas

Pero según los términos de la operación, el gobierno se comprometía a dar a Slim y sus socios un periodo de gracia de seis años antes de abrir el sector de telecomunicaciones a la competencia.

Muchos sostienen que ese gesto generoso en la venta de Telmex fue muestra de la corrupción que parece haber rodeado los procesos de privatizaciones en México, aunque nadie ha ofrecido pruebas concretas de operaciones ilegales.

De México, Slim extendió su influencia en las telecomunicaciones al resto de América Latina. Su empresa América Móvil tiene una importante presencia en prácticamente todos los países de Sudamérica (con excepción de Venezuela y Bolivia), casi toda Centroamérica, algunos países del Caribe y parte de Estados Unidos.

Filantropía

Pero en las últimas décadas Slim ha concentrado su atención en la filantropía.

En 1996 creó la Fundación Telmex, que apoya proyectos educativos, de salud, de ayuda en caso de desastres, y de asesoría jurídica.

En 1999 fundó el museo Soumaya. Dos años después destinó US$100 millones al rescate del Centro Histórico de la capital mexicana.

En 2008, Slim donó US$100 millones a la Fundación Clinton y el presupuesto de la Fundación Carso maneja US$2.500 millones.

Carlos Slim es rico. Es el hombre más rico del mundo, pero al parecer no tiene jet privado ni residencia de vacaciones.

La leyenda que rodea a personajes como él cuenta que no tiene chofer y su oficina es austera. Le gusta el béisbol, viajar, ver (y sobre todo poseer) obras de arte, los vinos franceses, los puros cubanos.

Rico entre pobres

Para la revista BusinessWeek, la vena filantrópica de Slim se explica por la publicidad que ha provocado la fortuna del empresario, "que no se ve bien en un país como México, donde 45% de la población vive debajo del nivel de pobreza y el producto interno bruto es de poco más de US$8.000 per capita".

Y como las cifras elevadas escapan a la comprensión del común de los mortales, hay que explicar que si Slim gastara un millón de dólares cada día, sin contar los intereses, se tardaría 185 años en acabarse lo que tiene. Aunque lo que tiene ya no se acaba.

Scanning, Making inferences

El nombre libanés de Slim era Salim.

ACTIVIDAD 5 Datos fundamentales

El artículo da mucha información sobre la figura de Carlos Slim. Prepara una lista de cinco datos importantes de su vida y explica brevemente por qué cada dato te parece importante. Después, en parejas, discutan y justifiquen sus listas.

Summarizing, Making inferences

ACTIVIDAD 6 La línea del tiempo

En grupos de tres, preparen una línea del tiempo con los acontecimientos más importantes de la vida de Carlos Slim, puestos en orden cronológico. Prepárense para justificar la importancia de cada acontecimiento.

ACTIVIDAD 7 Rico entre pobres

Analyzing and evaluating

En parejas, contesten y comenten las siguientes preguntas.

1. ¿Cómo es posible que Carlos Slim haya acumulado tanta riqueza?
2. ¿Es justo que Carlos Slim en particular sea tan rico? ¿Se aplica igualmente su respuesta a personas como Bill Gates y Warren Buffett? ¿Por qué sí o no?
3. ¿Es justo que cualquier persona en cualquier sociedad tenga tanto dinero cuando otros sufren de pobreza? ¿Cuáles son las ventajas o desventajas de permitir una enorme desigualdad entre los ricos y los pobres de un país?

ACTIVIDAD 8 En años venideros

Making inferences

Después de leer y comentar el artículo, completa las siguientes oraciones sobre el futuro de Carlos Slim y su riqueza. Luego, en parejas, comenten sus ideas.

1. Carlos Slim va a seguir enriqueciéndose siempre y cuando.../con tal de que...
2. El "imperio Slim" va a extenderse a muchos otros países y regiones sin que.../ porque...
3. Slim va a continuar sus actividades filantrópicas para que...
4. No va a haber reacción en contra de Slim y su enorme riqueza a menos que...

Cuaderno personal 8-1

En tu opinión, ¿Carlos Slim es un modelo para emular o es mejor evitar que tanta riqueza quede en manos de una sola persona? ¿Por qué?

Lectura 2: Panorama cultural

ESTRATEGIA DE LECTURA

Determining Reference
Written texts attempt to link ideas together in the clearest manner possible. In order to refer to a previously mentioned idea or fact, writers use pronouns and connecting words. These include:

subject pronouns (**yo, tú, él, ella, Ud.,** etc.)
direct-object pronouns (**me, te, lo, la,** etc.)
indirect-object pronouns (**me, te, le,** etc.)
reflexive pronouns (**me, te, se,** etc.)

Continúa en la página siguiente

demonstrative adjectives and pronouns (**este/a, estos/as, esto; ese/a,** etc.; **aquel/aquella,** etc.)

relative pronouns (**que, quien, lo que, el/la que, lo cual,** etc.)

possessive adjectives and pronouns (**mi, mío, tu, tuyo,** etc.)

These words are the glue that holds together a cohesive text. Understanding what they refer to will increase your comprehension of the text.

Determining reference

ACTIVIDAD 9 ¿A qué se refiere?

Lee las siguientes oraciones de la lectura sobre las economías latinoamericanas. Luego, identifica a qué se refiere cada palabra en negrita.

1. Los gobiernos latinoamericanos pidieron préstamos al Banco Mundial para pagar el petróleo y continuar sus programas de desarrollo, **lo cual** llevó en los años 80 a una seria crisis de la deuda, la inflación y el desempleo.
2. Aunque los programas neoliberales de Pinochet tuvieron gran éxito económico, solo **lo** pudieron lograr a costa de las libertades civiles y humanas.
3. Con el retorno a la democracia en 1989, el gobierno chileno **les** subió los impuestos a los negocios y a los ricos.
4. Y a diferencia de otros países latinoamericanos, en Chile se ha observado una nueva y duradera aproximación entre pobres y ricos, de **la que** puede depender la estabilidad del gobierno democrático.
5. ¿Es posible reproducir "el milagro chileno" en otros países? ¿Cuál es la mejor manera de hacer**lo**?

Guessing meaning from context

ACTIVIDAD 10 Del contexto al significado

Lee cada oración y da un sinónimo en español, una definición en español o un equivalente en inglés para cada una de las palabras en negrita. Estas palabras aparecen en la lectura sobre las economías latinoamericanas. En caso de duda, usa el glosario o un diccionario para confirmar tus respuestas.

1. Ayer los presidentes firmaron un **acuerdo** económico.
2. Los Estados Unidos y Canadá son dos países que **se asemejan** mucho en cultura, lengua dominante y economía.
3. Con el nuevo programa, el gobierno **logró** una gran mejora en el nivel de vida de los ciudadanos.
4. La empresa **pertenecía** a la familia González, pero los nuevos dueños son unos inversionistas japoneses.
5. Todos se quejan de que no hay suficientes casas, pero el gobierno no hace nada para remediar la escasez de **vivienda.**
6. Los países **desarrollados** suelen tener altos niveles de tecnología y grandes recursos financieros.

7. El sistema capitalista depende de la **inversión** de dinero en empresas privadas.
8. Una industria nacionalizada es una industria que pertenece al **estado.**
9. Cuando hay graves problemas de inflación, muchos gobiernos deciden **congelar** los precios.
10. Para evitar la acumulación de **deudas,** hay que reducir los **gastos.**

ACTIVIDAD 11 El mercado libre

Activating background knowledge

Parte A: En la siguiente lectura se discute el desarrollo de las economías latinoamericanas y la importancia del mercado libre para estas economías. En grupos de tres, decidan cuáles de los siguientes términos se asocian con el concepto del mercado libre y expliquen de qué manera. Expliquen también por qué excluyeron algunos términos.

la nacionalización	*la privatización*
las importaciones	*las exportaciones*
la protección del empleo	*la competencia*
la eficiencia	*la protección del salario mínimo*
la mano de obra barata	*las tarifas altas sobre las importaciones*

Active reading

Parte B: Ahora, lee el artículo. Mientras lees, escribe en el margen tus reacciones a la información: dudas, sorpresas, reacciones contrarias.

Corrientes cambiantes de las economías latinoamericanas

Desde los años 80, el mundo comercial y laboral latinoamericano se asemeja cada vez más al de los Estados Unidos, Europa y Japón. Se han privilegiado la competencia, el mercado libre y la eficiencia productiva, y se han adoptado técnicas y métodos de administración eficientes. Estos cambios han generado nuevas esperanzas de prosperidad y también nuevas tensiones sociales, pero para comprender los cambios y sus consecuencias, hay que echar un vistazo al pasado económico de la región.

Dependencia económica poscolonial

El sistema económico poscolonial dependía de la exportación de recursos minerales y productos agrícolas a los países europeos y a los Estados Unidos. Con el dinero obtenido de las exportaciones, los países latinoamericanos importaban de los países más desarrollados productos manufacturados. Este sistema creció entre 1850 y 1930, con grandes inversiones de dinero de Gran Bretaña y los Estados Unidos que permitieron el desarrollo de ferrocarriles, sistemas eléctricos y telecomunicaciones.

En los años 20, Argentina se convirtió en uno de los diez países más ricos del mundo.

Continúa en la página siguiente

Trabajadores en un depósito de café, Costa Rica. Desde la época de la colonia, el café ha sido una exportación importante para varias regiones de Latinoamérica.

Búsqueda de la independencia económica

La Gran Depresión de 1929 llevó a la destrucción de las fuentes tradicionales de ingresos: bajaron las exportaciones y desaparecieron las inversiones de capital extranjero. Para remediar esta situación, muchos gobiernos nacionales intentaron independizar sus economías nacionalizando industrias que habían pertenecido a empresas extranjeras y creando mercados domésticos para sus propias industrias y trabajadores. Para proteger las nuevas industrias de la competencia extranjera se impusieron altas tarifas sobre las importaciones.

En 1938 México nacionalizó la industria petrolera para obtener mejor control de su economía. Hoy, esta industria sigue sin privatizar por la importancia simbólica que tiene para muchos mexicanos.

Estas políticas, aunque promovieron la variedad industrial, crearon nuevos problemas. Las altas tarifas impidieron el comercio internacional, y el control directo por parte del estado resultó ser ineficiente y produjo enormes pérdidas. No obstante, los grandes problemas no se hicieron visibles hasta los años 70 cuando el precio del petróleo subió dramáticamente. Los gobiernos latinoamericanos pidieron préstamos al Banco Mundial para pagar el petróleo y continuar sus programas de desarrollo, lo cual llevó en los años 80 a una seria crisis de la deuda, la inflación y el desempleo. Los bancos internacionales y los gobiernos latinoamericanos renegociaron el pago de la deuda, pero los bancos también insistieron en que se hicieran cambios radicales en el sistema económico de los países afectados, cambios que ya se habían implementado en Chile.

En los años 70 y 80 los gastos excesivos de los gobiernos causaron que las tasas de inflación llegaran hasta el 7.000% (Perú) y el 14.000% (Nicaragua).

Neoliberalismo y el milagro chileno

Después de 1973, la dictadura militar de Pinochet respondió a la crisis económica aplicando una serie de medidas neoliberales drásticas. Se congelaron los salarios y se descongelaron los precios y, como resultado, hubo primero inflación y después recesión. Se privatizaron bancos, fábricas y empresas que habían pertenecido al gobierno; se eliminaron las tarifas sobre

El neoliberalismo, que favorece un mercado sin restricciones de ningún tipo, se basa en ideas de Milton Friedman y otros economistas de la Universidad de Chicago. Sus estudiantes implementaron las ideas neoliberales en Chile en los años 70.

las importaciones y el mercado se inundó de productos extranjeros baratos; las empresas locales tuverion que adaptarse al nuevo mercado competitivo o declararse en bancarrota. Un tercio de los trabajadores quedó sin trabajo y, como consecuencia, hubo disturbios sociales; frente a esta situación, la dictadura usó la represión política y la violencia para controlar a la población.

Sin embargo, después de varios años difíciles, Chile empezó a experimentar un crecimiento económico extraordinario del 6 ó 7% anual. Se expandió tanto la diversidad como la cantidad de las exportaciones, se aumentaron las inversiones extranjeras y la inflación fue reducida a un nivel mínimo. Este éxito, descrito como "el milagro chileno", fue visto por otros países con graves problemas económicos como el camino de su propia salvación.

La mina chilena de Chuquicamata, la mina de cobre más grande del mundo. La economía chilena ha desarrollado muchas industrias, pero la extracción y la exportación del cobre siguen siendo fundamentales para la economía nacional.

Mercado libre e integración económica

A partir de los años 90, los líderes latinoamericanos abandonaron sus antiguas ideas sobre la independencia económica a favor de una mayor integración en el mercado mundial. Por ejemplo, al igual que Chile, México bajó las tarifas de importación, redujo los gastos gubernamentales, vendió muchas industrias estatales a inversionistas privados y fomentó la integración económica con otros países. En 1993 México formó un nuevo mercado con Canadá y los Estados Unidos al firmar el Tratado de Libre Comercio de América del Norte (TLC). Otros países como Chile (2004) y Perú (2006) también han establecido acuerdos similares con los Estados Unidos, y en 2008 los doce países de Suramérica crearon UNASUR, la Unión de Naciones Suramericanas, que tiene como objetivo principal la creación de un solo mercado libre para toda Suramérica.

Sin embargo, los logros económicos de estos años llegaron acompañados de la implementación generalizada de "programas de austeridad", los cuales redujeron drásticamente los gastos en programas sociales y llevaron en muchos países a un aumento de la desigualdad entre ricos y pobres y el deterioro de los sistemas de educación, salud y transporte.

¿Una vía media?

Los problemas de injusticia social han llevado a muchos observadores a rechazar las ideas neoliberales, como por ejemplo, los presidentes Hugo

Continúa en la página siguiente

TLC = NAFTA (North American Free Trade Agreement)

Otras organizaciones regionales de libre comercio incluyen MERCOSUR, el Mercado Común del Sur, que es el mayor productor agrícola del mundo, la Comunidad Andina de Naciones, el Mercado Común Centroamericano y la Comunidad del Caribe.

La pobreza se limita en parte gracias al dinero que los inmigrantes hispanos en EE.UU. y Europa mandan a sus familiares en sus países de origen. Estas **remesas** suman todos los años miles de millones de dólares y son importantes para las economías de los países adonde llegan.

Chávez de Venezuela y Evo Morales de Bolivia, quienes han vuelto a nacionalizar algunas industrias nacionales. Otros, sin embargo, han argumentado que existe una "vía media" entre la eficiencia del mercado libre que tiende a aumentar la desigualdad entre ricos y pobres, y una política social progresista que tiende a reducir las diferencias. De nuevo, Chile ha sido el país que sirve de modelo a los demás. Aunque los programas neoliberales de Pinochet tuvieron gran éxito económico, solo lo pudieron lograr a costa de las libertades civiles y humanas, y pagando un alto precio social al crear desempleo y pobreza. Con el retorno a la democracia en 1989, el gobierno chileno les subió los impuestos a los negocios y a los ricos y utilizó el dinero en viviendas, salud y educación. Aumentó también el salario mínimo de los trabajadores y promovió el establecimiento de negocios pequeños. En los primeros tres años, estos programas sacaron a un millón de personas de la pobreza. Lo sorprendente fue que los chilenos también pudieran mantener la salud económica de su sociedad: inflación mínima, presupuesto equilibrado, crecimiento fuerte, alto nivel de inversión extranjera y tasa de desempleo baja. Y a diferencia de otros países latinoamericanos, en Chile se ha observado una nueva y duradera aproximación entre pobres y ricos, de la que puede depender la estabilidad del gobierno democrático.

Un trabajador supervisa la carga de un barco en el puerto de Buenos Aires, Argentina. La exportación de productos agrícolas ha sido fundamental para la economía argentina, pero con la globalización también ha crecido la exportación de productos industriales.

Nuevos desafíos

En la actualidad los líderes latinoamericanos se enfrentan a una serie de grandes desafíos. La demidécada de 2003 a 2008 fueron años de gran crecimiento y prosperidad, pero los logros están en peligro desde que comenzó la crisis económica global en 2008. Todavía existe apoyo por el mercado libre, como indica la creación de UNASUR, pero también hay voces que se levantan contra el neoliberalismo, como ha sucedido en Bolivia, Ecuador, Nicaragua y Venezuela, donde gran parte de la población no se benefició de la política neoliberal. Vale preguntarse: ¿es posible mantener el crecimiento? ¿Es posible reproducir "el milagro chileno" en otros países? ¿Cuál es la mejor manera de hacerlo? Y, por último, ¿es la "vía media" la mejor solución para todos? Actualmente, estas son las cuestiones que se debaten y que requieren una pronta respuesta para que todos los latinoamericanos puedan progresar compitiendo en el mercado global del siglo XXI y alcanzar una vida digna y próspera. ■

ACTIVIDAD 12 Detalles y fechas

Scanning

Indica qué significa cada término y con qué aspecto de la economía se asocia cada fecha, y di por qué es importante en la lectura.

TLC	*Años 70*	*1989*
UNASUR	*1973*	*2008*

ACTIVIDAD 13 Tres etapas de desarrollo económico

Summarizing and analyzing

En parejas, busquen una característica, un objetivo y un problema del sistema económico dominante de una de las tres épocas económicas.

1. la época poscolonial
2. la época de independencia económica
3. la época del neoliberalismo

ACTIVIDAD 14 El ejemplo de Chile

Summarizing, Making inferences

Con frecuencia se nombra a Chile como modelo del éxito del neoliberalismo. En parejas, comenten las siguientes preguntas que tratan de Chile y la creación de la "vía media".

1. ¿Es Chile un ejemplo perfecto del neoliberalismo?
2. ¿En qué consiste la "vía media"?
3. ¿Es posible que la "vía media" cree todavía más problemas?
4. ¿Este concepto es importante también para este país?

ACTIVIDAD 15 ¿Cómo votan?

Making inferences

En muchos países hispanos, los votantes optan por "votar en blanco". Así, ejercen su derecho al voto, protestando las opciones, pero no votan por ningún partido o candidato en particular. El "voto en blanco" es una forma de indicar que están descontentos con sus opciones políticas.

Hay dos candidatos principales en las elecciones presidenciales. Pérez defiende la postura neoliberal y los "programas de austeridad" que limitan los gastos del estado. López dice que hay que adoptar "la vía media" de Chile, proteger más a los trabajadores y estimular la economía. En grupos de tres, decidan por quién vota cada una de las siguientes personas. También es posible que una persona no vote por ninguno de estos dos candidatos.

1. Felipe trabajaba en una fábrica que pertenecía al estado, pero privatizaron la fábrica y los nuevos dueños decidieron eliminar muchos trabajos en nombre de la eficiencia. Como se estaban abriendo nuevos negocios y nuevas fábricas cuando perdió su trabajo, empezó con optimismo. Pero ahora hay crisis económica, lleva dos años desempleado y no sabe qué hacer.
2. Consuelo gana un buen sueldo y paga sus impuestos, pero el 40% de todo lo que paga sirve para pagar las deudas del estado y los intereses de esas deudas. Además, todo ese dinero acaba en los Estados Unidos, Canadá, Europa, Japón y, cada vez más, China. Consuelo cree que esto es injusto para su país.

3. Carlos trabaja como cajero en un banco. Su vida no ha cambiado mucho desde la implementación de las medidas neoliberales, pero ahora no hay mucha inflación y él puede ahorrar dinero sin miedo de que este pierda su valor.

Cuaderno personal 8-2

¿Crees que el gobierno tiene la obligación de ofrecer servicios de salud, educación y asistencia pública a los pobres? ¿Crees que el mercado libre es capaz de ofrecer y garantizar todos estos servicios?

Lectura 3: Literatura

Guessing meaning from context

ACTIVIDAD 16 Según el contexto

Las palabras en negrita aparecen en el cuento, "La carta", que vas a leer. Lee las oraciones y después asocia las palabras indicadas con su significado.

a. estampilla que indica que se ha pagado el envío de una carta

b. pintura, dibujo o fotografía de una persona

c. casi sentarse de manera que las nalgas estén cerca del suelo

d. una prenda de vestir que cubre la cabeza y la frente para protegerlas del sol

e. poner juntas dos partes de un papel

f. papel en el cual se envía una carta

g. escribir el nombre en un documento

h. parte inferior de una puerta o entrada

i. que ha perdido el uso de una mano

1. ______ Pablo terminó de escribir la carta y la **firmó.**
2. ______ Luego, **dobló** la carta y la metió en el **sobre.**
3. ______ Antes de cerrar el sobre, metió dentro un pequeño **retrato** suyo —una foto que le habían sacado varios años antes.
4. ______ Al final, buscó un **sello** y lo puso en el sobre, y salió para la estación de correos.
5. ______ Pablo no quería que nadie lo reconociera, así que bajó la **gorra** sobre la frente y miró hacia abajo.
6. ______ Cuando Pablo se acercó a la entrada, vio un hombre sentado en el **umbral.**
7. ______ **Se acuclilló** para hablar con el hombre, y este le explicó que era **manco** y necesitaba que alguien le ayudara a escribir una carta.

ACTIVIDAD 17 ¿A quién se refiere?

Determining reference

El cuento que vas a leer contiene una carta. El escritor de la carta se dirige a su destinatario y también habla de otras personas. Antes de leer, determina a qué o a quién se refiere cada pronombre en negrita de las siguientes oraciones.

1. Querida mamá: Como yo **le** decía antes de venirme...
2. Me pagan ocho pesos la semana y con **eso** vivo como don Pepe el administrador.
3. La ropa aquella que quedé de mandar**le,** no **la** he podido comprar.
4. Díga**le** a Petra que cuando vaya por casa **le** voy a llevar un regalito al nene de ella.
5. Voy a ver si **me** saco un retrato un día.
6. ... Su hijo que **la** quiere y **le** pide la bendición, Juan.

ACTIVIDAD 18 En busca de trabajo

Activating background knowledge

Parte A: En parejas, respondan a una de las siguientes preguntas.

1. ¿Has buscado trabajo alguna vez? Describe tu peor experiencia o la de otra persona que no haya tenido éxito con la búsqueda de trabajo.
2. ¿Qué debe o puede hacer una persona que no encuentra el trabajo deseado? ¿Debe aceptar cualquier puesto?
3. ¿Las personas buscan trabajo solo para ganar dinero o el trabajo es importante por otras razones?

Active reading

Parte B: Ahora lee la primera parte del cuento —"La carta"— para ver quién escribe la carta y qué dice.

José Luis González *(1926–1996) nació en la República Dominicana de padre puertorriqueño y madre dominicana. Se crió en Puerto Rico, y siempre se consideró puertorriqueño aunque pasó la mayor parte de su vida adulta trabajando en México. Fue conocido como ensayista, periodista, novelista, y sobre todo, cuentista. Sus escritos se caracterizan por una gran preocupación por los problemas sociales de su época.*

La carta

José Luis González

San Juan, puerto Rico
8 de marso de 1947
Qerida bieja:

Como yo le desia antes de venirme, aqui las cosas me van vién. Desde que llegé enseguida incontré trabajo. Me pagan 8 pesos la semana y con eso bivo como don Pepe el alministradol de la central allá.

La ropa aqella que quedé de mandale, no la he podido compral pues quiero buscarla en una de las tiendas mejores. Digale a Petra que cuando valla por casa le boy a llevar un regalito al nene de ella.

Boy a ver si me saco un retrato un dia de estos para mandálselo a uste. El otro dia vi a Felo el ijo de la comai María. El está travajando pero gana menos que yo. Bueno recueldese de escrivirme y contarme todo lo que pasa por alla.

Su ijo que la qiere y le pide la bendision.

Juan

Después de firmar, dobló cuidadosamente el papel ajado y lleno de borrones y se lo guardó en el bolsillo de la camisa. Caminó hasta la estación de correos más próxima, y al llegar se echó la gorra raída sobre la frente y se acuclilló en el umbral de una de las puertas. Dobló la mano izquierda, fingiéndose manco, y extendió la derecha con la palma hacia arriba.

Cuando reunió los cuatro centavos necesarios, compró el sobre y el sello y despachó la carta. ■

ACTIVIDAD 19 Hablar y escribir en puertorriqueño popular

Dealing with different registers

Parte A: La carta está escrita con muchos errores ortográficos. Algunos de los errores revelan el dialecto hablado de Juan, un hombre pobre que escribió la carta pero que nunca aprendió a escribir correctamente. Estos rasgos incluyen:

- la confusión de la **-r** y la **-l** al final de sílaba, y la pérdida de la **-r** al final de palabra
- la pérdida de la **-d** al final de palabra y de la **-d-** entre dos vocales
- la sustitución de la **e** por la **i** (**e** ⟶ **i**) en sílabas no acentuadas
- la aspiración y la pérdida de la **-s** al final de sílaba: o sea, se pronuncia como **h** en inglés y a veces se pierde completamente
- **para** ⟶ **pa'**

Busca en la carta de Juan un error que refleje cada rasgo dialectal. ¿Hay algún rasgo que no se vea reflejado en la carta? ¿Hay errores no asociados con estos rasgos dialectales?

Focusing on surface form

Parte B: Corrige todos los errores ortográficos de la carta. Después, compara tus correcciones con las de un/a compañero/a de clase.

ESTRATEGIA DE LECTURA

Making Inferences
When reading, it is often necessary to read between the lines, that is, to extract information and conclusions that are not explicitly stated. This may include information or beliefs that the author takes for granted, or additional conclusions that may be drawn from the information presented. For example, it is safe to conclude from the preceding reading that the author of the letter has little formal schooling.

ACTIVIDAD 20 La carta de Juan

Making inferences

La carta incluye mucha más información de la que aparece literalmente en el texto. Después de leer, contesta las siguientes preguntas y justifica cada respuesta con información de "la carta". Después, compara tus respuestas con las de otra persona.

1. ¿Quién es Juan? ¿Cómo es? ¿Ha tenido estudios?
2. ¿De dónde es Juan? ¿Dónde vive? ¿Qué tipo de trabajo tiene? ¿Por qué se mudó?
3. ¿Quién es su "vieja"? ¿Dónde vive su "vieja"?

Recognizing chronological order

ACTIVIDAD 21 Las acciones de Juan

Los párrafos finales del cuento "La carta" describen cuidadosamente las acciones y los movimientos de Juan. Pon las siguientes acciones en orden cronológico. Después, compara tus respuestas con las de un/a compañero/a de clase, y comenten la importancia de estas acciones para nuestra interpretación de la carta misma.

_____ *Extendió la mano derecha con la palma hacia arriba.*
_____ *Se puso la gorra sobre la frente.*
_____ *Compró el sobre y el sello y mandó la carta.*
_____ *Dobló el papel y lo guardó en el bolsillo de la camisa.*
_____ *Caminó hasta la estación de correos.*
_____ *Dobló la mano izquierda contra su pecho.*
_____ *Recibió cuatro centavos.*
_____ *Firmó la carta.*
_____ *Se acuclilló en el umbral de una puerta.*

Considering implications

ACTIVIDAD 22 La experiencia de Juan

La experiencia de Juan refleja la de muchos campesinos pobres que empezaron a mudarse a las ciudades latinoamericanas después de la Segunda Guerra Mundial (1939–1945). En grupos de tres, comenten las siguientes preguntas.

1. ¿Qué buscaba Juan en la ciudad?
2. ¿Qué encontró?
3. ¿Qué problemas pueden surgir cuando hay millones de personas en la situación de Juan?

Cuaderno personal 8-3

El trabajo y los estudios pueden ser muy importantes para la dignidad personal. ¿Has mentido alguna vez para proteger tu reputación pública y/o tu autoestima? ¿Cuándo? ¿Por qué?

VIDEOFUENTES

A veces las personas no pueden conseguir trabajo porque existen estereotipos sobre qué clases de personas pueden hacer ciertos tipos de trabajo. En la película de Almodóvar, ¿qué personajes tienen trabajos sorprendentes? ¿Qué problemas han tenido estos personajes a causa de sus trabajos? En tu opinión, ¿por qué el director insiste en presentar a algunos personajes en puestos atípicos?

Redacción: El curriculum vitae y la carta de solicitud

ESTRATEGIA DE REDACCIÓN

Using Models
One way to improve your writing is to use examples of texts as models and to imitate their style and/or format. This is frequently done when preparing documents with fixed formats such as formal letters.

ACTIVIDAD 23 Un curriculum

Using a model

Parte A: Aunque el curriculum vitae tradicionalmente no fue muy importante en Latinoamérica, con el aumento de la influencia comercial norteamericana en la región, se ha extendido el uso del curriculum al estilo norteamericano. En grupos de tres, traten de contestar las siguientes preguntas.

- ¿Por qué el curriculum vitae es y ha sido tan importante en la cultura comercial y profesional de Norteamérica?
- ¿Por qué creen que el curriculum vitae no tuvo tradicionalmente mucha importancia en la cultura comercial y profesional de los países latinoamericanos?

Parte B: Al preparar el curriculum propio, generalmente se usa el de otra persona como base y modelo. En parejas, miren el siguiente curriculum y observen el vocabulario que se usa y cómo está organizado. ¿Hay otras maneras de organizar un curriculum?

Rosa Cunningham-González
67 Chula Vista Road
Los Ángeles, California 50215
(213) 789–2389

Fecha de nacimiento
15 de agosto de 1986

Objetivo profesional
Gerente de ventas y mercadeo

Preparación académica

2008–2010	Universidad de California, Los Ángeles, CA, Maestría Especialización: Administración de empresas
2004–2008	Universidad de Georgia, Athens, Georgia Licenciatura *magna cum laude* Especialización: español e inglés
2000–2004	Las Palmas High School, Los Ángeles, CA, Bachiller

maestría o **master** = master's degree

licenciatura = un título un poco más avanzado que *bachelor's degree*

bachiller = *high school graduate*

Experiencia profesional	
2009 (verano)	Ventamundo, S.A., México, D.F.
	Asistente ejecutiva
2006–2008	Toyland, Inc., Atlanta, GA
(veranos)	Vendedora regional
Experiencia adicional	
2008–2010	Club de Estudiantes de Negocios, tesorera
2007–2008	Asociación de Estudiantes Latinos, presidenta
Preparación adicional	
	Mecanografía y procesamiento de datos
	Dominio de inglés, español y portugués
	Conocimiento elemental de chino
Becas y premios	
2009	Beca Salinas (mejor estudiante del programa)
2008	Phi Beta Kappa (por excelencia académica)
Intereses	
	Baile popular, música caribeña, navegación

Using a model

Parte C: Individualmente, preparen el borrador de un curriculum propio similar al del modelo. Usen el diccionario o hablen con su profesor/a si necesitan vocabulario específico.

Using a model

ACTIVIDAD 24 Una carta de solicitud

Las cartas en español generalmente tienen un formato diferente al de las cartas en inglés y emplean un lenguaje muy formal y formulaico. Mira la carta modelo en la página 163, que es una solicitud escrita para acompañar el curriculum vitae anterior, y haz lo siguiente.

1. Identifica los siguientes elementos:
   a. el encabezamiento
   b. el destinatario
   c. el saludo
   d. el cuerpo
   e. la despedida
   f. la firma y la dirección del/de la remitente
2. Identifica las diferencias entre el formato de esta carta y el de una carta en inglés.
3. Identifica el párrafo en el cual aparece la siguiente información.
   a. el puesto deseado y cómo se informó del puesto el/la solicitante
   b. la información más importante del curriculum vitae
   c. otros datos no incluidos en el curriculum vitae
   d. razón de su interés en el puesto
   e. esperanzas en cuanto al trabajo
   f. las gracias
4. Busca dos ejemplos de lenguaje muy formal o de fórmulas que se usan.

Los Angeles, 14 de julio de 2010

Sra. María Elena Pérez Pereira
Directora de personal
Juguetes Xochimilco, S. A.
Sagredo 263
Colonia Guadalupe Inn
010020 México, D. F.

Estimada señora:

Atentamente me dirijo a Ud. para comunicarle mi interés en el puesto de director de desarrollo de productos en su empresa y para enviarle copia de mi curriculum vitae de acuerdo con el anuncio que apareció en la lista de empleos de www.turuco.com (*Turuco México D.F.*) el 1° de julio de 2010.

El reciente mayo pasado me gradué de la Universidad de California en Los Angeles con maestría en administración de empresas. Tengo gran interés en mercadeo, asignatura que estudié intensamente durante la carrera universitaria.

En cuanto a mi competencia lingüística, domino tanto el español como el inglés puesto que crecí en una familia bicultural y viajé con frecuencia a México durante mi juventud. Domino también el portugués y tengo un conocimiento limitado de chino. Creo que tanto mi experiencia profesional, adquirida en una empresa americana conocida, como mis conocimientos lingüísticos y culturales hacen de mí una buena candidata para el puesto solicitado. Me interesa este puesto ya que su empresa tiene mucho prestigio en este campo y goza de gran éxito en el mercado norteamericano. Creo también que mis capacidades parecen corresponder a sus necesidades.

Le agradecería que me diera la oportunidad de conocerla en persona y de visitar sus instalaciones. Me gustaría hablar con usted tanto de los requisitos del puesto como de las contribuciones que yo podría ofrecer a su empresa.

Agradeciéndole anticipadamente su atención, quedo en espera de su pronta respuesta.

Muy atentamente,

Rosa Cunningham-González

Rosa Cunningham-González
67 Chula Vista Road
Los Angeles, CA 50215

En español, la dirección del/de la remitente aparece tradicionalmente al final de la carta, debajo de la firma.

In formal letters, it is common not to use the addressee's last name in the greeting.

ESTRATEGIA DE REDACCIÓN

Focusing on Surface Form

Writing involves several stages: generating ideas, focusing on specific ideas, organizing, composing, and, for more formal texts, polishing surface form. Surface form includes physical layout, punctuation, spelling, and use of capital letters. Since it is the first thing the reader notices, it can be very important in determining the reader's initial reaction to a text, its content, and/or the writer. Here are some suggestions for polishing what you write.

1. Make sure that margins are set and maintained.
2. Check punctuation. Though similar in formal Spanish and English, remember: inverted question and exclamation marks must be used in Spanish; commas are not used before **y** or **o** in a series (**rojo, blanco y azul**); use of commas and periods in numbers differs in English and Spanish (*GPA: 3.67* = **Promedio de notas: 3, 67** and *2,000 dollars* = **2.000 dólares**).
3. Watch your spelling, including accents. Do not let English influence your spelling of cognates (*professional*/**profesional**) and remember that the use of accents can differ between singular and plural forms (**recomendación/recomendaciones**). Most native speakers do not use written accents on capital letters.
4. The use of capital letters (**mayúsculas**) is more restricted in Spanish. Use capital letters for the first word of a sentence or title (**Cien años de soledad**); for names of people, clubs, organizations, or businesses; and for abbreviated titles (**Ud., Sr.**). Do not use capital letters for days of the week (**lunes**), months (**enero**), seasons (**primavera**), languages or nationalities (**inglés**), religions (**catolicismo**), compass points (**norte**), or adjectives (**católico**).

Writing an application letter

ACTIVIDAD 25 Redacción de la carta

Imagina que quieres pasar algún tiempo trabajando en Hispanoamérica para perfeccionar tu español y decides solicitar un puesto de trabajo en el campo de mercadeo.

Parte A: Haz una lista de los datos de tu curriculum que quieres enfatizar en la carta de solicitud. Incluye información que te hará un candidato interesante.

Parte B: Escribe la carta. Incluye información semejante a la de la carta modelo. Decide qué partes de la carta modelo puedes copiar y qué partes tienes que adaptar para personalizar tu carta.

Focusing on surface form

Parte C: Después de redactar el primer borrador, corrígelo pensando en su presentación: el formato, la puntuación y el uso de letras mayúsculas.

Es una obra de arte

CAPÍTULO 9

La familia, Marisol Escobar (1930–) de ascendencia venezolana.

METAS COMUNICATIVAS

- expresar influencia, emoción y duda en el pasado
- hablar sobre arte
- cambiar el enfoque de una idea

METAS ADICIONALES

- usar el infinitivo
- usar expresiones de transición

Entrevista a una experta en artesanías

¿A qué se debe eso?	What do you attribute that to?
llevarle (a alguien) dos/tres meses	to take (someone) two/three months
se me fueron las ganas de + *infinitive*	I didn't feel like + *-ing* anymore
un dineral	a great deal of money/a fortune

ACTIVIDAD 1 El sombrero

Parte A: El locutor de un programa de radio entrevista a una experta acerca de un sombrero muy famoso. Antes de escuchar la entrevista, mira la foto que aparece en esta página y usa la imaginación y la lógica para intentar contestar las siguientes preguntas.

1. ¿Sabes cómo se llama ese tipo de sombrero?
2. ¿Quiénes hacen esos sombreros?
3. ¿Dónde crees que los hagan?
4. ¿Cuánto tiempo lleva hacer un sombrero bueno? ¿Y uno muy bueno?
5. ¿Dónde se venden y cuánto cuestan?

Parte B: Ahora, para confirmar tus predicciones, escucha la entrevista. Busca también la respuesta a las siguientes preguntas.

1. ¿En qué momento del día se hacen esos sombreros y por qué?
2. ¿Quiénes reciben la mayor parte del dinero de la venta de los sombreros?

ACTIVIDAD 2 La interpretación

En la entrevista, la Sra. Gómez le comenta al locutor del programa que la hija y la nieta de una artesana no están interesadas en continuar esta tradición porque "Ud. ya sabe cómo son los jóvenes". ¿Qué quiere decir con esa frase?

Los sombreros panamá

¿Lo sabían?

Mantas en venta en el mercado de Otavalo.

Los otavalos

Entre los artesanos de Hispanoamérica se destacan los otavalos, un grupo indígena de Ecuador que produce mantas y telas. En 1966, los otavalos abrieron su primera tienda propia y apenas doce años después ya tenían setenta y cinco tiendas. Hoy en día, se dedican a la exportación de sus productos a otros países, especialmente a Europa, Canadá y los Estados Unidos. Por ser tan industriosos y buenos comerciantes, se considera a los otavalos como uno de los grupos indígenas más prósperos de Hispanoamérica.

¿Puedes mencionar artesanías que se hacen en tu país y explicar quiénes las hacen?

I. Discussing Art

Do the corresponding web activities as you study the chapter.

El arte

El arte

Fuente hispana

"No entiendo mucho de arte, pero hay algunas **obras maestras** *que me encanta ver una y otra vez. Entre ellas están la ilustración* Don Quijote *del pintor español Pablo Picasso y* **el cuadro** Las dos Fridas *de la mexicana Frida Kahlo. Para el primero,* **las fuentes de inspiración** *fueron el personaje soñador Don Quijote y su compañero Sancho Panza, del libro escrito por Miguel de Cervantes, y el otro es* **un autorretrato** *de una artista que tuvo un accidente grave de joven que la afectó para toda la vida. Ambas obras me fascinan porque son increíbles. Por lo general,* **las naturalezas muertas** *me aburren porque me parecen siempre muy parecidas unas a otras y* **las obras abstractas** *no las entiendo y no las puedo* **interpretar.**" ■

venezolana

masterpieces
painting
sources of inspiration
self-portrait
still lifes
abstract works
to interpret

El arte, when singular, generally takes masculine adjectives: **el arte moderno.** When plural, it takes feminine modifiers: **las bellas artes.**

La obra de arte	
el/la artista	
el dibujo, dibujar	drawing, to draw
la escena	
el/la escultor/a, la escultura	
la estatua	
el fondo	background
la imagen	
el paisaje	landscape
el/la pintor/a, la pintura, pintar	painter, painting, to paint
el primer plano	foreground
la reproducción	
el retrato	portrait

(Continúa en la página siguiente.)

la burla, burlarse de...	mockery, to mock/joke (make fun of)
expresar	
glorificar	to glorify
el mensaje	message
la sátira	satire
el símbolo, el simbolismo, simbolizar	

Apreciación del arte	
la censura, el censor, censurar	
la crítica, el crítico, criticar	critique; critic; to critique, criticize
la interpretación	

Algunos movimientos artísticos: abstracto, barroco, cubismo, impresionismo, realismo.

ACTIVIDAD 3 Los símbolos

Las obras de arte están llenas de símbolos y mensajes. Habla del simbolismo en el arte combinando un símbolo con un concepto.

► El color blanco representa/simboliza... porque...

Símbolos	Conceptos
el color blanco	• la muerte
el color rojo	• la esperanza
una calavera	• la religión
una cruz	• la paz
una paloma (*dove*)	• la pureza
el color verde	• la violencia, la pasión

calavera

ACTIVIDAD 4 ¿Qué te parecen?

En parejas, miren todas las obras de arte que hay en este capítulo y usen las siguientes expresiones para comentar. Expliquen por qué hacen esos comentarios utilizando el vocabulario de la sección de arte.

Para hablar de un cuadro

¿Qué te parece (este cuadro)?	What do you think (about this painting)?
No tiene ni pies ni cabeza.	I can't make heads or tails of it.
No tiene (ningún) sentido para mí.	It doesn't make (any) sense to me.
¡Qué maravilla!	
¡Qué horrible!	
(No) Me conmueve.	It moves/doesn't move me.
Me siento triste/contento/a al verlo.	I feel sad/happy when I see it.
Ni me va ni me viene. / Ni fu ni fa.	It doesn't do anything for me.

ACTIVIDAD 5 ¿Dónde están?

En grupos de tres, digan dónde están las siguientes obras maestras e identifiquen si es un cuadro, un mural o una escultura. Usen expresiones como: **Estoy seguro/a de que El David, una escultura de Miguel Ángel, está en...; Sé que no...; (No) es posible que...; (No) creo que...**

Mona Lisa también se llama *La Gioconda*.

Obra maestra	Lugar
David / Miguel Ángel	• Galería de la Academia en Florencia
Las dos Fridas / Frida Kahlo	• el Museo Rodin en París
La vista de Toledo / El Greco	• el Centro Reina Sofía en Madrid
La maja vestida / Goya	• el Louvre en París
Guernica / Picasso	• el Museo Metropolitano en Nueva York
Mona Lisa / da Vinci	• el Museo de Arte Moderno en el D. F.
El pensador / Rodin	• el Museo del Prado en Madrid
Hispanoamérica / Orozco	• la Universidad de Dartmouth en New Hampshire

¿Lo sabían?

Los muralistas

Hood Museum of Art, Dartmouth College, Hanover, New Hampshire; commissioned by the Trustees of Dartmouth College

Hispanoamérica, de José Clemente Orozco (1883–1949), Universidad de Dartmouth.

En 1923, un grupo de artistas mexicanos que habían vivido bajo la dictadura de Porfirio Díaz y habían pasado por un período revolucionario cuando eran estudiantes de arte, formaron un sindicato de pintores y escultores. Entre ellos estaban los famosos muralistas Diego Rivera, David Alfaro Siqueiros y José Clemente Orozco. Debido a que este sindicato apoyaba el papel revolucionario del nuevo gobierno, este les ofreció a los pintores diferentes muros (*walls*) de la Ciudad de México y de edificios públicos para que hicieran pinturas sobre ellos. Así comenzó el movimiento llamado *Muralismo*, el primero de la historia que desarrolló temas sociopolíticos en la pintura.

¿Sabes dónde hay murales en tu ciudad, qué representan y quiénes los pintaron?

ACTIVIDAD 6 El arte en California

Mucha gente cree, erróneamente, que el arte de los artistas mexicoamericanos en los Estados Unidos ha recibido influencia del arte hispanoamericano en general. Sin embargo, su mayor influencia es la de los muralistas mexicanos. En parejas, comparen el siguiente mural de una artista chicana con el de Orozco en la página anterior. Usen palabras de la sección de arte para decir en qué se parecen y en qué se diferencian.

Parte del mural ***La ofrenda***, Yreina Cervantez (1952–).

ACTIVIDAD 7 ¿Qué es realmente arte?

En parejas, discutan estas preguntas sobre el arte.

1. ¿Cuál es la diferencia entre arte y artesanía?
2. Cuando un niño hace un dibujo, ¿se considera arte?
3. ¿Cuál es la diferencia entre un grafiti y un mural? ¿Conocen a alguien que haya pintado grafiti? ¿Cómo era el grafiti y dónde lo pintó?
4. Muchos humoristas gráficos usan sátira o se burlan de algo, pero existen periódicos que censuran sus tiras cómicas (*comic strips*) y no las publican. ¿Cuándo y por qué creen que los periódicos hagan eso? ¿Cuál es su tira cómica favorita y por qué?
5. Otro tipo de arte es el diseño gráfico. Las empresas gastan un dineral en crear sus logotipos (*logos*). ¿Qué logotipos les gustan? ¿Simbolizan algo en especial? Miren los logotipos que se presentan aquí y digan qué simbolizan y qué promocionan.

ACTIVIDAD 8 El arte en la ropa

Camiseta, un par de jeans y zapatos de tenis es la vestimenta más común que llevan los jóvenes de hoy. En parejas, averigüen qué tipo de mensajes tienen las camisetas que Uds. generalmente llevan. Sigan el modelo.

► —¿Tienes alguna camiseta que tenga una imagen simbólica?

—Sí, tengo una con la paloma de la paz de Picasso.

—No, no tengo ninguna que tenga imagen simbólica.

1. tener una imagen simbólica
2. tener mensaje político o ecológico
3. glorificar un equipo deportivo, etc.
4. criticar algo directamente
5. hacer sátira de algo
6. tener una obra de arte
7. tener algo gracioso

ACTIVIDAD 9 Críticos de arte

En grupos de tres, miren el último cuadro que hizo una pintora mexicana y en el cual se representó a sí misma. Lean el nombre de la pintura y después discutan las siguientes ideas.

1. su reacción al mirar el cuadro
2. por qué tienen esa reacción
3. todos los detalles que hay en el cuadro: la luz, las sombras, las figuras, las líneas diagonales y las curvas, los colores
4. cuál creen que haya sido la fuente de inspiración de la artista
5. cuál es el mensaje del cuadro

Sueño y presentimiento, María Izquierdo (1906-1955).

¿Lo sabían?

Durante muchos siglos las artes estuvieron dominadas por los hombres, ya que eran ellos quienes recibían apoyo financiero para crear su obra y quienes tenían fama mundial. Actualmente también se reconocen las contribuciones de las artistas. Entre las más conocidas de Hispanoamérica se encuentran las mexicanas Frida Kahlo (1907-1954) y María Izquierdo (1902-1955), que lograron reconocimiento gracias a su conexión con Diego Rivera. Otras artistas conocidas en la actualidad son las argentinas Lidy Prati (1921-) y Liliana Porter (1941-), la colombiana Ana Mercedes Hoyos (1930-), Marisol Escobar (1930-), de ascendencia venezolana, y la cubana Ana Mendieta (1948-1985).

¿Puedes nombrar alguna artista famosa del pasado o del presente? ¿Qué sabes sobre ella?

II. Expressing Influence, Feelings, and Doubt in the Past

The Imperfect Subjunctive

In previous chapters you learned many uses of the subjunctive:

Chapter 5: influencing, suggesting, persuading, and advising
Chapter 6: expressing feelings, opinions, belief, and doubt
Chapter 7: describing what one is looking for and expressing pending actions
Chapter 8: expressing restriction, possibility, purpose, and time

In this chapter you will learn how to express all of the preceding uses, but in reference to the past. In the interview you heard, the Panama hat expert used the imperfect subjunctive when she discussed an artisan's past desire that her daughter and granddaughter learn to make the hats: **"Había una artesana que quería que su hija y su nieta *aprendieran* [este arte]."**

1. To form the imperfect subjunctive (**imperfecto del subjuntivo**):

a. use the third person plural of the preterit: **pagaron**
b. drop the -**ron** ending: **paga~~ron~~**
c. add the following subjunctive endings to all -**ar,** -**er,** and -**ir** verbs.

pagar → paga~~ron~~		decir → dije~~ron~~	
que paga**ra**	que pagá**ramos**	que dije**ra**	que dijé**ramos**
que paga**ras**	que paga**rais**	que dije**ras**	que dije**rais**
que paga**ra**	que paga**ran**	que dije**ra**	que dije**ran**

To review formation of the preterit and of the imperfect subjunctive, see Appendix A, pages 607–609 and 614, respectively.

Note: There is an optional form, frequently used in Spain and in some areas of Hispanic America, in which you substitute -**se** for -**ra;** for example: **pagara** = **pagase; dijéramos** = **dijésemos.**

2. Once you have determined that a subjunctive form is needed, you must decide which of the following forms to use.

present subjunctive	**que compre, que compres,** etc.
present perf. subjunctive	**que haya comprado, que hayas comprado,** etc.
imperfect subjunctive	**que comprara, que compraras,** etc.

Use the following guidelines to determine which form is needed.

a. As you studied in previous chapters, when the verb in the independent clause refers to the present or the future, you use the present subjunctive in the dependent clause to refer to a present or future action or state.

	Independent Clause Present/Future	Dependent Clause Present Subjunctive (Present/Future Reference)
Influencing: Chapter 5	Mi jefe **va a querer** *My boss is going to want*	**que** yo **trabaje** en su estudio de arte. *me to work in his art studio.*
Indirect commands: Chapter 5	**Te dice** *He's telling you*	**que traigas** las esculturas. *to bring the sculptures.*
Feelings: Chapter 6	**Me alegra** *I'm glad*	**que** el museo **abra** temprano. *that the museum opens early.*
What one is looking for: Chapter 7	**Buscamos** un diseño *We are looking for a design*	**que sea** moderno. *that is modern.*
Pending actions: Chapter 7	**Quiero vender** mi cuadro *I want to sell my painting*	**en cuanto termine** de pintarlo. *as soon as I finish painting it.*
Time: Chapter 8	**¿Vas a reescribir** el contrato *Are you going to rewrite the contract*	**antes de que lleguen?** *before they arrive?*

b. As you studied in Chapter 6, when the verb in the independent clause refers to the present and the dependent clause refers to a past action or state, you use the present perfect subjunctive in the latter.

	Independent Clause Present	Dependent Clause Present Perfect Subjunctive (Past Reference)
Doubt: Chapter 6	**Es probable** *It's probable*	**que** el artesano **haya visto** ese cuadro. *that the artisan has seen the painting.*
Feelings: Chapter 6	No **me sorprende** *It doesn't surprise me*	**que hayan censurado** tu escultura. *that they have censored your sculpture.*

c. When the verb in the independent clause refers to the past and the dependent clause refers to a past action or state, use the imperfect subjunctive in the dependent clause.

Independent Clause Past	Dependent Clause Imperfect Subjunctive (Past Reference)
Ella me **había aconsejado**	**que comprara** esa reproducción.
She had advised me	*to buy that reproduction.*
Nosotros **dudábamos**	**que** la pintura **fuera** auténtica.
We doubted	*that the painting was authentic.*
Quería un sombrero panamá	**que** no **costara** un dineral.
I wanted a Panama hat	*that didn't cost a fortune.*
Estudió muchísimo	**para que** la **admitieran** en la escuela de Bellas Artes.
She studied a lot	*so that they would admit her to the School of Fine Arts.*
Le **iba a hablar**	**cuando** él **llegara** a casa.
I was going to talk to him	*when he arrived home.*

Influencing: Chapter 5

Doubt: Chapter 6

What one is looking for: Chapter 7

Purpose: Chapter 8

Pending Action: Chapter 7

Note that if actions are pending in the past, they take the imperfect subjunctive.

ACTIVIDAD 10 El arte del pasado

Museo del Prado

Parte A: Lee las siguientes páginas sobre el arte en España y complétalas con el imperfecto del subjuntivo de los verbos que aparecen en el margen.

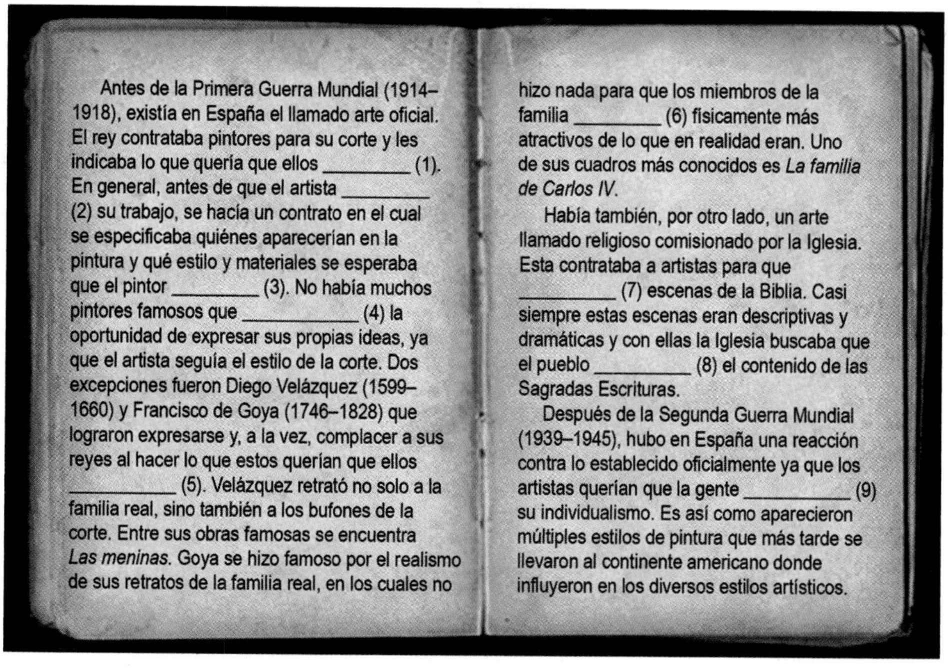

Antes de la Primera Guerra Mundial (1914–1918), existía en España el llamado arte oficial. El rey contrataba pintores para su corte y les indicaba lo que quería que ellos ________ (1). En general, antes de que el artista ________ (2) su trabajo, se hacía un contrato en el cual se especificaba quiénes aparecerían en la pintura y qué estilo y materiales se esperaba que el pintor ________ (3). No había muchos pintores famosos que ________ (4) la oportunidad de expresar sus propias ideas, ya que el artista seguía el estilo de la corte. Dos excepciones fueron Diego Velázquez (1599–1660) y Francisco de Goya (1746–1828) que lograron expresarse y, a la vez, complacer a sus reyes al hacer lo que estos querían que ellos ________ (5). Velázquez retrató no solo a la familia real, sino también a los bufones de la corte. Entre sus obras famosas se encuentra *Las meninas*. Goya se hizo famoso por el realismo de sus retratos de la familia real, en los cuales no hizo nada para que los miembros de la familia ________ (6) físicamente más atractivos de lo que en realidad eran. Uno de sus cuadros más conocidos es *La familia de Carlos IV*.

Había también, por otro lado, un arte llamado religioso comisionado por la Iglesia. Esta contrataba a artistas para que ________ (7) escenas de la Biblia. Casi siempre estas escenas eran descriptivas y dramáticas y con ellas la Iglesia buscaba que el pueblo ________ (8) el contenido de las Sagradas Escrituras.

Después de la Segunda Guerra Mundial (1939–1945), hubo en España una reacción contra lo establecido oficialmente ya que los artistas querían que la gente ________ (9) su individualismo. Es así como aparecieron múltiples estilos de pintura que más tarde se llevaron al continente americano donde influyeron en los diversos estilos artísticos.

admirar
aprender
comenzar
hacer
parecer
pintar
representar
tener
utilizar

Parte B: En parejas, miren el cuadro de Velázquez, *Las meninas*, y contesten estas preguntas.

1. ¿A cuántas personas pintó Velázquez en este cuadro? ¿Cuántas están en primer plano y cuántas están en el fondo?
2. ¿Pueden encontrar al artista en el cuadro? ¿Hacia dónde mira?
3. Velázquez pintó a los reyes y a la Infanta (*Princess*) Margarita en el cuadro. ¿Pueden encontrarlos?
4. ¿Quiénes quería el pintor que fueran las personas principales, la Infanta o los reyes?
5. ¿Qué otros personajes se ven en el cuadro?
6. ¿Es una pintura estática o hay movimiento?
7. ¿Pueden deducir algo sobre la vida diaria del Palacio Real?

ACTIVIDAD 11 Se oyó en un museo

Parte A: Estás en un museo y escuchas lo que dicen algunas personas que están a tu alrededor. Completa los comentarios con el presente del subjuntivo, el pretérito perfecto del subjuntivo o el imperfecto del subjuntivo de los verbos que están entre paréntesis.

1. Quería que ____________________ el horror de la guerra. (observar)
2. Nos rogó que lo ____________________ lo antes posible. (hacer)
3. Dudo que ayer ella los ____________________. (convencer)
4. Sentí mucho que tú no ____________________ ir al picnic. (poder)
5. Les recomendé que ____________________ a las doce. (venir)
6. Quiero que mañana tú ____________________ a los Ramírez a comer en el mejor restaurante. (invitar)
7. ¿Crees que nosotros ____________________ algunos en la exhibición de mañana? (vender)
8. La policía dice que no hay nadie que lo ____________________. (ver)
9. Lo hizo sin que tú ____________________ presente. (estar)
10. Ella no iba a descansar hasta que la ____________________. (terminar)

Parte B: Ahora, en parejas, usen la imaginación y creen un contexto para cinco o seis de las oraciones. El contexto debe contener la siguiente información.

- quién la dijo
- a quién se la dijo
- en referencia a qué

Usen expresiones como: **Es posible/probable que se la haya dicho... a... porque...**

ACTIVIDAD 12 Las exigencias de nuestros padres

Parte A: Cuando Uds. estaban en la escuela secundaria, probablemente escuchaban muchas exigencias de sus padres. En parejas, túrnense para preguntarle a su compañero/a si estas eran o no algunas de las exigencias de sus padres. Para formar oraciones, combinen una frase de la primera columna con una de la segunda. Sigan el modelo.

► exigirle / volver a casa temprano

—¿Te exigían tus padres que volvieras a casa temprano?

—Sí, mis padres me exigían que volviera a casa temprano.

—No, mis padres no me exigían que volviera a casa temprano.

	Exigencias
preferir	• (no) poner la música a todo volumen
insistir en	• sacar buenas notas en la escuela
esperar	• (no) andar con malas compañías
exigirle	• hacer la cama
recomendarle	• (no) ver mucha televisión
prohibirle	• (no) pelearse con su hermana/o
pedirle	• (no) beber alcohol
(no) querer	• (no) consumir drogas
	• (no) hacerse tatuajes
	• ¿?

Parte B: En parejas, hablen de las exigencias que les hacen sus padres ahora. ¿Son iguales a las que les hacían cuando estaban en la secundaria o son diferentes? Usen oraciones como: **Cuando era menor me exigían que..., pero/y ahora insisten en que...**

ACTIVIDAD 13 Era importante que...

Di qué cosas de la siguiente lista eran o no importantes para ti cuando tenías diez años. Usa expresiones como: **(no) interesarle, (no) querer, (no) ser importante.**

► tus amigos / ser / populares

Cuando tenía diez años, me interesaba que mis amigos fueran populares.

1. tener muchas cosas
2. tus amigos / respetarte
3. llevar ropa de moda
4. tus padres / estar / orgullosos de ti
5. cuidar el físico
6. tu equipo de fútbol/béisbol / ganar
7. tus maestros / no darte / tarea
8. tener muchos amigos
9. tus hermanos / no tocar / tus cosas
10. ¿?

Remember: if you have no change of subject, use the infinitive.

ACTIVIDAD 14 Tus amigos de la secundaria

En grupos de tres, digan qué tipo de amigos querían tener y tenían cuando estaban en la escuela secundaria. Pueden usar las siguientes ideas. Sigan el modelo.

▶ Buscaba amigos que fueran cómicos.

▶ Tenía amigos que no consumían drogas.

- (no) hablar mal de ti
- (no) practicar deportes
- (no) tener mucho dinero
- (no) vivir cerca de ti
- (no) gustarles fumar
- (no) tener carro
- (no) chismear (*gossip*)
- (no) estudiar mucho
- (no) ser divertidos
- ¿?

ACTIVIDAD 15 Los mejores y los peores

En parejas, terminen estas frases para hablar de los mejores y peores trabajos que han tenido.

Los trabajos terribles	Los trabajos fantásticos
El/La jefe/a siempre quería que nosotros...	El/La jefe/a siempre quería que nosotros...
Nos exigía que...	Nos exigía que...
Nos prohibía que...	Nos permitía que...
Me molestaba que mi jefe/a...	Me encantaba que mi jefe/a...
Siempre hacía comentarios negativos para que...	Siempre hacía comentarios positivos para que...

ACTIVIDAD 16 Creencias del pasado

Forma oraciones para expresar las creencias falsas que tenía la gente en el pasado y contrástalas con lo que se sabe ahora. Sigue el modelo.

▶ no creer / el insecticida DDT / causar / problemas para el ser humano

—En el pasado la gente no creía que el insecticida DDT causara problemas para el ser humano.

—Es verdad, pero ahora sabemos que...

1. no creer / el asbesto / ser / peligroso para el ser humano
2. estar segura / la tierra / ser / plana
3. creer / el consumo de muchas proteínas / ser / bueno para la salud
4. no creer / la cocaína / ser / una droga
5. dudar / el hombre / poder / volar

ACTIVIDAD 17 La hipótesis del cuadro

Parte A: En grupos de tres, miren el cuadro que está a continuación y contesten las preguntas para formar una hipótesis sobre su contenido y su historia.

1. ¿Es una escena estática o hay movimiento? Den ejemplos para justificar su respuesta.
2. ¿En qué año más o menos creen Uds. que el/la artista haya pintado el cuadro?
3. ¿Creen que lo haya pintado un hombre o una mujer? ¿Por qué?
4. ¿Quiénes son las figuras centrales del cuadro? ¿Cómo son? ¿Qué hacen un día normal? ¿Por qué creen que el/la artista haya escogido presentarlos en blanco y negro en vez de color?
5. ¿Qué quería el/la artista que sintiéramos al ver esta escena: tristeza, orgullo, felicidad, melancolía? ¿Algo más? Justifiquen su respuesta.

Parte B: Ahora escuchen la información que les va a dar su profesor/a sobre el cuadro para ver qué adivinaron de la Parte A.

Botero

ACTIVIDAD 18 Interpretación de un cuadro

Parte A: Mira el cuadro y lee qué dijo un colombiano al verlo. Luego prepárate para hablar de la información que aparece después de la descripción.

Fuente hispana

La familia presidencial, Fernando Botero (1932-).

"Me acuerdo del día en que visité el Museo Nacional de los Estados Unidos en Washington, D.C. Fui con unos parientes que me estaban visitando y por accidente nos metimos donde se estaban exponiendo los óleos del pintor colombiano Fernando Botero.

Lo que estaba viendo en ese momento me fascinó. Parecía que el maestro había pintado a mi familia. Allí, en el lienzo, claramente podía yo ver a mi papá vestido de modo muy conservador; a mi tío, el coronel, quien era miembro del ejército colombiano, que resplandecía con sus medallas e imponía una sensación de firmeza; a mi primo, el cura, quien había estudiado en Roma y decían que iba a ser arzobispo dentro de muy poco tiempo, lo había pintado como una figura humilde y sencilla. Mi madre, a quien Botero había pintado en el centro del cuadro, estaba bien vestida y mantenía una expresión serena, pero a la misma vez aburrida; a la izquierda del cuadro, estaba mi abuela, quien sostenía a mi hermana menor. Mi abuela era idéntica a mi papá. Mi hermana, sentada sobre mi abuela, se veía bellísima, pero también tenía esa mirada aburrida que mantenía mi mamá. Podía ser que ya se hubieran dado cuenta de los límites que la sociedad les estaba imponiendo. Yo también estaba en ese cuadro insolente; el pintor me había colocado detrás de todos, medio escondido, porque yo era el escándalo de la familia. Mi padre quería que yo fuera abogado o médico, pero, en cambio, yo salí del país y me fui a los Estados Unidos a estudiar literatura.

Y al fondo del cuadro, Botero había pintado la gran cordillera de los Andes, algo que me hacía falta aquí en Washington D.C., porque todo era plano en esta ciudad. Salí del museo queriendo agradecerle a Botero por haberle mostrado al mundo una parte de mi identidad colombiana." ■

1. Describe otro elemento del cuadro; algo que no menciona el colombiano.
2. Explica de qué modo muestra el cuadro la identidad colombiana del hombre que lo describe.

Parte B: Ahora en grupos de tres, haga uno el papel del joven colombiano y los otros dos el papel de los padres, y representen el día en que el hijo les dice a sus padres que se va a estudiar literatura a los Estados Unidos.

III. Shifting the Focus in a Sentence

The Passive Voice

Many sentences you have dealt with up to this point have been in the active voice (**la voz activa**). That is to say that the subject (agent or doer of the action) does something to someone or something (the object of the action).

ACTIVE VOICE		
Subject (Agent or doer)	**Action**	**Object**
Botero	pintó	el cuadro *La familia presidencial.*
Botero	*painted*	*the painting* The Presidential Family.
La prensa	ha publicado	las críticas de la exhibición.
The press	*has published*	*the critiques of the exhibition.*

1. The passive voice (**la voz pasiva**), which in Spanish is mainly found in writing, is used to place emphasis on the action and the receiver of the action instead of the agent or doer of the action. In Spanish, as in English, the passive construction is formed by reversing the word order, that is, the object becomes the subject.

PASSIVE VOICE			
Passive Subject	**ser + *past participle***	**por**	**Agent or Doer**
El cuadro *La familia presidencial*	**fue** pintad**o**	por	Botero.
The painting The Presidential Family	*was painted*	*by*	*Botero.*
Las críticas de la exhibición	**han sido** publicad**as**	por	la prensa.
The critiques of the exhibition	*have been published*	*by*	*the press.*

Notice that the past participle agrees in gender and in number with the passive subject. To review past participle formation, see Appendix A, page 615.

2. In many passive sentences it is possible to omit the agent (the phrase with **por**) when it is obvious, irrelevant, a secret, or unknown.

La obra de Picasso **fue aclamada** (por la gente).

3. Another way to express an idea where the doer of the action is not important, is to use the **se** + *singular/plural verb* construction. This construction, the *passive* ***se***, is very common in everyday speech. To review, see Chapter 5, page 230.

Se critica a Botero con frecuencia.	*Botero is criticized frequently.*
Se exhiben cuadros fantásticos en esa galería.	*Great paintings are exhibited in that gallery.*

ACTIVIDAD 19 ¿Ciertas o falsas?

Pon estas oraciones sobre el arte y la arqueología en la voz pasiva y después decide si son ciertas o falsas. Corrige las falsas.

1. Los romanos construyeron La Alhambra en Granada.
2. Velázquez pintó el cuadro *Las meninas.*
3. Los aztecas construyeron Machu Picchu.
4. Frank O. Gehry diseñó el Museo Guggenheim Bilbao.
5. Salvador Dalí pintó muchos murales en México.
6. María Izquierdo pintó *Sueño y presentimiento.*

ACTIVIDAD 20 Acontecimientos importantes

Forma oraciones con la voz pasiva usando palabras de las tres columnas. Si no estás seguro/a, adivina.

► El primer mail mandar Ray Tomlinson en 1971

El primer mail fue mandado por Ray Tomlinson en 1971.

La canción "El imbécil"	componer	Pierre y Marie Curie
La vacuna contra la polio	crear	Pablo Picasso
La película *Hable con ella*	desarrollar	León Gieco
La Quinta Sinfonía	grabar	Pedro Almodóvar
El cuadro *Guernica*	dirigir	Alberto Einstein
La teoría de la relatividad	descubrir	Isabel Allende
El metal radio	pintar	Jonas Salk
La novela *La casa de los espíritus*	escribir	Beethoven

IV. Using the Infinitive

Summary of Uses of the Infinitive

During this course you have used the infinitive in a variety of situations. The following rules will help you review the different uses. Use an infinitive:

1. after verbs such as **deber, querer, necesitar, desear, soler,** and **poder**.

Quiero ir a la exhibición de Goya.	*I want to go to Goya's exhibition.*
Ella **desea tener** una escultura de él y luego **invitar** a todos sus amigos para que la vean.	*She wants to have a sculpture by him and then invite all her friends to see it.*

2. after **tener que** and **hay que**.

Tengo que escribir una crítica sobre ese mural.	*I have to write a critique of that mural.*
No hay que ser rico para soñar.	*You don't have to be rich to dream.*

3. after impersonal expressions such as **es posible** or **es necesario** when there is no specific subject mentioned.

No es posible pintar bien sin recibir instrucción previa.	*It's not possible to paint well without receiving previous instruction.*

4. directly after the prepositions **a, de, para, por,** and **sin**.

Después de pintar por muchos años, Ernesto fue finalmente aceptado en el mundo del arte.	*After painting for many years, Ernesto was finally accepted in the art scene.*
No puedes entrar a la exhibición **sin tener** invitación.	*You can't enter the exhibition without having an invitation.*

preposition + infinitive (**después de obtener**)

If a gerund in English, infinitive in Spanish.

English: *preposition + gerund* (*after getting*)

5. after **al**.

Al ver el cuadro, Marisel sintió nostalgia por su pueblo.	*Upon seeing the painting, Marisel felt nostalgic about her village.*

6. after verbs like **gustar**.

To review verbs like **gustar,** see pp. 5–6.

A Carlos no le **gusta vender** ni **regalar** sus obras de arte.	*Carlos doesn't like selling nor giving away his works of art.*

7. when a verb is the subject of the sentence.

Expresar lo que uno siente es a veces necesario.	*Expressing what one feels is sometimes necessary.*

ACTIVIDAD 21 Ideas sobre el arte

Completa estas ideas sobre el arte con el infinitivo y otras palabras necesarias.

1. Si quieres interpretar una obra de arte es imprescindible...
2. Para... lo que pinta un artista a veces es necesario... el contexto histórico.
3. Un artista se expone a la crítica al...
4. Un escultor a veces no puede...
5. ... un cuadro y... una crítica es fácil, pero pintar una obra maestra es muy difícil.
6. Muchos artistas ganan poco dinero por...
7. Antes de... una obra de arte, es importante... y también se debe...

ACTIVIDAD 22 Mensajes informativos

En grupos de tres, Uds. son locutores de una emisora de radio y tienen que escribir una serie de mensajes cortos para informarle al público sobre las múltiples oportunidades que hay para ver arte en su ciudad. Al escribir los mensajes integren diferentes usos del infinitivo cuando sea posible. A continuación hay una lista de cinco eventos a los que la gente puede asistir este mes.

¿Qué?	¿Dónde?
La historia en cuadros - La historia de Latinoamérica 1492-1800, representación cronológica.	Museo de la Ciudad
Tú también puedes ser escultor - Oportunidad de crear con las manos para gente entre cinco y ochenta años.	Museo del Barrio Domingo, 14 de marzo a las 14:30
CIEN - Exhibición multimedia de fotografías en blanco y negro de 100 personas el día que cumplieron los 100 años. Cada foto viene acompañada de una narración de la persona misma.	Sala de exhibiciones del Banco de la República
Los murales del barrio - Visita a un barrio para explorar los murales hechos por jóvenes de la ciudad. Algunos van a estar allí para hablarnos sobre sus obras.	Lugar de encuentro: Puerta del Museo del Barrio Sábado, 20 marzo a las 13:00
Invenciones - prácticas, graciosas, ingeniosas e inútiles - Exhibición de invenciones de aparatos que se pueden encontrar en una casa y que nos hacen la vida más fácil.	Museo de Ciencias

► ¿Quieren **disfrutar** de una vida más fácil? ¿No les gusta **tener que atarse** los zapatos todos los días? No importa: una máquina puede **hacerlo.** Deben **visitar...**

V. Using Transitional Phrases

Expressions with *por*

Por is frequently used in transitional phrases that help to move a conversation or a narrative along. The following list contains common expressions with **por**.

por casualidad	by chance
por cierto	by the way
por ejemplo	for example
por esa razón	for that reason
por eso	that's why/therefore
por lo general	in general
por lo menos	at least
por un lado... por el otro / por una parte... por la otra	on one hand ... on the other
por otro lado / por otra parte	on the other hand
por (si) las dudas / por si acaso / por si las moscas	just in case
por lo tanto / por consiguiente	therefore
por supuesto	of course

ACTIVIDAD 23 Conversaciones breves

Parte A: Completa las siguientes conversaciones usando expresiones con **por.**

1
¿Adónde vas con esos prismáticos (*binoculars*)?
Los llevo ________________ . Sé que tenemos asientos en la séptima fila, pero quiero ver bien a los actores.

2
______________, me gusta esta escultura, pero ______________, me parece carísima.
Entonces no la compres.

3
Me fascinan las canciones de Lila Downs.
________________________, ¿escuchaste su última canción? Es excelente.

4
¿Has visto mi flauta ________________ ?
Creo que la vi en la mesa de la cocina, debajo del periódico.

5
Esta exhibición me parece malísima; ______________________, me voy.
Espérame, espérame que quiero ver algunos cuadros más.

6
¿Cuánto crees que cueste esa obra de arte?
No estoy seguro, pero debe costar ________________ 100.000 pesos.

Parte B: Ahora, en parejas, escojan una de las conversaciones y continúenla.

ACTIVIDAD 24 Los comentarios

En parejas, digan qué piensan sobre cada una de las siguientes ideas usando por lo menos tres expresiones con **por** para cada situación.

► Las artesanías no son arte.

Por lo general eso es lo que piensa mucha gente y **por eso** no se aprecia el trabajo de los artesanos. **Por otro lado,** ...

1. El grafiti es arte.
2. Hay censura artística en este país.
3. Algún día van a desaparecer los libros.

ACTIVIDAD 25 ¿Censura o no?

De vez en cuando los gobiernos o gente adinerada le pagan a un artista para que haga arte público. En 1933, por ejemplo, Nelson Rockefeller contrató a Diego Rivera, el muralista mexicano, para que pintara un mural en una de las paredes del Centro Rockefeller en Nueva York. En el mural, Rivera incluyó un retrato de Vladimir Lenin, pero a Rockefeller no le gustó y le pidió a Rivera que cambiara la cara de Lenin por la de un individuo desconocido. Rivera rechazó la idea y Rockefeller lo despidió y destruyó el mural para que no se viera. Un individuo que financia una obra de arte puede censurar al artista que emplea, pero ¿qué ocurre cuando es un gobierno el que patrocina la obra? Divídanse en dos grupos para debatir la siguiente idea.

Los gobiernos no deben patrocinar obras de arte que la mayor parte de la población no acepta.

Cada grupo tiene cinco minutos para preparar su argumento, uno a favor o y el otro en contra. Su profesor/a va a moderar el debate.

Do the corresponding web activities to review the chapter topics.

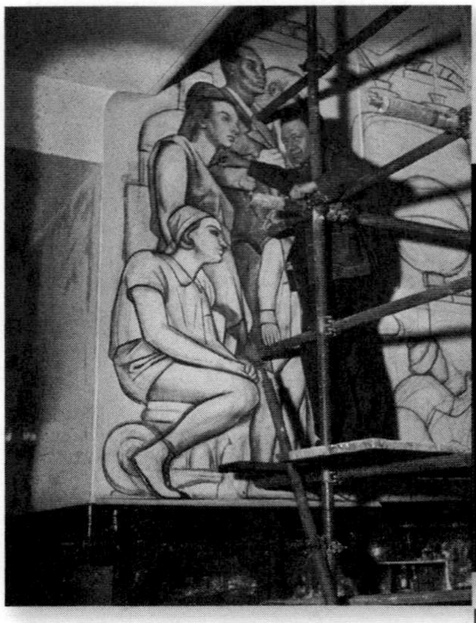

Diego Rivera pinta un mural en el Centro Rockefeller de Nueva York.

La zampoña, instrumento prohibido durante la dictadura de Pinochet en Chile.

Alicia Alonso, bailarina y coreógrafa cubana. Se prohibió su entrada en los Estados Unidos durante el régimen de Castro.

Vocabulario activo

CAPÍTULO 9

El arte

el/la artista *artist*
el autorretrato *self-portrait*
la burla *mockery*
burlarse de *to mock/joke (make fun of)*
el cuadro/la pintura *painting*
dibujar *to draw*
el dibujo *drawing*
la escena *scene*
el/la escultor/a *sculptor*
la escultura *sculpture*
la estatua *statue*
expresar *to express*
el fondo *background*
la fuente de inspiración *source of inspiration*
glorificar *to glorify*
la imagen *image*
el mensaje *message*
la naturaleza muerta *still life*
la obra abstracta *abstract work*
la obra maestra *masterpiece*
el paisaje *landscape*
pintar *to paint*
el/la pintor/a *painter*
el primer plano *foreground*
la reproducción *reproduction*
el retrato *portrait*
la sátira *satire*
el simbolismo *symbolism*
simbolizar *to symbolize, signify*
el símbolo *symbol*

Apreciación del arte

el censor *censor*
la censura *censorship; censure*
censurar *to censor; to censure*
la crítica *critique*
criticar *to critique; to criticize*
el crítico *critic*
la interpretación *interpretation*
interpretar *to interpret*

Expresiones para hablar de un cuadro

(No) Me conmueve. *It moves/doesn't move me.*
Me siento triste / contento/a al verlo. *I feel sad/happy when I see it.*
Ni me va ni me viene. / Ni fu ni fa. *It doesn't do anything for me.*
No tiene ni pies ni cabeza. *I can't make heads or tails of it.*
No tiene (ningún) sentido para mí. *It doesn't make (any) sense to me.*
¡Qué horrible! *How horrible!*
¡Qué maravilla! *How marvelous!*
¿Qué te parece (este cuadro)? *What do you think (about this painting)?*

Expresiones con *por*

por casualidad *by chance*
por cierto *by the way*
por ejemplo *for example*
por esa razón *for that reason*
por eso *that's why/therefore*
por lo general *in general*
por lo menos *at least*
por lo tanto / por consiguiente *therefore*
por un lado... por el otro / por una parte... por la otra *on one hand ... on the other*
por otro lado / por otra parte *on the other hand*
por (si) las dudas / por si acaso / por si las moscas *just in case*
por supuesto *of course*

Expresiones útiles

¿A qué se debe eso? *What do you attribute that to?*
un dineral *a great deal of money / a fortune*
llevarle (a alguien) + *time period* *to take (someone) +* time period
se me fueron las ganas de + *infinitive* *I didn't feel like + -*ing *anymore*

Más allá

Canción: "Dalí"

Mecano

Los hermanos Nacho y José María Cano, junto con Ana Torroja, formaron en España el conjunto Mecano en 1981, durante la época de "la movida". Su música, de estilo tecno pop, era muy popular con los jóvenes de esa época. También cantaron algunas de sus canciones en francés e italiano, así que durante los diez años que estuvieron juntos, se oyó su música en España, Francia, Italia y Latinoamérica. Su primer éxito fue "Hoy no me puedo levantar" y, casi 25 años después, José María Cano escribió una obra musical sobre las canciones del grupo que se estrenó en los teatros de Madrid.

ACTIVIDAD **El genio**

Parte A: Antes de escuchar la canción sobre el famoso Eugenio Salvador Dalí, contesta las siguientes preguntas.

1. ¿Quién y cómo era?
2. ¿Por qué características faciales era conocido?
3. ¿De dónde era?
4. ¿Cuál era el estilo de su obra?

Parte B: Mira las siguientes ideas y luego escucha la canción para marcar las que se mencionan. Para algunos puntos hay más de una opción correcta.

Dalí era un...	___ genio	___ intelectual	___ loco	___ obsesivo
Al morir tenía unos...	___ 70 años	___ 80 años	___ 90 años	___ 100 años
Vivía en..., España	___ Cadaqués	___ Marbella	___ Toledo	___ Valencia
Estilo de su obra	___ cubista	___ impresionista	___ realista	___ surrealista
Cosas importantes para él	___ el dinero	___ Dios	___ su hermana Ana María	___ su esposa Gala
Él debe reencarnarse en...	___ lápiz o pincel	___ lienzo o papel	___ sí mismo	___ su obra maestra

Parte C: Según la canción, el artista era un genio y un loco. En grupos de tres, hablen de las siguientes preguntas.

1. ¿Conocen a alguien que sea un loco? ¿Y a alguien que sea un genio? ¿Y a alguien que sea las dos cosas? ¿Creen que sea posible ser un genio y un loco a la vez o es que los genios son unos incomprendidos?
2. En su opinión, ¿qué es preferible: ser una persona cuerda con inteligencia normal o ser un genio con algo de locura?

Videofuentes: *El arte de Elena Climent*

Antes de ver

ACTIVIDAD 1 Tu carrera y tu futuro laboral

Antes de ver el primer segmento sobre cómo y por qué empezó a pintar la artista mexicana Elena Climent, habla sobre las siguientes preguntas.

1. ¿Ya sabes qué trabajo te gustaría tener cuando termines la universidad? ¿Cuándo lo supiste y cuántos años tenías? Si no sabes, ¿qué crees que te pueda ayudar a tomar esa decisión?
2. Cuando terminaste la escuela secundaria, ¿qué querían tu padre o tu madre que estudiaras? ¿Hiciste lo que querían?
3. ¿Están de acuerdo tus padres con la carrera que estudias? ¿Por qué? Si no has elegido una especialización todavía, ¿les preocupa eso a tus padres?
4. ¿Estudias la misma carrera que estudió alguien de tu familia? Si contestas que sí, ¿qué influencia tuvo esa persona en la elección de tu carrera?

Elena Climent pintando en su casa.

Mientras ves

ACTIVIDAD 2 La pintora y su infancia

Ahora mira el primer segmento sobre Elena Climent hasta donde explica por qué su padre no quería que ella pintara. Mientras miras, piensa en las siguientes preguntas. Luego comparte las respuestas con el resto de la clase.

1. ¿Cuántos años tenía la artista cuando empezó a dibujar y por qué empezó?
2. ¿Qué ocupación tenía el padre?
3. ¿Por qué no quería el padre que ella pintara?

ACTIVIDAD 3 La influencia mexicana

Aunque esta artista mexicana vive en los Estados Unidos, se ve en su obra mucha influencia de su país natal. Observa el resto del video para escuchar la definición de los siguientes términos. Después busca ejemplos de cada uno en sus pinturas.

1. animismo
   definición: ______________________________
   ejemplo: ______________________________
2. reciclaje
   definición: ______________________________
   ejemplo: ______________________________
3. sincretismo
   definición: ______________________________
   ejemplo: ______________________________

Después de ver

ACTIVIDAD 4 Mirar un cuadro

Parte A: En grupos de tres, observen el siguiente cuadro y describan todos los elementos que ven. Luego den, por lo menos, dos ejemplos de elementos que muestren la influencia mexicana.

Mesa de mosaicos con espejo, Elena Climent (1955–).

Parte B: Climent pone en los cuadros partes de su vida que representan momentos de su pasado. En los mismos grupos de tres, imaginen que cada uno de Uds. tiene una mesa enfrente de una ventana y tiene que ponerle cosas que reflejen algún aspecto de su vida: su juventud, su familia, su escuela, su ciudad o pueblo, etc. Las cosas pueden ser una foto especial, un libro, una llave... lo que quieran. Expliquen qué van a poner en la mesa y cómo van a colocarlo todo. Digan también qué se puede ver por la ventana que está detrás de la mesa.

Proyecto: Comentar un cuadro

Investiga una de las siguientes obras de arte y escribe un informe.

- *Guernica* de Pablo Picasso
- *Shibboleth* de Doris Salcedo
- *La jungla* de Wilfredo Lam
- *La tamalada* de Carmen Lomas Garza
- *Las dos Fridas* de Frida Kahlo
- *Abu Ghraib* (serie de pinturas) de Fernando Botero

Busca información de por lo menos cuatro fuentes diferentes y no te olvides de citarlas (*cite*) correctamente. Incluye la siguiente información:

- nombre del cuadro
- breve biografía que incluya nombre del/de la artista, país de origen, fecha de nacimiento (y de muerte, si ya murió)
- descripción del contenido de la obra (paisaje, autorretrato, colores, símbolos, etc.)
- el mensaje del/de la artista (**Quería que..., Es posible que...,** etc.)

You should try to consult sources in Spanish, but be careful when writing your report to not *steal* sentences. You may paraphrase or quote. Use appropriate conventions for citing your sources and all quotes.

CAPÍTULO 9

Arte, identidad y realidad

See the *Fuentes* website for related links and activities: www.cengage.com/spanish/fuentes

Autorretrato en la frontera entre México y los Estados Unidos, 1932, Frida Kahlo (México).

ACTIVIDAD 1 Interpretación del arte

Activating background knowledge, Anticipating

Parte A: En grupos de tres, miren y comenten los cuadros que aparecen en este capítulo, usando las siguientes preguntas.

1. ¿Qué tipo de arte son? (pinturas, dibujos, esculturas, etc.)
2. Expliquen el tema o el mensaje de dos o tres de las obras.
3. ¿Cuáles son las dos que les gustan más? Comparen su contenido o su tema.

Parte B: Muchos artistas usan el arte para explorar su mundo y su propia identidad. El cuadro que aparece en la página anterior fue pintado por la artista mexicana Frida Kahlo durante una visita a Detroit, Michigan. En grupos de tres, miren la pintura y hagan la siguiente actividad usando el vocabulario que aparece a continuación.

la ambigüedad	*la explotación*	*la metáfora*
lo arcaico	*lo femenino*	*lo moderno*
la bandera	*la fertilidad*	*el pasado*
Carmen Rivera	*el futuro*	*el pedestal*
el cigarrillo	*lo indígena*	*la tecnología*
lo colonial	*la inhumanidad*	*la yuxtaposición*
el crecimiento	*lo masculino*	

Frida Kahlo estaba casada con el artista Diego Rivera cuando pintó este autorretrato; Carmen Rivera era su nombre de casada.

1. Comparen el lado izquierdo con el lado derecho.
2. Expliquen por qué la artista se representa en el centro.
3. Traten de descifrar lo que quiere expresar la artista.
4. Busquen un tema que aparezca en este cuadro y que aparezca también en otro cuadro del capítulo.

Lectura 1: Reseña de un libro

ESTRATEGIA DE LECTURA

Recognizing Clauses and Phrases
A characteristic of Spanish writing is the frequent use of long sentences. Understanding the structure of these sentences can help you understand their meaning. Some are simple sentences with a single main conjugated verb; others are compound sentences, which link two shorter sentences, or two independent clauses, with a conjunction such as **y** or **pero: Él pinta muchos cuadros, pero nunca logra venderlos.** Complex sentences are composed of a main clause and one or more dependent clauses. The dependent clause contains a conjugated verb and is introduced by the word **que**

Continúa en la página siguiente

for noun clauses, by relative pronouns (**que, quien, el/la cual,** etc.) for adjective clauses, or by adverbial conjunctions (**aunque, porque, para que, como, cuando, ya que, si,** etc.) for adverbial clauses.

A good way to analyze complex sentences is to break them down into smaller sentences.

> Los cuadros **que había pintado Elena Climent** se vendieron rápidamente. =
>
> (1) Los cuadros se vendieron rápidamente
>
> + (2) Elena Climent había pintado los cuadros

The adjective clause in the preceding example is a restrictive clause; it limits the paintings to those painted by Elena Climent. The information in this restrictive clause is important for determining the grammatical subject.

On the other hand, a nonrestrictive clause, set off with commas, adds extra, non-essential information.

> Las naturalezas muertas, **las cuales Climent había pintado el año anterior,** se vendieron rápidamente.

The **complemento circunstancial** is often equivalent to a prepositional phrase.

Another important element of Spanish sentences is the **complemento circunstancial,** which allows the inclusion of extra information describing where, when, how, with whom, etc.

> Los cuadros que ella había pintado se exhibieron **en una galería de arte.**
>
> Los cuadros que había pintado se vendieron **el año pasado.**
>
> Los cuadros que había paintado se vendieron **por medio millón de dólares** el año pasado.

Recognizing clauses and phrases

ACTIVIDAD 2 Análisis de oraciones

Mira la lectura sobre Frida Kahlo y su arte y busca un ejemplo de cada tipo de oración.

- una oración simple
- una oración compuesta (dos cláusulas independientes)
- una oración compleja (cláusula principal + cláusula dependiente)
- una oración con complemento circunstancial

Building vocabulary

ACTIVIDAD 3 Preparación léxica

Después de mirar las siguientes palabras sacadas de la lectura sobre Frida Kahlo, escoge una palabra adecuada para completar cada una de las siguientes oraciones.

atávico/a	*atavistic (related to ancestors' traits, primitive and/or visceral)*
atónito/a	*astonished, amazed*
capacitado/a	*qualified*
el sostén	*support*
la varilla	*rod, rail*

En algunos países, **el sostén** = *bra*.

1. Ella sintió un temor ____________ al ver las serpientes en el zoológico.
2. La tuvieron que llevar al hospital porque una ____________ metálica le había penetrado en el cuerpo.
3. La empresa no me contrató para el trabajo porque no me consideraba ____________ para el puesto.
4. Él se quedó ____________ al ver la conducta de su amigo borracho.
5. Ella tuvo que trabajar y contribuir al ____________ de su familia.

ACTIVIDAD 4 Contextos significativos

Guessing meaning from context

Las palabras indicadas en cada oración aparecen en la lectura sobre Frida Kahlo. Lee las oraciones y después asocia las expresiones de la segunda columna con las de la primera.

1. La mujer iba muy **ataviada:** llevaba un vestido negro elegante y collar de perlas.
2. El público se quedó atónito por la **indumentaria** del poeta: llevaba zapatos y ¡nada más!
3. Frida Kahlo dijo que pintaba **autorretratos** porque así llegaba a conocerse mejor.
4. Picasso pintó cientos de **telas** durante su vida.
5. El artista **padeció** una enfermedad grave durante muchos años y murió joven.
6. El nuevo estudiante no se llevaba bien con sus **condiscípulos,** pero se llevaba divinamente con los profesores.
7. La **convivencia** puede resultar difícil si una de las personas no contribuye lo suficiente al bienestar común de la pareja.
8. En mi familia no sabemos nada de leyes y por eso **acudimos** a un abogado.
9. El cocinero se había cortado el dedo y le **manaba** mucha sangre de la herida, pero él siguió su trabajo como si tal cosa.

1. ______ ataviado	a. una pintura de un/a artista hecha por él/ella mismo/a
2. ______ la indumentaria	b. el/la compañero/a de clase
3. ______ el autorretrato	c. el vivir juntos
4. ______ la tela	d. ir al sitio adonde uno debe ir
5. ______ padecer	e. sufrir
6. ______ el/la condiscípulo/a	f. vestido con elegancia

Continúa en la página siguiente

7. ____	la convivencia		g. fluir
8. ____	acudir		h. la pintura, el cuadro
9. ____	manar		i. la ropa

Annotating and reacting

ACTIVIDAD 5 Reacciones e ideas importantes

La siguiente reseña de un libro sobre Frida Kahlo apareció en la revista *Américas*. Mientras lees, apunta en el margen tus reacciones (**¡qué fascinante!, ¡qué raro!, ¡qué horror!, ¡qué locura!, estoy de acuerdo, basura, no comprendo,** etc.). Apunta o subraya también las ideas más importantes.

Frida Kahlo: El pincel de la angustia

Martha Zamora

Frida Kahlo, una de las figuras más celebradas de la pintura mexicana y la artista latinoamericana más conocida entre las de su generación, fue la esposa del gran muralista Diego Rivera. *Frida Kahlo: El pincel de la angustia* es una elogiable adición a la creciente lista de publicaciones sobre Kahlo.

La nueva biografía de Martha Zamora, que apareció primero en una edición privada bajo el título *El pincel de la angustia,* contiene más de un centenar de ilustraciones magníficas, incluyendo reproducciones de pinturas de Kahlo, fotografías de la pintora y recuerdos suyos.

Enferma de poliomielitis a los seis años, Frida padeció enfermedades durante toda su vida. Conoció a Diego mientras éste pintaba un mural en la Escuela Preparatoria Nacional donde ella estudiaba, pero en esa época Frida estaba enamorada de un condiscípulo y, aunque importunó a Rivera y dejó atónitos a sus compañeros de clase proclamando que adoraría tener un hijo del pintor, en realidad no llegó a conocerlo bien sino varios años más tarde.

A los dieciocho años, Frida sufrió un serio accidente de tránsito en el cual la varilla metálica de un pasamanos penetró en su cuerpo dañándole el útero. Comenzó a pintar durante su convalecencia y, tras recuperarse, debió comenzar a trabajar para ayudar al sostén de su familia. Fue entonces que acudió a Rivera para solicitarle su opinión acerca de su pintura, pues necesitaba saber si estaba o no capacitada para ganarse la vida como artista. Se enamoraron y en 1929, cuando ella tenía 19 años y Rivera 43, se casaron.

Al principio Frida subordinó su trabajo al de Diego. Cuidó de la casa para él y participó en sus actividades políticas, afiliándose al partido comunista y concurriendo a manifestaciones. Durante períodos prolongados pintó escasamente, pero a cierta altura comenzó a dedicar más tiempo a su trabajo y en algún momento se convirtió en una artista importante por derecho propio. Aunque Rivera apoyó su carrera e hizo mucho para que lograra el reconocimiento que merecía, era un hombre con el cual la convivencia resultaba difícil. Además de habérselas con sus enfermedades, Frida tenía que lidiar con el temperamento, las mentiras y los constantes amoríos de su marido. En 1939 Frida y Diego se divorciaron, pero al año siguiente volvieron a casarse.

Las pinturas de Frida, en su mayoría autorretratos, muestran a una mujer angustiada, a menudo con lágrimas en los ojos. Su autorretrato de 1948 la presenta ataviada con un hermoso vestido tehuano: tanto ella como Diego adoraban las artesanías mexicanas tradicionales y Frida vestía casi siempre trajes regionales. En su *Autorretrato dedicado al doctor Eloesser*

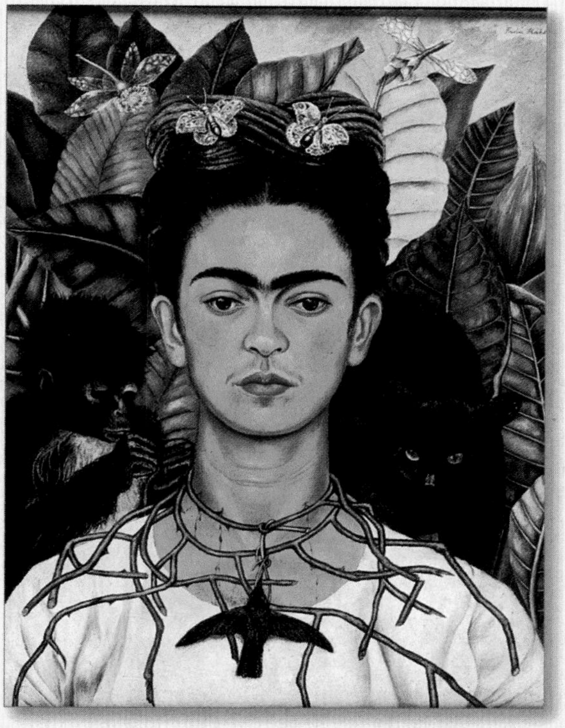

Autorretrato con collar de espinas y colibrí, 1940.

***Frida Kahlo: El pincel de la angustia,* Martha Zamora.** Traducción al inglés de Marilyn Sode Smith con el título *Frida Kahlo: The Brush of Anguish* (San Francisco, Chronicle Books)

aparece con un collar de espinas que lacera su piel. Asimismo en su *Autorretrato con collar de espinas y colibrí,* la sangre gotea de las heridas de su cuello.

Las dos Fridas, pintado el año de su divorcio de Diego, consiste en un doble autorretrato que sugiere la dualidad de la artista y su soledad: Frida es la única compañía de Frida. La de la izquierda aparece ataviada con el tipo de indumentaria tehuana preferido por Diego, con el vestido abierto y dejando a la vista su corazón herido. Representa a la Frida que Diego había amado una vez. De un extremo de una vena abierta manan gotas de sangre que caen sobre la falda, y el otro extremo se halla conectado al corazón de una Frida totalmente vestida. Una vena se envuelve en torno al brazo de esta segunda Frida y termina en un retrato minúsculo de Diego niño, el Diego que alguna vez fue, símbolo del amor perdido.

En su introducción, Martha Zamora explica cómo su concepto sobre Frida se vio alterado por la investigación que requirió la biografía. "Comencé mi trabajo totalmente fascinada por la perfecta heroína romántica, la que sufrió enormemente, murió joven y habló directamente, con su arte, a nuestros temores atávicos frente a la esterilidad y la muerte". Bajo la influencia de las pinturas y los escritos de Frida, en los cuales ésta proyectó la imagen de una artista atormentada, vio al principio a su personaje como una artista maravillosa aunque bastante improductiva, una esposa fiel y resignada, y una semiinválida que había llevado una vida triste y recluida. Sin embargo, sus investigaciones sacaron a luz una rebelde amante de las diversiones y dada a la

Las dos Fridas, 1940.

Continúa en la página siguiente

bebida, que tuvo incontables aventuras amorosas, con hombres y con mujeres. Frida viajó intensamente y llevó una vida activa, aparte de la de su marido. Además, pintó muchas más telas que las supuestas originalmente por Zamora.

Aunque la biógrafa insiste en la amplitud de su investigación, el texto contiene escasa información que no aparezca en otras biografías, como la de Hayden Herrera titulada *Frida: Una biografía de Frida Kahlo.* Zamora disipa el viejo mito de la obsesión de Frida con su maternidad frustrada, perpetuado por Bertram Wolfe, biógrafo de Rivera, y por otros. Zamora señala que Frida se sometió a varios abortos, no todos por razones terapéuticas.

Sin embargo, lo mejor del libro de Zamora no es, realmente, el texto, sino las ilustraciones. Escogidas con inteligencia y bellamente reproducidas, las pinturas de Frida cobran vida en estas páginas, y las fotografías de la artista, muchas de ellas tomadas por fotógrafos famosos, revelan en mayor grado que la prosa de Zamora, la pasión y la complejidad de Frida. Aunque Martha Zamora brinda algunas advertencias importantes, en definitiva las imágenes tienen mayor resonancia que las palabras. ■

Summarizing

ACTIVIDAD 6 Las partes de una reseña

Una reseña de libro es un resumen parcial y un comentario del mismo. Una buena reseña tiene la información indicada en el siguiente cuadro. Complétalo según la reseña que acabas de leer.

Título del libro:
Autor(a):
Tipo de texto (novela, historia, biografía, etc.):
Tema:
Personajes:
Lugar y época:
Acontecimientos principales:
Conceptos/aspectos importantes:
Comparación con otros textos:
Evaluación final:

Recognizing chronological order

ACTIVIDAD 7 La vida y el arte

Parte A: Coloca en orden cronológico los siguientes sucesos de la vida de la artista mexicana Frida Kahlo, refiriéndote al texto cuando sea necesario.

_____ Frida acompaña a Diego en sus actividades políticas.

_____ Frida declara que quiere tener un hijo de Diego Rivera.

_____ Frida sufre de poliomielitis.

_____ Comienza a estudiar en la Escuela Preparatoria Nacional.

_____ Frida Kahlo vuelve a casarse con Diego Rivera.

_____ Solicita la opinión de Diego Rivera sobre su arte.

_____ Frida sufre un serio accidente automovilístico.

_____ Frida y Diego se casan por primera vez.

Parte B: En parejas, reaccionen a los sucesos de la vida de Kahlo, incluyendo algunos de la Parte A además de otros que se comentan en la lectura. Usen oraciones como las siguientes.

Reacting to reading

- ▶ Fue trágico que ella tuviera un accidente automovilístico.
- ▶ Me sorprende que se casara dos veces con Diego Rivera.

ACTIVIDAD 8 Detalles e interpretaciones

Making inferences

En parejas, miren los dos autorretratos que aparecen en la lectura y el que está al principio del capítulo. Expliquen lo que creen que representan algunos detalles de cada retrato.

- ▶ Ella tiene un cigarrillo en la mano. Eso muestra su asociación con la vida moderna.
- ▶ Es probable que haya pintado dos Fridas para mostrar que...

ACTIVIDAD 9 Una compra importante

Analyzing and evaluating

En grupos de tres, imagínense que Uds. son los directores de un museo de arte y han decidido adquirir una obra de la artista mexicana Frida Kahlo. Están en venta tres autorretratos de Frida Kahlo: *Autorretrato en la frontera, Las dos Fridas* y *Autorretrato con collar de espinas y colibrí.* Decidan cuál es el cuadro que quieren comprar y después preparen un breve informe para justificar su decisión ante la junta general del museo.

Cuaderno personal 9-1

¿Crees que un/a artista tiene que sufrir mucho para crear grandes obras de arte? Cuando tú sufres, ¿cómo expresas tus sentimientos?

Lectura 2: Panorama cultural

ESTRATEGIA DE LECTURA

Dealing with Different Registers
A register is the type of language used in a particular situation. Formal and informal speech are examples of registers: *Good morning, sir.* versus *Hey!*, or **¿Cómo está Ud.?** versus **¿Qué tal?** In the same way that different registers are used in speech, there are different registers in writing. Some expressions and grammatical structures are only appropriate for informal uses, while other expressions and constructions, such as *be that as it may* or *thus,* may

Continúa en la página siguiente

sound unusual in informal situations, but appropriate in formal writing and formal speech. Similarly, formal letters in Spanish may begin with **Estimado/a señor/a** and close with **Atentamente,** while a letter to a friend may begin with **Querido/a...** and end with **Besos.** Authors generally use the register expected in the kind of text they are writing. For example, legal writing uses many legal terms, and academic writing is characterized by formal language. On the other hand, a creative writer of literature can break such conventions for rhetorical or artistic effect.

Register is also marked by grammatical differences. For instance, in the following reading, the title and several subtitles do not appear with initial articles, although their use is normal in other contexts. The removal of the article marks those bits of text as titles, and also marks a more formal style. Longer, more complex sentences are also typical of formal registers of written language.

Dealing with formal registers

ACTIVIDAD 10 El registro académico y artístico

Las siguientes expresiones formales aparecen en la lectura "Realidad y arte en Latinoamérica". Decide cuál es el sinónimo de cada expresión y escribe la letra en el espacio correspondiente. Usa el diccionario solo para confirmar tus decisiones.

1. _____ a la par con	a. con vigor
2. _____ el advenimiento	b. propio o natural de un lugar
3. _____ adinerado/a	c. acción de poner una cosa junto a otra
4. _____ de antaño	d. juntamente, al mismo tiempo
5. _____ autóctono/a	e. rasgo característico que se repite en una obra
6. _____ didáctico/a	f. lo que precede o va delante
7. _____ empero	g. fundamental
8. _____ el motivo (arte)	h. la llegada
9. _____ occidental	i. que enseña
10. _____ primordial	j. rico
11. _____ pujante	k. del pasado
12. _____ sea como fuere	l. del oeste
13. _____ la vanguardia	m. no importa cómo sea
14. _____ la yuxtaposición	n. sin embargo

Sea como fuere = *be that as it may*; **fuere** = futuro del subjuntivo de **ser.** Actualmente, solo se usa en ciertas expresiones hechas.

ACTIVIDAD 11 ¿Por qué el arte?

Activating background knowledge

Parte A: En grupos de tres, antes de leer, comenten las siguientes preguntas.

¿Cuáles son los temas y motivos más frecuentes del arte?
¿Por qué o para qué se crea el arte?

Annotating and reacting

Parte B: Mientras lees, escribe en un margen tus reacciones personales (por ejemplo, **interesante, imposible, ¡¿qué?!, ¿por qué?, confuso**), y escribe en el otro margen (o subraya) las ideas y los detalles más importantes. Estos apuntes te pueden ayudar a discutir la lectura en clase y a preparar un buen bosquejo.

Realidad y arte en Latinoamérica

La expresión artística latinoamericana se reconoce actualmente como una fuerza pujante y vital a nivel mundial. A pesar de los problemas y las contradicciones políticas y económicas de la región, las manifestaciones artísticas de Latinoamérica han sido ricas y diversas, y se han desarrollado siempre en íntima relación con las historias, las sociedades y las culturas regionales. Especialmente desde el siglo XX, las artes latinoamericanas han creado voces y tradiciones que se han difundido contrastando con las de Europa y los Estados Unidos, a la vez que participan en un diálogo artístico y cultural con esas sociedades, diálogo que es cada vez más fructífero gracias al avance de los medios de comunicación y a la globalización.

Fuerzas culturales del arte latinoamericano

¿Cómo se caracteriza el arte latinoamericano? Es una pregunta difícil de contestar, pero se pueden señalar diversas fuerzas culturales, íntimamente ligadas, que durante siglos han tenido una influencia particularmente marcada sobre el arte y la cultura latinoamericanos: la Iglesia católica, la conquista y colonización españolas, las monarquías española y portuguesa, las culturas indígenas y africanas, la civilización occidental, el aislamiento geográfico y psicológico de la región y la visión fantástica del mundo. Y es importante señalar que el arte no solo responde a estas fuerzas, a menudo criticándolas, sino que también contribuye a crear y definirlas, como en el caso de la Iglesia católica.

Iglesia católica

La Iglesia católica ha sido un factor primordial en el desarrollo histórico y cultural latinoamericano. Por un lado, muchos consideran que ha provisto unidad, estabilidad social y una visión coherente del mundo, mientras que otros ven su función como un medio de opresión, que refuerza los roles sociales tradicionales y limita la libertad individual. Sea como fuere, el papel predominante de la Iglesia se refleja de una manera u otra en el arte de toda la región, el cual abarca desde los temas netamente religiosos,

Continúa en la página siguiente

Collage de Bolívar, 1979, Juan Camilo Uribe (Colombia).

Hay que soñar en azul, 1986, Arnaldo Roche Rabell (Puerto Rico).

como en las obras didácticas y espirituales que adornan las iglesias, hasta la sátira y la crítica religiosa.

Conquista y colonización

A semejanza de la Iglesia, la conquista y la colonia han dejado una huella indeleble en la conciencia latinoamericana y en su arte. En países como México, donde se mezclaron las razas y predomina la población mestiza, el arte ha representado la explotación de los indígenas y de los pobres por parte de los conquistadores de antaño y de la clase adinerada y los grandes terratenientes de hoy. El tema de esta subyugación, de la lucha por la propia identidad política y social y del orgullo de la tradición indígena ha encontrado su expresión artística en el muralismo, arte mexicano por excelencia. Las obras de los tres grandes muralistas de principios del siglo XX, Diego Rivera, José Clemente Orozco y David Alfaro Siqueiros, y las de otros artistas contemporáneos, no solo reflejan la realidad de la vida mexicana sino que constituyen una declaración pictórica social, económica y política accesible a un pueblo que era en gran parte analfabeto.

Monarquías y autoritarismo

A la par con las clases dominantes y la jerarquía tradicional de la Iglesia, las monarquías española y portuguesa dejaron un legado de autoritarismo y paternalismo en Latinoamérica. Y, aunque el artista latinoamericano, por lo general, se ha abstenido de atacar directamente a un líder específico, a menudo ridiculiza al ejército, a las opresivas dictaduras militares y a los jefes y caciques políticos con una sátira aguda y letal.

Culturas indígenas y africanas

La familia presidencial, 1967, Fernando Botero (Colombia).

La herencia de las culturas indígenas y africanas también ha desempeñado un papel de suma importancia en la evolución del arte latinoamericano. El arte autóctono que antes se despreciaba, empezó a admirarse desde que floreció el movimiento de "vanguardia" de principios del siglo XX. Poco a poco, la belleza y autenticidad de las artes indígenas y africanas fue penetrando e influyendo en la obra de artistas contemporáneos. Especialmente en países con numerosa población indígena como Guatemala, México y los países de la región andina, el orgullo de la herencia precolombina es una reafirmación de la identidad cultural tanto del artista como de su pueblo. Los motivos humanos y animales, las representaciones tomadas de los ritos religiosos y las expresiones de la naturaleza, unen al artista a sus raíces indígenas o, en el Caribe, africanas.

Relación con la civilización occidental

Empero, es importante reconocer que, a pesar de la influencia de estas tradiciones, el artista latinoamericano se ha formado dentro del contexto de la civilización occidental. Ser latinoamericano es ser el producto de herencias indígenas, africanas y europeas que forman identidades distintas a las tradicionales de Europa. El artista latinoamericano conoce sus tradiciones y funciona dentro de ellas, pero a la vez, y hoy más que nunca, también funciona dentro de las exigencias del mundo contemporáneo y es parte activa de la comunidad artística internacional.

Como resultado, sus obras reflejan esas variadas influencias. A menudo, la religión, el indigenismo y las tradiciones van mano a mano con el materialismo, la tecnología, la sociedad de consumo y la globalización que dominan el mundo moderno. No obstante, el peso de las culturas y economías europeas y norteamericana ha llevado a los artistas latinoamericanos a reaccionar contra ellas y a intentar definir una identidad propia y separada de esas culturas extranjeras. Algunos han echado mano de las artesanías del pueblo, incorporando elementos indígenas en pinturas o murales, sobre todo en países como México, mientras que en países como Chile y Argentina, donde la población indígena es muy

Continúa en la página siguiente

Sueño de una tarde dominical en la Alameda, 1947–48, Diego Rivera (México).

pequeña, usan telas, muñecas o vasijas de fabricación tradicional y motivos autóctonos en las obras de arte.

Aislamiento

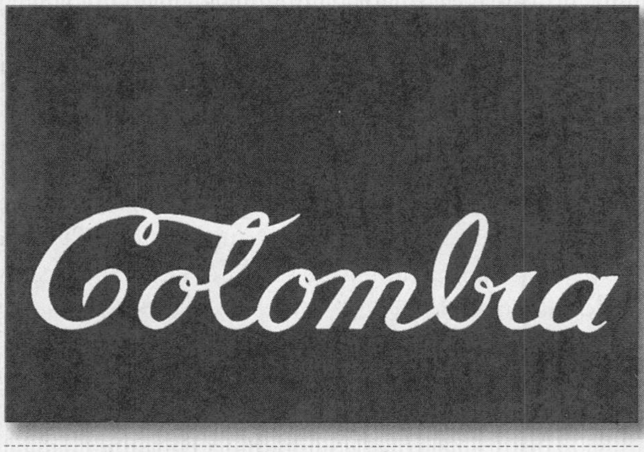

Colombia, 1976, Antonio Caro (Colombia).

A pesar de su íntima relación con la civilización occidental, el arte latinoamericano a menudo refleja y refuerza cierta sensación de aislamiento, tanto geográfico como psicológico. La abrupta geografía de grandes montañas, ríos caudalosos y selvas impenetrables mantuvo a muchas partes de Latinoamérica extremadamente aisladas hasta el advenimiento de la aviación a principios del siglo XX. Por otra parte, las guerras fronterizas entre países vecinos han alimentado cierta sensación de separación. Pero en el mundo contemporáneo, caracterizado por las comunicaciones instantáneas, este aislamiento va más allá del que demarcan los límites geográficos: es el aislamiento

íntimo del individuo que habita el mundo moderno, un mundo que algunos ven como deshumanizado por la mecanización y la tecnología.

Visión fantástica de la realidad

Todo artista se enfrenta con una realidad y responde a ella en su creación artística. Los artistas latinoamericanos, a su vez, tratan en sus obras aquellos temas sociales, políticos y culturales que han forjado sus realidades y sus identidades. Sus países de origen son países ricos en recursos, pero un gran sector de la población vive en la pobreza. Son países donde la inestabilidad política ha sido un fenómeno de la

El norte es el sur, 1943, Joaquín Torres-García (Uruguay).

Continúa en la página siguiente

Ojo de luz, 1987, Oswaldo Viteri (Ecuador).

vida diaria; donde la relación de opresor-oprimido continúa entre descendientes de conquistadores y conquistados o esclavos. Esta realidad, a veces percibida como absurda y fantástica, ha sido la fuente de inspiración para artistas que utilizan a menudo imágenes fantásticas para representarla.

Bien se sabe que el uso de imágenes fantásticas en el arte no es nada nuevo ni exclusivo de Latinoamérica. La fantasía ha sido, por ejemplo, un elemento esencial del surrealismo europeo, pero sigue las normas de una corriente articulada y metódica. Lo fantástico latinoamericano, en cambio, surge espontánea e intuitivamente de la imaginación y la realidad; nace de culturas, religiones, historias y geografías ricas y contradictorias, y del choque de la perspectiva práctica y racional occidental con la realidad compleja, conflictiva y a veces absurda de Latinoamérica. Lo fantástico, que ha llegado a ser casi sinónimo del arte y la literatura latinoamericanos, se manifiesta en la distorsión, la inserción de elementos absurdos en escenas "normales" y la yuxtaposición inesperada de elementos muy diferentes.

Aportes singulares

Entonces, ¿en qué consiste el arte latinoamericano? Es, sin duda, el conjunto de creaciones artísticas singulares que aportan los artistas latinoamericanos a sus naciones, al continente y al mundo entero. Sus obras surgen del diálogo con muchas fuerzas culturales y reflejan la vivacidad y originalidad de sus propias culturas e identidades. Sin embargo, especialmente desde el siglo XX, los artistas latinoamericanos se han esforzado por cuestionar y criticar los valores y las perspectivas tradicionales abriéndose al mundo y a nuevas experiencias. De esta manera su obra artística no solo es el reflejo de la realidad y cultura establecidas, sino que ayuda a crear nuevas perspectivas y a transformar realidades. ■

ACTIVIDAD 12 Conceptos y corrientes

Scanning and summarizing

Parte A: En grupos de tres, asocien los términos de la segunda columna con una o más de las fuerzas culturales de la primera columna. Justifiquen sus respuestas, e indiquen si la asociación se hace de forma explícita o implícita en la lectura.

Fuerzas culturales	Términos y conceptos
la Iglesia católica	*cosas de fabricación tradicional*
la conquista y colonización españolas	*imágenes tomadas de ritos religiosos*
las monarquías española y portuguesa	*el muralismo*
las culturas indígenas y africanas	*la tecnología y la sociedad de consumo*
la civilización occidental	*la opresión y la subyugación*
el aislamiento geográfico y psicológico	*la unidad y estabilidad social*
la visión fantástica	*la yuxtaposición de elementos inesperados*

Parte B: En grupos de tres, expliquen por qué ha sido importante cada una de esas fuerzas culturales. Vuelvan a mirar la lectura si es necesario.

ACTIVIDAD 13 Crítica de arte

Making inferences

Parte A: En parejas, miren las reproducciones que acompañan la lectura y el cuadro de Frida Kahlo que aparece al principio del capítulo. Identifiquen rápidamente el tema/los temas de la lectura que se ven reflejados en cada obra y justifiquen su identificación con detalles de las obras.

► El cuadro *Ojo de luz* refleja la conquista, la colonización y la formación de una jerarquía que excluyó a las masas...

Parte B: En parejas, escojan uno de los cuadros y preparen una breve presentación oral. Su presentación debe incluir una descripción de los elementos principales del cuadro y una interpretación detallada del mismo. Usen la voz pasiva para presentar el cuadro.

► El cuadro *La familia presidencial* fue pintado por el colombiano Fernando Botero en 1967. Creemos que este cuadro muestra...

ACTIVIDAD 14 La obra maestra

Analyzing and evaluating

En grupos de tres, imagínense que han sido seleccionados para juzgar las obras de una exposición de arte: "Arte latinoamericano: Entre la realidad y la fantasía". Uds. los jueces tienen que escoger la obra maestra de entre las diez mejores (las diez que aparecen en este capítulo). También tienen que justificar su selección, considerando aspectos como la calidad artística, la importancia del tema, la reacción del público y la originalidad. Elijan a un/a portavoz para informar al público (la clase) sobre su selección.

Cuaderno personal 9-2

El arte (música, literatura) muchas veces refleja una reacción a la sociedad y a los valores dominantes. ¿Crees que el arte pueda afectar o cambiar la sociedad? Explica por qué.

VIDEOFUENTES

¿Se menciona o se ve el impacto de algunas de las fuerzas culturales mencionadas en la lectura en las obras de la artista mexicana Elena Climent? ¿Se mencionan o se ven elementos fantásticos en sus obras?

Lectura 3: Literatura

Activating background knowledge

ACTIVIDAD 15 Hablando de novelas

El cuento que vas a leer, "Continuidad de los parques", trata de un hombre que lee una novela. En parejas, háganse y contesten las siguientes preguntas sobre las novelas.

1. ¿Qué tipos de novelas te gustan más: históricas, policíacas, de amor, de fantasía, de ciencia ficción?
2. ¿Cuál es una novela que has leído últimamente?
3. ¿Cuál es la trama (*plot*) de la novela?
4. ¿Quiénes son los protagonistas o los personajes (*characters*) principales?
5. ¿El autor supo describir o "dibujar" bien a los personajes? ¿Eran verosímiles?
6. ¿Fue más interesante la lectura del primer capítulo o del último capítulo? ¿Por qué?
7. ¿Dónde y cuándo leíste la novela? ¿Por qué la leíste?
8. ¿Te gustó la novela? ¿Se la recomendaste a alguien?

Building vocabulary, Predicting

ACTIVIDAD 16 El principio del cuento

Parte A: En el cuento que van a leer, un hombre está terminando la lectura de una novela. Para comprender el cuento, es importante visualizar al personaje principal y su situación al principio del cuento. En parejas, miren el siguiente vocabulario y contesten las preguntas que aparecen a continuación.

desgajar	to pull away from, separate from
de espaldas a la puerta	with his/her back to the door
el estudio	study, library
la finca	farm; estate
el mayordomo	butler
el parque de los robles	oak grove
el respaldo del sillón	the back of the armchair
retener	to retain; to hold back
rodear	to surround
el sillón de terciopelo verde	green velvet armchair
los ventanales	large windows

1. ¿Qué imagen se forman Uds. al mirar la lista?
2. ¿Cómo es el hombre que lee la novela: rico, pobre, elegante, culto, joven, viejo?
3. ¿Dónde está el hombre?
4. ¿Qué relación pueden tener palabras como **rodear, desgajar** y **retener** con la lectura de una novela?

Skimming and scanning

Parte B: Ahora lee la primera parte del cuento hasta la línea 18. Después, en parejas, respondan a las siguientes preguntas.

1. ¿Qué hace el hombre antes de entrar en su estudio?
2. ¿Qué acciones, objetos y elementos del cuento están representados en el dibujo que aparece al principio del cuento?

Building vocabulary, Predicting

ACTIVIDAD 17 ¿La trama de la novela?

Parte A: La segunda parte del cuento —que empieza en la línea 18 revela la trama y los personajes de la novela que está leyendo el hombre. En parejas, miren la siguiente lista y escriban tres oraciones que describan posibles eventos de la novela.

la alameda	tree-lined lane
el/la amante	lover
anochecer; al anochecer	to get dark; at nightfall (**noche**)
atardecer; al atardecer	to grow dim; at dusk, evening (**tarde**)
la cabaña	cabin
la caricia; acariciar	caress; to caress
la coartada	alibi
entibiar	to grow warm, tepid (**tibio**)
la escalera	stairway
ladrar	to bark
lastimado/a	hurt, injured
latir	to beat (*heart*)

Continúa en la página siguiente

el peldaño	step (*of a porch or stairs*)
el puñal	dagger
receloso/a	suspicious, apprehensive
rechazar	to reject

Skimming and scanning

Parte B: Ahora, lee individualmente la segunda parte del cuento para ver si algunas de las hipótesis son correctas. Intenta leer sin preocuparte por palabras desconocidas y sin buscar más palabras.

Julio Cortázar *(1914–1984) fue uno de los autores más conocidos del "boom" de la literatura latinoamericana del siglo XX. Nació y pasó la primera parte de su vida en Argentina, especialmente Buenos Aires, y a partir de 1951 vivió en París. Toda la vida y toda la obra de Cortázar se caracterizaron por el rechazo de la realidad cotidiana, de las cosas normalmente aceptadas, de la injusticia social. Hoy día se reconoce como uno de los maestros del cuento fantástico latinoamericano. "Continuidad de los parques" salió en 1956 en su colección de cuentos* Final de juego.

Continuidad de los parques

Julio Cortázar

Había empezado a leer la novela unos días antes. La abandonó por negocios urgentes, volvió a abrirla cuando regresaba en tren a la finca; se dejaba interesar lentamente por la trama, por el dibujo de los personajes. Esa tarde, después de escribir una carta a su apoderado y discutir con el mayordomo una cuestión de aparcerías volvió al libro en la tranquilidad del estudio que miraba hacia el parque de los robles.

Arrellanado en su sillón favorito de espaldas a la puerta que lo hubiera molestado como una irritante posibilidad de intrusiones, dejó que su mano izquierda acariciara una y otra vez el terciopelo verde y se puso a leer los últimos capítulos. Su memoria retenía sin esfuerzo los nombres y las imágenes de los protagonistas; la ilusión novelesca lo ganó casi en seguida. Gozaba del placer casi perverso de irse desgajando línea a línea de lo que lo rodeaba, y sentir a la vez que su cabeza descansaba cómodamente en el terciopelo del alto respaldo, que los cigarrillos seguían al alcance de la mano, que más allá de los ventanales danzaba el aire del atardecer bajo los robles. Palabra a palabra, absorbido por la sórdida disyuntiva de los héroes, dejándose ir hacia las imágenes que se concertaban y adquirían color y movimiento, fue testigo del último encuentro en la cabaña del monte. Primero entraba la mujer, recelosa; ahora llegaba el amante, lastimada la cara por el chicotazo de una rama. Admirablemente restañaba ella la sangre con sus besos, pero él rechazaba las caricias, no había venido para repetir las ceremonias de una pasión secreta, protegida por un mundo de hojas secas y senderos furtivos. El puñal se entibiaba contra su pecho, y debajo latía la libertad agazapada. Un diálogo anhelante corría por las páginas como un arroyo de serpientes, y se sentía que todo estaba decidido desde siempre. Hasta esas caricias que enredaban el cuerpo del amante como queriendo retenerlo y disuadirlo, dibujaban abominablemente la figura de otro cuerpo que era necesario destruir. Nada había sido olvidado: coartadas, azares, posibles errores. A partir de esa hora cada instante tenía su empleo minuciosamente atribuido. El doble repaso despiadado se interrumpía apenas para que una mano acariciara una mejilla. Empezaba a anochecer.

Sin mirarse ya, atados rígidamente a la tarea que los esperaba, se separaron en la puerta de la cabaña. Ella debía seguir por la senda que iba al norte. Desde la senda opuesta él se volvió un instante para verla correr con el pelo suelto. Corrió a su vez, parapetándose en los árboles y los setos, hasta distinguir en la bruma malva del crepúsculo la alameda que llevaba a la casa. Los perros no debían ladrar, y no ladraron. El mayordomo no estaría a esa hora, y no estaba. Subió los tres peldaños del porche y entró. Desde la sangre galopando en sus oídos le llegaban las palabras de la mujer: primero una sala azul, después una galería, una escalera alfombrada. En lo alto, dos puertas. Nadie en la primera habitación, nadie en la segunda. La puerta del salón, y entonces el puñal en la mano, la luz de los ventanales, el alto respaldo de un sillón de terciopelo verde, la cabeza del hombre en el sillón leyendo una novela. ■

ACTIVIDAD 18 El estilo literario

Dealing with different registers

Parte A: Cortázar emplea un registro normal al principio y al final del cuento, pero emplea un registro muy literario en las secciones centrales del cuento. Vuelve a leer el cuento e indica cuáles de las descripciones en lengua cotidiana del segundo grupo (a–g) corresponden a las citas literarias del primer grupo (1–7). Indica también la línea del cuento donde aparece cada expresión citada del primer grupo.

1. ______ ...dejándose ir hacia las imágenes que se concertaban y adquirían color y movimiento...

2. ______ ...en la bruma malva del crepúsculo...

3. ______ El puñal se entibiaba contra su pecho, y debajo latía la libertad agazapada.

4. ______ ...más allá de los ventanales danzaba el aire del atardecer bajo los robles...

5. ______ Un diálogo anhelante corría por las páginas como un arroyo de serpientes...

6. ______ Admirablemente restañaba ella la sangre con sus besos...

7. ______ ...atados rígidamente a la tarea que los esperaba...

a. se veía por las grandes ventanas que el aire se movía entre los árboles

b. pensando cada vez más en los personajes y las escenas bien descritos de la novela

c. detenía la sangre con sus besos

d. tenía el cuchillo en su chaqueta y pensaba en la libertad que les traería a él y a su amante la muerte del marido

e. los amantes hablaban rápida y ansiosamente del asesinato que habían planeado en secreto

f. pensando solo en lo que tenían que hacer

g. en la niebla que al atardecer parecía de color violeta pálido

Parte B: En parejas, digan cuáles son las características del estilo literario que emplea el autor.

Recognizing chronological order

ACTIVIDAD 19 Las imágenes del cuento

Parte A: Después de leer la segunda parte del cuento, que empieza en la línea 18, pon las siguientes imágenes en orden. Escribe un número (1–7) debajo de cada dibujo, indica las líneas exactas a las que corresponde cada imagen, y apunta dos o tres palabras que demuestran la relación.

______ ______ ______

______ ______ ______ ______

Parte B: En parejas, decidan cuál es la última escena del cuento y cuál es la última escena de la novela. ¿Qué importancia tiene esta escena?

ACTIVIDAD 20 ¿Ficción o realidad?

En parejas, contesten las siguientes preguntas sobre el significado del cuento.

1. ¿Qué significa el título? ¿Pueden pensar en otro título para el cuento?
2. ¿En qué momento del cuento se dan cuenta Uds. de que pasa algo raro?
3. ¿Conocen Uds. otros cuentos, novelas o películas en los que se mezclen la realidad y la ficción?
4. ¿Qué quería Cortázar que pensáramos después de leer este cuento?
5. ¿En qué sentido es este cuento un ejemplo de literatura "latinoamericana"?

Cuaderno personal 9-3

¿En tu vida hay o ha habido momentos en los que la realidad parece ficción, o la ficción parece realidad? ¿Cuándo?

Redacción: Ensayo

ESTRATEGIA DE REDACCIÓN

Writing an Essay

In this and following chapters, you will have the opportunity to practice writing different types of essays. An essay usually consists of three or more paragraphs, in which you present, develop, and defend your ideas on a particular topic. The essay is normally structured into three main parts: an introduction, in which

Continúa en la página siguiente

you present the topic, explain its importance, and give a thesis—a clear and concise explanation of the main idea; the body, in which you develop the thesis and provide specific evidence to support it; and a conclusion, in which you summarize main points and consider possible further implications.

Several strategies are often employed by effective writers to develop the body of their essay. Examples and definitions of unfamiliar terms can help your reader follow your ideas. Descriptions of people, places, or particular elements may also be appropriate, and sometimes the narration of a short anecdote or event can help to support your thesis. You may also choose to break down certain ideas into their component parts, compare and contrast elements or ideas, look for causes and effects, or argue for a particular course of action. Any of these strategies can also serve as the organizational backbone of an essay. For example, in describing a work of art you may briefly describe and analyze its different elements, or you may compare and contrast similar but different works of art.

Points to consider while composing your essay:

- Keep your audience in mind when writing, whether your instructor, classmates, or some other group. How will they react to what you are saying? Is your style appropriate to them? What objections will they present to what you say?
- Keep your thesis in mind. Is discussion in the body pertinent to the thesis?
- Make up a title. It can be either informative or imaginative, but it must reflect the main idea of the essay. In any case, it should pique the reader's curiosity.
- Keep in mind a working title. It will help keep you on track, but change it if your ideas change.

ESTRATEGIA DE REDACCIÓN

Analyzing

Analysis is a way of thinking and organizing that requires the division of something into its component parts or aspects. The study of the parts may allow better understanding of a complex whole.

Nearly anything can be analyzed: the structure of an atom, a human being, a work of art, or a short story. First you must decide the parts, elements, or aspects to which the object of analysis can be reduced. Then you must describe the parts and look for relationships between them, allowing your own insights and other information to guide you. For example, key elements of a short story would include the protagonist, the narrator, the setting, etc. Analysis often leads to classification, or the grouping of specific parts or aspects into new categories. For example, **Lectura 2** includes a breakdown of certain cultural influences or forces on the development of visual art in Latin America.

You can use the results of your analysis as the basis of organization of an essay. In a short essay you will have to isolate the most important elements and limit discussion to how they lead to a clearer understanding of the object under study.

ACTIVIDAD 21 El análisis de una obra de arte

Analyzing a work of art

Para poder escribir un ensayo sobre una obra de arte, es necesario analizarla para llegar a una comprensión profunda de la obra. En parejas, miren el cuadro de Frida Kahlo que aparece al principio del capítulo y consideren los siguientes aspectos. Traten de describir cada uno.

1. FORMA: ¿Qué tipo de obra es: pintura, dibujo, mural, collage, fotografía, escultura?
2. ESTILO: ¿La obra se parece a otras obras que conoces o es completamente diferente? ¿La obra pertenece a un estilo histórico como el surrealismo o rechaza cualquier estilo convencional? ¿Cuáles son los rasgos clave de ese estilo?
3. CONTEXTO HISTÓRICO: ¿Cuándo y dónde fue creada la obra? ¿Qué relación puede existir entre la obra y el contexto geográfico, histórico, político, social y/o cultural de su producción?
4. ARTISTA: ¿Quién es el/la artista? ¿Conoces otras obras de este/a artista? ¿Qué sabes o puedes descubrir sobre él/ella? Busca una biografía. ¿Cómo influye la biografía del/de la artista en tu interpretación de la obra?
5. ELEMENTOS Y COMPOSICIÓN: ¿Cuáles son los elementos importantes? ¿Cómo son y qué importancia tienen las formas, los colores, la luz, el espacio? ¿Hay variedad, contrastes o unidad de diseño? ¿Hay equilibrio y simetría o una distribución asimétrica? ¿Qué implicaciones tienen estas características para la interpretación de la obra?
6. CONTENIDO: ¿Qué símbolos hay? ¿Qué quería comunicar el/la artista por medio de estos símbolos y este cuadro?
7. EVALUACIÓN PERSONAL: ¿Cómo te sientes al contemplar esta obra? ¿Qué reacciones o recuerdos personales evoca en ti la obra? ¿Te identificas con el/la artista? ¿Te gustaría tener esta obra en tu casa para poder verla todos los días? ¿Aprecias la obra más o menos después de haberla estudiado?

ACTIVIDAD 22 Una obra de arte

Focusing on a topic, Gathering information

Vas a escribir un ensayo analítico sobre una obra de arte. Antes de escribir, debes escoger una obra específica y hacer investigación.

Parte A: Con toda la clase, haz una lista de artistas hispanos cuyas obras se pueden estudiar en un ensayo.

Parte B: Fuera de clase, haz una investigación en Internet para encontrar una obra de uno de estos artistas. Decide qué obra quieres estudiar.

Parte C: Busca información detallada sobre la obra de arte en enciclopedias, revistas, libros o en Internet. Toma apuntes de la información artística o biográfica que te pueda ayudar en la interpretación de la obra.

Parte D: Determina qué aspectos de la obra y su historia son más importantes para su interpretación, y decide también qué aspectos no hay que comentar. Formula una interpretación general de la obra basada en tu análisis de los detalles de la obra y su historia.

Writing an analytical essay

ACTIVIDAD 23 A escribir

Parte A: Escribe el primer borrador del ensayo, basándote en tus decisiones de la Actividad 22. Incluye expresiones de transición y asegúrate de incluir lo siguiente:

- un título interesante que presente o se refiera al tema del ensayo y despierte la curiosidad en los lectores
- una introducción que identifique la obra y que declare tu tesis o interpretación general de la obra
- una discusión de los detalles y símbolos que justifiquen tu interpretación
- una conclusión que resuma tu perspectiva de la relación entre los detalles y tu interpretación general de la obra

Parte B: Ahora, en parejas, intercambien los ensayos. Dense consejos sobre el contenido e interés del título, la introducción, el cuerpo y la conclusión.

Parte C: Individualmente, escriban la segunda versión pulida, incorporando los cambios recomendados en la Parte B y revisando para asegurarse de que haya:

- organización clara
- transiciones buenas y claras
- gramática y ortografía correctas
- vocabulario apropiado

Las relaciones humanas

CAPÍTULO 10

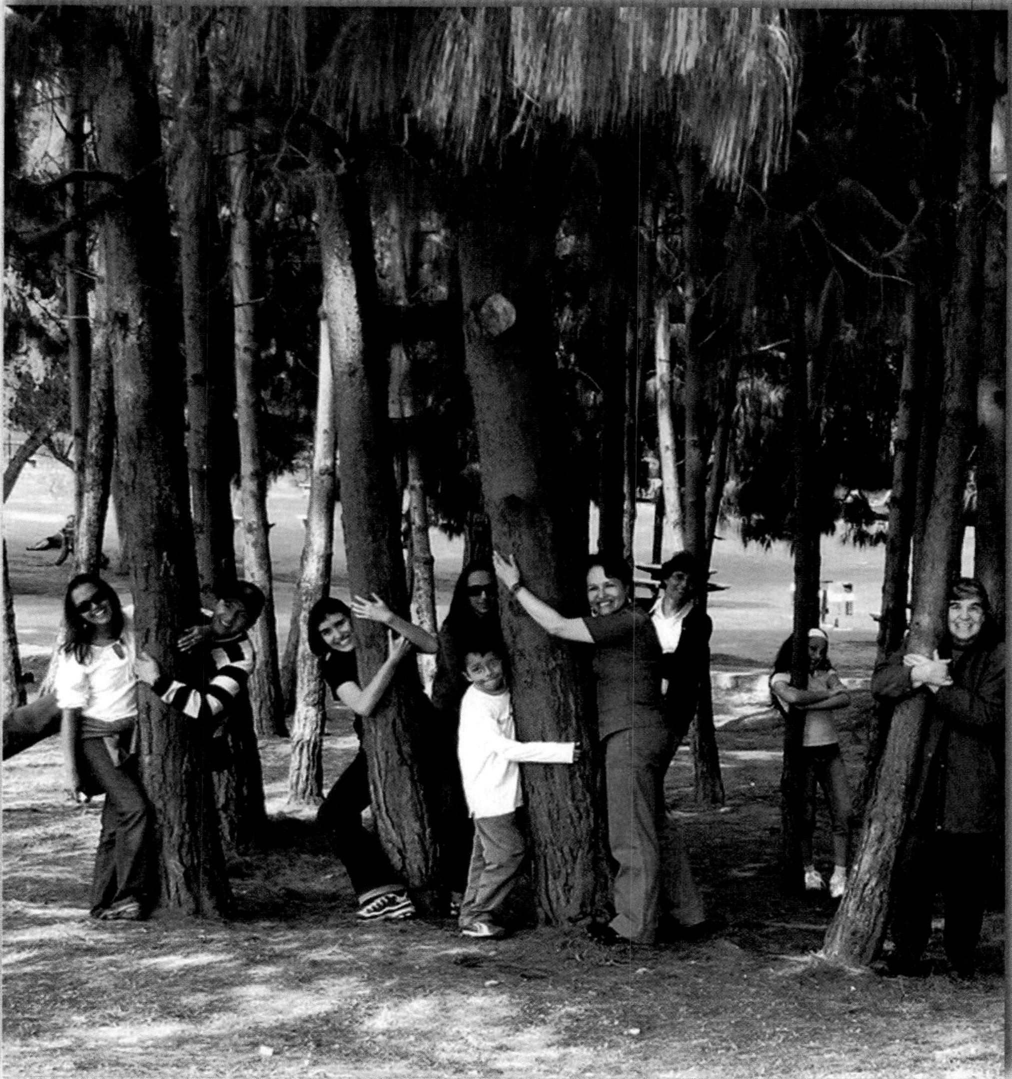

Familia en Colombia.

METAS COMUNICATIVAS

- hablar de las relaciones humanas
- expresar acciones futuras
- hacer predicciones y promesas
- hablar de situaciones imaginarias, dar consejos y pedirle algo a alguien
- expresar probabilidad
- hacer hipótesis (primera parte)

¡Que vivan los novios!

La boda

un/a amigo/a íntimo/a	a close friend
¿No te/le/les parece?	Don't you think so?
mientras más vengan, mejor	the more, the merrier

Chicas tiran de las cintitas de un pastel de boda.

ACTIVIDAD 1 Las bodas

Marca qué costumbres asocias generalmente con bodas de tu país (MP), de varios países hispanos (PH) o de ambos grupos (A).

1. ______________ ceremonia civil o religiosa
2. ______________ ceremonia civil y religiosa
3. ______________ damas de honor como madrinas
4. ______________ padres y madres como padrinos
5. ______________ pajes con anillos
6. ______________ tirarles arroz a los novios al salir de la iglesia
7. ______________ fiesta con baile
8. ______________ pastel de boda

ACTIVIDAD 2 Otras costumbres

Parte A: Escucha el programa de radio "Charlando con Dolores" de una emisora de Dallas para enterarte de, por lo menos, dos costumbres hispanas relacionadas con las bodas.

Parte B: Lee las siguientes preguntas y luego escucha el programa de radio otra vez para buscar la información.

1. En Paraguay, ¿qué hay en el pastel de boda por fuera?
2. ¿Qué hay en el extremo de cada una?

3. Hay una especial; ¿qué es y qué significa lo que saca esta persona?
4. ¿Quiénes participan de esta actividad?
5. Según el hombre mexicano, ¿a quién se invita cuando la boda es en un pueblo?
6. ¿Qué llevan a la boda algunos invitados?
7. ¿Qué hay en abundancia en la boda de un pueblo?

Parte C: En parejas, describan costumbres de su país relacionadas con las bodas que no se hayan mencionado en la actividad anterior.

ACTIVIDAD 3 ¿Qué opinas?

En grupos de tres, discutan las siguientes ideas relacionadas con las bodas en su país.

1. Los padres de la novia deben pagar todos los gastos de la fiesta.
2. Los invitados solo deben comprar regalos de la lista de regalos.
3. Las damas de honor de la novia deben llevar el vestido que la novia elija por más feo que sea.
4. Hay hambre en el mundo y por eso la gente no debe gastar tanto dinero en una boda.

¿Lo sabían?

Antes de entrar a la iglesia; Matiguás, Nicaragua.

Las tradiciones en torno a las bodas varían mucho de un país hispano a otro. En Nicaragua, por ejemplo, la primera persona que camina hacia el altar lleva en sus manos un rosario muy grande. Hacia el final de la ceremonia, esta persona les coloca el rosario a los recién casados alrededor de los hombros, como símbolo de unión. Entre otras tradiciones está la serenata en Colombia, en la que el novio le lleva a la novia un conjunto de "serenateros" uno o dos días antes de la boda, generalmente la noche que reciben los regalos, y junto con la familia pasan un rato escuchando música. Esta serenata no es como se hacía antiguamente, cuando los serenateros cantaban en la calle frente a la ventana de la habitación de la chica.

¿Qué opinas de la tradición de la serenata tradicional? ¿Era cursi o romántica? ¿Te gustaría recibir o mandarle una serenata a alguien? ¿Hay algunas tradiciones que se están perdiendo en tu país?

I. Stating Future Actions, Making Predictions and Promises

Do the corresponding web activities as you study the chapter.

The Future Tense

You are already familiar with the two most common ways to refer to future actions: a construction with **ir a** + *infinitive* (**Voy a ir a la ceremonia**) and the present tense, which is usually preferred for prearranged, scheduled events (**El año que viene nos casamos**).

1. Another way to refer to future actions is by using the future tense (**el futuro**). In everyday speech, this tense is not as common as the present or **ir a** + *infinitive*. The future tense is formed by adding the following endings to the infinitive form of the verb.

usar		vender		vivir	
usar**é**	usar**emos**	vender**é**	vender**emos**	vivir**é**	vivir**emos**
usar**ás**	usar**éis**	vender**ás**	vender**éis**	vivir**ás**	vivir**éis**
usar**á**	usar**án**	vender**á**	vender**án**	vivir**á**	vivir**án**

For information on irregular verbs, see Appendix A, page 610.

Los recién casados **irán** a Cozumel esta noche.	*The newlyweds will go to Cozumel tonight.*
Luego **vivirán** en Cartagena.	*Then they will live in Cartagena.*
Con el tiempo, **tendrán** dos o tres hijos.	*In time, they will have two or three children.*

Note: When expressing a future idea in sentences that require the subjunctive in the dependent clause, remember to use the present subjunctive: **Ellos <u>querrán</u> que sus hijos <u>estudien</u> otro idioma desde niños.**

2. You can use the future tense to make promises and predictions.

—¿Me vas a querer cuando sea viejo?	*Are you going to love me when I am old?*
—Siempre te **querré**.	*I will always love you.* (promise)
—¿Sabes si ya compraron casa?	*Do you know if they bought a house yet?*
—No, pero me imagino que **comprarán** algo cerca de los padres de él.	*No, but I imagine that they will buy something near his parents.* (prediction)

ACTIVIDAD 4 ¿Cómo serán?

En parejas, describan cómo creen que será físicamente la otra persona cuando tenga setenta y cinco años. A continuación hay algunas ideas que pueden ayudarlos. Justifiquen su descripción.

- tener pelo canoso o teñido (*dyed*)
- ser calvo/a
- llevar peluca (*wig, toupee*)
- ser activo/a o sedentario/a
- tener buena o mala salud
- ser gordo/a o delgado/a
- llevar anteojos bifocales o trifocales
- tener arrugas (*wrinkles*)
- tener cuerpo de gimnasio o ser fofo/a
- estar senil o tener la mente lúcida
- oír bien o mal
- ¿?

ACTIVIDAD 5 ¿Lo harán?

En parejas, túrnense para preguntarse cuáles de las siguientes actividades no harán nunca y cuáles harán si pueden. Expliquen sus respuestas.

▶ —¿Cantarás en un coro?

—Sí, cantaré en un coro porque me fascina cantar.

—No, jamás cantaré en un coro porque no tengo oído musical.

1. ganar un dineral
2. hacer un crucero por el Caribe
3. vivir en la misma ciudad que sus padres
4. aspirar a ser famoso/a
5. salir en el programa de "Jeopardy"
6. dedicarse a ayudar a los necesitados
7. hacer el doctorado
8. venir a trabajar a esta universidad
9. tener un perro o un gato
10. adoptar a un niño

ACTIVIDAD 6 El pasado y el futuro

Parte A: Lee cómo era la vida en el año 1900 y luego di cómo será el mundo en el año 2075.

Acciones habituales en el pasado → Imperfecto

1. En el año 1900 las personas no viajaban mucho porque usaban caballos, barcos o trenes y cada viaje llevaba muchos días. En el año 2075...
2. En el año 1900 se pagaba en las tiendas con monedas o billetes. En el año 2075...
3. En el año 1900 la gente cerraba las puertas con llave y para entrar tenía que tener la llave. En el año 2075...
4. En el año 1900 casi ninguna mujer tenía puesto en el gobierno. En el año 2075...
5. En el año 1900 existían tiendas donde se compraba comida, ropa, etc. En el año 2075...

Parte B: Ahora usa la imaginación para describir otras cosas que ocurrían en el año 1900 y después predice qué pasará en el futuro.

1. las bodas
2. las labores domésticas
3. el cáncer
4. la semana laboral de 40 horas o más
5. las guerras
6. las escuelas públicas

ACTIVIDAD 7 La estructura familiar

En grupos de tres, lean las siguientes descripciones sobre la estructura familiar actual de este país y digan cómo creen que será esa estructura dentro de veinte años.

1. La mujer hace más tareas domésticas que el hombre.
2. Hay desigualdad entre el sueldo que ganan los hombres y las mujeres.
3. Las parejas generalmente se casan entre los 25 y los 30 años.
4. Las familias tienen generalmente dos hijos.
5. Hay bastante gente soltera con hijos.
6. Muchos jóvenes no pueden seguir sus estudios por falta de dinero.
7. Los adolescentes salen por la noche con permiso de los padres.
8. La tasa de divorcio es alta.
9. Existen familias no tradicionales, pero no son la mayoría.

¿Te imaginas?
Mujeres en huelga
El 75% de las tareas domésticas y de cuidado es realizado por las mujeres
¿Qué pasaría si las mujeres hicieran huelga?
Entra en www.emakunde.euskadi.net
y danos tu visión.
8 de marzo. Día Internacional de las Mujeres.
EMAKUNDE

ACTIVIDAD 8 Votos matrimoniales

Parte A: En parejas, escriban el nombre de un matrimonio famoso. Para que esta pareja renueve los votos matrimoniales, cada estudiante hace el rol de uno de los esposos y escribe cinco promesas para leerle a la otra persona. Seleccione cada uno tres promesas de la siguiente lista y luego añadan dos promesas originales al final.

PROMESAS	
____	decirle la verdad siempre
____	serle fiel
____	quererlo/la para toda la vida
____	apoyarlo/la
____	respetarlo/la
____	tener presentes sus deseos
____	estar con él/ella en las buenas y en las malas
____	________________________________
____	________________________________

Parte B: En parejas, mírense a los ojos, hagan el papel de las personas famosas y díganse las promesas para renovar los votos matrimoniales.

II. Expressing Imaginary Situations, Giving Advice, and Making Requests

The Conditional Tense

1. To express what someone would do, use the conditional tense (**el condicional**).

Sería interesante hacer un estudio sobre los hombres que ganan menos dinero que su esposa. ¿Cómo **describirían** ellos su papel en la familia?

It would be interesting to do a study about men who earn less money than their wives. How would they describe their role in the family?

2. The conditional is formed by adding the following endings to the infinitive form of the verb.

usar		vender		vivir	
usar**ía**	usar**íamos**	vender**ía**	vender**íamos**	vivir**ía**	vivir**íamos**
usar**ías**	usar**íais**	vender**ías**	vender**íais**	vivir**ías**	vivir**íais**
usar**ía**	usar**ían**	vender**ía**	vender**ían**	vivir**ía**	vivir**ían**

For information on irregular verbs, see Appendix A, page 610.

3. The conditional is frequently used to give advice when prefaced by the phrases **yo que tú/él/ella/ellos...** and **(yo) en tu/su lugar.**

Yo que tú, me casaría con ella. — *If I were you, I would marry her.*

(Yo) en su lugar, les **diría** la verdad. — *If I were in his place, I would tell them the truth.*

4. You can also use the conditional to make very polite requests. The following requests are listed from the most direct (commands), to the most polite (conditional).

Dime dónde es la ceremonia.	Haz esto.
¿Me dices dónde es la ceremonia?	Quiero que hagas esto.
¿**Podrías** decirme dónde es la ceremonia?	**Me gustaría** que hicieras esto.*

*__Note:__ When making a polite request, if the independent clause contains the conditional, use the imperfect subjunctive in the dependent clause.

ACTIVIDAD 9 Situaciones de la vida diaria

Parte A: Lee las siguientes situaciones de la vida diaria y marca qué harías en cada una.

1. Estás en el banco y la mujer que está delante de ti solo habla español y tiene problemas porque el cajero solo habla inglés. ¿Qué harías?
   a. ayudarla y traducirle b. no hacer nada c. buscar un cajero que hablara español

2. Llegas a tu casa solo/a de noche y encuentras la puerta abierta. ¿Qué harías?
   a. entrar para investigar b. buscar a un vecino c. llamar a la policía

3. Un vendedor te devuelve diez dólares de más en una tienda. ¿Qué harías?
   a. devolverle el dinero b. darle las gracias e irte c. comprar algo más en esa tienda

4. Un amigo que tiene novia te cuenta que está saliendo con otra chica. ¿Qué harías?
   a. decirle la verdad a la novia b. no hablarle más a tu amigo c. sugerirle a él que se lo dijera a su novia

Parte B: En parejas, miren las situaciones de la Parte A otra vez y marquen individualmente lo que creen que respondió su compañero/a. No pueden consultar con él/ella.

Parte C: Ahora hablen sobre las respuestas y las predicciones que hicieron.

► A: ¿Qué haría yo en la primera situación?
B: Yo creo que no la ayudarías porque eres muy tímido/a.
A: Soy tímido/a, pero también soy amable y hablo bien español.

ACTIVIDAD 10 ¿Qué harías?

En parejas, un/a estudiante lee las dos situaciones de la caja A y la otra persona las dos de la caja B. Luego túrnense para contarle las situaciones de su caja a la otra persona y preguntarle qué harían. Reaccionen a lo que dice su compañero/a usando las siguientes expresiones.

Para reaccionar

Positivas:
¡Qué decente!
¡Qué responsable!
Eres un ángel.
Eres un/a santo/a.
Eres más bueno/a que el pan.

Negativas:
¡Qué caradura! (*Of all the nerve!*)
¡Qué sinvergüenza! (*What a dog/rat!*)
¡Qué desconsiderado/a! (*How inconsiderate!*)
Francamente, creo que tú... (*Frankly, I think that you . . .*)
Esa es una mentira más grande que una casa. (*That's a big fat lie.*)

Ángel is always masculine.

Situaciones para el/la estudiante A

1. Has gastado más de $4.000 con la tarjeta de crédito y no tienes más crédito. En la cuenta bancaria tienes solo $1.600 y quieres hacer un viaje a México con tus amigos durante las vacaciones. No sabes qué hacer.
2. Has chocado contra un auto estacionado y a tu auto no le ha pasado nada, pero el otro está un poco dañado. Calculas que el arreglo no costará más de $200. Nadie ha visto el choque y estás solo/a. No sabes qué hacer.

Situaciones para el/la estudiante B

1. Acabas de comprar un celular sin seguro. Al salir de la tienda se te cayó al suelo y, aunque no se ve ningún daño, ahora no funciona. No sabes qué hacer.
2. Un amigo te dio su perro para que lo cuidaras por dos días. Sin saber que el chocolate era malo para los animales, le diste un poco. Al perro le gustó, pero se enfermó y lo llevaste al veterinario. La cuenta fue de $450 y el informe solo dice que el perro tuvo indigestión. No sabes qué hacer.

ACTIVIDAD 11 Yo que tú...

En parejas, un/a estudiante mira las situaciones A y la otra persona mira las situaciones B. A le cuenta a B sus problemas usando sus propias palabras. B debe decir qué haría en cada caso usando las expresiones **yo que tú/él/ella/ellos** y **yo en tu/su lugar.** Luego cambien de papel.

A

1. Mi madre quiere que me quede aquí y que no acepte un trabajo en Bolivia.
2. Mis padres van a ir a Europa y no saben si alquilar un carro o comprar un "Eurail pass".
3. Un amigo quiere que yo salga en el programa de Jerry Springer.

B

1. Un amigo me acusó de robarle el radio.
2. Mi padre no quiere que mi madre trabaje, pero ella quiere trabajar.
3. A mi hermano, que está casado y tiene hijos, le ofrecieron un buen trabajo en una fábrica, pero es por la noche y no sabe qué hacer.

ACTIVIDAD 12 Una emergencia

Estás en el trabajo y acabas de enterarte que tu padre tuvo un accidente grave. Fuiste a pedirle algunos favores a una compañera, pero no la encontraste. Por eso, le pediste los mismos favores a tu jefa. Cambia lo que ibas a pedirle a tu compañera a la forma de Ud. y usa frases como: **¿Me podría...?, Querría que..., Me gustaría que...**

1. ¿Me puedes ayudar?
2. ¿Me dejas usar tu carro?
3. ¿Puedes cancelar mis citas con los clientes?
4. ¿Me puedes prestar cien dólares?
5. Quiero que llames a mi madre para decirle que iré enseguida al hospital.
6. No quiero que le digas nada a nadie en la oficina.

III. Expressing Probability

The Future and Conditional Tenses

When you are not sure about something, you may express probability. For example, you may wonder how old someone is, or if a person is late, you may wonder where he/she might be.

1. To wonder or to express probability about the present, use the future tense.

—¿Qué **estarán haciendo** los niños?	*I wonder what the kids are doing.*
—**Harán** alguna travesura porque están tan callados.	*They must be doing something bad because they are so quiet.*
—¿Cuántos años **tendrá** Ramón?	*I wonder how old Ramón is.*
—**Tendrá** unos cincuenta.	*He's probably about fifty.*

2. To wonder or to express probability about the past, use the conditional tense.

—¿Por qué se divorciaron?	*Why did they get divorced?*
—No tengo idea. **Tendrían** muchos problemas y ella **estaría** muy descontenta.	*I have no clue. They probably had a lot of problems and she was very unhappy.*

ACTIVIDAD 13 Solos en casa

En parejas, Uds. están solos en una casa por la noche y están un poco nerviosos porque ha habido muchos robos últimamente. Hagan conjeturas acerca de lo que pasa siguiendo el modelo.

► Oyen un ruido en otra habitación.

A: ¿Oíste ese ruido?
B: Sí. ¿Qué será?
A: Será el viento.

1. Un perro empieza a ladrar.
2. Suena el teléfono y, al contestar, no habla nadie.
3. Oyen un grito que viene de fuera de la casa.
4. Escuchan la sirena de la policía.
5. Alguien llama a la puerta.

ACTIVIDAD 14 ¿En qué año sería?

Intenta decir la edad exacta que tenían ciertas personas famosas o el año exacto en que ocurrieron los siguientes acontecimientos. Si no estás seguro/a, mira las opciones que se presentan y usa expresiones como: **sería a principios de los..., a fines de los..., en el año..., de... a...** o **tendría... años.**

► llegar / Armstrong a la luna

a. a principios de los 60 b. a fines de los 60 c. a principios de los 70

Armstrong llegó a la luna en 1969. Sería a fines de los sesenta cuando Armstrong llegó a la luna.

1. ser / las Olimpiadas en Barcelona
   a. en el año 1988 b. en el año 2000 c. en el año 1992
2. Penélope Cruz / ser / protagonista de una película norteamericana por primera vez
   a. 18 años b. 25 años c. 28 años
3. norteamericanas / ganar / la Copa Mundial de Fútbol
   a. mediados de los 70 b. a finales de los 80 c. a finales de los 90
4. JFK / morir / asesinado en Dallas, Texas
   a. 36 años b. 46 años c. 56 años
5. Miguel Indurain / español / ganar el Tour de Francia cinco veces consecutivas
   a. de 1974 a 1978 b. de 1991 a 1995 c. de 1998 a 2002
6. Shakira / producir / su primer álbum en inglés
   a. 20 años b. 24 años c. 27 años

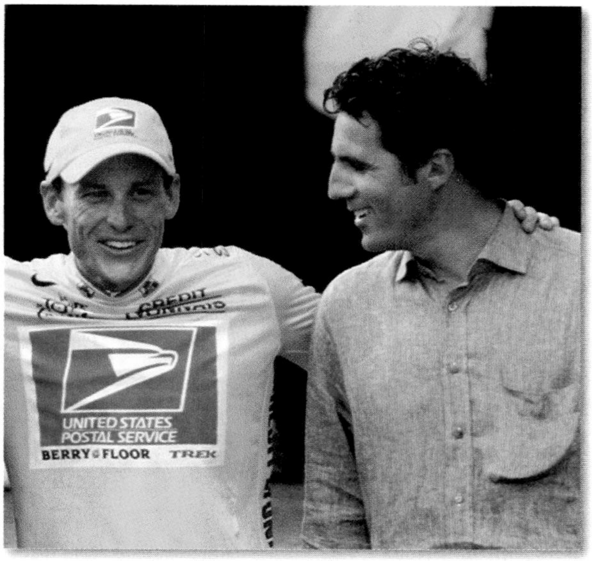

Los ciclistas Lance Armstrong y Miguel Indurain.

IV. Discussing Human Relationships

Las relaciones humanas

The title *Cuernos* is taken from the expression **ponerle los cuernos a alguien** = *to cheat on someone* (literally, to put horns on your partner).

fidelity

we trust

partners

have been unfaithful, have cheated

echar(se) una cana al aire = to have a one-night stand; to let your hair down

Cuernos

La relevancia que le damos a la **fidelidad** sexual, independientemente de la edad, es altísima; sólo un 2,7% la considera "poco importante". Pero además **confiamos en** nuestros compañeros sentimentales: más del 68% de los españoles no cree que sus **parejas** les **hayan sido infieles,** mientras que el 30,5% de los varones y el 10,7% de las mujeres reconocen haberlo sido alguna vez. Estos son algunos datos de la muestra que Sigma Dos ha realizado en la última semana de julio en exclusiva para *Magazine*. El escritor, político y demógrafo Joaquín Leguina analiza los resultados de la encuesta y señala que "estas proporciones de infieles subestiman la realidad". Pero si algo ha llamado la atención del autor del libro *Cuernos* es el porcentaje de menores de 30 años que sostienen como motivo inevitable de ruptura **una cana al aire**: "La permisividad de los jóvenes españoles queda muy en entredicho".

Joaquín Leguina. "Cuernos", *El Mundo*, 17 Agosto, 2003 (www.el-mundo.es/magazine/2003). Reprinted by permission.

La pareja y la familia	
el asilo/la casa/la residencia de ancianos	nursing home
la crianza, criar	raising, rearing; to raise, rear
ejercer autoridad	to exert authority
entrometerse (en la vida de alguien)	to intrude, meddle (in someone's life)
la falta de comunicación	lack of communication
la generación anterior	previous generation
la igualdad de los sexos	equality of the sexes
inculcar	to instill, inculcate
independizarse (de la familia)	to become independent (from one's family)
la infidelidad	
el machismo	
malcriar	to spoil, pamper (a child)
matriarcal, patriarcal	
moral, inmoral	
la niñera	nanny

rebelde, rebelarse	rebellious; to rebel
sumiso/a	submissive
tener una aventura (amorosa)	to have an (love) affair
el vínculo	bond
vivir juntos/convivir	to live together

ACTIVIDAD 15 Tu opinión

Lee y marca las ideas con las que estás de acuerdo. Luego, en grupos de tres, discútanlas.

1. ❑ Los padres malcrían a sus hijos porque no tienen tiempo de educarlos bien.
2. ❑ En este país está mal visto que un/a chico/a de 22 años no se haya independizado de sus padres.
3. ❑ Hay falta de comunicación entre padres e hijos porque todos están muy ocupados.
4. ❑ En este país existe la igualdad de sexos.
5. ❑ Los vínculos entre padres e hijos son muy fuertes, pero eso no quiere decir que los hijos deseen vivir en la misma ciudad o el mismo estado que sus padres.
6. ❑ Convivir antes de casarse es inmoral.

ACTIVIDAD 16 El matrimonio en el futuro

En una época, el matrimonio por amor y no por conveniencia se consideraba una idea muy radical. En parejas, discutan las siguientes preguntas sobre el matrimonio.

1. Cuando en generaciones anteriores el matrimonio era un arreglo, ¿qué tipo de conflictos tendrían los hombres y las mujeres?
2. ¿Qué tipo de problemas tendrán ahora las parejas que se casan por amor?
3. ¿Qué tipo de vínculo creen que se establecerá entre dos personas en el futuro?

The word **pareja** can mean *partner* or *couple*.

ACTIVIDAD 17 La mujer mexicana

Parte A: El siguiente párrafo es parte de un artículo que apareció en una revista mexicana. Léelo para enterarte de cómo predice que será la mujer del año 2025.

ASÍ SERÁ LA MUJER

La mujer del año 2025 será realista, optimista y se sentirá cómoda con su incorporación a todos los ámbitos de la vida social. Formará una familia distinta a la tradicional, basada en las nuevas relaciones de pareja: el hogar dejará de ser el "reposo del guerrero", y el hombre compartirá las labores domésticas. Las cualidades que más valorará en su compañero serán la ternura, la inteligencia y el sentido del humor. Rechazará el papel de *superwoman* y no deseará ser perfecta. En el trabajo accederá a puestos de mayor responsabilidad, pero no cambiará su calidad de vida por conseguir el éxito a cualquier precio.

Source: *Revista Mía de México*, Editorial Televisa/Publicaciones Continentales de México.

Parte B: Ahora, en parejas, imaginen cómo será la vida de la mujer mexicana actual. Deduzcan las respuestas a estas preguntas basándose en lo que acaban de leer.

1. ¿Cómo será la mujer mexicana actual?
2. Por lo general, ¿qué tipo de familia tendrá ahora?
3. El hogar se ve hoy día como el "reposo del guerrero". ¿Qué significará esta frase?
4. ¿Qué tareas hará el hombre mexicano en el hogar hoy día?
5. ¿Cuáles serán las cualidades que más valora la mujer en un hombre?
6. ¿Qué papel le asignará la sociedad a la mujer?
7. Generalmente, ¿qué tipo de trabajo tendrá ahora la mujer fuera del hogar?

ACTIVIDAD 18 La tele y la familia

Parte A: En grupos de tres, miren la siguiente escena, y comenten las ideas que la acompañan.

1. los aparatos electrónicos y la falta de comunicación en la familia
2. la televisión como un miembro más de la familia
3. la televisión como niñera
4. la televisión para inculcar valores tanto positivos como negativos

Parte B: Ahora comenten estas preguntas relacionadas con la televisión y su infancia.

1. número de horas que miraban televisión
2. tipos de programas que miraban
3. si la televisión era su niñera y por qué sí o no
4. número de horas que pasaban en Internet
5. de qué modo creen que les haya afectado la televisión e Internet

Parte C: Los estudios afirman que los niños que miran mucha televisión tienen luego problemas de concentración y son más hiperactivos. Teniendo en cuenta ese dato, ¿qué reglas para mirar televisión implementarán Uds. con sus hijos?

ACTIVIDAD 19 Los más pequeños y los ancianos

Parte A: En grupos de tres, discutan estas preguntas sobre la educación infantil y el cuidado de los ancianos.

1. Imaginen que tienen un niño menor de dos años. ¿Lo dejarían en una guardería todo el día? ¿Cuáles serían tres ventajas y tres desventajas?
2. Si vivieran cerca de la casa de sus padres, ¿dejarían al niño todos los días con ellos? ¿Les gustaría a ellos?
3. ¿Quién debe ser responsable de la crianza de los niños y por qué?
4. ¿De qué forma malcrían los padres a los niños? ¿Por qué creen que lo hagan?
5. ¿Qué papel desempeñan/desempeñaron sus abuelos en su familia?
6. Imagínense que sus padres son ancianos y necesitan cuidados especiales. ¿Cuáles serían tres ventajas y tres desventajas de que ellos vivieran con Uds.?
7. ¿Pondrían a sus padres en una casa de ancianos? ¿Cuáles serían las ventajas y desventajas de hacerlo?

Parte B: Ahora lean lo que dice una venezolana acerca del cuidado de los niños y de los ancianos en su país. Luego, en su mismo grupo de tres, comparen lo que dice ella con lo que contestaron Uds.

Fuente hispana

"En Latinoamérica, una familia con hijos pequeños nunca los llevaría a una guardería antes de los dos años para que allí se los cuidaran. Preferiría en todo caso contratar a una niñera que les ayudara con la parte pesada de ese trabajo, como es el bañarlos, darles de comer, cambiarles los pañales, supervisar sus juegos. Ahora bien, en caso de no tener recursos económicos para contratar ayuda, acudirían a la madre o a la suegra. Ellas, sin duda, lo harían con mucho amor, sin esperar ningún tipo de compensación económica.

Por otro lado, si los padres de la pareja son muy ancianos y no pueden valerse por sí mismos, ellos esperarán que sus hijos los cuiden. Vivirán en la casa de uno de sus hijos y, si es necesario y si tienen los recursos, les contratarán a una enfermera particular para que se encargue de ellos. Por nada del mundo se les ocurrirá buscarles lugar en un asilo para personas mayores, pues, si lo hacen, sus padres sentirán que los hijos los han abandonado." ■

ACTIVIDAD 20 ¿Costumbres semejantes?

El rol de la mujer

Parte A: En parejas, lean las siguientes preguntas y discutan sus respuestas basándose en sus ideas sobre la sociedad de este país.

1. ¿Es común que un hombre soltero o una mujer soltera de treinta años viva con sus padres?
2. ¿Con quién viven sus abuelos? ¿Tienen Uds. algún pariente en una casa de ancianos?
3. ¿Hay presión para que los recién casados tengan hijos?

(*Continúa en la página siguiente.*)

4. ¿Comparten por igual el padre y la madre la crianza de los niños?
5. ¿Quién cuida a los niños durante el día?
6. ¿Cómo dividen las responsabilidades de la casa las parejas casadas si solo una persona trabaja fuera de casa? ¿Y si los dos trabajan fuera de casa?
7. ¿Tiene la mujer de hoy más independencia que antes? Expliquen.

Parte B: En parejas, lean las preguntas nuevamente y traten de imaginar lo que contestaría un hispano.

► Un hispano diría que (no) es común que un hombre de treinta años viva con sus padres.

Parte C: A continuación hay una lista de respuestas que dieron una mexicana y una española a las preguntas de la Parte A. Algunas respuestas fueron similares y otras no. Comparen estas respuestas con lo que respondieron Uds. en las Partes A y B de esta actividad. Los números corresponden a las preguntas de la Parte A.

LAS RESPUESTAS SIMILARES

mexicana

española

- "Es común y aceptable que un hombre o una mujer de treinta años viva con sus padres si todavía no se ha casado." (pregunta 1)
- "En general, la madre es la que más se ocupa de la crianza de los niños." (4)
- "Los abuelos y otros familiares suelen vivir en la misma ciudad y ayudan a cuidar a los niños cuando los padres lo necesitan." (5)
- "Dentro de la casa, generalmente la mujer sigue ocupándose de la mayoría de las labores domésticas." (6)
- "La mujer de clase media tiene cada vez más independencia y trabaja más fuera del hogar." (7)

LAS RESPUESTAS DIFERENTES

mexicana	española
• "Relativamente pocas personas tienen parientes en casas de ancianos." (2)	• "Las cosas han cambiado, ya que la mujer trabaja fuera de casa, y por eso ahora hay más personas en residencias de ancianos. También existen las residencias de día: son como guarderías, pero para mayores." (2)
• "La familia espera que los recién casados tengan hijos pronto, pero últimamente esto está cambiando en las grandes ciudades." (3)	• "Normalmente tienen hijos dos o tres años después de casarse, si los tienen. Las mujeres tienen el primer hijo más o menos a los 30 años." (3)

ACTIVIDAD 21 Una pareja hispano-norteamericana

Después de discutir las preguntas de las Actividades 19 y 20, en grupos de tres, hagan conjeturas sobre qué conflictos habría si se casaran una mujer de este país y un hombre de un país hispano. Luego hagan lo mismo para un hombre de este país y una mujer de un país hispano.

V. Hypothesizing (Part One)

Si Clauses (Part One)

In this section, you will learn to discuss hypothetical situations.

1. When making a hypothetical statement about a situation that may or may not happen, use the following construction.

May or may not happen

si + *present indicative,*	*present indicative* **ir a** + *infinitive* *future* *command*

Si Paco tiene tiempo, *If Paco has time,* (which he may or may not)	**le hablo del problema.** *I am going to speak to him about the problem.* **le voy a hablar del problema.** *I am going to speak to him about the problem.* **le hablaré del problema.** *I will speak to him about the problem.* **háblale del problema.** *speak to him about the problem.*

2. When making a hypothetical statement about an imaginary situation, use the following construction. Notice that the **si** clause contains a contrary-to-fact statement (if I were a rich man—which I am not).

Imaginary situations

si + *imperfect subjunctive,*	*conditional*
Si tuviera el dinero, *If I had the money* (which I do not),	**viajaría** por todo el mundo. *I would travel all over the world.*
Si estuvieras de visita en Sitges, *If you were visiting Sitges* (which you aren't),	**irías** a la playa todos los días. *you would go to the beach every day.*
Si mi hermana **fuera** piloto, *If my sister were a pilot* (which she is not),	**conocería** muchos lugares. *she would know many places.*

3. In all sentences with **si** clauses, the **si** clause can start or end the sentence.

Si Uds. me ayudan, terminaremos pronto.*	=	Terminaremos pronto si Uds. me ayudan.

*__Note:__ If the **si** clause comes first, a comma is needed.

ACTIVIDAD 22 Situaciones para niños

Imagina que eres un/a niño/a y acabas de participar en un taller (*workshop*) sobre seguridad personal. Di qué harías en las siguientes situaciones.

1. Si alguien te preguntara en la calle cómo llegar a un lugar, ...
2. Si un amigo o una amiga te ofrecieran un cigarrillo, ...
3. Si un amigo o una amiga te sugirieran que robaras algo en una tienda, ...
4. Si tú estuvieras solo/a en casa y una persona llamara por teléfono y preguntara por uno de tus padres, ...
5. Si en la calle alguien te ofreciera un dulce, ...

ACTIVIDAD 23 Acciones poco comunes

Parte A: Entrevista a personas de la clase para averiguar si han hecho o harían, si pudieran, las actividades de la siguiente lista. Debes hacerle solo una pregunta a cada persona que entrevistes y escribir solo un nombre para cada acción. Sigue el modelo.

► A: ¿Alguna vez has comido ancas de rana?

B: Sí, lo he hecho.
A: ¿Cuándo las comiste?
B: El verano pasado y me gustaron mucho.

B: No, nunca lo he hecho.
A: ¿Las comerías si pudieras?
B: No, nunca lo haría. / Creo que sí lo haría.

	LO HA HECHO	NUNCA LO HARÍA	LO HARÍA SI PUDIERA
1. correr en un maratón	______	______	______
2. escalar una montaña alta	______	______	______
3. participar en un reality show	______	______	______
4. hacer un viaje por la selva	______	______	______
5. nadar sin traje de baño	______	______	______
6. actuar en una película	______	______	______
7. vivir por lo menos un año en un país de habla española	______	______	______
8. ser reportero/a para un periódico de chismes	______	______	______

Parte B: Ahora en parejas, díganle a la otra persona los datos que obtuvieron.

► Beth dice que, si pudiera, comería ancas de rana.

ACTIVIDAD 24 ¿Cómo serías?

En parejas, túrnense para decir cómo sería su vida si Uds. fueran diferentes en ciertos aspectos.

► ser más alto

Si yo fuera más alto, podría ser un buen jugador de basquetbol. Practicaría todos los días y también viajaría mucho para jugar partidos.

1. ser más bajo/a o alto/a
2. ser hombre/mujer
3. hacer más/menos ejercicio
4. ser famoso/a
5. (no) estar casado/a
6. (no) tener hermanos
7. (no) cambiarse el color del pelo
8. vivir en un país de habla española

ACTIVIDAD 25 La clonación

Mientras hacían las últimas actividades, Uds. tuvieron la oportunidad de explorar un poco la variedad de personas que hay en la clase y sus opiniones. Durante siglos se decía que no había dos personas iguales en el mundo. Ahora, en grupos de tres, van a discutir las siguientes preguntas sobre la clonación (*cloning*).

1. ¿Qué significa el término "planificación familiar"?
2. Si la clonación y los mapas genéticos de embriones estuvieran al alcance de todos, ¿cómo cambiaría la definición de "planificación familiar"?
3. ¿Creen que la clonación sea moral o inmoral? Justifiquen su respuesta.
4. ¿Creen que muchas personas harían un clon de su perro o gato si pudieran?
5. ¿Cómo se sentiría un niño si supiera que es producto de una clonación?
6. ¿Qué consecuencias tendría la clonación para la estructura familiar? ¿Cómo cambiaría el concepto de "hermanos" o el de "padres"?
7. Miren el chiste y contesten esta pregunta: Si pudieran pedir un hijo como piden una hamburguesa, ¿cómo les gustaría que fuera?

www.gaturro.com

ACTIVIDAD 26 El piropo

Existe una costumbre en países de habla española llamada el piropo. El piropo suele ser una frase agradable que le dice normalmente un hombre en la calle a una mujer desconocida. Por lo general, no es apropiado que la mujer le haga caso a su admirador. Aunque hoy día no se oyen tantos piropos como antes y aunque se dice que la calidad también ha bajado, todavía es posible oír algunos muy bien expresados. Aquí hay algunos ejemplos.

> "Si fuera un caramelo, me gustaría derretirme (*melt*) en tu boca."
> "Si pudiera hacerlo, volvería a ser niño para ser tu primer amor."
> "Desearía ser tu perfume para besar tu cuello constantemente."

En parejas, escriban un piropo para hombres o mujeres con cada una de las siguientes fórmulas.

1. **Si yo fuera un/a** + *sustantivo*, + ...
2. **Si yo pudiera...**, + ...
3. **Desearía ser tu** + *sustantivo* + **para** + ...

En vez de decir **Desearía ser tu...**, se puede decir **Me gustaría ser tu...** o **Quisiera ser tu...**

Para leer más piropos, haz una búsqueda en Internet con la palabra "piropo". ¡Ojo! Existen diferentes tipos de piropos, unos son chistosos, otros simpáticos y algunos poéticos, pero también existen piropos de muy mal gusto y en Internet vas a encontrar un poco de todo.

ACTIVIDAD 27 Un anuncio publicitario

Parte A: Mira el anuncio y contesta estas preguntas.

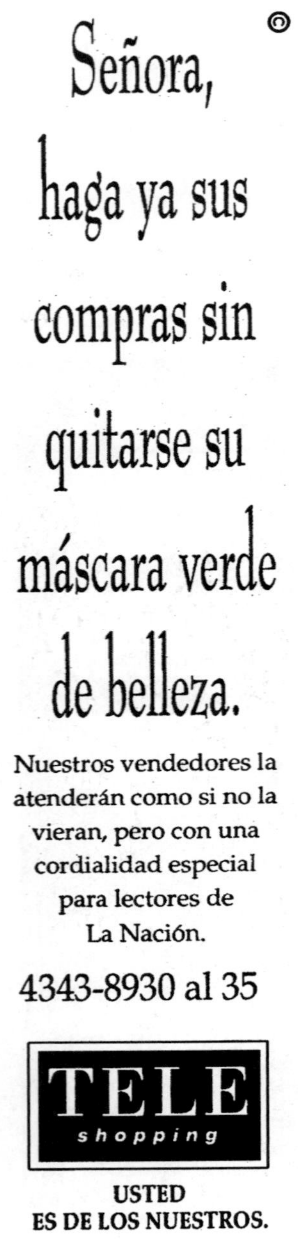

1. ¿Qué ofrece el anuncio?
2. ¿A quién está dirigido?
3. ¿Qué supone el anuncio que la persona está haciendo?
4. Si una empresa quisiera ofrecerle algo a ese consumidor en los Estados Unidos, ¿aceptaría el consumidor ese tipo de anuncio o lo interpretaría como ofensivo?
5. Si tuvieras que hacer un anuncio para ofrecerle ese tipo de servicio a un hombre, ¿qué dirías en el anuncio?

Parte B: En grupos de tres, lean las siguientes ideas sobre los anuncios comerciales y digan qué opinan.

1. En los anuncios, el hombre vende productos caros y la mujer vende productos baratos.
2. Los anuncios para adelgazar son para las mujeres.
3. Los anuncios de juguetes para niños están dirigidos a los niños y a sus madres.
4. Muchos anuncios presentan a la mujer como un "premio".

ACTIVIDAD 28 Lectura entre líneas

Parte A: En grupos de cuatro, Uds. son empleados de una fábrica. Uno de Uds. se sentó frente a una computadora durante las horas de trabajo y se dio cuenta de que alguien había olvidado salir del sistema y por eso aparecieron en pantalla unos mensajes electrónicos entre Pura Morales (la nueva presidenta del sindicato) y el dueño de la fábrica. Lean los mensajes empezando con el primero al final de la página siguiente y hagan conjeturas sobre lo que ocurrió. Usen frases como: **Aquí dice que..., pero antes decía que...; Sería que ellos...; Esto implicaría que...; ¿Será posible que...?**

De: Felipe Bello [fbello@sistema.com]
Fecha: 18/4
A: Pura Morales [puramo@sistema.com]
Tema: Una rosa roja

Hace tiempo que no me divertía tanto, Pura. Entre nosotros no hay falta de comunicación. Cuando te vea el viernes, tendré una rosa roja para que la lleves entre los dientes. Hasta el viernes próximo a las ocho en Le Rendezvous.

>----**Mensaje original**----
>**De:** Pura Morales [puramo@sistema.com]
>**Fecha:** 7/4
>**A:** Felipe Bello [fbello@sistema.com]
>**Tema:** A las ocho
> Obviamente no quiero entrometerme en tu vida familiar.
>El sábado que viene está perfecto. Estaré allí a las ocho.

>>---- **Mensaje original**----
>>**De:** Felipe Bello [fbello@sistema.com]
>>**Fecha:** 6/4
>>**A:** Pura Morales [puramo@sistema.com]
>>**Tema:** Le Rendezvous

>>Mira, chica, me es imposible. Este sábado me toca cuidar a los niños ya que
>>no me gusta dejarlos con la niñera. Lo siento mucho, pero ¿qué tal el
>>sábado que viene? Seguro que puedo decirle a mi mujer que voy a un
>>partido de fútbol y así no podrá comunicarse conmigo.

>>>----**Mensaje original**----
>>>**De:** Pura Morales [puramo@sistema.com]
>>>**Fecha:** 5/4
>>>**A:** Felipe Bello [fbello@sistema.com]
>>>**Tema:** El secreto

>>>Oye, Felipe, ¿qué te parece si vamos al restaurante Le Rendezvous este
>>>sábado? El dueño es un íntimo amigo mío y es de confianza. Él no
>>>le dirá nada a nadie. Seguro que el dueño nos puede dar una sala
>>>especial solo para nosotros donde podamos escuchar tangos.

>>>>----**Mensaje original**----
>>>>**De:** Felipe Bello [fbello@sistema.com]
>>>>**Fecha:** 4/4
>>>>**A:** Pura Morales [puramo@sistema.com]
>>>>**Tema:** Nuestro secreto

>>>>No sabes cuánto me gustó conocerte, Pura. Eres muy especial. ¡Hay
>>>> pocas mujeres tan valientes! Confía en mí, no voy a decir nada de lo
>>>>nuestro a nadie. Dime cuándo puedes reunirte conmigo.

>>>>>----**Mensaje original**----
>>>>>**De:** Felipe Bello [fbello@sistema.com]
>>>>>**Fecha:** 31/3
>>>>>**A:** Pura Morales [puramo@sistema.com]
>>>>>**Tema:** Reunión

>>>>>Srta. Morales:
>>>>>No tengo ningún inconveniente. Ya es hora de que nos
>>>>>conozcamos personalmente.

>>>>>>----**Mensaje original**----
>>>>>>**De:** Pura Morales [puramo@sistema.com]
>>>>>>**Fecha:** 30/3
>>>>>>**A:** Felipe Bello [fbello@sistema.com]
>>>>>>**Tema:** Reunión

>>>>>>Sr. Bello:
>>>>>>Me gustaría hablar con Ud. el lunes 3 de abril a las 15:00.
>>>>>>¿Estaría bien a esa hora? La cita no es para hablar de trabajo.

Parte B: Para ver qué pasó de verdad, lean el artículo que salió en el boletín (*newsletter*) de la fábrica a principios de mayo y comparen sus deducciones con la información del boletín. (Ver página 351.)

Parte C: Antes de discutir el tema de la fidelidad, vuelvan a leer en la página 289 la información que se publicó en España sobre el tema. Luego compárenla con lo que creen que ocurre en este país.

1. ¿Creen que sea común la infidelidad entre personas que tienen un vínculo amoroso? Si supieran que la pareja de un amigo íntimo le pone los cuernos a su amigo, ¿bajo cuáles de estas circunstancias le dirían algo?
   - si fueran novios
   - si vivieran juntos, pero no estuvieran casados
   - si pensaran casarse
   - si estuvieran casados sin hijos
   - si estuvieran casados con hijos
2. ¿Cambiaría su respuesta si fuera una amiga íntima?
3. Si estuvieran Uds. en cualquiera de esas situaciones, ¿les gustaría que alguien les dijera la verdad? ¿Preferirían enterarse de otra forma? ¿Preferirían no saber nada?
4. Si un político casado se echara una cana al aire, ¿cómo reaccionarían los ciudadanos? Si una mujer política casada se echara una cana al aire, ¿cómo reaccionarían los ciudadanos?

Do the corresponding web activities to review the chapter topics.

Vocabulario activo

CAPÍTULO 10

La pareja y la familia

el asilo/la casa/la residencia de ancianos *nursing home*
confiar en *to trust*
la crianza *raising, rearing* (of children)
criar *to raise, rear*
echar(se) una cana al aire *to have a one-night stand; to let one's hair down*
ejercer autoridad *to exert authority*
entrometerse (en la vida de alguien) *to intrude, meddle (in someone's life)*
la falta de comunicación *lack of communication*
la fidelidad *fidelity*
la generación anterior *previous generation*
la igualdad de los sexos *equality of the sexes*
inculcar *to instill, inculcate*
independizarse (de la familia) *to become independent (from one's family)*
la infidelidad *infidelity*
inmoral *immoral*
el machismo *male chauvinism*
malcriar *to spoil, pamper* (a child)
matriarcal *matriarchal*
moral *moral*
la niñera *nanny*
la pareja *partner; couple*
patriarcal *patriarchal*
ponerle los cuernos a alguien *to cheat on someone* (literally, to put horns on your partner)
rebelarse *to rebel*
rebelde *rebellious*
ser fiel/infiel *to be faithful/unfaithful*
sumiso/a *submissive*
tener una aventura (amorosa) *to have an (love) affair*
el vínculo *bond*
vivir juntos/convivir *to live together*

Expresiones útiles

un/a amigo/a íntimo/a *a close friend*
mientras más vengan, mejor *the more, the merrier*
¿No te/le/les parece? *Don't you think so?*
Eres un ángel. *You're an angel.*
Eres un/a santo/a. *You're a saint.*
Eres más bueno/a que el pan. *You are as good as gold.* (literally, You are better than bread.)
Esa es una mentira más grande que una casa. *That's a big fat lie.*
Francamente, creo que tú... *Frankly, I think that you ...*
¡Qué decente! *How decent!*
¡Qué responsable! *How responsible!*
¡Qué caradura! *Of all the nerve!*
¡Qué sinvergüenza! *What a dog/rat!*
¡Qué desconsiderado/a! *How inconsiderate!*

Más allá

Canción: "Sería feliz"

Julieta Venegas

La cantautora nació en Tijuana, México, en 1970 y ya de pequeña empezó a estudiar piano. En casa su madre escuchaba canciones mexicanas tradicionales que Venegas luego incorporó en su música. Por su proximidad a los Estados Unidos, también escuchó rock norteamericano a través de una conocida estación de radio de San Diego, California. En Tijuana tocó con varios grupos, pero luego se mudó a la Ciudad de México, donde finalmente decidió ser solista. Venegas es considerada hoy día una de las mejores cantantes de música alternativa y ha recibido varios Grammys Latinos y premios de MTV como mejor artista del año, mejor solista y mejor artista mexicana.

ACTIVIDAD ¿Cómo podrías ser feliz?

Parte A: Antes de escuchar la canción, di cuatro o cinco condiciones que necesitarías para ser feliz. Usa el siguiente formato: **Si..., sería feliz.**

Parte B: Escucha la canción y marca todas las condiciones que necesitaría la cantante para ser feliz.

______ tener a su compañero a su lado
______ tener cosas que nunca pudo tener
______ tener a su familia cerca
______ tener suficiente tiempo
______ tener suficientes amigos
______ tener suficiente vida
______ tener un lugar para expresar sus necesidades
______ alguien escucharla
______ haber paz en el mundo
______ las personas que la ignoran respetarla
______ otros ver de lo que ella es capaz

Parte C: En grupos de tres, discutan las siguientes preguntas sobre la canción y la felicidad.

1. ¿En qué se diferencian las condiciones para ser feliz que mencionaron Uds. en la Parte A de las que menciona la cantante?
2. ¿Qué es la felicidad? ¿Es algo permanente o transitorio? Intenten definirla.
3. Hay gente que dice que, para ser feliz, hay que rodearse de gente positiva. Comenten esta idea.

Videofuentes: *En la esquina* (cortometraje)

Antes de ver

ACTIVIDAD 1 ¿De qué se trata?

En el siguiente cortometraje chileno llamado *En la esquina*, aparecen un chico, su novia y una segunda chica. En grupos de tres, miren el título del corto y la foto, y usen la imaginación para inventar lo que creen que va a ocurrir.

El cortometraje *En la esquina* ganó premios en Chile, Italia, Cuba y los EE.UU.

Mientras ves

ACTIVIDAD 2 El cortometraje

Parte A: Mira el cortometraje y prepárate para hablar de las siguientes ideas.

- quiénes son los personajes
- qué ocurre en la esquina
- cuál es el final de la historia
- qué creen que ocurrirá después del final que se presenta

Parte B: El cortometraje muestra realidad y fantasía. En grupos de tres, discutan qué partes creen Uds. que sean reales y cuáles no.

Después de ver

ACTIVIDAD 3 Las relaciones amorosas

Parte A: Ahora, en parejas, discutan las siguientes preguntas sobre las relaciones amorosas.

1. ¿Qué harían si estuvieran en el lugar del chico de la película y por qué?
2. Si fueran la chica de la esquina y el chico les hablara, ¿qué le dirían?
3. ¿Alguna vez han visto en la calle o en una fiesta a alguien muy atractivo cuando tenían novio o novia? ¿Qué hicieron? ¿Imaginaron algo?
4. ¿Alguna vez han visto en la calle a un ex novio o ex novia? ¿Qué hicieron y por qué?
5. En su opinión, ¿creen que algunas parejas estén juntas por costumbre y no porque realmente se quieran?
6. ¿De qué modo cambia la gente su comportamiento cuando está delante de alguien que le gusta mucho?

Parte B: Ahora miren los siguientes refranes y expliquen cómo se reflejan en la película que acaban de ver.

- Más vale malo conocido que bueno por conocer.
- Del dicho al hecho hay mucho trecho.

ACTIVIDAD 4 En la esquina (Segunda parte)

En grupos de tres, escriban el argumento de un segundo cortometraje (continuación del primero) con los mismos personajes. Luego prepárense para actuar la situación delante de la clase.

Película: *Valentín*

Drama

Argentina, 2002

Director: Alejandro Agresti

Guion: Alejandro Agresti

Clasificación moral: Todos los públicos

Reparto: Rodrigo Noya, Carmen Maura, Julieta Cardinali, Jean Pierre Noher, Mex Urtizberea, Alejandro Agresti, más...

Sinopsis: Un niño vive en Buenos Aires con su abuela en la década de los 60 y sus dos sueños son ver a su madre y ser astronauta. Su padre no se ocupa mucho de él y por eso no hay ningún hombre en la vida del niño hasta que conoce a un vecino excéntrico. También conocerá a la nueva novia de su padre.

CARMEN MAURA
RODRIGO NOYA
JULIETA CARDINALI
un film de
ALEJANDRO AGRESTI
Valentín
Para volver a vivir
aquellas pequeñas cosas,
que eran tan grandes
cuando fuiste chico.

ACTIVIDAD La vida de Valentín

Parte A: En grupos de tres, usen la imaginación y hagan conjeturas sobre el presente y el futuro para hablar de las siguientes preguntas.

1. ¿Por qué vivirá Valentín con su abuela y no con su madre?
2. ¿Qué hará el niño un día típico?
3. ¿Por qué soñará con ser astronauta?
4. En el futuro, Valentín conocerá a la novia de su padre. Digan qué ocurrirá.

Parte B: Ahora vayan al sitio de Internet del libro de texto y hagan las actividades que allí se presentan.

CAPÍTULO 10

Lo femenino y lo masculino

See the *Fuentes* website for related links and activities: www.cengage.com/spanish/fuentes

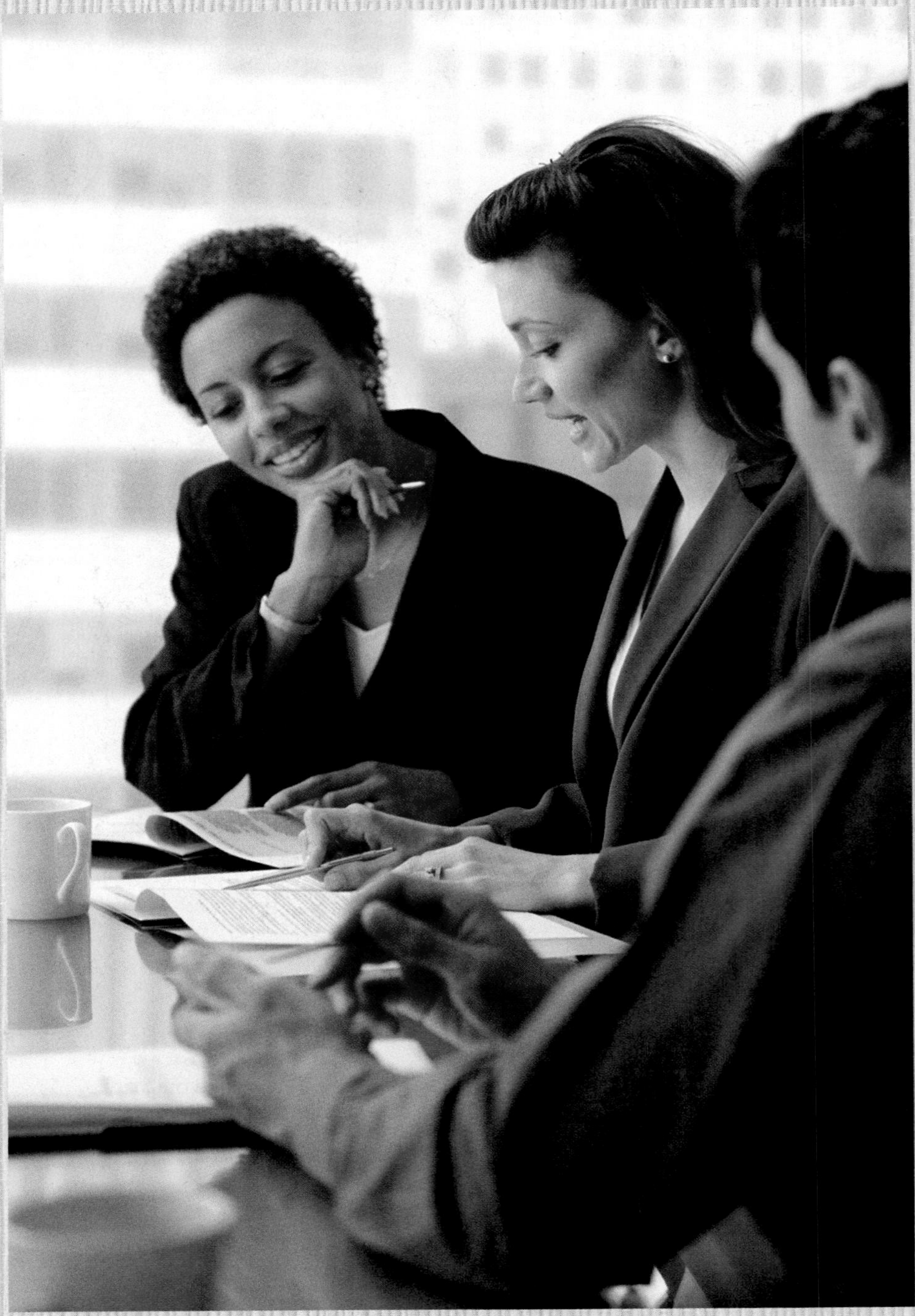

Una reunión de trabajo, Bogotá, Colombia. A través del mundo hispano, las mujeres cobran cada vez mayor protagonismo en los negocios, la política y otros aspectos de la vida pública.

ACTIVIDAD 1 ¿Lo femenino y lo masculino?

Activating background knowledge

En grupos de tres, respondan a las siguientes preguntas que tratan de las categorías "femenino" y "masculino".

- ¿Son diferentes los hombres y las mujeres? ¿En qué sentido?
- ¿Existen las mismas diferencias entre los sexos en todas las culturas? Den ejemplos.
- ¿A qué factores o causas se deben las diferencias?

Lectura 1: Un ensayo

ACTIVIDAD 2 ¿Cuál es la palabra?

Guessing meaning from context

Las palabras en negrita aparecen en la lectura "El lenguaje es sexista" que vas a leer. Después de estudiarlas, úsalas en las oraciones que les siguen.

la carga; cargado/a	load; loaded
consagrar	to consecrate, establish
cotidiano/a	everyday, daily
el disparate	foolish remark, nonsense
estar en entredicho	to be questionable or in doubt
fijar la norma	to fix/set the correct norm or standard
el/la filólogo/a	specialist in study of linguistics and/ or literature (filología)
el género	grammatical or sexual gender
grato/a	pleasant, welcome
el prejuicio	prejudice
sea/n...	be it . . . /be they . . .
suprimir; la supresión	to suppress, eliminate; suppression, elimination
tal o cual	such and such

1. En general, las instituciones que publican los diccionarios y las gramáticas deciden qué formas son correctas, o sea, ____________________ de la lengua.
2. Los ____________________ en contra de una perspectiva se pueden revelar por medio de las acciones y de las palabras.
3. En los países hispanos, los ____________________ son estudiosos que se dedican a entender el uso de la lengua hablada y escrita.
4. Después del ____________________ que dijo el ministro, toda la política de su partido ____________________.
5. Todas las personas —____________________ hombres o mujeres, ricos o pobres— deben tener igualdad ante la ley.

6. A muchas mujeres les es muy ____________________ que existan organizaciones que se preocupan por el uso de un lenguaje menos sexista.
7. En años recientes, cada vez más sociedades intentan ____________________ el uso de palabras racistas, sexistas y homófobas en el discurso público.
8. Algunas personas creen que es simplemente cortés que los hombres abran las puertas para las mujeres, mientras que otros ven este acto como ____________________ de sexismo.
9. Hoy día se hace con frecuencia una distinción entre el sexo biológico y el ____________________, o sea, el sexo visto como un fenómeno cultural.
10. ¿Qué factores llevan a los estudiosos a aceptar o no ____________________ palabra de la lengua hablada y coloquial en la lengua escrita?
11. En España, la Real Academia Española es la institución que ____________________ el uso de nuevas palabras en el discurso público, sea en la prensa, la radio, la televisión o Internet.
12. En la vida ____________________ la gente no suele preocuparse mucho por el uso correcto de las palabras.

Activating background knowledge

ACTIVIDAD 3 La fijación de la norma

El artículo que vas a leer comenta el tema del sexismo lingüístico en el español y también la reacción a este tema de varios miembros de la Real Academia Española (RAE). La RAE fue fundada por el rey de España en 1713–1714 para fijar la norma lingüística del español, o sea, para determinar qué formas son correctas y cuáles son incorrectas. Ahora todos los países hispanohablantes, incluso los Estados Unidos, tienen su propia academia de la lengua española, y todas colaboran con la RAE en la producción de diccionarios y gramáticas. Ahora bien, en el mundo anglohablante, no existe ninguna academia de la lengua inglesa. Pensando en esta información, comenten las siguientes preguntas en grupos de tres.

1. En el mundo anglohablante, ¿quiénes deciden las formas correctas e incorrectas del inglés?
2. ¿Es importante fijar una norma, o sea, saber qué formas son correctas y cuáles son incorrectas? ¿Por qué?
3. ¿Cómo se decide si una forma es correcta o incorrecta? Por ejemplo, ¿es correcta la palabra *bling* en el inglés escrito? ¿Se puede escribir la palabra *separate* como *seperate*? ¿Por qué sí o no?

Activating background knowledge

ACTIVIDAD 4 El sexismo en el lenguaje

La cuestión del sexismo en el lenguaje se ha discutido tanto en el mundo hispanohablante como en el mundo anglohablante. En parejas, respondan a las siguientes preguntas.

- ¿Cuáles son algunos de los cambios que se han aceptado en inglés? Den ejemplos de lenguaje no sexista.
- ¿Creen que estos cambios han mejorado la situación de las mujeres norteamericanas? ¿Por qué?
- En su opinión, ¿existen problemas parecidos en español? Den ejemplos.

ESTRATEGIA DE LECTURA

Identifying Tone

The tone of a text reveals the writer's attitude toward the topic, and it is also used to influence a reader's reaction to a text. Tone is expressed through word choice and content, and can reveal feelings or judgments such as sincerity, joy, praise, hope, anger, shame, regret, bitterness, criticism, humor, and irony. Some texts strive to maintain an objective tone as a means of persuading readers to accept the ideas presented. Identifying the tone or tones of a text allows you to interpret it more fully.

ACTIVIDAD 5 Ideas y tonos

Active reading, Identifying tone

Ahora Uds. van a leer individualmente el artículo "El lenguaje es sexista". El artículo fue escrito por la periodista Tereixa Constenla para el periódico español *El País*, pero también incluye citas de varios expertos conocidos. Lee el texto para comprender las ideas básicas y decide cuáles son los problemas fundamentales que menciona. Mientras lees, decide también:

- si la autora escribe con tono enojado, sincero, mesurado, irónico, crítico y/u otro
- si el tono afecta tu reacción a las ideas del artículo

Ten cuidado de no confundir el tono de las opiniones de los expertos citados (como Javier Marías) con el tono de la autora.

El lenguaje es sexista. ¡Hay que forzar el cambio?

TEREIXA CONSTENLA

La palabra "miembra" es una incorrección. No figura en el diccionario de la Real Academia Española, que fija la norma. Proferirla es una "estupidez", según Javier Marías. Pocas veces un error gramatical —con o sin intención— desató tales diatribas contra una miembro del Gobierno como le ha ocurrido a Bibiana Aído, la primera ministra de Igualdad de la historia de España.

El feminismo y la gramática española no se llevan bien. Viene de antiguo. "El lenguaje está creado por el hombre, para el hombre y tiene como objeto el lenguaje del hombre", sostiene la filóloga Pilar Careaga. Las mujeres se quejan de que no existen si no son nombradas, o que sólo figuran de forma peyorativa en un sistema lingüístico creado en sucesivas etapas de la historia en las que lo femenino no pintaba nada. La igualdad es tan reciente como que las españolas lograron el derecho a votar en 1931, mientras que los varones lo obtuvieron por vez primera en 1890. Los guardianes de la lingüística lo encuentran absurdo. "No tiene sentido pensar que la gramática está contra los hablantes... en las lenguas romances el masculino es el término no marcado", tercia el académico Ignacio Bosque.

¿Se puede decir "miembra"? Ya quedó dicho que no, que la RAE considera al sustantivo "miembro" como un nombre común en género,

Continúa en la página siguiente

La ministra de Igualdad de España, Bibiana Aído, causó revuelo cuando se refirió en un discurso ante el Congreso a "los miembros y miembras" de la Comisión de Igualdad.

esto es, un término ambidiestro, que sirve para unas y otros (las miembros, los miembros). Un transformista que se feminiza o masculiniza según el contexto. Claro que no siempre fue así. Hasta 2005, la palabra "miembro" era considerada por la Academia un epiceno, un nombre asexuado, sin femenino ni masculino, como "víctima", "bebé" o "criatura". Conclusión: las cosas cambian.

Hay filólogas, con años de experiencia en el estudio del sexismo en el lenguaje, que sí defienden el uso de la palabra "miembras". "¿Era incorrecto decir abogada antes de que la palabra estuviese en el diccionario de la RAE?", interpela retóricamente Eulalia Lledó. "No", contesta, "la corrección en la lengua no es un valor absoluto. Y no veo nada en contra de la corrección de la palabra miembra".

El Instituto de la Mujer, en su proyecto nombra.en.red, una base de datos para promover la escritura en femenino y en masculino, acepta la clasificación del diccionario de la RAE. Pero no exclusivamente: "No podemos ignorar que son cada vez más las hablantes a las que les gusta denominarse miembras, en contra del criterio de la Academia. Entre las alternativas que sugerimos, se cuentan también aquellas que consideran la posibilidad de que la palabra miembro pase a ser de doble género, femenino y masculino".

Sin embargo, lo de miembras disgusta hasta a las miembros. "Me parece increíble que una ministra tenga tan poco rigor, lo encuentro ridículo y negativo. La Academia no inventa, es un notario", sostiene Ana María Matute, la única escritora que pertenece a la institución, donde el 93% son hombres.

"No cambiaría con más mujeres en la RAE. ... Lo importante es dar igualdad de oportunidades y que los puestos se hagan en condiciones de igualdad", asevera el académico Ignacio Bosque.

Distinta es la opinión de Pilar Careaga: "Cambiaría con el 50% de académicas. ¿Es que Almudena Grandes y Maruja Torres son peores que Javier Marías o Arturo Pérez-Reverte?".[1] Para la filóloga, el crédito de la institución está en entredicho por decisiones actuales y por exclusiones históricas.

La última persona en ingresar en la RAE ha sido el escritor Javier Marías. Días antes, publicó un artículo en este periódico que tituló: "No esperen por las mujeras". Y decía así: "Es absurdo, además de dictatorial, que diferentes grupos —sean feministas, regionales o étnicos— pretendan, o incluso exijan, que la RAE incorpore tal o cual palabra de su gusto, suprima del diccionario aquella otra de su desagrado, o 'consagre' el uso de cualquier disparate o burrada que les sean gratos a dichos grupos".

Ante palabras cargadas de prejuicios, Eulalia Lledó no propone la supresión, sino la incorporación de una nota pragmática aclaratoria. El diccionario recoge las palabras que la sociedad crea, pero también consagra los usos lingüísticos correctos. "La RAE debería haberse puesto a la cabeza y no ir detrás del proceso de cambio que vivimos. Las palabras tienen que estar al servicio de las personas y no al revés", considera Antonio García, fundador de la Asociación de Hombres por la Igualdad de Género.

El sexismo del lenguaje comenzó a combatirse a nivel internacional a partir de la primera Conferencia Mundial sobre la Mujer, celebrada en México en 1975. No es exclusivo de las lenguas latinas. "Hay parámetros sexistas y androcéntricos universales, pero en cada lengua se manifiestan de distinta manera", indica Lledó.

Incluso el inglés, citado a menudo como un ejemplo libre de carga sexista, ha recibido la presión de movimientos sociales en los setenta

---

1 Grandes, Torres, Marías y Pérez-Reverte son escritores españoles contemporáneos.

y los ochenta para eliminar prejuicios. Deborah Cameron, profesora de Lengua y Comunicación en la Universidad de Oxford, pone el ejemplo de la palabra *fireman* (bombero), gestada a partir de la palabra *man* (hombre), que ha sido reemplazada con el término *firefighter*. Cameron advierte de que los vocablos sexistas perviven en distinto grado en el lenguaje cotidiano y en los periódicos. Y concluye: "Las instituciones pueden legislar sobre el lenguaje, pero las reformas sólo funcionan si la mayoría de los hablantes las aceptan. La gente nunca consulta a las autoridades antes de abrir la boca". ■

ACTIVIDAD 6 Afirmaciones de la periodista

Scanning

La periodista Tereixa Constenla proporciona información básica sobre el sexismo en el lenguaje. Las siguientes oraciones se refieren a ideas expresadas por la periodista. Sin embargo, cada oración contiene información equivocada. Para cada una, identifica el problema y corrígelo.

1. La palabra "miembra" aparece en el Diccionario de la RAE desde 2005.
2. En España las mujeres ganaron el derecho a votar en 1890.
3. Las mujeres se quejan del uso tradicional del género femenino para referirse a las mujeres.
4. La RAE no permite que se diga "las miembros".
5. Hoy la palabra "miembro" se considera un epiceno (sin femenino ni masculino), como "la persona", "la víctima" o "la criatura", que se refieren tanto a hombres como a mujeres.
6. El sexismo del lenguaje solo ha empezado a combatirse en la última década.
7. El inglés es una lengua libre de carga sexista.

ACTIVIDAD 7 ¿Qué dicen los expertos?

Scanning and summarizing

Parte A: En el artículo se cita a varios expertos sobre el lenguaje. Estos expertos son:

- Javier Marías, autor y miembro de la Real Academia Española (RAE)
- Pilar Careaga, filóloga y especialista en el lenguaje no sexista
- Ignacio Bosque, filólogo, especialista en gramática española, miembro de la RAE
- Eulalia Lledó, filóloga, experta en el sexismo en el lenguaje
- Ana María Matute, escritora y miembro de la RAE
- Antonio García, fundador de la Asociación de Hombres por la Igualdad de Género
- Deborah Cameron, filóloga inglesa y profesora de la Universidad de Oxford

Repasa la lectura y da un breve resumen de lo que afirma cada experto o experta respecto al sexismo en el lenguaje y también cómo cada uno/a justifica su postura. Presta atención a citas directas (entre comillas) e indirectas o resumidas.

comillas = " "

Reacting to reading

Parte B: En parejas, decidan qué expertos están de acuerdo con las siguientes ideas.

- el uso de las innovaciones como "miembra"
- el activismo de la RAE en la eliminación del lenguaje sexista

Después, decidan con qué expertos o expertas están más de acuerdo Uds. y justifiquen sus reacciones.

Making inferences

ACTIVIDAD 8 ¿Sexismo en el lenguaje?

En parejas, discutan su opinión de los siguientes casos lingüísticos. ¿Pueden afectar negativamente la actitud o forma de pensar de una persona? ¿Se debería cambiar alguno para actualizarlo y evitar el sexismo? ¿De qué manera lo cambiarían?

1. Si hay 79,999 mujeres en un estadio y solo un hombre, uno se refiere al conjunto con el pronombre "ellos".
2. La expresión "el hombre" se usa para referirse a la humanidad, que incluye tanto varones como mujeres, mientras que "la mujer" se refiere solamente a las mujeres.
3. A los hombres de cualquier edad se les trata de "señor" mientras que las mujeres pasan de "señorita" a "señora" al casarse (o al envejecerse).
4. Una mujer suele referirse a su esposo como "mi marido" y un hombre a su esposa como "mi mujer".
5. En algunos países, entre ellos España, la mujer que se casa no cambia de apellido y sigue usando como primer apellido el de su padre y como segundo el de su madre.

ACTIVIDAD 9 El idioma y las ideas

Los argumentos de muchas feministas a favor de un lenguage menos sexista se basan en la idea de que el idioma puede influir en nuestra manera de pensar. Sin embargo, la manera de cambiar cada lengua es distinta. En grupos de tres, comenten las siguientes preguntas y justifiquen sus reacciones.

El uso de "miembra" ya se ha aceptado entre algunas feministas latinoamericanas.

1. En inglés existe una fuerte tendencia por evitar toda referencia al género/sexo (como en *chair, firefighter, business person*), mientras que en español existe una fuerte tendencia hacia la clara indicación del género/sexo (como en **abogado/a, presidente/a y miembro/a**). ¿Cuál de estas maneras de cambiar la lengua será mejor para evitar el sexismo en el lenguaje?
2. ¿Creen que los hispanohablantes seguirán el camino del inglés y empezarán a evitar la referencia al género/sexo? ¿Por qué sí o no?
3. ¿Creen que la gente de habla española aceptará estos cambios si se implementan?

Cuaderno personal 10-1

¿Desaparecerá el lenguaje sexista en el futuro? ¿Por qué sí o no? ¿Importa?

Lectura 2: Panorama cultural

ACTIVIDAD 10 Términos necesarios

Building vocabulary

Estudia la siguiente lista de vocabulario de la lectura "Hombre y mujer en el mundo hispano contemporáneo" y luego completa las oraciones con las palabras y expresiones adecuadas. Adapta las formas al contexto de cada oración.

abnegado/a	self-sacrificing
alejar	to distance, to keep away from
el cargo	post, administrative position
cuidar (de)	to take care of, to look after
desafiar	to challenge; to defy
luchar	to struggle, to fight
negar	to deny
la reclusión	seclusion
sumiso/a	submissive
superar	to overcome; to outnumber

1. El padre de José Luis era un hombre ____________________: estaba dispuesto a hacer cualquier cosa para que sus hijos fueran felices.
2. Paco y Eugenia nunca han tenido mucho éxito profesional, a lo mejor porque son demasiado ____________________ y por eso nadie les hace caso.
3. El matrimonio Ramos era muy tradicional: el Sr. Ramos trabajaba y mantenía a la familia, mientras que la Sra. Ramos ____________________ la casa y de sus hijos.
4. Mercedes siempre ____________________ las normas tradicionales de conducta femenina: no usa maquillaje, nunca lleva falda y se niega a cocinar.
5. Las dos trabajan en el mismo lugar, pero Carmen es recepcionista mientras que Gloria ocupa un alto ____________________ en la empresa.
6. El padre trabajaba mucho ya que ____________________ por ganar cada vez más dinero, pero su ausencia lo ____________________ de su mujer y de sus hijos.
7. La mayoría de los países democráticos le ____________________ el voto a la mujer hasta el siglo XX.
8. La familia Estrada es rarísima; no hablan con nadie y viven en una ____________________ casi total.
9. En el mundo político y comercial, el número de hombres que ocupan altos cargos suele ____________________ al número de mujeres.

Activating background knowledge

ACTIVIDAD 11 Machismo y feminismo

La siguiente lectura discute el machismo y otras ideas relacionadas con las sociedades hispanas.

Parte A: En grupos de tres, respondan a las siguientes preguntas.

1. En las culturas tradicionales ha habido siempre una diferencia entre las responsabilidades del hombre y las de la mujer. ¿Cuáles son algunas de esas diferencias? ¿Por qué han existido?
2. ¿Qué es el machismo? ¿Hay ejemplos de machismo en la sociedad de su país? ¿Qué implicaciones tiene el machismo para las mujeres?
3. ¿Qué es el feminismo? ¿Uds. se consideran feministas? ¿Por qué sí o no?

Active reading

Parte B: Mientras lees, subraya o apunta la idea general de cada párrafo.

Hombre y mujer en el mundo hispano contemporáneo

¿Es posible la verdadera igualdad entre las mujeres y los hombres? Este es un tema particularmente candente en el mundo hispano, donde la tradición ha enfatizado las diferencias entre hombre y mujer. En toda sociedad tradicional se tiende a asociar a la mujer con la casa y la vida privada, mientras que se asocia al hombre con la vida pública y los aspectos políticos, económicos y militares. Sin embargo, las culturas hispanas se han diferenciado de otras culturas, especialmente las del norte de Europa, por cierta polarización del papel ideal del hombre y el de la mujer.

Ideales diferentes: Marianismo y machismo

Las raíces de las diferencias en el papel del hombre y el de la mujer se pueden encontrar en la historia de España y sus dos grandes religiones, el islam y el cristianismo católico. El islam fue la religión de los moros, quienes estuvieron en España durante casi ocho siglos. Como seguidores del islam, los moros llevaron a España costumbres que requerían la segregación de los sexos y la reclusión de la mujer. Ciertos aspectos de estas tradiciones sobrevivieron en la España cristiana, y más que en otros países europeos, las mujeres debían permanecer detrás de las rejas y paredes del hogar.

La herencia árabe poco a poco se fue mezclando con el marianismo, el culto cristiano a la Virgen María como imagen de la mujer perfecta, y se fue formando así un nuevo conjunto de ideales de conducta femenina. La mujer que emulaba a la Virgen creía que su meta en la vida era aceptar su situación y su destino. Como buena mujer, tenía que proteger su virginidad y los valores morales de la sociedad; como buena esposa, tenía que cuidar de la casa y las necesidades del marido y aceptar sus decisiones; como buena madre, tenía que cuidar a sus hijos y sacrificarse por ellos. En suma, ser "buena" significaba ser pura, sumisa, paciente y abnegada.

Un escaparate de abanicos. Además de su evidente función práctica, en la cultura española los abanicos también tenían funciones sociales: las mujeres los usaban para taparse el rostro y, por medio de un código especial, para comunicar mensajes a los hombres.

Las normas de conducta femenina tenían su complemento masculino en lo que se llama actualmente "machismo". El hombre debía ser fuerte, dominante, independiente y, a menudo, rebelde. Tenía la responsabilidad de mantener y proteger a la familia por medio de sus actividades en la vida pública. Asimismo, debía proteger su honor y el de su familia contra las ofensas de los demás.

Ventajas y desventajas del marianismo y del machismo

Los dos modelos de conducta tuvieron un gran impacto en la vida de los habitantes de España e Hispanoamérica. Los dos se complementaban y proporcionaban ciertos beneficios tanto para los hombres como para las mujeres. Al hombre le daban mayor autoridad y libertad, a la vez que lo obligaban a ser responsable y cortés y a tratar a las mujeres con respeto. A la mujer le daban un sentido de superioridad y autoridad moral dentro de la familia. De hecho, son muchos los ejemplos de mujeres matriarcas en las grandes familias hispanas.

A su vez, la polarización entre lo masculino y lo femenino presentaba desventajas. Aunque el machismo, por su parte, tendía a alejar emocionalmente al padre de sus hijos, las grandes desventajas de este doble sistema afectaban mayormente a las mujeres, quienes no tenían control sobre su vida: legalmente, se consideraban menores de edad, dependientes del padre o el marido; hasta el siglo XX, se les negaba la educación y el voto; y solo podían salir de casa si iban acompañadas. La rigidez con la que la sociedad juzgaba a la mujer hacía cualquier transgresión muy peligrosa: la mujer o era pura y buena o pasaba a ser una "perdida". Por consiguiente, los hombres solo estaban obligados a proteger a las mujeres de su propia familia mientras que a las demás las veían a menudo como meros objetos sexuales.

Presencia actual de ideales tradicionales

En la actualidad, estas ideas polarizadas no han desaparecido totalmente. Sus manifestaciones son numerosas, dejando mucha libertad para el hombre y una vida más restringida para la mujer. Por lo general, se sigue apreciando al hombre fuerte, independiente y protector, alabando su

Continúa en la página siguiente

hombría = *manliness.* El término suele tener una connotación positiva.

hombría, aunque se usa el término "machista" con connotación negativa para criticar al hombre que abusa de sus privilegios. Igualmente, todavía se sigue viendo el cuidado del hogar y la familia como la responsabilidad de la mujer, incluso cuando trabaja fuera de casa. Sin embargo, también es verdad que hoy en día se va perdiendo la aceptación de estas limitaciones y se va abriendo paso a cambios radicales.

Un cartel del Instituto de la Mujer del Distrito Federal (México), que anuncia una campaña por la igualdad de los sexos dentro de la familia.

Llegada del feminismo

La ruptura del sistema de valores tradicionales se debe a varias causas. En primer lugar, han llegado las ideas feministas de Europa y los Estados Unidos, sobre todo desde los años 70 y 80, cuando las feministas lucharon por sus derechos y se unieron en contra de las dictaduras de la época y a favor de la democracia. En Hispanoamérica, la influencia de las ideas feministas ha sido mayor entre las mujeres de las clases media y alta: estas pueden estudiar y adoptar ideas progresistas y suelen disfrutar de más tiempo para desarrollarse profesionalmente. De hecho, las mujeres latinoamericanas alcanzan casi los mismos niveles de educación que los hombres, y en algunos países, como Colombia, Venezuela, Argentina y Costa Rica, los superan. Por tanto, no es raro encontrar mujeres que ocupen altos cargos en los negocios y el gobierno.

En la España actual, económica y culturalmente integrada a la Unión Europea, las mujeres ocupan una posición semejante a la de las mujeres del resto de Europa y los Estados Unidos. España ha servido como un modelo para muchas feministas latinoamericanas.

En Latinoamérica, las mujeres de clase media y alta disfrutan de más tiempo porque suelen tener empleadas domésticas de clase obrera que limpian la casa y cuidan a los hijos.

Situación de las mujeres pobres

Las mujeres pobres y las de clase obrera no han adoptado necesariamente el feminismo de la clase media, pero todas han tenido que luchar con una difícil situación económica. Muchas de ellas salen a trabajar por necesidad, puesto que o no tienen marido o este no gana lo suficiente para mantener solo a la familia. Las mujeres pobres tienden a aceptar el cuidado de la familia como su mayor responsabilidad; pero para cumplir con este deber, tienen que desafiar los límites tradicionales trabajando fuera de casa. Muchas mujeres pobres han podido abrir sus propios negocios gracias a la intervención de organismos internacionales, como Acción International en Colombia, u organismos estatales, como Banmujer en Venezuela, que ofrecen programas de educación y ayuda para la obtención de préstamos para pequeños negocios. Según dirigentes de Acción International, no son

Las mujeres ocupan ahora más del 40% de los puestos de trabajo en Latinoamérica.

los hombres sino las mujeres, encargadas del bienestar de sus familias, quienes más asisten a las clases, aprenden a llevar un negocio y reciben los préstamos.

En otro plano, la preocupación tradicional de las mujeres hispanas por el bienestar de su familia las ha llevado a la protesta política. Por ejemplo, las Madres y Abuelas de Plaza de Mayo, quienes protestaron contra la dictadura militar de Argentina, tuvieron éxito gracias a la autoridad moral que tenían como madres.

Cambios legales y políticos

A través del panorama social latinoamericano actual, la presión combinada de mujeres y un número creciente de hombres está llevando al cambio de las normas sociales y legales. Desde 1990 se han aprobado nuevas leyes castigando la violencia contra las mujeres y desde 2004 el divorcio es legal en todos los países hispanoamericanos. Además, se han establecido oficinas y ministerios gubernamentales "de la mujer", que sirven para facilitar la cooperación entre grupos feministas, organizar programas de ayuda para mujeres pobres y fomentar cambios sociales y políticos que favorecen la igualdad de los sexos. Uno de los cambios políticos más importantes ha sido el establecimiento de cuotas de mujeres en los partidos políticos; los sistemas de cuotas han tenido un éxito espectacular en algunos países, como Argentina (donde un 40% de los congresistas son mujeres), Costa Rica (37%), Perú (27%) y Ecuador (26%). Además, varias mujeres, como Michelle Bachelet en Chile o Cristina Fernández de Kirchner en Argentina, ocupan o han ocupado el cargo de presidenta de sus respectivas naciones.

El aborto se ha legalizado solo en Cuba, Puerto Rico y el Distrito Federal de México, pero se sigue debatiendo en toda Latinoamérica, donde ocurren más de cuatro millones de abortos ilegales cada año.

Algunos de estos nuevos organismos incluyen el Servicio Nacional de la Mujer (Chile), el Instituto Nacional de las Mujeres (México), el Instituto Nacional de la Mujer (Costa Rica; Venezuela).

Nuevas oportunidades

Es difícil generalizar sobre el papel actual de los sexos en las culturas hispanas ya que en gran parte depende del país, de la clase social y de las propias creencias del individuo. Lo que sí se puede afirmar es que la mujer de hoy tiene oportunidades que su madre nunca tuvo. La familia y los papeles tradicionales de mujer y hombre siguen teniendo una resonancia fuerte, pero parece seguro que en los años venideros será cada vez más normal ver a las mujeres participando plenamente en la vida pública de sus países y a los hombres en el cuidado de la familia y de la casa. ■

Michelle Bachelet fue elegida presidenta de Chile en 2005. Su elección representa un avance importante para las mujeres chilenas y latinoamericanas.

Scanning and summarizing

ACTIVIDAD 12 Una historia de polarización

Vuelve a mirar las dos primeras partes de la lectura que tratan del marianismo y el machismo, y termina las siguientes oraciones.

1. El ideal tradicional de conducta femenina tenía sus orígenes en...
2. Ese ideal de conducta femenina obligaba a la mujer a...
3. Asimismo, el ideal de conducta masculina obligaba al hombre a...
4. Este sistema presentaba ciertas ventajas y desventajas para el hombre, ya que...
5. El sistema tenía algunas ventajas para la mujer, puesto que...
6. Sin embargo, las desventajas para la mujer eran predominantes, ya que...
7. Se ve que las ideas tradicionales todavía influyen en la gente porque...

Scanning, Making inferences

ACTIVIDAD 13 Un mundo de cambio

En parejas, comenten las siguientes preguntas sobre la segunda parte de la lectura.

1. ¿Entre qué grupos han tenido más éxito las ideas feministas? ¿Por qué?
2. Se ha dicho que algunas mujeres son "feministas accidentales", o sea, mantienen valores tradicionales pero en realidad sus acciones promueven el feminismo. ¿Hay ejemplos de "feministas accidentales" en la lectura? ¿Cuáles son?
3. Se ha mejorado mucho la posición de la mujer hispana en los últimos años. Den tres ejemplos de mejoras en la educación, el trabajo, las leyes y/o la política.
4. ¿Qué generalización se puede formular sobre la posición de la mujer en el mundo hispano contemporáneo?

ACTIVIDAD 14 El show de Cristina

Cristina Saralegui es la conocida presentadora del *talkshow* de Univisión *El Show de Cristina*, y se ha convertido en la Oprah Winfrey de las comunidades hispanas de los Estados Unidos.

En dos grupos grandes, hagan los papeles de tradicionalistas y no tradicionalistas en un programa de televisión. Uds. deben discutir cuestiones relacionadas con el papel de los hombres y el de las mujeres. Elijan a un/a animador/a (Cristina o Cristóbal), quien debe usar las siguientes preguntas para empezar la discusión.

1. ¿Vivían mejor los hombres antes del feminismo?
2. ¿Por qué algunas mujeres se niegan a llamarse feministas?
3. ¿Una mujer puede tener una carrera profesional sin ser feminista?
4. ¿Es posible ser feminista y también ser femenina?
5. Si somos iguales, ¿por qué los hombres no llevan falda y maquillaje?
6. Si somos iguales, ¿por qué las mujeres todavía tienden a cuidar de la casa, incluso cuando trabajan?
7. ¿Dejarías de trabajar si tu esposa/o te mantuviera? (*a hombres y mujeres*)

Cuaderno personal 10-2

¿Cómo cambiaría tu vida si fueras una persona del sexo opuesto?

VIDEOFUENTES

¿Qué ideas o expectativas tradicionales de los papeles del hombre y de la mujer se ven en el cortometraje *En la esquina*? ¿Cómo y cuándo se rompen estas expectativas? ¿Qué comentarios hace la película sobre las relaciones entre los sexos?

Lectura 3: Literatura

ESTRATEGIA DE LECTURA

Watching Out for Idioms
An idiom (**modismo**) is an expression, often based on an earlier metaphor, whose meaning is different from that of the individual words that compose it. Idioms are very frequent in conversation and literature. Like false cognates, they often will appear to make no sense in a given context if interpreted literally. For example, **tomarle el pelo a alguien** means *to pull someone's leg.* If you encounter what appears to be an idiom, you should first try to guess the meaning from context. If this fails and the expression seems important, decide which word is most important in the expression and look it up in the dictionary. Remember that idioms are usually included at the end of most dictionary entries.

Note that **idioma** (*language*) and *idiom* (**modismo**) are false cognates.

ACTIVIDAD 15 Modismos

Watching out for idioms

Las siguientes expresiones en negrita aparecen en la crónica "El difícil arte de ser macho" que vas a leer. Lee cada oración y adivina un equivalente en español o inglés para cada una. Si tienes dudas, busca la expresión en el diccionario o el glosario.

1. Se ha debatido mucho la relación entre el pensamiento y el lenguaje sexista, pero todavía no se **ha dicho la última palabra.**
2. El jefe de esa compañía es muy exigente: siempre quiere más, más, más. Los pobres empleados **no reciben tregua.**
3. Si quieres tener éxito en un trabajo y subir de rango, tienes que **ser el uno.**
4. **¡Válgame Dios**! ¡Si vuelvo a oír una pregunta más voy a explotar!

valga = presente del subjuntivo de **valer**

Identifying word families

ACTIVIDAD 16 Familias de palabras

Busca el significado de cada verbo en el glosario o en un diccionario. Después, termina cada oración con un verbo o un sustantivo o adjetivo relacionado.

Sustantivo	Verbo	Adjetivo
la comprobación	comprobar	comprobado/a
el reventón	reventar	reventado/a
el arreglo	arreglar	arreglado/a
el desgaste	desgastar(se)	desgastado/a
la (auto)exigencia	exigir	exigido/a
la duración	durar	duradero/a

1. En las sociedades modernas, muchas personas se ____________ demasiado a sí mismas, y como resultado su salud se deteriora.
2. Los científicos suelen ____________ sus ideas experimentalmente.
3. El pobre hombre estaba tan frustrado y cansado que murió con el corazón ____________.
4. Tuvieron problemas con las luces de la casa, así que llamaron a un electricista para hacer unos ____________.
5. Una larga enfermedad puede provocar el ____________ del cuerpo.
6. No hay mal ni bien que cien años ____________.

Building vocabulary

ACTIVIDAD 17 Palabras justas

Las palabras y expresiones en negrita de las siguientes oraciones aparecen en la lectura "El difícil arte de ser macho". Lee cada oración y escoge el equivalente en inglés de cada expresión en negrita.

a. to do, to make real, to achieve
b. to intend, to aim to
c. to cause, to bring
d. to give oneself the luxury of
e. to run the risk
f. lazy, slack
g. widow
h. proud
i. exploits, feats

1. ______ El exceso de trabajo puede **acarrear** muchos problemas de salud.
2. ______ Las personas que fuman mucho **corren el riesgo** de contraer cáncer.
3. ______ A mí me toca trabajar todo el tiempo, pero quisiera **darme el lujo de** hacer un viaje largo por el Caribe.
4. ______ Muchos jóvenes **pretenden** llegar a ser médicos.

a mí me toca = it's my turn to . . ., I have to . . .

5. ______ A mi modo de ver, una persona siempre debe sentirse **orgullosa** después de hacer un buen trabajo.

6. ______ Muchos jóvenes sueñan con hacerse jugadores profesionales de fútbol o béisbol, pero pocos **realizan** sus sueños.

7. ______ Al abuelo le encantaba contar las grandes **proezas** que realizó cuando era joven.

8. ______ El jefe le dijo al empleado que trabajara más, pero aclaró que no quería insinuar de ningún modo que el empleado fuera **vago.**

9. ______ Muchas **viudas** se quedan completamente solas y no tienen quien las ayude a mantener la casa ni a hacer los arreglos.

a mi modo de ver = in my view, the way I see it

de ningún modo = (in) no way

ACTIVIDAD 18 La vida del macho moderno

Activating background knowledge, Anticipating

Parte A: La siguiente lectura habla de la situación de los hombres en la sociedad moderna. El texto es una *crónica*—un tipo de artículo de periódico que combina el periodismo y la literatura y en el que el autor o narrador comenta la vida actual. En parejas, comenten las siguientes preguntas antes de leer.

En el mundo actual, ¿es más difícil ser hombre o ser mujer? ¿Por qué? ¿Qué factores afectan la respuesta?

Identifying the audience

Parte B: Ahora, en parejas, miren el título y los dos primeros párrafos y contesten las siguientes preguntas.

1. ¿Parece serio o irónico el título? ¿Por qué?
2. ¿Cuál es el público de esta crónica? ¿Cómo lo saben Uds.?
3. ¿A qué se refiere el autor cuando dice que no quiere "abandonar la fiesta"?

Identifying tone

Parte C: Ahora, lee toda la crónica, y trata de determinar si el autor/narrador es machista o no. Piensa también en el tono del texto. ¿Tiene un tono sincero, triste, irónico o...?

Pedro Juan Gutiérrez *nació en Cuba en 1950. Desde entonces, se ha dedicado a explorar la vida, trabajando en diferentes ocasiones como vendedor de helados, cortador de caña, contrabandista, soldado, pintor, escultor y periodista. También es autor—un autor a quien le gusta asomarse por la ventana y observar todo lo que le rodea, para recrearlo y comentarlo en sus libros, cuentos y crónicas. Su obra más conocida* es Trilogía sucia de La Habana. *La siguiente crónica es un buen ejemplo de su estilo aparentemente directo y sencillo.*

El difícil arte de ser macho

Pedro Juan Gutiérrez

Está comprobado estadísticamente que los hombres morimos antes que las mujeres. Mire a su alrededor y lo comprobará. En los viejos matrimonios usualmente el hombre muere y la mujer lo sobrevive, en ocasiones hasta veinte años.

Siempre me ha inquietado eso por la sencilla pero contundente razón de que a mí me toca morirme primero y abandonar la fiesta.

De ningún modo deseo que las mujeres mueran primero. Válgame Dios. Pero tal vez los hombres pudiéramos intentar durar un poquito más, porque lo cierto es que la fiesta comienza a ponerse buena cuando uno tiene sesenta años más o menos.

Es decir, cuando uno ya se jubila, los hijos al fin dejaron de ser horriblemente adolescentes, ya uno tiene serenidad y experiencia para disfrutar los placeres más simples y cotidianos de la vida, porque a esa edad ya nadie aspira a las proezas de todo tipo que pretendió realizar o realizó entre los veinte y los cincuenta y pico.

Confieso que llevo años pensando en el asunto y, por supuesto, he hablado mucho del tema con la gente más diversa. Al parecer todo el mundo coincide en que el hombre se desgasta más. El hombre moderno se exige demasiado a sí mismo y por eso se acarrea los infartos y lo demás.

Hay otra hipótesis en boga, de carácter bioquímico: la mujer está mejor preparada genéticamente que el hombre. Y puede ser. En definitiva, la mujer es una maravillosa fábrica de vida.

Por ahora los científicos no dicen la última palabra. Pero me inclino a pensar que en el asunto puede haber un poco de bioquímica y mucho de desgaste excesivo y autoexigencia del hombre.

Creo que es un problema de organización de la sociedad moderna. No sólo en el Tercer Mundo. Hasta en Europa y Norteamérica —que supuestamente van delante— sucede lo mismo: el macho no recibe tregua. Desde que nace hasta que muere le inyectan en la cabeza que "el hombre es el sostén de la familia", que "el hombre es el que tiene que traer la comida a la casa", y que "los machos no lloran", que "los hombres tienen que ser fuertes y valientes, nada de cobardía".

A mi modo de ver ahí está el origen del problema. Es muy difícil ser macho: tienes que ser físicamente fuerte, no puedes llorar, siempre tienes que poseer dinero en el bolsillo, sexualmente tienes que ser el uno, porque ese es un campo muy competitivo para algunas mujeres.

No te puedes dar el lujo de estar un día triste, alicaído, depresivo. En la casa debes ser además de buen padre y esposo, carpintero, plomero, albañil, mecánico, electricista, etc., o corres el riesgo de que te acusen de inútil y vago.

En fin, conozco mujeres que una vez viudas se arrepienten de todo lo que le exigieron al marido a lo largo de su vida y hasta tienen complejo de culpa porque el hombre murió con el corazón reventado.

Una vecina, de 68 años, es irremediablemente peor. Perdió al marido hace unos meses y me confiesa que a veces lo invoca para reprocharle que se murió sin arreglarle unas ventanas y sin reparar y pintar algunas paredes descascaradas. "Un hombre que sabía hacer de todo, y por vago me dejó sin terminar de hacer esos arreglitos". Parece un chiste, pero juro que es rigurosamente cierto. Espero que ella no lea esta crónica.

Así las cosas, hay que dejar que las mujeres asuman cada día más responsabilidad, y no creernos tan importantes. Y digo responsabilidad pensando en grande: hasta dejarles el gobierno de las naciones. Que asuman todo el poder. En definitiva, los hombres gobernando durante siglos hemos acarreado al mundo guerras, hambre, miseria, contaminación y todo tipo de problemas e insensateces. Así que no debemos estar orgullosos porque nos ha salido bastante mal.

Hay que aprender de ellas. Yo por lo menos cada día aprendo más de las mujeres que me rodean y trato de ser menos macho y más hombre. ■

ACTIVIDAD 19 Realidades y perspectivas

Distinguishing fact from opinion

Las siguientes oraciones resumen ideas claves de la crónica "El difícil arte de ser macho". En parejas, decidan si cada idea representa un hecho o una opinión. Después, digan si están de acuerdo o no con cada opinión y por qué.

1. Los hombres suelen morir antes que las mujeres.
2. La fiesta (la vida) comienza a ponerse buena cuando uno tiene sesenta años más o menos.
3. El hombre moderno se exige demasiado a sí mismo y por eso se acarrea los infartos.

4. La mujer está mejor preparada genéticamente que el hombre.
5. Desde que nace hasta que muere, el hombre aprende que "el hombre es el sostén de la familia" y que "los machos no lloran".
6. En la casa el hombre debe ser buen padre, esposo, carpintero, plomero, albañil, etc., o corre el riesgo de que lo acusen de inútil y vago.
7. Es muy difícil ser macho.
8. Las mujeres deben asumir el poder y el gobierno de las naciones ya que los hombres solo han acarreado guerras, hambre, miseria, contaminación...

Making inferences

ACTIVIDAD 20 ¿Hombre o macho?

En parejas comenten las siguientes preguntas, y piensen en las implicaciones de las respuestas.

1. ¿Cómo será el narrador? ¿Cuántos años tendrá? ¿Cómo lo saben?
2. ¿Cuál es el público de esta crónica? ¿Los hombres, las mujeres o los dos? ¿Cómo lo saben? ¿Qué implicaciones tiene este hecho?
3. ¿Qué opina el autor/narrador de las mujeres? Consideren las siguientes citas:
   a. "El hombre moderno se exige demasiado a sí mismo."
   b. "... sexualmente tienes que ser el uno, porque ese es un campo muy competitivo para algunas mujeres."
   c. "En la casa debes ser además de buen padre y esposo, carpintero, plomero, albañil, mecánico, electricista, etc., o corres el riesgo de que te acusen de inútil y vago."
   d. "... la mujer es una maravillosa fábrica de vida."
   e. "Que [las mujeres] asuman todo el poder. En definitiva, los hombres gobernando durante siglos hemos acarreado al mundo guerras, hambre, miseria, contaminación..."
4. ¿Es "machista" el autor/narrador? ¿Por qué sí o no?

Making inferences

ACTIVIDAD 21 Nuevas condiciones

En grupos de tres, terminen las siguientes oraciones pensando en la lectura y la discusión de las actividades anteriores.

1. Los hombres vivirían más tiempo si...
2. Si las mujeres asumieran el poder y el gobierno de todas las naciones, entonces...
3. El autor/narrador cambiaría de opinión si...

Cuaderno personal 10-3

En tu opinión, ¿las diferencias entre los hombres y las mujeres se basan en la biología, en la cultura o en las dos? ¿Por qué?

Redacción: Ensayo

ESTRATEGIA DE REDACCIÓN

Comparing and Contrasting

Whenever you analyze two or more items and look for similarities or differences between them, you compare and contrast. When you make choices, you are comparing and contrasting, and when learning, you often compare and contrast new information with information you already know. Comparing and contrasting are ways of thinking that can be used in all types of writing, but can also serve as a way of organizing your writing. If you are looking at two different objects, you may talk about first one object and then the other (**comparación secuenciada**) or you may compare and contrast both objects point by point (**comparación simultánea**). The following outlines show these two basic types.

Tema: Papeles del hombre y de la mujer en un programa de televisión

Comparación secuenciada

I. Los hombres
   A. características personales
   B. temas de conversación
   C. ocupaciones
II. Las mujeres
   A. características personales
   B. temas de conversación
   C. ocupaciones

Comparación simultánea

I. Características personales
   A. Mujeres
   B. Hombres
II. Temas de conversación
   A. Mujeres
   B. Hombres
III. Ocupaciones
   A. Mujeres
   B. Hombres

In a comparison and contrast essay, you may choose to emphasize either similarities or contrasts or to emphasize the description of unfamiliar items over familiar ones. Using transition expressions to mark comparisons and contrasts will also help you improve the style and clarity of your writing.

Comparación	
al igual que / a semejanza de	just like, as
de la misma manera/forma, del mismo modo	in the same way
parecerse a	to resemble
ser similar/parecido/semejante a	to be similar to
tan (+ *adjetivo*) **como**	as (*adj.*) as
tanto A como B	both A and B
Contraste	
a diferencia de	unlike
diferenciarse de	to differ from

en cambio	on the other hand, instead
en contraste con	in contrast to/with
más/menos (+ *adj./sustantivo*) **que**	more/less/fewer (*adj./noun*) than
por un lado...	on the one hand . . .
por otro lado / por el otro...	on the other hand/on the other . . .
sin embargo / no obstante	however

Analyzing

ACTIVIDAD 22 La televisión y el género

Parte A: Se ha estudiado mucho la representación del hombre y de la mujer en la televisión, ya que este es el medio de comunicación que los niños y adultos ven con más frecuencia. En grupos de tres, comenten las siguientes preguntas.

1. ¿Cuáles son las cinco series de televisión más populares del momento?
2. ¿Cuáles de estos programas presentan a hombres y mujeres?
3. ¿Cuáles de estos programas tienen un público de hombres y mujeres?
4. ¿Cuál de estos programas sería más útil para una comparación del papel de la mujer y el del hombre?

Parte B: En los mismos grupos de tres, escojan un programa que todos conozcan y hagan un análisis pensando en los siguientes aspectos. Decidan cuáles de los siguientes aspectos se pueden analizar en una comparación del papel del hombre y el papel de la mujer.

1. el número de personajes masculinos frente al número de personajes femeninos
2. la cantidad de diálogo: hombres frente a mujeres
3. los temas de conversación de los hombres en comparación con los de las mujeres
4. el número de personajes simpáticos/antipáticos: hombres frente a mujeres
5. el número de éxitos o problemas personales que tienen los hombres y las mujeres
6. las ocupaciones de los hombres y de las mujeres
7. los gustos y las características personales de los hombres y de las mujeres

Parte C: Ahora, hagan una lista de tres conclusiones que pueden sacar de su análisis de los diferentes aspectos de este programa. Las conclusiones deben considerar las implicaciones del análisis, además de los cambios que resultarían de una representación más (o menos) igualitaria de los sexos.

► Si las mujeres tuvieran trabajos menos tradicionales, entonces el programa tendría una influencia más positiva sobre las personas que lo ven.

ACTIVIDAD 23 La redacción del análisis

Writing an essay

Parte A: Repite los pasos de la Actividad 22 y después escribe una oración de tesis para tu ensayo. Luego, haz una lista de aspectos de la serie de televisión que vas a analizar y comparar, como en el bosquejo que aparece en la Estrategia de redacción de las páginas 209–210. Piensa también en una conclusión —o varias— que se pueda sacar del análisis comparativo.

Parte B: Trabajando individualmente, prepara el primer borrador del ensayo. Incluye un título, introducción con oración de tesis, cuerpo con detalles tomados del análisis y conclusión o conclusiones.

CAPÍTULO 11

Sociedad y justicia

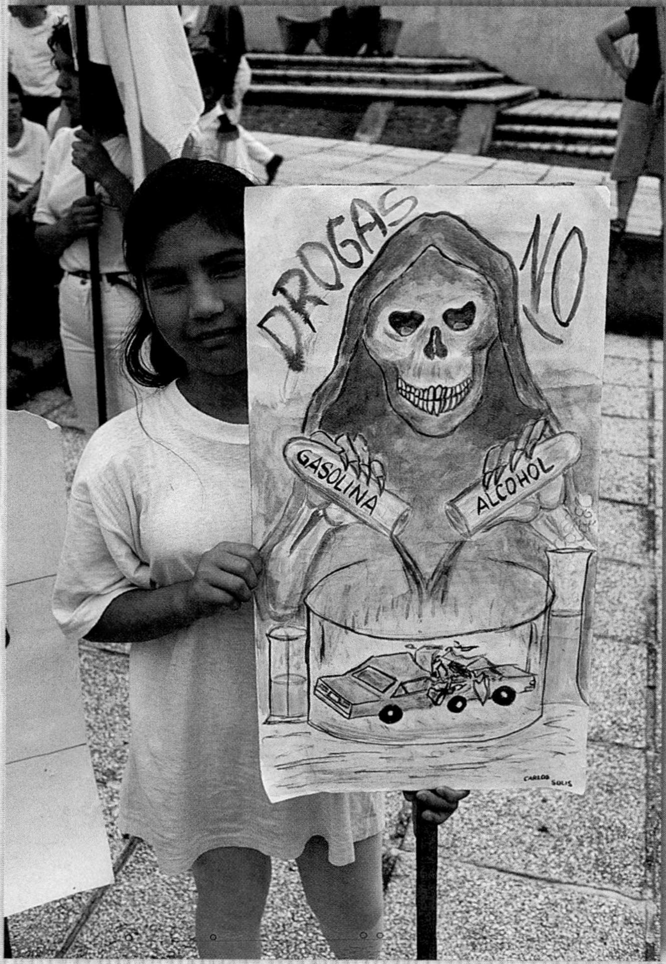

Estudiante con cartel antidrogas en San José, Costa Rica.

METAS COMUNICATIVAS

- hacer hipótesis (segunda parte)
- expresar influencia, emociones y duda en el pasado
- hablar sobre delincuencia y justicia

META ADICIONAL

- usar palabras que conectan

¿Coca o cocaína?

a propósito	on purpose
(para) dentro de (diez) horas/días/años/etc.	in (ten) hours/days/years/etc.
pretender + *infinitive*	to attempt (and to hope) + *infinitive*

La coca

Pretende aprobar el examen aun cuando no ha estudiado. = He attempts (and hopes) to pass the exam even when he hasn't studied.

Sacerdotes andinos preparan hojas de coca para un ritual tradicional.

ACTIVIDAD 1 ¿Es droga o no?

Lee la siguiente definición sobre la droga. Después, marca cuáles de las siguientes sustancias son drogas.

> Droga: "Se dice de cualquier sustancia de origen vegetal, mineral o animal que tiene un efecto depresivo, estimulante o narcótico."

❑ el café	❑ la hoja de coca	❑ el cigarrillo
❑ el alcohol	❑ el éxtasis	❑ la heroína
❑ los somníferos	❑ las pastillas para adelgazar	❑ la mariguana
❑ el té	❑ la Coca-Cola	

ACTIVIDAD 2 ¿Cuál es su opinión?

Mientras escuchas a un boliviano hablar sobre la diferencia entre la coca y la cocaína, determina cuál de las siguientes ideas representa su opinión.

1. _______ La cocaína es una droga, pero no debe ser ilegal.
2. _______ La coca no es una droga y no debe ser ilegal.
3. _______ La coca y la cocaína son drogas que deben ser ilegales.

ACTIVIDAD 3 ¿Qué es la coca?

Ahora, lee las siguientes preguntas y después, para contestarlas, escucha la entrevista otra vez.

1. ¿Cuál es la diferencia entre la coca y la cocaína?
2. ¿En qué países se consume la coca?
3. ¿Con qué bebida compara el narrador el mate de coca?
4. Según el narrador, ¿cuáles son algunos de los grupos que consumen coca y por qué la consumen?
5. ¿Qué ha hecho el gobierno boliviano con respecto a la coca?
6. ¿Qué hizo la reina Sofía de España cuando llegó a La Paz?

¿Lo sabían?

La hoja de coca es utilizada de diferentes maneras por indígenas en Perú, Bolivia, el norte de Argentina, Ecuador, Colombia, Venezuela, Brasil y Chile:

- como unidad monetaria para intercambiar alimentos
- en ceremonias religiosas (nacimientos, bautizos, casamientos, actos relacionados con la naturaleza, etc.) porque se considera una planta sagrada
- como medicamento para enfermedades de la piel, el aparato digestivo y el sistema circulatorio, por ser un remedio popular y de bajo costo

En los Estados Unidos esta hoja se utilizó por primera vez en 1884 en una bebida llamada Vino Francés de Coca, inventada por el Dr. Pemberton en Atlanta. Años después él creó la Coca-Cola (con la hoja de coca y la nuez kola) que era una gaseosa y a la vez un medicamento para el dolor de cabeza.

¿Sabes qué es el peyote? En los Estados Unidos, ¿es legal o ilegal?

ACTIVIDAD 4 ¿Qué harían?

En grupos de tres, discutan qué harían Uds. en las siguientes situaciones.

1. ¿Tomarían mate de coca si estuvieran en La Paz como turistas?
2. Si Uds. fueran el/la presidente de los Estados Unidos y estuvieran de visita en Bolivia, ¿tomarían mate de coca si se lo ofreciera el alcalde de una ciudad? Si aceptaran, ¿cómo lo interpretaría el pueblo norteamericano? ¿Y el pueblo boliviano?

I. Discussing Crime and Justice

La justicia

Do the corresponding web activities as you study the chapter.

MI BLOG

Tuve que presentar un trabajo sobre las **pandillas** para mi clase de ciencias políticas y, entre las cosas interesantes que encontré había información sobre Homies Unidos. Esta es una organización que ayuda a jóvenes en los Estados Unidos y El Salvador que están en pandillas como, la Mara Salvatrucha o la Mara 18, a salirse de las mismas. Estas pandillas se originaron en los Estados Unidos, con jóvenes que habían llegado con su familia de El Salvador en los 80 escapando de la guerra civil de su país. Luego, cuando estos jóvenes fueron deportados a su país de origen, formaron células en El Salvador y eventualmente en Guatemala, Honduras y México. La organización Homies Unidos, liderada por ex **pandilleros**, promueve la **reinserción en la sociedad** a través de charlas para **prevenir** la **violencia** y la **delincuencia**; clases de derechos humanos, clases de inglés, clases de arte; un programa para quitar los tatuajes y programas de **prevención** de la **drogadicción** y el **alcoholismo.** La cadena de televisión CNN nombró al director de la organización en El Salvador, Luis Ernesto Romero, Héroe de CNN.

gangs
gang members
reintegration into society
prevent; violence
crime, criminal activity
prevention
drug addiction; alcoholism

Personas	Hechos y cosas	Acciones
el asaltante	el asalto	asaltar
el/la asesino/a	el asesinato	asesinar
	la cárcel (*jail, prison*)	encarcelar
	el castigo (*punishment*)	castigar
	la condena (*the sentence*)	condenar (a alguien) a (10) meses/años de prisión
el/la delincuente (*criminal of any age*)	la delincuencia (*crime, criminal activity*); la delincuencia juvenil; el delito (*a criminal offense, a crime*)	
el/la drogadicto/a	la droga	
	la legalización	legalizar
el/la mediador/a	la mediación	
el/la narcotraficante	el narcotráfico	
	el robo (*robbery*)	robar
	el secuestro (*kidnapping; hijacking*)	secuestrar
el/la terrorista	el terrorismo	
el/la violador/a (*rapist*)	la violación	violar (a alguien)

Asesinar refers to all homicides and not just to those of important people. **Crimen** means serious crime as well as homicide.

El no dejó de inyectarse drogas... por eso lo dejé.
No sé si compartió con otros las agujas. Solo sé que se inyectaba, y eso es peligroso. Creo que yo no le importaba tanto como para dejar las drogas. El sabía que los dos podíamos adquirir el SIDA, y le rogué que no lo hiciera. Hasta le pedí que buscara consejo y tratamiento contra las drogas. Yo hice todo lo posible, pero él no me hizo caso. Por eso . . . lo dejé.
AMERICA RESPONDE AL SIDA
1-800-344-SIDA
1-800-344-7432

Víctima is always feminine even when referring to men: Él fue **la única víctima.**

Otras palabras relacionadas con la delincuencia	
(acudir a) la Justicia	(to go to) the authorities (*the law*)
la adicción	addiction
la cadena perpetua	life sentence
el cartel (de drogas)	
consumir drogas	to use drugs
el crimen	serious crime; homicide
detener	to arrest
el homicidio	
el/la juez/a	judge
la justicia/injusticia	justice/injustice
el ladrón/la ladrona	thief
la libertad condicional	parole
la pena de muerte / la pena capital	death penalty
el/la preso/a	prisoner
el/la ratero/a	pickpocket; petty thief
la rehabilitación	
la seguridad/inseguridad	security/insecurity
la víctima	

ACTIVIDAD 5 Los titulares

Lee los siguientes titulares (*headlines*) y complétalos con palabras de las listas de vocabulario.

_______________ a 8 jugadores de fútbol
No pasaron el control antidoping

Se discute en el Senado la _______________ de la mariguana

Se inaugura programa de _______________ para alcohólicos

A 3 años de la muerte del Presidente Ramírez, condenan al _______________ a _______________

La _______________ investiga un caso de corrupción política

ACTIVIDAD 6 ¿Cuánto sabes?

Habla sobre las siguientes personas, instituciones u organizaciones usando palabras de las listas de vocabulario. Sigue el modelo.

► Jesse James fue un **ladrón** que participó en muchos **robos** durante el siglo XIX. **Robaba** bancos y trenes, y finalmente fue **asesinado**, pero nunca estuvo en la **cárcel**.

1. Bonnie y Clyde
2. Alcatraz
3. la mujer de los ojos vendados
4. *Homies Unidos*
5. la escuela Columbine de Colorado
6. John Wilkes Booth
7. John Lennon
8. ¿?

ACTIVIDAD 7 El país

Parte A: Piensa en este país y numera del 1 al 12 los asuntos que te preocupan, del que más te preocupa (1) al que menos te preocupa (12). Luego en grupos de tres, comparen el orden que escogió cada uno y expliquen por qué ciertos asuntos les preocupan más/menos que a sus compañeros. Intenten decidir cuáles son los dos más importantes y los dos menos importantes.

► A mí me preocupa que... más/menos... porque...

_____ Acceso a la educación
_____ Alto costo de la vida
_____ Bajos salarios
_____ Corrupción
_____ Delincuencia, inseguridad
_____ Desempleo
_____ Drogadicción y alcoholismo
_____ Mal estado o ausencia de servicios públicos
_____ Malos servicios de salud
_____ Pobreza
_____ Terrorismo
_____ Violencia, incumplimiento de leyes

MEXICO UNIDO
CONTRA LA DELINCUENCIA A.C ®

Parte B: En grupos de tres, miren los resultados de una encuesta realizada a un grupo de guatemaltecos sobre los asuntos que les preocupan de su país. Comparen esas respuestas con las de Uds.

Principales problemas a resolver en Guatemala

	N	%
Delincuencia, inseguridad	736	32,0%
Desempleo	421	18.3%
Alto costo de la vida	351	15,2%
Pobreza	189	8,2%
Acceso a la educación	163	7,1%
Violencia, incumplimiento de leyes	122	5,3%
Corrupción	114	4,9%
Malos servicios de salud	85	3,7%
Mal estado o ausencia de servicios públicos	42	1,8%
Drogadicción	24	1,1%
Bajos salarios	23	1,0%
Otros	9	,4%
Ninguno	6	,3%
Ns-Nr	15	,7%
Total	**2301**	**100%**

Multirespuesta
Demoscopía S.A.

Ns - Nr = No sabe./No responde.

¿Lo sabían?

Manifestación en Andoain, España, contra el terrorismo de ETA.

Hoy día la gente no solo se preocupa por la delincuencia sino también por el terrorismo. ETA es una organización terrorista en España que busca la secesión del llamado País Vasco —región que se encuentra en la parte norte del país— del resto de España, argumentando que tienen su propio idioma y su propia cultura diferente del resto del país. En septiembre de 1998, ETA y el gobierno español acordaron una tregua (*truce*) como un principio para resolver este conflicto, pero desde el año 2000 ha habido un promedio de seis muertos por año. Desde principios de los años 60, han sido asesinadas más de 940 personas, en su gran mayoría representantes del gobierno, como políticos y policías.

¿Qué hace tu país para combatir el terrorismo?

ACTIVIDAD 8 Combatir las pandillas

En el blog de la sección de vocabulario en la página 308, se presenta información sobre las pandillas y una organización que lidia con este problema. Léelo y luego, en grupos de tres, discutan las siguientes preguntas.

1. ¿Quiénes formaron pandillas como la Mara Salvatrucha? ¿Dónde y cuándo las formaron?
2. ¿Qué problema había en su país de origen?
3. ¿En qué otros países hay células hoy día?
4. ¿Quiénes lideran la organización *Homies Unidos* y cuál es su objetivo?
5. ¿Qué programas ofrecen para ayudar a ex pandilleros?
6. En tu opinión, ¿crees que estos programas sean eficaces para los ex pandilleros?
7. ¿Conoces programas para prevenir la delincuencia juvenil en tu país?

ACTIVIDAD 9 La oferta y la demanda

Parte A: El problema que generan la cocaína y su erradicación es un tema que preocupa a todos. Lee la opinión de una peruana sobre cómo eliminar las plantaciones de coca en Perú y luego, en grupos de tres, digan qué piensan de esa idea.

Fuente hispana

"En Perú hay muchos campesinos que trabajan en las plantaciones de coca y es muy fácil decir que uno de los pasos para eliminar el problema de la droga es quemar esas plantaciones. Algunos dicen que en vez de plantar coca podrían plantar café, pero una planta de café tarda cuatro años en dar frutos. ¿Y qué haría la gente mientras tanto? Creo que la solución es que el gobierno peruano implemente un plan integral en el que se diera subsidios a los trabajadores durante esos cuatro años para que cambien de cultivos. Pero el plan también debe incluir el construir escuelas y postas médicas. Con plantaciones que no fueran coca, la gente ganaría menos dinero, pero creo que no le importaría si tuviera ciertos servicios básicos cerca del lugar donde vive. Trabajé en esa zona y viví con los campesinos. En mi opinión, lo único que quieren es vivir en paz y con dignidad." ■

Parte B: Ahora, hagan una lista de lo que hace y de lo que podría hacer el gobierno actual para reducir la demanda en este país. Luego digan qué medidas (*measures*) les parecen más eficaces y por qué.

ACTIVIDAD 10 La violencia

En grupos de tres, discutan las siguientes preguntas relacionadas con la violencia.

1. ¿Cuáles son las cinco causas más importantes de la violencia en este país? ¿Cómo se podría solucionar este problema?
2. Algunos dicen que la televisión fomenta la violencia en la sociedad, pero para otros, la programación es solo el reflejo de una sociedad enfermiza. Den dos argumentos a favor de la primera idea y dos a favor de la segunda.
3. ¿Qué tipo de programas televisivos prefieren los niños de hoy? ¿En qué se diferencian estos programas de los que veían Uds. de niños? ¿Son más o menos violentos? ¿Más o menos educativos? Mencionen algunos ejemplos.
4. ¿Alguna vez han jugado videojuegos o juegos en Internet que sean violentos? ¿Creen que estos videojuegos sean apropiados para los niños?
5. ¿Creen que los programas que muestran la reconstrucción de un asesinato sean beneficiosos para la sociedad? ¿Es buena idea dejar que los niños vean ese tipo de programa? Si contestan que no, ¿cómo se podría lograr que no lo vieran?

¿Lo sabían?

Desde hace años, en países como Colombia, España y Argentina el gobierno les prohíbe a los canales de televisión que no son de cable presentar programas de contenido pornográfico o con mucha violencia antes de las diez de la noche. También les exige que se le recuerde al televidente la finalización de este horario con anuncios como "Aquí termina el horario de protección al menor. La presencia de los niños frente al televisor queda bajo la exclusiva responsabilidad de los padres".

Sexo y violencia en televisión

El Congreso de los Diputados aprobó el jueves 30 con carácter definitivo, la ley por la cual se incorpora al derecho español la directiva comunitaria de "televisión sin fronteras". En ella se atribuye al Ministerio de Obras Públicas el control e inspección de todas sus disposiciones, incluidas las emisiones pornográficas o de "violencia gratuita", que los espectadores no podrán recibir entre las seis de la mañana y las diez de la noche.

—El País

Di si crees que sería bueno utilizar este sistema de control en tu país.

ACTIVIDAD 11 Decidan ustedes

Parte A: En parejas, comenten las siguientes situaciones y usen las expresiones de la lista.

1. Un criminal violó y mató a una niña de ocho años y fue condenado a cadena perpetua. Después de ocho años, salió en libertad condicional.
2. Un muchacho de 15 años que mató a una anciana de 75 años y le robó su dinero fue encarcelado, pero a los 21 años lo soltaron por haber cometido el crimen cuando era menor de edad.
3. Un hombre de 58 años que siempre mantenía su inocencia fue declarado inocente después de que le hicieron un análisis de ADN. Estuvo en la cárcel 27 años.

ADN = DNA

Para comentar

¿Y a ti qué te parece?	What do you make of it?
¿Qué opinas sobre esta situación?	What do you think about this situation?
Desde mi punto de vista...	From my point of view...
A mi modo de ver...	The way I see it...
Es un acto despreciable.	It's a despicable act.
¡Qué injusticia!	How unfair! / What an injustice!

Parte B: En grupos de tres, cuéntenles a sus compañeros, con detalle, un crimen o un delito reciente.

II. Hypothesizing (Part Two)

A The Future Perfect and the Conditional Perfect

In Chapter 10, you studied how to express probability about the present and the past using the future and the conditional. In this chapter you will learn how to hypothesize about the future and the past. In the interview you heard at the beginning of this chapter, the Bolivian used the future perfect when he said **"para dentro de diez años, el mundo ya habrá entendido la diferencia entre uno y otro"** to express what *will have happened* in ten years.

1. When talking about what will have happened by a certain time in the future, use the future perfect (**futuro perfecto**), which is formed as follows.

haber (future)

habré	habremos	+	*past participle*
habrás	habréis		
habrá	habrán		

To review the formation of past participles, see Appendix A, page 365.

—Dentro de un mes ya **habré dejado** de fumar. — *In a month I will have already quit smoking.*

—¿Y **habrás comenzado** a sentirte mejor dentro de tres meses? — *And will you have started to feel better in three months?*

2. When talking about what *would have happened* in the past, use the conditional perfect (**condicional perfecto**), which is formed as follows.

haber (conditional)

habría	habríamos	+	*past participle*
habrías	habríais		
habría	habrían		

—La muchacha les contó a sus padres que su hermano era drogadicto. ¿Qué **habrías hecho** en su lugar? — *The young woman told her parents that her brother was a drug addict. What would you have done in her place?*

—Yo le **habría hablado** a mi hermano primero. — *I would have talked to my brother first.*

ACTIVIDAD 12 El cigarrillo

Parte A: Hoy en día se habla mucho del cigarrillo y sus efectos. En parejas, hablen de cuál será la actitud hacia el cigarrillo dentro de cinco años. Sigan el modelo.

► el gobierno / prohibir / fumar en presencia de los niños

—¿Crees que dentro de cinco años el gobierno ya habrá prohibido fumar en presencia de los niños?

—Sí, el gobierno ya lo habrá prohibido.

—No, el gobierno no lo habrá prohibido todavía.

1. el gobierno / prohibir / fumar en los bares y restaurantes de todo el país
2. los médicos / inventar / un método para dejar de fumar en un día
3. algún niño / demandar (*to sue*) / a sus padres por fumar en casa
4. el gobierno / abrir / clínicas de acupuntura para dejar de fumar
5. las compañías tabacaleras / hacer / un cigarrillo que no produzca humo (*smoke*)
6. el número de fumadores menores de 18 años / reducirse / drásticamente
7. el gobierno / limitar / la cantidad de nicotina en los cigarrillos
8. el gobierno / prohibir / la venta de cigarrillos en tiendas donde hay farmacias

LA INDUSTRIA TABACALERA VENDE MUERTE.
La industria tabacalera es responsable por causar la muerte de más de 400.000 personas anualmente. No se deje engañar: el cigarrillo mata.
Mensaje pagado por el Departamento de Servicios de Salud de California. ©2001 California Department of Health. Todos los derechos reservados.
Muchas personas han dejado de fumar, y usted también puede hacerlo. Para ayuda, llame gratis al
(1-800) 45-NO FUME

Parte B: Miren el póster contra la industria tabacalera y contesten estas preguntas.

1. ¿Están de acuerdo con lo que dice este anuncio?
2. ¿Qué imagen usa el anuncio? ¿En qué celebración les hace pensar?
3. ¿Creen que sea efectivo el anuncio?

ACTIVIDAD 13 Tu futuro

En parejas, entrevisten a su compañero/a para averiguar cómo habrán cambiado ciertos aspectos de su vida dentro de tres y diez años, y escriban la información de forma breve.

► —¿Cómo habrá cambiado tu vida sentimental dentro de tres años?

—Me habré casado...

Vida	3 años	10 años
sentimental	______ ______	______ ______
familiar	______ ______	______ ______
profesional	______ ______	______ ______

ACTIVIDAD 14 La mejor excusa

En parejas, inventen el contexto en que se hicieron estas preguntas y las excusas que se dieron en cada caso. Sigan el modelo.

▶ —¿Por qué no le prestaste el coche a tu hermano?

—Estábamos en el centro y él quería irse a casa (*contexto*). Se lo habría prestado, pero él estaba borracho (*excusa*).

1. ¿Por qué no lo invitaste a salir?
2. ¿Por qué no te pusiste los pantalones negros que te regalé?
3. ¿Por qué no llamaste a la policía?
4. ¿Por qué no le abriste la puerta?

ACTIVIDAD 15 Situaciones difíciles

Parte A: En grupos de tres, lean cada situación y luego discutan qué habrían hecho Uds. en cada caso y por qué.

1. Teresa estaba en una tienda de regalos y, sin querer, rompió un animalito de cristal muy caro, pero nadie vio lo que ocurrió. En la tienda había un cartel que decía: "No tocar". ¿Qué habrían hecho Uds. en el lugar de Teresa y por qué?
2. John estaba en una discoteca en un país extranjero con leyes muy estrictas y conoció a unos muchachos que lo invitaron a ir a un bar. En el carro uno de los muchachos encendió un porro (*lit a joint*) y se lo ofreció a John. ¿Qué habrían hecho Uds. en el lugar de John y por qué?
3. Era un día lindísimo y la playa estaba llena de gente. Patricio se metió en el mar para refrescarse y una ola gigantesca lo revolcó en el agua. Cuando se recuperó, se dio cuenta de que había perdido el traje de baño. ¿Qué habrían hecho Uds. en el lugar de Patricio y por qué?
4. Un taxista encontró en su taxi una mochila con 35 mil dólares que habían dejado unos pasajeros. En la mochila había una identificación con un número de teléfono. ¿Qué habrían hecho Uds. en el lugar del taxista y por qué?

Parte B: La última situación que discutieron fue un hecho real que ocurrió en La Plata, Argentina. El taxista llamó a los dueños y les devolvió el bolso con todo el dinero. Las personas que recuperaron el dinero no le dieron ninguna recompensa al taxista. Como reacción, dos jóvenes de una agencia de publicidad hicieron un sitio Web para que la gente le donara dinero, servicios u otras cosas al taxista que fue tan honesto. Miren el sitio Web y algunas de las donaciones y luego digan qué donación habrían hecho Uds.

la guita = el dinero (*slang*)

YO TB QUIERO DONAR
DEVOLVAMOSLE LA GUITA AL TAXISTA
MENSAJE
Felicitaciones!
Un corte de pelo en la mejor casa unisex de buenos aires.
MENSAJE
Te hago un re corte de pelo maestro, esto me conmovió...
Un pensamiento lleno de energía positiva para ti y tu familia.
Le ofrezco la oportunidad de realizar un cortometraje basado en su historia.
Un Abrazo
Respeto y consideración
Te ofrezco mis servicios legales de por vida sin cargo, si algún día lo necesitas.
unas buenas empanadas
Sushi para 6 personas
MENSAJE
Genio!! Bien por la honestidad y también por el reconocimiento en esta página!!
INVITA A UN AMIGO A DONAR

B *Si* Clauses (Part Two)

In Chapter 10 you studied how to make statements about hypothetical situations that may or may not happen or that are imaginary: **Si tengo tiempo, iré. Si tuviera tiempo, iría.** In this chapter you will learn how to hypothesize about the past.

Remember that the **si** clause can start or end the sentence.

1. When you want to make statements about hypothetical situations to express hindsight or regrets, use the following formula. Notice that the **si** clause contains a contrary-to-fact statement.

Hindsight and regrets	
si + *pluperfect subjunctive,*	*conditional perfect*
Si hubiéramos recurrido a un mediador, *If we had turned to a mediator* (which we didn't),	**habríamos resuelto** el problema con rapidez. *we would have solved the problem promptly.*
Si **hubiera tenido** más dinero, *If I had had more money* (which I didn't),	**habría consultado** a un abogado. *I would have consulted a lawyer.*

2. The pluperfect subjunctive (**pluscuamperfecto del subjuntivo**) is formed as follows.

There is an optional form, frequently used in Spain and in some areas of Hispanic America, in which you may substitute -**se** for -**ra**; for example: **hubiera** = **hubiese.**

haber (imperfect subjunctive)			
hubiera	hubiéramos	+	*past participle*
hubieras	hubierais		
hubiera	hubieran		

To review the formation of past participles, see Appendix A, page 365.

3. Compare the following sentences.

To review other **si** clauses that *can* refer to situations that may or may not happen and to situations that are imaginary, see page 294.

Si **tengo** fuerza de voluntad, **asistiré** a un programa de rehabilitación.
If I have willpower (which I might, therefore this may or may not happen), *I will attend a rehab program.*

Si **tuviera** la fuerza de voluntad, **asistiría** a un programa de rehabilitación.
If I had the willpower (which I don't, therefore describing an imaginary situation), *I would attend a rehab program.*

Si **hubiera tenido** la fuerza de voluntad, **habría asistido** a un programa de rehabilitación.
If I had had the willpower (which I didn't, therefore expressing hindsight or regrets), *I would have attended a rehab program.*

4. The phrase **como si** (*as if*) is ALWAYS followed by the imperfect or pluperfect subjunctive in contrary-to-fact statements.

Habla **como si fuera** el rey de España.	*He talks as if he were the king of Spain* (which he is not).
Me mira **como si** yo **hubiera cometido** un crimen.	*She's looking at me as if I had committed a murder* (which I didn't).

ACTIVIDAD 16 La seguridad en la universidad

Imagina que ya terminaste la universidad. Di qué habrías hecho para mejorar la seguridad en tu universidad si hubieras podido.

► Si hubiera podido, yo...

1. aumentar el número de policías
2. crear un servicio de guardias que acompañaran a la gente de noche
3. mejorar el sistema de alumbrado (*lighting*) de los estacionamientos
4. instalar más teléfonos de emergencia
5. expulsar a los estudiantes problemáticos
6. financiar un sistema de transporte nocturno gratis
7. poner cámaras de video en las bibliotecas
8. ofrecerles a los estudiantes un curso sobre seguridad personal

ACTIVIDAD 17 Un mundo diferente

En grupos de tres, terminen estas frases con una cláusula que explique de qué manera habría sido diferente el mundo bajo las siguientes condiciones.

1. Si en 1491 los aztecas hubieran descubierto Europa, ...
2. Si Portugal, en vez de España, hubiera financiado los viajes de Colón, ...
3. Si México hubiera ganado la guerra con los Estados Unidos en 1848, ...
4. Si no hubieran construido el Canal de Panamá, ...
5. Si Oswald no hubiera asesinado a JFK, ...
6. Si no hubieran atacado las torres gemelas de Nueva York, ...

ACTIVIDAD 18 La tecnología en la historia

Parte A: En parejas, miren estos chistes de la versión mexicana de la revista *MAD* y contesten las preguntas para hablar sobre lo que habría pasado si la tecnología hubiera invadido la historia.

¿Y si Moisés hubiera tenido un fax?

¿Y si Vincent Van Gogh hubiera tenido un walkman?

¿Y si Alexander Graham Bell hubiera tenido espera de llamadas?

¿Y si los caballeros medievales hubieran tenido imanes para refrigerador?

¿Y si Nerón hubiera tenido una máquina de Cantaré?

¿Y si Paul Revere hubiera tenido un beeper?

Parte B: Ahora, inventen dos preguntas semejantes sobre la tecnología y la historia. Luego háganle sus preguntas al resto de la clase.

ACTIVIDAD 19 La escuela y los mediadores

Lee la siguiente parte de un artículo publicado en Internet por el Ministerio de Educación de Chile sobre una escuela que logró reducir la violencia escolar. Luego, en grupos de tres, discutan las preguntas de la página 320.

PALABRAS EN VEZ DE GOLPES

En la escuela Valle de Lluta de San Bernardo, los alumnos resuelven sus diferencias conversando. Con la acción de niños mediadores desterraron los golpes del aula. Los protagonistas quisieron contar sus vivencias para que otras comunidades escolares puedan mejorar su convivencia.

"Antes de que fuéramos mediadores había muchas peleas en la sala y en el patio", dice Kathia (15 años). Su compañero Luis (16 años) agrega, "Y no solo golpes, también había alegatos que no se terminaban nunca. Ahora, los mediadores les decimos a los que pelean, que la gente se entiende conversando". Entre los ochocientos alumnos de la escuela, 24 son quienes tienen la función de mediar los conflictos. Ellos son niños y jóvenes que tienen condiciones de líderes —en su versión positiva o negativa— y fueron escogidos por el profesor jefe para capacitarse en la técnica de la mediación.

alegatos: arguments

1. ¿En qué consiste el programa de la escuela Valle de Lluta para reducir la violencia escolar?
2. ¿Había mediadores cuando Uds. estaban en la escuela secundaria?
   - Si contestan que sí: ¿En qué consistía el trabajo del mediador? ¿Alguna vez estuvieron en un conflicto que se resolvió con la ayuda de un mediador? ¿Fueron Uds. mediadores? ¿Creen que el uso de esta técnica de resolución de conflictos haya sido eficaz en su escuela? Si Uds. hubieran sido el/la director/a de su escuela, ¿qué otras técnicas habrían aplicado?
   - Si contestan que no: Si Uds. hubieran sido el/la director/a de su escuela, ¿habrían utilizado esta técnica para resolver conflictos? ¿Por qué sí o no? ¿Les hubiera gustado ser mediadores/as? ¿Qué otra técnica habrían utilizado?
3. ¿Había en su escuela estudiantes que llevaran armas?
   - Si contestan que sí: ¿Qué hacía el/la director/a de la escuela para prevenir ese problema?
   - Si contestan que no: ¿Había detector de metales en la puerta para ver si los estudiantes llevaban armas? ¿Revisaba la escuela el contenido de los armarios (*lockers*) de los estudiantes con/sin su permiso? ¿Había policías armados en la escuela todos los días?

ACTIVIDAD 20 Como si...

Anoche estuviste en una fiesta y oíste solo partes de algunas conversaciones. Escribe posibles finales para estas frases que oíste.

1 Odio a la gente que habla como si...

2 Hay gente que va muy elegante a la universidad como si...

3 Mi profesor de literatura nos manda leer un montón de libros como si...

4 En el último partido, nuestro equipo jugó como si...

5 Ayer mi mejor amigo tenía una cara larga como si...

III. Expressing Influence, Feelings, and Doubt in the Past

The Pluperfect Subjunctive

1. You have already seen in this chapter how to use the pluperfect subjunctive to hypothesize about the past. Like other tenses of the subjunctive, the pluperfect can be used after expressions of influence, emotion, doubt, or denial, and in descriptions of what one was looking for. In all these cases, the pluperfect subjunctive usually refers to an action that preceded another past action. Look at the following sentences.

What one is looking for: Chapter 7

La policía **buscaba** a alguien que **hubiera visto** a la narcotraficante. — *The police were looking for someone who had seen the drug dealer.*

Feelings: Chapter 6

Me alegré de que ella **hubiera dejado** el alcohol. — *I was happy that she had quit drinking.*

Influencing: Chapter 5

Habría querido que la policía **hubiera sido** más dura con los ladrones.* — *I would have liked the police to have been tougher with the thieves.*

*__Note:__ This combination of *conditional perfect* + **que** + *pluperfect subjunctive* is frequently used to express hindsight and regrets: **Habríamos preferido que él no hubiera venido el domingo.**

2. Compare the following sentences containing either the imperfect subjunctive or the pluperfect subjunctive and note the difference in meaning conveyed by each.

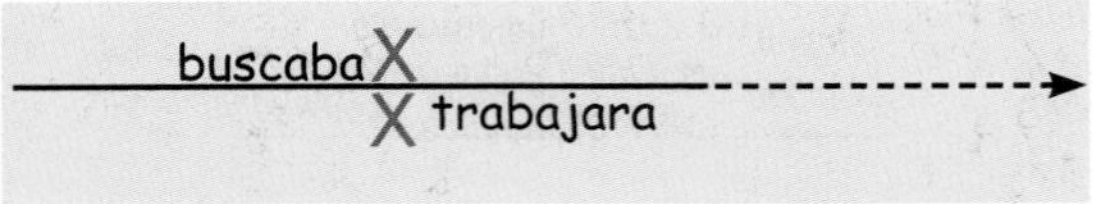

La policía **buscaba** a alguien que **trabajara** con drogadictos. — *The police were looking for someone who worked with drug addicts.*

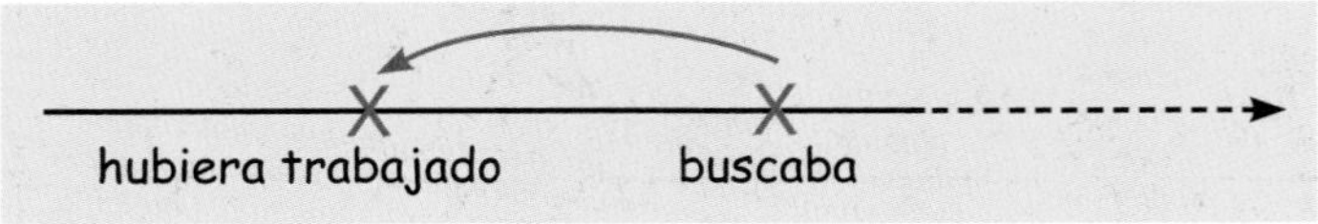

La policía **buscaba** a alguien que **hubiera trabajado** con drogadictos. — *The police were looking for someone who had worked with drug addicts.*

ACTIVIDAD 21 No estaba de acuerdo

Completa con detalle estas situaciones para indicar cómo se sintieron las personas en cada caso. Usa el pluscuamperfecto del subjuntivo.

1. Marta me dijo que ella había visto un robo en la calle y que unos policías habían atrapado al delincuente y le habían pegado mucho, pero como Marta siempre cuenta historias, yo no creía que... porque...
2. José, de catorce años de edad, llegó a casa después de una fiesta con un olor a alcohol muy fuerte, pero les juró a sus padres que él no había bebido. Ellos dudaban que... porque...
3. La hija del Sr. Salinas era contadora, tenía cuarenta años y estaba en la cárcel por haber cometido fraude en el trabajo. Su padre habría querido que... porque...
4. Hubo un conflicto entre vecinos por la reforma de la entrada del edificio; algunos querían gastar mucho dinero y otros poco, por eso fueron a mediación. El mediador escuchó a las dos partes y no estaba seguro de que ninguna de las dos partes... porque...

ACTIVIDAD 22 Mirar al pasado

En grupos de tres, digan cómo habrían querido que hubieran sido ciertos aspectos de su infancia y adolescencia. Sigan el modelo.

► mis profesores / darme / materia más (menos) difícil

Habría querido que mis profesores me hubieran dado materia más difícil porque así (yo) habría estudiado más y...

1. mi escuela / ofrecer / más (menos) actividades extracurriculares
2. mis padres / ser / más (menos) estrictos
3. mis padres / tener / más (menos) hijos
4. mi escuela / dar / explicaciones más (menos) explícitas sobre la sexualidad
5. mi familia / residir / en una zona más urbana (rural)
6. mis amigos / participar / más (menos) en las actividades de la escuela
7. Mi familia / hacer / más (menos) actividades junta

Madre e hijos hacen senderismo en la Sierra de Francia, Salamanca, España.

IV. Linking Ideas

A *Pero, sino,* and *sino que*

Pero, sino, and **sino que** join different parts of a sentence and are called conjunctions (**conjunciones**).

1. **Pero** means *but* (when *but* means *however*) and can be used after affirmative or negative clauses. Note that a comma is used before **pero**.

No iba a hablar con el pandillero, **pero** cambié de idea.	*I wasn't going to speak with the gang member, but I changed my mind.*
Fui a su casa, **pero** no estaba.	*I went to his house, but he wasn't there.*

2. **Sino** and **sino que** also mean *but* (when *but* means *but rather* or *but instead*). These words can only be preceded by a negative clause. **Sino** is followed by a word or a phrase that does not contain a conjugated verb, and **sino que** introduces a clause that contains a conjugated verb. Note that a comma is used before **sino** and **sino que**.

No estaba tomando, **sino** consumiendo drogas.	*He wasn't drinking but rather using drugs.*
No estaba tomando, **sino que estaba** consumiendo drogas.	*He wasn't drinking but rather/instead he was using drugs.*
No fui a un abogado, **sino** a un juez.	*I didn't go to a lawyer but rather to a judge.*
No fui a un abogado, **sino que fui** a ver a un juez.	*I didn't go to a lawyer but rather/instead I went to a judge.*

ACTIVIDAD 23 Consejos para un amigo

Parte A: Tienes que darle consejos a un/a amigo/a que está por irse de viaje al extranjero. Termina las ideas usando **pero, sino** o **sino que**.

1. No debes llevar joyas de oro, ____________________ de fantasía.
2. No debes llevar bolsa, ____________________ debes llevar una riñonera (*fanny pack*).
3. Puedes llevar dinero en efectivo, ____________________ es mejor usar el cajero automático.
4. Nunca debes dejar la cámara digital en un auto estacionado, ____________________ tenerla contigo en todo momento.

5. Puedes llevar el pasaporte contigo, ____________________ también es buena idea tener una fotocopia del pasaporte en el hotel.
6. No debes obtener dinero local en el aeropuerto, ____________________ en un cajero automático porque te da más dinero por cada dólar.
7. En el aeropuerto no debes dejar las maletas solas, ____________________ debes llevarlas contigo a todos lados.

Parte B: En grupos de tres, discutan si Uds. o personas que conocen han estado en algunas de las situaciones que se mencionan en la Parte A, ya sea en el extranjero o en este país. Digan si les han robado algo alguna vez. Describan qué ocurrió.

B *Aunque, como,* and *donde*

The conjunction **aunque** and the adverbs **como** and **donde** are used as follows.

1. Aunque (*even if, even though, although*) is used to disregard information. It is usually followed by the subjunctive. Note that a comma is used before **aunque**.

Siempre asisten a una reunión de Alcohólicos Anónimos, **aunque estén** cansadas.	*They always attend a meeting of Alcoholics Anonymous although they may be tired.* (It doesn't matter if they are tired.)
Aunque te **condenen** a diez años de prisión, te voy esperar.	*Even if they sentence you to ten years in prison, I'll wait for you.*
Paco nunca probaría drogas, **aunque** se las **ofrecieran.**	*Paco would never try drugs even if they were offered to him.*

2. Como (*as, how, any way*) and **donde** (*where, wherever*) use the indicative when referring to a specific manner or place, and the subjunctive when referring to an unknown manner or place.

Specific: Indicative	Unknown: Subjunctive
La condenaron **como** yo **quería.** *They sentenced her as I wanted.*	Bueno, condénala **como quieras.** *OK, sentence her any way you want.*
Se vistió **como quería.** *She dressed as she wanted.*	Dile que se vista **como quiera.** *Tell her to dress any way she wants.*
Cuelga el cuadro **donde** yo **quiero:** allí. *Hang the painting where I want it: over there.*	Cuelga el cuadro **donde quieras.** *Hang the painting wherever you want.*
Busqué la ciudad **donde había** poca delincuencia. *I looked for the city where there was little crime.*	Busqué una ciudad **donde hubiera** poca delincuencia. *I looked for a city where there was little crime.*

Don't confuse **cómo** and **dónde,** which are question words, with **como** and **donde,** which are adverbs.

ACTIVIDAD 24 Combinaciones

Combina ideas de las dos columnas para formar oraciones lógicas.

A	B
Va a acudir a la Justicia, aunque...	enseñarte / la semana pasada
Nunca te dejaría, aunque...	no confiar / en los jueces
Generalmente trasnochamos, aunque...	pasar / su adolescencia
Ella volvió al lugar donde...	dejarme / de querer
Busco un barrio donde...	querer / pero sin zapatos de tenis
Puedes ir vestido a ver al juez como...	poder vivir / tranquilo
Prepara el mate de coca como yo...	estar / muy cansados

ACTIVIDAD 25 La seguridad

Termina las siguientes ideas sobre la seguridad.

1. A veces un hombre que viola a una mujer sale en libertad condicional, aunque...
2. Queremos vivir en un lugar donde...
3. Muchos criminales cometen crímenes horribles, aunque...
4. Los pandilleros necesitan poder acudir a una organización donde...
5. Muchos asesinos parecen personas normales, aunque...
6. El acusado del secuestro fue condenado como...

Porcentaje de la población de 15 a 64 años que consume:
mariguana
Colombia 1,9%
México 3,1%
Estados Unidos 17%
cocaína
Colombia 0,8%
México 0,8%
Estados Unidos 3%

ACTIVIDAD 26 ¿Legalización o no?

Parte A: La legalización de las drogas es un tema muy controvertido. Lee las siguientes ideas sobre su legalización e indica si crees que muestran una posición a favor (AF) o en contra (EC). Luego comparte tus ideas con el resto de la clase.

	AF	EC
1. La legalización puede acabar con la violencia generada por el narcotráfico.	_____	_____
2. Es posible que la legalización de la droga genere un aumento del consumo.	_____	_____
3. El consumo de drogas debe ser una elección personal y no debe estar regido por el gobierno como no lo está el alcohol.	_____	_____
4. Los narcotraficantes obtienen ganancias increíbles debido a la prohibición de la droga. Hay que acabar con esta situación.	_____	_____
5. Para terminar con la droga hay que destruir las plantaciones.	_____	_____
6. Legalizar las drogas sería como perdonar y olvidar todos los crímenes cometidos por el narcoterrorismo.	_____	_____
7. Los países productores no producirían tanta droga si no hubiera tanta demanda de los países consumidores. Hay que reducir la demanda.	_____	_____
8. Si las drogas fueran legales, podríamos ganar dinero a base de impuestos para escuelas y obras públicas.	_____	_____

Do the corresponding web activities to review the chapter topics.

Parte B: Ahora formen dos grupos: uno a favor de la legalización de la droga en este país y el otro en contra. Tomen unos minutos para preparar sus argumentos usando ideas de la Parte A como punto de partida. Luego, hagan un debate sobre la legalización de la droga.

Vocabulario activo

CAPÍTULO 11

La justicia

(acudir a) la Justicia *(to go to) the authorities* (the law)
la adicción *addiction*
el alcoholismo *alcoholism*
el asaltante *assailant*
asaltar *to assault*
el asalto *assault, attack, robbery*
asesinar *to murder*
el asesinato *murder*
el/la asesino/a *murderer*
la cadena perpetua *life sentence*
la cárcel *jail, prison*
el cartel (de drogas) *drug cartel*
castigar *to punish*
el castigo *punishment*
la condena *the sentence*
condenar (a alguien) a (diez) meses/años de prisión *to sentence (someone) to (ten) months/years in prison*
consumir drogas *to use drugs*
el crimen *serious crime; homicide*
la delincuencia *crime, criminal activity*
la delincuencia juvenil *juvenile delinquency*
el/la delincuente *criminal* (of any age)
el delito *criminal offense, crime*
detener *to arrest*
la droga *drug*
la drogadicción *drug addiction*
el/la drogadicto/a *drug addict*
encarcelar *to jail, imprison*
el homicidio *homicide*
la injusticia *injustice*
la inseguridad *insecurity*
el/la juez/a *judge*
la justicia *justice*
el ladrón/la ladrona *thief*
la legalización *legalization*
legalizar *to legalize*
la libertad condicional *parole*
la mediación *mediation*
el/la mediador/a *mediator*
el/la narcotraficante *drug dealer*
el narcotráfico *drug traffic*
la pandilla *gang*
el/la pandillero/a *gang member*
la pena de muerte / la pena capital *death penalty*
el/la preso/a *prisoner*
la prevención *prevention*
prevenir *to prevent*
el/la ratero/a *pickpocket; petty thief*
la rehabilitación *rehabilitation*
la reinserción en la sociedad *reintegration into society*
robar *to steal; to rob*
el robo *robbery*
secuestrar *to kidnap; to hijack*
el secuestro *kidnapping; hijacking*
la seguridad *security*
el terrorismo *terrorism*
el/la terrorista *terrorist*
la víctima *victim*
la violación *rape*
el/la violador/a *rapist*
violar (a alguien) *to rape (someone)*
la violencia *violence*

Expresiones útiles

a propósito *on purpose*
(para) dentro de (diez) horas/días/años/etc. *in (ten) hours/days/years/etc.*
pretender + *infinitive* *to attempt (and to hope)* + infinitive
A mi modo de ver... *The way I see it...*
Desde mi punto de vista... *From my point of view...*
Es un acto despreciable. *It's a despicable act.*
¡Qué injusticia! *How unfair! / What an injustice!*
¿Qué opinas sobre esta situación? *What do you think about this situation?*
¿Y a ti qué te parece? *What do you make of it?*

Más allá

Canción: "El costo de la vida"

Juan Luis Guerra

El cantante, compositor y productor nació en 1957 en la República Dominicana. De joven, era fanático de Los Beatles. Antes de dedicarse de lleno a la música, estudió literatura y filosofía en una universidad de su país. Más tarde, asistió a la Escuela de Música Berklee en Boston para estudiar jazz. Las canciones de Guerra, con ritmos como el merengue, la bachata y el bolero, incluyen temas románticos y sociales. Entre sus canciones más famosas se encuentran "Ojalá que llueva café", "La bilirrubina" y "El Niágara en bicicleta". Guerra lleva vendidos mundialmente unos 20 millones de discos y ha recibido numerosos Grammys y Grammys Latinos. En 2008 la UNESCO lo nombró "Artista para la Paz" por su trabajo con niños minusválidos y en situación de emergencia.

ACTIVIDAD **El costo de vida**

Parte A: Antes de escuchar la canción "El costo de la vida", habla sobre el costo de vida en tu ciudad y país.

1. ¿Le alcanza hoy día a la gente el dinero que gana para vivir?
2. ¿Con qué frecuencia suben los precios de la canasta familiar (*weekly groceries*)?
3. ¿Qué artículos de la vida diaria están caros hoy día?
4. ¿El costo de vida en la ciudad donde vives es alto comparado con el de otras ciudades de tu país?

Parte B: Lee las preguntas y luego escucha la canción para buscar la información.

1. ¿Qué cosas aumentan en la República Dominicana?

   ________ el costo de vida ________ la gasolina ________ la corrupción
   ________ los secuestros ________ los sobornos ________ la delincuencia
   ________ las habichuelas ________ el desempleo ________ la recesión

2. ¿Que cosas bajan?

   ________ el peso dominicano ________ la tranquilidad
   ________ la democracia

3. ¿Por qué será que a nadie le importa lo que piensa la gente de la República Dominicana? Porque los dominicanos... (Marca todas las opciones correctas.)

________ no hablan inglés   ________ generalmente no protestan

________ no hablan francés   ________ viven en un país muy pequeño

Parte C: En grupos de tres, discutan estas preguntas relacionadas con la canción.

1. Según el cantante, a nadie le interesa lo que piensa la gente de la República Dominicana. Miren las respuestas que sugiere la pregunta 3 de la Parte B. ¿Creen que esas características sean motivos para que el mundo no los respete?
2. El cantante también dice que ni a la compañía Mitsubishi ni a la Chevrolet les interesa lo que piense la gente. ¿Por qué creen que mencione a estas compañías?
3. Juan Luis Guerra compuso esta canción en 1992, año en que se cumplió el quinto centenario del "descubrimiento" de América. En la canción cuestiona quién descubrió a quién. ¿Por qué creen que haga esta pregunta en el contexto de esta canción?
4. ¿Creen que las grandes potencias tengan la responsabilidad de ayudar a los países más pequeños?

Videofuentes: *Día latino en Fenway Park*

Antes de ver

ACTIVIDAD 1 Premios y honores

En la escuela primaria y secundaria de este país los estudiantes reciben premios y honores por ser buenos estudiantes. En grupos de tres, den ejemplos de algunos de esos premios. Digan también si alguna vez recibieron un premio en la escuela.

Mientras ves

ACTIVIDAD 2 Un día de reconocimiento

Lee las siguientes preguntas y contéstelas mientras ves el video sobre el *Día de reconocimiento de los jóvenes latinos*. Mira el video hasta que los estudiantes empiezan a dar consejos.

1. ¿Dónde tiene lugar este evento?
2. ¿Por qué se premia a los estudiantes?
3. ¿Quién organiza el evento?
4. ¿Quiénes les dan los premios a los estudiantes?
5. ¿Adónde se transmite el evento?

ACTIVIDAD 3 Los consejos

Parte A: Ahora lee esta lista de consejos y mira el resto del video para marcar los consejos que ofrecen los estudiantes.

______ estar en contacto con sus padres
______ estudiar mucho
______ portarse bien
______ tener un horario para hacer la tarea
______ no descuidar los estudios
______ no estar en una pandilla
______ no faltar a clase
______ no hablar en clase
______ no meterse en problemas

Parte B: En parejas, digan otros consejos para que un estudiante no tenga problemas en la escuela. Sigan el modelo.

► Es importante que duerma ocho horas cada noche.

Pedro Martínez felicita a uno de los chicos.

Después de ver

ACTIVIDAD 4 Niños en la cárcel

Parte A: Lee qué hizo una estudiante norteamericana que pasó un semestre en Ecuador y contesta las preguntas de tu profesor.

"Soy estudiante de Boston College y pasé el segundo semestre de mi tercer año estudiando en Quito. Allí asistí a clases, pero también trabajé como voluntaria en la cárcel de mujeres. Hay una ley en Ecuador que dice que en caso de que no haya parientes para cuidar al hijo de una mujer acusada de un delito, el niño, si es menor de tres años, debe ir a la cárcel a vivir con la madre. Mi trabajo consistía en ayudar a las mujeres que trabajan allí con los niños. Les daba comida, les enseñaba a contar, los ayudaba con proyectos de arte y los cuidaba cuando estaban jugando afuera. Pero, sobre todo, creo que mi trabajo era prestarles atención en forma individual, abrazarlos, ayudarlos a calmarse cuando lloraban y decirles que los quería mucho. Esa fue una experiencia inolvidable para mí y espero que también para ellos." ■

Parte B: En grupos de tres, discutan las siguientes preguntas.

1. Si hubieran sido uno de esos niños cuya madre estaba presa, ¿habrían preferido estar en la cárcel con ella o en algún otro lugar sin ella? ¿Cuáles habrían sido las ventajas y las desventajas de cada situación?
2. ¿Su respuesta a la primera pregunta habría variado si Uds. hubieran tenido 3 meses o 3 años de edad?
3. En este país, ¿es posible que las madres presas tengan a sus hijos menores de edad en la cárcel con ellas?

Proyecto: Entrevista por un mundo mejor

En parejas, van a hacerle una entrevista en video a una persona famosa que hace trabajo para contribuir a que haya un mundo mejor. Para preparar el guion de la entrevista (incluyendo preguntas y respuestas) busquen en Internet información sobre el trabajo que está haciendo uno de los siguientes famosos. Al filmar la entrevista, uno de Uds. será el/la entrevistador/a y el otro será la persona famosa.

- Juanes
- Juan Luis Guerra
- Soraida Martínez
- Enriqueta Ulloa

11
CAPÍTULO

Actos ilegales

See the *Fuentes* website for related links and activities: www.cengage.com/spanish/fuentes

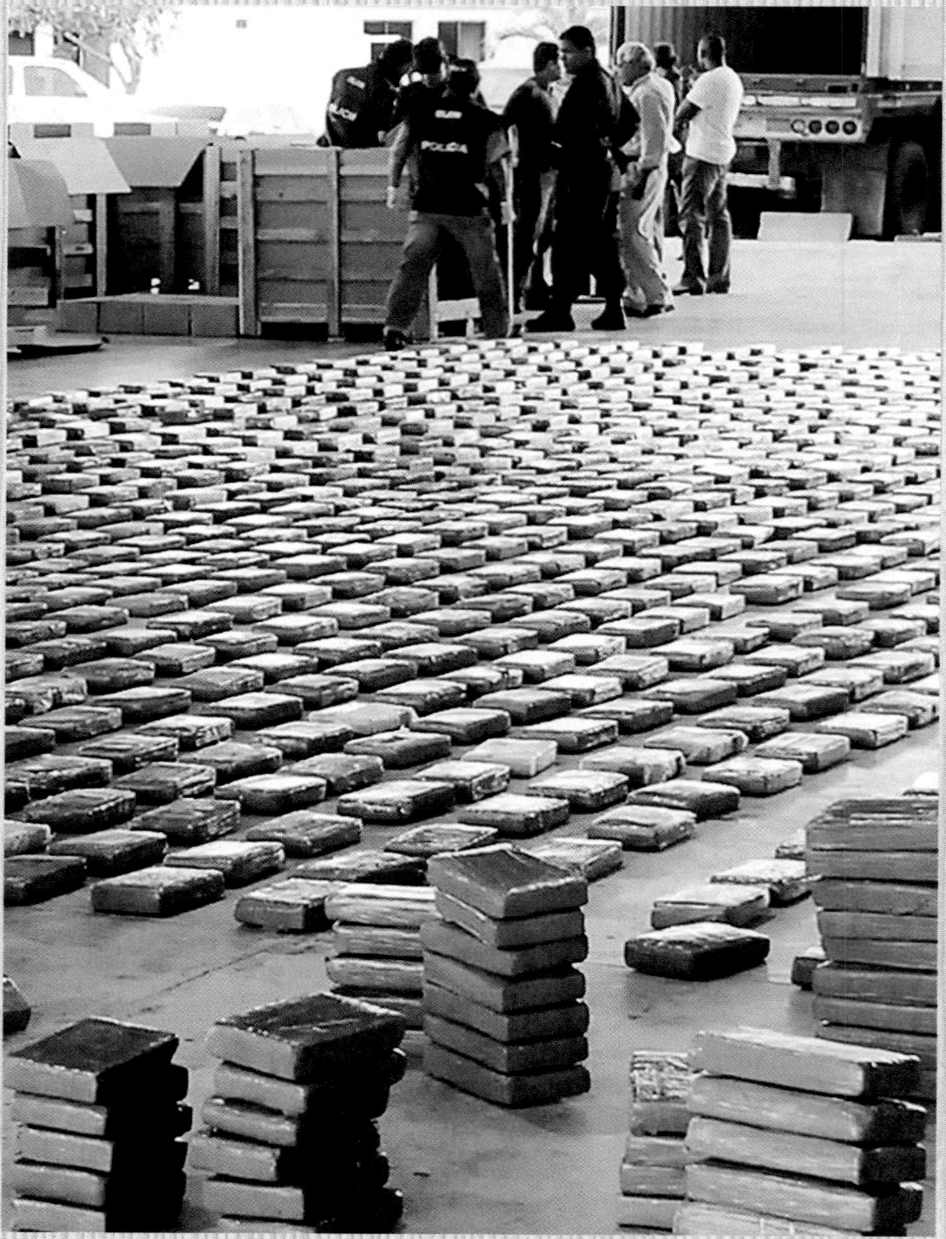

Diez toneladas de paquetes de cocaína confiscadas por la policía en el puerto colombiano de Barranquilla. La cocaína iba destinada a la ciudad mexicana de Veracruz y de ahí a los consumidores de los Estados Unidos.

ACTIVIDAD 1 Causas, efectos y soluciones

Activating background knowledge

La siguiente lista incluye cinco de los problemas de delincuencia con los que se enfrentan los países latinoamericanos y muchos otros países del mundo. En grupos de tres, determinen para cada problema por lo menos una causa, un efecto y una solución. Luego, compartan sus ideas con el resto de la clase.

- el tráfico de drogas
- los atracos y robos de casas
- los asesinatos
- el crimen organizado
- el soborno y la corrupción en el gobierno

Lectura 1: Un editorial

ACTIVIDAD 2 A propósito de las drogas

Building vocabulary

Antes de leer el editorial escrito por el director de la revista española *Cambio 16*, asocia cada una de las palabras de la primera columna, las cuales aparecen en el artículo, con la palabra o expresión correspondiente de la segunda. Usa tus conocimientos de cognados y raíces para adivinar. Consulta el vocabulario o un diccionario solo cuando sea necesario.

1. ______ adormilado/a	a. juicio, prudencia
2. ______ adulterado/a	b. inundación
3. ______ el coraje	c. cantidad de medicina que se toma
4. ______ la cordura	d. mala costumbre
5. ______ la dosis	e. valor
6. ______ enganchado/a	f. que produce ganancias o intereses
7. ______ rentable	g. mezclado con sustancias peligrosas
8. ______ la riada	h. que depende de una droga
9. ______ el vicio	i. drogadicto
10. ______ el drogata	j. con sueño

ACTIVIDAD 3 La droga ilegal y sus efectos

Activating background knowledge

Cambio 16, la revista de noticias más importante de España, lanzó hace varios años una campaña para legalizar las drogas. Como parte de esa campaña, el director de *Cambio 16*, Juan Tomás de Salas, escribió el siguiente editorial. Antes de leerlo, en parejas, hagan una lista de dos o tres problemas que causa el uso ilegal de las drogas. Luego compartan sus ideas sobre la mejor solución: la prohibición, la legalización parcial o la legalización total.

Muchas personas famosas apoyaron la campaña, incluso el conocido autor colombiano Gabriel García Márquez, ganador del Premio Nobel de Literatura, quien escribió el manifiesto de la campaña a favor de la legalización de las drogas.

You can write in the margins of the text if space allows. If not, take notes on a separate sheet of paper.

ESTRATEGIA DE LECTURA

Annotating and Reacting to Reading
Taking notes on important or interesting ideas can aid you in organizing and understanding a reading. You can use notes on information contained in the reading to guide your studying and to prepare outlines. Emotional reactions and doubts can be used as prompts to discuss and ask questions about difficult parts of the reading. Notetaking is most useful when done methodically, so you should develop a method that is comfortable for you. One possibility is to record notes on content to the left and more personal reactions to the right, while underlining important unfamiliar vocabulary and highlighting significant details.

Active reading, Annotating and reacting

Note that Spanish law already allows the growth and consumption of marijuana for personal use within the home.

ACTIVIDAD 4 Efectos y reacciones

Mientras lees el siguiente editorial, subraya los posibles efectos de la legalización y apunta en el margen o en otra hoja tus reacciones (**¡qué fascinante!, ¡qué raro!, ¡qué locura!, no estoy de acuerdo, no comprendo,** etc.) a detalles específicos del editorial.

Legalización de las drogas

¿Qué pasaría si, en un gesto de cordura y de coraje sin precedentes, el Gobierno español despenalizara el consumo y comercio de drogas, autorizando su venta libre en las farmacias o estancos del país? Pasarían varias cosas:

1. De inmediato se detendría la sangría de muertos provocados por el consumo de droga, adulterada hasta el ladrillo, que es la que hoy se vende en el mercado nacional. Algún muerto habría, por sobredosis o imprudencia, pero la riada de jóvenes asesinados con porquería en sus venas se detendría de inmediato.
2. Las farmacias, con las condiciones razonables del caso, expenderían, a precio también razonable, las dosis de droga demandada por los ciudadanos. El producto estaría garantizado contra adulteraciones y sería tan seguro —y dañino— como indicara exactamente en el prospecto.

3. El precio de la venta de la droga sería una fracción de los feroces precios actuales de la droga clandestina. Ello detendría en el acto la riada de pequeños y grandes delitos que los drogatas actuales cometen para poder financiar su vicio. Si pocos roban para comprarse cerveza, bien pocos lo harían para comprarse dosis a precio normal. Al respecto conviene no olvidar que el costo original de la droga es bien bajo, lo astronómico del precio es resultado de la prohibición, no de la droga.
4. El Estado cobraría un fuerte impuesto sobre las drogas vendidas, como hace con alcoholes y tabacos. Con ello podría financiar masivamente programas de rehabilitación y de prevención del consumo de drogas. Igualmente podría dedicar parte de ese impuesto a financiar escuelas de educación profesional para una

juventud como la nuestra que hemos condenado al paro y a la droga entre todos.

5. Millares de funcionarios —policías, aduaneros, jueces y oficiales, etc.— quedarían de inmediato liberados de la imposible tarea de impedir su tráfico, que es el más rentable del planeta, y contra el que han fracasado en todo el mundo. Con ello se reduciría el déficit público, mejoraría la justicia y policía común de nuestras calles, y hasta quedarían recursos humanos para luchar contra esa lacra, aún vigente, que es el terrorismo.

6. Posiblemente, como ocurrió al abolir la prohibición norteamericana del alcohol a principios de los años 30, el consumo legalizado de drogas aumentaría ligeramente. Sólo los puritanos extremos temen que la legalización traería consigo una drogadicción masiva. Pero un cierto aumento del consumo es casi seguro. Pero sólo el consumo, no la muerte. Habría algunos jóvenes más enganchados, es decir, adormilados y soñadores, poco útiles, quizás para la producción en cadena, pero no habría muertos. ■

JUAN TOMÁS DE SALAS

ACTIVIDAD 5 Los efectos de la despenalización

Summarizing

Parte A: En grupos de tres, hagan una lista de todos los posibles efectos propuestos por Salas, terminando la siguiente oración.

Si el Gobierno (español) despenalizara el consumo y comercio de drogas,...

Reacting

Parte B: En parejas, indiquen cómo reaccionaría a la legalización la mayoría de los miembros de los siguientes grupos.

los policías
los aduaneros
los jueces
los dueños de negocios
los padres de familia
los estudiantes universitarios

aduanero = customs officer

Parte C: La campaña de legalización lanzada por *Cambio 16* no tuvo éxito, pero, si el Gobierno hubiera decidido despenalizar el consumo y comercio de drogas, ¿qué habría pasado? En parejas, den sus opiniones personales, haciendo una lista de dos efectos positivos y dos efectos negativos, por lo menos, y terminando de manera original la siguiente oración.

Si el Gobierno (español) hubiera despenalizado el consumo y comercio de drogas,...

Comparing and contrasting

ACTIVIDAD 6 ¿Qué es una droga?

El autor del artículo no especifica las drogas a las que se refiere. En grupos de tres, decidan cuáles de las siguientes sustancias se deben prohibir o legalizar. Expliquen por qué.

el café	*el alcohol*	*la coca*	*el crack*
el tabaco	*la mariguana*	*la cocaína*	

ACTIVIDAD 7 El consumo y la cárcel

En grupos de cuatro, compartan sus reacciones a las siguientes preguntas.

1. ¿Conocen a alguien que consuma o haya consumido drogas?
2. ¿Creen que esa persona merece estar en la cárcel? ¿Por qué sí o no?

Cuaderno personal 11-1

¿Estás a favor o en contra de la legalización de las drogas? Justifica tu respuesta.

Lectura 2: Panorama cultural

Guessing meaning from context, Building vocabulary

ACTIVIDAD 8 Palabras claves

Las palabras indicadas en las oraciones son de la lectura "Modernización, globalización y delincuencia en Latinoamérica". Asocia cada palabra indicada en negrita con su equivalente de la lista que aparece a continuación.

a. *to take for granted*

b. *crime*

c. *standard*

d. *characteristic of a region*

e. *to take root*

f. *seed*

g. *narcotic*

h. *government employee or civil servant*

i. *bribe*

1. ______ Decir la verdad no es **delito.**
2. ______ El problema de violencia criminal **ha echado raíz** en las sociedades en vías de desarrollo.

3. ______ Algunas personas **dan por descontado** el derecho de llevar armas; otras lo disputan.

4. ______ Los **patrones** de conducta no se pueden mantener sin un sistema de sanciones y castigos.

5. ______ La violencia criminal es **endémica** en algunas sociedades en vías de desarrollo.

6. ______ Los **estupefacientes** suelen impedir la percepción clara de la realidad.

7. ______ La **semilla** de la delincuencia está en la enorme desigualdad entre los muy ricos y los muy pobres.

8. ______ El policía fue despedido por aceptar múltiples **sobornos** que se valorizaron en más de cien mil dólares.

9. ______ En principio, la obligación de todo **funcionario** es servir a los ciudadanos del país.

ACTIVIDAD 9 Delitos y crímenes

Activating background knowledge

Parte A: En grupos de tres, hagan una lista de tipos de delincuencia que son problemas en la sociedad de su país. Después, decidan cuáles son los dos problemas principales.

Active reading, Annotating and reacting

Parte B: Al leer el artículo sobre la delincuencia en Latinoamérica, apunta en los márgenes la idea general de cada párrafo y tus reacciones a esas ideas. Después, vuelve a leer todo el artículo con más cuidado para asegurarte de que entendiste bien la idea principal de cada párrafo.

Modernización, globalización y delincuencia en Latinoamérica

mas = pero

Latinoamérica, al igual que otras regiones del mundo, tiene una larga tradición de violencia, mas en el pasado esta se ha caracterizado principalmente como violencia política, es decir, la represión de gobiernos dictatoriales y los movimientos que utilizaban la lucha armada en contra de dichos gobiernos. Sin embargo, en las últimas décadas, la violencia ha dejado de ser una lucha por ideales sociales y políticos para convertirse en una violencia asociada con la delincuencia. Esta violencia, que se ha convertido en una de las principales preocupaciones de los gobiernos y del público, se debe en gran parte a los efectos de la modernización y la globalización.

Causantes generales de la delincuencia

Aunque parezca irónico que la violencia criminal aumente precisamente cuando la violencia política disminuye, en realidad el aumento de la delincuencia es en parte un efecto normal de los cambios sociales y económicos que afectan a América Latina. Por una parte, la vuelta a la democracia ha eliminado la dura represión que era típica de las dictadu-

Continúa en la página siguiente

ras. Por otra parte, los países latinoamericanos pertenecen al grupo de países "en vías de desarrollo", es decir, los que han participado en los procesos de industrialización, urbanización y globalización, pero que se encuentran en una situación de tensión entre la sociedad tradicional y la sociedad plenamente modernizada.

Un barrio pobre en las afueras de Caracas, Venezuela.

Los procesos de modernización implican profundos cambios en la sociedad. Para empezar, los campesinos abandonan el campo, donde la mecanización de la agricultura y la globalización comercial los deja sin trabajo y se trasladan a buscarlo a las ciudades industrializadas. Como resultado de la migración en masa, se crean grandes urbes densamente pobladas. Los efectos más agudos de esta rápida urbanización son la pérdida de influencias estabilizadoras, como las viejas relaciones íntimas de la familia extendida y su sustitución por nuevas relaciones menos fuertes. La familia deja de ejercer un control directo sobre las acciones del individuo y pierde influencia en la formación de los valores personales.

Estos cambios se han producido en varios países de Latinoamérica en el espacio de solo cinco o seis decenas de años y, al mismo tiempo, la población urbana ha crecido con una rapidez alarmante. En las afueras de las grandes ciudades en que viven muchos de los recién llegados, se han creado enormes villas miseria, donde a menudo los habitantes no tienen ni agua corriente ni electricidad. El contraste entre su situación y la de las clases acomodadas, enorme en muchas partes de Latinoamérica, ha contribuido a alimentar la semilla de la delincuencia. En la ciudad, los campesinos suelen abandonar su tradicional fatalismo al encontrar una nueva ética de consumo y materialismo. Es decir que, en vez de resignarse a su pobreza como lo hubieran hecho anteriormente, luchan por obtener y consumir más. A menudo, les es imposible alcanzar una vida mejor por medio del trabajo, y el delito se ofrece como la ruta más directa hacia la adquisición de bienes materiales. Es así que han aumentado tanto los delitos contra la propiedad —robos y atracos— como los crímenes contra la persona —asaltos y asesinatos.

Latinoamérica es una de las regiones del mundo con mayor desigualdad de ingresos. El 10% más rico de la población recibe un 35% de los ingresos, mientras más del 40% de la población vive por debajo de la línea de pobreza.

La corrupción

Un tipo de delito endémico en las sociedades que se encuentran en vías de desarrollo es la corrupción que existe en el gobierno. En Latinoamérica hay dos motivos principales de esta corrupción. En primer lugar, lo que actualmente se considera corrupción se daba por descontado en las sociedades tradicionales. Un funcionario con acceso al poder tenía la obligación de usar sus privilegios para ayudar a parientes y amigos, ya que la familia extendida era la unidad social y económica más importante. Con la democratización actual, sin embargo, ha surgido mayor necesidad de adoptar y proteger patrones de conducta que no permiten tal personalismo. En segundo lugar, la situación económica inestable de muchos países limita el sueldo de los funcionarios, quienes se ven obligados a buscar ingresos en forma de regalos, contribuciones o sobornos. De todas formas, las protestas en contra de la corrupción están echando raíz en Latinoamérica y muchos gobiernos están tomando medidas para resolver el problema.

Estas elegantes rejas protegen una casa hondureña contra posibles robos, al mismo tiempo que marcan la división que existe entre ricos y pobres.

En México, el soborno que exige un policía se llama **mordida** (*bite*).

El narcotráfico

El narcotráfico es la forma más perniciosa de criminalidad que azota a Latinoamérica. Ha crecido a la par con la globalización comercial y los avances de las tecnologías del transporte y de la comunicación, pero depende fundamentalmente de la demanda de estupefacientes por parte de los países desarrollados, donde la cocaína se ha establecido como una droga de m[illegible]consumidores pagan precios exorbitantes. Este consu[illegible]ducción, el transporte y la distribución [illegible]íses andinos de Bolivia, Perú y Colombi[illegible], planta autóctona de la región que fue cultiv[illegible]tos de miles de campesinos pobres abandon[illegible]rse a esta cosecha más rentable. Se transpo[illegible]destinos en Colombia donde se transforma e[illegible] acabado se transporta para vender en otros países del mu[illegible]ente los Estados Unidos y Canadá.

Continúa en la página siguiente

El consumo de cocaína se ha estabilizado en los EE.UU. desde los años 90, pero sigue creciendo en Europa y otras partes del mundo, incluso Latinoamérica.

La coca es un cultivo tradicional de los indígenas de Perú y Bolivia, quienes la mastican para poder soportar largos días de trabajo. En el altiplano peruano y boliviano, es frecuente servir té de coca a los turistas, ya que esa bebida les ayuda a acostumbrarse a las grandes alturas.

En 1990 los carteles colombianos mataron a tres candidatos presidenciales. Desde el año 2000, los carteles mexicanos han matado a más de 25 periodistas que han informado sobre las actividades de los narcotraficantes.

El consumo de drogas en Latinoamérica siempre ha sido bastante menor que en otros países del mundo. Sin embargo, en años recientes ha subido el consumo de drogas como la cocaína. En los países andinos, una droga barata, la pasta básica de cocaína (PBC), ha hecho estragos entre los jóvenes más pobres. La PBC o "basuco" es un producto intermedio del proceso de producción de la cocaína, que produce efectos similares a los del *crack*.

La comercialización de la cocaína requiere una organización internacional a gran escala. Durante los años 80 y 90, los grandes carteles colombianos se conocieron por su riqueza, poder y violencia, y dominaron todos los aspectos del proceso. Hoy día, sin embargo, los carteles colombianos son más pequeños, más numerosos y más especializados. Estos "carteles bebé" se dedican principalmente a la compra de coca en los Andes, la producción de la cocaína y su transporte a Centroamérica y México, mientras que los nuevos carteles mexicanos, cada vez más grandes, se dedican a hacer llegar la mayor parte de la droga a los consumidores norteamericanos. El tamaño relativamente pequeño de los carteles colombianos los hace más difíciles de localizar y, por lo tanto, más difíciles de eliminar, mientras que las enormes cantidades de dinero que manejan los carteles mexicanos les permiten sobornar a políticos y fomentar la corrupción. Cuando los sobornos no funcionan, recurren a los asesinatos de políticos, policías y periodistas que intentan denunciar o impedir sus actividades. Aunque el ejército mexicano ha luchado por eliminar los carteles desde 2006, ha tenido poco éxito a causa de la riqueza y el tamaño de los carteles.

Los gobiernos latinoamericanos han intentado luchar contra estas amenazas, pero algunos se encuentran relativamente impotentes; a veces sus presupuestos ni siquiera llegan a la altura de los ingresos de los carteles. Desde los años 80 los Estados Unidos han mantenido una "guerra contra la droga," mandando equipo militar y miles de millones de dólares para destruir los campos de coca y para luchar contra los carteles. No obstante, estos esfuerzos no han logrado reducir la demanda y el consumo en los Estados Unidos y otros países, y mientras estos existan, habrá personas dispuestas a arriesgarse para enriquecerse. Por tanto, algunos líderes, como el ex presidente de México Ernesto Zedillo, sugieren que la única manera de eliminar la violencia de los carteles, que dependen de la venta de drogas ilegales, es por medio de la legalización y regulación gubernamental del mercado de drogas.

La extensión de las pandillas

Otro fenómeno nefasto que se asocia con la globalización es la extensión de las pandillas de jóvenes o "maras" en Centroamérica, sobre todo en El Salvador, Guatemala y Honduras. Es de sorprender que algunos de estos grupos tuvieron su origen en los Estados Unidos. Durante los disturbios políticos de los años 80, muchos salvadoreños y otros centroamericanos se refugiaron en los Estados Unidos, pero en los años 90 las autoridades norteamericanas empezaron a deportar a jóvenes que habían entrado en el mundo de las pandillas, especialmente en Los Ángeles, y se habían convertido en delincuentes. Al volver a sus países de origen, llevaron consigo la cultura de las "maras," y allí reclutaron a muchos nuevos miembros, debido en parte a la impotencia de las autoridades locales y la falta de oportunidades de trabajo para los jóvenes. Hoy se calcula que hay más de setenta mil miembros de las maras; representan una verdadera plaga no solo para Centroamérica, sino también para México y los Estados Unidos, donde se dedican a la prostitución, los robos, los asesinatos, y el contrabando de drogas y armas.

Un miembro de la pandilla M18 de El Salvador. Los miembros de las pandillas o maras se pueden identificar por su uso evidente de armas, tatuajes y grafitis.

En busca de soluciones

Es fácil reconocer el impacto nocivo de la delincuencia y la violencia criminal, pero no hay acuerdo en cuanto a la forma de combatirlo. Por un lado, hay muchos que abogan por leyes y castigos más duros, y en el caso del narcotráfico, de un endurecimiento de la "guerra contra la droga". Por otro lado, hay quienes arguyen que es más importante atacar los causantes fundamentales de la delincuencia, especialmente la gran desigualdad entre ricos y pobres y la falta de oportunidades educativas y laborales para los jóvenes pobres. Lo más probable es que solo por medio de una combinación de estos métodos será posible encauzar las sociedades latinoamericanas hacia un futuro de mayor paz y prosperidad. ■

ESTRATEGIA DE LECTURA

Outlining

An outline (**bosquejo**) is a plan showing the relationship between main topics and supporting ideas. A good outline can both help your understanding of a reading and serve as a check that you have understood a passage. Use the notes you take while reading as a starting point and try to sort the ideas by their relative importance. In traditional outlining, the most important ideas are usually listed with Roman numerals (I, II, III, etc.), lesser ideas are listed with capital letters (A, B, C, etc.) under each Roman numeral, and details may be listed with Arabic numerals (1, 2, 3, etc.), small letters (a, b, c, etc.), or small Roman numerals (i, ii, iii, etc.).

Outlining

ACTIVIDAD 10 Un bosquejo

En parejas, vuelvan a mirar la lectura y preparen un bosquejo. Pueden usar los subtítulos que aparecen en la lectura y/o los términos que aparecen abajo, además de otros. Cada párrafo o idea principal se debe incluir en el bosquejo, pero el bosquejo debe reflejar bien la organización general y la relativa importancia de las ideas. Después, comparen su bosquejo con el de otra pareja.

las pandillas
soluciones para la violencia criminal
la corrupción
los mayores problemas de delincuencia y criminalidad
la lucha contra el narcotráfico
las villas miseria y sus efectos
el narcotráfico
el cambio de la violencia política a la violencia criminal
el consumo de drogas en Latinoamérica
el impacto de los procesos de modernización y globalización
el sistema de distribución y los carteles
el sistema de producción y transporte de la droga
la rápida urbanización demográfica

Scanning

ACTIVIDAD 11 Datos y detalles

Lee las siguientes oraciones e indica si son ciertas o falsas según la lectura. Corrige las falsas.

1. _____ El aumento rápido de la violencia criminal es un fenómeno relativamente reciente en Latinoamérica.
2. _____ Los campesinos se trasladan a las ciudades porque allí tienen trabajo garantizado.
3. _____ Las villas miseria son comunidades de pobres que se encuentran en zonas rurales.

4. ______ Los campesinos que se trasladan a las ciudades mantienen sus valores tradicionales.

5. ______ En parte, lo que hoy se percibe como corrupción es el resultado de una actitud que enfatizaba las obligaciones familiares.

6. ______ La demanda mundial por la cocaína ha bajado desde el año 2000.

7. ______ Los centros de producción de la cocaína son Bolivia y Perú.

8. ______ Irónicamente, muchas de las pandillas o "maras" de Centroamérica tuvieron su origen en los Estados Unidos.

ACTIVIDAD 12 Los delincuentes

Analyzing, Making inferences

En parejas, describan el papel que desempeñan los siguientes grupos en relación con cada tipo de delincuencia comentada en la lectura (los delitos y crímenes, la corrupción, las drogas).

los pobres urbanos	*los funcionarios*	*los jóvenes urbanos*
los campesinos	*los narcotraficantes*	

ACTIVIDAD 13 Soluciones hipotéticas

Comparing and contrasting, Making inferences

En grupos de tres, comparen los problemas de violencia criminal que existen en Latinoamérica con los de los Estados Unidos. ¿Qué semejanzas y diferencias existen? Después, escojan uno de estos problemas y terminen la siguiente oración.

Este problema ya habría desaparecido (o disminuido) en Latinoamérica/Estados Unidos si...

ACTIVIDAD 14 En el año 2050

En grupos de tres, discutan qué se habrá hecho o qué habrá ocurrido en el año 2050 con respecto a cada uno de los siguientes problemas sociales en este país, en Latinoamérica y en el mundo: ¿Se habrá solucionado o eliminado? ¿Habrá aumentado o disminuido su frecuencia? ¿Se habrá legalizado? Justifiquen sus respuestas.

► Para el año 2050 (no) se habrá eliminado la corrupción porque...

la corrupción	*el terrorismo*	*los secuestros*
el narcotráfico	*el consumo de drogas*	*los asesinatos*
las pandillas	*los robos*	*las violaciones*
los atracos		

Cuaderno personal 11-2

¿Quiénes tienen la responsabilidad del narcotráfico: los países consumidores o los países productores? Justifica tu respuesta.

VIDEOFUENTES

¿Cuál es el objetivo de las actividades del Día Latino de Fenway Park? ¿Es realmente útil este tipo de programa? ¿Por qué sí o no? ¿Qué más se puede o debe hacer para ayudar a los jóvenes a evitar la delincuencia?

Lectura 3: Literatura

Building vocabulary

ACTIVIDAD 15 Las armas y su uso

En la historia "La escuela del profe Pérez" que van a leer, un niño aprende a llevar y usar armas. Estudia la siguiente lista de palabras y expresiones relacionadas con el uso de las armas, y después, termina las oraciones que aparecen a continuación con una expresión apropiada.

el manejo de armas	use or operation of firearms
portar armas	to carry or bear arms
la culata	butt of a revolver
la bala	bullet
el tiro	shot; bullet
disparar; el disparo	to fire, shoot; shot
desarmar	to dismantle, take apart
el blanco	target
cargar; descargar	to load; to unload
el polígono de tiro; hacer polígono	firing range; to practice on a firing range
apuntar; la puntería	to aim; aim
el puntaje	score or point total

1. En la tienda de armas, el dependiente le explicó al cliente cómo se meten ______________ en el revólver.
2. En general, sólo los policías pueden ______________ en lugares públicos, pero en algunos lugares los individuos pueden solicitar una licencia especial.
3. El ladrón sacó una pistola y después se oyeron tres ______________.

4. En el curso sobre el manejo de armas, aprendieron a ____________________ el revólver Smith & Wesson 38 y a nombrar todas sus partes, como el tambor, la culata, etc.
5. Para mejorar nuestra puntería, fuimos a un ____________________ para practicar.
6. Durante las prácticas, las personas que no daban en el blanco recibían el peor ____________________, lógicamente.

ACTIVIDAD 16 Más palabras y expresiones

Building vocabulary

El autor del texto que vas a leer utiliza un vocabulario muy variado para describir acciones y emociones. Lee cada oración y usa el contexto para determinar el mejor equivalente en inglés.

1. _____ La mujer sintió un **escalofrío** al ver al muerto delante de ella en la calle.
2. _____ Los niños estaban encantados con la historia que les contaba la maestra y se quedaban sentados y calladitos como **ostras**.
3. _____ Las madres a menudo **acarician** a sus hijos.
4. _____ El general les dijo "Levántense, señores" y todos los oficiales **cumplieron** la orden en seguida.
5. _____ Con frecuencia las películas de terror **amedrentan** a los niños pequeños.
6. _____ Ese señor se enoja por cualquier cosa; tiene muy **mal genio**.

a. *to terrify*
b. *oysters*
c. *to carry out*
d. *to caress*
e. *a shiver*
f. *bad temper*

ACTIVIDAD 17 De la infancia a la delincuencia

Activating background knowledge

Parte A: Las personas no nacen delincuentes; por lo tanto hay que preguntar cómo llegan a la delincuencia. En grupos de tres, discutan las siguientes preguntas.

- En su opinión, ¿cómo y por qué entran las personas jóvenes en el mundo de la delincuencia?
- ¿Creen que a los delincuentes les gusta su vida? ¿Por qué sí o no?

Parte B: En el fragmento de la novela *Sangre ajena* que van a leer, se nos cuentan las experiencias de un niño, Ramoncito Chatarra, en una "escuela" de Colombia en la época de los grandes carteles. Antes de leer toda la historia, lee el título del fragmento y el primer párrafo y contesta las siguientes preguntas. Después, lee toda la historia y apunta las ideas y las acciones más importantes en el margen.

Active reading, Identifying tone, Annotating and reacting

¡OJO! Busca las ideas importantes. No es necesario buscar todas las palabras en el diccionario.

1. ¿Quién es el "profe Pérez"?
2. ¿Qué indica la forma abreviada de "profe"?
3. ¿Quién narra: Ramoncito Chatarra o el profe Pérez?
4. ¿De quién son la mayoría de las ideas expresadas en el primer párrafo?
5. ¿Cuál es el tema general?
6. ¿Cuál es el tono del párrafo: serio, inocente, irónico o triste?

Arturo Alape *es el seudónimo del colombiano Carlos Arturo Ruiz. Nació en Cali en 1938 y murió en 2006. Desde los años sesenta su obra se concentró en el análisis de la violencia en su país. A causa de sus opiniones abiertamente declaradas acerca de los problemas políticos y económicos del país, Alape recibió muchas amenazas de muerte. Debido a esto, el autor vivió muchos años fuera de Colombia. La lectura siguiente proviene de la novela* Sangre ajena*, que fue publicada en el año 2000. Esta novela está basada en las entrevistas de Alape con un joven que fue sicario de niño a finales del siglo XX. Alape convierte la vida del niño en una novela testimonial que nos permite entender cómo los jóvenes pobres se sienten atraídos por el mundo del narcotráfico y la criminalidad. Su protagonista se llama Ramoncito Chatarra.*

Sangre ajena: "La escuela del profe Pérez"

Arturo Alape

Un revólver Smith & Wesson.

Dijo el profe Pérez que con él íbamos a aprender el manejo de armas, que saldríamos de la escuela diestros en su conocimiento y manejo. Las armas debíamos utilizarlas no para matar muñecos, en principio, sino para amedrentar al tipo que debíamos tumbar en su negocio o que no quisiera soltar a las buenas la guita que tuviera en el bolsillo. Debemos o deben disparar y matar en casos especiales cuando la vida de ustedes esté en peligro. Las armas no deben portarse para hacer demostraciones públicas ante mujercitas... Quien haga una exposición güevona por ahí en cualquier sitio de mala muerte, mala suerte porque de inmediato saldrá del grupo y pagará muy caro su propio error.

Y todos, ostras silenciosas aprobando sus palabras. Hizo que cada uno cogiera un Smith & Wesson 38 largo, pidió que lo acariciáramos... Cumplimos a cabalidad la orden: hasta besos en la culata le dimos. Nos dio un plano del revólver y él mismo lo cargó con proyectiles, giró el tambor, descargó los proyectiles y fingió disparar contra cada uno de nosotros. Yo sentí un escalofrío comiéndome las tripas. Nos familiarizamos con el fierro: que tiene un tambor, que se abre de esta manera, que por dentro tiene tantos tiros, que los tiros se meten así, cómo se limpia, qué instrumentos se deben utilizar en su limpieza, cómo se engrasa. Jugamos con el fierro, nos hicimos sus amigos...

Pérez sí que era un profesor rebueno, no como esas cuchas histéricas que nos tocó soportar en clases junto a Nelson, en la escuela de Bogotá.

diestro = skillful, adroit

tumbar = to knock down

guita = cash (*colloquial*)

güevón/a = stupid, dumb (*very vulgar term in Colombia*); **sitio de mala muerte** = godforsaken place

a cabalidad = exactly

giró el tambor = spinned the drum

fierro = "piece," gun

cuchas = old ladies

Cómo es la vida de curiosa: ahora Nelson sí era un estudiante de verdad, muy aplicado, no le perdía detalles a las explicaciones de los profes de la escuela. Eso sí, muy buenos maestros, un poco atravesados por el mal genio... pero chéveres para enseñar. Veía que Nelson aprendía con velocidad y locura cualquier cosa que le pusieran sobre la mesa. Yo tenía ciertas dificultades en los dedos, pero hacía lo posible para no retrasarme en nada. Nelson me repetía las explicaciones de los maestros en la noche. No le perdía detalle a sus palabras...

Luego de aprender con la paciencia de gusano de seda a sacarle las balas, los casquillos y saber cómo se limpia el proveedor y cómo se desarma la pistola, era justo, más que justo, que tuviéramos el premio y estímulo por lo aprendido. Que nos dieran la más querida y amada noticia, de que un día ya pudiéramos totear esas joyas de armas. Ordenados y callados con el alma escondida por la emoción, los cinco entramos detrás del profesor al subterráneo donde se hacía polígono: al fondo había unos cuadros con un blanco en la mitad y círculos crecientes que sirven para señalar los puntajes. Entramos y el profesor Pérez, con su voz conocida dijo, todos los disparos hay que meterlos en el círculo del centro, ése es el círculo de la muerte...

Aprendimos a tomar respiración, a detenerla para calmar el pulso, cerrar el ojo izquierdo y apuntar con el arma correspondiente, revólver, pistola y metralleta. Cuando hice mi primer disparo, pensé o sentí que todo mi cuerpo se había ido detrás del proyectil para indicarle el punto de mira y quedé aturdido por el resultado: había disparado por fuera del foco. Seguí; a medida que iba equilibrando el pulso con la respiración, me di cuenta que mejoraba la puntería... Esa noche dormí plácidamente, pensaba en la vida que tendría en adelante, con mi nueva compañía: una pistola bien asegurada en la pretina. Soñé que hacía polígono contra los ojos quietos de una tarántula que venía en línea directa hacia mis ojos: disparaba y disparaba y la maldita pollona continuaba caminando, muy lenta y segura de su aguijón ponzoñoso... ■

totear = to explode, blow up , "fire"

aturdido = bewildered, confused

pretina = belt, waistband

maldita pollona = damned "little chicken"

aguijón ponzoñoso = poisonous sting

ACTIVIDAD 18 La escuela de armas

Identifying main ideas

Termina cada una de las siguientes oraciones de acuerdo con el contenido de la historia.

1. Según el profesor Pérez, las armas no deben usarse para matar inocentes, sino...
2. Durante la clase los estudiantes estaban silenciosos pero...
3. El profe Pérez no quería que solo miraran el Smith & Wesson, sino que...
4. Había buenos profesores en la escuela, aunque...
5. Al principio, los cinco chicos de la clase no podían usar las armas como...
6. Nelson, el hermano de Ramoncito, había encontrado una escuela donde...
7. Todos los chicos aprendieron cómo...

Making inferences, Analyzing

ACTIVIDAD 19 Las reacciones de Ramoncito

Ramoncito revela directa e indirectamente sus reacciones al programa de entrenamiento y sus implicaciones para su vida. Busca evidencia en la historia que apoye (o no) cada una de las siguientes oraciones.

1. Ramoncito estaba muy contento con la "escuela" y sus profesores.
2. Nelson tenía interés y talento para el manejo de las armas.
3. Ramoncito estaba preocupado por su propio uso de las armas.
4. Ramoncito sentía gran ambivalencia hacia su futuro.

Making inferences, Analyzing causes and effects

ACTIVIDAD 20 Si las cosas hubieran sido diferentes

La vida de Ramoncito representa la de muchos jóvenes pobres que no ven más salida que una vida de delincuente. En parejas, completen las siguientes oraciones para imaginar cómo habría sido su vida si las cosas hubieran sido diferentes.

1. Si Ramoncito Chatarra hubiera nacido en una familia de clase media o alta, entonces...
2. Si los "profesores" hubieran sido buenos de verdad, entonces...
3. Si Ramoncito no hubiera aprendido a manejar las armas, entonces...

Cuaderno personal 11-3

¿Hasta qué punto crees que los delincuentes son responsables de sus acciones? ¿Tienen la libertad de escoger otro camino en la vida o son más bien víctimas de sus circunstancias sociales? Justifica tu respuesta.

Redacción: Ensayo

ESTRATEGIA DE REDACCIÓN

Analyzing Causes and Effects
In this chapter you have been reading about causes and effects, for example, the causes of criminal violence and the possible effects of drug legalization. Analyzing cause and effect is both a way of organizing thoughts and a means of organizing writing. It is a useful strategy to employ when you need to answer the question *Why?* The discussion of a cause automatically assumes an effect and vice versa, but in writing, one of these two aspects may become the focus. In **Lectura 1,** Juan Tomás de Salas sees several effects for one cause, drug legalization. On the other hand, **Lectura 2** looks at many causes for one broad phenomenon, a rise in crime.

Using cause and effect as a basis for your writing requires clear thinking on your part. Think about the following points before writing.

1. Determine whether you want to analyze the causes of an event or phenomenon, its effects, or both. Make a list of the points you want to discuss.
2. Distinguish clearly between causes and effects or indicate where this is difficult to do. For example, is violence on television a cause or an effect of increasing violence in society?
3. Avoid the assumption that one event causes another simply because one precedes the other; there may be no causal relation. For example, a change in curriculum at a school is followed by a gradual fall in test scores, but other factors besides the change in curriculum, such as broader changes in society, may have actually caused the fall in test scores.
4. Finally, be aware that it is not possible to fully explain many phenomena. The number of potential causes is in reality infinite, and you should limit yourself to speculation about those that are most important or immediate or to those for which you have the most compelling arguments.

The following expressions are often useful for discussing causes and effects.

así que	thus, so
como consecuencia, como resultado	as a consequence, as a result
el factor; la causa	factor; cause
por consiguiente, por eso, por lo tanto	therefore
porque + *verbo conjugado*	because
una razón por la cual	one reason why
el resultado	result
ya que, puesto que, como	since
a causa de (que), debido a (que)	because of, due to
por + *infinitivo/sustantivo*	because of, for
causar, provocar, producir	to cause
conducir a, llevar a	to lead to
deberse a (que)	to be due to
resultar de	to result from
tener como/por resultado	to result in

ACTIVIDAD 21 Fenómenos y causas

Analyzing causes and effects

Parte A: La siguiente lista incluye temas candentes o importantes en este país. En grupos de tres, escriban oraciones sobre algunos de los fenómenos asociados con estos temas.

► Cada vez hay más (o menos) personas que consumen drogas.

el consumo y tráfico de drogas
el crimen violento (asesinatos, asaltos, violaciones)
el crimen organizado
el terrorismo
el número de cárceles y prisioneros
la pena de muerte
la corrupción en el gobierno
la violencia en los medios de comunicación

Parte B: Escojan uno de los fenómenos y hagan una lista de causas posibles. Usen las sugerencias de la Estrategia de redacción para discutir qué causas son posibles. Luego, de las que queden, decidan cuáles son más importantes y cuáles menos importantes.

Writing an essay

ACTIVIDAD 22 La redacción

Vas a redactar un ensayo para explicarles a tus compañeros las causas del fenómeno social escogido en la Actividad 21B.

Parte A: Escribe el título y la introducción de forma que presenten el tema general. Si tu público no conoce bien el fenómeno social que vas a tratar, tendrás que incluir evidencia, como estadísticas o comentarios hechos por expertos, para demostrar su existencia y su importancia.

Parte B: Basándote en tu lista de causas importantes, decide si vas a enfocarte en una o varias causas en el cuerpo de tu ensayo. Presenta evidencia para apoyar cada causa.

Parte C: Escribe la conclusión haciendo un resumen de las causas presentadas y considerando otra vez la importancia del tema y otras implicaciones.

La comunidad latina en los Estados Unidos

CAPÍTULO 12

Niños en el Festival Boliviano de Arlington, Virginia.

META COMUNICATIVA

- narrar y describir en el presente, pasado y futuro (repaso)

Un poema

ACTIVIDAD 1 Un poema

Parte A: La locutora de un programa de radio de Laredo, Texas, va a leer un poema escrito por una estadounidense de ascendencia mexicana. Antes de escucharlo, busca la ciudad de Laredo en el mapa que está al principio del libro y contesta las siguientes preguntas.

1. ¿Cómo crees que sea la composición étnica de la población de Laredo?
2. ¿Crees que sea una ciudad típica de los Estados Unidos? ¿Por qué?
3. ¿Qué idiomas crees que se hablen allí?
4. ¿Crees que la poeta se identifique con la cultura estadounidense, con la cultura mexicana o con las dos? ¿Por qué?

Parte B: Ahora vas a trabajar con algunas palabras que aparecen en el poema. Lee las siguientes oraciones, busca el significado de las palabras en negrita en la columna de la derecha y escribe la letra correspondiente.

1. A ella le molesta **andarse con tiento** y no poder decir lo que piensa. ______
2. No me importan los problemas **ajenos.** Solo me preocupo por los míos. ______
3. Antonio tenía un puesto muy bueno, pero se sintió **desplazado** cuando le dieron su puesto a otro empleado. ______
4. Cada vez que recuerdan la comida deliciosa que les hacía su madre, a los hermanos **se les hace agua la boca.** ______
5. Tengo 60 años, **¿y qué?** Puedo comprarme ropa para gente joven, si me gusta. ______
6. Cuando escuché la noticia del accidente de carro, **se me hizo un nudo en la garganta.** Traté de no llorar, pero no pude contener las lágrimas. ______
7. Para hacerle un **injerto** a esa planta, le hice un corte con un cuchillo... ______
8. ... Pero mi idea no funcionó pues la planta **no pegó** y se murió. ______
9. A ella le molesta que la llamen **pocha**. Parece que algunos mexicanos la rechazan por no haber nacido en México. ______
10. Cuando el nadador olímpico escuchó el himno nacional al recibir la medalla de oro, **se le enchinó el cuero.** ______

a. y no importa lo que piensen los demás
b. que lo han quitado de su lugar
c. tener mucha saliva en la boca al pensar en una comida
d. de otras personas
e. emocionarse tanto que se le pone la piel de gallina
f. no tener éxito al implantarle una planta a otra
g. estar a punto de llorar
h. implante de parte de una planta a otra
i. persona de ascendencia mexicana que nació en EE.UU. (peyorativo)
j. tener cuidado con lo que se dice o hace

Parte C: Ahora, usa la información de la Parte A y el vocabulario de la Parte B para predecir el tema del poema llamado "Soy Como Soy Y Qué" de Raquel Valle Sentíes. Luego escucha el poema para confirmar tu predicción.

Soy flor injertada que no pegó.
Soy mexicana sin serlo.
Soy americana sin sentirlo.
La música de mi pueblo,
la que me llena,
los huapangos, las rancheras,
el himno nacional mexicano,
hace que se me enchine el cuero,
que se me haga un nudo en la garganta,
que bailen mis pies al compás,
pero siento como quien se pone
sombrero ajeno.
Los mexicanos me miran como diciendo
¡Tú, no eres mexicana!

El himno nacional de Estados Unidos
también hace
que se me enchine el cuero,
que se me haga un nudo
en la garganta.
Los gringos me miran
como diciendo,
¡Tú no eres americana!
Se me arruga el alma.
En mí no caben dos patrias
como no cabrían dos amores.
Desgraciadamente,
no me siento ni de aquí,
ni de allá.

Ni suficientemente mexicana.
Ni suficientemente americana.
Tendré que decir
Soy de la frontera.
De Laredo.
De un mundo extraño
ni mexicano,
ni americano.
Donde al caer la tarde
el olor a fajitas asadas con mesquite,
hace que se le haga a uno agua la boca.
Donde en el cumpleaños
lo mismo cantamos
el *Happy Birthday* que las mañanitas.
Donde festejamos en grande
el nacimiento de Jorge Washington
¿quién sabe por qué?
Donde a los foráneos
les entra *culture shock*
cuando pisan Laredo
y podrán vivir cincuenta años
aquí y seguirán siendo
foráneos.
Donde en muchos lugares
la bandera verde, blanca y colorada
vuela orgullosamente
al lado de la *red, white and blue.*

Soy como el Río Grande,
una vez parte de México,
desplazada.
Soy como un títere
jalado por los hilos de dos culturas
que chocan entre sí.
Soy la mestiza,
la pocha,
la Tex-Mex, la Mexican-American,
la hyphenated,
la que sufre
por no tener identidad propia
y lucha por encontrarla,
la que ya no quiere cerrar los ojos
a una realidad que golpea,
que hiere
la que no quiere andarse con tiento,
la que en Veracruz
defendía a Estados Unidos
con uñas y dientes.
La que en Laredo
defiende a México
con uñas y dientes.
Soy la contradicción andando.

En fin, como Laredo,
soy como soy y qué.

ACTIVIDAD 2 La "hyphenated"

Antes de escuchar el poema otra vez, lee las siguientes preguntas. Luego escucha el poema para buscar la información correspondiente.

1. ¿De quién habla y dónde vive esa persona?
2. ¿De qué país es y de dónde se siente que es?
3. ¿Qué conflicto tiene con los mexicanos y con los americanos?
4. ¿Qué problema tienen los foráneos (las personas de otro lugar u otro país) en Laredo?
5. ¿A qué conclusión llega la poeta?

ACTIVIDAD 3 Tu opinión

En parejas, una persona es el/la locutor/a del programa de radio y la otra persona llama para decir si le gustó o no el poema y para expresar su opinión sobre el conflicto que tiene la poeta. Justifiquen su opinión.

¿Lo sabían?

A través de los años, los hispanos en los Estados Unidos han tenido que luchar para defender su derecho a la igualdad de oportunidades, como lo han hecho otras minorías. Es así como, en 1968, el año en que asesinaron a Martin Luther King y a Robert F. Kennedy, surgieron dos organizaciones para representar a los hispanos. Una fue el Consejo Nacional de La Raza y la otra el Fondo Mexicano Americano para la Defensa Legal y la Educación, conocidas respectivamente por sus siglas en inglés NCLR y MALDEF. Ambas organizaciones son apartidarias y son entidades sin fines de lucro, y su objetivo es proteger los derechos civiles de los hispanos en los Estados Unidos. La NCLR cuenta con numerosos programas; entre ellos, programas educativos para combatir el analfabetismo, para preparar a los jóvenes a entrar en la universidad y para enseñarles a los padres a participar en la educación de sus hijos. MALDEF, por otra parte, es una organización legal que promueve la igualdad y la justicia, asegurándose de que las leyes se apliquen de manera justa. También se ocupa de educar a la población hispana sobre sus derechos legales y de promover la igualdad socioeconómica a través de becas para la educación superior de los hispanos.

¿Qué organizaciones existen en tu país para proteger los derechos de alguna minoría o de los ciudadanos en general?

Narrating and Describing in the Past, Present, and Future (A Review)

Do the corresponding web activities as you study the chapter.

In this chapter you will review how to narrate and describe in the past, present, and future. Before reviewing each, read the following chart, which is a synopsis of the life of a man and his family. First, read the columns vertically. Then go back and compare the horizontal columns to each other.

PAST	PRESENT	FUTURE
Cuando era joven, Juan vivía en Puerto Rico.	Ahora Juan vive en Nueva York con su familia.	Juan va a comprar una casa en Puerto Rico y vivirá allí durante los veranos.
Él tenía 17 años cuando terminó la secundaria.	Tiene 40 años y trabaja en el Hospital Monte Sinaí.	Tendrá 65 años cuando se jubile.
Sus padres querían que él fuera a los Estados Unidos a estudiar medicina.	Tiene una hija y quiere que ella pase los veranos con sus abuelos en Puerto Rico para que aprenda bien el español.	Él y su esposa querrán que su hija también estudie en Harvard.
Como Juan había sacado buenas notas en la escuela, lo aceptaron en Harvard.	Como ella saca buenas notas en la escuela, no tiene que estudiar durante el verano.	Seguramente ella sacará buenas notas y será médica, como sus padres.
Mientras estudiaba en Harvard, conoció a su esposa Marta.	Mientras él está en el hospital, su esposa Marta, que también es médica, trabaja con niños que tienen diabetes.	Mientras ella estudie la carrera universitaria, trabajará como voluntaria en un hospital.
Si Juan se hubiera quedado en Puerto Rico, nunca habría conocido a Marta.	Si Marta tuviera más tiempo, iría a las escuelas para hablar sobre la prevención de la diabetes.	Si la hija tiene tiempo, tratará de trabajar, al igual que su madre, con niños que tienen diabetes.

Now you will review how to discuss past, present, and future actions and states. If you feel you need more in-depth explanations, consult the pages given in the annotations in the margin.

A Discussing the Past

To review narration and description in the past, see pages 62, 65–66, 67–68, 78, 108–109, 111–112, 166–167, and 175. Note that throughout the chapter, topic titles and page references are given in the margin to tell you where you can review the topic.

1. Look at how the preterit and imperfect are used to talk about the past as you read this brief summary of Cuban immigration to the United States.

Preterit	Imperfect
	• **Setting the scene: Description** (1) *Durante la década de los 50,* **había** *en Cuba mucha corrupción en la dictadura de Batista.*
• **Completed action** (2) **Hubo** *una revolución en 1959 y después Fidel Castro* **subió** *al poder.*	• **Setting the scene: Age** (3) *Castro* **tenía** *solo 32 años.*
• **End of action** (4) *La revolución le* **puso fin** *a la dictadura de Batista.*	• **Setting the scene: Ongoing emotion or mental state** (5) *Muchas personas le* **tenían** *miedo al nuevo gobierno.* • **Action or state in progress** (6) *Y a estas personas no* **les gustaban** *los cambios que* **veían.**
• **Beginning of action** (7) *En 1959* **empezó** *el gran éxodo de cubanos hacia los Estados Unidos y en 1966* **comenzó** *la salida de otra ola de refugiados.*	• **Habitual action** (8) *Cada día* **llegaba** *a los Estados Unidos más y más gente que* **buscaba** *asilo político.*
• **Action in progress when another action occurred** (9) *Cuando* **intentaban/estaban intentando** *salir de Cuba en embarcaciones pequeñas, muchos* **murieron.**	
• **Action over specific period of time** (10) *Entre 1966 y 1971 los Estados Unidos* **permitieron** *la entrada de casi 300 mil cubanos.*	• **Simultaneous ongoing actions** (11) *A principios de los 80, cada vez que* **llegaba** *un grupo de cubanos, mucha gente* **protestaba** *porque muchos* **eran** *delincuentes.*

Past action preceded by other past actions, see page 72.

2. To denote a past action that preceded another past action, use the pluperfect.

En 1999, **se estrenó** la película *Buena Vista Social Club* sobre un grupo de músicos cubanos, pero dos años antes ya **había salido** el CD del mismo nombre.

3. To ask the question *Have you ever?* and to refer to past events with relevance to the present, use the present perfect.

—¿**Has leído** algún artículo sobre la situación cubana actual?
—Últimamente no **he visto** nada sobre Cuba en el periódico.

Present perfect, see pages 179–180.

4. To describe what someone was looking for but didn't know whether it existed or not, use the imperfect subjunctive in dependent adjective clauses.

Los cubanos que salieron de Cuba querían ir a **un lugar donde pudieran** empezar una vida nueva.

Imperfect subjunctive, see pages 423–425.

5. To refer to a pending or not yet completed action in the past, or to express possibility, purpose, restriction, and time in the past, use the imperfect subjunctive in dependent adverbial clauses.

Muchos refugiados políticos pensaban quedarse en los Estados Unidos solo **hasta que cambiara** el gobierno de Cuba. (*Pending action in the past*)
Trabajaban **para que** sus hijos **tuvieran** un futuro mejor. (*Purpose in the past*)

Pending actions, see pages 331–332 and 423–425.

Possibility, purpose, restriction, time, see pages 374–375.

6. To talk about past actions or states after expressions of influence, emotion, doubt, and denial, use the present perfect subjunctive, the imperfect subjunctive, or the pluperfect subjunctive in the dependent clause.

Present perfect subjunctive, imperfect subjunctive, and pluperfect subjunctive, see pages 268, 423–425, and 532.

Present emotion ⟶ **Past action (Present Perfect Subjunctive)**

Es una pena que tantas familias **se hayan separado** por razones políticas.

Past influence ⟶ **Past action (Imperfect Subjunctive)**

Mucha gente **quería que** Kennedy **interviniera** militarmente contra Castro.

Past emotion ⟶ **Past action before past emotion (Pluperfect Subjunctive)**

Me sorprendía que mis padres **hubieran dejado** a mis abuelos en Cuba y **hubieran venido** a Miami, pero ahora lo entiendo.

7. To wonder or to express probability about the past, use the conditional tense.

Mis padres **tendrían** unos 28 años cuando salieron de la isla.

Expressing probability about the past, see page 476.

8. To make a hypothetical statement to express hindsight or regrets, use:

si + *pluperfect subjunctive, conditional perfect*

Si yo **hubiera sido** exiliado político, no **habría podido** volver a mi país.

Hypothesizing about the past, see pages 528–529.

ACTIVIDAD 4 La vida de Lucía (Parte 1)

Lee sobre la vida de una inmigrante colombiana y completa la información con el pretérito, el imperfecto, el pluscuamperfecto del indicativo, el pluscuamperfecto del subjuntivo, el condicional perfecto o el infinitivo de los verbos que aparecen en el margen.

tener, vivir
decidir
estudiar
ir, pasar
haber
conocer
tener, trabajar
poder
aceptar
tener
extrañar
cuidarse
volver
aprender
terminar

En 1970, Lucía ________________ (1) 21 años y ________________ (2) en Colombia con sus padres y hermanos, cuando ________________ (3) ir a los Estados Unidos para ________________ (4) inglés. Su madre no quería que ella ________________ (5) porque temía que a su hija le ________________ (6) algo en un país tan lejano. En esa época, no ________________ (7) Internet y era casi imposible ________________ (8) bien la realidad de otro país. Pero la madre ________________ (9) una hermana que ________________ (10) en Milwaukee y era posible que su hija ________________ (11) quedarse con ella. La tía de Lucía ________________ (12) con gusto tener a su sobrina en casa. Entre las tres acordaron que en caso de que Lucía ________________ (13) problemas o ________________ (14) a la familia, la tía la iba a mandar de regreso a Bogotá. La madre de Lucía le pidió a su hija que ________________ (15) y que ________________ (16) a su país lo antes posible, pero la idea de Lucía era quedarse en los Estados Unidos hasta que ________________ (17) inglés bien y cuando ________________ (18) uno o dos cursos intensivos, iba a regresar a Colombia.

llegar, ser
ser
hacer
nevar, aclimatarse
matricularse, conocer
llegar
ser, tener
ser
perder
ser, estudiar

Cuando ________________ (19) a Milwaukee todo ________________ (20) muy diferente para ella. En Colombia el clima ________________ (21) templado, pero en Wisconsin, en enero, ________________ (22) mucho frío y ________________ (23). En cuanto ________________ (24) al lugar, ________________ (25) en su primera clase de inglés, donde ________________ (26) a Georg, un alemán que ________________ (27) a los Estados Unidos hacía dos años. ________________ (28) bajo como Lucía y ________________ (29) ojos de un azul intenso. ________________ (30) también muy simpático. El joven no ________________ (31) tiempo en invitarla a salir. Su inglés ________________ (32) mejor que el de ella porque él ya ________________ (33) un poco de inglés antes.

separarse, casarse
tener
vivir
ser, volver
acostumbrarse

Georg y Lucía nunca más ________________ (34). ________________ (35) a los seis meses de conocerse y dos años después ________________ (36) a su hijo Andrés en Wisconsin, donde ________________ (37) por casi cuarenta años. Si ________________ (38) por Lucía, ________________ (39) a vivir a Colombia con Georg y Andrés, pero su esposo ya ________________ (40) a vivir en un país nuevo y no quería aprender otro idioma.

Puerto Rico y Cuba

ACTIVIDAD 5 Los inmigrantes hispanos

Habla de la llegada de los tres grupos principales de hispanos (mexicanos, cubanos, puertorriqueños) a los Estados Unidos usando los datos que están en la página siguiente. Incorpora el nombre del grupo apropiado en tus oraciones.

► en 1959 / empezar a salir de la isla / cuando subir / al poder Fidel Castro

En 1959 los cubanos empezaron a salir de la isla cuando subió al poder Fidel Castro.

1. vivir / en la zona que se extiende de Texas a California antes que los primeros inmigrantes anglosajones
2. llegar / como refugiados políticos
3. en 1917 / obtener / el estatus de ciudadanos estadounidenses
4. en 1848 / firmar / el Tratado de Guadalupe Hidalgo con los Estados Unidos
5. para 1980 / ya / vivir / en Chicago, Los Ángeles, Miami, Filadelfia y el norte de Nueva Jersey
6. establecerse / principalmente en Miami
7. después de la Segunda Guerra Mundial / comenzar / la movilización a Nueva York
8. llevar / a EE.UU. / su habilidad para fabricar puros (*cigars*)
9. no querer / que sus hijos / vivir / bajo un régimen comunista

ACTIVIDAD 6 Inmigrantes célebres

Los siguientes inmigrantes han aportado mucho a la cultura y la historia norteamericana. En grupos de tres, digan de dónde son y qué han hecho o hicieron estas personas.

1. Martina Navratilova
2. Alberto Einstein
3. Yo-Yo Ma
4. Ang Lee
5. Charlize Theron
6. Hakeem Olajuwon
7. I. M. Pei

ACTIVIDAD 7 Hispanos famosos

Hispanos famosos

Parte A: Lee la siguiente biografía que está escrita en el presente histórico y cámbiala al pasado.

Sandra Cisneros nace en Chicago en 1954. Su padre es mexicano y su madre chicana. Tiene seis hermanos y ella es la única hija. Su abuela paterna vive en México y su familia se muda a ese país con frecuencia por diferentes períodos. Debido a esta situación y al hecho de que, con frecuencia, cambia de escuela, Sandra es una niña tímida e introvertida. En la escuela secundaria empieza a escribir poesía y en 1976 recibe una especialización en Literatura de la Universidad de Loyola en Chicago. Luego, mientras realiza estudios de maestría en la Universidad de Iowa, descubre su voz para escribir. Esto la lleva a escribir *The House on Mango Street.* A través de los años, recibe diferentes premios por sus libros y trabaja como maestra de estudiantes que dejan la escuela secundaria.

Sandra Cisneros.

Parte B: En parejas, lea cada uno la información sobre uno de los siguientes hispanos famosos para luego contársela a la otra persona, usando verbos en el pasado donde sea apropiado.

Roberto Clemente (1934–1972)

Roberto Clemente.

- nacer / en Puerto Rico
- ya / jugar / para los Cangrejeros de Santurce en Puerto Rico cuando / empezar a jugar / para los Piratas de Pittsburg
- mientras / jugar / con los Piratas / dar / más de 3.000 batazos (*hits*)
- ayudar / a su equipo a ganar dos Series Mundiales
- en 1966 / nombrarlo / el jugador más valioso de la Liga Nacional
- jugar / en 14 partidos de los All-Stars
- mientras / viajar / a Managua, Nicaragua, para ayudar a víctimas de un terremoto / morir / en un accidente de avión en 1972
- ser / muy generoso
- ser / elegido al Salón de la Fama de Béisbol en 1973
- los puertorriqueños / considerarlo / héroe nacional

Sonia Sotomayor (1954–)

Sonia Sotomayor y su madre.

- nacer / en EE.UU. de padres puertorriqueños
- criarse / en una zona de viviendas públicas del Bronx
- cuando / tener / nueve años / su padre / morirse
- la madre / tener que / tener dos trabajos
- cuando / ser / niña / gustarle ver / el programa policíaco de TV de Perry Mason
- siempre / pensar en / ser jueza
- graduarse / de la Universidad de Princeton y de Yale
- en 1991 / llegar a ser / la primera jueza federal hispana de Nueva York
- mientras / ser / jueza federal / hacerse / famosa por un caso judicial de jugadores de béisbol
- cuando / ser / nombrada al Tribunal Supremo en 2009 / ya / trabajar / en el Tribunal de Apelaciones
- los puertorriqueños / ponerse / muy orgullosos al oír la noticia

ACTIVIDAD 8 ¿Qué pasó?

En parejas, escojan a una de las siguientes personas e inventen cómo era su vida en su país, cómo fue su emigración y digan cuántos años tendría la persona cuando emigró. Luego hablen sobre su adaptación a los Estados Unidos y cómo se hizo famosa.

Remember to use the conditional when speculating about someone's age in the past.

Arnold Schwarzenegger (austríaco)	Michael J. Fox (canadiense)
César Millán (mexicano)	Isabella Rossellini (italiana)
Isabel Allende (chilena)	Carlos Santana (mexicano)

ACTIVIDAD 9 Un anuncio comercial

Parte A: Contesta estas preguntas basadas en el anuncio de McDonald's.

1. ¿En qué lugar y en qué país se encontraron Rubén y Ernesto?
2. ¿Qué estaba haciendo Ernesto cuando vio a Rubén?
3. ¿Había pasado mucho o poco tiempo desde la última vez que se vieron? Busca dos pistas.
4. ¿Qué le contó Rubén a Ernesto sobre su vida?

Parte B: En el anuncio, Ernesto menciona que acaban de trasladar a Rubén a los Estados Unidos. En grupos de tres, digan seis consejos que Rubén puede haber recibido de su amigo para adaptarse al nuevo país con más facilidad. Recuerden que Rubén está casado y tiene dos hijas. Usen expresiones como: **Ernesto le aconsejó que..., Le sugirió que...**

Parte C: Ernesto y Rubén ya eran amigos en su país. Basándose en la información del anuncio, comenten cómo era la relación entre ellos. Usen expresiones como: **Creo que..., Dudo que..., Es posible que...**

vacilar = to kid (around)

Parte D: Contesten estas preguntas.

1. ¿Por qué creen que McDonald's haya hecho un anuncio comercial dirigido a inmigrantes o a extranjeros trabajando en los Estados Unidos? Justifiquen su respuesta.
2. Si este anuncio hubiera aparecido en inglés en una revista como *Time* o *Sports Illustrated,* ¿habría tenido éxito? Justifiquen su respuesta.
3. En el anuncio Ernesto dice: "¡Qué chiquito es el mundo!" ¿Están de acuerdo con esa frase?
4. Mientras estaban en otra ciudad u otro país ¿alguna vez se han encontrado con (*have you run into*) alguien a quien conocían? ¿Qué pasó?
5. Estando de vacaciones, ¿han conocido a alguien que era de su estado o su ciudad? ¿Sintieron alguna afinidad con esa persona?
6. Si sus padres se hubieran tenido que trasladar a otro país cuando Uds. eran niños/as, ¿dónde les habría gustado vivir? ¿Por qué?

Un Momento así
Sólo en McDonald's

McDonald's Corporation

¡Qué chiquito es el mundo! Mira que encontrarme a Rubén aquí en Estados Unidos después de tanto tiempo.

Yo estaba almorzando con una compañera del trabajo en el McDonald's de aquí a la vuelta y lo vi entrar.

"Rubén", le grité.

"¡Ernesto!", y nos dimos tremendo abrazo.

"¿Qué haces aquí?", pregunté.

"Lo mismo que tú, a punto de comerme un Big Mac", me contestó vacilándome como lo hacía antes.

Me contó que se casó con Lupe, su novia de toda la vida, que tienen dos niñas preciosas y que lo acaban de transferir aquí a Estados Unidos.

Y así se nos pasó el tiempo.

Si no hubiera sido porque teníamos que regresar a trabajar, nos hubiéramos quedado el resto de la tarde platicando en McDonald's.

¡Qué agradable reencontrarnos!

Lo que quieres, aquí está.

B Discussing the Present

Review how to talk about the present as you read about the life of Junot Díaz, a Dominican writer who emigrated to the United States when he was a child.

Narrating in the present, see pages 17–18 and 23–24.

1. To talk about present habitual actions or present events or states, use the present indicative.

El escritor dominicano, Junot Díaz, **escribe** sobre eventos que ocurrieron en su vida.
Tiene puesto de profesor en M.I.T.

2. To discuss actions in progress at the moment of speaking, you may use either the present indicative or the present progressive.

Escribe/Está escribiendo una novela.

Describing what one is looking for, see pages 325–326.

3. To describe something that someone is looking for but doesn't know whether it exists or not, use the present subjunctive in the dependent clause.

Junot Díaz quiere que el mundo **sepa** cómo es la vida de la persona que emigra a los Estados Unidos.

Present subjunctive, see pages 212–213, 263–264, and 275–276.

4. To talk about present actions or states after expressions of influence, emotion, doubt, and denial, use the present subjunctive in the dependent clause.

Es interesante que Junot Díaz utilice un estilo hablado al escribir.

Present subjunctive, see pages 212–213 and 217.

Commands, see pages 219 and 222.

5. To influence someone's actions, use a command or the present subjunctive after an expression of influence.

Cómprame el libro de Junot Díaz, *The Brief Wondrous Life of Oscar Wao.*
Dile que me lo **compre.**
Quiero que me lo **compres.**

Wondering and expressing probability about the present, see page 476.

6. To wonder or express probability about the present, use the future tense.

La familia de Junot Díaz **estará** muy orgullosa de los premios que ha recibido él.

To make hypothetical statements about imaginary situations, see page 483.

7. To make hypothetical statements about imaginary situations, use:

si + *imperfect subjunctive, conditional*

Si fuera escritor (*which I am not*), **soñaría** con ganar el Pulitzer, como Junot Díaz.

ACTIVIDAD 10 La vida de Lucía (Parte 2)

Lee otra parte de la vida de la inmigrante colombiana y completa la información con el presente del indicativo, el presente del subjuntivo, el condicional o el infinitivo de los verbos que aparecen en el margen.

Hoy día Lucía ____________________ (1) con su esposo Georg en un pequeño pueblo de Texas. Su hijo Andrés, su nuera Evan y su nieta Pilar ____________________ (2) una casa al lado. A Lucía le encanta ____________________ (3) tiempo con su nieta y, cuando ____________________ (4), la invita a la casa para que las dos ____________________ (5) en el jardín. Algunas noches, Lucía la invita a ____________________ (6) siempre y cuando la niña ____________________ (7) bien. Entonces, le ____________________ (8) a la nieta sus cuentos favoritos hasta que la niña ____________________ (9).

vivir
tener
pasar
poder
jugar
dormir, portarse
contar
dormirse

En general, Lucía le ____________________ (10) a su nieta en español y está muy contenta de que Pilar le ____________________ (11) también en español sin que ella le ____________________ (12). En cambio el abuelo le ____________________ (13) algunas palabras en alemán, pero le tiene que pedir a la niña que ____________________ (14) en alemán porque tiene la tendencia a contestarle en inglés. La niña absorbe todo lo que le ____________________ (15) los abuelos y, si ____________________ (16) una escuela bilingüe en su pueblo, los padres de la niña la ____________________ (17) con gusto. Es muy bueno que la niña ____________________ (18) abuelos que hablan otros idiomas, pero es una lástima que no ____________________ (19) la posibilidad de ____________________ (20) instrucción ni en español ni en alemán.

hablar
responder
insistir, decir
contestar

decir, haber
llevar
tener
tener
recibir

ACTIVIDAD 11 ¿Cuánto sabes?

Parte A: Usa la imaginación y lo que sabes sobre la población hispana de los Estados Unidos para completar este cuestionario.

1. En el año 2020, se calcula que la población negra va a representar el 13,5% de la población estadounidense y que la hispana va a representar el ______.
   a. 15,9% b. 16,9% c. 17,8%

2. Indica el porcentaje de la población hispana en los EE.UU. que proviene de los siguientes lugares.

   ______ Cuba a. 64,3%
   ______ El Salvador b. 9,1%
   ______ México c. 3,5%
   ______ Puerto Rico* d. 3,2%
   ______ la República Dominicana e. 2,6%

   *Los puertorriqueños son ciudadanos estadounidenses.

3. El poder adquisitivo de la población de los EE.UU. creció un promedio del 4,9% anual entre 1990 y 2009, mientras que el de los hispanos creció el ______ anual.
   a. 5,9% b. 7,1% c. 8,2%

4. El sueldo promedio de una familia en los EE.UU. es de $50.595; el de una familia hispana es de ______.
   a. $35.783 b. $40.476 c. $46.294

5. El 23,9% de la población estadounidense es católica. El porcentaje de hispanos católicos es del ______.
   a. 57% b. 68% c. 80%

(Continúa en la página siguiente.)

6. El ______ de la población hispana que vive en los EE.UU. nació en ese país.
   a. 50,4% b. 60,2% c. 72,9%

7. En los EE.UU. la edad promedio es de 36,6 años; entre los hispanos es de ______ años.
   a. 27,6 b. 31,8 c. 34,1

8. Según el censo del año 2005, en los EE.UU., el ______ habitantes (de más de 5 años de edad) habla español en casa.
   a. 16,5% o 1 de cada 6 b. 12,5% o 1 de cada 8 c. 10% o 1 de cada 10

9. De las personas que hablan español en casa, ______ dice que habla inglés con fluidez.
   a. el 25% b. el 40% c. más de la mitad

Parte B: Ahora, en grupos de cuatro, compartan y justifiquen sus opiniones con el resto de la clase usando expresiones como: **Creo que..., Dudo que...**

ACTIVIDAD 12 Emigración e inmigración

Parte A: En parejas, hagan una lista de cinco motivos por los cuales hay más inmigración a los Estados Unidos y menos emigración de los Estados Unidos a otros países. Estén preparados para explicar los motivos.

Parte B: Si este país pasara por una situación económica desastrosa y fuera muy difícil continuar viviendo aquí, ...

1. ¿adónde irían a vivir?
2. ¿con quién(es) irían?
3. ¿qué llevarían?
4. ¿cómo se sentirían?
5. ¿cómo sería la adaptación?
6. ¿qué cosas extrañarían?
7. ¿los aceptaría la población local?
8. ¿qué harían para integrarse?

ACTIVIDAD 13 En el extranjero

En parejas, imaginen que un amigo va a ir a estudiar por seis meses a un país de habla española. Escríbanle una lista de recomendaciones para que aproveche el viaje. Usen expresiones como: **Te recomendamos que..., Es importante que..., No te olvides...**

ACTIVIDAD 14 ¿Qué falta aquí?

En parejas, lean el anuncio de la página siguiente y discutan estas preguntas.

1. ¿De quiénes habla el anuncio y cómo los describe?
2. ¿A quién está dirigido?
3. ¿Cuál es el propósito del anuncio y quién lo patrocina (*sponsors*)?
4. ¿Cómo será la vida de un refugiado recién llegado?
5. Durante el régimen de Castro, muchos cubanos llegaron a los Estados Unidos como refugiados políticos. ¿Conocen Uds. a hispanos de otros países que también hayan sido aceptados en este u otro país como refugiados políticos? ¿Cuál fue la causa?

¿QUÉ FALTA AQUÍ?

Observa detenidamente este grupo de personas. Todas ellas tienen algo. Algunas tienen herramientas, otras portan una maleta, conducen un vehículo o llevan cualquier utensilio. Todas ellas podrían considerarse normales, gente corriente.

Sin embargo, hay una excepción. Ese buen hombre, el segundo por la derecha, en la tercera fila, parece no tener nada.

En efecto, no tiene nada. Es un refugiado. Y, como en principio habrás podido notar, es una persona como todas las demás. Porque los refugiados son gente corriente. Como tú y como yo. Gente normal con una pequeña diferencia: todo lo que tenían ha sido destruido o confiscado, arrebatado tal vez a cambio de sus vidas.

No tienen nada.

Y nunca más lo tendrán si no les ayudamos.

Por supuesto, no podemos devolverles aquello que les fue arrebatado. Pero sí podemos ofrecerles nuestra solidaridad. Por eso no te pedimos dinero, aunque la más mínima contribución siempre es una gran ayuda. Ahora lo que más necesitan es sentirse recibidos con cordialidad.

Tal vez una sonrisa no parezca gran cosa. Pero para un refugiado puede significarlo todo.

El ACNUR es una organización con fines exclusivamente humanitarios, financiada únicamente por contribuciones voluntarias. En la actualidad se ocupa de más de 19 millones de refugiados en todo el mundo.

ACNUR
Naciones Unidas
Alto Comisionado para los refugiados

ACNUR
Alto Comisionado para los Refugiados
Apartado 69045
Caracas 1062a
Venezuela

Cambio 16

¿Lo sabían?

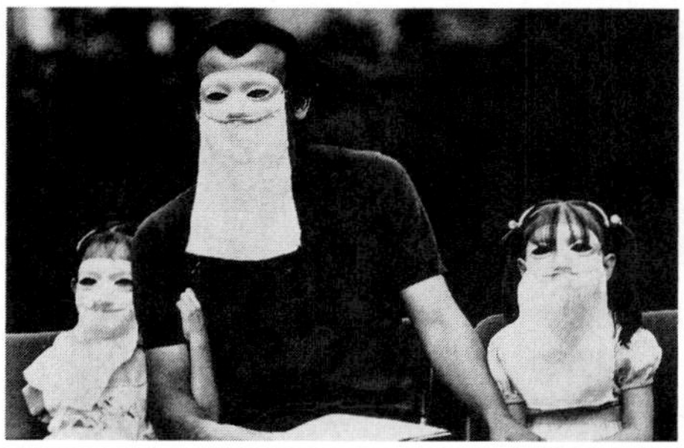

Una familia de refugiados salvadoreños se cubre la cara para no ser identificada (Cincinnati, Estados Unidos, 1982).

Durante los años 70 y 80, muchos de los habitantes de El Salvador y Guatemala huyeron de su patria porque su vida corría peligro, cruzaron México e intentaron entrar en los Estados Unidos. Se prohibió la entrada a los inmigrantes de los dos países y el gobierno norteamericano decidió no aceptarlos como refugiados políticos. Fue así como muchas iglesias se organizaron y fundaron el movimiento "Santuario", para ayudarlos a cruzar la frontera y darles casa, comida y apoyo, tanto económico como espiritual. Algunos de los líderes norteamericanos del movimiento fueron encarcelados por su participación.

¿Crees que un grupo religioso que quebranta la ley deba ser procesado (*prosecuted*) por participar en lo que considera actividades humanitarias?

C Discussing the Future

Future actions, see pages 9, 17–18, and 470.

1. To refer to a future action, you can use the following.

a. the present indicative	Esta noche **hay** una película de América Ferrera en la tele.
b. **ir a** + *infinitive*	Para el año 2050, los hispanos **van a representar** el 29% de la población estadounidense.
c. the future tense	En el futuro los hispanos **ocuparán** más puestos en el gobierno.

Present subjunctive, see pages 212–213, 263–264, and 275–276.

2. To talk about future actions or states after expressions of influence, emotion, doubt, and denial, use the present subjunctive in dependent clauses.

Las grandes compañías **quieren que** los hispanos **compren** sus productos. Para vender productos entre la comunidad hispana de Nueva York, **es importante que muestren** anuncios comerciales durante el noticiero de Univisión, porque es el programa de noticias número uno en toda la ciudad.

Pending actions, see pages 331–332.

3. To describe actions that are pending or have not yet taken place, use the present subjunctive in dependent adverbial clauses.

Algunos inmigrantes piensan volver a su país **cuando se jubilen**.

Hypothesizing about the future, see page 525.

4. To say something will have happened by a certain time in the future, use the future perfect.

Para el año 2050, la población hispana de los Estados Unidos **habrá alcanzado** el 29%.

Hypothesizing about the future, see page 483.

5. To hypothesize about the future, use:

si + *present indicative, future*/**ir a** + *infinitive*

Si el país **incrementa** sus exportaciones a Hispanoamérica, **habrá/va a haber** más empleos.

ACTIVIDAD 15 La vida de Lucía (Parte 3)

Lee otra parte de la vida de la inmigrante colombiana y completa la información con el futuro, el futuro perfecto, el presente del indicativo, el presente del subjuntivo o el infinitivo de los verbos que aparecen en el margen.

Cuando la nieta de Lucía ____________________ (1) doce años, la abuela la ____________________ (2) a Colombia. Para entonces la niña ya ____________________ (3) lo suficiente como para no ____________________ (4) a sus padres. La abuela quiere que Pilar ____________________ (5) a toda su familia, que ____________________ (6) bien el español y que ____________________ (7) apreciar su cultura. Si Lucía ____________________ (8) tiempo y suficiente dinero, intentará quedarse allí con su nieta por lo menos un mes. Luego, el verano siguiente ella y su esposo quieren ____________________ (9) a Alemania con la niña para ____________________ (10) a la familia de él y para que la niña ____________________ (11) tiempo con sus primitas. Ellos están seguros de que la niña ____________________ (12) a estar lista para disfrutar de esos viajes y saben que hasta que ella no ____________________ (13) a Colombia y a Alemania no ____________________ (14) valorar su herencia cultural.

cumplir
llevar, madurar
extrañar
conocer, aprender
poder
tener

ir, visitar
pasar
ir
ir
poder

ACTIVIDAD 16 Proyecciones

Mira el siguiente gráfico del censo estadounidense y discute las preguntas.

Distribución de edad por sexo y origen hispano: 2002

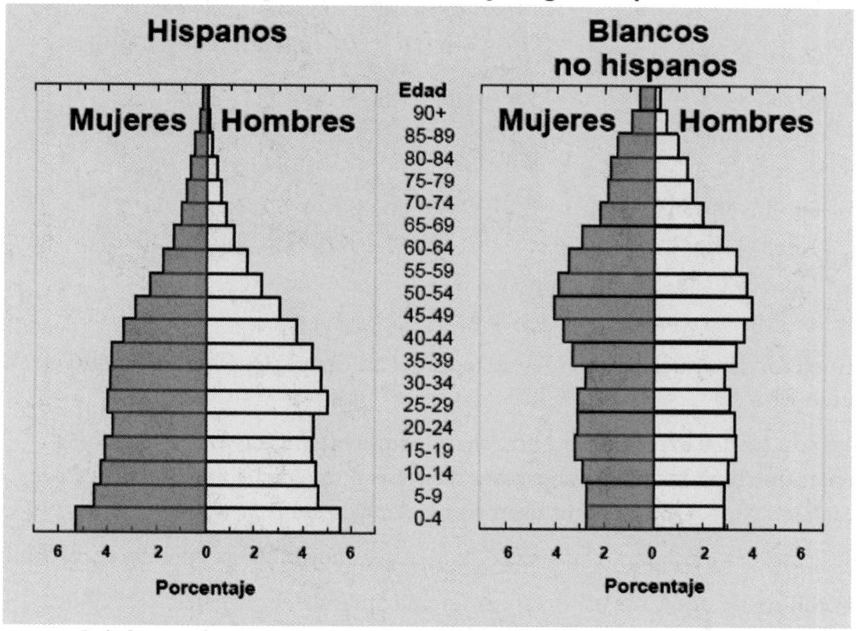

Cada barra representa el porcentaje de la población hispana o no hispana blanca que cae dentro de cada grupo por su edad y sexo.

1. ¿Cuál de los dos grupos tiene un porcentaje mayor de gente joven?
2. Más o menos, ¿qué porcentaje de la población hispana tiene menos de 24 años? ¿Y de la población blanca que no es hispana?
3. Teniendo en cuenta que normalmente las mujeres dejan de tener hijos antes de cumplir los 45 años, ¿cuál será el crecimiento de la población hispana con respecto a la blanca no hispana?
4. En los Estados Unidos, los trabajadores pagan, a través de los impuestos, el seguro social de los jubilados. ¿Habrá suficiente dinero para el seguro social cuando se jubile la gente que ahora tiene entre 40 y 60 años? ¿Ayudará o perjudicará el crecimiento de la población hispana con este asunto? ¿Qué hará el gobierno si no hay suficiente dinero?

ACTIVIDAD 17 Un anuncio de Coca-Cola

Las grandes compañías están familiarizadas con el crecimiento de la población hispana y el mercado que esta representa dentro de los Estados Unidos. Lee el siguiente guion de un anuncio comercial de televisión que ha hecho la empresa Coca-Cola. Después, contesta las preguntas.

padre (*México*) = **chévere** (*Caribe*)

A: ¡Oye! ¡Qué padre! Un jueguito de fútbol, ¿no?
B: Muchacho, ¿cómo que "padre"? Se dice "chévere".
C: Ya comenzaron de nuevo.
B: ¿Qué pasa?... Mira, "gaseosa".
A: Que ya se dice "soda".
C: No, "refresco".
B: No, no, no, no, no, ya... una Coca-Cola.
A: Ándale, ya nos entendemos.
B: Salud.
C: Salud.
B: ¡Oye! Mira, flaco, nos va a dejar la guagua.
C: ¿La "guagua"?
A: Es el "camión".
C: No, es el "bus".
A: No, el "camión".
C: No, es el "bus".
B: "Guagua".

camión (*México*) = **guagua** (*Caribe*)

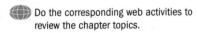

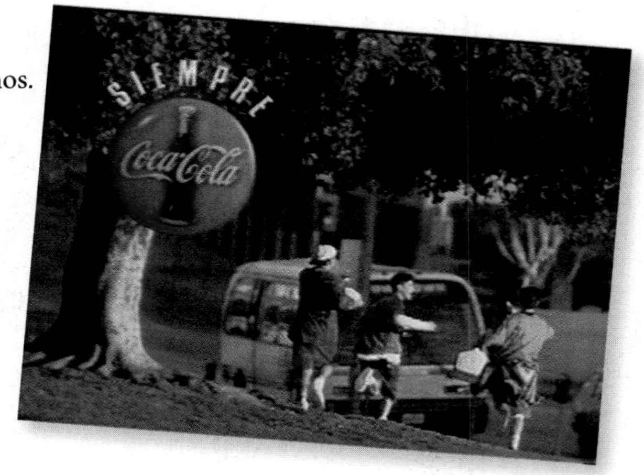

1. ¿Qué hicieron los muchachos antes de tomar el autobús? ¿Qué harán cuando bajen del autobús?
2. ¿Cuáles son las dos expresiones sinónimas de **¡qué bien!**? Hay tres expresiones diferentes que usan los muchachos para referirse al tipo de bebida que es la Coca-Cola, ¿cuáles son? ¿Qué palabras usan para decir **autobús**?
3. ¿A qué grupos de inmigrantes hispanos creen que se mostrará este anuncio comercial?
4. En tu opinión, ¿Coca-Cola usará este anuncio comercial en España? ¿En Chile? ¿En Venezuela? ¿Por qué sí o no?

La página del idioma español

Do the corresponding web activities to review the chapter topics.

ACTIVIDAD 18 El futuro

¡Felicitaciones por haber terminado este curso de español de nivel intermedio! En el futuro, todos Uds. van a usar el español de una forma u otra, ya sea en un viaje a un país de habla española, al continuar sus estudios del idioma en la universidad, al mirar una película en español o posiblemente al hablarlo en el trabajo. En grupos de tres, discutan cómo creen que usarán el español en el futuro.

Más allá

Videofuentes: *Estudiar en el extranjero*

Antes de ver

ACTIVIDAD 1 Tus amigos en el extranjero

Antes de ver un video sobre estudiantes que estudiaron en el extranjero, di si conoces a gente que haya estudiado en otros países y explica lo que sabes de sus vivencias.

Mientras ves

ACTIVIDAD 2 En el exterior

Ahora mira el video sobre cuatro jóvenes que estudiaron en el extranjero y completa la tabla.

Nicole

	Andrés	Sarah	Stephanie	Nicole
dónde estuvo	___	___	• ___ • ___	___
cuánto tiempo	XXX	___	___	___
qué le gustó	• ___ ___ • ___ ___	• ___ ___ ___ • ___ ___	• ___ ___ ___ ___	• ___ ___

Después de ver

ACTIVIDAD 3 Vivencia en el extranjero

Parte A: Mira las siguientes oraciones y escoge la respuesta que crees que sea correcta.

1. En 1994/95, más de _______ estudiantes universitarios de los Estados Unidos optaron por estudiar en el extranjero.

   a. 80.000 b. 135.000 c. 150.000

2. En 2006/07, más de _______ estudiantes universitarios de los Estados Unidos recibieron crédito por haber tomado clases en otros países.

   a. 150.000 b. 200.000 c. 240.000

Parte B: Como se puede ver en las respuestas de la Parte A, el número de estudiantes universitarios norteamericanos que estudia en otro país va en aumento. En grupos de tres, discutan las siguientes preguntas.

1. ¿Han estudiado en el extranjero? Si contestan que sí, ¿adónde fueron? ¿Les gustó la vivencia? Si no han estudiado en el extranjero, ¿han considerado ir? ¿Adónde les gustaría ir y por qué?
2. En los últimos años, se ha hecho más y más énfasis en la importancia de estudiar en otro país. En el año 2007, según el *Institute of International Education*:
   - más de 40 universidades mandaron a más de 1000 estudiantes a estudiar en el extranjero (NYU fue la primera con 2.809 estudiantes)
   - 18 universidades mandaron a más del 80% de sus estudiantes
   - la mayoría de los estudiantes que fueron a estudiar al extranjero eran de ciencias sociales, gerencia y negocios, y humanidades
   - entre los 20 países más populares para estudiar se encuentran, No. 3 España (21.881), No. 6 México (10.022), No. 9 Costa Rica (5.518), No. 13 Argentina (2.865), No. 16 Chile (2.578) y No. 20 Ecuador (2.171)

   En su opinión, ¿cuáles son las cinco razones más importantes para estudiar en el extranjero?

Source: Open Doors Report on International Educational Exchange, New York: Institute of International Education. Printed with permission from the Institute of International Education.

Buena comida y ¿un tango sensual?

Como todos los años, los trabajadores de la fábrica tuvieron una fiesta en el restaurante Le Rendezvous después de Semana Santa. Esta reunión fue algo extraordinario. La nueva presidenta del sindicato ha sido fiel a su palabra: dijo que mejoraría las relaciones entre la dirección y los empleados y prometió que no lo haría de una manera convencional. Este viernes cumplió con su palabra cuando bailó un tango sensacional con Felipe Bello.

El tango fue una representación cómica e

irónica de las relaciones entre la gerencia y el sindicato. Él llevaba un saco con sus iniciales y ella una camiseta blanca con el símbolo del sindicato. Él ejercía el control mientras ella bailaba con una rosa entre los dientes. Los dos se burlaban del control que tiene un jefe y de cómo puede abusar de los empleados. Pero poco a poco cambió el baile y, al final, él tenía la rosa entre los dientes y era ella quien ejercía el control.

Un reportero le preguntó al Sr. Bello qué significaba el final cuando él estaba tendido en el suelo con la rosa en una mano y el pie de la mujer sobre su estómago. Él le explicó que la presidenta había negociado un aumento de sueldo a partir del primero de mayo. El anuncio inesperado fue recibido con grandes aplausos del público eufórico.

CAPÍTULO 12

Cruzando fronteras

See the *Fuentes* website for related links and activities: www.cengage.com/spanish/fuentes

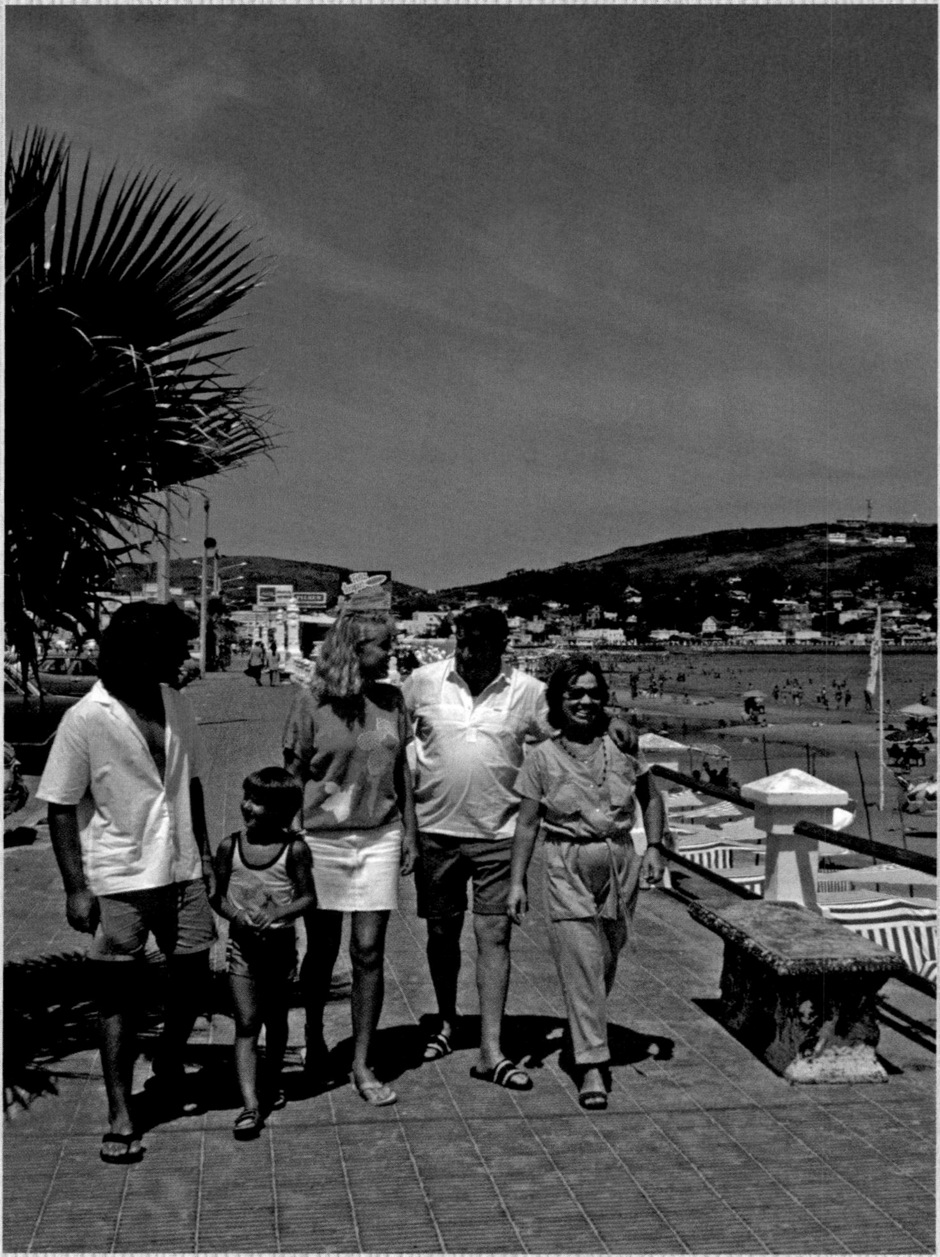

Una estudiante de intercambio de los Estados Unidos conoce por primera vez a los miembros de su familia anfitriona en Uruguay.

ACTIVIDAD 1 El contacto entre culturas

Activating background knowledge

Parte A: La globalización es un fenómeno del mundo actual que trae consigo un creciente nivel de contacto entre personas de diferente origen cultural. En grupos de tres, hagan una lista de dos o tres factores que contribuyen al aumento del contacto entre diferentes culturas. Después, digan por lo menos un aspecto positivo y un aspecto negativo de ese contacto. Justifiquen sus respuestas.

Parte B: En la foto de la página anterior, una estudiante de intercambio norteamericana llega a Uruguay. En grupos de tres, hagan una lista de tres o cuatro tipos de diferencia cultural que ella pueda encontrar en su nuevo país. Luego, hagan una lista de las ventajas de viajar a otros países y conocer otras culturas.

Lectura 1: Un ensayo

Building vocabulary

ACTIVIDAD 2 Recuerdos de Daniel

estudiante de intercambio = exchange student

Las siguientes oraciones describen las experiencias de un estudiante de intercambio norteamericano en Colombia. Completa cada oración con una expresión apropiada de la lista que sigue.

botar	to discard, throw away
despedirse de	to say good-by to
dominar (una lengua)	to speak (a language) well
enterarse de (algo)	to find out about (something)
extrañar	to miss
una metedura de pata	a faux pas
mudarse	to move, change residence
pegar	to hit
reprender	to scold; to correct (*someone's behavior*)
saludar	to greet, say hello to

meter la pata = to put your foot in it
metedura de pata (*España*) = **metida de pata** (*Latinoamérica*)

1. El programa de intercambio estuvo muy bien organizado y Daniel ______________ de su destino —Cali— y de su familia anfitriona —los Valderrama— un mes antes de irse.
2. Cuando llegó a Cali, su familia anfitriona lo estaba esperando en el aeropuerto. Aunque no sabía español, Daniel ______________ a cada miembro de la familia con una frase que había memorizado: "Mucho gusto en conocerle".
3. Daniel se dedicó a aprender muy bien español. Su mejor profesor era su hermanito de ocho años, que lo ayudaba con la pronunciación de la erre y lo ______________ cuando conjugaba mal los verbos.
4. Durante los primeros meses, Daniel tuvo algunos problemas con la lengua. Por ejemplo, pasó dos meses exclamando "¡Estoy tan embarazado!" ¡Qué ______________!

embarazada = pregnant

5. Daniel lo pasaba muy bien en Cali, pero le pidió a su madre que le mandara mantequilla de maní JIF porque también ____________________ a su familia y su vida en los Estados Unidos.
6. Después de seis meses, Daniel ____________________ de su familia de Cali y ____________________ a Bogotá para conocer otra región del país.
7. Al final del año, Daniel había acumulado muchos libros, fotos y otros recuerdos. No quería ____________________ nada, así que tuvo que comprarse una maleta nueva para llevar todas las cosas.
8. Después de su año en Colombia, Daniel ____________________ bastante bien el español.

Activating background knowledge

ACTIVIDAD 3 ¿Estudiar en el extranjero?

Parte A: En parejas háganse las siguientes preguntas.

1. ¿A ti te gustaría estudiar en el extranjero? ¿Dónde? ¿Por qué sí o no?
2. Si eres (o si fueras) un/a norteamericano/a de origen latino/hispano, ¿te gustaría estudiar en algún país hispanohablante? ¿Por qué sí o no?

Active reading

Parte B: Ahora, lee individualmente la siguiente historia de un estudiante latino y sus experiencias interculturales dentro y fuera de los Estados Unidos. Al leer, decide si las experiencias de Hugo reflejan o no tus ideas, y apunta tus reacciones en los márgenes.

Este texto auténtico refleja el español que habla Hugo Aparicio. Se nota la influencia de diferentes variedades de español y también del inglés.

***Hugo Aparicio** estudió en la Universidad de Emory, donde se especializó en biología y español. Después ha estudiado medicina en la Universidad de Pennsylvania. El siguiente texto contiene sus reflexiones sobre la experiencia de crecer y vivir en contacto con diferentes culturas.*

Una educación intercultural

Hugo Javier Aparicio

"¿No es que ya sabes hablar español?"

¡Cuántas veces he escuchado esta pregunta! Mientras mis amigos se especializaron en la universidad con asignaturas como ingeniería, ciencias políticas o negocios, yo decidí concentrar mis estudios en la lengua española. Al enterarse de mi concentración, algunas personas respondieron con una mezcla de incredulidad e indignación —"¡Pero eres *hispano*! ¿Para qué te sirve estudiar español?"

Soy latino y he hablado español toda mi vida, pero la situación no es así de sencilla.

Nací en La Paz, Bolivia, pero cuando tenía tres años mi familia inmigró a los Estados Unidos y nos establecimos en Lexington, Kentucky. Años después, durante el octavo curso de escuela primaria, falté a un día de clases para visitar Frankfort, la capital de Kentucky. El próximo día, les conté a mis compañeros que mis padres se habían naturalizado y que yo, como hijo, también me había convertido en ciudadano estadounidense. Al oír esto, estaban completamente sorprendidos. Se habían olvidado que yo no había nacido en Kentucky y que no había sido americano toda mi vida.

Y yo siempre tenía un dilema cuando alguien me preguntaba "¿de donde eres?". Tenía una variedad de respuestas posibles:

1. "Soy de Bolivia", decía yo.
   "Ese país", a veces respondían, "es ahí al lado de Honduras, ¿no?"
2. "Soy sudamericano."
   "¡Wow!" decían, "tu inglés está perfecto."
3. "Soy de Kentucky."
   "Qué extraño", respondían, "¿un latino en Kentucky?"

Más interesante, quizás, es cómo me identifican personas de diferentes partes del mundo. En los Estados Unidos usualmente piensan que soy mexicano. En América Latina, notan mi acento e inmediatamente creen que soy gringo. En Europa, me identifican como americano porque hablo inglés y porque llevo pantalones cortos y una gorra de béisbol.

Sin embargo, esta ambigüedad de identificación y mi deseo de mejorar mi uso del español me empujaron a aprender más sobre los países que había dejado como niño.

Cuando llegué a la universidad decidí que era importante dominar el español, así que empecé mis estudios de la lengua. Al principio fue fácil leer los textos y añadir a la discusión en clase, pero pronto reconocí mis defectos. Por falta de una comprensión de la gramática y la sintaxis, no sabía cómo escribir bien. Encima, no podía entender vocabulario más avanzado de lo que había hablado en la casa. Tuve que aprender mucho esos primeros años, pero al mismo tiempo yo estaba sumamente interesado en aprender más sobre las culturas hispanas.

La experiencia durante mi carrera que más me abrió mis ojos fue la oportunidad de ir a España como estudiante de intercambio. Descubrí, durante mi tiempo ahí, muchas diferencias importantes entre la gente del mundo hispanohablante y entre los Estados Unidos y Europa.

Estudié ese semestre en la Universidad de Salamanca, una antigua y prestigiosa institución, fundada en el año 1218. Además, durante mi estancia, me quedé con una familia española para sumergirme completamente en la cultura del país. Fue interesante vivir y estudiar en el extranjero, siendo ya en mi propio país (los Estados Unidos) una persona del extranjero.

La transición a la cultura española no debería haber sido difícil, en vista de que había crecido hablando la lengua en mi casa y aprendiendo sobre las diferentes culturas de mi familia en Sudamérica. Sin embargo, los países hispanohablantes no son todos lo mismo. Había visitado Bolivia y Ecuador, donde vive mi familia en Sudamérica, pero visitar a España fue una experiencia distinta.

Tuve que adaptarme desde el primer día. Cuando primero conocí a mi *señora*, la madre de la familia con la que yo iba a quedarme, le saludé con sólo un beso en la mejilla. Siendo latino, yo estaba acostumbrado a dar sólo un beso cuando saludaba a mis amigas y familiares. Es costumbre en España, al conocer a alguien, dar y recibir dos besos, pero yo me olvidé varias veces de esta convención. Cada vez que

Hugo Aparicio, durante una excursión a la ciudad española de Segovia. Detrás de él se ven los arcos del acueducto romano.

Continúa en la página siguiente

cometí esta metedura de pata, mi señora me reprendió, aunque con paciencia y humor.

Entre las culturas que yo conocía, había siempre que tomar en cuenta las diferentes convenciones sociales. La distancia entre tú y la persona con quien hablas, por ejemplo, variará de un país al otro. Por un lado, la gente española y latina, incluyendo mi familia en Kentucky, se acercan mucho cuando hablan y no tienen miedo del contacto físico. Por otro lado, muchos americanos están incómodos con estas transgresiones del espacio personal; si tratas de dar un beso a una americana, cuando recién la estás conociendo, es muy posible que te pegue.

Vi durante mis viajes que la cultura latina ponía mayor importancia en la conexión de familia. En la casa de mi señora vivía casi toda la familia, aunque algunos de los hijos ya se habían graduado de la universidad. Reconocí algo semejante en la casa de mis parientes en Ecuador, donde vive mucho de la familia extendida bajo un techo. Esto no ocurre en los Estados Unidos, donde me parece que los niños están botados del hogar al cumplir los 18. Sin embargo, esta tradición en España está cambiando, visto que la generación joven se está mudando de los pueblos para encontrar trabajo en las ciudades o donde hay turismo. La hija de mi señora, por ejemplo, está contemplando mudarse a la costa para encontrar mejor trabajo.

Adaptarme a las diferentes culturas, al final, no fue tanto trabajo como fue siempre usar el español y tratar de entender las diferencias lingüísticas entre España y América Latina. Primeramente, noté que muchas palabras en mi vocabulario no correspondían a las cosas en España: llegamos *conduciendo el coche*, no *manejando* el *carro*; escribía mis trabajos en el *ordenador*, no en la *computadora*; yo me despedía de la gente con ciao pero ellos siempre me decían *adiós*. Ciertamente, la lengua que hablaban, el *castellano*, no era el *español* que yo usaba.

Además, yo había aprendido a hablar usando *usted* y *ustedes*, pero me hicieron comprender en mi casa adoptiva que estas formas son demasiado formales con familia, que es casi un insulto usarlas con gente que conoces bien. Lentamente, empecé a hablar con la forma de vosotros, aunque mis padres se reían cuando decía por teléfono, "Y vosotros, ¿cómo estáis?"

Después de un semestre muy divertido, mi familia en Kentucky ya me echaba de menos (en español boliviano: me *extrañaba*). Tuve que regresar a los Estados Unidos, pero ya me había educado no sólo en las costumbres y el idioma de otra cultura, sino también en las diferencias y semejanzas que yo reconocía entre mis propias culturas.

Ahora estoy acostumbrado a cómo mi identidad está cambiando continuamente. Para diferentes grupos, entre diferentes culturas, soy algo distinto. Esto me encanta, ser boliviano, americano, latino e indoeuropeo. Reconozco que soy afortunado por tener tanta riqueza de cultura, lengua y experiencias.

Sudamérica. Los Estados Unidos. España. En estos lugares he recibido una educación entre y dentro de múltiples culturas. Al notar las diferencias entre ellas y tratar de comprender los hábitos, las costumbres y las peculiaridades de los países que visité, he podido cambiar mis ideas sobre el mundo y sobre mí mismo. De hecho, estas experiencias han sido las más ricas de mis años de universidad. ■

Desde hace siglos, la Plaza Mayor ha servido como eje de la vida social de la ciudad de Salamanca, sede de la universidad más antigua del mundo hispano.

ACTIVIDAD 4 ¿Qué dijo Hugo?

Scanning, Making inferences

En parejas, contesten las siguientes preguntas sobre la lectura.

1. ¿Dónde nació?
2. ¿Cuándo inmigró a los Estados Unidos?
3. ¿Por qué les sorprendió a sus amigos saber que no había sido siempre ciudadano?
4. ¿Cuándo se convirtió en ciudadano de los Estados Unidos?
5. ¿Cómo se identifica Hugo? ¿Cómo lo identifican los demás?
6. ¿Adónde fue Hugo como estudiante de intercambio?
7. ¿Por qué la *señora* reprendía a Hugo?
8. Cuando Hugo fue estudiante en España, ¿qué semejanzas descubrió entre la cultura española y la de su familia? ¿Entre la cultura española y la norteamericana?
9. ¿Qué diferencias descubrió entre la cultura española y la boliviana? ¿Entre la cultura española y la norteamericana?
10. ¿Por qué la experiencia fue valiosa para Hugo? ¿Qué efectos tuvo sobre él?

ACTIVIDAD 5 ¿Por qué será?

Making inferences, Forming hypotheses

Hugo hace varias generalizaciones sobre las culturas que él conoce. En grupos de tres, lean las siguientes generalizaciones y traten de explicar las razones de cada fenómeno descrito.

1. Los norteamericanos suelen guardar mayor distancia física cuando hablan con otra persona.
2. Los norteamericanos suponen que los hijos deben irse de la casa de los padres a partir de los 18 años.
3. Los bolivianos y ecuatorianos usan las formas de **usted/ustedes** con mucha más frecuencia que los españoles.
4. España, Bolivia y Ecuador tienen diferentes maneras de hablar español.

Comparing and contrasting

ACTIVIDAD 6 Comparando experiencias

Muchas personas deciden estudiar en el extranjero. En grupos de tres, digan si Uds. han tenido experiencia en el extranjero o si han conocido a algún estudiante de intercambio o una persona extranjera que viva en los Estados Unidos. Después, háganse las siguientes preguntas.

1. Si tú estudiaras en un país hispanohablante, ¿qué aspectos de tu experiencia serían diferentes de la de Hugo?
2. ¿Has tenido confusión o algún malentendido causado por una diferencia entre dos culturas? ¿Cuándo y por qué surgió? ¿Aprendiste algo de la experiencia?
3. ¿Conoces a otra persona que haya tenido confusión o algún malentendido causado por una diferencia entre dos culturas? ¿Cuándo y por qué surgió? ¿Aprendió esa persona algo de la experiencia?

Cuaderno personal 12-1

¿Te gustaría estudiar en el extranjero? ¿Por qué sí o no? ¿Adónde irías y por qué?

VIDEOFUENTES

¿En qué se asemejan o se diferencian las experiencias de Hugo Aparicio y las de las personas entrevistadas en el video? ¿A qué factores se deben estas semejanzas o diferencias?

Lectura 2: Un ensayo

Building vocabulary

amenaza = menace, threat

ACTIVIDAD 7 ¿Amenazas a la seguridad?

Parte A: Existen muchas amenazas naturales y climatológicas que afectan a los habitantes de Norteamérica. En parejas, digan con qué estaciones y con qué regiones de Norteamérica se asocia cada amenaza natural.

alergias	*hielos/heladas*	*huracanes*
incendios forestales	*riadas o inundaciones*	*tempestades de nieve*
terremotos	*tornados*	

Parte B: En parejas, hagan una lista de peligros o amenazas sociales que preocupan a los habitantes de Norteamérica.

ACTIVIDAD 8 Palabras necesarias

Building vocabulary

Las palabras de la lista aparecen en la lectura "El amor al miedo" que vas a leer. Míralas y después completa las oraciones que siguen con una forma apropiada de una palabra de la lista.

acechar	to lie in wait for
aliviar	to relieve
el bombero	firefighter
el camión cisterna	fire engine
la cotidianidad	everyday life, "everydayness"
de temporada	of the season, of the moment
indespegable	inseparable
la inquietud	concern
perecer	to perish
el porvenir	the future
el siniestro	disaster
la toma directa	live shot (*e.g., of a news report*)
la vecindad	vicinity; proximity

cotidiano/a = daily, everyday

temporada de ópera = opera season
temporada de fútbol = soccer season

1. Cuando sonó la alarma, todos los ____________________ subieron al ____________________ y salieron para apagar el incendio.
2. El hombre caminaba sin saber que un delincuente lo ____________________ a la vuelta de la esquina. Al doblar la esquina, el delincuente lo amenazó con un cuchillo y le robó la cartera.
3. La ____________________ norteamericana incluye el uso constante del carro y el consumo de mucha "comida rápida".
4. Todos los habitantes del pueblo ____________________ en el huracán; no sobrevivió ninguno.
5. María Mercedes y Pepa parecen ____________________; siempre se ven juntas.
6. Cuando llegó el huracán, los de la estación de televisión sacaron unas ____________________ impresionantes del ____________________.

7. Iván es un gran aficionado a los deportes y siempre está pegado a la tele viendo el deporte ____________________, sea el béisbol, el fútbol o el baloncesto.
8. Don Carlos sufría mucho, pero la inyección que le puso el médico le ____________________ el dolor.
9. El ____________________ le preocupa a mucha gente porque es imposible predecir todo lo que va a pasar.
10. La estación de bomberos quedaba muy cerca de su casa, y esta ____________________ le quitaba muchas ____________________ a Carmen.

Activating background knowledge

telediario = daily news program

ACTIVIDAD 9 Las noticias en EE.UU.

Parte A: El ensayo que Uds. van a leer incluye un análisis de los telediarios norteamericanos. En grupos de tres, comenten las siguientes preguntas.

1. ¿Qué tipos de noticias se presentan en los telediarios?
2. ¿En qué orden se suelen presentar? ¿Por qué?
3. ¿Cuánto tiempo se dedica a cada tipo de noticia?
4. ¿Quiénes (o qué tipo de personas) presentan cada tipo de noticia?
5. ¿Por qué la gente mira los telediarios?

Active reading, Annotating and reacting

Parte B: Lee individualmente el ensayo. Al leer, compara tus ideas sobre los telediarios norteamericanos con las de Vicente Verdú. Apunta las ideas más importantes y tus reacciones personales en los márgenes.

Vicente Verdú *es pensador y periodista español. Escribe con frecuencia para el conocido periódico español* El País. *Pasó una temporada en los Estados Unidos, y después puso sus reflexiones sobre su experiencia en el libro de ensayos* El planeta americano. *En este libro, Verdú argumenta que la globalización es realmente un proceso de americanización, y que es necesario entender la cultura americana para entender los cambios culturales que están ocurriendo en todas partes del mundo. Según Verdú, uno de los aspectos más destacados de la cultura norteamericana es su creación y reproducción constante del miedo.*

El planeta americano: "El amor al miedo"
Vicente Verdú

El amor al miedo

Los telediarios locales norteamericanos ofrecen tres secciones principales. Una dedicada a los crímenes y catástrofes, otra destinada a los deportes y una tercera concentrada en el tiempo. Los cuatro presentadores que aparecen se dividen así: dos para lo general, en cuya generalidad el crimen junto al siniestro de temporada ocupa el minutaje más largo. Luego, un presentador —no una presentadora— desenfadado habla de la marcha deportiva del béisbol, el baloncesto o el hockey. Después le toca el turno al hombre o la mujer del tiempo. Ocasionalmente se ofrecen algunas noticias políticas y algún reportaje curioso, pero no son tan distinguibles y asiduos como aquel trinomio fundamental.

La primera parte es, por su énfasis, la más determinante para el espectador. Estados Unidos aparece en esa primera sección como un país amenazado por individuos o fuerzas naturales, que acechan a la población, modifican el territorio y conmueven las expectativas inmediatas. La narración deportiva de la segunda entrega alivia este efecto de inquietud pero mantiene no obstante el espíritu excitado. Finalmente el porvenir climatológico restablece una cotidianidad relativamente predecible. Hay pocas informaciones de instituciones excepto si se refieren a departamentos de sanidad desde donde se notifican nuevos peligros dietéticos o medioambientales a tener en cuenta. Puede ser que algunos telediarios se aderecen con reportajes sobre animales o niños a los que suceden por lo general hechos positivos, pero incluso esas alusiones más benévolas podrían estar aliñadas con los peligros que siempre merodean.

30 El tiempo suele ser lo más rutinario comparativamente hablando, pero las alergias son una plaga en primavera y enseguida se redoblan los incendios forestales en verano, la

Las amenazas y los desastres predominan también en los telediarios de las cadenas de televisión hispanas de los Estados Unidos.

Continúa en la página siguiente

sesión de huracanes, la formación de tornados en la zona, los movimientos de tierra en la Costa Oeste o las riadas en la mitad del país. Como dicen algunos carteles urbanos, *Disaster never rests* (El desastre no descansa nunca): cada diez minutos ocurre un desastre. La Cruz Roja ha adaptado el lenguaje de sus paneles a la sensibilidad popular tanto con el fin de disminuir el efecto de las devastaciones como para contribuir a cultivar la vecindad del cataclismo.

En julio de 1994 se anunciaba una colección de vídeos titulada *Eyewitness of Disaster* (Testigos Oculares del Desastre) con escenas aterradoras para la degustación privada. El terremoto de Los Ángeles, las inundaciones del Mississippi, el resultado de los vientos y los hielos..., tomas directas de gentes en circunstancias que les llevaban a perecer angustiosamente. Todo esto para pasar el rato en casa. De hecho, las devastaciones podrían formar parte del programa televisivo estacional, y los incendios en la barriada provocados o no, a pesar de las múltiples prevenciones y sistemas de alarma, son parte de las noticias diarias. Cada seis segundos hay una llamada a los bomberos: se queman 40 veces más casas per cápita en Estados Unidos que en Japón pese a que en Japón se construyen buena parte de ellas en madera y papel. El fuego arrasador aparece en los informativos de la tarde y de la noche, pero su presencia se vive sin necesidad de mediación por las ventanas, en directo, sobresaltado por la estridente carrera de los camiones cisterna. De igual modo, el crimen y los accidentes todavía sin nombre no sólo se escuchan en las emisoras, se presienten en la luminotecnia y los alaridos de las sirenas que sortean el tráfico a cualquier hora. La sensación de amenaza parece indespegable de América. Una atmósfera de miedo directo y cinematográfico, oral, visual y estereofónico es parte de la cotidianidad real. Contemplados en Europa, las películas y telefilmes de violencia pueden parecer cosa de la ficción, pero los norteamericanos identifican entre los personajes de la cinta aquellos prototipos fisiognómicos del barrio con los que se cruzan y que acaso esconden a violadores, ladrones, pirómanos o asesinos psicópatas.

El miedo circunda a la población, y los demás medios lo recogen y multiplican en sus planos, sus argumentos, sus efectos especiales. El crimen es excitación y espectáculo. La sociedad norteamericana es espectáculo y excitación. Los dos cabos se alían potenciando el sensacionalismo de la vida. ¿Aman esto los norteamericanos? No faltan políticos que acusan a los media de contribuir a la desmoralización y perjudicar la base de la sociedad civil, pero la corriente se mantiene y no es improbable, conociendo el marketing norteamericano, que se corresponda con una efectiva demanda nacional de adrenalina. ■

ACTIVIDAD 10 Según Vicente Verdú

Identifying main ideas, Scanning

El autor del ensayo expone sus análisis e interpretaciones de ciertos aspectos de la sociedad norteamericana. En parejas, contesten las siguientes preguntas según lo dicho por Verdú en el ensayo.

1. ¿Cuál es la secuencia típica de un telediario norteamericano? ¿Cuál es la parte más importante de los telediarios? ¿Por qué?
2. ¿Cuándo aparecen noticias de instituciones?
3. ¿Por qué la parte sobre el tiempo no es meramente rutinaria?
4. ¿Los carteles "*Disaster never rests*" son una causa o un efecto de la cultura del miedo?
5. ¿Qué video veían los norteamericanos para pasar el rato en casa?
6. ¿El cine norteamericano refleja la realidad de la vida cotidiana norteamericana?
7. ¿Por qué el miedo es tan atractivo para los norteamericanos?

ESTRATEGIA DE LECTURA

Summarizing
A summary includes the most important information from a reading. It can be a good study aid because it goes beyond notes and outlines by bringing out important relations between ideas. To prepare a summary, start with notes you make while reading and with an outline of the material. If you are summarizing an informative or argumentative text, you should make the thesis of the text the first sentence of your summary. Each paragraph or main idea may then be summarized with one sentence, or you may opt to reorganize the information in order to present it more succinctly. Use transition expressions to help point out the relations between ideas, and restate the material in your own words, since this will deepen your understanding and permit greater concision.

ACTIVIDAD 11 Preparación de un resumen

Summarizing

Parte A: En parejas, usen sus apuntes para decidir si la siguiente lista contiene los términos más importantes de la lectura. Si es necesario, quiten o añadan términos y organicen los términos para reflejar las conexiones entre ellos. Luego, escriban una oración que resuma la tesis del ensayo y empleen los términos de su lista final para escribir un breve resumen. Usen expresiones de transición para conectar las ideas.

Aspectos importantes de la lectura	
el sensacionalismo	*amenazas sociales*
los telediarios	*los medios de comunicación*
amenazas naturales	*las emisoras de radio*
el miedo	*la vida real o cotidiana*
el cine	

Parte B: En grupos de tres, lean los resúmenes y decidan cómo se pueden mejorar, usando las siguientes sugerencias.

- Hay que expresar de forma más clara o concisa la tesis.
- Hay que alargar el resumen para que incluya todas las ideas importantes.
- Hay que acortar un poco el resumen.
- Hay que eliminar algunos detalles para que resalten las ideas principales.
- Hay que añadir algunos detalles para apoyar mejor las ideas principales.
- Hay que corregir la información incorrecta.
- Hay que organizar mejor el resumen.

Reacting and analyzing

ACTIVIDAD 12 Reacciones personales

En parejas, comenten las siguientes preguntas.

1. ¿Les gusta el tono del ensayo? ¿Por qué sí o no?
2. ¿Están de acuerdo con el argumento general de Verdú? ¿Por qué sí o no?
3. ¿Les parece igualmente válida toda la evidencia ofrecida por Verdú?
4. ¿Con qué ideas o interpretaciones específicas no están de acuerdo?

Analyzing, Forming hypotheses

ACTIVIDAD 13 Las sobregeneralizaciones

Uno de los grandes desafíos de las personas que tratan de entender otras culturas es la tendencia a sobregeneralizar. En parejas, comenten las siguientes preguntas sobre el contacto intercultural y las sobregeneralizaciones.

1. ¿Qué sobregeneralizaciones pueden identificar Uds. en el ensayo de Verdú?
2. Al hacer sus generalizaciones, ¿Verdú disminuye la importancia de algunos aspectos de la realidad norteamericana?
3. Si Uds. fueran a vivir a otro país y otra cultura, ¿creen que también harían sobregeneralizaciones? ¿Por qué?
4. ¿Cómo se pueden evitar las sobregeneralizaciones?

Cuaderno personal 12-2

¿Crees que los medios de comunicación en los Estados Unidos fomentan el miedo? ¿Por qué sí o no?

Lectura 3: Un artículo

ACTIVIDAD 14 Palabras claves

Building vocabulary

Las siguientes oraciones contienen palabras en negrita que aparecen en la lectura "La identidad y los McDonald's". Después de leer cada oración, decide qué término en inglés corresponde mejor a cada palabra en negrita, y pon su letra en el espacio en blanco.

1. ______ Los terroristas **atentaron** contra el restaurante de McDonald's.
2. ______ Todos quedaron **aliviados** al descubrir que la amenaza había sido una falsa alarma.
3. ______ McDonald's, KFC y Starbucks tienen muchas **franquicias** en todas partes del mundo.
4. ______ La comida de Taco Bell no es comida mexicana auténtica; es más bien una versión **apócrifa.**
5. ______ Esa mujer siempre grita en la calle; todos dicen que está **chiflada.**
6. ______ España y México están **vinculados** por una lengua común.
7. ______ Tenía tanta hambre que **se tragó** tres hamburguesas seguidas.
8. ______ El hombre casi **atropelló** al niño que salió corriendo a la carretera, pero pudo frenar a tiempo y no ocurrió nada.
9. ______ Muchas personas elogian su **propia** cultura y desprecian las culturas **ajenas.**

a. *apocryphal, inauthentic*
b. *crazy*
c. *franchise*
d. *linked, bound*
e. *of another*
f. *own*
g. *relieved*
h. *to assault, attack, commit an outrage against*
i. *to run over*
j. *to swallow*

ACTIVIDAD 15 La identidad norteamericana

Activating background knowledge

ser americano/a = to be American

el ser americano = the American being; compare **el ser humano** = human being

Todos nosotros tendemos a categorizar a los extranjeros según ciertas características estereotípicas nacionales. En parejas, escriban una definición de lo que significa para Uds. la expresión "ser americano/a".

ESTRATEGIA DE LECTURA

Increasing Reading Speed

If you want to increase reading speed, you must learn to decide how carefully to read any particular text. Slow readers often believe they must read and understand every word. Though this is sometimes necessary, a quick first reading can help you see the broader context and facilitate later, closer readings. Some suggestions:

Continúa en la página siguiente

1. On a first reading, focus on understanding broad meaning and allow yourself to skip or only semi-comprehend some words.
2. Use your eyes efficiently. Many slow readers allow their eyes to wander back repeatedly to words they have just read without improving comprehension. Try to move your eyes over each line in smooth sweeps from left to right.
3. Read in short phrases rather than words. The brain absorbs information several words at a time, so read chunks or groups of words rather than individual words. Though there are no hard and fast rules for these groupings, they are often closely related by meaning: a noun plus its modifiers, a prepositional phrase, or a verb and its complements.

Increasing reading speed

ACTIVIDAD 16 El lector eficiente

Parte A: Divide el primer párrafo de la lectura "La identidad y los McDonald's" en frases cortas, manteniendo juntas las palabras que tienen alguna relación de significado. Luego, compara tus divisiones con las de un/a compañero/a.

Active reading

Parte B: Lee cada párrafo de la lectura tan rápido como puedas, leyendo en frases cortas sin volver atrás. Al final de cada párrafo, apunta en el margen la idea general del párrafo. Después, vuelve a leer todo el artículo con más cuidado para asegurarte de que entendiste bien la idea principal de cada párrafo.

Carlos Alberto Montaner *nació en La Habana, Cuba, en 1943. Reside en Madrid desde 1970. Es escritor y periodista, y ha sido profesor universitario en diversas instituciones de América Latina y Estados Unidos. Varias decenas de diarios de América Latina, España y Estados Unidos recogen desde hace treinta años su columna semanal. La revista española* Cambio 16 *lo ha calificado como el columnista más leído de lengua española, y una colección de sus ensayos se puede encontrar en el sitio web de Firmas Press. El siguiente artículo explora los problemas que surgen de los intentos de definir una identidad nacional.*

La identidad y los McDonald's

— Carlos Alberto Montaner —

Hace unos años el francés José Bové, líder de los antiglobalizadores, saltó a las primeras páginas de los periódicos cuando intentó destruir un McDonald's. No se trataba de un problema de odio a las calorías, sino de patriotismo. Le parecía que el restaurante norteamericano, con sus emblemáticos arcos amarillos, era una amenaza a la identidad de su país. Y no era la suya una conducta excéntrica: poco antes, y por razones parecidas, Jack Lang, el ministro de Cultura de Francia, le había declarado la guerra al cine estadounidense con una pasión similar a la que la Academia Francesa entonces ponía en combatir los americanismos que penetraban en el idioma.

Pero ni siquiera estábamos ante una moda venida de Francia. En España escuché razonamientos parecidos cuando la empresa Disney se debatía entre crear un parque infantil en París o cerca de Barcelona. Mickey Mouse, aparentemente, atentaba contra algo que tenía que ver con la esencia de España. Los empresarios norteamericanos finalmente se decidieron por París y los nacionalistas culturales españoles respiraron aliviados, aunque se perdieron dos millones de turistas anuales y quince mil puestos de trabajo permanentes.

En Estados Unidos, curiosamente, tienen otra visión mucho más inteligente de las influencias extranjeras. Es verdad que el músculo empresarial norteamericano, para furia de los antiglobalizadores, ha creado en México 270 franquicias de McDonald's, pero, mientras tanto, sin una sola protesta, en Estados Unidos existen 6.000 Taco Bell en los que se expende una versión apócrifa y menos picante de la cocina popular mexicana. Simultáneamente, florecen las cadenas de comida japonesa, china, vietnamita, italiana o de cualquier lugar del planeta que tenga algo que ofrecer al incansable paladar estadounidense.

La paradoja consiste en que mientras medio mundo lucha contra la influencia americana, como si peligrara la identidad nacional, los norteamericanos absorben y metabolizan todas las influencias extranjeras, modificando constantemente y sin miedo el propio perfil del país, sin perder un minuto en la absurda definición y defensa del "ser americano", entre otras razones, porque esa criatura, como el *big foot* de California, nunca ha podido ser encontrada.

Uno de los muchos restaurantes McDonald's de México, donde se siente cada vez más la influencia comercial y cultural norteamericana.

A nadie, con la excepción de unos cuantos racistas chiflados, se le ocurre definir cuál es la esencia del *homo americanus* y dedicarse a proclamar sus virtudes o a defenderlo de los rasgos culturales o de los usos y costumbres de otros pueblos. Por el contrario, deambulan por el país casi 300 millones de personas, procedentes de todos los rincones de la tierra,

Continúa en la página siguiente

coloreadas por todas las posibles combinaciones de acentos y dosis de melanina, frágilmente vinculados por las instituciones, la historia y los intereses, quienes libremente eligen el modo de buscar la felicidad según les indican sus preferencias y su sentido común.

Intuitivamente —porque ni siquiera existe un debate nacional— esa actitud es la que ha permitido que los inmigrantes europeos trajeran el gran cine, los alemanes de la Bauhaus le colocaran su esbelto acento arquitectónico a New York, o los músicos caribeños —con Paquito D'Rivera a la cabeza— introdujeran o potenciaran el *jazz* latino en el hambriento oído de una sociedad que con el mismo apetito musical se traga a los Beatles británicos que al *bossa nova* de los brasileros. En suma, el fundamento en que descansa el país es muy simple: el americano, como idea platónica, como abstracción, no existe. El americano es un ser dinámico, en constante evolución, que sabe que su asombrosa vitalidad no es la consecuencia de las virtudes de una incontaminada cultura primigenia, sino de la capacidad para adoptar y adaptar un talento ajeno que inmediatamente pasa a ser propio. Es el genio del mestizaje cultural y no la exclusión lo que engrandece a la nación.

Es bueno que así sea. Hay pocas actividades más peligrosas que definir el ser nacional. Ese es el punto de partida de todos los fascismos. La Alemania de los nazis no comenzó con Adolfo Hitler, sino con el nacionalismo cultural, la Kulturkampf impulsada por Bismarck medio siglo antes. Cuando los grupos dominantes de una sociedad definen el perímetro sagrado de la cultura propia, inevitablemente acabarán atropellando a quienes parcialmente escapan o disienten de esa definición.

Cuando orgullosamente creen haber identificado el arquetipo nacional, molde y modelo del ciudadano perfecto, lo que realmente están haciendo es condenar a la muerte o a la marginalidad a quienes se diferencian de esa peligrosa construcción. El horror del holocausto no sólo descansaba en un monstruoso prejuicio sobre la supuesta naturaleza de los judíos, sino en la idealización del arquetipo germano, suma y resumen de todas las virtudes y talentos. Se empieza, traviesamente, por tirarles piedras a los cristales de los McDonald's. Se acaba creando campos de exterminio. ■

Este letrero multilingüe del estado de California refleja un esfuerzo por incluir a todos los ciudadanos americanos en el proceso democrático.

ACTIVIDAD 17 Según Montaner

Scanning

Las siguientes oraciones deben expresar la idea principal de cada párrafo. En parejas, decidan si son ciertas o falsas, y corrijan las falsas.

1. ____ Para algunos franceses, los McDonald's, el cine norteamericano y las palabras de origen norteamericano se convirtieron en una amenaza a la identidad francesa.
2. ____ A diferencia de los franceses, los españoles reaccionaron muy bien cuando la compañía Disney propuso el establecimiento de Euro-Disney en España.
3. ____ Las influencias extranjeras no presentan ningún problema para la cultura norteamericana.
4. ____ La paradoja consiste en que mientras McDonald's vende una versión auténtica de la comida americana, Taco Bell vende una versión no auténtica de la comida mexicana.
5. ____ Solo a algunos chiflados se les ocurre intentar definir la esencia de la identidad americana.
6. ____ Lo que caracteriza a los Estados Unidos como nación es el mestizaje cultural, del cual existen numerosos ejemplos.
7. ____ El horror del holocausto se basó principalmente en el prejuicio contra los judíos.

ACTIVIDAD 18 Un resumen

Summarizing

Parte A: En parejas hagan una lista de los conceptos y términos más importantes de la lectura. Después, escriban una oración de tesis que resuma el argumento principal de la lectura. Luego, preparen un bosquejo de un resumen y compartan su resumen con la clase en voz alta.

Parte B: Escribe individualmente un breve resumen del ensayo de Montaner.

ACTIVIDAD 19 Reacciones y análisis

Reacting and analyzing

En parejas, comenten las siguientes preguntas.

1. ¿Están de acuerdo con la tesis principal de Montaner? ¿Por qué sí o no?
2. ¿Creen que Montaner tiene razón o se equivoca con respecto a su interpretación de la cultura norteamericana? Den ejemplos y justifiquen su opinión.
3. ¿Creen que Montaner idealiza demasiado la cultura de los Estados Unidos? ¿Hay contraejemplos que demuestren que su perspectiva es una sobregeneralización?
4. Tanto Vicente Verdú como Carlos Montaner hablan del miedo en los Estados Unidos. ¿En qué se asemejan o se diferencian las dos perspectivas sobre el miedo en la cultura norteamericana? ¿Es posible aceptar la perspectiva de uno sin rechazar la del otro?

Defending a position

ACTIVIDAD 20 **Un debate**

Montaner dice que los americanos aceptan las diferencias culturales sin problema y sin debate. En grupos de tres, busquen evidencia y desarrollen argumentos a favor de este argumento o en contra de él. Apunten sus ideas y, después, presenten sus ideas a la clase.

Cuaderno personal 12-3

¿Crees que los extranjeros tienen una perspectiva más objetiva de una cultura que no sea la suya? ¿Qué ventajas o desventajas tiene un extranjero cuando tiene que interpretar y entender una cultura?

Redacción: Ensayo

ESTRATEGIA DE REDACCIÓN

Defending a Position

When you declare your opinion on a topic, you must be ready to defend your position. Ideally, you can also convince others to share your views. In order to defend your position, you must garner facts that will support it, such as examples, statistics, statements by authorities, or even personal experiences. However, facts can lead to very different opinions on a specific issue, depending on your broader values and beliefs. The best way to convince your readers of the validity of your position is by showing them that, if they hold the same values and beliefs as you do, then the logical position to take is the one you are defending. Strategies such as the ones you have already practiced can help you build your argument: narrating, describing, analyzing, comparing and contrasting, looking at causes and effects, and hypothesizing. Acknowledging opposing points of view and maintaining a reasonable tone can also make the reader more willing to accept what you have to say.

Defending a position

ACTIVIDAD 21 **Defensa de una postura**

Parte A: En grupos de tres, miren la lista y decidan qué diferencias de opinión pueden surgir con respecto a cada tema.

- la inmigración (a los Estados Unidos, Canadá o Europa)
- el movimiento *English Only* en los Estados Unidos
- la educación bilingüe y la identidad nacional
- la globalización (¿homogeneización?) económica y/o cultural
- las cuotas que favorecen a las minorías étnicas y raciales

Parte B: Escojan un tema de la lista que les parezca importante. Primero, definan la polémica. ¿Por qué hay desacuerdo? Luego, adopten una postura y hagan una lista de argumentos a favor de esta postura y otra lista de contraargumentos, o sea, argumentos a favor de la postura opuesta. Traten de explorar el tema en un tono moderado y objetivo.

Parte C: Escojan los mejores argumentos de su lista y decidan qué tipo de evidencia se necesita para apoyar cada argumento. Luego, miren los contraargumentos y decidan si es necesario mencionar alguno de estos. De ser así, tendrán que refutar el argumento o mostrar que no es muy importante.

ACTIVIDAD 22 La redacción

Writing an essay

Vas a escribir un ensayo para convencer a los demás miembros de tu clase del valor de tu postura.

Parte A: Escribe una introducción en la que demuestres, con datos o ejemplos, que el asunto o la polémica existe, y en la que la oración de tesis presente claramente tu postura.

Parte B: Basándote en las ideas de la Actividad 21, escribe el cuerpo de tu ensayo presentando argumentos específicos y evidencia para apoyarlos.

Parte C: Escribe la conclusión en la que resumas tus argumentos y tu tesis. Puedes elaborar un poco: ¿Qué pasará en el futuro? ¿Qué deben hacer las personas que asumen esa postura?

Reference Section

Appendix A Verb Conjugations

Appendix A contains rules for verb conjugations in all tenses and moods. Since you may already be familiar with much of the information in this appendix, you should read through the explanations and focus on what is new to you or what you feel you may need to review in more detail. Highlighting portions of the explanations might help you study more efficiently. Inexpensive reference books that may help you find specific verb conjugations are *201 Spanish Verbs* and *501 Spanish Verbs*, published by Barron's Educational Series. There are also verb conjugation sites on the Internet.

- While studying these rules, remember that most compound verbs are conjugated like the base verb they contain: con***seguir***, ob***tener***, re***volver***, etc.
- Reflexive verbs can be used in all tenses and moods. To review placement of reflexive pronouns and other object pronouns, see pages 620–622.
- To review accentuation rules, see page 374.
- When conjugating verbs in Spanish, remember the following spelling conventions:

verbs ending in **-car**	ca	que	qui	co	cu
verbs ending in **-gar**	ga	gue	gui	go	gu
verbs ending in **-ger** or **-gir**	ja	ge	gi	jo	ju
verbs ending in **-guir**	ga	gue	gui	go	gu
verbs ending in **-zar**	za	ce	ci	zo	zu

The Present Indicative Tense—*El presente del indicativo*

A. Regular Forms

1. To form the present indicative of regular verbs, drop the **-ar, -er,** or **-ir** ending of the infinitive and add the appropriate endings to the stem.

dibuj**ar**		corr**er**		viv**ir**	
dibuj**o**	dibuj**amos**	corr**o**	corr**emos**	viv**o**	viv**imos**
dibuj**as**	dibuj**áis**	corr**es**	corr**éis**	viv**es**	viv**ís**
dibuj**a**	dibuj**an**	corr**e**	corr**en**	viv**e**	viv**en**

2. Certain verbs are regular but need spelling changes in the **yo** form. Remember these spelling conventions to help you.

Verbs ending in **-guir**: **ga gue gui go gu**
extin**guir**: extin**go** extingues extingue etc.

Verbs ending in **-ger** and **-gir**: **ja ge gi jo ju**
diri**gir**: diri**jo,** diriges, dirige, etc.
esco**ger**: esco**jo,** escoges, escoge, etc.

Other common verbs of this type are: exigir, recoger.

B. Irregular Forms

1. The following verbs have irregular **yo** forms. All other forms are regular.

caber → quepo	hacer → hago	salir → salgo	valer → valgo
caer → caigo	poner → pongo	traer → traigo	ver → veo
dar → doy	saber → sé		

Most verbs that end in -**cer** and -**ucir** have irregular **yo** forms.

conoc**er**: cono**z**co, conoces, conoce, etc.
trad**ucir**: tradu**z**co, traduces, traduce, etc.

Other common verbs of this type are: establе**cer,** prod**ucir.**

2. Verbs that end in -**uir** have the following irregular conjugation.

constr**uir**:	constru**y**o	constru**y**es	constru**y**e	construimos	construís	constru**y**en

Other common verbs of this type are: distrib**uir,** contrib**uir,** reconstr**uir.**

3. Verbs ending in -**uar** (but not -**guar**) and some verbs ending in -**iar** require an accent to break the diphthong.

conf**iar:**	confío	confías	confía	confiamos	confiáis	confían
contin**uar:**	contin**ú**o	contin**ú**as	contin**ú**a	continuamos	continuáis	contin**ú**an

Other common verbs of this type are: cr**iar,** env**iar.**

But:

averi**guar:**	averiguo	averiguas	etc.

4. The following verbs require an accent on certain verb forms to break the diphthong.

r**eu**nir:	r**eú**no	r**eú**nes	r**eú**ne	reunimos	reunís	r**eú**nen
pr**ohi**bir:	pr**ohí**bo	pr**ohí**bes	pr**ohí**be	prohibimos	prohibís	pr**ohí**ben

5. The following verbs have irregular forms in the present.

estar:	estoy	estás	está	estamos	estáis	están
haber:	he	has	ha	hemos	hais	han
ir:	voy	vas	va	vamos	vais	van
oír:	oigo	oyes	oye	oímos	oís	oyen
oler:	huelo	hueles	huele	olemos	oléis	huelen
ser:	soy	eres	es	somos	sois	son

Note: *There is/are* = **hay.**

C. Stem-Changing Verbs

Stem-changing verbs have a change in spelling and pronunciation in the stem in all forms except the **nosotros** and **vosotros** forms, which retain the vowel of the infinitive. The change occurs in the *stressed* syllable of the conjugated verb, which is also the last syllable of the stem. There are four categories: **e → ie, o → ue, e → i,** and **u → ue.** All stem-changing verbs are noted in vocabulary lists and in dictionaries by indicating the change in parentheses: **volver (ue)**.

entender (**e → ie**)		probar (**o → ue**)	
ent**ie**ndo	entendemos	pr**ue**bo	probamos
ent**ie**ndes	entendéis	pr**ue**bas	probáis
ent**ie**nde	ent**ie**nden	pr**ue**ba	pr**ue**ban

pedir (**e →i**)		jugar (**u → ue**)	
p**i**do	pedimos	j**ue**go	jugamos
p**i**des	pedís	j**ue**gas	jugáis
p**i**de	p**i**den	j**ue**ga	j**ue**gan

Note that **reírse** has an accent on the **i** of all forms to break the diphthong: **me río, te ríes, se ríe, nos reímos, os reís, se ríen.**

Some common stem-changing verbs are:

e → ie	**o → ue**	**e → i**
cerrar	almorzar	decir*
comenzar (**a** + *infinitive*)	costar	elegir** (**a** + *person*)
empezar (**a** + *infinitive*)	devolver	pedir
entender	dormir	repetir
mentir	encontrar (**a** + *person*)	seguir** (**a** + *person*)
pensar **en**	morir(se)	servir
pensar + *infinitive*	poder	
perder (**a** + *person*)	probar	
preferir	soler + *infinitive*	
querer (+ *infinitive*);	volver	**u → ue**
(**a** + *person*)	volver a + *infinitive*	jugar (**al** + ...)
tener*		
venir*		

*Verbs that have irregular **yo** forms:

decir (**e → i**) → **digo** tener (**e → ie**) → **tengo** venir (**e → ie**) → **vengo**

Verbs that have a spelling change in the **yo forms:

elegir (**e → i**) → **elijo** seguir (**e → i**) → **sigo**

The Present Participle—*El gerundio*

1. The present participle is formed by dropping the **-ar** of regular and stem-changing verbs and adding **-ando** and by dropping the **-er** and **-ir** of regular verbs and the **-er** of stem changers and adding **-iendo.** (For **-ir** stem changers, see point 2 below.)

   cerr**ar** → cerr + ando → cerr**ando**
   corr**er** → corr + iendo → corr**iendo**
   viv**ir** → viv + iendo → viv**iendo**

2. The **-ir** stem changers have a change in the stem of the present participle. In dictionary listings, stem changers are followed by vowels in parentheses. The first vowel or vowels in parentheses indicate the change that occurs in the present indicative tense: **dormir** (**ue,** u), **vestirse** (**i,** i), **sentirse** (**ie,** i). The second vowel indicates the change that occurs in the present participle: **dormir** (ue, **u**), **vestirse** (i, **i**), **sentirse** (ie, **i**). (Also see the discussions of the preterit and present subjunctive.)

   dormir → d**u**rmiendo   vestirse → v**i**stiéndose*   sentirse → s**i**ntiendo

3. Verbs with stems ending in a vowel + **-er** or **-ir** (except a silent **u**, as in **seguir**) take a **y** instead of the **i** in the ending.

   construir → construyendo

   Common verbs that fit this pattern include the following.

   leer → leyendo   creer → creyendo   oír → oyendo
   destruir → destruyendo   caer → cayendo

The Preterit—*El pretérito*

A. Regular Forms

1. To form the preterit of regular **-ar, -er,** and **-ir** verbs and **-ar** and **-er** stem changers (but not **-ir** stem changers), drop the **-ar, -er,** or **-ir** ending of the infinitive and add the appropriate endings to the stem.

cerr**ar**		vend**er**		viv**ir**	
cerr**é**	cerr**amos**	vend**í**	vend**imos**	viv**í**	viv**imos**
cerr**aste**	cerr**asteis**	vend**iste**	vend**isteis**	viv**iste**	viv**isteis**
cerr**ó**	cerr**aron**	vend**ió**	vend**ieron**	viv**ió**	viv**ieron**

   Notice that the **-ar** and **-ir** endings for **nosotros** are identical in the present and the preterit.

*To review placement of object pronouns with present participles, see page 371. To review accents, see page 374.

2. Certain verbs are regular but need spelling changes in the **yo** form to preserve the pronunciation. Remember these spelling conventions to help you.

> Verbs ending in -**gar**: **ga gue gui go gu**
> pa**gar**: pa**gué,** pagaste, pagó, etc.

Other common verbs of this type are: ju**gar**, ne**gar**, re**gar**, lle**gar**, ro**gar**.

> Verbs ending in -**car**: **ca que qui co cu**
> bus**car**: bus**qué,** buscaste, buscó, etc.

Other common verbs of this type are: to**car**, practi**car**, criti**car**, expli**car**.

> Verbs ending in -**zar: za ce ci zo zu**
> empe**zar**: empe**cé,** empezaste, empezó, etc.

Other common verbs of this type are: almor**zar**, comen**zar**, ca**zar**, re**zar**, apla**zar**, organi**zar**.

B. Irregular Forms

1. The following verbs have irregular forms in the preterit.

dar:	di	diste	dio	dimos	disteis	dieron
ir:	fui	fuiste	fue	fuimos	fuisteis	fueron
ser:	fui	fuiste	fue	fuimos	fuisteis	fueron
estar:	estuve	estuviste	estuvo	estuvimos	estuvisteis	estuvieron
tener:	tuve	tuviste	tuvo	tuvimos	tuvisteis	tuvieron
poder:	pude	pudiste	pudo	pudimos	pudisteis	pudieron
poner:	puse	pusiste	puso	pusimos	pusisteis	pusieron
saber:	supe	supiste	supo	supimos	supisteis	supieron
hacer:	hice	hiciste	hizo	hicimos	hicisteis	hicieron
venir:	vine	viniste	vino	vinimos	vinisteis	vinieron

2. The verbs **decir, traer,** and verbs ending in -**ducir** take a **j** in the preterit. Notice that they drop the **i** in the third person plural and are followed by -**eron.**

decir:	dije	dijiste	dijo	dijimos	dijisteis	di**jeron**
traer:	traje	trajiste	trajo	trajimos	trajisteis	tra**jeron**
producir:	produje	produjiste	produjo	produjimos	produjisteis	produ**jeron**

3. Verbs with stems ending in a vowel + **-er** or **-ir** (except the silent **u**, as in **seguir**) take a **y** instead of the **i** in the third person singular and plural.

construir:	construí	construiste	constru**y**ó	construimos	construisteis	constru**y**eron
leer:	leí	leíste	le**y**ó	leímos	leísteis	le**y**eron
oír:	oí	oíste	o**y**ó	oímos	oísteis	o**y**eron

Note: *There was/were* = **hubo.**

C. *-Ir* Stem-Changing Verbs

-Ir stem-changing verbs only have a stem change in the third person singular and plural. In dictionary listings, these changes are the second change listed: **morir** (ue, **u**).

dormir (ue, **u**):	dormí	dormiste	d**u**rmió	dormimos	dormisteis	d**u**rmieron
mentir (ie, **i**):	mentí	mentiste	m**i**ntió	mentimos	mentisteis	m**i**ntieron
vestirse (i, **i**):	me vestí	te vestiste	se v**i**stió	nos vestimos	os vestisteis	se v**i**stieron

The Imperfect—*El imperfecto*

A. Regular Forms

To form the imperfect of regular verbs, drop the **-ar, -er,** or **-ir** ending of the infinitive and add the appropriate endings to the stem. Notice that all **-ar** verbs end in **-aba** and **-er** and **-ir** verbs end in **-ía.**

cerr**ar***		conoc**er**		serv**ir***	
cerr**aba**	cerr**ábamos**	conoc**ía**	conoc**íamos**	serv**ía**	serv**íamos**
cerr**abas**	cerr**abais**	conoc**ías**	conoc**íais**	serv**ías**	serv**íais**
cerr**aba**	cerr**aban**	conoc**ía**	conoc**ían**	serv**ía**	serv**ían**

*Note: Stem-changing verbs do not change in the imperfect.

B. Irregular Forms

Common irregular verbs are:

ir:	iba	ibas	iba	íbamos	ibais	iban
ser:	era	eras	era	éramos	erais	eran
ver:	veía	veías	veía	veíamos	veíais	veían

Note: *There was/were* = **había.**

The Future—*El futuro*

A. Regular Verbs

To form the future of regular verbs, add **-é, -ás, -á, -emos, -éis, -án** to the entire infinitive.

habl**ar**		com**er**		**ir**	
hablar**é**	hablar**emos**	comer**é**	comer**emos**	ir**é**	ir**emos**
hablar**ás**	hablar**éis**	comer**ás**	comer**éis**	ir**ás**	ir**éis**
hablar**á**	hablar**án**	comer**á**	comer**án**	ir**á**	ir**án**

Note: There is no accent in the **nosotros** form.

B. Irregular Verbs

Some verbs have irregular stems in the future, but all add to the stem the same endings used above.

Infinitive	**Future stem**	**Infinitive**	**Future stem**
caber	cabr-	querer	querr-
decir	dir-	saber	sabr-
haber	habr-	salir	saldr-
hacer	har-	tener	tendr-
poder	podr-	valer	valdr-
poner	pondr-	venir	vendr-

Note: *There will be* = **habrá.**

The Conditional—*El condicional*

A. Regular Verbs

To form the conditional of regular verbs, add **-ía, -ías, -ía, -íamos, -íais, -ían** to the entire infinitive.

habl**ar**		com**er**		**ir**	
hablar**ía**	hablar**íamos**	comer**ía**	comer**íamos**	ir**ía**	ir**íamos**
hablar**ías**	hablar**íais**	comer**ías**	comer**íais**	ir**ías**	ir**íais**
hablar**ía**	hablar**ían**	comer**ía**	comer**ían**	ir**ía**	ir**ían**

B. Irregular Verbs

Irregular conditional forms use the same irregular stems as for the future (see the explanation for the future tense) and add the same conditional endings used above.

Note: *There would be* = **habría.**

The Present Subjunctive—*El presente del subjuntivo*

A. Regular Forms

1. The present subjunctive of most verbs is formed by following these steps.
   - Take the present indicative **yo** form: **hablo, leo, salgo.**
   - Drop the **-o: habl-, le-, salg-.**
   - Add endings starting with **e** for **-ar** verbs and with **a** for **-er** and **-ir** verbs.

habl**ar**		le**er**		sal**ir**	
que habl**e**	habl**emos**	que le**a**	le**amos**	que salg**a**	salg**amos**
habl**es**	habl**éis**	le**as**	le**áis**	salg**as**	salg**áis**
habl**e**	habl**en**	le**a**	le**an**	salg**a**	salg**an**

2. Certain verbs are regular but need spelling changes to preserve the pronunciation. Remember these spelling conventions to help you.

Verbs ending in **-gar: ga gue gui go gu**
pa**gar**: que pa**gue,** que pa**gues,** que pa**gue,** etc.

Other common verbs of this type are: lle**gar**, ju**gar**, ne**gar**, re**gar**, ro**gar**.

Verbs ending in **-gir: ja ge gi jo ju**
ele**gir**: que eli**ja,** que eli**jas**, que eli**ja,** etc.

Other common verbs of this type are: esco**ger**, exi**gir**, reco**ger**, diri**gir**.

Verbs ending in **-car: ca que qui co cu**
sa**car**: que sa**que,** que sa**ques,** que sa**que,** etc.

Other common verbs of this type are: bus**car**, to**car**, criti**car**, expli**car**, practi**car**.

Verbs ending in **-zar: za ce ci zo zu**
empe**zar**: que empie**ce,** que empie**ces**, que empie**ce,** etc.

Other common verbs of this type are: almor**zar**, comen**zar**, organi**zar**, ca**zar**, re**zar**.

B. Irregular Forms

Common irregular imperfect forms include the following.

dar:	que dé	des	dé	demos	deis	den
estar:	que esté	estés	esté	estemos	estéis	estén
haber:	que haya	hayas	haya	hayamos	hayáis	hayan
ir:	que vaya	vayas	vaya	vayamos	vayáis	vayan
saber:	que sepa	sepas	sepa	sepamos	sepáis	sepan
ser:	que sea	seas	sea	seamos	seáis	sean

Note: *There is/are* = **que haya.** *There will be* = **que haya.**

C. Stem-Changing Verbs

1. -**Ar** and -**er** stem-changing verbs in the present subjunctive ending have the same stem changes as in the present indicative tense.

almorz**ar**:	que alm**ue**rce	alm**ue**rces	alm**ue**rce	almorcemos	almorcéis	alm**ue**rcen
quer**er**:	que qu**ie**ra	qu**ie**ras	qu**ie**ra	queramos	queráis	qu**ie**ran

2. -**Ir** stem-changing verbs in the present subjunctive have the same stem changes as in the present indicative except for the **nosotros** and **vosotros** forms, which require a separate stem change. In dictionary listings, this is the second change indicated and is the same change as in the preterit and the present participle: **dormir** (**ue, u**).

mentir (ie, **i**):	que mienta	mientas	mienta	m**i**ntamos	m**i**ntáis	mientan
morir (ue, **u**):	que muera	mueras	muera	m**u**ramos	m**u**ráis	mueran
pedir (i, **i**):	que pida	pidas	pida	p**i**damos	p**i**dáis	pidan

Commands—*El imperativo*

A. Negative Commands

All negative commands use the corresponding present subjunctive forms.

XXX	¡No comamos eso!
¡No comas eso!	¡No comáis eso!
¡No coma (Ud.) eso!	¡No coman (Uds.) eso!

B. Affirmative Commands

1. Use the third person forms of the present subjunctive to construct affirmative **Ud.** and **Uds.** commands.

hable (Ud.)	salga (Ud.)	vaya (Ud.)
hablen (Uds.)	salgan (Uds.)	vayan (Uds.)

Note: Subject pronouns are rarely used with commands, but if they are, they follow the verb.

2. To form regular affirmative **tú** commands, use the present indicative **tú** form of the verb omitting the **-s** at the end.

habla (tú)	come (tú)	duerme (tú)

Note: Subject pronouns are rarely used with commands, but if they are, they follow the verb.

Irregular affirmative **tú** commands include the following.

Infinitive	***Tú*** **Command**	Infinitive	***Tú*** **Command**
decir	di	salir	sal
hacer	haz	ser	sé
ir	ve	tener	ten
poner	pon	venir	ven

3. Affirmative **nosotros** commands (*let's + verb*) use the corresponding present subjunctive forms.

hablemos	comamos	salgamos

Exception: The affirmative **nosotros** command for **ir** is **vamos** (not **vayamos**).

4. The affirmative **vosotros** commands are formed by replacing the final **r** of the infinitive with a **d.** If a reflexive pronoun is added, the **d** is deleted.

habla**d**	come**d**	sali**d**	levantaos*

The only exception is **irse: idos.**

Note: It is common simply to use the infinitive form as an affirmative **vosotros** command in colloquial speech (**Hablad en voz baja.** = **Hablar en voz baja.**).

*To review placement of object pronouns with commands, see pages 371–372.

The following chart summarizes the forms used for commands:

Ud./Uds.		**Tú**	
Affirmative: subjunctive	Negative: subjunctive	Affirmative: present indicative **tú** form without **-s**	Negative: subjunctive
suba/n	**no suba/n**	**sube***	**no subas**

*NOTE: All forms are identical to the subjunctive except the affirmative command form of **tú.**

The Imperfect Subjunctive—*El imperfecto del subjuntivo*

1. The imperfect subjunctive is formed by following these steps.
   - Take the third person plural of the preterit: **venir = vinieron.**
   - Drop **-ron** to create an imperfect subjunctive stem: **vinie-.**
   - Add either of the following sets of endings.

-ra endings		**-se** endings	
-ra	-ramos	-se	-semos
-ras	-rais	-ses	-seis
-ra	-ran	-se	-sen

Note: The **-ra** endings are used by more speakers of Spanish. The **-se** endings are common in Spain and in some areas of Hispanic America.

Infinitive	**3rd person pl. pret.**	**Imp. sub. stem**	**Imp. sub.**
venir ⟶	vinieron ⟶	vinie- ⟶	viniera/viniese

-ra forms		**-se** forms	
que vinier**a**	viniér**amos**	que vinie**se**	vinié**semos**
vinier**as**	vinier**ais**	vinie**ses**	vinie**seis**
vinier**a**	vinier**an**	vinie**se**	vinie**sen**

Note: The **nosotros** form always takes an accent.

2. All imperfect subjunctive verbs follow this pattern. There are no irregular verbs in the imperfect subjunctive; they are all are based on the third person plural of the preterit. Review the preterit, especially the third person plural, to ensure proper formation of the imperfect subjunctive.

   Note: *There was/were* = **hubiera/hubiese.**

The Past Participle—*El participio pasivo*

The past participle is a verbal form that can be used either as part of a verb phrase or as an adjective modifying a noun. When used as part of a verb phrase, the past participle has only one form, which ends in **-o.** When used as an adjective modifying a noun, the past participle agrees with the noun in gender and number.

A. Regular Forms

The past participle of **-ar** verbs is formed by adding **-ado** to the stem. The past participle of **-er** and **-ir** verbs is formed by adding **-ido** to the stem.

compr**ar** → compr**ado** vend**er** → vend**ido** decid**ir**→ decid**ido**

The past participle of **ser** is **sido** and of **ir** is **ido.**

B. Irregular Forms

1. Common irregular past participles include the following.

Infinitive	Past Participle	Infinitive	Past Participle
abrir	abierto	morir	muerto
cubrir	cubierto	poner	puesto
decir	dicho	resolver	resuelto
describir	descrito	romper	roto
escribir	escrito	ver	visto
hacer	hecho	volver	vuelto

Note: Compound verbs are usually conjugated like the verb they contain.

de*volver* → **de*vuelto*** des*hacer* → **des*hecho*** re*poner* → **re*puesto***

2. Some past participle forms differ whether they are used as part of a verb phrase (e.g., **he bendecido**) or used as an adjective (**está bendito**). The following is a list of common verbs that have two different forms.

Infinitive	Past Participle in a Verb Phrase	Past Participle as an Adjective
bendecir	bendecido	bendito/a
confundir	confundido	confuso/a
despertar	despertado	despierto/a
freír	freído	frito/a
imprimir	imprimido	impreso/a
soltar	soltado	suelto/a

The Perfect Tenses—*Los tiempos perfectos*

The perfect tenses are formed by using a form of the verb **haber** + *past participle*. See the explanation of the formation of past participles if needed.

The Present Perfect—***El pretérito perfecto***		
he	hemos	
has	habéis	+ *past participle*
ha	han	

The Present Perfect Subjunctive—***El pretérito perfecto del subjuntivo***		
haya	hayamos	
hayas	hayáis	+ *past participle*
haya	hayan	

The Pluperfect—***El pluscuamperfecto***		
había	habíamos	
habías	habíais	+ *past participle*
había	habían	

The Pluperfect Subjunctive—***El pluscuamperfecto del subjuntivo***		
hubiera	hubiéramos	
hubieras	hubierais	+ *past participle*
hubiera	hubieran	

Note: There is an optional form, frequently used in Spain and in some areas of Hispanic America, in which you may substitute **-se** endings for **-ra** endings: **hubiera** = **hubiese.**

The Future Perfect—***El futuro perfecto***		
habré	habremos	
habrás	habréis	+ *past participle*
habrá	habrán	

The Conditional Perfect—***El condicional perfecto***		
habría	habríamos	
habrías	habríais	+ *past participle*
habría	habrían	

Appendix B Uses of *ser, estar,* and *haber*

1. Use **ser:**

a. to describe the being or essence of a person, place, or thing. This includes personality traits, physical characteristics, and place of origin.

Mi amigo Walter **es** muy divertido. (*personality traits*)
Es bajo y un poco gordo. (*physical characteristics*)
Es de Guatemala. (*origin*)

b. to state an occupation.

Es estudiante universitario.

c. to tell time and dates.

Ahora **son** las cuatro de la tarde.
Los exámenes finales **son** entre el 2 y el 10 de mayo.

d. to indicate possession.

Los libros que usa para estudiar **son** de su primo Carlos.

e. to state when and where an event takes place.

El examen de química **es** a las once de la mañana y **es** en el Appleby Center.

2. Use **estar:**

a. to describe condition or state of being of a person, place, or thing.

Hoy **está** cansado porque no durmió mucho anoche.
Su habitación **está** sucia y tiene que limpiarla.

b. to describe the location of a person, place, or thing.

Ahora Walter **está** en la clase con sus amigos.
Su universidad **está** en el centro de la ciudad.
El examen de química **está** en el escritorio del profesor.

c. as a helping verb with the present progressive to describe actions in progress.

Él y sus amigos **están** haciendo planes para el fin de semana.

3. Use a form of **haber** to state the following.

there is/are (not) = **(no) hay**
there was/were (not) = **(no) hubo** (*preterit*) / **(no) había** (*imperfect*)
there will (not) be = **(no) habrá**
there would (not) be = **(no) habría**

Hay 50.000 estudiantes en esa universidad.

Appendix C Gender of Nouns and Formation of Adjectives

A. Gender of Nouns

1. Most nouns that end in **-l, -o, -n,** and **-r** are masculine.

   un carte**l** **el** partid**o** **el** exame**n** **el** televiso**r**

   Common exceptions: **la imagen, la mano, la mujer.** Remember that **la foto (fotografía)** and **la moto (motocicleta)** are feminine.

2. Most nouns that end in **-a, -ad, -ión, -umbre,** and **-z** are feminine.

   la lámpar**a** **la** libert**ad** **una** canc**ión** **la** cost**umbre** **una** lu**z**

   Common exceptions: **el camión, el avión, el día, el lápiz, el pez.**

3. Feminine nouns that begin with a stressed **a**- sound (**agua, área, arpa, hambre**), use the articles **el/un** in the singular, but still use the articles **las/unas** in the plural. If adjectives are used with these nouns, they must be in the feminine form.

   el alma pur**a** **el** agua fresc**a**
   las alma**s** pur**as** **las** agua**s** fresc**as**

   Note: There is one exception; the word **arte** begins with a stressed **a**- and is normally masculine in the singular and feminine in the plural: **el a**rte modern**o, las** bell**as a**rtes.

4. Memorize the gender of nouns that end in **-e.** Common words include:

   Masculine: **el accidente, el cine, el coche, el diamante, el hombre, el pasaje, el viaje**
   Feminine: **la clase, la fuente, la gente, la noche, la tarde**

5. Many nouns that are borrowed from languages other than Latin are usually masculine in Spanish. Here are a few nouns that are borrowed from English: **los blue jeans, el hall, el kleenex.**

6. Many nouns that end in **-ma, -pa** and **-ta** are masculine and are of Greek origin: **el drama, el idioma, el mapa, el planeta, el poema, el problema, el programa, el sistema, el tema.**

B. Use and Formation of Adjectives

1. With few exceptions, adjectives agree in number (singular, plural) with the nouns they modify. The plural is formed by adding **-s** to adjectives that end in an unaccented vowel (usually **-e, -o,** or **-a**) and **-es** to those that end in a consonant or an accented vowel (usually **-í** or **-ú**). Adjectives ending in **-o** and **-or** agree not only in number but also in gender (masculine, feminine) with the noun they modify. Adjectives ending in **-ista** agree in number only. See the following charts.

-e		consonant	
interesant**e**	interesant**es**	libera**l**	libera**les**

-í, -ú		-ista	
israel**í**	israel**íes**	real**ista**	real**istas**
hind**ú**	hind**úes**		

-o, -a		-or, -ora	
seri**o**	seri**os**	conservad**or**	conservad**ores**
seri**a**	seri**as**	conservad**ora**	conservad**oras**

una clase interesante	unas clases interesantes
una profesora seria	unas profesoras serias
un artículo liberal	unos artículos liberales
el estudiante conservador	los estudiantes conservadores
un profesor realista	unos profesores realistas

2. Adjectives of nationality that end in **-és** or **-án** drop the accent from the masculine singular and add the appropriate endings to agree in gender and number with the nouns they modify.

ingl**és***	ingl**eses**	ingl**esa**	ingl**esas**
alem**án***	alem**anes**	alem**ana**	alem**anas**

*To review rules of accentuation, see Appendix F.

3. Adjectives that end in **-z** change **z** to **c** in the plural.

feli**z** → feli**ces**   capa**z** → capa**ces**

Appendix D Position of Object Pronouns

Prior to studying the position of object pronouns (direct, indirect, and reflexive), you may want to familiarize yourself with the following terms.

1. Infinitives—**Infinitivos**

a. In the following sentence, *to work* is an infinitive.

I have *to work* tomorrow.

b. Infinitives in Spanish always end in either **-ar, -er,** or **-ir.**

c. The infinitive is the verb form listed in Spanish dictionaries.

d. In the following sentence, **trabajar** is an infinitive.

Tengo que **trabajar** mañana.

2. Present Participles—**Gerundios**

a. In English, present participles end in *-ing.* In the following sentence, *studying* is a present participle.

I am *studying.*

b. In Spanish, present participles end in **-ando, -iendo,** or **-yendo.** In the following sentence, **estudiando** is a present participle.

Estoy **estudiando.**

3. Past Participles—**Participios pasivos**

a. In English, many past participles end in **-ed**. In the following sentence, *traveled* is a past participle.

Have you ever *traveled* to Costa Rica?

b. In Spanish, regular past participles end in **-ado** or **-ido**.

¿Has **viajado** alguna vez a Costa Rica?

4. Commands—**Órdenes**

a. Commands are direct orders given to people to do something. In the following sentence, *help* is a command.

Help me!

b. In the following sentence, **ven** is a command.

Niño, ¡**ven** aquí en seguida!

5. Conjugated Verbs—**Verbos conjugados**

a. In the following sentence, *am* and *is* are conjugated verbs. Their infinitive is the verb *to be.*

I *am* smart and this *is* easy.

b. Conjugated verbs are any verbs that are not infinitives, commands, or present or past participles.

c. Conjugated verbs can be in the present, past, future, or conditional tense, as well as part of the perfect tenses, and they can be in both the indicative and subjunctive moods. In the following sentences, the conjugated verbs are in bold.

Ella **trabaja** para IBM.
¿Dónde **comieron** Uds. anoche?
Quería que ellos **vinieran** a mi casa.

A. Pronoun forms

1. Object pronouns include direct objects (**me, te, lo, la, nos, os, los, las**), indirect objects (**me, te, le, nos, os, les**), and reflexive pronouns (**me, te, se, nos, os, se**).

2. When an indirect- and a direct-object pronoun are used in succession, **le** and **les** become **se** when followed by **lo, la, los,** or **las.** When two object pronouns are used in the same phrase, they are not separated and must be used in succession.

B. Placement

The placement of object pronouns is as follows.

1. before a conjugated verb

Lo habré hecho para el lunes.
Lo haré el lunes.
Te lo voy a hacer el lunes.
Quiero que **lo hagas** el lunes.
Lo hago los lunes.
Te lo estoy haciendo.
Si **lo hiciera** ahora, no podría terminar.
Lo hice el lunes pasado.
Lo hacía los lunes.
Lo había hecho el lunes antes de trabajar.
Si él **lo hubiera** hecho, yo no **lo habría** sabido.

2. before the verb in a negative command

¡No **lo hagas!** ¡No **se lo compre!**

3. after and attached to an affirmative command

¡Hazlo! **¡Cómpreselo!*** **¡Dáselo!***

*When another syllable is added to a command consisting of two or more syllables, or when two pronouns are added to monosyllable commands, place an accent over the stressed syllable.

a. When the reflexive pronoun **os** is attached to the **vosotros** command, the **-d** is dropped.

Bes**aos.** Quer**eos.**

The only exception is the verb **irse: idos.**

b. When the reflexive pronoun **nos** or the indirect-object pronoun **se** is attached to the **nosotros** command, the **-s** is dropped.

Comprémonos un coche. **Comprémosela.**

4. after and attached to an infinitive

Voy a **hacerlo** el lunes. Voy a **hacértelo*** el lunes.

*When two object pronouns are added to an infinitive, place an accent over the stressed syllable.

5. after and attached to a present participle

Estoy **haciéndolo.*** Estoy **haciéndotelo.***

*When an object pronoun or pronouns are added to a present participle, place an accent over the stressed syllable.

6. Object pronouns can come before the conjugated verb or after and attached to an infinitive or a present participle. Therefore, the following sentences are synonymous.

Lo voy a hacer. Voy a **hacerlo**.
Te lo estoy haciendo. Estoy **haciéndotelo.**

Appendix E Uses of *a*

Use the word **a**:

1. to indicate destination: **ir a** + *article* + *place.*

   Van **a la** playa.
   Vamos **al** cine. (remember: **a** + **el** = **al**)

2. to discuss the future: **ir a** + *infinitive.*

   Ellos **van a estudiar** esta tarde.

3. after certain verbs when followed by infinitives. These verbs include **aprender, comenzar, empezar,** and **enseñar.**

   En esa escuela **enseñan a pintar.**

4. in prepositional phrases to clarify or emphasize the indirect-object pronoun.

   ¿Le diste el dinero **a Carlos?**

   Note: A prepositional phrase can also be used to clarify the indirect object with verbs like **gustar, encantar,** and **fascinar.**

   A mí me encanta la música de Celia Cruz.

5. when the direct object is a person.

   Vas a ver **a Felipe Pérez** y **al hermano de Alicia** si vas a la fiesta.
   ¿Conociste **a la profesora Vargas?**

Appendix F Accentuation and Syllabication

A. Stress—Acentuación

1. If a word ends in **-n, -s,** or a **vowel,** the stress falls on the *next-to-last syllable.*

   lava**pla**tos   e**xa**men   **ho**la   aparta**men**to

2. If a word ends in any **consonant** other than **-n** or **-s,** the stress falls on the *last syllable.*

   espa**ñol**   us**ted**   regu**lar**   prohi**bir**

3. Any exception to rules number 1 and 2 has a written accent mark on the stressed vowel.

   televisi**ó**n   tel**é**fono   **á**lbum   cent**í**metro

Note: Words ending in **-ión** lose their written accent in the plural because of rule #1: **nación,** *but* **naciones.**

4. Question and exclamation words, e.g., **cómo, dónde, cuál, qué,** always have accents.

5. Certain words change their meaning when written with an accent although the pronunciation remains the same.

cómo	how	**como**	like, I eat
dé	give (*command*)	**de**	of, from
él	he/him	**el**	the
más	more	**mas**	but
mí	me	**mi**	my
sé	I know	**se**	*3rd person pronoun*
sí	yes	**si**	if
sólo*	only (*adv.*)	**solo***	alone
té	tea	**te**	you (*object pronoun*)
tú	you	**tu**	your

*Note: Due to recent rule changes in the Spanish language, **solo** can mean *alone* (**el niño comió solo**) or *only* (**solo = solamente; El niño comió solo/solamente papas fritas**). When ambiguity exists, an accent is needed on **sólo** when it means *only*. Compare these sentences: **Fue solo al cine.** (He went *alone* to the movies) vs. **Fue sólo al cine.** (He *only* went to the movies.)

6. You may see demonstrative pronouns with a written accent to distinguish them from demonstrative adjectives (except for **esto, eso,** and **aquello,** which are neuter pronouns and never have an accent). According to recent rule changes in the Spanish language, you must add an accent to a demonstrative pronoun if ambiguity exists.

este niño	éste	estas blusas	éstas

Nos vendieron **aquellos** caramelos.	*They sold us those candies over there.* (**Aquellos** modifies candies and is a demonstrative *adjective* and therefore has no accent.)
Nos vendieron **aquéllos** caramelos.	*They sold us candies.* (**Aquéllos** is a demonstrative *pronoun* and refers to those people way over there and can take an accent.)

7. One-syllable words (other than those listed in #5 on page 374) are not accented. Some examples include: **guion, rio** (*he/she laughed*), **vio, fe**, etc. Note: This is a recent change to the Spanish rules of orthography, so some texts printed before the change was made official may show these words with accents: **guión, rió, vió, fé.**

B. Diphthongs—*Diptongos*

1. A diphthong is the combination of a weak vowel (**i, u**) and a strong vowel (**a, e, o**) or the combination of two weak vowels in the same syllable. When two vowels are combined, the strong vowel or the second of the weak vowels takes a slightly greater stress in the syllable.

v**ue**lvo	***au***tomático	t**ie**ne	conc**ie**nc***ia***	c***iu***dad

2. When the stress of the word falls on the weak vowel of a strong–weak combination, the weak vowel takes a written accent mark to break the diphthong. No diphthong occurs because the vowels belong to different syllables.

pa-ís	**dí-a**	**tí-o**	en-**ví-o**	**Ra-úl**

Note: **Ma-rio,** *but* **Ma-*rí*-a.**

C. Syllabication—*Silabeo*

1. A single consonant between vowels always goes with the second vowel. Remember that **ch, ll,** and **rr** are considered single consonants in Spanish.

A-**mé**-ri-**ca**	to-**ma**-**te**	ca-**je**-**ro**	*But:* pe-**rro**

2. When there are two or more consonants between vowels, the second vowel takes as many consonants as can be found at the beginning of a Spanish word (English and

Spanish allow the same consonant groups at the beginning of a word, except for **s** + *consonant* which does not exist in Spanish). The other consonants remain with the first vowel.

Pa-**bl**o (*bl* starts words, as in **blanco**)
es-**pe**-cial (**s** + *consonant* does not start words in Spanish, **p** does)
ex-**plo**-rar (**xpl** does not begin words, **pl** does)
trans-**po**-lar (**nsp** does not begin words, **sp** does not start words in Spanish, **p** does)

3. A diphthong is never separated. If the stress falls on the weak vowel of a strong–weak vowel combination, an accent is used to break the diphthong and two separate syllables are created.

a-m**ue**-blar   c**iu**-dad   ju-l**io**   *But:* **dí-a**

Note: Two strong vowels never form a diphthong: **po-e-ta, le-er.**

Appendix G Thematic Vocabulary

The following lists contain basic vocabulary. For more advanced vocabulary on some of these topics, see the vocabulary entries in the glossary.

La ropa

la blusa	blouse
la camisa	shirt
la chaqueta	jacket
la corbata	tie
la falda	skirt
las medias	socks
los pantalones	pants
el saco	sports coat
el sombrero	hat
el traje de baño	bathing suit
el vestido	dress
los zapatos	shoes

Los colores

amarillo/a	yellow
anaranjado/a	orange
azul	blue
blanco/a	white
gris	gray
marrón	brown
morado/a	purple
negro/a	black
rojo/a	red
rosa, rosado/a	pink
verde	green

Los días de la semana

lunes	Monday
martes	Tuesday
miércoles	Wednesday
jueves	Thursday
viernes	Friday
sábado	Saturday
domingo	Sunday

Los meses del año

enero	January
febrero	February
marzo	March
abril	April
mayo	May
junio	June
julio	July
agosto	August
septiembre	September
octubre	October
noviembre	November
diciembre	December

Las estaciones

el invierno	winter
la primavera	spring
el verano	summer
el otoño	fall

La comida

el ajo	garlic
la carne de res	beef
la coliflor	cauliflower
los espárragos	asparagus
las habichuelas	green beans
los huevos	eggs
el jamón	ham
el jugo	juice
la mermelada	marmalade
el pan	bread
la pimienta	pepper
el pollo	chicken
el queso	cheese
la sal	salt
la tostada	toast
el vinagre	vinegar
el yogur	yogurt

Los deportes

el basquetbol	basketball
el béisbol	baseball
el fútbol	soccer
el fútbol americano	football
el golf	golf
la natación	swimming
el squash	squash
el tenis	tennis
el voleibol	volleyball

El medio ambiente

la basura	trash
la ecología	ecology
en peligro	in danger

la energía nuclear	nuclear energy
la energía solar	solar energy
la fábrica	factory
la lluvia ácida	acid rain
el reciclaje	recycling
reciclar	to recycle

Los números ordinales

primer(o)/a	first
segundo/a	second
tercer(o)/a	third
cuarto/a	fourth
quinto/a	fifth
sexto/a	sixth
séptimo/a	seventh
octavo/a	eighth
noveno/a	ninth
décimo/a	tenth

Los números cardinales

0 cero
1 uno, un/a*
2 dos
3 tres
4 cuatro
5 cinco
6 seis
7 siete
8 ocho
9 nueve
10 diez
11 once
12 doce
13 trece
14 catorce
15 quince
16 dieciséis (diez y seis)
17 diecisiete (diez y siete)
18 dieciocho (diez y ocho)
19 diecinueve (diez y nueve)
20 veinte
21 veintiún, veintiuno/a*
22 veintidós (veinte y dos)
30 treinta
31 treinta y un, uno/a*
32 treinta y dos
40 cuarenta
50 cincuenta
60 sesenta
70 setenta
80 ochenta
90 noventa
100 cien
101 ciento un, uno/a*
110 ciento diez
200 doscientos*
300 trescientos*
400 cuatrocientos*
500 quinientos*
600 seiscientos*
700 setecientos*
800 ochocientos*
900 novecientos*
1.000 mil
2.000 dos mil
100.000 cien mil
200.000 doscientos mil*
500.000 quinientos mil*
1.000.000 un millón (de)**
2.000.000 dos millones (de)**
1.000.000.000 mil millones (de)**
billón (de)

Notes:

a. Numbers ending in **uno** drop the **-o** before a masculine noun: **veintiún libros, cuarenta y un libros.** *But:* **veintiuna chicas.**

b. The numbers 16 through 29 are more commonly written as one word: **veintitrés** instead of **veinte y tres.**

c. The numbers **dieciséis, veintidós, veintitrés,** and **veintiséis** have an accent.

d. The word **y** is only used with numbers 16 through 99: **treinta y dos,** *but* **tres mil doscientos cuatro.**

e. *1,000,000,000 = one billion*, but **1.000.000.000 = mil millones.**

* These numbers agree in gender with the nouns they modify. **Había *trescientas personas* en la conferencia.**

** **De** is used before a noun: **Había un millón de personas.**

Conversación y gramática: Spanish-English Vocabulary

This vocabulary includes both active and passive vocabulary found throughout the chapters. The definitions are limited to the context in which the words are used in the book. Exact or reasonably close cognates of English are not included, nor are certain common words that are considered to be within the mastery of a second-year student, such as numbers, articles, pronouns, and possessive adjectives. Adverbs ending in **-mente** and regular past participles are not included if the root word is found in the vocabulary or is a cognate.

The gender of nouns is given except for masculine nouns ending in **-l, -o, -n, -r,** and **-s** and feminine nouns ending in **-a, -d, -ión,** and **-z.** Nouns with masculine and feminine variants are listed when the English correspondents are different words (e.g., *son, daughter*); in most cases, however, only the masculine form is given (**carpintero, operador**). Adjectives are given only in the masculine singular form. Irregular verbs are indicated, as are stem changes.

The following abbreviations are used in this vocabulary.

adj.	adjective	*n.*	noun
adv.	adverb	*pl.*	plural
conj.	conjunction	*p.p.*	past participle
f.	feminine	*prep.*	preposition
inf.	infinitive	*pro.*	pronoun
irreg.	irregular verb	*sing.*	singular
m.	masculine		

A

a: ~ **fines de** at the end of; ~ **la vuelta de** around the corner from; ~ **las...** at . . . o'clock; ~ **menos que** unless; ~ **menudo** often, frequently; ~ **pesar de que** even though; ~ **principio(s) de** at the beginning of (*time*); ~ **propósito** on purpose; ~ **que no saben...** Bet you don't know . . .; ~ **través de** through; ~ **veces** sometimes
abarrotar to become packed (*with people*)
abierto (*p.p. of* **abrir)** open
absoluto: no, en ~ no, not at all
abstracta: la obra ~ abstract painting
abuela grandmother
abuelo grandfather; *pl.* grandparents
aburrido bored; boring
aburrirse (de) to become bored (with)
abusar to abuse
abuso *n.* abuse
acabar to finish; to run out (of); ~ **de** (+ *inf.*) to have just (done something)
acallar to stifle, silence
acampar to go camping
acaso: ¿~ no sabías? But, didn't you know?; **por si** ~ just in case
acceder to assent, consent
acción: película de ~ action movie
aceite *m.* oil
aceituna olive
acogedor welcoming, warm
aconsejable advisable
aconsejar to advise
acontecimiento event
acordarse (ue) de to remember
acoso harassment
acostarse (ue) to lie down; to go to bed
acostumbrarse (a) to become accustomed (to)
actitud attitude
activismo activisim
acto: es un ~ **despreciable** it's a despicable act
actriz actress
actual present-day, current
actualidad: en la ~ at the present time
actualmente at present, nowadays
actuar to act
actuación *n.* acting
acuerdo *n.* agreement; pact; **de** ~ **a** according to; **estar de** ~ to be in agreement; **No estoy de** ~ **del todo.** I don't completely agree.
acusado accused
adelgazar to lose weight
además *adv.* besides; ~ **de** *prep.* besides
adivinar to guess
adoptivo: hijo ~ adopted son; **hija adoptiva** adopted daughter
afeitarse to shave
agobiante exhausting
agradecerle to thank someone
agrandarse to grow larger
agregar to add
agricultura: ~ **sostenible** sustainable agriculture
agridulce sweet and sour
agrio sour
agua *f.* (*but* **el agua):** ~ **con gas** sparkling water; ~ **mineral** mineral water
aguacate *m.* avocado
agua fuerte *m.***: grabado al** ~ etching
aguantar to tolerate, stand
águila *f.* (*but* **el águila)** eagle
aguinaldo end-of-the-year bonus
aguja needle
agujero hole
ahorrar to save
aire *m.* air; al ~ libre outdoors; **echar(se) una cana al** ~ to have a one-night stand; to let one's hair down
aislado isolated
aislarse to isolate onself
ajo garlic
ajustado tight
al tanto up-to-date
alas: hacer ~ **delta** to hang-glide
alcalde *m./f.* mayor
alcanzar to be sufficient; to reach, attain
alcoholismo alcoholism
alegrarse (de) to become happy (about)
alemán *n., adj.* German
alfabetización literacy
álgebra *f.* (*but* **el álgebra)** algebra
algo something; ~ **así** something like that
alguien someone
algún/alguna/os/as + *n.* *adj.* a, some, any; sin **duda alguna** without a doubt
alguno/a/os/as *pro.* one, some
alianza alliance

alimenticio *adj.* nutritious
alimento food
almendra almond
almorzar (ue) to have lunch
alondra lark
alquilar to rent
alquiler *n.* rent
alto stop; ~ **en calorías** high in calories
altura height
alumbrado *n.* lighting
ama de casa *f.* (*but* **el ama**) housewife
amante *m./f.* lover
amargo bitter
ambiente *m.*: **medio** ~ environment
ámbito sphere; field (*of influence*)
ambos both
amenaza threat
amenazar to threaten
amigo friend; ~ **íntimo** a close friend
amor: ¡Por el ~ de Dios! My gosh/God!
analfabeto *n., adj.* illiterate
ancas de rana *pl.* frogs' legs
anchoas *pl.* anchovies
anciano: asilo de ancianos nursing home; **residencia de ancianos** nursing home
andar *irreg.* to work, function
ángel angel; **Eres un ~.** You're an angel.
anidamiento nesting
anillo ring
ánimo: sin ~ de lucro nonprofit
anoche last night
anorak *m.* parka
anteanoche the night before last
anteayer the day before yesterday
antepasado ancestor, forefather
anterior previous
antes *adv.* before; ~ **de** *prep.* before; ~ **(de) que** *conj.* before
anticuado old-fashioned, antiquated, obsolete
antropología anthropology
añadir to add
año: ~ **clave** key year; ~ **escolar** school year
apagar to turn off
apariencia appearance
apenas hardly
aperitivo food and beverage before a meal
aplazar to postpone
apoyar to support
apoyo *n.* support
apreciar to appreciate
aprieto: sacar a alguien de un ~ to get someone out of a jam
aprobar (ue) to pass (*a course*); to approve
aprovecharse de to take advantage of
apuntar to write down; to make note of
apuntes *m. pl.* class notes
argumento plot (*of a book, movie*)
armario closet
arqueología archeology
arquitecto architect
arrancar to start (*a motor*); to tear out (*weeds*)
arrebatar to snatch, seize
arrecife *m.* reef
arreglar to fix; **arreglarse** to make oneself presentable
arreglo repair; agreement
arrepentirse (ie, i) to regret
arrestar to arrest
arroz *m.* rice
arruga *n.* wrinkle
arte *m. sing.* art; **artes** *f. pl.* arts
artesanía crafts
artista *m./f.* artist
arvejas *f. pl.* (*Latinoamérica*) peas
arzobispo archbishop
asado barbecue
asaltante *m./f.* assailant
asaltar to assault
asalto assault, attack, robbery
ascendencia ancestry
asegurar to assure
asemejarse a to resemble, be like
asesinar to murder
asesinato *n.* murder
asesino murderer
así: algo ~ something like that
asignatura subject, course
asilo: ~ **político** political asylum; ~ **de ancianos** nursing home
asimilarse to assimilate
asimismo in the same way, likewise
asistir a to attend
asombro amazement
asombroso astonishing
aspiradora vacuum cleaner
aspirar a ser to aspire to be
astuto clever
asunto político/económico political/economic issue
atender (ie) to attend to; to pay attention to
atentado *n.* attemped crime
atento polite, courteous
atrevido *adj.* daring, nervy; *n.* daredevil, bold person (*negative connotation*)
atribuir *irreg.* to attribute
atroz huge; **tener un hambre ~** to be really hungry
atún tuna
audaz daring (*positive connotation*)
aumentar to raise, increase; ~ **el sueldo** to raise the salary
aumento *n.* raise, increase
auto: ~ **de fe** public punishment by the Inquisition tribunal; **pasear en ~** to go cruising
autoridad: ejercer ~ to exercise authority
autorretrato self-portrait
ave *f.* (*but* **el ave**) bird
aventura: tener una ~ (amorosa) to have an (love) affair
averiguar to find out (about)
avisar to inform, notify; to warn
avisos clasificados *m. pl.* classified ads
ayer yesterday
ayudante de cátedra *m./f.* teaching assistant
ayunas: en ~ fasting
azafata airline stewardess
azúcar sugar

B

bailar: ~ **en grupo** to dance in a group; **ir a ~** to go dancing
bajar: ~ **el fuego** to lower the heat; ~ **el sueldo** to lower the salary
ballena whale
bandeja tray
bañarse to bathe
banda sonora soundtrack
bar bar, café
barajar to shuffle
barba beard
barbilla chin
barra (de chocolate) (chocolate) bar
bastante quite, very
basura garbage
batalla battle
batazo hit (*in baseball*)
batería battery (*cell phone, camera*)
batido shake (*drink*)
bautismo baptism
bautizar to baptize
beber to drink
bebida drink
beca scholarship
belleza beauty
beneficio laboral work benefit
berenjena eggplant
bienestar común the common good
bigotes *m. pl.* mustache
bilingüe bilingual
billón trillion
bisabuela great-grandmother
bisabuelo great-grandfather
blanco *adj.* white; **voto en ~** blank vote
blando soft
boda wedding
bodegón still life
boletín newsletter
bolsa bag
bombero firefighter
bono bonus (pay)
boquiabierto open-mouthed, shocked
borrador first draft
bosque *m.* woods
botella bottle

botón button
breve brief (*in length*)
brindar to offer, provide
brocha paintbrush
bruscamente abruptly
bucear to scuba dive
buceo scuba diving
bueno: ¡Qué ~! That's great!
bufón buffoon
búho owl
bullicio noise, din
burla mockery
burlarse de to mock/joke, make fun of
busca: en ~ de nuevos horizontes in search of new opportunities (horizons)
buscar to look for; **pasar a ~ a alguien (por/en un lugar)** to pick someone up (at a place)
búsqueda *n.* search

C

caballero gentleman; knight
caber to fit; **no cabe duda** there is no doubt
cabeza: No tiene ni pies ni ~. It doesn't make (any) sense to me./I can't make heads or tails of it.
cabina telefónica telephone booth
cacahuates peanuts (*México*)
cacahuetes peanuts (*España*)
cadena chain; **~ perpetua** life sentence
caer to fall; **caerle bien/mal (a alguien)** to like/dislike (someone); **caerse** to fall down; **¡Ya caigo!** Now I get it.
café: color ~ *adj.* brown; *m.* coffee; an espresso; **~ con leche** coffee with lots of hot milk
cafeína: con ~ with caffeine
caja box; cash register
cajero cashier
calabaza pumpkin
calamares *m. pl.* calamari, squid
cálculo calculus
calentar (ie) to heat
calidad quality
callarse to shut up
calorías: alto/bajo en ~ high/low in calories
calvo bald
calzoncillos *m. pl.* boxer shorts; briefs
camarera waitress
camarero waiter
camarón shrimp
cambio: en ~ instead; **en ~ yo** instead I . . . / Not me, I . . .
cambios climáticos climate changes
caminata: hacer una ~ to go for a walk/hike
camino a on the way to
camiseta T-shirt
camote *m.* (*México*) sweet potato
campaña electoral political campaign
campesino peasant; farmer
camping *m.* campsite
campo field (*business, farm, sports*)
cana: echar(se) una ~ al aire to have a one-night stand; to let one's hair down
Canal de la Mancha English Channel
canasto basket
canela: piel ~ *f.* cinnamon-colored skin
canoso white-haired, gray-haired
cansancio tiredness
caña (*España***)** glass of beer
capa de ozono ozone layer
capacitación *n.* training; **cursos de ~** training courses
capaz capable
caprichoso capricious, fussy
cara larga long face
caradura: ¡Qué ~! Of all the nerve!
¡Caray! Geeze!
cárcel *f.* jail, prison
cargado charged
cargador (solar) (solar) charger
cariño affection; **con ~** fondly
cariñoso loving, affectionate
carne *f.* meat
carnet *m.* ID card
carpintero carpenter
carrera professional studies, degree
carrito cart
carta de recomendación letter of recommendation
cartel (de drogas) drug cartel
cartelera: seguir en ~ to still be showing (*movie*)
cartero mail carrier
casa house; home; **~ de ancianos** nursing home; **una mentira más grande que una ~** a big, fat lie
casado married
casamiento marriage, wedding
casarse (con) to get married (to)
casero homemade
caso: en ~ (de) que in the event that, if
castaño: pelo ~ brown hair
castigar to punish
castigo punishment
casualidad: por ~ by chance
catarata waterfall
cátedra: ayudante de ~ *m./f.* teaching assistant; **dar ~** to lecture someone (on some topic)
cautiverio: en ~ in captivity
cazar to hunt
cebolla onion
celoso jealous
cenar to have dinner/supper
censura censorship; censure
censurado censored; censured
censurar to censor; to censure
cepillarse (el pelo/los dientes) to brush (one's hair/teeth)
cercano *adj.* near, nearby
cerdo pork
cerrado closed; narrow-minded
cerrar (ie) to close
cesante *adj.* unemployed
césped *m.* lawn
chaleco vest
chaqueta jacket
charlar to chat
chévere: ¡Qué ~! (*Caribe***)** That's cool.
chisme *m.* piece of gossip
chismear to gossip
chismoso gossipy
chiste *m.* joke; **~ verde** dirty joke
chocar to crash
choque cultural *m.* culture shock
chofer *m./f.* chauffeur, driver
cicatriz scar
ciego blind
cielo heaven; sky
ciencia: ~ ficción science fiction; **película de ~ ficción** science fiction movie; **ciencias políticas** *f. pl.* political science
científico scientist
cierre *m.* zipper
cierto certain; **(no) es ~** it's (not) true; **por ~** by the way
cine *m.* movie theater; **ir al ~** to go to the movies
cinturón belt
cirugía surgery
cita appointment; quote
ciudadanía citizenship
ciudadano citizen; **hacerse ~** to become a citizen
claro clear; **tener en ~** to have it clear in your mind
clase particular *f.* private class
clave *sing.* **años/palabras ~** key year/words
clavo: dar en el ~ to hit the nail on the head
clérigo clergy
clonización cloning
cochinillo roast suckling pig
cocinero *n.* cook
cóctel cocktail
código code
codo elbow
coger el sueño to fall asleep
cola: ~ de caballo pony tail
colar (ue) to drain
colgar (ue) to hang
colocar to place
color: ~ café brown; **~ miel** light brown
colorín, colorado esta leyenda ha terminado and so the legend ends

combinar to match
comedia comedy
comenzar (ie) a to begin, start to
comer to eat; **comérselo todo** to eat it all up; **ser de buen ~** to have a good appetite
comestible *m.* food
cometer to commit (*a crime*)
cómico *adj.* funny
comida chatarra junk food
comienzo beginning
como si as if
compartir to share
complacer to please
completar una solicitud to fill out an application
comportamiento behavior
comprensivo understanding
comprobar (ue) to prove
comprometerse (con) to get engaged (to)
compromiso commitment, engagement
computación computer science
con: ~ cafeína with caffeine; **~ frecuencia** frequently; **~ gran esmero** with great care; **~ tal (de) que** *conj.* provided that
concentrado concentrated
concienzudo conscientious
concierto concert
concurso contest
condena sentence (*jail*)
condenar: ~ (a alguien) a (10) meses/años de prisión to convict someone to (10) months/years in prison
condicional: libertad ~ parole
conejo rabbit
confianza trust
confiar to trust
congelado frozen
conjetura conjecture, guess
conmover (ue) to move, touch (*emotionally*); **me conmueve** it moves me
conquista conquest
conquistador conqueror
conquistar to conquer
consciente aware
conseguir (i, i) to obtain
consejero advisor
consejo (piece of) advice
conservador *adj.* conservative
consiguiente: por ~ therefore
constar de to consist of
consumir to consume; to use; **~ drogas** to take/use drugs
contabilidad accounting
contador accountant
contaminación pollution
contaminante *adj.* contaminating
contaminar to contaminate, pollute
contar (ue) to tell
contenido *n.* content; **de alto/bajo ~ graso** high/low fat content
contraer *irreg.* to contract, catch (*a cold*)
contratar a alguien to hire someone
contratiempo: tener un ~ to have a mishap that causes one to be late
contribuir *irreg.* to contribute
convencer: No me termina de ~. I'm not totally convinced.
convenir *irreg.*: **te conviene** it's better for you
convivencia living together, cohabitation
convivir to live together
cónyuge *m./f.* spouse
coquetear to flirt
cordero lamb
cordillera mountain range
cordón shoelace
Corea Korea
coreano *n., adj.* Korean
corona crown
correo electrónico email
correr to run
corriente *adj.* ordinary
cortado *n.* coffee (small cup) with a touch of milk
corto short (*in length, duration*)
cortometraje *m.* (movie) short
cosechar to harvest
cosquillas: hacerle ~ to tickle someone
costar (ue) to cost
costumbre *f.* custom, habit
cotilleo *m.* gossip
creador creator
crear to create
creencia belief
creer to believe, to think; **creo que...** I believe that . . . ; **No te creo.** I don't believe you.
creído vain
crema cream
cremallera zipper
crianza upbringing, raising (*of children*)
criar to bring up, raise (*a child*)
crimen serious crime; homicide
cristal glass (*material*)
cristiano Christian
crítica *n.* critique
criticar to criticize; to critique
crítico *n.* critic
cuadrado square
cuadro painting
cuando when; **de vez en ~** every now and then; **siempre y ~** provided that
cuanto: en ~ as soon as; **en ~ a** with reference to
cuchara spoon
cuello collar; neck
cuenta bill, check (*in a restaurant*)
cuerda *n.* rope; string
cuerdo *adj.* sane
cuerno horn; **ponerle los cuernos a alguien** to cheat on someone
cuerpo body; **tener ~ de gimnasio** to be buff
cuesta hill
cuidar (a) niños to baby-sit
culpa guilt, blame
culpabilidad guilt
culpar to blame
cultivo crop
cumplir to fulfill
cuñada sister-in-law
cuñado brother-in-law
cura *m.* priest
curioso: ¡Qué ~! How strange/weird!
curriculum (vitae) *m.* résumé
cursar (una clase) to take, study (a class)
cursi tacky; **¡Qué ~!** How tacky!
curso course
cuyo whose, of which

D

dañado damaged
dar *irreg.*: **~ a luz** to give birth; **~ cátedra** to lecture someone (on some topic); **~ en el clavo** to hit the nail on the head; **~ una película** to show a movie; **ir a ~ una vuelta** to go cruising/for a ride/walk; **darle igual (a alguien)** to be all the same (to someone), not to care; **darle la espalda (a alguien)** to turn one's back on; **darle pena (a alguien)** to feel sorry; **darse cuenta (de)** to realize
de: ~ acuerdo a according to; **~ alto/bajo contenido graso** high/low fat content; **~ hecho** in fact; **~ ningún modo** no way; **~ pocos recursos** low income; **~ por vida** for life; **~ repente** suddenly; **~ todos modos** anyway; **~ una vez por todas** once and for all; **¿~ veras?** Really?/You're kidding./Don't tell me!/You don't say!/Wow!; **~ vez en cuando** every now and then
deber *n.* duty; *v.* should, ought to; **¿A qué se debe eso?** What do you attibute that to?
debido a due to
década decade
decano dean
decidir to decide
decir *irreg.* to say, tell; **Es ~...** That is (to say) . . . ; **el qué dirán** what others may say; **¡No me digas!** Don't tell me!/You don't say!/Wow!; **Te lo digo en serio.** I'm not kidding.; **Ud. me dice que...** You are telling me that . . .
dedicarse a to devote oneself to

deducir to deduce
degenerarse to degenerate
dejar to quit, stop; **~ a medias** to leave unfinished; **~ plantado (a alguien)** to stand someone up; **¿Me dejas hablar?** Will you let me speak?
delantal apron
delincuencia crime, criminal activity; **~ juvenil** juvenile delinquency
delincuente *m./f.* criminal (*of any age*)
delito offense, crime
demanda: oferta y ~ supply and demand
demandar to sue
demás: los ~ others
dentro *adv.* inside; **~ de (diez) horas/días/años** in (ten) hours/days/years
deportista *m./f.* athlete
derecho law; **derechos humanos** human rights; **el respeto a/la violación de los derechos humanos** respect for/violation of human rights
derrotar a to defeat
desafiar to challenge
desaparecer to disappear
desaparecidos *m. pl.* missing people
desaparición disappearance
desarrollo development
desbordar to overflow
descafeinado decaffeinated
descalzo barefoot
descansar to rest
descendiente *m./f.* descendant
descomponerse *irreg.* to break down
descompuesto (*p.p. of* **descomponerse**) broken
desconsiderado inconsiderate
desconocido *n.* stranger; *adj.* unknown, unidentified
descortés impolite
descubridor discoverer
descubrimiento discovery
descubrir to discover
descuidar to neglect
desde: ~... hasta... from . . . to . . .; **~ luego** of course; **~ mi punto de vista** from my point of view
desechable *adj.* throwaway, disposable
desechar to throw away
desecho rubbish, waste
desempeñar to fill; to occupy; **~ el papel de** to play the role of
desempleado: estar ~ to be unemployed
desequilibrar to throw off balance
desequilibrio imbalance
desesperado desperate
desfile *m.* parade
desgracia: por ~ unfortunately
deshacer *irreg.* to undo; **deshacerse de** to get rid of
deshecho (*p.p. of* **deshacer**) undone
desigualdad inequality
desnudo naked
desovar to lay eggs (*turtles*)
desove *m.* egg laying (*turtles*)
despacho office
despedida de soltero/a bachelor/bachelorette party
despedir (i, i): ~ a alguien to fire, dismiss someone; **despedirse de** to say good-bye to
desperdiciar to waste
desperdicio *n.* waste
despertarse (ie) to wake up
despistado absent-minded
desproporcionado disproportionate, out of proportion
después *adv.* later, then, afterwards; **~ de** *prep.* after; **~ (de) que** *conj.* after; **¿Y ~ qué?** And then what?
destierro exile, banishment
destruir *irreg.* to destroy
desventaja disadvantage
desvestirse (i, i) to undress
detener *irreg.* to arrest; to stop
detenidamente thoroughly, closely
detrás: ir ~ del escenario to go backstage
devolver (ue) to return, give (something) back
día *m.*: **~ feriado** holiday
dibujar to draw
dibujo drawing
dictadura dictatorship
dieta: hacer ~ to be on a diet
difícil difficult
difundir to spread (*news*)
digas: ¡No me ~! Really?/You're kidding./Don't tell me!/You don't say!/Wow!
dignidad dignity
dineral great deal of money
Dios: ¡Por (el amor de) ~! My gosh/God!
dirán: el qué ~ what others might say
dirección address; management
director de cine movie director
diría: quién ~ who would have said/thought
dirigir to direct
disco: ir a una ~ to go to a club
discriminación discrimination
discriminar (a alguien) to discriminate (against someone)
disculpar to forgive
disculparse to apologize
discurso speech
discutir to discuss; to argue
disentir (ie, i) (de) to dissent (from)
diseñador designer
diseño *n.* design
disfrazar to disguise
disfrutar to enjoy
disgustarle to dislike, displease
disminuir *irreg.* to decrease, diminish
disponerse *irreg.* **a** a to get ready to
dispuesto willing, ready
diurno *adj.* day, daytime
divertido fun; **¡Qué ~!** How fun!
divertirse (ie, i) to have fun, have a good time; **~ un montón** to have a ball, a lot of fun
divorciado divorced
divorciarse (de) to get divorced (from)
documental documentary
dolor ache, pain
domicilio domicile, residence
dominador dominator
dominar to dominate
dominio mastery, command
dorar to brown
dormir (ue, u) to sleep; **dormirse** to fall asleep
dormitorio bedroom
drama *m.* drama
droga drug
drogadicción drug addiction
drogadicto drug addict
drogarse to take drugs; to get high
ducharse to take a shower
duda: no cabe ~ there is no doubt; **por si las dudas** just in case; **sin ~ alguna** without a doubt; **sin lugar a dudas** without a doubt
dudar to doubt; **Lo dudo.** I doubt it.
dudoso doubtful
dulce *adj.* sweet
duque *m.* duke
durante during
durar to last
durazno peach

E

echar to pour, put in; **~ a perder** to waste, to spoil, ruin; **~ de menos** to miss; **~ un vistazo** to glance at; **echar(se) una cana al aire** to have a one-night stand; to let one's hair down
ecologista *m./f.* ecologist
economía economics; **~ sumergida** underground economy
efectivo: en ~ cash
efecto: ~ invernadero greenhouse effect; **efectos especiales** *m. pl.* special effects
eficaz effective
eficiencia efficiency
egoísta *m./f., adj.* selfish
ejemplo: por ~ for example
ejercer: ~ autoridad to exercise authority
ejército army
electricista *m./f.* electrician
elegir (i, i) to choose, select, elect

embarazada pregnant
embargo: sin ~ nevertheless
emborracharse to get drunk
embrión *m.* embryo
embutidos *m. pl.* types of sausages
emigrar to emigrate
emisora broadcasting station
empezar (ie) a to begin to, start to; ~ **de cero** to start from scratch
empleado employee
empleo job; **solicitar un ~** to apply for a job
empresa company, business
empujar to push
en: ~ **absoluto** not at all; ~ **ayunas** fasting; ~ **cambio** instead; ~ **cambio yo...** instead I/not me, I . . . ; ~ **caso (de) que** in the event that, if; ~ **cuanto** as soon as; ~ **cuanto a** with reference to; ~ **el extranjero** abroad; ~ **la actualidad** at the present time; ~ **plena forma** fully awake, alert; ~ **seguida** at once; ~ **torno** around
enamorarse (de) to fall in love (with)
encantador *adj.* charming
encantarle to really like
encarcelar to incarcerate, imprison
encargar to commission (*a painting*); **encargarse de** to take charge of; to look after
encender (ie) to light
encontrar (ue) to find; to meet
encontrarse a/con to run into
encuentro finding; meeting
encuesta *n.* survey
enfadarse to get angry
enfermarse to get sick
enfermero nurse
enfermizo sickly
enfocar to focus
enlatado canned
enmienda amendment
enojarse (con) to become angry (with)
enseguida at once
enseñanza teaching
entender (ie) to understand; **A ver si entendí bien.** Let me see if I got it.
enterarse de to find out about
entrada ticket (*to an event*)
entregar to hand in
entrenamiento training
entrevista *n.* interview
entrevistarse (con alguien) to be interviewed (by someone)
entrometerse (en la vida de alguien) to intrude, meddle, interfere (in someone's life)
entusiasmarse to become excited
envase *m.* container
enviar to send
envolver (ue) to wrap
envuelto (*p.p. of* **envolver)** wrapped
época era, period of time
equilibro balance
equivocado wrong
equivocarse to err, make a mistake
escasez shortage
escalar (montañas) to climb (mountains)
escaleras *f. pl.* staircase; stairs
escena scene
escenario stage; **ir detrás del ~** to go backstage
esclavo slave
escoger to choose
escolar: año ~ school year
esconder to hide
escrito (*p.p. of* **escribir)** written; **el trabajo ~** written paper
escritor writer
escuchar música to listen to music
escultor sculptor
escultura sculpture
esforzarse (ue) to make an effort
esmero: con gran ~ with great care
espalda: darle la ~ a to turn one's back on
espárragos *m. pl.* asparagus
especia spice (*food*)
especializarse (en) to specialize (in); to major (in)
especie *f.* species
espejo mirror
esperanza *n.* hope; ~ **de vida** life expectancy
esperar to hope
espesar to thicken
espiar to spy
espionaje: película de ~ spy movie
espontáneo spontaneous
esposa wife
esposo husband
esquí: hacer ~ acuático to water-ski; **hacer ~ alpino** to downhill ski; **hacer ~ nórdico** to crosscountry ski
esquina corner
estabilidad stability
estacionamiento parking lot
estampilla stamp
estrenarse to premiere
estreno premiere, opening
estar *irreg.*: ~ **de acuerdo** to be in agreement; ~ **de moda** to be in style; ~ **harto (de +** *inf.*) to be fed up (with + *-ing*); ~ **pasado de moda** to be out of style; ~ **rebajado** to be on sale; **no ~ de acuerdo del todo** to not completely agree
estatua statue
estricto strict
estupefaciente *n. m., adj.* narcotic
etapa period of time; state, phase
ético ethical
evitar to avoid
exigencia *n.* demand
exigente demanding
exigir to demand
éxito success; **tener ~** to be successful
expectativa expectation; hope; prospect
experiencia laboral work experience
experimentado experienced
explotador exploiter
expresar to express
expulsar to expel
extinguirse to become extinct
extranjero *n.* foreigner; *adj.* foreign, alien; **en el ~** abroad
extrañar to miss
extraño *n.* stranger; *adj.* strange
extremo *n.* end

F

fa: ni fu ni ~ it doesn't do anything for me
fábrica factory
fácil easy
factible feasible, possible
facultad school, college
falta de comunicación lack of communication
faltar: ~ **(a clase/al trabajo)** to miss (class/work); **faltarle** to be lacking, missing (*something*)
fama fame
fascinarle to really like
fastidio: ¡Qué ~! What a nuisance/bother!
faz face (*metaphorical*)
felicidad happiness
feliz happy
feriado: días feriados holidays
ferrocarril railroad
ficha index card
fidelidad fidelity
fiebre *f.* fever
fiel faithful; **serle ~ (a alguien)** to be faithful (to someone)
fijarse (en) to notice
fila row; **sentarse (ie) en la primera/última ~** to sit in the first/last row
filosofía philosophy
final: al ~ de at the end of
finalmente finally
finca farm
fines: a ~ de at the end of (*time*); **sin ~ de lucro** nonprofit
flan custard
flauta flute
flequillo bangs
flirtear to flirt
flujo flow

folleto pamphlet
fomentar to foment, stir up
fondo background (*of a painting*)
foráneo foreign
forma: en plena ~ fully awake, alert
fornido strong, strapping
frac *m.* tuxedo
fracasar to fail
francamente frankly
francés *n., adj.* French
frasco jar
frecuencia: con (gran) ~ frequently
frecuentemente frequently
freír (i, i) to fry
frenillos *m. pl.* braces (*teeth*)
frente: hacer ~ a to stand up to
fresco fresh
frijol bean
frontera *n.* border
fronterizo *adj.* on or near the border
fruta fruit
fu: ni ~ ni fa it doesn't do anything for me
fuego heat; fire; **bajar/subir el ~** to lower/raise the heat
fuente *f.* fountain; **~ de inspiración** source of inspiration; **fuentes de energía renovable** sources of renewable energy
fuera *adv.* outside
fuerza: por la ~ by force, forcibly
fumar to smoke
fundación founding
fundador founder
fundar to found

G

gambas *f. pl.* (*España*) shrimp
ganancia earning, profit
ganas: se me fueron las ~ de (+ *inf.*) I didn't feel like (doing something) anymore; **tener ~ de (+ *inf.*)** to feel like (doing something)
gandules *m. pl.* (*Caribe*) pigeon peas
ganga good buy, bargain
gas: agua con ~ sparkling water
gaseosa soda pop
gastar (dinero) to spend (money)
gasto expenditure, expense
generación anterior previous generation
general: por lo ~ in general
género genre; gender (*grammar*)
genial brilliant, great (*idea*); **¡Qué ~!** How great!
gerencia management
gerente *m./f.* manager
gimnasio gymnasium; **tener cuerpo de ~** to be buff
glorificar to glorify
golpe de estado *m.* coup d'état
gorra cap (*hat*)
gozar to enjoy
grabado: ~ al aguafuerte etching
gracioso funny, amusing; **¡Qué ~!** How funny!
graso: de alto/bajo contenido ~ high/low fat content
gratis free of charge
grato pleasing, agreeable
grave serious
gritar to shout
grupo: bailar en ~ to dance in a group
guapo good-looking
guardería (infantil) daycare center
Guatemala: Fuiste de ~ a Guatepeor. You went from bad to worse.
guerra war
guerrero warrior
grueso thick
gubernamental: organización no ~ (ONG) non-governmental organization (NGO)
guion *m.* script; screenplay
guisada: carne ~ stew
guisantes *m. pl.* (*España*) peas
gustar: me gustaría... I would like to . . .

H

había there was/were; **~ una vez...** once upon a time, there was/were . . .
habichuelas beans
habilidad innata innate ability
hablar: Quiero ~. I want to speak.
hacer *irreg.* to make; to do; **~ alas delta** to hang-glide; **~ algo contra su voluntad** to do something against one's will; **~ dieta** to be on a diet; **~ ecoturismo** to do ecotourism; **~ esquí acuático** to water-ski; **~ esquí alpino** to downhill ski; **~ esquí nórdico** to cross-country ski; **~ frente a** to stand up to; **~ investigación** to do research; **~ kayak** to go kayaking **~ preguntas** to ask questions; **~ rafting** to go rafting; **~ senderismo** to hike; **~ snorkel** to snorkel; **~ snowboard** to snowboard; **~ surf** to surf; **~ trekking** to hike; **~ una caminata** to go for a walk/hike, **~ una locura** to do something crazy; **~ una pasantía** to do an internship; **~ vela** to sail; **hacerle cosquillas** to tickle someone; **hacerse ciudadano** to become a citizen; **hacerse la América** to seek success in America
hacia toward
hambre (*f. but* **el hambre**) hunger; **tener un ~ atroz** to be really hungry
hasta: ~ que until; **desde... ~ ...** from . . . to . . .
hecho (*p.p. of* **hacer**) made, done; *n.* fact; **de ~** in fact
heredar to inherit
herida wound
hermana sister; **media ~** half sister
hermanastra stepsister
hermanastro stepbrother
hermano brother; **medio ~** half brother
hervir (ie, i) to boil
hija daughter; **~ adoptiva** adopted daughter; **~ única** only daughter
hijastra stepdaughter
hijastro stepson
hijo son; **~ adoptivo** adopted son; **~ único** only son
histérico hysterical
hogar home
holgado loose
holgazán/holgazana lazy
hollywoodense: ser muy ~ to be like a Hollywood movie
homicidio homicide
honradez honesty
honrado honest
hora: ¿A qué ~ es...? What time is . . . at?; **a la ~ de** (+ *inf.*) when the time comes to (+ *verb*)
horario schedule, timetable
horizonte *m.* horizon
hormiga ant
hormiguero anthill
horror: ¡Qué ~! How terrible/horrible!
hoy: ~ en día these days
hoyuelo dimple
huella ecológica ecological footprint
huelga strike
huérfano orphan
hueso bone
huésped *m./f.* guest
humo smoke
humor: sentido de ~ sense of humor

I

idealista *m./f.* idealist
idioma *m.* language
iglesia church
igual: darle ~(a alguien) to be all the same (to someone), not to care
igualdad equality; **~ de los sexos** equality of the sexes
imagen *f.* image, picture
imaginar: Me lo imagino. I imagine/bet.
impar *adj.* odd (*number*)

impermeable *m.* raincoat
importarle to matter
imprescindible essential
impuesto *n.* tax
incendio *n.* fire
incentivo incentive
incertidumbre *f.* uncertainty
incierto uncertain
inclusive even, including
incómodo uncomfortable
inculcar to instill, inculcate
independizarse (de) to become independent (from)
índice *m.* rate
indígena *m./f.* native person; *adj.* indigenous, native
ineficiencia inefficiency
inesperado unexpected
inestabilidad instability
infantil: guardería ~ child care center; **película ~** children's movie
infiel: serle ~(a alguien) to be unfaithful (to someone)
infidelidad infidelity
influencia influence
influir *irreg.* **en** to influence (something)
informe *m.* report
ingeniería engineering
ingeniero engineer
ingenioso resourceful
inglés *n., adj.* English
ingresos *m. pl.* income
iniciativa initiative, drive
injusticia injustice; **¡Qué ~!** How unfair!/What an injustice!
inmaduro immature
inmediatamente immediately
inmigrar immigrate
inseguridad insecurity
insistir en to insist on
insoportable unbearable
insulso bland (*food*)
intentar to try, attempt
intercambiar to exchange
interesar: interesarle to interest; **interesarse (por)** to take an interest (in)
interpretar to interpret
íntimo: amigo ~ close friend
inundación flood
invasor invader
inversión investment
invertir (ie, i) to invest
investigación *n.* research; **hacer ~** to do research
ir: ~ a bailar to go dancing; **~ a dar una vuelta** to go cruising/for a ride/walk; **~ a una disco** to go to a club
irritarse to become irritated
irse *irreg.* **(de)** to go away (from), leave (a place)
isla island

J

jamás never
jarabe *m.* syrup
jarrón vase
jaula cage
jefa *f.* boss (*female*)
jefe *m.* boss (*male*)
jerga slang
jeringa syringe
jeroglífico *n.* hieroglyph
jornada working day
joya de fantasía costume jewelry
jubilado: estar ~ to be retired
judío *n.* Jew; *adj.* Jewish
juez judge
jugar (ue) to play; **~ al (nombre de un deporte)** to play (a sport)
juguete *m.* toy
juguetón/juguetona *adj.* playful
junta militar military junta
juntarse con amigos to get together with friends
junto *adv.* together; *adj.* **vivir juntos** to live together
jurado jury
jurar to swear
justicia justice; **(acudir a) la Justicia** (to go to) the authorities (the law)
justo fair, just
juventud youth

K

kayak: hacer ~ to go kayaking

L

laboral: experiencia ~ work experience
lacio: pelo ~ straight hair
lácteo: producto ~ dairy product
lado: por otro ~ on the other hand; **por un ~** on the one hand
ladrón/la ladrona thief
lamentable: es ~ it's a shame
lamentar to lament, be sorry
langostino prawn
lanza lance
lápiz de labios *m.* lipstick
largometraje *m.* feature-length film
lástima: es una ~ it's a shame; **¡Qué ~!** What a shame!
lata *n.* can
lavaplatos *sing./pl.* dishwasher
lavarse (el pelo/las manos/la cara/etc.) to wash (one's hair/hands/face/etc.)
lazo *n.* tie, bond
lealtad loyalty
leche *f.* milk
lechería dairy store
lechón suckling pig
lechuga lettuce
lector reader
leer *irreg.* to read
legumbres *f. pl.* legumes
lejano: pariente ~ distant relative
lengua tongue; language; **~ materna** mother tongue
lenguado sole (*fish*)
lenteja lentil
lento *adj., adv.* slow
leve *adj.* light (slight)
leyenda legend
libertador liberator
libertad: freedom; **~ condicional** parole; **~ de palabra/de prensa** freedom of speech/of the press
licencia leave, leave of absence; **~ por enfermedad/maternidad/matrimonio/paternidad** sick/maternity/wedding/paternity leave; **~ de manejar** driver's license
lienzo artist's canvas
ligar (*España, México*) to pick someone up (*at a club, bar*)
ligero *adj.* light
lingüística linguistics
linterna flashlight
liquidación sale
liviano *adj.* light (weight)
llamarle la atención to catch someone's eye
llanta *n.* tire
llanura plain (*flat land*)
llegar a un acuerdo to reach an agreement
llevar: ~ a cabo to carry out (*a task*); **llevarle a alguien...** to take someone (*a period of time to do something*)
locura: hacer una ~ to do something crazy
locutor announcer, commentator, speaker
logotipo logo
lograr to achieve
logro achievement
loncha slice (of ham)
luchar to fight
lucro: sin ánimo/fines de ~ nonprofit
luego later, then; **desde ~** of course
lugar: tener ~ to take place
luna de miel honeymoon
lunar beauty mark
lunes: el ~ on Monday; **el ~ pasado** last Monday; **los ~** on Mondays
luz: dar a ~ to give birth

M

machacar to crush, mangle
machismo male chauvinism
madera wood
madrastra stepmother
madre *f.* mother
madrina maid-of-honor
madrugada daybreak, early morning
maestra: obra ~ masterpiece
maestría master's degree
mago magician
maíz *m.* corn; **palomitas de ~** *f. pl.* popcorn
mal evil
malcriar to spoil, pamper, raise badly
maletín briefcase
malhumorado moody, ill-humored
mancha stain
mandamiento commandment
mandíbula jaw
maní *m.* (*pl.* **maníes**) peanut
manifestación demonstration, protest
mano de obra *f.* labor, manpower
manta blanket
manzana apple
mapa *m.* map
maquillarse to put on makeup
maravilla: ¡Qué ~! How marvelous!
maravilloso: es ~ it's marvelous
marca brand name
marcha: ponerse en ~ to start off (*on a trip*); to start up
marginar to marginalize (someone)
mariposa butterfly
mariscos *m. pl.* seafood, shellfish
más: ~ de lo debido more than required; **~ seguido** more often; **~ tarde** later, then
masticar to chew
matar to kill
materia subject, course; material
materno *adj.* on your mother's side
matrícula tuition
matricularse to register
matutino *adj.* morning (*person*)
mayorista *m./f.* wholesaler
mecánico *n.* mechanic; *adj.* mechanical
medalla medal
media: ~ hermana half sister; **medias: dejar a ~** to leave unfinished
medicamento medicine
mediación mediation
mediador mediator
médico doctor
medida measurement
medio: ~ ambiente *m.* environment; **~ hermano** halfbrother
mejilla cheek
mejillones *m.pl.* mussels
mejor: es ~ it's better
mejorar to improve
melocotón peach
melodrama *m.* melodrama
membrete *m.* letterhead
menor de edad minor (age)
menos less, lesser, least; **a ~ que** unless; **echar de ~** to miss; **por lo ~** at least
mensaje *m.* message
mensual *adj.* monthly
mentir (ie, i) to lie
mentira *n.* lie; **una ~ más grande que una casa** a big, fat lie
menudo: a ~ often, frequently
mercadeo marketing
merluza hake (*fish*)
mermelada jelly
mestizo *person of mixed European and American indigenous blood*
meter to put; to insert; **meterse** to meddle, interfere; **meterse en** to get/go into; **¡Uy! ¡Metió la pata!** Wow! He/She put his/her foot in his/her mouth!
mezcla *n.* mix
mezclar to mix
miedo: tener ~ (de) to be afraid (of)
miel *f.* honey; **color ~** light brown; **luna de ~** honeymoon
mientras: ~ (que) while, as long as; **~ más vengan, mejor** the more, the merrier
militar military person
mínimo minimal; **salario ~** minimum wage
minusválido handicapped
mío: el ~ también/tampoco mine too/neither
mirar (la) televisión to watch TV
mitología mythology
mochila backpack
moda: estar de ~ to be in style; **estar pasado de ~** to be out of style
modales de la mesa *m. pl.* table manners
modo: a mi ~ de ver... the way I see it . . . ; **de ningún ~** no way; **de todos modos** anyway
mojado *n.* wetback (*derogatory slang*); *adj.* wet
molestar to bother, annoy; **molestarle** to be bothered by, find annoying
molesto *adj.* bothersome, annoying
momento: Un ~. Just a moment.
moneda currency; coin
monja nun
monje *m.* monk
montar: ~ a caballo to ride a horse; **~ en bicicleta de montaña** to ride a mountain bike
montón: un ~ a lot; **divertirse (ie, i) un ~** to have a ball, a lot of fun
moreno dark-skinned
morir(se) (ue, u) to die
moro *n.* Moor, Moslem; *adj.* Moorish
mosaico mosaic
mosca *n.* fly; **por si las moscas** just in case
mostrador counter (*store, airline*)
mostrar (ue) to show
mucama (*partes de Suramérica*) maid
muchas: ~ personas many people; **~ veces** many times
mudarse to move (*to a new residence*)
mudas: películas ~ silent films
muerto (*p.p. of* **morir**) dead; **estar ~** to be dead
muestra *n.* sample
mujer policía *f.* policewoman
mujer política *f.* politician (*female*)
mujeriego *adj.* womanizer
mulato mulatto (*person of mixed European and black blood*)
multa *n.* fine, citation
mundial *adj.* world, worldwide
musical musical

N

nacimiento birth
nada nothing, not anything
nadie no one
naranja orange (*fruit*)
narcotraficante *m./f.* drug dealer
narcotráfico drug traffic
naturales: recursos ~ natural resources
naturaleza muerta still life
navaja suiza Swiss army knife
navegante *m./f.* navigator
necesitado needy, poor
negar (ie) to deny; to negate; **negarse a** (+ *inf.*) to refuse (+ *inf.*)
negocio business; **hombre de negocios** *m.* businessman; **mujer de negocios** *f.* businesswoman
nevar (ie) to snow
nexo connection
ni: ni... ni neither . . . nor; **~ (siquiera)** not even; **~ fu ~ fa** it doesn't do anything for me; **~ me va ~ me viene** it doesn't do anything for me; **No tiene ~ pies ~ cabeza.** It doesn't make (any) sense to me./I can't make heads or tails of it.
nieta granddaughter
nieto grandson
ningún/ninguna (+ *singular noun*) *adj.* not any; **de ningún modo** no way
ninguno/a *pro.* not any, none, no one
niñera nanny
niñez childhood
nivel del mar sea level

no: ~, en absoluto. No, not at all.; **~ obstante** nevertheless
noche *f.*: **~ de bodas** wedding night; **la ~ está en pañales** the night is young
nostalgia: sentir (ie, i) ~ (por) to be homesick; to feel nostalgic (about)
nota: sacar buena/mala ~ to get a good/bad grade
noticias *f. pl.* news
novato novice, beginner
novedoso novel, new
noviazgo courtship
nuera daughter-in-law
nuez nut (*food*); **nueces** walnuts
número par/impar even/odd number
nunca never

O

o… o either … or
o sea that is (to say)
obra: ~ abstracta abstract work (of art); **~ maestra** masterpiece; **ser mano de ~ barata** to be cheap labor
obstante: no ~ nevertheless
obvio obvious
occidente *m.* west
ocio leisure time; relaxation
ocuparse (de) to take care (of)
odiar to hate
oferta y demanda supply and demand
oficina de reclamos complaint department
ojalá I hope
ola *n.* wave
óleo oil painting
oler *irreg.* to smell
olla *n.* pot; **~ de presión** pressure cooker
olor smell, odor
olvidarse (de) to forget (about)
olvido *n.* forgetfulness
ondulado: pelo ~ wavy hair
opinar: Opino como tú. I'm of the same opinion.; **¿Qué opinas de esta situación?** What do you think about this situation?
opinión: en mi ~ in my opinion
optimista *m./f.* optimist
oratoria public speaking
ordenador (*España*) computer
organización: ~ no gubernamental (ONG) non-governmental organization (NGO)
orgullo *n.* pride (*emotion*)
orgulloso proud (*negative connotation*)
oriundo *adj.* to come from, be native to; **ser ~ de** to be originally from
osado daring (*negative connotation*)
osito de peluche teddy bear
ostra oyster
otro other; **por ~ lado** on the other hand
ovalado oval
oveja sheep

P

paciente *adj.* patient
padecer to suffer from
padrastro stepfather
padre *m.* father; priest; **padres** *m. pl.* parents; fathers; priests
padrino best man
pago mensual/semanal monthly/weekly pay
paisaje *m.* landscape
paja straw
palabra word; **Pido** la ~. May I speak?
paladar palate
paloma *n.* dove
palomitas de maíz *f. pl.* popcorn
pan: bread; **Eres más bueno que el ~.** You are as good as gold. (literally, You are better than bread.)
pandilla gang
pandillero gang member
pantalla screen
pañales *pl.*: **la democracia/la noche/la fiesta está en ~** the democracy/night/party is young
pañuelo scarf, handkerchief
papa (*Latinoamérica*) potato
papel: hacer el ~ to play the role
paquete *m.* package
par even (*number*)
para que in order to, so that
pardo *adj.* hazel (*eye color*)
parecer: ¿No te/le/les parece? Don't you think so?; **¿Y a ti qué te parece?** What do you make of it?
pared wall
pareja pair; partner; significant other; couple
parentela relatives
pariente *m./f.* relative; **~ lejano** distant relative: **~ político** in-law
paro work stoppage
parte *f.*: **por otra** on the other hand; **por de ~ (mi, tu, etc.) madre/padre** on my/your/etc. mother's/father's side; **por una ~** on the one hand
particular *adj.* private, personal
partido *n.* game; (political) party; **~ demócrata** Democratic party; **~ republicano** Republican party
pasa *n.* raisin
pasado: el lunes/fin de semana/mes/año/siglo ~ last Monday/weekend/month/year/century; **~ de moda** out of style
pasaje de ida *m.* one-way ticket
pasantía internship
pasar: ~ a buscar/recoger a alguien (por/en un lugar) to pick someone up (at a place); **~ tiempo con alguien** to hang out with someone; **~ la noche en vela** to pull an all-nighter, to stay awake all night; **pasarlo bien/mal** to have a good/bad time
pasatiempo hobby
pasear: ~ al perro to walk the dog; **~ en el auto** to go cruising
pastel cake; pie
pastelería pastry shop
pastelito cake, pastry
pastilla pill
paterno *adj.* on your father's side
patillas *f. pl.* sideburns
patinar to skate
patrocinar to sponsor
pavo turkey
pecar to sin
pecas *f. pl.* freckles
pechuga: ~ de pollo chicken breast
pedazo piece, slice
pedir (i, i) to ask (for); **~ algo de tomar** to order something to drink; **Pido la palabra.** Can I speak?
peinarse to comb one's hair
película: dar una ~ to show a movie; **~ de acción** action movie; **~ de ciencia ficción** science fiction movie; **~ de espionaje** spy movie; **~ de terror** horror movie; **~ infantil** children's movie; **películas mudas** silent films; **ser una ~ taquillera** to be a blockbuster
peligroso dangerous
pelirrojo redhead
pellizcar to pinch
peluca wig, toupee
peludo hairy
pena: darle ~ (a alguien) to feel sorry; **es una** ~ it's a shame; **~ capital / ~ de muerte** death; **Vale la ~ callarse porque…** It's worth it to keep quiet, because …; penalty; **¡Qué ~!** What a shame!
pensar (ie) (+ *inf.*) to plan to (do something); **~ en** to think about
pepino cucumber
pera pear
perder (ie) to lose (*someone/ something*); **echar a ~** to waste, to spoil, ruin
pérdida loss
perdón excuse me
perdonar to forgive
perezoso lazy
perfeccionamiento: tomar cursos de ~ to take continuing education courses
perfil *n.* profile
periódico newspaper

perjudicial harmful
permanente *n. f., adj.* permanent; **tener ~** to have a perm
perpetua: cadena ~ life sentence
personaje *m.* character
pertenecer to belong
pertenencias *f. pl.* belongings
pesa weight, dumbell
pesado heavy; **ser un ~** to be a bore
pesar to weigh; **a ~ de que** even though
pescado fish (*that is eaten*)
pescar to fish
pesimista *m./f.* pessimist
pez *m.* fish (*the animal*); **~ vela** sailfish
picar to chop; to nosh, nibble on something
piel *f.* skin
piedra rock
pies: No tiene ni ~ ni cabeza. It doesn't make (any) sense to me./I can't make heads or tails of it.
pila battery (*AA, AAA*)
pimiento (verde, rojo) (green, red) pepper
pincel paintbrush (*art*)
pincho: ~ de tortilla (*España*) slice of a potato omelet
pintar to paint
pintor painter
pintura painting
piña pineapple
pisar to step on
piscina swimming pool
pista *n.* clue
placa license plate; plaque
planchar to iron (*clothes*)
plano: el primer ~ foreground
plantado: dejar ~ (a alguien) to stand someone up
plata money
plátano banana; plantain
platicar to chat (*México*)
plato: primer/segundo ~ first/second course; **platos** *m. pl.* dishes
plena: en ~ forma fully awake, alert
plomero (*Latinoamérica*) plumber
pluma feather
pobreza poverty
pocas: ~ personas few people
poder *irreg.* to be able to, can; **no ~ más** to be full, to not be able to take it any more; **no puede ser** it can't be, that can't be true.
poderoso powerful
policía *m./f.* police officer; *f.* police (force); **la mujer ~** policewoman
política *n.* politics; policy; **la mujer ~** politician (*female*)
político *n.* politician (*male*); *adj.* political
pómulo cheekbone
poner *irreg.*: **~ la mesa** to set the table; **ponerse** to put on (*clothing*); **ponerse de acuerdo** to agree, reach an agreement
por: ~ casualidad by chance; **~ cierto** by the way; **~ consiguiente** therefore; **~ desgracia** unfortunately; **~ ejemplo** for example; **~ esa razón** that's why, for that reason; **~ eso** that's why, therefore; **~ lo general** in general; **~ lo menos** at least; **~ lo tanto** therefore; **~ otra parte** on the other hand; **~ otro lado** on the other hand; **~ parte de mi madre/padre** on my mother's/father's side; **~ si acaso** just in case; **~ si las dudas** just in case; **~ si las moscas** just in case; **~ supuesto** of course; **~ un lado/~ el otro** on the one hand/on the other; **~ una parte/~ la otra** on the one hand/on the other
porción serving
porro joint (*marijuana*)
portar to carry
posadas: las posadas *Mexican Christmas custom re-enacting Mary and Joseph's search for shelter*
poseer to have, own, possess
posgrado *adj.* postgraduate
postal: tarjeta ~ post card
postre *m.* dessert
postura stand, point of view
precioso lovely, adorable
preciso: es ~ it's necessary
predecir *irreg.* to predict
preferir (ie, i) to prefer
preguntas: hacer ~ to ask questions
prejuicios: tener ~ contra alguien to be prejudiced against someone
premio prize
prendedor pin, brooch
prender to start (*a motor*)
prensa press; **libertad de ~** freedom of the press
preocuparse to become worried; **~ (de, por)** to worry (about), to take care (of)
preparado: ser una persona preparada to be an educated person
prepararse (para) to prepare oneself (for)
presencia: la buena ~ good appearance
presión pressure
preso prisoner
préstamo *n.* loan
prestar atención to pay attention
presupuesto estimate, budget
pretender (+ *inf.*) to attempt (and to hope) (+ *inf.*)
prevención prevention
prevenir to prevent
prever *irreg.* to foresee
previsto (*p.p. of* **prever**) foreseen
primer *adj.* first; ~ plano foreground; **~ plato** first course
primero *adj.* first
primo cousin
primordial primary, fundamental
principio *n.* beginning; **a principios de** at the beginning of
prisa: tener ~ to be in a hurry
prismáticos *m. pl.* binoculars
privar to deprive
probador dressing room
probar (ue) to taste; to try; **probarse** to try on (*clothing*)
producir *irreg.* to produce
producto product; **~ lácteo** dairy product
productor producer
profecía prophesy
profesorado faculty
promedio *n.* average
prometer to promise
promoción advertising
pronto soon; **tan ~ como** as soon as
propietario owner
propina gratuity, tip
propio *adj.* own
proponer *irreg.* to propose
propósito purpose; **a ~** on purpose
protector solar sunscreen
proteger to protect
provecho: ¡Buen ~! Enjoy your meal!; **sacar ~** to take advantage of
proveedor supplier
provenir *irreg.* to come from
psicología psychology
psicólogo psychologist
pudrir to rot
pueblo people, nation; town
puesto *n.* position (job); **solicitar un ~** to apply for a job; (*p.p. of* **poner**) put, placed, set (*table*)
pulir to polish
pulpo octopus
puntaje *m.* score (*sports*)
punto: desde mi ~ de vista from my point of view; **~ de partida** point of departure; **y ~** and that's that
puro *n.* cigar; *adj.* pure

Q

que: A ~ no saben... Bet you don't know . . .
qué: ¿~? What?; **¡~ + *adj.*!** How + *adj.*!
quebrantar to break
quedar to stay behind; **~ en una hora con alguien** to meet at an agreed upon time; **quedarle bien/mal** to (not) fit well (*clothing*)
quehaceres *m. pl.* household chores

quejarse (de) to complain (about); **No sirve de nada ~...** It's not worth it to complain ...
quemar to burn
querer *irreg.* to want; to wish; to love; **~ repetir** to want a second helping
quién: ¿~ diría...? Who would have said/thought ...?
quiero: ~ hablar. I want to speak.
química chemistry
químico *n.* chemist; *adj.* chemical
quiosco kiosk
quisiera... I would like to ...
quitarse to take off (*clothes*)

R

raíz (*pl.* **raíces**) root
raptar to kidnap
raro strange, unusual
rasgo feature
ratero pickpocket
razón *f.*: **por esa ~** that's why, for that reason; **tener ~** to be right
realista *adj.* realistic
realizar to carry out (*a plan*)
rebaja sale
rebajado: estar ~ to be on sale
rebanada (de pan) slice (of bread)
rebelarse to rebel
rebelde rebellious
recargable rechargeable
recargar to recharge
receta recipe
rechazar to reject
rechazo rejection
recién casados *m. pl.* newlyweds
reclamo claim; complaint
reclutar to recruit
recoger: ~ información to gather information; **pasar a ~ a alguien (por/en un lugar)** to pick someone up (at home, etc.)
recomendar (ie) to recommend
reconocimiento gratitude, recognition
recto *adj.* straight (*as in a line*)
recuerdo memory; souvenir
recursos: ~ humanos *m. pl.* human resources, personnel; **~ naturales** *m. pl.* natural resources; **ser de pocos ~** to be a low income person
redactar to compose (*prose*), write
redondo round
reducir *irreg.* to reduce
reemplazar to replace, substitute
reemplazo replacement
referencias *f. pl.* references (*job*)
reflejo reflection
refrán proverb
refugiado político political refugee
regalo gift
regar to water
rehabilitación rehabilitation
reina queen
reinserción en la sociedad reintegration into society
reírse (i, i) (de) to laugh (at)
relaciones: ~ exteriores *f. pl.* foreign affairs; **~ públicas** *f. pl.* public relations
relajado relaxed
reliquia relic, heirloom
remojar to soak
remordimiento remorse, regret
reparto cast
repelente *m.*: **~ contra insectos** insect repellent
repente: de ~ suddenly
repetir (i, i) to repeat; **querer ~** to want a second helping
reponer to replenish
reposo resting place, repose
residencia de ancianos nursing home
resolver (ue) to solve
respetar to respect
respeto respect; **~ a los derechos humanos** respect for human rights
respirar to breathe
restringir to restrict
resuelto (*p.p. of* **resolver**) resolved
resumir to summarize
retratar to paint a portrait of; to photograph
retrato portrait
reunión meeting; gathering
reunir to join
reunirse (con) to meet (with)
revalorizar to revalue
revendedor ticket scalper
revivir to revive
revolcar (ue) to knock over
revolver (ue) to mix
revuelto (*p.p. of* **revolver**) overturned; scrambled (*eggs*)
rey *m.* king
rezar to pray
rígido rigid, stiff
rincón corner
riñonera fanny pack
riqueza riches
rizado: pelo ~ curly hair
róbalo bass (*type of fish*)
robar to rob, steal
robo robbery, theft
rogar (ue) to beg
romántico romantic
romper to break
roto (*p.p. of* **romper**) broken
rubio blond
ruido noise

S

sábalo shad (*type of fish*)
saber *irreg.* to know; **¿A que no saben...?** Bet you don't know ...?; **¿Acaso no sabías?** But didn't you know?; **No saben la sorpresa que se llevó cuando...** You wouldn't believe how surprised he/she was when ...; **¡Ya sé!** I've got it!
sabio wise
sacar to get, obtain; **~ a alguien de un aprieto** to get someone out of a jam; **~ a bailar a alguien** to ask someone to dance; **~ buena/mala nota** to get a good/bad grade; **~ entradas** to get tickets; **~ provecho** to take advantage of
saco de dormir sleeping bag
sagrado sacred
salado salty
salario mínimo minimum wage
salchicha sausage
salir *irreg.* to leave, go out; **~ bien/mal (en un examen)** to do well/poorly (on an exam); **salirse con la suya** to get his/her way
saltar to jump
salvar to save
salvavidas *m./f. sing./pl.* lifeguard(s)
sangre *f.* blood
sandía watermelon
sano healthy
santo saint; **Eres un ~.** You're a saint.
sardina sardine
sátira satire
satisfecho: estar ~ to be full
sea: o ~ that is to say
secador de pelo hair dryer
secadora (de ropa) clothes dryer
secarse (el pelo, la cara, etc.) to dry (one's hair, face, etc.)
secuestrar to kidnap; to hijack
secuestro *n.* kidnapping; hijacking
seda silk
seguida: en ~ at once
seguir (i, i) to follow
según according to
segundo *adj.* second; **~ plato** second course
seguridad security
seguro *adj.* sure; **es ~** it's certain; **(no) estar ~** to (not) be sure; **~ médico/dental/de vida** *n.* health/dental/life insurance
selva forest
semana pasada last week
semanal *adj.* weekly
semilla seed
sencillo simple
senderismo hiking; **hacer ~** to hike

Sendero Luminoso Shining Path (*Peruvian guerrilla group*)
sensato sensible
sensible sensitive
sentarse (ie) to sit down
sentido: (no) tener ~ (not) to make sense; ~ **de humor** sense of humor
sentir (ie, i) to be sorry; ~ **nostalgia** to be homesick, to feel nostalgic (about); **sentirse** to feel; **sentirse rechazado** to feel rejected
señal *f.* signal
ser *irreg.*: ~ **un pesado** to be a bore; **no puede ~** it can't be, it can't be true; **serle fiel/infiel (a alguien)** to be faithful/unfaithful (to someone); *n. m.* being; ~ **humano** human being
serenata serenade
serio serious; **¿En~?** Really?; **Te lo digo en ~.** I'm not kidding.
servir (i, i) to serve; **No sirve de nada quejarse...** It's not worth it to complain . . .
siempre always; ~ **y cuando** provided (that)
silvestre wild
símbolo symbol
sin: ~ ánimo/fines de lucro nonprofit; ~ **duda alguna** without a doubt; ~ **embargo** nevertheless; ~ **lugar a dudas** without a doubt; ~ **que** *conj.* without
sindicato labor or trade union
sinvergüenza: ¡Qué ~! What a dog/rat!
siquiera: ni ~ not even
smoking *m.* tuxedo
sobornar to bribe
soborno *n.* bribe
sobremesa after dinner chat at the table
sobrina niece
sobrino nephew
sofreír (i, i) to fry lightly
sofrito lightly fried dish
soga rope
solapa lapel
soler (ue) (+ *verb*) to do . . . habitually; to usually (do something)
solicitar un puesto/empleo to apply for a job
solicitud application; **completar una ~** to fill out an application
solomillo filet mignon
soltar (ue) to free
soltero single (*marital status*)
sombra shadow
someterse to submit
somnífero sleeping pill
sonora: banda ~ soundtrack
sonreír (i, i) to smile
sonrisa smile
sordo deaf
soroche *m.* altitude sickness
sorprenderle (a alguien) to be surprised
sorpresa: ¡Qué ~! What a surprise!
soso bland
sostén bra
sostener *irreg.* to support; to hold up
subir to raise; ~ **el fuego** to raise the heat
subrayar to underline
suceder to happen
suceso event; **sucesos del momento** current events
sucio dirty
sudadera sweatsuit, sweatshirt
suegra mother-in-law
suegro father-in-law
suela sole (*of a shoe*)
sueldo salary; **bajar/aumentar el ~** to lower/raise the salary
sueño: coger el ~ to fall asleep
sugerencia suggestion
sugerir (ie, i) to suggest
suicidio suicide
sumar to add
sumergido underground
sumiso submissive
sumo enormous, great
superar to overcome; to surpass
supervivencia survival
suplicar to implore, beg
supuesto: por ~ of course
suya: salirse con la ~ to get his/her way

T

tacaño stingy, cheap
tachar to cross out
tal: con ~ (de) que *conj.* provided that
taller workshop
tamaño size
también: Yo ~. I do too./Me too.
tambor drum
tampoco: Yo ~. I don't either./Me neither.
tan pronto como as soon as
tanto so much; as much; **al ~** up-to-date; **por lo ~** therefore; **¡~ tiempo!** Such a long time!
tapar to cover
taquillera: ser una película ~ to be a blockbuster
tarde *adv.* late; **más ~** later, then
tarjeta card; ~ **verde** green card (*residency card given to immigrants in the United States*)
tarta (*España*) cake; tart
tatarabuela great-great-grandmother
tatarabuelo great-great-grandfather
tatuaje *m.* tattoo
taxista *m./f.* taxi driver
teatro theater
tecla key (*of a keyboard*)
tejer to weave; to knit
tela material, fabric, cloth
telenovela soap opera
tema *m.* theme, topic
temer to fear
temprano early
tendido stretched, spread out
tener *irreg.* to have; ~ **en claro** to have it clear in your mind; ~ **ganas de** (+ *inf.*) to feel like (doing something); ~ **lugar** to take place; ~ **prejuicios** to be prejudiced; ~ **prisa** to be in a hurry; ~ **que** (+ *inf.*) to have to . . .; **(no) ~ sentido** (not) to make sense; ~ **título** to have an education/a degree; ~ **una aventura (amorosa)** to have an (love) affair; ~ **un contratiempo** to have a mishap (that causes one to be late); ~ **un hambre atroz** to be really hungry
teñido dyed
tercero *adj.* third
terminar to finish; to run out (of); **al ~ (de** + *inf.*) after finishing (+ -ing); **No me termina de convencer.** I'm not totally convinced.
ternera veal
ternura tenderness
terremoto earthquake
terror: película de ~ horror movie
terrorista *m./f.* terrorist
tesoro treasure
tía aunt; ~ **política** aunt-in-law
tibio lukewarm
tiempo: ¿Cuánto ~ hace que...? How long have you . . . ?/How long ago did you . . . ?; **¡Tanto ~!** Such a long time!; **trabajar medio ~** to work part-time; **trabajar ~ completo** to work full-time
tienda de campaña tent
tiernamente tenderly
tijeras *f. pl.* scissors
tío uncle; ~ **político** uncle-in-law
tira cómica comic strip
tirar to throw away
título title (*book, person*); degree; **tener ~** to have an education/a degree
tocar: Ahora me toca a mí. Now it is my turn.
todavía still, yet; **todavía no** not yet
todo everything; ~ **el mundo** everyone; **todos** everyone; **todos los días/domingos/meses** every day/Sunday/month
tomar cursos de perfeccionamiento/capacitación to take continuing education/training courses
tomate *m.* tomato

torno: en ~ around
torpe clumsy
torta cake
tostar (ue) to toast
trabajar: ~ de sol a sol to work from sunrise to sunset; **~ medio tiempo/ tiempo completo** to work part-time/ full-time
trabajo escrito written paper
traducir *irreg.* to translate
traición betrayal
traidor traitor
trailers *m. pl.* previews (*movies*)
trampa *f.* trick, trap
tranquilo calm
transpiración perspiration
trasladar to transfer
trasnochar to stay up all night
trastorno *n.* inconvenience, upheaval
tratado treaty
través: a ~ de through
travieso mischievous
trenza braid
trigo wheat
trigueño olive-skinned
trilingüe trilingual
trillizos *pl.* triplets
tristeza sadness
tronco trunk (*of a tree*)
trozo piece
turnarse to take turns
turquesa turquoise

U

ubicarse to be located
una vez once
unirse to unite
uno: ~ a(l) otro each other; **(los) unos a (los) otros** one another (more than two)
útil useful

V

vacilar to kid around
vacuna vaccine
vaina pod (*bean*)
valer *irreg.*: **~ la pena** to be worthwhile; **(No) ~ la pena** (+ *inf.*) It's (not) worth it to (+ *verb*); **valerse por sí mismo** to manage on one's own
valioso valuable
vanidoso vain
valor value; valor, courage
variedad variety
vasco *n., adj.* Basque
veces: a ~ sometimes; **muchas ~** many times
vecino neighbor
vela: hacer ~ to sail; **pasar la noche en ~** to pull an all-nighter, to stay awake all night
vencedor conqueror
vencer to defeat
vencimiento conquest
vendedor salesperson
vender to sell
veneno poison
venir *irreg.* to come
venta sale
ventaja advantage
veras: ¿De ~? Really?/You're kidding./Don't tell me!/You don't say!/Wow!
verdad: (no) es ~ it's (not) true
verde green; **chiste ~** *m.* dirty joke; **tarjeta ~** green card (*residency card given to immigrants in the United States*)
verdura vegetable
vergüenza: ¡Qué ~! What a shame!
verter (ie) to shed (*tears*)
vespertino *adj* evening
vestido de fiesta evening dress
vestimenta clothes, garment
vestirse (i, i) to get dressed
vestuario costumes
vez: de una ~ por todas once and for all; **de ~ en cuando** every now and then; **Había una ~ ...** Once upon a time there was/were . . .; **una ~** once
víctima (*f. but refers to both males and females*) victim
vida: de por ~ for life
vientre *m.* belly: **la danza del ~** belly dancing
vínculo bond
vino wine
violación rape; violation; **~ de los derechos humanos** violation of human rights
violador rapist
violar to rape
violencia violence
viruela smallpox
vistazo: echar un ~ to glance at
vitrina store window
viuda widow
viudo widower
vivienda housing
vivir to live; **~ juntos** to live together
vivo *adj.*: **en ~** live (*performance*); **estar ~** to be alive; **ser ~** to be smart
voluntad will; **contra su ~** against one's will
volver (ue) to return, come back; **~ a** (+ *inf.*) to do something again; **~ a empezar de cero** to start over again from scratch
voto en blanco blank vote
vuelta: a la ~ de la esquina around the corner from; **ir a dar una ~** to go cruising/ for a ride/walk

X

xenofobia xenophobia (*fear of strangers or foreigners*)

Y

¿Y qué más? And what else?
ya already; yet; **~ no** no longer, not any-more; **¡~ sé!** I've got it!; **¡~ voy!** I'm coming!
yerno son-in-law
y punto and that's that

Z

zanahoria carrot
zapatería shoe store
zapatillas *f. pl.* slippers

Lectura y redacción: Spanish-English Vocabulary

This vocabulary includes both active and passive vocabulary found throughout the chapters. The definitions are limited to the context in which the words are used in the book. Exact or reasonably close cognates of English are not included, nor are certain common words that are considered to be within the mastery of a second-year student, such as numbers, articles, pronouns, and possessive adjectives.

The gender of nouns is given except for masculine nouns ending in **-l, -o, -n, -e, -r**, and **-s** and feminine nouns ending in **-a, -d, -ión**, and **-z**. Adjectives are given only in the masculine singular form.

The following abbreviations are used in this vocabulary.

adj.	adjective	*n.*	noun
adv.	adverb	*pl.*	plural
f.	feminine	*p.p.*	past participle
inf.	infinitive	*prep.*	preposition
irreg.	irregular verb	*sing.*	singular
m.	masculine		

A

abanico folding fan
abarcar to include, span
abastecer to supply
abierto (*p.p. of* **abrir**) open
abnegado self-sacrificing
abogar por to advocate; to plead for
abrazar to embrace, hug
abreviatura abbreviation
abrumador *adj.* overwhelming, crushing
abstenerse *irreg.* to abstain
aburrir to bore
acabar to finish, complete; **acabar con** to put an end to; to finish with; **acabar de** (+ *inf.*) to have just (done something)
acariciar to caress
acarrear to cause; to bring
acaso *adv.* perhaps, maybe; **por acaso** by chance; **por si acaso** just in case
acción action; stock share; *pl.* stock
acechar to lie in wait for
aceite oil
aceituna olive
acelerar to accelerate
acercarse to come near, draw near
acertar (ie) to guess right, to hit the target
acoger to welcome, receive
acomodado well-off, well-to-do
aconsejar to advise
acontecimiento event
acoplar to fit together
acostarse (ue) to go to bed
actitud attitude
actuación performance
actual *adj.* present-day, current
actualidad: en la actualidad nowadays, at the present time
actuar to perform; to act upon/as
acuclillarse to squat down
acudir to come, come up
acuerdo agreement; **de acuerdo con** in accordance with; **estar de acuerdo** to agree
además in addition; besides
adentro within; inside
aderezarse to adorn oneself
adinerado wealthy, well-off
adivinar to guess
adjudicar to award
adobo seasoning
adormilado sleepy, drowsy
adquirir acquire
aduanero customs officer
aducir *irreg.* to bring forward; to offer as proof
adueñarse to take possession of
adulterado adulterated, made impure
advenimiento *n.* coming, advent
advertencia warning; observation
advertir (ie, i) to warn, notify
afán desire, urge
afinado *adj.* in tune; tuned up
afinar to tune; to tune up
afligido distressed, grieved
afligir to afflict, trouble
afrontar to confront, deal with
afueras *f. pl.* outskirts
agarrar to grab, grasp
agazaparse to crouch down; to hide
aglomeración built-up area
agonizar to be dying
agotado exhausted; spent
agradecer to thank, to be grateful
agregar to add
agrupar to group, assemble
aguas negras *f. pl.* untreated sewage
agudo acute; sharp; witty
aguijón sting (*of a spider or insect*)
águila *f.* (*but* **el águila**) eagle
ahorrar to save
aire: al aire libre outdoors
airoso graceful, elegant
aislado isolated; insulated
aislamiento isolation; insulation
aislar to isolate; to insulate
ajado creased, wrinkled
ajeno of another; not one's own
ají *m.* bell pepper; chili pepper
ajiaco a Caribbean stew containing a varied mix of ingredients
alabar to praise
alameda tree-lined lane
alarido howl, scream
alba *f.* (*but* **el alba**) dawn
albañil bricklayer, mason
albergar to give shelter to; to house
albóndiga meatball
alcance: al alcance de within reach of (*the hand, the eye*)
alcanzar to reach; to manage to; to succeed in
alegrar to cheer, to brighten up
alejar to distance; to keep away from
alentar (ie) to encourage, cheer on
alfiler pin
alfombrado carpeted
alguien somebody, someone
aliado ally
alianza alliance, union
alicaído *adj.* drooping, weak; downcast, depressed

alimentar to feed
alimenticio nourishing; nutritional; related to food
alimento *n.* food
aliñado spiced; prepared
alistar to enlist, enroll; **alistarse** to get ready
aliviado relieved
aliviar to relieve
allanar to smooth, level
alma soul
almacenar to store
almorávides Almoravids (Islamic dynasty)
alpinismo mountain climbing
alrededor around
altivez arrogance, haughtiness
alto *n.* stop sign, traffic light; *adj.* High
altura height; stage
alumbrar to light, light up
amante *m./f.* lover
amargado embittered
amargo bitter
ambicioso ambitious
ambiente atmosphere, environment
ambos both
amedrentar to scare, frighten, terrify; to intimidate
amenaza threat
amenazar to threaten
amigable friendly
amistad friendship
amo master, boss
amorío love affair, romance
amparo *n.* protection, shelter
ampliar to extend, enlarge
amplio wide, full; broad
amplitud extent, size
anfitrión host
angloparlante *adj.* English-speaking; *n. m./f.* English speaker
angustia anguish, distress
angustiarse to be distressed; to grieve
angustioso distressed; distressing
anhelante *adj.* yearning, longing
animar to cheer up; encourage; to inspire; to animate
anochecer to get dark; **al anochecer** at nightfall
antaño *adv.* long ago
antecedente *adj.* preceding; *m. pl.* record, history
antepasado ancestor
anteponer *irreg.* to place in front of; to prefer
anterior *adj.* Previous
antes before; **antes de eso** before that; **cuanto antes** as soon as possible
antiguo former; ancient
antillano West Indian, from the Antilles (Caribbean islands)
anuncio personal personal ad
apagar to put out; to turn off
aparcería share-cropping, tenant farming
aparecer to appear
apariencia física outward physical appearance
apartado section
apellido surname
aplicado hardworking, diligent
apócrifo *adj.* apocryphal, not authentic
apoderado *n.* attorney, agent
apoderarse de to seize power, to take over
apodo nickname; alias
aportar to bring, contribute
aporte contribution
apostolado apostolate
apoyar to support
apoyo *n.* support; **apoyo en línea** online support
apresar to capture, arrest
aprobar (ue) to approve
aprovechamiento good use, development
aprovechar to make good use of; to make the most of
apuntar to take notes; to point out; to aim, point (*a gun*)
apuntes *m. pl.* written notes
apuro: en apuros in trouble
árbol tree
archivo file (record); filing; archive
arcilla clay
arco arc; arch
arena sand
argot *m.* slang
arma weapon; **arma de fuego** firearm, gun
armar to arm; to assemble
arraigar to take root; to become established
arrancar to start (*a car*); to start moving, get going
arrancón sudden starting (*of a car*)
arrasador *adj.* devastating, destructive
arrasamiento leveling, destruction
arrebatar to snatch, seize
arreglo *n.* arrangement; repair
arrellanarse to stretch out, make oneself comfortable
arrepentirse (ie, i) to repent, regret
arriesgar to risk
arroyo stream
arrugado wrinkled
artesanía crafts, handicrafts
articulado *n.* article (*of a proposal or bill*)
arzobispo archbishop
asado *adj.* roast or roasted; *n.* roast
asar to roast; **asar a la parrilla** to grill, broil
ascendencia ancestry, origin
asegurar to make sure; to insure
asemejarse to be like, resemble
asesinar to murder; to assassinate
asesinato murder
asesino murderer
asesor advisor, consultant
asesoría advice; **asesoría jurídica** legal advice
aseverar to assert
así so, thus; **así que** so
asiduo assiduous; frequent
asignatura subject; course
asimismo *adv.* likewise, in like manner
asistir a to attend
asomar to show, stick out; to lean out
asombrado astonished, amazed
asombro *n.* astonishment, amazement
asunto issue, affair, matter
asustado scared, frightened
atado tied
atardecer to grow dim; **al atardecer** at dusk, evening
ataviado dressed up
atávico atavistic
atemorizar to frighten, scare
atender (ie) to wait on; to pay attention
atentar to assault, attack; to commit an outrage against
aterrado terrified, horrified
aterrador terrifying, fearful
atónito astonished, amazed
atraco holdup, robbery
atrás behind; back
atravesado shot through, crossed by
atravesar (ie) to cross; to pass through
atreverse to dare
atrevido daring; insolent
atropellar to run over
aturdido bewildered, dazed, confused
audaz daring, audacious
aumentar to increase
aumento *n.* increase
aun even
aún still, yet
aunque although, even though
aurora dawn
ausencia absence
autóctono *adj.* native, indigenous
autoexigencia self-demand, demand(s) made of oneself
autopista motorway, freeway
autorretrato self-portrait
ave *f.* (*but* **el ave**) bird
aventurero *n.* adventurer; *adj.* Adventurous
averiguación investigation, inquiry
averiguar to investigate, ascertain; to find out, look up
azar *n.* chance; accident

azotar to lash; to whip
azúcar sugar

B

bacalao codfish
bache pothole; rough spot
bachiller *m./f.* high school graduate
bahía bay
bajar to lower; to go down; to bring, take down
bajo *adj.* low, short; *prep.* under; *n.* bass (guitar)
bala bullet
bala: orificio de bala bullet hole
baldío empty land, wasteland
banca banking industry
bancarrota bankruptcy
banda sonora soundtrack
bandera flag
barrera barrier
barriada quarter, district; slum area
barrio neighborhood, quarter; ghetto
bastante enough, quite, rather; quite a lot
bastar to be enough
basura trash, garbage
batata sweet potato
beca scholarship, grant
bendición blessing
bicarbonato baking soda
bienes *m. pl.* goods; **bienes raíces** real estate
bienestar well-being, welfare
bizcocho sponge cake
blanco *n.* target
bofetada slap
boga: en boga in vogue
bolsa bag
bolsa bag; stock exchange, stock market
bombero firefighter
bondad goodness, kindness
borde edge
borrador rough draft
borrar to erase
borrón blot or stain left by an erasure
bosque woods; forest; jungle
bosquejo *n.* outline
botar to discard, throw out
brebaje brew, concoction
brillar to shine
brindar to offer; to present
brocha paint brush
bruja witch
brujo wizard, sorcerer
bruma mist, fog
brusco sudden, abrupt; rude
buena: a las buenas willingly
buey ox
bufar to snort
burrada stupid thing; *pl.* nonsense
busca: en busca de in search of
buscar to seek, to look for
búsqueda search

C

cabalidad: a cabalidad *adv.* exactly, perfectly
cabaña cabin
caber *irreg.* to fit; to be possible
cabildo town council
cabo end
cacique chief; political boss
cacofonía cacophony, discordant repetition of sound
cadáver corpse
cadena chain; television network; **producción en cadena** production-line assembly
caer(se) to fall, fall down; **caerle bien** to be to the liking of
caída fall
cajero cashier, teller
calefacción heating
calentamiento heating, warming
calentar (ie) to warm; to heat up
calidad quality
calificar to describe
califont hot water heater (*commercial name, Chile*)
callejero *adj.* pertaining to the streets
calzado *adj.* wearing shoes; *n.* footwear
calzar to shoe, provide with shoes
camarón shrimp
cambiante changing
cambiar to change; **cambiar de papel** to switch roles
cambio de código code-switching
camino path, road, way
camión cisterna *m.* fire engine
campaña campaign
campesino peasant **campo** field; country, countryside
candente *adj.* red-hot; burning, important
canje barter, exchange
cantante *m./f.* singer
cantidad quantity
caos chaos, confusion
capacitado qualified
capaz capable, able
capricho caprice, whim
cárcel *f.* prison, jail
carga load; charge
cargado loaded
cargar to load
cargo important position
caribeño *adj.* Caribbean
caricia caress
caridad charity
cariñoso loving, affectionate
carrera area of study; career; race
carretera highway
cartel poster; drug cartel
cartón cardboard; carton
casero *adj.* homestyle, home
casi almost
casquillo bullet case, cartridge
castaño *adj.* chestnut brown
castigar to punish
castigo *n.* punishment
caudaloso swift, large; abundant
caudillo leader; tyrant; political boss
cautiverio captivity
cazador hunter
celos *m. pl.* jealousy
celoso jealous
centenar *n.* a hundred (*of something*)
cerca *n.* fence
cerdo pig; **carne de cerdo** pork
chacra small farm
charlar to chat, talk
chaya de ducha showerhead (*Chile*)
chévere great, fantastic
chicharrón pork rind
chiche *adv.* Easily
chicotazo lash, swipe
chiflado crazy
chimenea fireplace; chimney
chino *n.* kid, youngster; *adj.* Chinese
chisme piece of gossip
chistar to say a word; to speak
chivo goat
chocante *adj.* Shocking
chofer chauffeur
choque crash, shock; clash, conflict
chorizo pork sausage
chorrear to gush; to drip
cicatriz scar
cifra figure, number, numeral
circundado surrounded
circundar to surround
ciudadano citizen
clarear to clear up; to become lighter
clave *f.* key; clue
coartada alibi
cobardía cowardice
cobrar to charge; to receive; **cobrar vida** to come alive
cobre copper
cocina cooking; kitchen; stove
código code
colega *m.* colleague

colibrí *m.* hummingbird
colmo: para colmo to cap it all
colocar to place
comadre godmother; neighbor; midwife
combustible fuel
comerciante *m./f.* merchant, storekeeper
comestible edible, food-related
cómico *adj.* Funny
como like, as; **como si tal cosa** as if nothing had happened
compadecerse de to pity, be sorry for
compañero companion, friend, workmate
compartir to share
complacido pleased, satisfied
complejo complex
componer *irreg.* to compose; **componerse de** to be composed of
comportamiento behavior
comportarse to behave
comprobar (ue) to confirm; to check
comprometerse to commit oneself
compuesto *adj.* and *n.* compound
concejal alderperson, town council member
concentración concentration; gathering, meeting, rally
concertar to arrange, set up
concurrir to converge, meet; to concur
concurso contest
condiscípulo fellow student
conducir *irreg.* to lead; to drive
confiado trustful, confident
confiar en to trust, have faith in
confundir to confuse, to mix up; **confundirse** to make a mistake
congelar to freeze
conjunto set, collection, whole; musical group, band
conmover (ue) to move; to touch emotionally
conocer to know; to meet
conocido well-known
conocimiento knowledge
conquistar to conquer
consagrar to consecrate, establish
conseguir (i, i) to get, obtain; to attain, achieve, succeed in
consejo council; advice
conservación conservation
conservado preserved
conservar to keep, preserve; to conserve
consolar (ue) to console, comfort
constatar to confirm, verify
constructora construction company
consuelo solace; consolation
contados few
contaminación pollution
contaminante *adj.* polluting; *n.* pollutant
contar to count; to tell
controvertido controversial
contundente *adj.* forceful, convincing, overwhelming
conversador *adj.* talkative, chatty; *n.* conversationalist
convivencia "living together"; term describing the coexistence of Christians, Jews, and Moslems in medieval Spain
convocar to call, summon, convene
copal resin, incense
coraje courage
cordura good sense; sanity
correo mail
correr to run; **correr el riesgo** to run the risk
corriente *adj.* common, current; *f.* trend, tendency
cortador de caña sugar cane cutter
cortés courteous, polite
cortometraje short film
cosa thing; **como si tal cosa** as if nothing had happened
cosecha harvest
costumbre *f.* custom, tradition
cotidianidad *n.* everyday life, "everydayness"
cotidiano *adj.* everyday, daily
crecer to grow
creciente *adj.* growing, increasing
crecimiento growth
creencia belief
creíble believable
creído conceited
crepúsculo twilight, dusk, dawn
criada servant, maid
criado *n.* servant; (*p.p. of* **criar**) raised
crimen violent crime; murder
crisol melting pot
crónico chronic
cruce crossing
cruzar to cross
cuadro box, table, chart; painting, picture
cualquier any
cuanto antes as soon as possible
cubeta pail, bucket
cucha old woman (*Colombia*)
cuenca basin
cuenta: darse cuenta de to realize
cuento story
cuerdo *adj.* sane
cuerno horn
cuero leather; drum skin
cuidar (de) to take care of, look after
culata butt of a revolver or shotgun
culminar to culminate
cultivo cultivation of land, farming
culto *n.* worship, adoration; *adj.* cultured, educated
cumplir to carry out, perform, fulfil; **cumplir con** to carry out, fulfill
cura *m.* priest

D

dama lady
dañar to damage, harm
dañino harmful, destructive
daño *n.* damage
dar to give; **dar de comer** to feed; **dar por descontado** to take for granted; **darse cuenta de** to realize; **darse el lujo de** to give oneself the luxury of
dato piece of information; **datos** *m. pl.* data
deambular to roam about
deber *n.* duty
deberse a (que) to be due to
debidamente properly, duly
debilitar to weaken, enervate
declive *n.* decline
decorado *n.* set (*decorations and props*)
degustación action of tasting
dejar to leave; to lend; to let, allow
delgado thin
delincuencia crime
delito crime, offense
demandar to sue
demás: los demás the others, the rest
demasiado *adv.* too; *adj.* too much, too many
demente crazy, insane
denominar to name, denominate
denunciar to report, denounce
depósito warehouse
derechista *m./f.* rightist
derechos humanos *m. pl.* human rights
derrocar to overthrow, topple
derrumbar to overthrow; to throw down; **derrumbarse** to collapse
desafiante challenging, defiant
desafiar to challenge, defy
desafío *n.* challenge
desagradable unpleasant
desagrado displeasure
desaire gracelessness, rudeness
desangrarse to bleed profusely
desaparecer to disappear
desaparecido *adj.* disappeared; *n.* missing person
desarmar to dismantle, take apart
desarrollado developed
desarrollar to develop
desarrollo *n.* development; **en vías de desarrollo** developing (*e.g., nation*)
desatar to untie; to trigger, unleash

descampado *n.* empty, abandoned ground
descargar to unload
descarnado raw, harsh
descascarado chipped
desconcierto confusion
desconfiar to distrust
descongelar to unfreeze
descontado: dar por descontado to take for granted
descrito (*p.p. of* **describir**) described
descuartizar to carve up; to tear apart
desde since, from
desdén disdain
desdoblamiento splitting
desechable disposable
desechar to discard; to throw away
desechos waste, garbage
desempeñar to carry out; to fulfill; to play (*a part*)
desempleo unemployment
desenfadado free, uninhibited, casual
desenlace denouement, conclusion
desenterrar (ie) to dig up
desentrañar to unravel, disentangle
desenvolverse (ue) to evolve, unfold
deseo: pozo de los deseos wishing well
desesperadamente desperately
desesperar to despair, lose hope
desfilar to march, parade
desgajar to pull away from, separate from
desgarrado torn, ripped
desgastar to wear away
desgaste *n.* wear and tear; erosion
deshacer *irreg.* to undo; to dissolve
deshielo melting, thawing
desmesura excess, lack of restraint
despachar to dispatch, send
despacio *adv.* slowly
despedir (i, i) to emit; **despedirse de** to say good-bye to
despenalizar to decriminalize
desperdiciar to waste
desperdicio *n.* waste
despiadado inhuman, merciless
desplegar (ie) to unfold, unfurl; to display
despreciado despised
despreciar to scorn, despise
desprecio scorn; contempt
desproporcionado out of proportion
después afterward, later;
después de eso after that
destacar to stand out
desterrar (ie) to exile
destinar to allocate; to assign
destinatario addressee
detalle detail
detenerse *irreg.* to detain; to stop
detenido *adj.* detailed; thorough; arrested
deterioro deterioration; damage
deuda debt
diario *n.* daily newspaper
dictadura dictatorship
diestro skilled, skillfull, adroit
diferenciarse de to differ from
difundir to disseminate, spread
difusión diffusion; broadcasting
dirigente *n. m./f.* leader
discutir to discuss; to argue
disentir (ie, i) to disagree, differ
disfrutar de to enjoy
disminuir to lower, diminish
disolver (ue) to dissolve; to destroy
disparar to fire, shoot
disparar to shoot, fire
disparate foolish remark, nonsense
disparo shot
disponerse *irreg.* to get ready
disponible available
dispuesto willing; ready
distinto different; distinct
disyuntiva alternative, choice; dilemma
divertido *adj.* fun, entertaining
doblaje dubbing (*of a film*)
doblar to dub; to fold; to bend; to turn
doloroso painful
dominante dominant
dominar to dominate, to master; **dominar una lengua** to speak a language well
dominical Sunday
dominio authority, control
dorado golden
dosis *f.* dose, dosage
drogata *m./f.* drug addict (*slang*)
dueño owner, landlord; master of the house
duradero lasting, long-lasting
durar to last

E

echar to throw, toss; **echar de menos** to miss; **echar mano de** to make use of; **echar pie atrás** to back out, down; **echar raíces** to take root; **echar un vistazo** to take a look at
ecologista *n. m./f.* environmentalist
eficacia *n.* effectiveness; efficiency
egoísta *adj.* selfish
eje axis; center
ejemplar copy (*of a book*)
ejemplificar to exemplify
ejercer to practice, perform; to exercise, wield
elegir (i, i) to elect; to choose, select
elenco cast
elogiable praiseworthy
elogiar to praise
embarazada pregnant
embargo: sin embargo however
embotelladora bottling company or plant
emisora radio station
emitir to emit; to broadcast
empeño determination
empeorar to worsen
empero *conj.* but; yet; however
emplazar to place, to erect on a site
empleado employee
emprendedor enterprising
emprender to undertake; to start
empresa company, firm, business
empresario business person; entrepreneur
empujar to push
encajar to fit; to insert; to fit in
encantar to delight, charm
encanto *n.* enchantment; magic spell
encarcelar to put in jail
encargado *adj.* in charge
encauzar to channel, direct
encender to light; to light up; to turn on
encerrar (ie) to lock up
enchilado shellfish stew (*Cuba*)
enchufe plug, socket; **tener** (*irreg.*) **enchufe** to have connections
encima on top, above;
por encima superficially
endémico endemic, characteristic of a region
enfatizar to emphasize
enfermar(se) to get sick
enfermedad illness
enfermero *n.* nurse
enfermo *adj.* sick, ill
enfrentamiento clash, confrontation
enfrentarse (a/con) to deal (with), confront
engañar to deceive; to cheat on
enganchado hooked
enganchar to hook
engrandecer to enhance
engrasar to grease, lubricate
enjabonar to soap, lather up
enloquecer to drive crazy; to delight;
enloquecerse to go crazy
enojarse to get angry
enredarse to get tangled up
enriquecer to enrich;
enriquecerse to get rich
ensayo essay; rehearsal
enseguida at once, immediately
ensuciar to dirty; to pollute
ente entity
enterado informed
enterarse de to find out about
enterrar (ie) to bury
entibiar to grow warm, tepid

entorno setting; environment
entre between; among
entredicho: estar en entredicho to be questionable or in doubt
entrega delivery; installment
entregar to deliver, hand over, hand in
entrevista interview
entrevistado *adj.* interviewed; *n.* interviewee
entrevistador interviewer
entrevistar to interview
envase package; packaging, wrapping
envenenamiento poisoning
envenenar to poison
enviar to send
envidia *n.* envy
envidiar to envy
envío dispatching; shipment
envoltura wrapping
envolver (ue) to wrap; **envolverse en** to get wrapped up in
epiceno epicene (*a word with only one gender, such as* **la víctima,** *which applies to males and females*)
época time, period, age
equilibrado balanced
equivocado mistaken
equivocarse to be wrong
esbelto graceful; slender
escalera stairway
escalofrío chill, shiver
escamotear to snatch away, make vanish
escaparate shop window
escaramuza skirmish
escarbar to investigate, delve into
escasamente scarcely
escasez shortage, lack
escaso scarce; very limited; **escaso de** short of
escena scene
escenario stage, setting; situation, scenario
escénico *adj.* pertaining to the stage
esclavizar to enslave
esclavo *n.* slave
escoger to choose
escombros *m. pl.* rubble, debris
escondite hideout
escudriñar to investigate, scrutinize
esforzar(se) to strive, to make an effort
esfuerzo *n.* effort
esmerarse to do one's best; to shine
espada sword; **entre la espada y la pared** between a rock and a hard place
espaldas: de espaldas a with one's back to
especialmente specially, especially
especie *f.* species; sort, type
especificar to specify; to define
esperanza hope
espigar to glean; to collect
espina thorn
espumarajo foam, froth (*from the mouth*)
estabilizar to stabilize
estable stable
establecer to establish
establecido established
establecimiento establishment
estado state, condition; national state, government; **golpe de estado** coup d'état; **estado civil** marital status
estancia stay
estanco tobacco shop
estrago devastation
estrella star
estrenar to show or wear for the first time
estribillo refrain (*of a poem*)
estridente strident, shrill
estrofa stanza, verse
estudio study, library
estudioso scholar
estufa heater; **estufa a leña** wood stove
estupefaciente *n.* narcotic
etapa stage, phase
evitar to avoid
evolucionar to evolve, develop
excluir to exclude; to expel
exhibir to exhibit, display
exigencia demand, requirement
exigente *adj.* demanding
exigir to demand, require
éxito success
exitoso successful
expectativa expectation
expender to sell
explotación exploitation, development
explotar to exploit; to explode
extender (ie) to extend, expand
extrañar to miss
extranjero *adj.* foreign; *n.* foreigner; **al/en el extranjero** abroad
extraño *adj.* strange; foreign

F

fabricante maker
fácil easy
facilitar to facilitate, make easy
facturar to invoice, bill; to receive
faena task, job
falta *n.* lack; error, mistake; offense
faltar to be missing or lacking; **faltar a** to miss (*e.g., a class*)
fama fame; reputation
familiar *adj.* pertaining to the family; *n. m./f.* relation, member of the family
fantasma *m.* phantom, ghost
fatalista *adj.* fatalistic
fatigarse to wear oneself out
fauno faun (*part human, part goat*)
feroz ferocious
festejo celebration, festivity
fiebre *f.* fever
fiel faithful
fiereza fierceness, ferocity, cruelty
fierro piece of metal; gun (*slang*)
fijamente fixedly, attentively
fijar to fix, set, establish
filmoteca film library/archive/club
filología study of literature and linguistics
filólogo *m./f.* philologist, specialist in the study of literature and linguistics
fin end; **por fin** finally
finado deceased
final ending; **al final** in the end
finalidad purpose, aim
finar to die, pass away
finca farm; estate
fingir to pretend
firmar to sign
fiscal *n.* prosecutor; **fiscal general** Attorney General
físico physicist; physique
fisiognómico pertaining to the face or physical appearance as indicative of character
florecer to flourish, bloom
florecimiento flowering, blossoming
flujo flow
foco focus
fomentar to encourage, promote
fondo bottom, depth
fondo fund; **fondo de pensiones** pension fund
forja forging, making
forjar to forge, shape, make
forma form; way, manner
fortalecer to strengthen
fracasado unsuccessful
fracasar to fail
franquicia franchise
frasco bottle, jar
frenar to restrain; to brake
frente *m.* front; *f.* forehead; **frente a** *prep.* facing, in front of
frescura freshness; coolness
fritura fritter
frontera border; frontier
fructífero fruitful
fuente *f.* fountain; spring; source; serving platter
fuerza strength, force, power
funcionamiento functioning; operation
funcionario government employee, civil servant

fundación founding; foundation
fundar to found
fundir to fuse; to merge
fusilamiento shooting, execution

G

galardonar to award, to give an award to
galopar to gallop, go at a gallop
ganadería cattle raising
ganadero *adj.* cattle; *n.* rancher
ganado *n.* cattle
ganador winner
ganancia profit; **ganancias** *f. pl.* earnings
ganancioso profitable
ganar to win; to win over; to earn
gandules *m. pl.* pigeon peas
garantizar to guarantee
gasto expense; expenditure
gavilla bundle, sheaf
género grammatical gender; sexual gender; genre (*type of literature or film*)
genio temper
gestado conceived
gesto gesture; expression
giro turn of phrase, expression
gobernar (ie) to govern
gobierno government
golfo gulf; lazy person (*slang*)
golpe blow; **de golpe** suddenly; **golpe de estado** coup d'état, overthrow of the government
golpecito tap
goma rubber; tree gum
gorra cap
gota drop
gotear to drip
gozar to enjoy, delight in
grabación recording
grabar to record
grado grade; degree
grato pleasant, welcome
gritar to shout; to scream
guarda *m./f.* guard, caretaker
guardar to put away; to keep
guardería de niños day care center
guayaba guava
guerrero *n.* warrior; *adj.* warlike
guerrilla guerrilla warfare
güevón *adj.* stupid, silly (*vulgar slang*)
guía *m./f.* guide
guion script
guionista *m./f.* script writer
guita cash, "dough" (*slang*)
gusano worm; **gusano de seda** silkworm
gusto *n.* like, interest; taste

H

hábil clever, skillful
habitante *m./f.* inhabitant
hablador talkative, chatty
hacer to do; to make; **hacer caso de/a** to pay attention to, to take notice of; **hacer pesas** to lift weights; **hacer un papel** to play a role
hacia towards, to
hada madrina fairy godmother
hallar to find; to discover
hallazgo finding, discovery
hambriento hungry
harina flour
hechizo *adj.* artificial; *n.* magic spell
hecho *n.* fact, deed; **de hecho** in fact
helada freeze, frost
helar to freeze, ice up
herencia heritage; inheritance
herida wound
herido *adj.* wounded
herir (ie, i) to wound
hermetismo secrecy, silence, reserve
hielo ice; freeze, frost
hilo thread
hispanohablante *adj.*
hispanoparlante *adj.* Spanish-speaking; *n.* Spanish speaker
historia story; history
hocico snout
hogar home; hearth
hoja leaf; sheet
hollín soot
hombría manliness
honrado honest, decent
hoyo hole
hueco hole
huella trace; footprint
huir to flee; to escape
humilde humble, modest, lowly
humo smoke
huracán hurricane
husmear to sniff out; to pry into

I

idioma *m.* language
igualar to make equal; to match
igualdad equality
imponer to impose
impresionante impressive, amazing
imprimir to print
impuesto *adj.* imposed; *n.*tax
impureza impurity
incansable tireless
incendiar to set on fire
incendio forestal forest fire
incertidumbre *f.* uncertainty, doubt
incluso even; including
incómodo uncomfortable
inconfundible unmistakable
incontable countless, innumerable
indespegable inseparable, "not unstickable"
índice index; rate
indígena americano *m./f.* Native American
indumentaria clothing, apparel, dress
inesperado unexpected
inestabilidad instability
inestable unstable
infancia infancy
infarto heart attack
inflado *adj*, inflated
inflar to inflate
ingenuismo naiveté, ingenuousness
ingresar to deposit; to earn; to enter or join; to be admitted
ingreso admission; **ingresos** *m. pl.* income
iniciar to start, begin
inmigrar to immigrate
innato innate, inborn
innegable undeniable
inodoro toilet
inquietar to worry, disturb
inquietud concern, worry
insaciable insatiable
inscribirse en to enter, sign up for
insensatez senselessness, stupidity
intentar to attempt, to try to
intercambiar to exchange
intercambio: estudiante de intercambio *m./f.* exchange student
internar to admit (hospitalize); **internarse** to go deeply into
interrogante *n.* query, question
intromisión insertion; interfering
inundación flood
inútil useless
invasor invader
invencible invincible; unconquerable
invernadero *n.* greenhouse
inversión investment
inversionista *m./f.* investor
invertir (ie, i) to invest
involucrado involved
irremisiblemente unpardonably
izquierdista *m./f.* leftist

J

jabón *m.* soap
jactarse to brag
jamás never
jefe head; chief; boss

jerarquía hierarchy
jerarquización hierarchization
jonrón homerun
jorobado hunchback
jubilar(se) to retire
judío *n.* Jew; *adj.* Jewish
juez *m.* judge
jugador player
juguetón playful
juicio judgment
junta board, council; **junta militar** military junta
juntar to join, bring together
jurar to swear, take an oath
justo just, fair
juventud youth
juzgar to judge

L

lacra blot, blemish
ladino person who has adopted Spanish and Hispanic culture (*Guatemala*)
lado side; **por un lado** on the one hand; **por otro lado** on the other hand
ladrar to bark
ladrón thief
lágrima tear
laguna lacuna, gap
lamentar to lament, mourn
lanzador pitcher (*in baseball*)
lanzar to throw; to launch; **lanzarse** to begin to
largo long; **a lo largo de** along, throughout
lastimado *adj.* hurt
latigazo lashing, lash (*of a whip*)
latir to beat
lazo tie
leal loyal
lealtad loyalty
lecho bed; **lecho de muerte** deathbed
lector reader
lectura reading
legado *n.* legacy
legumbre *f.* vegetable
lema *m.* motto, slogan
leña firewood
lengua: dominar una lengua to speak a language well
lenguaje mode or style of language; language
lento slow
liberar to free, release; to liberate
libre pensador free thinker
licenciatura university degree, traditionally requiring five years of study
lidiar to fight; to deal or struggle with
ligado linked
ligeramente slightly
limpiador cleaner
limpieza cleaning, cleanliness
llamar la atención to attract attention
llanta tire
llegada arrival
llenar to fill
llevar to carry; to lead; to have been;
llevarse to carry away
lobo wolf
loco crazy
lograr to manage to; to succeed in
logro *n.* achievement
lote portion, share
lucha *n.* struggle, fight
luchar to struggle; to fight for
luego then, next, later
lugar place
lujo: darse el lujo de to give or allow oneself the luxury of
luminotecnia lighting

M

madera wood
maderero *adj.* pertaining to timber or lumber
madurar to ripen; to mature
maestría mastery; master's degree
maestro schoolteacher; master
mago magician; wizard
malanga root vegetable
maldad evil; evil act
maldecir *irreg.* to curse
maldito damned, cursed
malentendido misunderstanding
malva mauve
manar to flow, run
mancha de sangre blood stain
manchar to stain, get dirty
manco one-handed, one-armed
mandar to send; to order, command
manejar to run, manage; to drive; to use
manejo use, operation
manguera hose
maní *m.* peanut
manifestación manifestation, show, sign; demonstration, rally
manifestar (ie) to show, display
manifiesto statement, declaration
mantener *irreg.* to maintain, keep; to support
mantenimiento maintenance; support
mantequilla de maní peanut butter
mañana morning; **muy de mañana** very early in the morning
marca brand, make
marcharse to go away, leave
mareado dizzy
marginar to marginalize, exclude
marianismo devotion to the Virgin Mary
marrón *adj.* dark brown
mas but, however
más more; **es más** what's more
masa mass; pulp; dough
materia subject matter; **materia prima** raw material
matorral thicket, bushes, scrubland
mayordomo butler
mazorca corncob
mecanografía typing
medida measure; step
medio *adj.* middle; half; average; *n.* means; **media naranja** better half (spouse); **medio ambiente** natural environment; **por medio de** by means of; **medios de comunicación** media
mediocridad mediocrity
mejorar to improve
mendigo beggar
menear to move, shake
menos less; **echar de menos** to miss; **por lo menos** at least
mensaje message
mentir (ie, i) to lie
menudo: a menudo often
mercadeo marketing
mercader merchant
mercadotecnia marketing
merecer to deserve
merodear to prowl about
mestizaje mixing of races and cultures (European and Native American)
mesura moderation, restraint
meta goal, aim
metáfora metaphor
metedura de pata faux pas
meter la pata to put your foot in it
metralleta submachine gun
mezcla *n.* mixture
mezclar to mix
mezquita mosque
microondas *m.* *sing.* microwave oven
miel *f.* honey
miembro *m./f.* member
mientras while; **mientras tanto** meanwhile
milagro miracle
millar *n.* thousand
milpa corn field
mimado spoiled, pampered
mina mine
minero *adj.* mining, pertaining to mining
minorista *adj.* retail; *n.* retailer
minutaje total time in minutes
mira *n.* aim, intention

mirada look, glance
misa Catholic Mass
mito myth
moda: de moda in style, fashionable, popular; **ponerse** (*irreg.*) **de moda** to come into fashion
modismo idiom
modista fashion designer
modo mode, manner, way; **a mi modo de ver** in my view, the way I see it; **de ningún modo** in no way
molestar to bother
montaje editing
monto sum, total
moraleja moral (*of a story*)
morder (ue) to bite
mordida bribe (*México*)
moreno olive-skinned; dark-skinned; tanned
moro *n.* Moor; *adj.* Moorish
mostrar (ue) to show
motivo motif; reason, motive
móvil motive for a crime
mudarse to move to another house
muerte *f.* death
muestra sign; sample; display
multiplicidad great number; multitude
multisecular *adj.* many centuries old
mundial *adj.* world, worldwide
muñeca doll
muñeco doll, puppet
muralla city wall
musulmán *adj.* Moslem

N

nacer to be born
nadie no one, nobody, (not) anybody
nalga buttock, rump
narrar to narrate
natal *adj.* native, home
navegante *m./f.* navigator, sailor
neblina fog, mist
necesidad *n.* need, necessity
negación denial; refusal
negar (ie) to deny; **negarse a** to refuse to
negocio *n.* business
negrita: en negrita in boldface
ni siquiera not even
nicho niche, recess
nieve *f.* snow; **tempestad de nieve** snowstorm
niñez childhood
ningún, ninguno no, not any, none; **de ningún modo** in no way
nivel level; **nivel de vida** standard of living
nocivo harmful
norma norm, standard
notario notary
noticias *f. pl.* news
nudo knot; climax (*of a novel, drama*)
numerar to enumerate, number

Ñ

ñame yam (*similar to sweet potato*)

O

obedecer to obey
obra *n.* work; **obra maestra** masterpiece; **obra de bien** good deed
obrero *n.* worker; **clase obrera** working class
obsequiar to offer as a gift
obstante: no obstante however, nevertheless
obstinado obstinate, stubborn
occidental *adj.* western
ocultar to hide
odiar to hate
odio hatred
ofendido insulted, hurt
oficio trade, job
ola wave
olla pot, pan
olor smell
olvidar to forget
ondulante undulating, waving
oprimir to oppress
opuesto opposite
oración prayer; sentence
orden *m.* order, arrangement, disposition; *f.* command
ordenador computer (*España*)
organismo organization
orgullo pride
orgulloso proud
orificio de bala bullet hole
orisha *m.* god/saint of santería
oro gold
orquestado orchestrated
oscurecer to get dark
oscuro dark
ostentar to show off, have
ostra oyster
otorgar to grant, give

P

padecer to suffer from
padrastro stepfather
paladar *n.* palate, taste
palanca lever, crowbar; **tener** (*irreg.*) **palanca** to have connections
paloma dove
pantalla screen
papa *f.* potato
Papa *m.* Pope
papel paper; role; **cambiar de papel** to switch roles; **hacer un papel** to play a role
par couple, pair; **a la par con** at the same time as, while
paraestatal public, semi-official
parapetarse to hide oneself
parar to stop; **pararse** to stand up
parecer to seem; **parecerse a** to resemble; **al parecer** apparently
parecido similar
pared wall; **entre la espada y la pared** between a rock and a hard place
pareja pair, couple; partner
paro unemployment (*España*)
parque de los robles oak grove
parra: subirse a la parra to get all high and mighty
parrilla grill
particular *adj.* particular; *n.* individual
partir to leave, depart; **a partir de** beginning in/on/with
pasamanos *m. sing. or pl.* handrail
pasar to pass; to go through; **pasársele la mano** to go too far, to cross the line
pasear al perro to walk the dog
paseo walk, stroll
paso step, stride; **a grandes pasos** by leaps and bounds
pastoso doughy, pasty
pata foot and leg of an animal; **metedura de pata** faux pas; **meter la pata** to put your foot in it
patrocinado sponsored; patronized
patrón patron; standard; boss, master
pedazo piece
pedir (i, i) to ask for; to order; **pedir prestado** to borrow
pegamento glue
pegar to hit; to stick, glue
peldaño step (*of a porch or stairs*)
pelear to argue, quarrel
película film; **rodar (ue) una película** to shoot a film
peligrar to be in danger
peligro danger
peligroso dangerous
penoso painful, distressing
pensador: libre pensador free thinker
pensamiento thought; idea
percatarse de to notice, take note of
pérdida loss
perdido *adj.* lost; **perdida** *n.* loose woman
perdiz partridge
perecer to perish

perfil profile
periodista *m./f.* journalist
perjudicar to damage, harm, impair
permanecer to remain
personaje character (*in a novel*)
pertenecer to belong
pesar to weigh; **a pesar de** despite, in spite of
pesas: hacer pesas to lift weights
pez *m.* fish
picado chopped
picana eléctrica electric (cattle) prod
picante very hot, highly seasoned
pie: echar pie atrás to back out, down
piel *f.* skin; leather; fur
pieza piece; room
pincel paintbrush
pintura paint; painting
pitar to blow a whistle; to honk
pitón horn (*of a bull*)
placa de matrícula license plate
plagar to plague; to infest
platanero banana tree
platicar to talk, chat (*México*)
plazo period of time; **a largo plazo** *adv.* in the long run, *adj.* long-term
plenamente fully, completely
pleno full; **en pleno verano** in the middle of summer, at the height of the summer
plomo lead
población population
poblador inhabitant, settler
pobreza poverty
poder (ue) *v.* to be able; *n.* power
poema *m.* poem
poeta *m./f.* poet
polémica controversy, debate
polifacético multifaceted
polígono de tiro firing range; **hacer polígono** to practice shooting at a firing range
politeísta *adj.* polytheistic
pollona little chicken
polvo dust; powder
poner *irreg.* to put, to place; **ponerse de moda** to come into fashion
ponzoñoso poisonous
popular of the people, people´s; popular
por by; for; through; **por acaso** by chance; **por dónde** because of this; **por encima** superficially; **por si acaso** just in case; **por supuesto** of course
pormenor *n.* detail, particular
porque because
porquería filth, garbage
portar to carry, bear
portavoz *m./f.* spokesperson
porteño of or from Buenos Aires
porvenir *n.* future
pos: en pos de after, in pursuit of
postura position, stand
potencia power, ability
potenciar to foster, promote; to strengthen
pozo *n.* well; **pozo de los deseos** wishing well
predecible predictable
predecir *irreg.* to predict, foretell
prejuicio prejudice; bias
premio prize, award
prensa press, media
preocuparse de to worry about
prestado: pedir prestado to borrow
préstamo borrowing; loan
presupuesto *n.* budget
pretender to intend; to aim to
pretina belt, waistband
prever *irreg.* to foresee, predict
previsible foreseeable
primero *adj., adv.* first
primigenio original, primitive
primordial basic, fundamental, essential
principio principle; beginning; **al principio** at first
problema *m.* problem
procedencia origin
procesamiento de datos data processing
procesar to prosecute, put on trial
procurar to endeavor, to try to
proeza exploit, feat
promover (ue) to promote, encourage
promulgar to put (*a law*) into force
pronto soon; **de pronto** suddenly
propiedad property; propriety
propietario owner; landlord
propio own; one's own; very same
propósito purpose
protagonizar to take a leading part in
proveedor magazine (*of a firearm*)
provenir *irreg.* to come from
provocar to provoke; to cause
proyectil projectile; bullet
prueba proof
prueba proof, evidence
público *n.* audience
pueblo people of a region or country; town, village
puente bridge
puerco pig; **carne de puerco** pork
puesto (*p.p. of* **poner**) put; placed; **puesto de canje** *n.* stall or booth for small trades or exchanges; **puesto que** because, since
pujante strong, vigorous
puñado fistful
puñal dagger
puntaje score, point total
puntería aim
punto de mira sight of a gun; objective
puro cubano Cuban cigar

Q

quedarse to stay, remain
quejarse to complain
quemadura burn
quemar to burn
queroseno kerosene
quiebra: en quiebra broke, bankrupt
quiebre breakdown, collapse
quinceañera girl celebrating her 15th birthday (*Latinoamérica*)
quitar to take away, remove
quizás perhaps, maybe

R

rabioso furious, angry
rabo tail
radicar to be rooted in; to lie in
raído frayed, threadbare; shameless
raíz root; **echar raíces** to take root
rango rank
rascar to scratch
rasgo trait, feature
rasurarse to shave
rato *n.* a while, short period of time; **pasar el rato to** pass the time
razonamiento reasoning
reacio reluctant, resistant
real real; royal
realizado accomplished, fulfilled
realizar to do; to make real; to achieve
rebelde *adj.* rebellious; *n.* rebel
rebueno very good
recado message; errand
recargable rechargeable
recargar to recharge; to load down
receloso suspicious, apprehensive
receta recipe; prescription
rechazar to reject
recibir tregua to get a break, relief
recién newly; just, recently
recipiente container
reclamar to claim, demand
reclusión seclusion
recoger to gather, collect
recoger to pick up; to gather together
reconocer to recognize
reconocimiento recognition
recuerdo *n.* memory, recollection
recurso resource; **recurso poético** poetic device

red net; network; Internet
redacción composition; writing
redactar to write, draft
redactor editor, writer
redada police raid
redentor *adj.* redeeming
reemplazar to replace
reforzar (ue) to reinforce, strengthen
refrescar to refresh; to cool down
refresco soft drink
regadera shower head
regalo gift
regar (ie) to water
regresar to return
reina queen
reino *n.* kingdom
reír (i, i) to laugh at
reja iron grille, screen (*on a window*)
remediar to remedy; to put right
remesa remittance
remisible pardonable, forgiveable
remitente *m./f.* sender (*of a letter*)
remitir to remit, send; to forgive, pardon
remontarse to go back to, to date from
remordimiento remorse
renacer to be reborn
rengo lame
rentable profitable
rentista stockholder
renuncia resignation
reparto *n.* cast (*of a play, film*)
repente: de repente suddenly
reprender to scold, correct
repuesto (*p.p. of* **reponer**) replaced; *n.* replacement
res: carne de res beef
rescate rescue
reseña review
residuo residue
respaldo back (*of a chair*)
respetado respected, honored
respetuoso respectful
respirar to breath
restañar to staunch, stop the flow of
restringido restricted, limited
resultar to turn out, to be
resumen summary
retener *irreg.* to retain; to hold back
retrasarse to get or fall behind
retrato portrait
reunión meeting, gathering
reventado broken, smashed
revés: al revés the other way around
revisar to review; to revise; to check
revisión review; check, inspection
revista magazine
revolverse (ue) to revolve;
revolvérsele la sangre to make one's blood boil
revuelo fluttering; stir, commotion
rey *m.* king
rezar to pray
riada flood
rico rich
riesgo risk; **correr el riesgo** to run the risk
rincón inside corner
riqueza riches, wealth
risa laughter
rizado curly
rodar (ue) to roll; **rodar una película** to shoot a film
rodeado surrounded
rodear to surround
rogar (ue) to beg, plead
rostro face
rotulado labeled
rotular to label
rótulo label
ruego request, entreaty
ruido noise

S

sabor *n.* flavor; taste
sabroso delicious
sacar to take out, extract
sacerdote priest
sagrado sacred
salario wage, wages
salida departure; exit
salir *irreg.* to leave, go out; **salirse con la suya** to get one's own way
saltar to jump, leap
saludar to greet, say hello to
salvaje wild; savage
salvar to save
sangre *f.* blood; **mancha de sangre** blood stain; **revolvérsele (ue) la sangre** to make one's blood boil
sangría spilling of blood; Spanish punch with red wine and fruit
sangriento bloody
santería religion of mixed African and Christian origin
sapo toad
secuestro kidnapping; hijacking
seda silk
sede *f.* seat, place; venue
seductor *adj.* seductive; *n.* seducer; charmer
seguida: en seguida immediately
seguidor follower
seguir (i, i) to follow; to continue, to keep on; **seguir en sus trece** to stick to one's guns
según according to
seguro insurance
sello stamp; seal
selva jungle, forest
sembrar (ie) to sow, plant seed
semejante similar
semejanza similarity, likeness; **a semejanza de** just like, as
semilla seed
señalar to point out; to indicate
senda path, track
sendero path, track
sensibilidad sensitivity
sensible sensitive
sentar (ie) to seat; to set, establish
sentido meaning, sense; **sentido del humor** sense of humor; **tener sentido** to make sense
sentimiento feeling
sentir (ie, i) to feel; to regret; to be sorry about
sequía drought
ser *v.* to be; **ser el uno** to be the best; *n.* being
seto hedge, fence, enclosure
sicario hitman, hired killer
siembra sowing
siglo century
significado meaning
significar to mean; to signify
siguiente following
sillón armchair; **sillón de terciopelo verde** green velvet armchair
símil simile
simpático pleasant, likable
sin without; **sin embargo** however; **sin límite** limitless
sinagoga synagogue
sincrético syncretic
sincretismo syncretism
siniestro disaster
sino but
siquiera even; **ni siquiera** not even
sistema *m.* system
sitio place; **sitio de mala muerte** godforsaken place
soberbio magnificent, superb; proud
soborno bribery; bribe
sobrar to be left over, to be more than enough
sobre *n.* envelope
sobredosis *f.* overdose
sobregeneralizar to overgeneralize
sobrepoblación overpopulation
sobresaliente outstanding
sobresalir *irreg.* to stand out
sobresaltar to fall upon; to attack
sobretodo *n.* overcoat

sobrevivir to survive
socarrón *adj.* cunning; sarcastic, ironic
socio business partner; member of club
sofreír (i, i) to sauté
soledad solitude, loneliness
soler (ue) to be in the habit of; to usually (do)
solicitud application
soliviantarse to become angry, get roused
solo *adj.* alone; sole
solo/sólo *adv.* only (accent optional)
soltar to let go of, release
soltero *adj.* single, unmarried; *n.* unmarried person
someterse to submit to; to undergo
soñador *n.* dreamer; *adj.* dreamy
sonreír (i, i) to smile
sonriente smiling
sopesar to test the weight of; to consider
soplador blower; **soplador de hojas** leafblower
soplar to blow
sortear to dodge, avoid; to decide by chance; to draw lots (for)
soslayo: de soslayo sideways; obliquely
soso tasteless, insipid, dull
sospechar to suspect
sostén support
subir to go up; to get on (*a bus, train*); to climb
suceder to happen
suceso event
sudor sweat
sueldo salary
suelo ground; floor; soil
suelto loose, free; flowing
sueño dream; sleep
sumamente extremely, exceedingly, highly
sumiso *adj.* submissive
superar to surpass, exceed; to overcome
superpoblación overpopulation
supervivencia survival
supresión suppression, elimination, deletion
suprimir to suppress, eliminate, delete
suprimir to suppress; to abolish, eliminate; to cut out
supuesto supposed; **por supuesto** of course
surgimiento emergence
surgir to appear; to emerge; to arise
susceptible de liable to; capable of
sustantivo noun
sustento support; sustenance
sutileza subtlety

T

tal such; **tal o cual** such and such
tamaño size
también also, too
tambor drum; drum of a revolver
tanto as much, so much, such a; **por lo tanto** therefore
tapar to cover up
tarea task; homework
tarifa tariff, tax
tartamudo *adj.* stuttering
tasa rate; **tasa de desempleo** unemployment rate
tela fabric; oil painting
telediario daily news program
tema *m.* topic, theme
temer to fear
temor *n.* fear
tempestad de nieve snowstorm
temporada period, season; **de temporada** of the season, of the moment
tender (ie) to stretch; to extend; to tend to
tener *irreg.* to have; **tener como/por resultado** to result in; **tener enchufe** to have connections; **tener palanca** to have connections; **tener vergüenza** to be ashamed
tercio *n.* third
terciopelo velvet
terminar to end, finish
término term; end, conclusion
terrateniente *m./f.* landowner
terremoto earthquake
terruño native land
testigo witness
tibio tepid
tierno affectionate, tender
tildar de to label, characterize as
tipo type; guy
tipología typology
tira cómica comic strip
tiro shot
título universitario academic degree
tocar to touch; to play (*a musical instrument*); **tocarle a uno** to be one's turn or obligation
toma directa *n.* live shot
tomar to take; **tomar(se) en cuenta** to take into account
tontería foolishness, silliness
torero bullfighter
torno: en torno a about; around
totear to explode, burst (*slang, Colombia*)
trabajador *adj.* hardworking; *n.* worker
tragar to swallow
trama plot
trámite step, procedure; *pl.* paperwork, errands
tras after; behind
trasladar to transfer, move
traspaso transfer
trasponer *irreg.* to transpose; to move across
trastes *m. pl.* housewares, pots and pans
trasvasijar to pour into another container
tratar to treat; to deal with; **tratar de** to try to; to be about
través: a través de across, through
travieso naughty, mischievous
tregua truce; **no recibir tregua** not to get a break
trinomio something composed of three elements
tripas guts, intestines
triunfar to triumph; to succeed
tronchar to cut down, to cut off
tropezar (ie) to stumble, trip; to bump into
tumbadora large conga drum
tumbar to knock down, knock over
tutela tutelage, protection

U

ubicación placement, location
ubicar to locate, place
último *adj.* last; **por ultimo** *adv.* lastly
umbral threshold
único *adj.* only, sole
unir to unite; to join together
uno: ser el uno to be the best
urbe *f.* large city
urdido put together, contrived
útil useful

V

vacío *adj.* empty; *n.m.* void
vago lazy, slack
valer to be worth; **valerse de** to make use of
¡válgame Dios! God help me!
valioso valuable
valor value; courage
valoración valuation, appraisal
vanguardia vanguard; avant-garde
varilla rod, rail
varón male, man
varón man, male
vasallo vassal
vasija vessel, pot, dish
vatio watt
vecindad vicinity, nearness
vecindario neighborhood
velocidad speed, velocity; **velocidad crucero** cruising speed
veloz quick, fast

veneno poison; venom
venidero *adj.* coming, future
venta sale, selling
ventaja advantage
ventanal large window
ventilador electric fan
verano: en pleno verano in the middle of summer, at the height of the summer
verdadero true
vergüenza shame; **tener** (*irreg.*) **vergüenza** to be ashamed
verso line of a poem
verter (ie) to pour or dump out
vestirse (i, i) to get dressed
vez time, occasion; **en vez de** instead of; **otra vez** again; **a la vez** at the same time; **a su vez** in turn
vía way, road, track; **vía media** middle way; **en vías de desarrollo** developing (*e.g., nation*)
vicio vice; bad habit
vidrio glass
vientre stomach, belly
vigente current, in force
vigor: entrar en vigor to take effect, come into force
villa miseria shantytown
vinculado linked, bound
violador rapist
vista view; **en vista de** in view of, considering
vistazo: echar un vistazo to take a look at
viuda widow
vivienda housing
vivo alive; lively
vocablo word
vocho Volkswagen Beetle (*México*)
volver to turn; to return; **volverse** to become; **volver a** to do again
vuelta turn; return; a trip around something; walk, stroll; **dar vueltas** to turn around, to move around, to go around, to circle, to stir (*coffee*)

Y

ya already; now; **ya no** not any more; **ya que** since, as
yautía a starchy, edible root
yerba herb; **yerba mate** herbal tea (*Argentina*)
yuxtaposición juxtaposition

Z

zanjón gully, ditch
zurdo left-handed; clumsy

Credits

Illustrations

Andrés Fernández Cordón

Photographs

Preliminary chapter: page 1, Jeremy Woodhouse/Jupiter Images; page 2, Ulrike Welsch; page 3, Frerck/Odyssey/Chicago; page 10, courtesy of Khandle Hedrick. **Chapter 1:** page 13, © Pablo Corral Vega/Corbis; page 14, Richard T. Howitz/Photo Researchers, Inc.; page 15, Courtesy of Haggith Uribe; page 21, Courtesy of Alejandro Lee; page 22, © Owen Franken/Corbis; page 28l, Ron Dahlquist/Getty Images; page 28r, Image 100/Royalty Free/Corbis; page 37t, Courtesy of Martín Bensabat; page 37b, Courtesy of María Fernanda Seemann Meléndez; page 39, © Reuters/Corbis **Chapter 2:** page 59, Jarno Gonzalez Zarraonandia/Shutterstock; page 60, Frerck/Odyssey/Chicago; page 64, Courtesy Lorenzo Barello; page 71, © Rafael Ramirez Lee/istockphoto; page 73, © Reuters/Newmedia, Inc./Corbis; page 74, Courtesy of Carmen Fernández; page 79, Courtesy of Lorenzo Barello; page 80, © Joseph/Shutterstock; page 82, © J.J. Guillen/epa/Corbis. **Chapter 3:** page 105, Scala / Art Resource, NY; page 107, Gordon Galbraith/Shutterstock; page 115, Courtesy of María Fernanda Seemann Meléndez; page 117t, Courtesy of Esteban Mayorga; page 117b, Courtesy of Fabiana López de Haro; page 118, The Image Works Archives; page 120t, Courtesy of María Fernanda Seemann Meléndez; page 120b, Courtesy of Esteban Mayorga; page 121tl, ©classmates.com; page 121tr, ©classmates.com; page 121bl, ©classmates.com; page 121br, © Fabio Nosotti/Corbis; page 131, The Granger Collection; page 133, © Juan Medina/Reuters/Corbis. **Chapter 4:** page 158, Miguel Cabrera, Escena de mestizaje, 1763. Museo de America, Madrid. Scala/Art Resource; page 159, Courtesy of Alexandre Arrechea; page 161t, Courtesy of Marcela Domínguez; page 161b, Courtesy of Pablo Domínguez; page 163, Courtesy of Tanya Duarte; page 165, © Molly Riley/Reuters/Corbis; page 169, Courtesy of Pablo Domínguez; page 171, Courtesy of Pablo Domínguez; page 175, Courtesy of Pablo Domínguez; page 178, © Patrick Giardini/Corbis; page 180, Jose Gil/Shutterstock; page 183, AP Photo/Marco Ugarte; page 184, AP Photo/Kevork Djansezian. **Chapter 5:** page 208, Courtesy of Marcela Domínguez; page 215, © Tom Bean/Corbis; page 216, Courtesy of Haggith Uribe; page 217, Courtesy Adán Griego; page 221, Sacramento Bee/ Lezlie Sterling/ Zuma Press; page 223, Gina Sanders/Shutterstock; page 225, © Danny Lehman/Corbis; page 226t, Stuart Cohen/ The Image Works; page 226b, Courtesy of María Fernanda Seemann Meléndez; page 227, Courtesy of Carmen Fernández; page 228, Bob Daemmrich/The Image Works; page 231, Stephen Finn/Shutterstock; page 232, © Craig Lovell / Eagle Visions Photography / Alamy; page 236, © Francesco Spotorno/Reuters/Corbis. **Chapter 6:** page 260, Martin Bernetti/AFP/Getty Images; page 261, © Neal Preston/Corbis; page 267, Courtesy of Magalie Rowe; page 269, Courtesy of Ann Widger; page 274, © Guillermo Granja/Reuters/Corbis; page 272, Courtesy of Esteban Mayorga; page 272, Alyx Kellington; page 284, Juan Barreto/Getty Images; page 288, © Deborah Feingold/Corbis. **Chapter 7:** page 313, Tom Dempsey/Photoseek; page 314, James D. Nations/DDB Stock Photo; page 315, Courtesy of Juan Alejandro Vardy; page 316, jason scott duggan/Shutterstock; page 317, Michael Doolittle/The Image Works; page 318, Courtesy of Fabiana López de Haro; page 329, Courtesy of Meghan Allen; page 330t, DDB Stock Photo; page 330r, Frerck/Odyssey/Chicago; page 330b, Frances S./Explorer/Photo Researchers, Inc.; page 338, Buddy Mays/Travel Stock; page 339, © Getty Images/Jupiter Images; page 342, Alexander Tamargo/Getty Images. **Chapter 8:** page 367, Danny Lehman/Corbis; page 370, John Lund/Tiffany Schoepp/Jupiter Images; page 373, Paolo Augilar/epa/Corbis; page 375, Courtesy of Pablo Domínguez; page 376l, Karlionau/Shutterstock; page 376r, Dorner/Shutterstock; page 384, Courtesy of Fabiana López de Haro; page 389, © Emiliano Rodriguez/Alamy. **Chapter 9:** page 415, Digital Image © The Museum of Modern Art/Licensed by SCALA / Art Resource, NY; page 416, B. Brent Black; page 417, Jennifer Stone/Shutterstock; page 418b, imageZebar/Shutterstock; page 418t, Courtesy of Fabiana López de Haro; page 421, Barbara Alper/Stock Boston; page 422, *Sueño y premonicion* by

Maria Izquierdo. Courtesy of the Andrés Blaisten Collection/www.museoblaisten.com; page 426, Velasquez, Diego Rodriguez de Silva y (1599–1660). Las meninas, 1656. Prado, Madrid. Bridgeman Art Library, N.Y.; page 429, Blanton Museum of Art, The University of Texas at Austin, Barbara Duncan Fund, 1977; page 430, Botero, Fernando (b.1932) © Marlborough Gallery. The Presidential Family, 1967. Oil on canvas, 6′ 8 1/8″ × 6′ 5 1/4″. Gift of Warren D. Benedek. (2667.1967) Location: The Museum of Modern Art, New York, NY, U.S.A. Photo Credit: Digital Image © The Museum of Modern Art/Licensed by SCALA/Art Resource, NY; page 436l, © Bettmann/Corbis; page 436m, Pablo H. Caridad/Shutterstock; page 436r, Jack Picone; page 438, © David Niviere/Kipa/Corbis. **Chapter 10:** page 467, Courtesy of Laura Acosta; page 469, Courtesy of Carla Montoya Prado; page 477, Peter Dejong/AP Wide World Photos; page 481, Courtesy of Fabiana López de Haro; page 482l, Courtesy of María Fernanda Seemann Meléndez; page 482r, Courtesy of Carmen Fernández; page 490, © Eduardo Munoz/Reuters/Corbis. **Chapter 11:** page 516, David J. Sams/Stock Boston; page 517, © Carrion/Sygma/Corbis; page 522, Juan Herrero/AFP/Getty Images; page 523, Debbie Rusch; page 533, Courtesy of Silvia Martín Sánchez; page 538, © Reuters/Corbis. **Chapter 12:** page 561, Rob Crandall/The Image Works; page 569, Eric Gay/AP Photos; page 570t, © Reuters/Corbis; page 570b, White House/Rapport Syndication/Newscom; page 575, AP/Wide World Photos; page 577, Courtesy of Pilar Garner; page 578, Courtesy the Coca-Cola Company. "Coca-Cola Classic" and "The Genuine Coca-Cola Bottle" are registered trademarks of The Coca-Cola Company.

Realia

Chapter 1: page 16, US Census Bureau; page 20, Moto Paella, Madrid, Spain; page 29, Created by Debbie Rusch, illustration © malko #10684653/fotolia; page 34, Created by Debbie Rusch. **Chapter 2:** page 62, La Feria del Libro de Buenos Aires; page 64, © Figaro Films/Courtesy The Everett Collection; page 75, Created by Debbie Rusch; photo courtesy of Nahuel Chazarreta; page 84, Miramax Films/Courtesy Everett Collection. **Chapter 3:** page 113, Created by Debbie Rusch; photo courtesy of Leticia Mercado: (b) Matt Trommer/Shutterstock; page 126, Debbie Rusch. **Chapter 4:** page 162, Courtesy of Marcela Dominguez; page 174, © Nik Gaturro/www.gaturro.com. Reprinted with permission.; page 186 ©Distribuidora de Entretenimiento de Cine S.A. de C.V./courtesy Everett Collection. **Chapter 5:** page 209, Courtesy of Restaurante Tocororo; page 211, SOS Cuetara, S.A. **Chapter 6:** page 269, © 2009 Republican National Committee. **Chapter 7:** page 326, Reprinted with permission of the City of Los Angeles, Department of Public Works, Bureau of Sanitation; page 333, Courtesy of Gobierno de la Ciudad de Mexico. **Chapter 8:** page 368t, Courtesy Jennifer Jacobsen; page 368b, Courtesy Jeff Stahley; page 371, © Daniel Paz; page 377, © Nik Gaturro/www.gaturro.com. Reprinted with permission.; page 384t, Courtesy of Jennifer A. Jacobsen; page 384b, Courtesy of Jeffrey Paul Stahley; page 393, © Vitagraph Films/Courtesy Everett Collection. **Chapter 9:** page 421t, Estancia el Carmen S. R. L.; page 421l, © National Federation of Coffee Growers of Colombia; page 421r, Aeromexico, New York, NY; page 425, Created by Debbie Rusch/book photo by Najin/Shutterstock. **Chapter 10:** page 472, Campaña del 8 de marzo del 2009, "Mujeres en huelga, ¿qué pasaría?" Courtesy of Emakunde- Instituto Vasco de la Mujer.; page 478, Photo by Alvaro Villarrubia; page 484, Courtesy of Ministerio de la Mujer y Desarrollo Social; page 485, Nik Gaturro/www.gaturro.com; page 486, La Nacion, Buenos Aires; page 493, © Miramax/courtesy Everett Collection. **Chapter 11:** page 519, Courtesy of Lucila Domínguez; page 520, Center for Disease Control, Atlanta, GA; page 521t, México unido contra la delincuencia; page 521b, encuestadelsiglo@sigloxxi.com; page 315, California Department of Health Services; page 316, Created by Debbie Rusch /www.devolvelelaguitaaltaxista.com; page 530, Reprinted with permission from MAD en Mexico. **Chapter 12:** page 571, Reprinted with permission of McDonald's Corporation; page 575, Reprinted with permission from The United Nations High Commission for Refugees; page 577, This statistical profile of the Latino population is based on Pew Hispanic Center tabulations of the Census Bureau's 2007 American Community Survey (ACS). Analysis published March 5, 2009 at http://pewhispanic.org/factsheets/factsheet.php?FactsheetID=46.

Permissions and Credits

Text Permissions and Sources

The authors and editors thank the following persons and publishers for permission to use copyrighted material.

Chapter 2: page 99, "El criado de mercader," and 100, "Dayoub, el criado del rico mercader," Copyright © Bernardo Atxaga, 1989. By arrangement with Ediciones B.S.A., Barcelona, Spain. 104, Actividad 26, "La creación de un cuento original," Partially inspired by "Fairytale Update" in Hadfield's *Writing Games*. Walton-on-Thames, Surry: Thomas Nelson and Sons, 1990. **Chapter 3:** page 141, "Autopsia de una civilización," Reprinted from *Qué pasa*, Santiago, Chile, August 28, 1993, pp. 44–45. Reprinted with permission of COPESA, Consorcio Periodístico de Chile S.A. 152, "chorrear," "confiado," "confiar," "engañar," "fijamente," "fijo," "lecho," "luz," and "rodear," Copyright © 2001 by Houghton Mifflin Harcourt Publishing Company. Reproduced by permission from *The American Heritage Spanish Dictionary*, Second Edition. 154, "El eclipse" by Augusto Monterroso, Reprinted by permission of International Editors Company, S.L. 192, "La reina Rumba habla de la 'salsa,'" by Norma Niurka, Reprinted with permission of *The Miami Herald* via the Copyright Clearance Center. Originally printed in *El Nuevo Herald*, Miami, June 5, 1987. **Chapter 4:** page 203, "Habananisis" ("Havananisis") by Richard Blanco, from *City of a Hundred Fires*, Copyright © 1998. Reprinted by permission of the University of Pittsburgh Press. 205, Actividad 21B, "La biografía y sus elementos," Partially based on information contained in Tricia Hedge's *Writing*. Oxford: Oxford University Press, 1988. **Chapter 5:** page 241, "Como estas you el día de today?" Interview with Ilán Stavans, by Ima Sanchís, printed in *La Vanguardia*, May 16, 2002. 243, Excerpt from *Spanglish* by Ilán Stavans, Copyright © 2003 by Ilán Stavans. Reprinted by permission of HarperCollins Publishers, Inc. 253, "Ausencia" by Wilie Colón and Héctor Lavoe. Reprinted by permission of Hal Leonard Corporation. 253, "Bilingual Blues" by Gustavo Pérez Firmat from Bilingual Blues, Published by Bilingual Press/Editorial Bilingue, Arizona State University, Tempe, Arizona. Copyright © 1994. Reprinted with permission. 254, "Where you from?" by Gina Valdés. 256, Actividad 16, Partially based on information contained on page 36 of Duff, Alan and Alan Maley, *Literature*. Oxford: Oxford University Press, 1990. **Chapter 6:** 293, "Silencio y obediencia" by Carlos Ramos, Copyright © 1998, *La Opinion* newspaper. All rights reserved. 308, "Los major calzados," Luisa Valenzuela, *Aquí pasan cosas raras*, Copyright © 1975 by *Ediciones de la Flor*, Buenos Aires, Argentina. Reprinted with permission. 310, "La historia oficial por canal 23," by Beatriz Parga. Copyright © by *The Miami Herald*. Reproduced with permission of *The Miami Herald*, via Copyright Clearance Center. Originally printed in *El Nuevo Herald*, Miami. 311, POLÍTICA A RITMO DE TANGO, by César Santos Fontenla. Originally printed in *Cambio 16*, No. 743, February 24, 1986, p. 119. Published with permission from Grupo EIG Multimedia—*Cambio 16*. **Chapter 7:** page 349, "Cuarenta formas de contribuir a un aire más limpio," Excerpted and shortened for students of Spanish from "Cuarenta formas de contribuir a un aire más limpio." Reprinted with permission from CONAMA RM, Copyright © 2007. 361, "La Naturaleza, la tierra madre del hombre. El sol, el copal, el fuego, el agua," from *Me llamo Rigoberta Menchú y así me nació la conciencia*, by Rigoberta Menchú. Reprinted with permission from Siglo Veintiuno Editores, México, D.F. 364, "Fin de siglo" by Eduardo Galeano del libro Patas arriba: La escuela del mundo al revés. Siglo XXI Editores, Copyright © 1998. Reprinted by permission of Eduardo Galeano. 366, "Indígenas ecuatorianos sientan precedente ecológico mundial," reprinted with permission. **Chapter 8:** page 397, "¿Quién es Carlos Slim?" ("Who is Carlos Slim?"), Copyright © BBC 2007. Reproduced by permission from BBC. 408, "La carta" by José Luis González, is excerpted from *El arte del cuento en Puerto Rico*, by Concha Meléndez, Copyright © 1961 by Las Americas Publishing Company. **Chapter 9:** page 446, "Frida Kahlo: El pincel de la angustia" ("Frida Kahlo: The Brush of Anguish") by Martha Zamora. Article by Barbara Mujica, Copyright © *Américas* magazine. Reproduced with permission of the General Secretariat of the Organization of American States. 460, Julio Cortázar, "Continuidad de los parques," FINAL DEL JUEGO. Copyright © Herederos de Julio Cortázar, 2009. Reprinted by permission of Agencia Literaria Carmen Balcells, S.A. **Chapter 10:** page 502, "El lenguaje es sexista. ¿Hay que forzar el cambio?" by Tereixa Constenla. 509,

"El difícil arte de ser macho" by Pedro Juan Gutiérrez, from *Cuentos de la Habana Vieja*. **Chapter 11:** page 544, "Legalización de las drogas" by Juan Tomás de Salas. Originally printed in *Cambio 16*, No. 1, 154, January 3, 1994, page 5. Published with permission from Grupo EIG Multimedia—*Cambio 16*. 556, Excerpt from Sangre ajena by Arturo Alape. Seix Barral, Copyright © 2000. Reprinted with permission of Editorial Planeta, Colombia. **Chapter 12:** page 584, "Una educación intercultural" by Hugo Javier Aparicio. 591, "El amor al miedo" from "El planeta americano" by Vicente Verdú. Copyright © 1996. Reprinted by permission of Editorial Anagrama. 596–597, "La identidad y los McDonald's" by Carlos Alberto Montaner. Reprinted by permission of Firmas Press.

Illustrations

Anna Veltfort

Photographs

Chapter 1: page 44, Comstock Images/Jupiter Images; 45 *top*, Hill Street Studios LLC/Jupiter Images; 45 *middle*, Nonstock/Jupiter Images; 45 *bottom*, Comstock/Jupiter Images; 46 *top*, Comstock/Jupiter Images; 46 *bottom*, Adam Friedman/Jupiter Images; 48 *top left*, Nonstock /Jupiter Images; 48 *top middle*, Comstock/Jupiter Images; 48 *top right*, Thinkstock Images/Jupiter Images; 48 *bottom left*, BananaStock/Jupiter Images; 48 *bottom middle*, Image Source/Jupiter Images; 48 *bottom right*, Edward McCain/Workbook Stock/Jupiter Images; 53 *left*, © Gene Blevins/Corbis; 53 *right*, © Reuters/Corbis; 54 *left*, Jim McIsaac/Getty Images; 48 *top right*, George Pimentel/WireImage/Getty Images; 48 *bottom right*, © Fred Prouser/Reuters/Corbis. **Chapter 2:** page 85, *top left*, Courtesy of José Luis Boigues; 85 *top middle*, © James Sparshatt/Corbis; 85 *top right*, © Roger Antrobus/Corbis; 85 *middle left*, © Ruggero Vanni/Corbis; 85 *middle right*, © Macduff Everton/Corbis; 85 *bottom left*, © Christopher J. Hall; Eye Ubiquitous/Corbis; 85 *bottom middle*, © Eric and David Hosking/Corbis; 88 *left*, © Allied Artists/The Kobal Collection; 88 *right*, © Pedro Costa/Sigepaq/CANAL + / The Kobal Collection / De Amo, Ignacio; 89 *left*, © WARNER BROS / The Kobal Collection / Appleby, David; 89 *right*, © Picturehouse/courtesy Everett Collection; 92, Courtesy of José Luis Boigues; 94, Scala / Art Resource, NY. **Chapter 3:** page 137, Courtesy of Donald N. Tuten; 142, Lord Bird Jaguar IV preparing for battle, part of a door lintel from Structure 42, Yaxchilan, Mexico, Late Classic Period, 600-900 AD (limestone), Mayan / British Museum, London, UK / Photo © Boltin Picture Library / The Bridgeman Art Library; 147 *top*, © Richard Cummins/Corbis; 147 *bottom*, Henry Romero/Reuters/Landov; 148, Shutterstock; 149, © Martin Alipaz/epa/Corbis; 153, Courtesy, National Museum of the American Indian, Smithsonian Institution. **Chapter 4:** page 192, Christian Augustin/Action Press/Zuma Press; 198 *top*, © Envision/Corbis; 198 *bottom*, Courtesy of Elva González; 200, Denise Truscello/WireImage/Getty Images; 203, TIPS RF/Jupiter Images; 204, Ulrike Welsch. **Chapter 5:** page 239, Courtesy of Donald N. Tuten; 242, Frank Ward/Amherst College; 246, Courtesy of Donald N. Tuten; 247, Source: Pew Hispanic Center analysis of U.S. Census Bureau county population estimates. Reprinted with permission of Pew Hispanic Center, a Pew Research Center project, www.pewhispanic.org; 249, Courtesy of Carmelo Esterrich; 250, Willie J. Allen Jr/St. Petersburg Times/ZUMA Press; 254, Copyright © 2005 by Earl Cryer/ZUMA Press; 255, © Hulton-Deutsch Collection/Corbis. **Chapter 6:** page 291, AP Photo/Daniel Luna; 295, AFP/Getty Images; 301, AP Photo/Dolores Ochoa; 302, © Xinhua/ZUMA Press; 303, Thomas Coex/AFP/Getty Images. **Chapter 7:** page 345, Stockbyte/Jupiter Images; 350, Aaron Mccoy/Robert Harding/Jupiter Images; 355, Randall Hyman/Stock Boston; 356, © Royalty-Free/Corbis; 357, Courtesy ECOCE; 361, © Robert Fried / Alamy; 363, © Reuters/Corbis. **Chapter 8:** page 147, Luis Acosta/AFP/Getty Images; 152, Ulrike Welsch; 153, © Charles O'Rear/Corbis; 154, © Diego Giudice/Corbis. **Chapter 9:** page 442, *Autorretrato en la frontera entre Mexico y los Estados Unidos*, 1932, Frida Kahlo (Mexico), © Christie's Images/Corbis; 447 *top*,

Permissions and Credits

Autorretrato con collar de espinas y colibrí, 1940, Frida Kahlo. Harry Ransom Humanities Research Center, The University of Texas at Austin. Reproduccion autorizada por el Instituto Nacional de Bellas Artes y Literatura; 447 *bottom*, *Las dos Fridas*, 1940, Frida Kahlo, © Bob Schalkwijk/Art Resource; 452 *top*, *Collage de Bolivar*; 1979, Juan Camilo Uribe (Colombia). Collection of the Artist; 452 *bottom*, Arnaldo Roche-Rabell. *Hay que soñar en azul*, 1986. Oil on canvas, 84 × 60 in. Collection of John Belk and Margarita Serapion, © Arnaldo Roche-Rabell, courtesy of Walter Otero Gallery, San Juan, PR; 453 *top*, *La Familia Presidencial*, 1967, Fernando Botero (Colombia). Oil on canvas, 6'8-1/8" × 6'5-1/4" (203.5 × 196.2 cm). Digital Image © The Museum of Modern Art, NY/Licensed by SCALA / Art Resource, NY; 454 *bottom*, *Sueno de una tarde dominical en la Alameda*, 1947-8, Diego Rivera (Mexico), © Bob Schalkwijk / Art Resource, NY; 454 *top*, *Colombia*, 1976 by Antonio Caro. Courtesy of Antonio Caro. Collection of the Artist; 455 *bottom*, *El nortes es el sur*, 1943, Joaquin Torres-Garcia (Uruguay). Cecilia de Torres, Ltd., New York; 456, Ojo de luz, 1987, Oswaldo Viteri (Ecuador). Collection of the Artist. **Chapter 10:** page 494, Jose Luis Pelaez Inc/Blend Images/Jupiter Images; 498, © EFE/ZUMA Press; 503, © David Frazier Photolibrary; 504, Instituto de las Mujeres del Distrito Federal; 505, © Alexander Nikolaev/PhotoXpress/ZUMA Press. **Chapter 11:** page 542, Jhony Olivares/AFP/Getty Images; 548, Ulrike Welsch; 549, David Simson/Stock Boston; 551, AP Photo/ Edgar Romero; 556, © Hugh Threlfall / Alamy. **Chapter 12:** page 582, Joe Viesti/Viesti Associates; 585, Courtesy of Hugo Aparicio; 586, Courtesy of José Luis Boigues; 591, Beryl Goldberg; 597, © David H. Wells/Corbis; 598, © David Young-Wolff/PhotoEdit.

Index

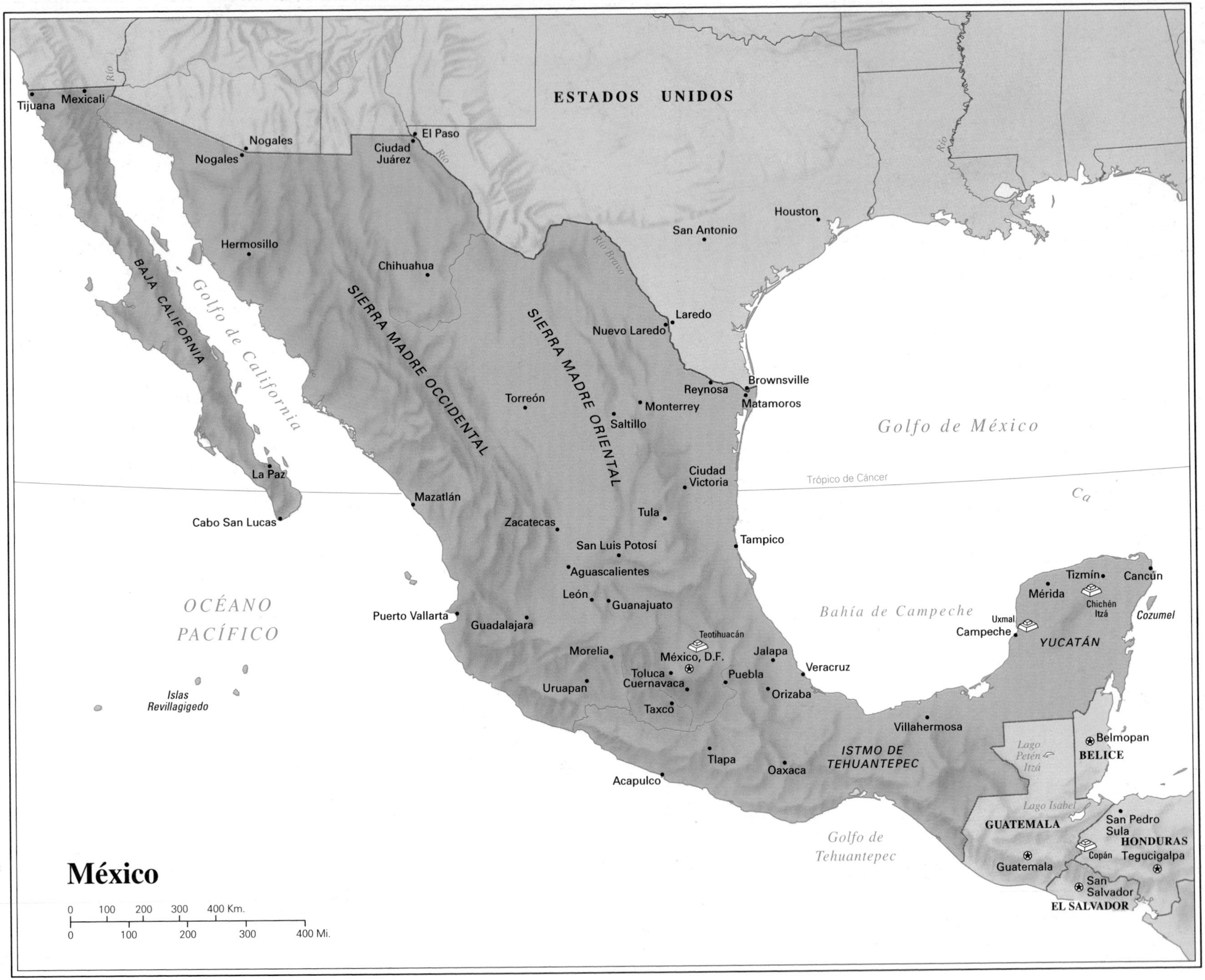

México
ESTADOS UNIDOS
Tijuana
Mexicali
Río
Nogales
Nogales
El Paso
Ciudad Juárez
Río
Houston
San Antonio
Hermosillo
Chihuahua
Río Bravo
Laredo
Nuevo Laredo
BAJA CALIFORNIA
Golfo de California
SIERRA MADRE OCCIDENTAL
SIERRA MADRE ORIENTAL
Brownsville
Matamoros
Reynosa
Monterrey
Saltillo
Torreón
Golfo de México
Trópico de Cáncer
La Paz
Cabo San Lucas
Mazatlán
Ciudad Victoria
Tula
Zacatecas
Tampico
San Luis Potosí
Aguascalientes
León
Guanajuato
OCÉANO PACÍFICO
Puerto Vallarta
Guadalajara
Bahía de Campeche
Teotihuacán
México, D.F.
Morelia
Toluca
Cuernavaca
Uruapan
Taxco
Puebla
Jalapa
Veracruz
Orizaba
Islas Revillagigedo
Tizmín
Cancún
Mérida
Chichén Itzá
Uxmal
Campeche
Cozumel
YUCATÁN
Villahermosa
Belmopan
BELICE
Lago Petén Itzá
ISTMO DE TEHUANTEPEC
Tlapa
Oaxaca
Acapulco
Lago Isabel
GUATEMALA
Guatemala
San Pedro Sula
HONDURAS
Copán
Tegucigalpa
San Salvador
EL SALVADOR
Golfo de Tehuantepec
0 100 200 300 400 Km.
0 100 200 300 400 Mi.

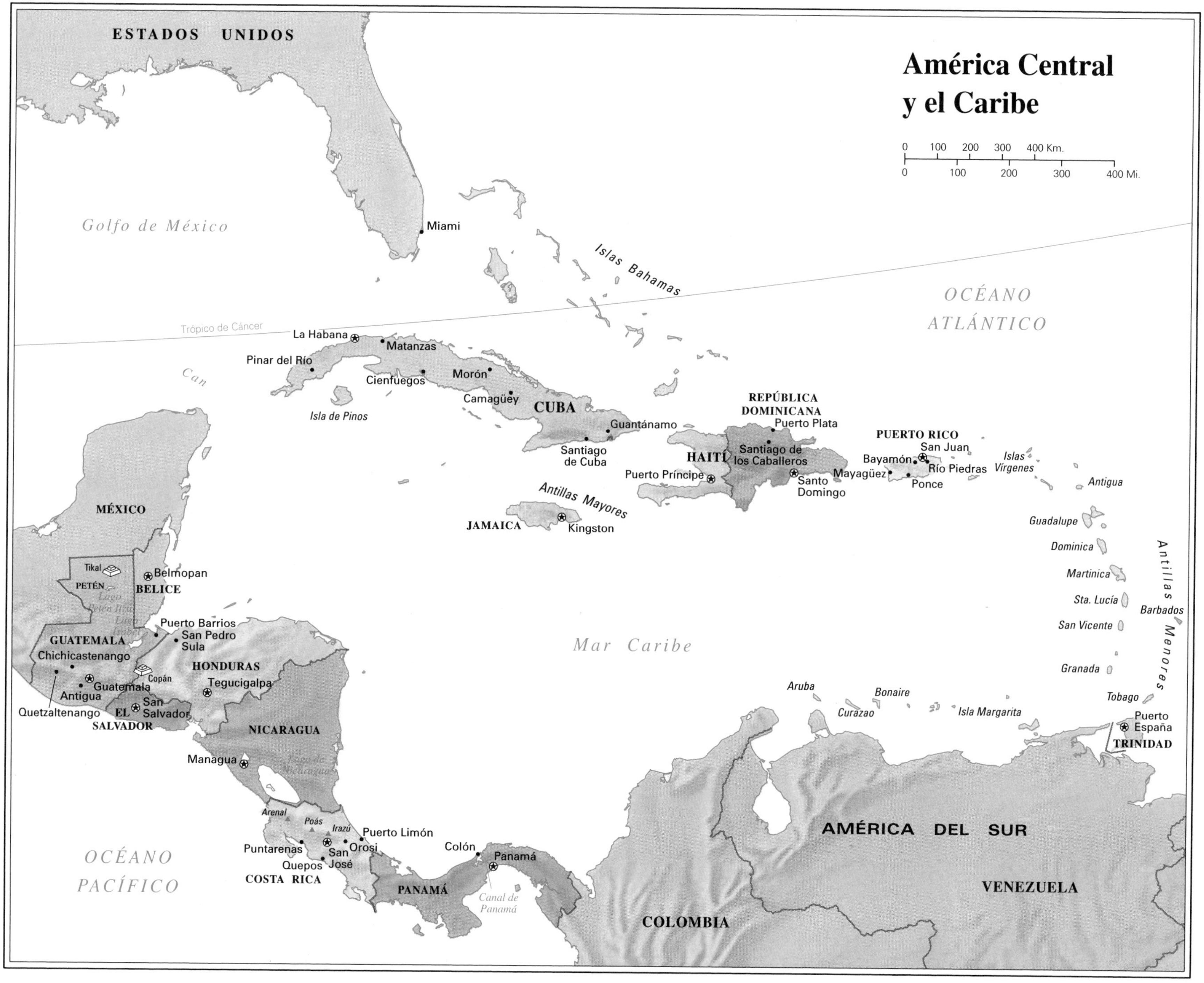
América Central
y el Caribe
0 100 200 300 400 Km.
0 100 200 300 400 Mi.
ESTADOS UNIDOS
Golfo de México
Miami
Islas Bahamas
OCÉANO
ATLÁNTICO
Trópico de Cáncer
La Habana
Matanzas
Pinar del Río
Cienfuegos
Morón
Camagüey
CUBA
Isla de Pinos
Guantánamo
Santiago
de Cuba
REPÚBLICA
DOMINICANA
Puerto Plata
Santiago de
los Caballeros
HAITÍ
Puerto Príncipe
Santo
Domingo
PUERTO RICO
San Juan
Bayamón
Río Piedras
Mayagüez
Ponce
Islas
Vírgenes
Antigua
Guadalupe
Dominica
Martinica
Sta. Lucía
San Vicente
Granada
Barbados
Antillas Menores
Tobago
Puerto
España
TRINIDAD
Antillas Mayores
JAMAICA
Kingston
MÉXICO
Tikal
PETÉN
Lago
Petén Itzá
Belmopan
BELICE
Lago
Isabel
GUATEMALA
Chichicastenango
Guatemala
Antigua
Quetzaltenango
Copán
Puerto Barrios
San Pedro
Sula
HONDURAS
Tegucigalpa
EL
SALVADOR
San
Salvador
NICARAGUA
Managua
Lago de
Nicaragua
Arenal
Poás
Irazú
Puerto Limón
Puntarenas
San
José
Orosi
Quepos
COSTA RICA
Colón
Panamá
PANAMÁ
Canal de
Panamá
OCÉANO
PACÍFICO
Mar Caribe
Aruba
Curazao
Bonaire
Isla Margarita
AMÉRICA DEL SUR
VENEZUELA
COLOMBIA

América del Sur
Mar Caribe
OCÉANO ATLÁNTICO
OCÉANO PACÍFICO
TRINIDAD Y TOBAGO
Puerto España
Barranquilla
Cartagena
Maracaibo
Caracas
La Guaira
San Carlos
Ciudad Bolívar
VENEZUELA
Río Orinoco
Georgetown
Paramaribo
Cayena
GUYANA
SURINAM
GUAYANA FRANCESA
Salto Ángel
Medellín
Zipaquirá
Bogotá
Cali
COLOMBIA
Popayán
San Agustín
Otavalo
Santo Domingo de los Colorados
Pichincha
Quito
ECUADOR
Chimborazo
Guayaquil
CORDILLERA DE LOS ANDES
Iquitos
Ecuador
Río Negro
Río Amazonas
Manaos
Belén
Río Madeira
Sipán
Trujillo
BRASIL
Recife
PERÚ
Machu Picchu
Callao
Lima
Cuzco
Salvador
Brasilia
Río Paraguay
Puno
La Paz
Arequipa
Tiahuanaco
Cochabamba
BOLIVIA
Sucre
Potosí
Arica
Iquique
Bello Horizonte
Filadelfia
PARAGUAY
Asunción
Río Paraná
Río de Janeiro
San Pablo
Santos
Trópico de Capricornio
Antofagasta
Salta
San Miguel de Tucumán
Puerto Iguazú
Resistencia
Río Uruguay
CHILE
Puerto Alegre
Córdoba
Aconcagua
Mendoza
Viña del Mar
Valparaíso
Santiago
Rosario
URUGUAY
Montevideo
Buenos Aires
La Plata
Punta del Este
ARGENTINA
Río de la Plata
Concepción
Mar del Plata
Río Colorado
Bahía Blanca
ISLAS GALÁPAGOS
San Salvador
Santa Cruz
San Cristóbal
Isabela
Bariloche
Puerto Montt
PATAGONIA
Estrecho de Magallanes
Islas Malvinas
Punta Arenas
TIERRA DEL FUEGO
Cabo de Hornos
0 250 500 Km.
0 250 500 Mi.